Edwin Klein

Der König von Sibirien

Edwin Klein

Der König von Sibirien

Roman

Bechtermünz Verlag

Genehmigte Lizenzausgabe für
Weltbild Verlag GmbH, Augsburg 1998
Copyright © 1995 by Rasch und Röhring Verlag GmbH, Hamburg
Umschlaggestaltung: DYADEsign, Düsseldorf
Umschlagmotiv: ZEFA, Düsseldorf
Gesamtherstellung: Wiener Verlag, Himberg bei Wien
Printed in Austria
ISBN 3-8289-0096-8

Für Robert

ohne ihn wäre ich nichts
durch ihn bin ich alles

I
RASSUL

DER MOLOCH SCHLIEF, aber er kam nicht zur Ruhe. Motoren heulten auf, Reifen radierten über trockenen Asphalt, aufgeregtes Hupen folgte. Nicht weit entfernt wimmerte eine Polizeisirene, die in ein aufdringliches Heulen überging und abrupt erstarb. Dann harte Schritte über Kopfsteinpflaster, eine Faust hämmerte gegen die Tür. Stille.

All das hörte er, untermalt vom unentwegten Summen der Entlüftungsanlage und dem rhythmischen Tip-Tip des undichten Wasserhahns im Bad. Die Hände hinter dem Kopf verschränkt, lag er seit Stunden regungslos im Bett. Neben sich vernahm er gleichmäßige Atemzüge, und durch die dünne Bettdecke spürte er den warmen Körper, der so angenehm nach einer parfümierten Seife roch. Als sei er auf der Suche nach etwas, blickte er sich im Zimmer um. Den Schrank registrierte er als dunklen Umriß, daneben Stuhl und Sekretär, vor dem Fenster zwei verschlissene Sessel mit einem kleinen Tischchen. Schräg gegenüber das Badezimmer, eingerichtet mit Sanitärobjekten einer längst vergangenen Epoche. Verschnörkelte Griffe, geschwungene Waschbecken, der Abfluß gelbbraun und unterhalb des Überlaufs ein gleichfarbiger Streifen von eingefressenem Kalk. Anschließend suchten seine Augen wieder den Punkt, den er die ganze Zeit angestarrt hatte: die Fenstervorhänge. Zwischen ihnen ein mattdunkler Spalt – noch ließ die Morgendämmerung auf sich warten. Und je mehr er diesen Spalt fixierte, desto bewußter versuchte er, die Zeit anzuhalten. Der herannahende Morgen brachte unweigerlich die Trennung, vielleicht für immer. Der Morgen bedeutete, auch eine Illusion zu verlieren. Was blieb, war die vage Hoffnung auf ein Wiedersehen. Aber zwischen so unterschiedlichen

Welten, denen sie entstammten, gab es kein Wiedersehen. Er, Alexander Gautulin, Russe und Student der Lomonossow-Universität und sie, Hellen Birringer, Dolmetscherin aus Westdeutschland.

Er schloß die Augen und klammerte sich an die jüngste Vergangenheit. Eine Vergangenheit ohne Zukunft, trotz aller Versprechungen und der Aufrichtigkeit, mit der sie sich ihre Gefühle gestanden. Genau das machte den Abschied so schmerzlich. Eine Nacht, auch zwei oder drei nur so zum Spaß, es würde ihn nicht berühren. Aber das mit Hellen war etwas anderes.

Alexander erhob sich vorsichtig, das Bett quietschte. Er ging barfuß zum Fenster. Er schob den Vorhang zur Seite, drückte die Stirn gegen die kühle Glasscheibe, das tat gut. Vier Stockwerke tiefer schwoll der Verkehr auf dem Marx-Prospekt allmählich an. Dumpf polterten, Metall schlug auf Metall, die vorbeirollenden Lkw, die um diese frühe Stunde wie bei einer Invasion von der Metropole Besitz ergriffen und sie mit allen lebensnotwendigen Dingen versorgten. Während er den Fahrzeugen nachschaute, fragte er sich, warum er so viel für Hellen empfand. Was faszinierte ihn so an ihr? Es war nicht nur ihr Körper und die Art, wie sie sprach, sich gab, ihn ansah. Oder die vielen kleinen Indizien der Zuneigung, mal ein Blick, dann ein Lächeln, die kurze elektrisierende Berührung ihrer Hände. Es war ... Er wußte es nicht. Und sich etwas nicht erklären zu können, setzte ihm zu.

Alexander wurde sich zum erstenmal der Abhängigkeit von Gefühlen bewußt, und er hatte Angst, nicht damit fertig zu werden. Gefühle konnte er weder greifen noch mit seiner Logik erfassen. Sie kamen und gingen, ohne sich an- oder abzumelden, und sie ließen sich in ihrer Intensität nicht bestimmen. Ein Zustand, reizvoll und beängstigend zugleich.

Die Dielen des Holzbodens knarrten auf dem Weg ins Bad. Er trank einen Schluck Wasser, es schmeckte stark nach Chlor. Im Spiegel glaubte er ein fremdes Gesicht zu sehen. Er, sonst immer voller Lebensfreude, starrte sich mit glanzlosen Augen an.

»Alex, kannst du nicht schlafen?«

»Ich hatte Durst.« Er löschte das Licht und legte sich neben sie. Als sie sich an ihn preßte, wurde ihm die Situation unerträglich. Sie, im Augenblick noch bei ihm, aber bereits heute nachmittag im Flugzeug auf dem Weg zurück in den Westen.

»Alex, was ist mit dir?«

Er küßte ihre Stirn. »Ich bin traurig.«

»In drei Monaten bin ich wieder in Moskau. Bis dahin können wir uns schreiben. Über die Deutsche Botschaft. Gib deine Briefe dort ab, sie werden sie an mich schicken. Später sehen wir dann weiter.«

»Ja, später sehen wir weiter.«

Aber was wollten sie weitersehen? Etwa die gemeinsame Zukunft planen? Unmöglich, bei der heutigen politischen Konstellation auf dem Höhepunkt des Kalten Krieges. In den Weltraum fliegen war einfacher, als aus seinem Land in ein anderes zu wechseln. Und während er daran dachte, wie konspirativ sie hatten vorgehen müssen, damit sie gemeinsam diese Nacht und die vergangenen Nächte im Hotel National verbringen durften, resignierte er.

»Oder sind da immer noch ...«, sie tippte in die Herzgegend, »... immer noch die alten Zweifel?«

»Welche?« Er wußte genau, auf was sie anspielte.

»Wie hast du mich vor wenigen Tagen genannt?«

Er legte ihr einen Finger auf den Mund, ihm war das Thema unangenehm. Nein, eine liebeshungrige Katharina war sie nicht.

»Habe ich dich inzwischen ...?«

»Deine und meine Gefühle haben mich überzeugt.«

»Machst du dir auch nichts vor?«

Alexander sah sie nur an. Seine Brust hob und senkte sich, er war voller Melancholie. Hellen bemühte sich, ihn aufzumuntern, und merkte selbst, sie gab sich bewußt optimistisch. Da ihre Worte keine Wirkung zeigten, liebkoste sie ihn mit einer Leidenschaft, die genauso unmißverständlich auf die bevorstehende Trennung hindeutete wie alles andere auch. Sie zog ihn näher, beugte sich über ihn, spreizte die Beine und spürte ihn eindringen.

Er mußte eingeschlafen sein. Geweckt wurde er durch die Sonne, die den Spalt zwischen den Vorhängen entdeckt hatte. Er ruckte hoch, das Bett neben ihm war leer. Im Bad rauschte die Dusche, Hellen summte ein Lied. Er ließ sich wieder nach hinten sinken.

»Komm, aufstehen, du Faulpelz«, gab sie sich betont lustig, als sie, in ein Handtuch gehüllt, zu ihm trat. »Gleich gibt es Frühstück.«

Eine halbe Stunde später saßen sie sich im Restaurant gegenüber. Sie waren zu so früher Stunde die einzigen Gäste und kamen sich in dem hohen weitläufigen Saal mit den vertäfelten Wänden, der Stuckdecke und den wuchtig geschwungenen, an Ketten hängenden Messingleuchtern verloren vor. Argwöhnisch von der Bedienung beobachtet, wagten sie nicht, sich an den Händen zu fassen.

Lauwarm war der lieblos servierte Kaffee und dünn, weich und zäh das Brötchen, mit dem stumpfen Messer kaum zu teilen. Dazu gab es fette Wurst und eine undefinierbare gelbliche Marmelade. Hellen hatte keinen Appetit, aber Alexander schmeckte es hier immer noch besser als in der Mensa der Universität.

Um die Situation zu entkrampfen, fragte er: »Wann geht deine Maschine?«

»Willst du mich loswerden?«

Er schüttelte den Kopf.

»Kurz nach vier.«

»Dann haben wir noch etwas Zeit für uns.«

»Zur Pressekonferenz muß ich aber im Hotel sein.«

Wenig später das gleiche Spiel wie am Abend zuvor, nun jedoch in umgekehrter Richtung. Verstohlen quetschte sich Alexander am Empfang vorbei. Auch hier begegneten ihm die gleichen mißtrauischen Blicke wie im Frühstücksraum, und er hatte den Eindruck, jeder müsse sein Fehlverhalten sofort erkennen. Aber weil er und Hellen sich in Deutsch unterhielten, wagte niemand, ihn trotz seiner russischen Standardkleidung aufzuhalten.

Ein Schwung Reporter und Kameramänner betraten das Foyer, lärmten mit der Wichtigkeit ihres Berufes und begannen, ihre Geräte aufzubauen.

Draußen in der Oktoberkälte schlug ihnen der Straßenlärm entgegen, die Abgase der schweren Lkw reizten die Schleimhäute. Menschen, den Kopf gesenkt, hasteten vorbei und beachteten sie nicht. Automatisch wählte Alexander den Weg zum Roten Platz.

Die Morgensonne stand tief, und ihre langen Schatten liefen vorneweg, als wollten sie ihnen den Weg zeigen. Plötzlich eine Trillerpfeife. Alexander, der dieses Geräusch nur zu gut kannte, zuckte zusammen. Ein Polizist in grauer Uniform stand am Straßenrand und hielt einen Betrunkenen fest.

Bereits nach wenigen Sekunden stoppte ein Kleinbus, zwei Milizionäre sprangen heraus, einer schlug dem Betrunkenen mit dem Knüppel auf die Schulter. Der stöhnte, sackte zusammen und wurde brutal in den Bus geschleift. Einer der Grauröcke deutete in ihre Richtung, die beiden anderen sprinteten los, liefen an Alexander vorbei und griffen sich zwei weitere Betrunkene, die gleich neben dem Eingang des Kaufhauses GUM standen und stumpf vor sich hin stierten. Im Spezialgriff wurden sie zu dem langsam heranrollenden Bus geführt. Die Hecktür wurde zugeknallt, und schon war das Fahrzeug verschwunden.

Hellen sah Alexander an. Er zuckte mit der Schulter, schließlich kannte er das Vorgehen der Obrigkeit. Vor wenigen Wochen erst hatten Milizionäre in der Lomonossow-Universität mit vielen Stockhieben eine spontane Demonstration von Studenten aufgelöst, die sich lediglich wegen des Essens beschweren wollten und für einige Minuten die Mensa blockiert hatten. Achtzehn Kommilitonen hatten sich im Krankenhaus behandeln lassen müssen, sieben waren später ins Gefängnis gewandert.

»Schau doch nur, keiner der Passanten hat reagiert.«

»Und du auch nicht«, entgegnete sie.

»Was hätte ich tun sollen?«

»Eben.«

»Wir sind hier nun mal mitten in der Hauptstadt, und die hat sauber und frei zu sein von allem Abschaum.«

»Sind Betrunkene Abschaum?«

Er schüttelte den Kopf. »Natürlich nicht. Aber man hat Angst, die wenigen westlichen Besucher könnten von uns ein falsches Bild bekommen.«

Indem er Hellen in Moskau herumführte, hier und dort eine Bemerkung machte, als sei er ihr Reiseführer, bemühte er sich, den Vorfall zu verdrängen. Sie spazierten über den Kalinin-Prospekt, vorbei an neuen, schräg zur Straße stehenden halbfertigen Gebäuden aus Glas und Beton. Zwanzig Geschosse und mehr, wie auf dem Kopf stehende Schuhschachteln, mit Balkons, als hätte man sie einfach drangeklebt. Und am Ende der Prachtstraße dominierte das im Zuckerbäckerstil der fünfziger Jahre errichtete Hotel Ukraina.

Einmal hatte Alexander den Eindruck, sie würden beobachtet. Als er jedoch erneut über die Schulter blickte, war der Mann verschwunden.

Im Foyer des Hotel National wimmelte es von Menschen, der Kleidung nach überwiegend aus dem Westen. Alexander bemerkte aber auch einige sich unauffällig gebende, gedrungene Männer in den typischen dunklen Anzügen, die immer und überall anzutreffen waren, wenn es galt, den Staat zu schützen oder ihm zu dienen. Nur Hüte trugen sie nicht, das wäre aufgefallen.

Als die Scheinwerfer eingeschaltet wurden und die Kameras zu surren begannen, verabschiedete er sich überhastet von Hellen. Während am Kopfende eines langen Tischs, den man mitten in der Hotelhalle aufgebaut hatte, ein Mitglied der sowjetischen Kommission aufstand und sich für den Besuch der Deutschen bedankte, umarmte er Hellen flüchtig, hauchte ihr einen Kuß auf die Wange. Noch ein letzter Händedruck und ein Blick, der so unendlich viel versprach. Im Abwenden registrierte er, daß sie die Tränen zu unterdrücken suchte. Als sei er auf der Flucht, eilte er auf den Ausgang zu. Dort entstand leichtes Gedränge, er stieß mit einem Mann zusammen und vergaß sich zu entschuldigen. Nur weg von dem Hotel, weg von ihr, eine möglichst große Distanz zwischen sich und seine Geliebte bringen.

Aber Alexander, der die Richtung zur Universität einschlug, kam nicht weit. Zwei Blaumützen stellten sich ihm an der nächsten Straßenecke in den Weg; brutaler hätte man ihn nicht mit der Wirklichkeit konfrontieren können.

»Alexander Gautulin?«

Er versuchte, seine Überraschung zu verbergen. Hatte er den einen nicht vorhin während des Spaziergangs gesehen?

»Ja?«

»Sie sind verhaftet.«

Der Kleinere der beiden, zugleich auch der Ältere, hielt ihm kurz ein Stück Papier vors Gesicht, sein Kollege winkte ein wartendes Fahrzeug herbei. Die hintere Tür der schwarzen Limousine schwang auf, Alexander wurde hineingestoßen.

»Weshalb bin ich verhaftet?« wagte er halbherzig den links neben ihm sitzenden Beamten zu fragen, obwohl er wußte, daß es am besten war, die Blaumützen in Ruhe zu lassen. Wie erwartet, erhielt er keine Antwort.

Zwischen den Vertretern der Staatsorgane eingezwängt, schwieg Alexander und hoffte, alles würde sich als Verwechslung herausstellen. Als ob es jemals eine Verwechslung gäbe.

Nach wenigen Minuten war ihm klar, sie würden ihn in die Dserschinskistraße bringen. Ein grauer, gedrungener Steinbau mit acht Geschossen und dicken Gesimsen tauchte auf, die Zentrale des gefürchteten und verhaßten Geheimdienstes.

Alexander erschrak und versuchte in den Gesichtern seiner Begleiter zu lesen. Stoisch, ohne Regung und wie gemeißelt kamen sie ihm vor. Keine Gesichter, sondern Masken im unermüdlichen Einsatz für den Sozialismus.

Die Limousine rollte in den Innenhof und stoppte. Alexander wurde von den beiden Blaumützen in die Zange genommen und zu einer kleinen Tür geführt. Über eine Steintreppe gelangten sie in den zweiten Stock. Unbewußt registrierte er die hellgrün gestrichenen Wände des Korridors und den Parkettboden. Dort, wo man das Holz ausgebessert hatte, war es heller, und zwischen den Brettern klebte in dunklen Ritzen verkrustetes Wachs.

Der Gang machte einen Knick, vor der übernächsten Tür blieb seine Eskorte stehen. Beide Männer nahmen die Mützen ab, ordneten ihre Kleidung, und der Jüngere klopfte vorsichtig an, als gelte es, niemanden zu stören.

Ohne eine Antwort abzuwarten, dirigierte man Alexander in ein geräumiges Büro. Während seine Begleiter salutierten, sah er sich um: Auch hier die Wände hellgrün und Parkett auf dem Boden und an der Decke eine Lampe mit vier Auslegern, die Schirme von der Hitze gelbbraun gefärbt. Neben dem Fenster, es wies auf den Innenhof und war vergittert, ein alter Schreibtisch aus Eichenholz, gegenüber an der Wand ein klobiger Stahlschrank, der den Verschnörkelungen nach noch aus zaristischer Zeit stammen konnte. Oberhalb des Ungetüms hing ein Porträt des Ministerpräsidenten Nikita Chruschtschow. Wenn er lächelte, wirkte er trotz seiner großen Warze und der Zahnlücke sympathisch.

Seitlich vom Fenster und mit dem Rücken zu Alexander stand ein Mann. Die Hände verschränkt, den Kopf leicht geneigt, schaute er hinaus und schien in Gedanken versunken zu sein.

»Genosse Major, wir haben ihn.«

Der Angesprochene, schlank und um die Vierzig, drehte sich langsam um. Trotz seines Ranges trug er keine Uniform.

»Gab es Schwierigkeiten?«

Er betrachtete Alexander und lächelte.

»Nein, Genosse Major.«

»Das ist gut. Habt ihr ihn schon durchsucht?«

»Nein, Genosse Major. Sollten wir doch erst in Ihrem Beisein.«

»Ach ja, richtig.«

Der Major trat näher, umrundete Alexander und blieb hinter ihm stehen. Mit sanfter Stimme forderte er ihn auf: »Alexander Gautulin, bitte leeren Sie Ihre Taschen.«

Alexander legte alles, was er bei sich trug, auf den Schreibtisch, griff zuletzt in die rechte Tasche seiner Winterjacke und erschrak. Mit spitzen Fingern zog er einige Geldscheine hervor. Zögernd sah er die drei Männer der Reihe nach an. In ihren Gesichtern bemerkte er Triumph und ein Höchstmaß an Zufriedenheit, als hätten sie es gewußt. Sie wußten es eben immer.

»Na, was habe ich gesagt, Genosse Major?« meinte der Ältere der Blaumützen, wie man die Mitarbeiter des KGB wegen der auf die Vorgängerorganisation Tscheka zurückgehenden Kopfbedeckung nannte. Vertraulichkeit schlich sich in seine Stimme.

Der Major verteilte die Scheine mit einem Stift auf dem Tisch.

»Zweihundert Dollar.« Beiläufig erwähnte er den Betrag, als sei es für ihn keine Überraschung.

»Ich ... ich weiß nicht, woher das ...«

»Schnauze«, bellte der Ältere, der halbrechts hinter Alexander stand. »Du redest nur, wenn du gefragt wirst.«

Schlagartig wurde Alexander die Ausweglosigkeit seiner Situation bewußt. Und da er sich im Gebäude des KGB befand, ihm in Sekundenschnelle all jene Greueltaten gegenwärtig wurden, die man sich hinter vorgehaltener Hand über den sowjetischen Geheimdienst erzählte, überkam ihn Angst.

»Ich weiß wirklich nicht ...«

Alexander verspürte einen stechenden Schmerz im Rücken und stieß unwillkürlich einen Schrei aus. Er sackte zusammen, fiel auf den Boden und krümmte sich.

»Nur, wenn du gefragt wirst«, hörte er den Älteren knurren.

Der Major ging zum Telefon, wenig später kam ein Stenograph. Während sich der schlanke Offizier hinter den Schreibtisch setzte, eine dünne Aktenmappe aufschlug und unbeteiligt schien, übernahm es der Ältere, Alexander – er hatte sich wieder aufgerappelt, stand schief und preßte eine Hand auf die schmerzende Stelle in der Nierengegend – zu verhören.

»Name?«

»Alexander Petrowitsch Gautulin.«

»Geboren?«

»Am 6. Oktober 1940.«

»Hat er ja gerade Geburtstag gehabt. Wo?«

»Sowchose 19, das ist bei Saratow.«

»Aha, also Wolgadeutscher, Verräter am Vaterland.«

Alexander biß sich auf die Lippen. Das kannte er, solcherart hatte man ihn schon oft beschimpft. Eigentlich immer, wenn sich die Gelegenheit ergab, und daran mangelte es nicht. Unter Stalin, so war ihm berichtet worden, sei es noch schlimmer gewesen.

»Beruf?«

»Student an der Lomonossow-Universität.«

»Was?«

»Bergbau, im vierten Semester.«

»Wohnsitz?«

»Im Studentenheim der Universität.«

»Und die Eltern?«

»In Omsk.« Alexander reimte sich zusammen, der Ältere wollte wissen, wo seine Eltern wohnten. »Mein Vater ist tot.«

»Nicht zu den Deutschen übergelaufen wie Tausende andere auch?«

Alexander reagierte nicht auf die hämische Bemerkung. »Nein.«

»Geschwister?«

»Keine.«

»Militärzeit, wo?«

»Bei der Roten Armee, am Schwarzen Meer, Odessa und Krim. Im letzten Jahr Ukraine und vier Monate in der Deutschen Demokratischen Republik.«

»Zurück zu den Anfängen, was?«

Alexander schwieg.

Der Ältere wandte sich an seinen Vorgesetzten. »Stimmen seine Angaben?«

Der Major ließ einen Finger über das Papier huschen. Er schloß die Mappe, lehnte sich zurück und dozierte: »Ein Profi wird nie so dumm sein, sich bezüglich seiner Person eine Blöße zu geben.«

Anschließend verfrachtete man Alexander in eine kalte, feuchte Zelle. Müde fühlte er sich und ausgelaugt, mit dunklen Gedanken und voller Zweifel, was seine Lage betraf. Er hatte seine Kleidung ausziehen und abgeben müssen, die jetzige war rauh und kratzte und roch nach abgestandenem Schweiß. Gewaschen hatte man sie schon lange nicht mehr, Knöpfe gab es auch keine. Stand er auf, rutschte ihm die Hose herunter. Beim Umherwandern mußte er sie immer mit einer Hand festhalten.

Alexander legte sich, nachdem er seine neue Umgebung inspiziert hatte, auf das schmale Holzbett und starrte die nackte Glühbirne an, bis seine Augen flimmerten. Dann drehte er sich zur Wand, kauerte sich zusammen und überlegte. Irgendwann schlief er ein.

Immer wieder schaute er verstohlen neben sich. Ihm gefiel, was er sah, und ihm gefiel auch, was er roch. Zum erstenmal nahm er einen solch ungewöhnlichen und für ihn aufregenden Duft wahr. Süß, aber nicht schwülstig-schwer, mit einer unbekannten, herben Komponente. »Wollen Sie auch ein Stück?« fragte sie auf russisch und lächelte. Silberpapier knisterte.

Alexander nahm die angebotene Schokolade. »Danke. Leider habe ich dazu nicht oft Gelegenheit.«

Sie stutzte. »Woher sprechen Sie so gut Deutsch?«

»Meine Vorfahren sind Deutsche, und ich durfte eine Schule besuchen, in der man auch Deutsch unterrichtete.«

Seine Nachbarin, aus ihrer Handtasche lugte eine westdeutsche Illustrierte, rückte etwas näher. »Ich heiße Hellen Birringer.«

»Alexander Gautulin.«

»Das klingt aber überhaupt nicht deutsch.«

»Mein Vater war Russe.«

Sie schwiegen eine Weile, denn der Direktor des sowjetischen Staatszirkus kündigte eine weitere Attraktion an. Ein Mann mit nacktem Oberkörper trat hinter dem roten Vorhang hervor, wie Wülste zeichnete sich seine Muskulatur ab. Er schleuderte eine Stahlkugel von der Größe eines Basketballs in die Luft, beugte den Rumpf schnell nach vorn und fing das polierte Metallding mit dem Genick auf. Danach mit der Brust, anschließend mit den Beinen und dann wieder hoch zur Brust.

Ein Helfer kletterte auf ein Podest, wohl vier oder fünf Meter über dem Boden. Aus dieser Höhe ließ er die Kugel, er hatte Mühe, sie mit beiden Händen zu halten, nach unten fallen.

Der kräftige Artist bückte sich blitzschnell mit ausgebreiteten Armen, und erneut landete die Kugel weich zwischen seinen Schulterblättern. Damit auch jeder mitbekam, wie schwer sein Jonglierinstrument war, ließ er es auf die hölzerne Umrandung der Manege donnern. Mit dem lauten Poltern setzte der Applaus ein.

In der Pause lud Alexander seine Begleiterin, von der er in der Zwischenzeit erfahren hatte, daß sie einer deutschen Delegation angehörte, zu einer der fetten, im lauwarmen Wasser schwimmenden Würste ein, die im Vorraum angeboten wurden.

Anschließend plauderte sie munter drauflos. Sie erzählte von Deutschland, er von seinem Studium, und sie vergaßen den Zirkus. Hellen hatte kein Interesse mehr an der Vorstellung und fragte Alexander, ob es denn nicht irgendwo ein typisches russisches Lokal oder etwas ähnliches gäbe.

»Wir feiern meistens zu Hause.«

»Auch die Studenten?«

»Ja. Oder in der Universität. Aber da ist jetzt schon alles geschlossen. Außerdem dürfen Frauen nicht …«

»Dann lade ich Sie in mein Hotel ein.«

»In Ihr Hotel?« fragte er verwundert.

»An die Bar. Zu einem Drink.«

Noch nie hatte er eines dieser komfortablen Hotels, reserviert für die eigene hohe Politprominenz und ausländische Gäste, betreten. Schon von außen wirkten die riesigen Komplexe respekteinflößend. Meist im neoklassizistischen Stil errichtet, mit hohen Fenstern, dicken Mauervorsprüngen und wulstigen Einfassungen, waren sie eine Welt für sich, die nur wenige Auserwählte betreten durften. Rund um die Uhr von der Miliz bewacht und diskret vom KGB überwacht, schienen die staatlichen Einrichtungen ein idealer Ort zu sein, Besucher von der Bevölkerung abzuschirmen. Und umgekehrt. Staunend blickte Alexander sich in der großen Halle des Hotels National um, während seine Begleiterin auf eine Tür zusteuerte. Dämmrig war es in der Bar, auf jedem der kleinen runden Tische stand eine Lampe, deren kegelförmiger Lichtschein vom lackierten Holz reflektiert wurde. Alexander betrachtete neugierig die übrigen Besucher, soweit das die Beleuchtung zuließ.

»Sind die alle aus dem Westen?«

»Einige wenige kommen auch aus Ungarn.«

Hellen wählte einen Tisch in der Ecke. Alexander setzte sich vorsichtig auf den zierlichen Stuhl mit der geflochtenen Sitzfläche und studierte die Karte; sie war in Englisch verfaßt.

»Was darf es sein?« fragte sie.

»Bacardi Bitter lemon. Was ist denn das?«

»Probieren Sie es.«

Die Getränke standen vor ihnen, und der Pianist, er hockte etwas erhöht auf einem Podest, entlockte dem Klavier die sanfte Tonfolge eines Blues. Als müsse er sich endlich Klarheit verschaffen, wollte er wissen: »Warum haben Sie mich überhaupt eingeladen?«

»Weil ich mich mit Ihnen gut unterhalte.«

»Ist das der einzige Grund?«

Sie sah ihn an und saugte an ihrem Strohhalm. »Und weil es selten ist, jemanden zu treffen, der so ausgezeichnet Deutsch spricht.«

»Viele Russen sprechen Deutsch.«

Sie überging seinen Einwand. »Ich heiße Hellen.«

»Alexander.«

Sie prosteten sich zu, anschließend küßte sie ihn flüchtig auf den Mund. »Das gehört sich so, wenn man sich duzt.«

Bevor er sich von der Überraschung erholen konnte, sagte sie: »Wollen wir tanzen?«

Alexander, erstaunt über den abrupten Wechsel, nickte automatisch. Sie zog ihn auf die Tanzfläche und drückte ihren Körper an den seinen. Unwillkürlich verkrampfte er sich.

Wieder zurück am Tisch, trat ein Mann auf sie zu, eindeutig einer aus dem Westen, wie Alexander an dem Anzug erkannte.

»Kann ich dich bitte einen Augenblick sprechen?« fragte der gut Dreißigjährige und beachtete Alexander nicht.

»Muß das ausgerechnet jetzt sein, Ingo?«

»Bitte.« Er deutete auf die verspiegelte Bartheke.

Hellen folgte ihm widerstrebend, und Alexander konnte beobachten, daß ihr Gespräch erregt verlief.

»Ich bin nicht dein Eigentum«, hörte er Hellen sagen. »Außerdem kann ich küssen, wen ich will.« Mit schnellen Schritten kam sie zurück. Ingo schaute noch eine Weile in ihre Richtung. Sein unfreundlicher Blick wurde durch eine geballte Faust unterstützt, die er mit der Rechten umschloß, als wollte er sie verstecken.

»Wer war das?«

»Ingo Jannings, ein aufstrebender Manager in meiner Firma, der eigentlich froh sein darf, daß man ihn mitgenommen hat.«

»Was wollte er?«

Hellen wandte sich ab. »Dieser eifersüchtige Kerl«, stieß sie hervor. »Läßt mich nicht in Ruhe, betrachtet mich als Beute und stellt mich bei allen Gelegenheiten als seine Freundin vor. Überall läuft er mir nach.«

»Dein ... Geliebter?«

»Pah.« Sie warf den Kopf zurück. »Der? Nie und nimmer. Er ist berechnend und arrogant, eine sehr gefährliche Mischung.«

»Glaubt er, Rechte zu haben?«

»Vor einem Jahr, auf der Weihnachtsfeier, da haben wir uns geküßt, anschließend sind wir einige Male ausgegangen. Das war auch schon alles.«

Mitternacht war längst vorbei, als sie vorschlug, noch einen Spaziergang zu machen. Ingo Jannings saß im Foyer und tat so, als lese er in einer Zeitung. Am Kaufhaus GUM vorbei schlenderten sie über den Roten Platz.

»Siehst du die Soldaten dort?« Er deutete nach rechts. »Sie bewachen das Lenin-Mausoleum. Eine tolle Ruhestätte, teuer und klimatisiert, da lohnt sich das Sterben. Leider kannst du bei der Dunkelheit nicht den braunroten Porphyr und den schwarzen Granit erkennen.«

»Stehen die etwa die ganze Nacht herum?«

»Nein. Hast du schon mal das Schauspiel der Wachablösung beobachtet?«

Hellen schüttelte den Kopf. »Wann ist es so weit?«

»Jede volle Stunde.«

Es war naßkalt, sie vertraten sich die Füße und beobachteten dabei die Uniformierten, die regungslos auf der Stelle verharrten. Kurz vor ein Uhr kamen zwei weitere und ein Wachoffizier aus dem Erlöserturm, einem der für Touristen gesperrten Hauptzugänge des Kremls, und marschierten in verzögertem Stechschritt über den Roten Platz.

»Es ist aber noch nicht ein Uhr.« Hellen hakte sich bei ihm unter. Von der Seite sah er sie an. Ihr Haar duftete und kitzelte an seinem Kinn, denn sie war etwa einen halben Kopf kleiner als er.

»Warte ab. Das Ritual dauert exakt zwei Minuten und 45 Sekunden.«

Beim Schlag der Kremluhr vollzog sich die Ablösung der Ehrenwache direkt vor dem Zugang zu Lenins Grabkammer.

»Wie Marionetten.«

Vor dem Hotel verabschiedete er sich. »Sehen wir uns wieder?«

»Kommst du mich abholen?«

»Ja ... gerne ...«, stotterte er.

»Aber nicht wieder in den Zirkus. Sagen wir um 18 Uhr?«

Busse und U-Bahnen fuhren nicht mehr um diese nächtliche Stunde, ein Taxi war ihm zu teuer. So marschierte Alexander trotz Nieselregens die fünf Kilometer bis zur Universität zu Fuß. Auch weil er die Zeit und die klare Luft brauchte, um seine Gedanken zu ordnen. Was will sie von mir, fragte er sich unentwegt. Ein Abenteuer? Eines mit entsprechender Konversation, weil ich zufällig deutsch spreche? Ist Hellen eine westliche Katharina? So bezeichneten seine Mitstudenten in Anlehnung an die berüchtigte große Zarin – sie kaufte sich ihre Liebhaber – abfällig die feinen Damen aus dem kapitalistischen Ausland, die auf eine kurze Liaison aus waren. Obwohl keiner seiner Bekannten jemals in die Verlegenheit gekommen war, den Galan spielen zu müssen – die meisten hätten es bestimmt mit Vergnügen getan –, kursierten die wildesten erotischen Gerüchte um liebestolle Besucherinnen und unersättliche Ehefrauen westlicher Diplomaten.

»Und wenn schon«, murmelte er trotzig vor sich hin. »Dann soll sie eben ihre schönen Stunden haben.«

Geweckt wurde er durch das metallische Ratschen des Schlüssels, hart schwang die Tür auf. Während eine Stimme »Aufstehen!« bellte, ging das Licht an, grell und unbarmherzig.

Alexander rappelte sich hoch und wußte im ersten Augenblick nicht, wo er sich befand. Als ihn der Wachmann jedoch am Arm packte und aus der kleinen Zelle zerrte, wurde er sich sofort seiner Lage bewußt. Aber Alexander fand keine Zeit, sich Gedanken über die widrigen Umstände zu machen, denn ein zweiter Uniformierter rammte ihm einen Stock in den Rücken und trieb ihn zur Eile an. Durch enge Gänge, deren feuchte Wände im Gegenlicht glitzerten, führten sie ihn bis zu einer Metalltür, an der Wassertropfen nach unten liefen und sich auf dem Fußboden in einer kleinen Lache sammelten. Auf Befehl wurde sie geöffnet.

Wenige Minuten später stand Alexander erneut dem Major gegenüber. Der sah frisch aus, als hätte er die ganze Nacht ausgiebig geschlafen. Aber die Uhr an der Wand dokumentierte unmißverständlich: Es war fünf in der Früh.

»Ich bin Major Selmikow«, stellte sich der schlanke, drahtige

Mann mit ruhiger Stimme vor. »Und ich bin zuständig für Ihren Fall. Wir werden in der nächsten Zeit miteinander zu tun haben. Machen wir es uns doch gegenseitig so angenehm wie möglich.«

Alexander wagte nicht zu reagieren.

»Jawohl, Genosse Major, heißt das«, belehrte ihn einer der Uniformierten, der hinter ihm stand. Und Alexander spürte hart den Stock in seinem Rücken.

»Jawohl, Genosse Major.«

»Und glauben Sie mir, Alexander Gautulin, meine Vorgesetzten haben mit mir eine gute Wahl getroffen. Ich habe noch immer erfahren, was ich erfahren wollte.«

Wieder der Stock, jetzt noch etwas fester.

»Jawohl, Genosse Major.«

»Haltung«, zischte der Uniformierte. Und Alexander, obwohl müde bis zum Umfallen, straffte sich.

»Ich erwarte von Ihnen, daß Sie mir all Ihre Hinterleute nennen. Jeden einzelnen. Haben Sie mich verstanden?«

Alexander verstand überhaupt nichts. Aber um dem Stock zu entgehen, beeilte er sich. »Jawohl, Genosse Major.«

»Und noch etwas, Gautulin, falls das überhaupt Ihr richtiger Name ist. Wir haben Zeit, viel Zeit. Betrachten Sie sich als mein Gast.«

»Jawohl, Genosse Major.«

»Zigarette?«

»Ja, gerne, Genosse Major.«

Selmikow hielt ihm ein Päckchen hin, und Alexander registrierte erstaunt die ausländische Marke.

»Marlboro. Haben Sie schon mal eine Marlboro geraucht?«

»Nein, Genosse Major.«

»Eines muß man dem imperialistischen Westen lassen – seine Zigaretten schmecken gut.«

»Jawohl, Genosse Major.«

Der Stock traf ihn in der Nierengegend.

»Sie haben sich nicht über den Westen zu äußern, Gefangener. Verstanden?«

Alexander stöhnte auf. »Jawohl«, quetschte er zwischen zusammengebissenen Lippen hervor.

»Jawohl, Genosse Aufseher«, schnauzte der Wachposten.

Alexander wollte den Stock vermeiden, aber so schnell, wie der wieder tief in seinen Körper zuckte, konnte er nicht antworten. Mit noch mehr Schmerz in der Stimme schickte er hinterher: »Jawohl, Genosse Aufseher.«

Major Selmikow schien die Szene amüsiert zu haben, er schmunzelte.

»Wissen Sie eigentlich, wo Sie sich hier befinden?«

»Jawohl, Genosse Major.«

»Wirklich?«

»Ich glaube, Genosse Major.«

»Wir ...« der Major umschloß mit einer Handbewegung den Raum und meinte das Gebäude, »... wir sind das Herz der Sowjetunion, sind immer präsent, auch wenn man uns nicht sieht, wir opfern uns für unser Land und bewahren es vor jedwedem Schaden.«

»Jawohl, Genosse Major.«

»Nur weil es uns gibt, ist die Sowjetunion so stark und so mächtig. Kapitalisten und Revanchisten haben da keine Chance.«

»Jawohl, Genosse Major.«

Kurz darauf landete Alexander wieder in der Zelle. Das Licht erlosch, er legte sich auf die harte Pritsche. Zwei Minuten später, so zumindest kam es ihm vor, wurde er erneut geweckt und in das zweite Stockwerk gebracht. Der Major redete über banale Dinge, ohne eine einzige Frage zu stellen. Statt dessen ging er auf das Komitee für Staatssicherheit ein, dessen Aufgabe es sei, die sowjetischen Denk-, Rede- und Verhaltensweisen zu regulieren, Kunst, Religion, Erziehung, Wissenschaft, Polizei, Presse und Militär zu lenken und zu überwachen. Das KGB, ein stabiles Gerüst des Sozialismus, unbestechlicher Wächter der Nation.

Nach diesen Ausführungen durfte Alexander zurück in sein kaltes, feuchtes Kellerloch, um den kommenden Tag und die kommende Nacht im Rhythmus von zwei Stunden stets aufs neue diesem Major vorgeführt zu werden. Der stand, nun jedesmal in voller Uniform und ohne das geringste Zeichen von Ermüdung, vor Alexander und erging sich in Nebensächlichkeiten. Die Planerfüllung der Landwirtschaft, das neue Agrarprogramm in Kasachstan, die Urbarmachung der Steppe, die endlich dazu führe, den Westen zu übertrumpfen. Und Alexanders Antworten erschöpften sich immer in der Floskel: »Jawohl, Genosse Major.«

»So, so, bei den Komsomolzen sind Sie also auch.«

»Jawohl, Genosse Major.«

»Aktiv?«

»Jawohl, Genosse Major.« Alexander erzählte von seinem Beitritt in den Kommunistischen Jugendverband Komsomol im Alter von vierzehn Jahren und seinen verschiedenen Einsätzen, besonders während der Ernte.

Das schien den Major zu beeindrucken. »Viele treten dem Komsomol bei, um ... Privilegien zu genießen«, gab er jedoch zu bedenken.

»Ich nicht, Genosse Major.«

»Nein?«

»Ich war auch Mitglied bei den Lenin-Pionieren.«

Der Major blätterte in der Akte. »Davon ist nichts vermerkt.«

Ohne aufgefordert worden zu sein, begann Alexander den Eid aufzusagen, den der angehende Pionier öffentlich abzulegen hatte. »In Anwesenheit meiner Kameraden gelobe ich, ein Junger Pionier der Sowjetunion, feierlich, meine Sowjetheimat leidenschaftlich zu lieben, und zu leben ...«

»... zu lernen und zu kämpfen, wie es uns der große Lenin befahl und wie es uns die Kommunistische Partei lehrt«, fuhr der Major fort.

Alexander war irritiert, als man ihn wieder abführte. Gegen Abend wurde er unruhig, denn er wäre längst wieder fällig gewesen. Wo blieben die Wachen?

Obwohl todmüde, konnte er nicht einschlafen. Bei jedem Geräusch zuckte er zusammen und war gleichzeitig beruhigt: Sie kommen. Endlich. Aber sie kamen nicht. Überhaupt kam niemand, mit Ausnahme des Postens, der ihm schweigend das Essen durch die Klappe schob und zehn Minuten später den leeren Blechteller wieder einsammelte.

Die Ungewißheit setzte ihm zu und wurde Alexanders ständiger Begleiter. Anfangs noch verbrachte er die meiste Zeit zusammengekauert auf der Pritsche. Unbewußt rollte er sich zur Wand, weil sie ihm Schutz versprach. Aber die Gedanken, die in seinem Kopf kreisten, hatten keine Wand, an der sie sich orientieren konnten. Es war schon ein großes Maß an Boshaftigkeit auszumachen, wie sich einer immer wieder vormogelte und quälend wissen wollte: »Warum bist du eigentlich hier? Das muß alles eine Verwechslung sein.«

Da seine innere Rastlosigkeit ständig zunahm, er nicht mehr tatenlos herumliegen konnte, begann er, eine Hand am Hosenbund, in seiner Zelle umherzuwandern. Stunde um Stunde. Zwölf Fuß maß sie in die eine Richtung, in die andere sieben. Neben dem Fenster befand sich in der Ecke eine Mulde und mittendrin ein Loch, aus dem es permanent stank: die Toilette. Was für ein schönes Wort für diese häßliche, dunkle, verschmierte Öffnung mit den braunen Verkrustungen, aus der in der Nacht die Ratten krochen. Und neben diesem Loch stand ein verbeulter Eimer mit Wasser, den man ihm jeden Morgen in die Zelle stellte. Zum Waschen, zum Zähneputzen – in Ermangelung einer Bürste tat er das mit den Fingern –, und um den Rest schubweise in das Loch zu schütten, damit der Gestank einigermaßen erträglich blieb.

Alexander lehnte sich mit dem Rücken an die Wand und ließ die Finger über das rauhe Mauerwerk gleiten, als müsse er sich überzeugen, daß sein Tastsinn noch funktionierte; das Zeitgefühl hatte er längst verloren. War es Tag? War es Nacht?

Er untersuchte die grüne Metalltür mit den verschraubten Verstrebungen, als legte er es darauf an, ihre Festigkeit zu überprüfen. Es war jedesmal eine Erlösung, wenn die Klappe aufschwang, der Posten ihm wortlos sein Essen hineinschob, oder wenn morgens die Tür geöffnet wurde, um einen neuen, mit Wasser gefüllten Eimer in Empfang zu nehmen. Wie gerne hätte Alexander ein menschliches Wesen gesehen, aber er mußte sich stets mit dem Gesicht zur Wand stellen. Als er sich dennoch einmal erdreistete, einen Blick über die Schulter zu werfen, sauste der Stock auf seinen Hinterkopf, daß ihm schwarz vor Augen wurde.

Alexander wußte nicht, wie viele Tage oder Wochen er schon in seiner Zelle zugebracht hatte. Deshalb kam es ihm wie die Befreiung aus einer langen Isolation vor, als die Uniformierten endlich wieder auftauchten und ihn eine Stimme angiftete: »Aufstehen, mitkommen!«

Alexander sprang von der Pritsche hoch und stürzte nach draußen auf den Gang. Dort zeigte sich, wieviel Kraft ihn die Zelle gekostet hatte, er konnte mit den beiden Wachposten kaum Schritt halten. Immer wieder spürte er deshalb den Stock im Rücken.

»Eine Marlboro?«

»Jawohl, Genosse Major.«

Gierig sog Alexander den Rauch ein und hustete, weil er ihn nicht wieder entweichen lassen wollte. Der Offizier grinste, wobei sich seine Gesichtszüge kaum veränderten. Er kannte das von vielen Untersuchungsgefangenen.

»Gautulin, setzen.«

»Jawohl, Genosse Major.«

Alexander, der sich ganz versunken mit der Zigarette beschäftigte, registrierte erst jetzt die auf dem Tisch aufgebaute Apparatur. Der Major schaltete ein voluminöses Tonband ein, und Alexander, der gerade inhalieren wollte, erstarrte. Er erkannte seine Stimme, dann die von Hellen, die zärtliche Worte flüsterte. Anschließend eindeutige Geräusche, jedes war eine schmerzliche Erinnerung und drang ihm überlaut bis ins Gehirn: das Quietschen des Bettes, ihr Stöhnen, der keuchende Atem. Zwischendurch vernahm er deutlich Hellens aufpeitschende Worte, sie begann zu schreien, er stammelte unverständliches Zeug, mal russisch, mal deutsch. Dann Ruhe, gleichmäßiges Atmen. Wenig später sagten sie sich liebevolle Dinge und kicherten. Alexander kam sich entblößt und entwürdigt vor, er schluckte und schloß die Augen, Tränen liefen ihm über die Wangen.

»Er hat es mit einer Deutschen getrieben«, hörte Alexander den Wachposten hinter sich geifern.

Noch bevor er antworten konnte, sagte der Major mit schneidender Stimme: »Genosse Beljukin, ich führe das Verhör.«

Stiefelabsätze knallten aneinander. »Jawohl, Genosse Major.«

Das Tonband war zu Ende, Stille im Büro des KGB-Offiziers.

»Geben Sie zu, mit der Deutschen geschlafen zu haben?«

Alexander wischte sich mit einem Handrücken über das Gesicht.

»Jawohl, Genosse Major. Ich gebe zu, Hellen Birringer zu lieben.«

Der Stock, genau zwischen die Schulterblätter gerammt, nahm ihm die Luft.

»Nur, was Sie gefragt sind, Gautulin«, zischte der Wachposten, der sich an dem wehrlosen Gefangenen für die Zurechtweisung des Majors rächte.

»Lassen Sie das, Beljukin. Warten Sie draußen.«

Als der Angesprochene nicht reagierte: »Haben Sie nicht gehört?«

»Jawohl, Genosse Major«, schnarrte Beljukin, salutierte, verließ den Raum und schlug die Tür hinter sich zu.

»Gautulin, Sie geben also zu, sexuelle Beziehungen zum imperialistischen Westen gehabt zu haben.«

Alexander hätte am liebsten laut gelacht, denn wie konnte man sexuelle Beziehungen zum imperialistischen Westen haben.

»Jawohl, Genosse Major.«

»Und damit haben Sie sich in die Hände konterrevolutionärer Agenten begeben.«

»Nein, Genosse Major.«

»Die zweihundert Dollar, war das Ihr erster Lohn?«

»Nein, Genosse Major. Ich weiß nicht, wie sie in meine Tasche gekommen sind.«

Selmikow erhob sich und stellte sich an das vergitterte Fenster. Eine Weile schaute er hinunter in den Hof.

»Ich gehe davon aus, daß Sie bisher noch keine Aufträge zu erfüllen hatten, Gautulin.«

»Jawohl, Genosse Major.«

»Man hat Sie also erst frisch angeworben.«

»Nein, Genosse Major.«

»Und das Geld?«

Weil kein Stock hinter ihm war, schwieg Alexander.

Der Major kam um den Schreibtisch herum und schaltete das Tonband wieder ein. Selmikow nahm einige Blätter zu Hilfe, die Übersetzung ins Russische.

Alexander konnte die erste Unterhaltung mitverfolgen, die er mit Hellen am Abend nach dem Besuch des Zirkus in der Bar des Hotels geführt hatte. Mit einem Mal wurde ihm klar: Das ganze National war eine einzige Abhöreinrichtung. Also stimmten die Gerüchte doch, die behaupteten, alle Hotels, in denen westliche Besucher verkehrten, würden rund um die Uhr mit Mikrophonen und versteckten Kameras observiert.

»Wie kommt es, daß Sie so gut Deutsch sprechen?«

»Ich bin in Omsk auf eine Schule gegangen.«

»Aber man sagte mir, Ihre Aussprache sei perfekt.«

»Außerdem stamme ich aus der Nähe von Saratow, wo die meisten Wolgadeutschen herkommen.«

»Aber Sie mußten ... umziehen.«

»Wir sind 1941 vertrieben worden.«

Der Major verzog das Gesicht, als hörte er das gar nicht gern.

»In Ihrer Familie ist Deutsch gesprochen worden?«

»Ja, ständig.«

»Aha.« Der Major wippte auf den Zehenspitzen. »Ich hoffe, der Staatsanwalt wird Milde walten lassen, Gautulin.«

»Der Staatsanwalt?« Alexander schaute zu dem drahtigen Mann auf. »Was ist mit dem Staatsanwalt?«

»Nun, er wird Anklage gegen Sie erheben.«

»Weswegen?« Alexander vergaß »Jawohl, Genosse Major« zu sagen.

»Agententätigkeit für eine verfeindete westliche Nation, Besitz von westlichen Devisen, Widerstand gegen die Staatsgewalt, subversive Tätigkeit.«

»Widerstand gegen die Staatsgewalt?«

Der Major griff hinter sich und schob Alexander ein Blatt Papier zu, auf dem dieser nachlesen konnte, daß er sich einer Verhaftung äußerst massiv widersetzt habe.

»Aber das stimmt ...«

Mit einer Handbewegung brachte ihn Selmikow zum Schweigen. »Unterschrieben von zwei Beamten des KGB, deutlichere Beweise braucht man nicht vor Gericht. Denken Sie daran: Wir sind das Herz der Sowjetunion.«

Alexander glaubte das Spiel zu durchschauen. Sie brauchten, egal aus welchem Grund auch immer, einen Erfolg und einen Sündenbock. Geschickt, wie sie die Dinge zurechtbogen, Fakten mit Fiktionen vermischten. So mit den Umständen konfrontiert, dauerte es nicht lange, bis Alexander erkannte, daß er den Kopf nicht mehr aus dieser Schlinge ziehen konnte.

Selmikow öffnete einen Schrank und stapelte Bücher auf seinem Schreibtisch.

»Woher haben Sie ...«

»Aus Ihrem Zimmer selbstverständlich. Alle in deutscher Sprache. Das wird dem Staatsanwalt sehr helfen.«

»Aber ich habe sie in der DDR gekauft, für mein Bergbaustudium.«

Der Major lehnte sich mit der Schulter gegen den Safe und verschränkte die Arme vor der Brust. »Sie und ich, wir wissen das. Aber der Richter wird es auf seine Art bewerten, zusammen mit den Tonbändern und dem amerikanischen Geld. Was soll er sonst auch tun? Er hat sich an die Fakten zu halten und an die Vorgaben des Staates, alles Unheil von ihm abzuwenden.«

Alexander senkte den Kopf und fühlte sich irgendwie schuldig. Seine Finger zitterten. »Weiß meine Mutter ...?«

Aus den Augenwinkeln bemerkte er, wie der Major nickte. »Es hat sie sehr getroffen. Hätte Sie nie von Ihnen gedacht.«

»Darf ich sie sehen?«

Selmikow trat zu Alexander und beugte sich nach vorn. Ganz dicht kam sein Gesicht. Alexander roch süßliches Rasierwasser, und er roch Wodka. »Gautulin, wenn Sie alles zugeben, dann könnte ich das für Sie arrangieren. Ihre Vergangenheit, Mitglied der Komsomolzen und der Lenin-Pioniere, wird den Richter bestimmt beeindrucken.«

Deutlicher konnte kein Hinweis sein, mit welchen Methoden der Major versuchte, ihm ein Geständnis zu entlocken. Facettenreich und voller Abwechslung war sein Repertoire, um zum Ziel zu gelangen. Freundlich gab er sich, kein Schreien, kein Toben, war somit das genaue Gegenteil der Wachmannschaft. Selmikow benutzte auch keinen Stock, dafür aber subtilere Mittel, um ihn, Alexander, gefühlsmäßig zu bearbeiten. Angeblich zeigte er für bestimmte Dinge Verständnis, dann wieder appellierte er an seine Aufrichtigkeit und redete ihm ins Gewissen, sich wie ein ehrenhafter Sowjetbürger zu verhalten. Natürlich habe er einen Fehler gemacht, aber den könne er bei etwas gutem Willen, den das Gericht zu würdigen wisse, wieder regulieren.

»Aber ich kann doch nicht etwas gestehen, was nicht ist. Ich würde lügen.«

Selmikow richtete sich auf. »Sie müssen abwägen, was Ihnen wichtiger erscheint, Gautulin. Wägen Sie ab.«

Alexander quälte eine Frage seit Tagen. »Wo ist Hellen Birringer?«

Der Major schwieg.

Alexander versuchte in dem Gesicht des hageren Mannes zu lesen. Nichts, keine Regung. Mit drängender Stimme, voll von Verzweiflung und Angst: »Bitte, wo ist sie? Hat man sie auch verhaftet?«

»Noch nicht. Aber wir wissen, sie kommt in zwei Monaten nach Moskau. Wenn Sie sich nicht kooperativ zeigen, Gautulin, dann ...«

Wieder in der Zelle, wieder allein mit seinen Gedanken und den schrecklichen Visionen. Unruhig warf er sich auf der Pritsche hin und her, ohne Ruhe zu finden. Gepeinigt von schlimmen Ahnungen, sprang er auf und begann zu wandern, wie so oft in den vergangenen Tagen und Nächten. Vier Schritte in die eine Richtung, Kehrtwendung, vier Schritte zurück. Sie werden Hellen etwas antun, redete er sich ein. Sie werden sie auf dem Flughafen verhaften, sobald sie russischen Boden betritt. Und dann lernt sie auch das Gefängnis kennen. Für sie, eine Ausländerin, wird es noch viel schlimmer werden als für mich.

Sorgen machte er sich auch um seine Mutter. Er, das einzige Kind, und jetzt die schlimme Beschuldigung. Wie wird sie, die vom Leben so hart Geprüfte, damit fertig werden?

Als er sich später hinlegte und eine neue schreckliche Nacht erwartete, durchsetzt von Alpträumen, schoß er plötzlich hoch. Das Geld in meiner Tasche. Wer kann es mir zugesteckt haben? Wer hätte dazu die Möglichkeit gehabt?

Stundenlang ging er dieser Frage nach. Hellen, durchzuckte es ihn, um sich sogleich einen Narren zu schelten. Wenn er ihr schon nicht mehr vertrauen durfte, wem dann?

Die beiden, die mich verhaftet haben. Sie ... Nein, bremste er sich. Von denen hat mich keiner berührt, bis wir im Gebäude des KGB waren. Aber wenn ich Widerstand gegen die Verhaftung geleistet haben soll ... Genau, sie haben mir die Dollar zugesteckt.

Seine vage Rechtfertigung entpuppte sich als eine Seifenblase: Nie würde er vor Gericht mit diesem Argument durchkommen.

Wer hat denn alles Gelegenheit gehabt, das Geld in meiner Jacke verschwinden zu lassen? Wo habe ich sie hingehängt?

Aber je mehr er sich quälte, desto schlimmer und zugleich begreiflicher wurde eine Hypothese. Hellen hat es mir gegeben, um mir zu helfen, und nicht, um mich in Schwierigkeiten zu bringen. Da sie genau wußte, daß ich die Dollars niemals annehmen würde, hat sie es eben heimlich getan. Nur so kann es gewesen sein. Beruhigt, eine Erklärung gefunden zu haben, die auch die nächsten Stunden überstand, schlief Alexander endlich ein. Und merkte nicht den eklatanten Widerspruch, der sich ihm auftat. Warum sollte Hellen ihm amerikanische Dollars geben? Deutsche Mark hätten es doch auch getan.

Das nächste Verhör verlief nicht so human. Zwar wieder in Selmikows Büro, aber diesmal waren noch zwei weitere Männer zugegen. Düstere Gesichter voller Mißtrauen. Als Alexander in den Raum geführt wurde, deutete der eine auf den Stuhl vor dem Schreibtisch, und noch bevor Alexander richtig Platz genommen hatte, schaltete der andere eine starke Lampe ein. Geblendet schloß Alexander die Augen.

»Wer ist Hellen Birringer?« Überhastet kam die Frage, heftig zwischen den Zähnen hervorgestoßen, als wollte der Betreffende sie unbedingt loswerden.

»Eine deutsche Dolmetscherin, Genosse ...«

»Warum war sie in Moskau?« wollte jetzt der andere, jüngere wissen. Er schoß seine Frage so schnell ab, daß Alexander nicht die stereotype Redewendung »Genosse Major« oder was auch immer hatte anbringen können.

»Sie übersetzte aus dem Russischen ins Deutsche, Genosse ...«
»Warum?«
»Hellen war Mitglied einer Kommission, die über die Lieferung von Röhren an die Sowjetunion verhandelte.«
»Was für Röhren?«
»Für Erdgas.«
»Wo soll das Erdgas herkommen?«
»Aus Westsibirien, glaube ich.«
Eines der düsteren Gesichter zum anderen: »Verdammt, der ist aber unheimlich gut informiert. Er muß ein Agent sein.«
Obwohl sie leise gesprochen hatten, konnte Alexander jedes Wort verstehen.
Der Ältere an der Lampe, er war von gedrungener Statur, sein Bauchansatz zeichnete sich deutlich unter der Jacke ab, schrie Alexander an: »Welche Kommission ist das?«
»Ich weiß es nicht. Aber es sind alles Experten aus der Wirtschaft gewesen, die irgend etwas rückgängig machen sollten.«
»Weshalb?«
Alexander überlegte, dem Jüngeren dauerte das zu lange. »Weshalb?« wiederholte er scharf.
»Es gibt da einen Vertrag, den Deutschland nicht erfüllt hat.«
Das untersetzte düstere Gesicht – der Ältere der beiden trug eine Metallbrille, deren Bügel sich tief in die Schläfenhaut gedrückt hatten – nickte dem anderen zu. Alexander, der den Kopf etwas aus dem Licht drehte, bekam das mit.
»Welchen Vertrag hat Deutschland nicht erfüllt?«
»Röhren zu liefern.«
»Und warum nicht?«
Alexander hob die Schultern. »Ich weiß es nicht.«
»Die Experten der Delegation, wie viele waren es?«
»Acht oder zehn, würde ich sagen.«
Wieder gemeinschaftliches Nicken. In den Augen des Jüngeren blitzte es, die Spur war heiß und eine Belobigung seines Vorgesetzten in greifbare Nähe gerückt.
»Wissen Sie, welche Firmen ihre Experten abgestellt haben?«
Alexander, erstaunt über die fast freundliche Anrede, dachte nach.

Aber das dauerte nun dem Stämmigen zu lange. Er sprang auf, packte ihn an den Haaren und riß daran, als legte er es darauf an, deren Festigkeit zu prüfen.

»Ich glaube, Hoesch und Mannesmann ...«

Die beiden Frager, ihren Mienen nach waren sie sehr erstaunt über das bisher Gehörte, gaben sich aber noch längst nicht mit diesen Antworten zufrieden. Immer wieder bohrten sie weiter, wollten neue Details wissen, schrien, schlugen und schüchterten Alexander ein. Aber er könne ihnen keine genaueren Informationen liefern, dazu habe er Hellen viel zu kurz gekannt. Außerdem habe er sie nicht aushorchen wollen. Nur einem der Experten sei er persönlich begegnet, für eine oder zwei Minuten.

»Nicht aushorchen wollen?« brüllte der Jüngere ihm ins Ohr.

Alexander zuckte zusammen.

»Name.«

»Von wem?«

»Des einen Experten.«

»Jannings oder so. Ja, ich erinnere mich. Ingo Jannings.«

Der Jüngere sah in einem Notizbuch nach und nickte. Ein Jannings war dort vermerkt. Allerdings ohne Sternchen, also unbedeutend.

»Es wäre Ihre Pflicht gewesen, sie auszuhorchen. Als aufrichtiger Sowjetbürger wäre es Ihre Pflicht gewesen, Ihrem Land zu dienen.«

Übergangslos kamen die beiden Männer auf das Tonband zu sprechen, auf dem ja alles deutlich zu hören sei. Es habe ihm wohl Spaß gemacht, mit der Deutschen zu schlafen. Mal was anderes.

»Und, wie war sie im Bett?« Der Untersetzte rieb sich zwischen den Beinen und grinste anzüglich.

Alexander schwieg.

»Wenn man so erregt ist, dann sagt man schon vertrauliche Dinge«, versuchten sie es auf einem Umweg. »Gab es eine bestimmte Taktik der Deutschen?«

»Ist mir nicht bekannt.«

»Wollten sie einen günstigeren Vertrag aushandeln?«

Alexander sah sie bedauernd an.

Der Ältere baute sich vor ihm auf, die Hände in die Seite

gestemmt. Der Umfang seines Brustkastens war beeindruckend. »Oder wollten sie die Sowjetunion schädigen?«

Noch einige Male mußte Alexander die Prozedur mit den beiden düsteren Gesichtern über sich ergehen lassen. Immer wieder stellten sie die gleichen Fragen, immer wieder das unerträgliche Geschrei des Jüngeren, dazu die schmerzhaften Schläge ins Gesicht und auf den Körper. Nicht zu vergessen die Lampe, die manchmal so dicht vor seinen Augen pendelte, daß er ihre Wärme spüren konnte.

Dann blieb es einige Tage still. Und in dieser Zeit verkroch sich Alexander tiefer und tiefer in eine Gedankenwelt, die ihn von der Gegenwart ablenken sollte. Hellen war ständig bei ihm. Jede Einzelheit versuchte er sich zurückzurufen, ihre langen Haare, die gerade Nase, dann der spöttische Blick, wenn sie ihn in Situationen brachte, in denen er sich hilflos vorkam – wie bei dem ersten richtigen Kuß auf einem Spaziergang an der Moskwa. Alexander glaubte sogar in der Enge der Zelle das Feuer zu spüren, das von ihrem Körper auf seinen übergesprungen war. Eine Erregung, wie er sie bisher nicht gekannt hatte. Noch am gleichen Abend hatte sie ihn mit auf ihr Zimmer genommen. Er trug den Mantel einer ihrer Kollegen, damit man ihn für einen Westler hielt. Aber Alexanders schüchterne Unbeholfenheit erregte die Aufmerksamkeit der dicken Frau, die mitten im vierten Stock des Hotels National im Flur thronte und deren Aufgabe es war, die Schlüssel zu verteilen und den Samowar zu bedienen.

Erst als sie sich, deutsch parlierend, vor ihr aufbauten, wich die Skepsis. Allerdings wußte die Aufpasserin genau, Hellen hatte ein Einzelzimmer, und wollte daher verhindern, daß Alexander mit hineinging. Erst als Hellen sich an der Rezeption beschwerte, sie dürfe doch wohl noch Besuch von einem Kollegen empfangen, zog sich die Dicke schmollend zurück.

Und dann die Nacht. Alexander fühlte sich unbeholfen und befangen. Wollte er etwas sagen, mußte er erst einen Kloß im Hals überwinden. Zugleich verblüffte ihn die Lockerheit, mit der Hellen ihn auszog und zum Bett dirigierte. Also doch eine westliche Katharina?

Anschließend überraschte sie seine Gier und seine Heißblütigkeit, und sie stachelten sich gegenseitig an. Sie überhörten die Proteste aus den Nachbarzimmern, die zuerst auf deutsch und, als sie damit keinen Erfolg hatten, auf englisch um Ruhe baten. Genauso war es auf dem Tonband zu hören gewesen.

Später tranken sie Whisky, Alexander in kleinen Schlucken, weil er nüchtern bleiben wollte. Sie sprachen lange miteinander, jeder erzählte von der Welt, in der er lebte. Aber sosehr sie sich auch bemühten, sie entdeckten darin keine Gemeinsamkeiten.

Alexander sah Selmikow nie wieder. Dafür aber saß er am nächsten Tag einem kleinen, mageren Männlein mit viel zu großen gelben Zähnen gegenüber. Das strähnige, fettige Haar war streng nach hinten gekämmt, als versuchte er, seine welke Gesichtshaut zu straffen.

»Staatsanwalt Netschajew.«

Der schlampig gekleidete Beamte mit den typischen braunen Flecken eines Kettenrauchers zwischen Zeige- und Mittelfinger hatte zu allem Überfluß auch noch Mundgeruch: Zwiebeln, vermischt mit Knoblauch und Wodka, eine Mischung, die auf Distanz hielt.

»Ich werde es human machen«, versprach der Staatsanwalt, als sie allein in dem kahlen Raum waren. In der Mitte ein Tisch, an jeder Längsseite zwei Stühle, vor der Wand ein klobiger Heizkörper mit armdicken Rippen, darüber das obligatorische Leninbild und daneben ein Spiegel. Alexander wunderte sich immer wieder, was ein Spiegel hier wohl für eine Funktion haben könne. Der Gedanke, daß eine oder mehrere Personen dahintersitzen konnten, um den Verlauf des Gesprächs zu beobachten, kam ihm nicht.

»Wollen Sie mit mir zusammenarbeiten?«

Alexander nickte. »Jawohl, Genosse Staatsanwalt. Was muß ich tun?«

»Sich schuldig bekennen.«

»Aber ich bin ...«

»Wenn nicht, dann gibt es fünf Jahre mehr.«

»Fünf Jahre mehr?«

Staatsanwalt Netschajew wackelte mit dem Kopf. Alexander befürchtete, er könnte jeden Augenblick von dem mageren Hals, an dem die Adern wie Kabel hervortraten und der Kehlkopf bei jedem Schlucken auf- und abwippte, herunterkippen.

»Ich lasse die Anklage wegen Spionage fallen.«

Zaghaft fragte Alexander, ob er denn nicht Anspruch auf einen Rechtsanwalt habe. Wenn er sich richtig erinnere, dann sei ihm dies durch die Verfassung garantiert.

Netschajew setzte ein betrübtes Gesicht auf. »Das sieht der Richter gar nicht gern, kommt sich übertölpelt vor. Was brauchen Sie einen Rechtsanwalt? Wenn Sie sich schuldig bekennen und kooperativ zeigen, dann werde ich den Richter davon überzeugen, nur zwei Jahre zu geben.«

»Für was schuldig bekennen?«

Der Staatsanwalt blätterte in seinen Unterlagen, als suche er etwas. »Verstoß gegen Devisenbestimmungen und Widerstand gegen die Staatsgewalt.«

»Und wenn nicht?«

Netschajew warf ihm einen gnadenlosen Blick zu und rückte seine Brille zurecht, ein richtiges Ungetüm, das mit den dicken Bügeln und den dicken Gläsern viel zu schwer für den dürren Hals zu sein schien.

»Dann gibt es keine Gnade. Denken Sie an Ihre Familie, an Ihre Mutter. Sie ist alleinstehend, sie wird es wohl ausbaden müssen. Nicht schön für eine Mutter, einen Verbrecher zum Sohn zu haben. Nachbarn können sehr brutal sein.«

Die Drohung wirkte. Und da Alexanders Lebenswillen zunehmend zusammenschrumpfte, zu schwach, um Widerstand zu leisten, war er bereit, dem Handel zuzustimmen. Allerdings bat er sich Bedenkzeit aus bis zum nächsten Tag.

Das paßte dem Staatsanwalt, der schon alle Formulare zur Unterschrift vorbereitet hatte, ganz und gar nicht. »Was soll ich mit dem bockigen Kerl machen?« sprach er in Richtung Spiegel.

Alexander wunderte sich. Erwartete er etwa eine Antwort? Konnten Spiegel reden?

Und die Antwort kam tatsächlich aus einem kleinen Kasten an der Decke, den er erst jetzt registrierte.

»Geben Sie ihm einen Tag, Genosse Staatsanwalt«, hörte er die krächzende Stimme eines Unbekannten. »Wir haben Zeit.«
In der Nacht weckten sie Alexander jede Stunde. Wenn das Licht anging und die Tür aufschwang, kippte ihm ein Mann einen Eimer eiskaltes Wasser über Kopf und Körper. Sofort wurde die Tür wieder verrammelt. Alexander erschrak jedesmal. Und dann die Kälte. Alles in seiner Zelle war naß. Zwar lief das überschüssige Wasser in das Toilettenloch im Boden, aber Decke, Bett und seine Kleidung waren naß. Nach der zweiten Prozedur begann ihn zu frösteln, nach der dritten klapperten seine Zähne aufeinander. Am Morgen hatte er Fieber, zitterte am ganzen Körper und fror fürchterlich. Alexander spürte keine Kraft mehr in den Beinen, als sie ihn die Treppe hoch in ein anderes Stockwerk trieben. Mehrmals knickte er ein und schlug hart gegen die Stufen.
»Na, Gautulin, haben Sie es sich überlegt?«
»Ich bin krank, ich brauche einen Arzt.«
»Hier, unterschreiben Sie Ihr Geständnis.«
»Ich bin krank. Bitte einen Arzt.«
Der Staatsanwalt, heute roch er nicht nach Knoblauch und Zwiebeln, sondern nur nach Wodka, hatte Mühe, die Worte zu verstehen.
»Hier, hinter dem Kreuz Ihre Unterschrift.«
»Bitte einen ...«
»Erst wenn Sie unterschrieben haben.«
Und Alexander unterschrieb. Er wußte nicht, was, aber er unterschrieb.
Anschließend brachte man ihn in die Krankenstation. Dort wurde er wieder hochgepäppelt, denn bereits in der kommenden Woche sollte sein Prozeß sein. Nach zwei Tagen fühlte er sich besser. Zum erstenmal, seit er in der Lubjanka saß, bekam er ein Stück Fleisch zu essen. Es war so zäh, daß er es nicht kleinbekommen konnte, deshalb lutschte er lange darauf herum. Allein das war eine Wohltat.
»Haben sie dich auch mit Wasser fertiggemacht?« fragte sein Bettnachbar.
»Ja.«
»Wie bei mir. Zwei Nächte konnte ich es aushalten, dann wurde ich ohnmächtig.«

»Was hast du ausgefressen?«

»Mich am sozialistischen Eigentum vergriffen.«

»Überfall?«

Der Bettnachbar lachte, aber es klang überhaupt nicht fröhlich. »Viel schlimmer. Kennst du Troize-Lykowo?«

Alexander verneinte.

»Liegt zwischen Stoigno und dem Erholungsgebiet Serebrjanai Bor, dem Silberwäldchen. Ungefähr hundert schäbige Holzhäuser und ein kleines Lebensmittelgeschäft um einen riesigen Park, in dessen Mitte die alles überragende Dreifaltigkeitskirche steht. Scharf getrennt von der übrigen Bevölkerung wohnen abseits des Dorfes die hohen Tiere aus der Politik hinter unüberwindbaren Schutzzäunen.« Der Bettnachbar fand in Alexander endlich mal einen höflichen und aufmerksamen Zuhörer. Detailliert führte er deshalb aus, wer alles in diesem, durch Birken und Kiefern abgeschirmten Terrain zwischen der 1. Lykowo-Straße und der Moskwa, residierte.

»Ich bin also in eine Datscha gegangen. Das Tor im grünen Holzzaun stand sperrangelweit offen, die Fassade hatte man gerade rostrot gestrichen, Pflaumenbäume blühten, Hunde, wohlgenährte, fette, träge Hunde, die längst das Bellen verlernt hatten, dösten in der Mittagssonne. Ich habe angeklopft. Obwohl die Eingangstür nur angelehnt war, schien aber niemand anwesend zu sein. Da habe ich mir etwas zu essen gesucht, tolle Sachen haben die dort in ihren Kühlschränken, und bin wieder verschwunden.«

»Wegen so einer Bagatelle …«

»Was heißt hier Bagatelle. Die Datscha gehört dem Sekretär eines Ministers. Der Gute lag nebenan betrunken im Bett, und zwar mit seinem schwulen betrunkenen Freund, ohne daß ich es gemerkt habe. Erst die Wachen, die ständig in dieser Prominentengegend patrouillieren, entdeckten mich keine zwanzig Meter von der Datscha entfernt.«

»Nur weil du dir was zu essen genommen hast, bist du hier?«

Der Bettnachbar lachte erneut. »Außerdem habe ich mir einen antiken Schrank unter den Arm geklemmt, zwei Sessel, ein Gemälde, vier Mäntel, eine Jacke, Schmuck, Silbergeschirr und zwanzig Flaschen Wodka. In der anderen Hand trug ich ein Bett, einen Kühlschrank, einen Flügel und ein Auto. Und dann ergriff ich auch noch die Flucht, als man mich stellen wollte.«

Alexander dachte, der Mann mache einen Scherz auf seine Kosten.

»Aber das geht doch überhaupt nicht.«
»Natürlich geht das. Ich habe es doch unterschrieben.«
»Und wieviel geben sie dir dafür?«
»Och, nicht der Rede wert. Zehn Jahre, schätze ich.«

Der Prozeß. Alexander war darauf vorbereitet, in ein Auto verfrachtet und in einen großen Gerichtssaal geführt zu werden mit vielen Zuschauern, Fotografen und mehreren Richtern auf einem erhöhten Podest. So machten sie es immer, wenn sie einen westlichen Spion anklagten. Die »Prawda« lügt doch nicht.

Zwei bis drei Tage, schätzte Alexander, würde sein Verfahren dauern. Sicherlich müßten Zeugen gehört werden, zum Beispiel die Bediensteten aus dem Hotel und die beiden Beamten, die ihn verhaftet hatten. Vielleicht war sogar das staatliche Fernsehen zugegen. Er hatte gehört, daß man oft Bilder von solchen Verhandlungen zeigte, wegen der abschreckenden Wirkung und, um den Westen als Aggressor bloßzustellen.

Aber Alexanders Prozeß fand nicht in einem großen Gerichtssaal statt, noch nicht einmal außerhalb des Gefängnisses. Man brachte ihn den schon gewohnten Weg hoch bis ins Erdgeschoß und dann in einen Bereich des Gebäudes, den er noch nicht kannte. Ein Arzt untersuchte Alexander, maß den Puls, schaute ihm in die Augen und zog dann eine Spritze auf. Ohne ihn zu fragen, band er einen Arm ab und reinigte die Einstichstelle mit Alkohol.

»Was geben Sie mir?«
»Etwas zum Beruhigen.«
»Ich brauche nichts. Ich bin ruhig.«

Alexander sträubte sich, als der Arzt ihm die Injektion verabreichen wollte. Der rief die beiden Wachmänner, die draußen vor der Tür standen. Wie Schraubstöcke legten sich ihre Arme um Alexander, brutal stieß der Arzt die Nadel in die Vene. Wärme breitete sich in seinem Körper aus, und er wurde wirklich ruhig. Sehr ruhig sogar, so daß es ihm schwerfiel, sich vom Stuhl zu erheben.

Plötzlich stand er ihr gegenüber, sie hatte Tränen in den Augen. Weinend warf sie sich ihm an die Brust.

»Alexander, mein Junge, was hast du nur getan.«

Er würgte. Zu überraschend kam die Begegnung mit seiner Mutter, und ihre Stimme drang wie aus einer großen Entfernung zu ihm durch.

»Glaube mir, ich bin unschuldig.«

Sie sah ihn gütig und verstehend an, streichelte sein Gesicht. »Aber vor mir brauchst du doch nicht zu lügen. Ich weiß alles.«

»Was weißt du?« Seine Zunge kam ihm unbeholfen vor, als hätte sie keine Übung mehr. Überall stieß sie an. War seine Mundhöhle inzwischen geschrumpft?

»Der Staatsanwalt hat mir dein Geständnis gezeigt.«

Für Alexander war das alles zuviel, er fand sich nicht mit der Situation zurecht und weinte ebenfalls. »Man hat mich dazu gezwungen, Mutter.«

»Mein Junge, sag die Wahrheit.«

Zwei Wachposten zerrten ihn weg, Alexander wehrte sich nicht. Wie sehr hatte er gehofft, seine Mutter zu sehen, sie in die Arme zu nehmen. Nun ließ er sich willenlos abführen.

Noch ein Blick über die Schulter, seine Mutter winkte und bemühte sich, aufmunternd zu lächeln. Dann fand er sich in einem normalen Büroraum wieder. An einem Schreibtisch hockte der Richter mit berufsmäßig strengem Blick, neben ihm saß ein Schreiber und in der Ecke an einem kleinen Tisch der Staatsanwalt. Wahrscheinlich hatte man ihn wegen seiner Ausdünstungen dorthin verfrachtet.

In einer Minute waren Alexanders Personalien verlesen und von ihm bestätigt worden. Eigentlich antwortete er gar nichts, und weil er nichts verneinte, dazu hätte er auch keine Zeit gehabt, legte man das als allumfassende Zustimmung aus.

»So, so, Wolgadeutscher. Wieder einer von den unbelehrbaren Kerlen. Man müßte sie alle ...« Mit zusammengekniffenem Mund sah ihn der Richter an, während er seine Fäuste aufeinanderlegte und drehte.

»Angeklagter, mir liegt ein Geständnis vor. Haben Sie es unterschrieben?«

Alexander schluckte. »Ja, Genosse Richter.«

»Taten Sie es freiwillig?«

Alexander warf einen Blick zum Staatsanwalt. Der nickte unmerklich und hob leicht die rechte Hand, einen Finger spreizte er ab. Nur ein Jahr, frohlockte Alexander.

»Taten Sie es freiwillig?«

»Ja, Genosse Richter.«

»Ich frage Sie hiermit erneut: Geben Sie zu, Devisenbestimmungen verletzt und Widerstand gegen Staatsorgane geleistet zu haben?«

Wieder ein Blick zum Staatsanwalt. Der nickte erneut.

»Geben Sie es zu?« bellte der Richter und beugte sich angriffslustig nach vorn. Ihm dauerte das alles zu lange. Noch zwei Fälle hatte er vor dem Frühstück zu bearbeiten.

Alexander kam es vor, als sitze der Richter im Nebenraum, so gedämpft klang dessen Stimme. »Ja ...«

»Und für das imperialistische Ausland spioniert zu haben?«

Alexander verstand zuerst nicht. Dann drangen die Worte allmählich bis in den letzten Winkel seines Gehirns vor. Er war erstaunt, daß er nicht erschrak, als er den Sinn erkannte.

»Sind Sie ein Agent der Bundesrepublik Deutschland?«

»Nein«, sagte Alexander mit einer Stimme, die ihm selbst fremd vorkam. »Nein, ich bin kein Spion.«

»Aber Sie haben doch das Geständnis unterschrieben.«

Alexander ordnete die Worte. »Nein, habe ich nicht.«

Der Richter sprang auf. Hochrot sein Gesicht, dick schwollen die Adern an seinen Schläfen an.

»Angeklagter, ich frage Sie erneut: Haben Sie das Geständnis, ein Agent des imperialistischen Westens zu sein, unterschrieben?«

Mit all dem Mut, der ihm noch verblieben war, widersprach Alexander: »Nein, Genosse Richter.«

Keuchend starrte ihn der Richter an. »Genosse Schreiber, das Geständnis«, blaffte er, ohne den Blick von Alexander zu wenden.

Der Schreiber suchte in den Unterlagen und reichte ein Blatt weiter.

»Angeklagter, vortreten!«

Zögernd ging Alexander zum Tisch. Vorsichtig setzte er einen Fuß vor den anderen, denn der Untergrund schwankte.

»Ist das Ihre Unterschrift?«

»Jawohl, Genosse Richter«, antwortete Alexander, nachdem die Buchstaben das Tanzen eingestellt hatten.

»Kennen Sie diesen Text?«

Alexander überflog die wenigen Zeilen. Immer wieder mußte er neu beginnen, weil er in eine falsche geriet.

»Nein, Genosse Richter.«

Sich mühsam beherrschend, fragte der Richter: »Wie kommt dann Ihre Unterschrift hierher?« Unmißverständlich tippte er mit dem Finger auf die Stelle.

Alexander schaute den Staatsanwalt an, doch der betrachtete seine Armbanduhr. Auch er hatte noch zwei Fälle bis zur Frühstückspause.

»Und dann diese Briefe aus dem imperialistischen Ausland.« Der Richter verteilte vier Umschläge vor sich auf dem Tisch. »An die Deutsche Botschaft gerichtet, selbstverständlich aus Gründen der Tarnung. Na, wenn das kein Beweis ist?« Erst nach und nach dämmerte Alexander, daß man Hellens Post abgefangen hatte. Aber wie konnten sie davon wissen, überlegte er, bis ihm wieder die Tonbandaufzeichnungen einfielen.

Der Richter ließ sich auf seinen Stuhl fallen und verschnaufte einige Sekunden. Gewichtig erhob er sich und verkündete das Urteil: Zehn Jahre Straflager.

Alexander glaubte sich verhört zu haben. Erst als ihn die Wachposten aus dem Raum zerrten, begriff er, was das bedeutete. In seinem Kopf schrillte ein Alarmsignal. Wehr dich, schien es ihm sagen zu wollen, laß dir nicht alles gefallen! Er überwand seine geistige und körperliche Trägheit, sein Körper versteifte sich.

»Ich bin unschuldig«, schrie er und wollte sich losreißen. »Ich bin unschuldig.«

Alexander spürte einen Schlag auf dem Hinterkopf, dann wurde es dunkel.

In den nächsten Tagen nahm Alexander überhaupt nichts wahr. Er kam sich wie ein Beobachter seiner selbst vor, spürte keinen Schmerz, hatte kein Empfinden für die Zeit und reagierte nicht, wenn man ihn ansprach. Zehn Jahre in einem Straf- und Arbeitslager, sicherlich auch noch irgendwo weiter im Osten, Lager, von denen er Schreckliches gehört hatte, an etwas anderes konnte er nicht denken. Zehn Jahre, das waren gut vierzig Prozent seines bisherigen Lebens. Er würde dreiunddreißig sein, wenn man ihn wieder frei ließ. Und kaputt und gebrochen, falls er dann überhaupt noch lebte.

Um sich abzulenken und dem Druck der Realität zu entgehen, gab es nur eine Möglichkeit: Er flüchtete in seine eigene kleine Traumwelt und dachte an Hellen. Die wenigen Tage mit ihr waren das einzige Private, das ihm noch verblieben war. Dann die vier Briefe, die sie ihm in den wenigen Wochen ihrer Trennung geschrieben hatte. Wie gerne hätte er sie gelesen. Sich gedanklich mit Hellen verbunden gefühlt. Und genau diese Briefe beseitigten seine letzten Zweifel an ihrer Aufrichtigkeit, die sich vorher hartnäckig wie ein Virus bei ihm eingenistet hatten.

Überraschend sagte sie ihr Treffen ab und nannte als Grund eine kurzfristig anberaumte Konferenz mit den Russen. Obwohl er sich sträubte, war er fast die ganze Nacht damit beschäftigt, sich unschöne Dinge einzureden, was in Wirklichkeit dahinterstecken könnte. Deshalb kam er auch heute voller Erwartung bereits lange vor der vereinbarten Zeit. Auf ihrem Zimmer war Hellen nicht, auch nicht in der Halle, aber es gab im ersten Stock mehrere Besprechungsräume. Von einem wurde gerade die Tür geöffnet, als er davor stand. Was er sah, genügte ihm. Hellen saß in einem Sessel, ein Mann legte ihr einen Arm auf die Schulter, beugte sich zu ihr und küßte sie.

Fluchtartig stürmte Alexander nach draußen und wollte nur noch weg. Erstaunt registrierte er auf den ersten Metern, daß er eifersüchtig war. Aber dazu habe ich doch keinen Grund, redete er sich ein. Wir kennen uns jetzt vier Tage, hatten unseren Spaß, das ist es auch schon. Warum also sollte ich eifersüchtig sein? Und außerdem:

In einer Woche ist sowieso alles vorbei. Dieses Argument diente ihm nach halbstündiger Überlegung als Rechtfertigung, schließlich doch noch zum vereinbarten Treffen zu gehen.

Hellen wartete bereits auf ihn. Sie schaute ihn an, sah den harten Zug in seinem Gesicht.

»Was ist mit dir, Alex?«

»Nichts. Tut mir leid, bin spät dran.«

»Du hast ...«

»Nein, nein, schon gut.«

Alexander war fahrig und unkonzentriert, gab einsilbige Antworten, und Hellen merkte, wie er zögerte, als sie ihn küssen wollte.

»Alex, mit dir stimmt was nicht.«

Er schaute an ihr vorbei.

»Hat es etwas mit mir zu tun?«

Er preßte die Lippen zusammen.

»Alex, bitte.«

»Meine Kommilitonen haben recht.«

»Was ... was meinst du?«

»Ihr aus dem Ausland seid alle gleich. Du bist also doch eine liebeshungrige westliche Katharina.«

Mit großen Augen starrte sie ihn an. »Kannst du mir bitte mal erklären, was das soll?«

Mit hastigen, harten Worten redete sich Alexander den Druck von der Seele, ohne allerdings Erleichterung zu verspüren. Zunehmend anklagender wurde er, machte Vorwürfe und Unterstellungen, sie sei nur auf das Vergnügen aus, was danach geschehe, sei ihr gleichgültig. In seiner aufgebrachten Verfassung merkte er nicht, daß die Angst aus ihm sprach, genauso könnte es sein. Er wollte Widerspruch hören, eine Richtigstellung und den Beweis dafür, daß er grundlos eifersüchtig war.

»Und außerdem küßt du jeden«, schickte er noch hinterher, drehte sich um und eilte davon.

»Alex!«

Er reagierte nicht.

»Alex, bitte warte doch auf mich.«

Ohne noch einmal zurückzuschauen, stürmte er davon. Und mit

jedem Schritt wunderte er sich mehr und mehr über sich selbst. Warum muß ich so viel für sie empfinden?

Es begann zu regnen. Nach und nach mischten sich schwere Schneeflocken darunter. Völlig durchnäßt kam Alexander in der Universität an und verkroch sich auf seinem kleinen Zimmer. Er legte sich aufs Bett, sprang nach wenigen Minuten auf, stellte sich ans Fenster und schaute aus dem neunten Stock nach unten auf die schwach beleuchtete Straße und die Baumreihe dahinter.

Weil er sich beschäftigen mußte, kochte er sich einen Tee, anschließend duschte er. Einem Mitstudenten, der an die Tür klopfte, gab er zu verstehen, er habe keine Zeit.

»Ich muß hier raus«, schrie er plötzlich, zog eine Jacke an und fuhr mit dem Fahrstuhl nach unten. Schnell durchquerte er die riesige Universitätshalle, umrundete die gewaltigen Säulen, steuerte auf den Ausgang zu und blieb wie erstarrt stehen.

»Alex«, hörte er schwach Hellens Stimme.

Ängstlich und freudig zugleich wandte er sich in ihre Richtung, und da stand sie: schlank, ohne Kopfbedeckung, klitschnaß und mit geröteten Augen.

»Alex.«

Mit kraftlosen Beinen, die auch noch unterschiedlich lang zu sein schienen, stolperte er auf sie zu, Hellen kam ihm lachend und weinend entgegen, und dann lagen sie sich in den Armen. Ihre Lippen fanden sich, zwei Sekunden gönnte man ihnen, dann wurden sie mit barschen Worten von der allgegenwärtigen Aufsicht getrennt. Sie entschuldigten sich auf deutsch, deshalb hatte ihr Verhalten auch keine disziplinarischen Konsequenzen.

»Ich bin keine Katharina«, sagte Hellen immer wieder, während sie eng umschlungen durch den Schneeregen spazierten. Sie schaute ihn an, Wasser lief ihr aus dem Haar über das Gesicht und beim Reden in den Mund.

»Jetzt weiß ich es«, entgegnete er und fühlte sich erleichtert, ungemein erleichtert und glücklich und ...

»Du bist den ganzen Weg zu Fuß ...?«

Hellen nickte.

»Und dann hast du auf mich gewartet?«

»Ja, bis zum Morgen, wenn es nötig gewesen wäre.« Sie senkte den Kopf. »Alex, ich ... ich liebe dich.«

Im Hotel legten sie ihre Kleidung zum Trocknen über die Heizung und stiegen dann gemeinsam in die Badewanne. Mehrmals wollte er sich entschuldigen, aber immer wieder unterbrach sie ihn.

»Wir haben heute bei den Verhandlungen mit den Russen einen Durchbruch erzielt. Deshalb hat einer meiner Kollegen mich ...«

»Du brauchst dich nicht zu rechtfertigen.«

»Ich rechtfertige mich nicht. Aber es ist sehr wichtig für mich, denn du sollst wissen, was der wahre Grund ist. Alex, nie soll es zwischen uns Unklarheiten geben. Verstehst du mich?«

Er bespritzte sie mit Wasser, um davon abzulenken, daß ihm vor Glück die Tränen kamen.

Mitte November, das Wetter war diesig, brachte man ihn gemeinsam mit vier anderen Inhaftierten in einem geschlossenen Wagen zum Kasaner Bahnhof. Auf dem weitläufigen Gelände steuerte der Fahrer ein abgelegenes Gleis an, dort stand bereits ein Zug zur Abfahrt bereit. Viele Kastenfahrzeuge, olivgrüne Kleinbusse mit vergitterten Scheiben und voll mit Gefangenen, rollten neben die einzelnen Waggons. Als Alexander ausstieg und die übrigen Männer sah, die gezählt, aufgerufen und verladen wurden, spürte er einen Rest von Widerstand in sich. Unwillkürlich spannte er seine Muskulatur, zog den Kopf ein und blickte sich um. Aber seine Bewacher kannten dieses Verhalten, Menschen und Tiere reagieren ähnlich, wenn sie in die Enge getrieben werden und keinen Ausweg mehr sehen, und ein Gewehrkolben pulverisierte Alexanders aufkeimenden Überlebenstrieb. Wie ein dressiertes Stück Vieh schlurfte er, gekrümmt vor Schmerzen, durch ein Spalier von Uniformierten auf einen der Waggons zu, auf denen zu seiner Verwunderung in weißen Buchstaben »Deutsche Reichsbahn« zu lesen war. Als genieße er die letzten Sekunden der Freiheit, stieg er langsam über eine Rampe in den dunklen Holzkasten und schaute wehmütig über die Schulter zurück.

Alexander war nicht allein. Viele Männer standen und hockten herum, jemand versetzte ihm einen Tritt. Alexander zwängte sich zwischen den schweigsamen, zum Teil zerlumpten Gestalten hindurch und suchte einen freien Platz. Neben einem alten Mann setzte er sich auf den Holzboden, der von einer dünnen Strohschicht bedeckt war. Das Stroh war nicht gelb, sondern braun-schwarz und stank fürchterlich. Außerdem krabbelten kleine, fast durchsichtige Tiere mit vielen dünnen Beinchen und braunen Fühlern in ihm herum.

Alexander knöpfte seinen ausgefransten grünen Militärmantel zu, den man ihm ausgehändigt hatte, zog den Kopf ein und verschränkte die Arme vor der Brust. Es war sehr kalt an diesem 12. November. Irgendwann setzte sich der Zug in Bewegung. Immer noch wußte Alexander nicht, wo die Fahrt hingehen sollte. Die Behörden spielten gern mit der Ungewißheit und konnten sicher sein, mit ihrer Hilfe jeden zu zermürben.

»Wieviel?« fragte der alte Mann neben ihm.

Alexander schaute in ein tiefgefurchtes Gesicht mit Hautknoten und großen Poren, umrahmt von grauem, strähnigen Haar. Die Augen kamen ihm leblos vor wie zwei Murmeln. »Zehn Jahre.«

»Mir haben sie zwanzig gegeben.«

»Weshalb?«

»Weil ich unbelehrbar bin. Habe schon wieder einmal eine Frau vergewaltigt.«

»Ach ja?« Alexander zeigte kein rechtes Interesse für das Schicksal seines Nachbarn. Wie sollte er auch, wo ihm doch sein eigenes schon gleichgültig war.

»Sagt der Richter. Aber ich habe bezahlt, zwanzig Rubel. Sie wollte jedoch nicht, bin ihr vielleicht zu alt gewesen und habe wahrscheinlich gestunken. Kam ja gerade erst aus einem Lager. Acht Jahre keine Frau, und ich habe mich so gefreut, endlich wieder sanfte Haut zu berühren, dazu der Duft von gewaschenem Haar und Parfüm. Sie sträubte sich, aber mein Geld wollte sie. Und da habe ich mich beschwert. Sie hat das Geld jedoch nicht wieder rausgerückt, da schlug ich zu. Ihr Zuhälter war einer von der Miliz, deshalb bekam ich zwanzig Jahre.«

»Aber so alt werden ...«

Alexander, selbst ohne innere Kraft, war dann doch erschüttert über den Fatalismus des Alten, der genau wußte, sein Leben würde in Gefangenschaft enden.

Sein Nachbar erzählte ihm im weiteren Verlauf der Fahrt, daß er bereits annähernd zwanzig Jahre Lager hinter sich habe, in zwei Etappen. Eine einsame Leistung, das überstehe normal keiner.

»Wie alt sind Sie jetzt?«

»Achtundvierzig.«

»Acht ...« Alexander erschrak und drückte sich an die Wand des Waggons.

Der Mann amüsierte sich über seine Reaktion. »Ein Jahr zählt für drei, mein Junge. Warte ab, wie du in einigen Jahren aussehen wirst. Übrigens, ich heiße Mikola. Und du?«

»Alexander.«

Der Zug ratterte monoton, der Wagen wurde durchgeschüttelt, Alexander träumte vor sich hin. Nach zwei Stunden stand er auf und schaute sich um. Das Gleichgewicht haltend, stieg er über Männer, die kreuz und quer auf dem Boden lagen. Einige schliefen oder dösten, andere unterhielten sich, aber die meisten starrten irgendwo ins Leere.

Es war kein geschlossener Wagen, in dem man sie transportierte. Zwischen den einzelnen Bohlen war ein Abstand von annähernd zwei Zentimetern, und den hatten schon andere vor ihnen mit dem stinkenden Stroh abzudichten versucht. Aber der Fahrtwind löste das Material und pfiff ungehindert durch die Ritzen. Da half auch nicht der kleine eiserne Gußofen, der neben dem Eingang an einer Längsseite stand und in dessen Öffnung immer wieder Holzstücke und Strohreste verschwanden. Lediglich einer Gruppe von Männern, sie waren alle wesentlich besser gekleidet als die übrigen, einige sogar mit einer Pelzjacke, spendete er etwas Wärme.

Alexander blickte durch einen Spalt nach draußen. Es hatte zu schneien begonnen, dicke Flocken, dicht wie ein Vorhang. Als er zu seinem Platz zurückging, trat er versehentlich einem der Gutgekleideten auf den Fuß. Obwohl er sich sofort entschuldigte, sprang der Getroffene auf und drückte ihm ein Messer an die Kehle.

»Wenn du das noch einmal wagst, dann brauchst du den Mund nicht mehr aufzumachen, um nach Luft zu schnappen.«

Seine Kameraden lachten, und Alexander war irritiert, weil der Gefangene ein Messer bei sich trug. Ein feststehendes mit einer langen Klinge.

Schnell hockte er sich wieder neben den Alten. »Der eine hat ein Messer.«

Mikola grinste. »Falsch. Die haben alle ein Messer.«

Bestürzt betrachtete Alexander seinen Nebenmann. »Wieso? Das dürfen sie doch nicht.«

Der Achtundvierzigjährige lächelte. »Sie dürfen es.«

»Wer sind sie?«

»Blatnoij.«

»Und was ist ein Blatnoij?«

»Dem Wort nach sind das welche, die auf einem Blatt verzeichnet sind, also Verbrecher der übelsten Sorte. Sie gehören einer weitverzweigten Organisation an, die Wachposten haben Angst vor ihnen. Wenn sie einem was tun, fallen die anderen über sie her.«

Immer wieder schielte Alexander zu den Blatnoij, von denen er bisher noch nie etwas gehört hatte. Was berechtigte sie zu dem Sonderstatus?

Alexander wandte sich ab und zog sich in seine Traumwelt, in seine Vergangenheit zurück. Erneut produzierte sein Gehirn schöne Gedanken, mit deren Hilfe er Problemen ausweichen und die Gegenwart verdrängen konnte. Ein Rezept, das sich für eine gewisse Zeit aufrechterhalten ließ.

Ein Schrei weckte ihn auf. Ein Blatnoij beugte sich über einen Mann, in der Hand ein Messer, die Spitze rot.

»Das nächste Mal schlitze ich dir den Bauch auf, mein Junge. Los, rück das Stroh raus.«

Wimmernd scharrte der Angesprochene mit beiden Händen Stroh zusammen und gab es dem Blatnoij.

»Brav gemacht.«

Während sich der am Boden hockende Mann den Bauch hielt, Alexander sah den karmesinroten Fleck zwischen seinen Fingern wachsen, nahm der Blatnoij das Stroh und stopfte es in den Ofen.

»Alle aufstehen und Stroh zusammenkratzen«, donnerte ein anderer und ging breitbeinig durch den Waggon. »Wir wollen es doch alle etwas wärmer haben«, höhnte er. Und als die erwartete Reaktion ausblieb: »Los, habt ihr nicht gehört?«

Die Gefangenen fügten sich und kuschten. Fünf Blatnoij waren in der Lage, annähernd sechzig ausgewachsene Männer, weiß Gott keine Chorknaben, in Schach zu halten, weil sich inzwischen herumgesprochen hatte, wer sie waren.

Neben dem Ofen türmte sich ein Strohberg auf. Einer der Mitgefangenen durfte nach und nach kleine Portionen in die Feueröffnung schieben und mußte dann seinen Platz räumen. Da es trotzdem im Waggon immer kälter wurde, sich die Männer aneinanderdrückten, um sich zu wärmen, waren die Plätze gleich neben dem Ofenrohr sehr begehrt. Ab und zu streckte einer seine Hände aus, eingewickelt in eine Jacke oder ein anderes Kleidungsstück, um das heiße Metall zu berühren.

»Reize sie nicht«, warnte Mikola. »Sie sind unberechenbar.«

Wenig später wurde Alexander Zeuge, wie brutal die Blatnoij vorgingen. Einer von ihnen stand auf, blickte sich um. Er kam auf Alexander und Mikola zu, schwenkte dann aber in die andere Ecke.

»Du da, Platz machen!«

Gemeint war ein Junge, höchstens neunzehn Jahre alt. Der verstand nicht sofort, der Blatnoij packte ihn am Kragen und zerrte ihn auf die Seite. Dann ließ er die Hose herunter und verrichtete seine Notdurft. Da es an Papier mangelte, forderte er den Jungen auf, seinen Mantel auszuziehen oder noch besser das Hemd, das sei weicher. Wiehernd lachte der Blatnoij über seinen eigenen Scherz. Doch der Junge sträubte sich. Ein andere Blatnoij trat näher und schlitzte den Stoff mit seinem Messer auf, damit der erste sich den Hintern abwischen konnte. Als der Junge protestierte, packten ihn die beiden und setzten ihn mitten in die breiige Masse. Wie wild schlug der Junge um sich. Da verlor einer der Blatnoij, ein großer, starker, dunkelhaariger mit dichtem Bart, die Geduld.

»Mund aufmachen«, befahl er. Der Junge wimmerte und weinte.

»Los, mach ihm den Mund auf«, richtete er das Kommando an seinen Kollegen. Der bückte sich, setzte dem Jungen ein Messer an den Hals und sagte ganz sanft: »Ich würde jetzt den Mund aufmachen. Sonst machst du ihn nie mehr auf.«

Der Junge öffnete zaghaft den Mund, der Bärtige nestelte am Hosenlatz und urinierte in die kleine Öffnung, die vergeblich wegzuzucken versuchte. Das Messer ritzte die Haut des Jungen, es gab kein Entweichen.

»Los, schluck es runter«, kommandierte der Bärtige. Der Junge tat, wie ihm befohlen wurde und trank die blaßgelbe Flüssigkeit. Er würgte, der Urin spritzte ihm ins Gesicht, in die Augen. Zufrieden verstaute der Bärtige sein Glied wieder in der Hose. »Braves Kerlchen«, lobte er, tätschelte ihm den Kopf und stolzierte davon, als hätte er eine mutige Tat vollbracht.

Der Junge krümmte sich am Boden, übergab sich und weinte. Aber keiner der Anwesenden half ihm, niemand schaute in seine Richtung. Das eigene Leben war wichtiger als Stolz oder was auch immer.

Irgendwann verlangsamte der Zug seine Fahrt, die Tür wurde aufgestoßen, zwei Eimer mit Wasser wurden hineingestellt und einige Brotlaibe reingeworfen. Zuerst versorgten sich die Blatnoij, einen Eimer und kaum mehr als die Hälfte des Brotes gaben sie an die übrigen Häftlinge weiter.

Viele bekamen überhaupt nichts zu essen. Alexander ergatterte einen Kanten, hart und alt, aber Mikola war leer ausgegangen. Alexander brach ein Stück ab und reichte es weiter. Verwundert starrte ihn der Ältere an.

»Du teilst mit mir?«

Alexander lächelte unbeholfen. Wie sollte er die Frage verstehen? »Ich gebe dir einen Rat, mein junger Freund. Wenn du überleben willst, dann teile nie. Schau immer, daß du genug bekommst. Hör nie auf andere, vertrau keinem und achte stets darauf, wer hinter deinem Rücken ist. In Zukunft siehst du nichts, hörst nichts und sagst nichts. Hast du mich verstanden?«

Die Nacht war schrecklich. Kälte breitete sich in dem zugigen Gefängnis aus und deckte alle mit Taubheit zu. Die Blatnoij hockten mitten in einem Berg Leiber, sie mußten die Zugluft von ihnen fernhalten. Außerdem steckten ihre Körper in gefütterten Jacken und Mänteln, und auf dem Kopf trugen sie Schapkas, Pelzmützen mit großen Ohrenklappen. Alexander und Mikola rückten zusammen, denn Kälte konnte jedes Vorurteil über Körpergeruch besiegen. Und noch ein Dritter gesellte sich zu ihnen. Abwechselnd drehten sie sich so, daß immer einer als Schutzschild die Kälte des Fahrtwindes abbekam. Nach wenigen Minuten tauschten sie wieder die Plätze.

Alexander machte in der Nacht kein Auge zu. Stockduster war es in dem ratternden Verließ, lediglich an den Wänden gab es einige helle Streifen, durch die das Mondlicht schimmerte. Stundenlang lauschte Alexander dem monotonen Fahrgeräusch, das immer wieder unterbrochen wurde von einem harten Schlag, wenn die Räder über die zusammengeschraubten Schienenenden rollten und das eine nach unten gedrückt wurde. Irgendwo begann einer zu singen.

»Gefangene singen, weil sie Angst haben«, sagte Mikola. »Ich habe immer gepfiffen, wenn ich als Junge in einen Keller oder einen dunklen Raum gehen mußte. Ich hatte auch ständig Angst. Du nicht?«

»Doch.« Alexander kroch um die beiden anderen herum, er war jetzt Schutzschild. Aber ihm war nicht nach Singen zumute, obwohl auch er spürte, wie sich in seinem Körper etwas ausbreitete und ihn vollkommen vereinnahmte. Er wollte es nicht zugeben, aber es war Angst. Angst vor dem, was ihn erwartete, und Angst davor, Hellen nie wiederzusehen. Deshalb mußte er sich ihr Bild unauslöschlich einbrennen, im Kopf und im Inneren und in all seinen Gedanken.

Fahl kündigte sich der Morgen durch die Ritzen an. Da sie der aufgehenden Sonne entgegenfuhren, erkannten alle, die Fahrt ging nach Osten. Wohin auch sonst?

Kaum, daß die ersten Strahlen den Weg in den Gefangenentransporter fanden – schmerzlich erinnerte sich Alexander an die letzte Nacht im Hotel National, als sich die Sonne durch den Spalt zwischen den Vorhängen hindurchmogelte –, vernahm er einen Schrei aus dem mittleren Teil des Wagens. Einige Männer sprangen auf und starrten auf den Boden.

»Er ist tot«, rief jemand. »Er ist wirklich tot.«

Nach und nach erhoben sich die Gefangenen. Nur die Blatnoij blieben, als könne sie nichts erschüttern, am Ofen hocken, der immer noch vor sich hin gloste.

Alexander zwängte sich durch die Neugierigen und sah einen Körper am Boden liegen. Zusammengekrümmt, mit schmerzverzerrtem Gesicht, die Augen starr, blau die Lippen, und die Hände drückten gegen die Brust. Zwischen den Fingern erkannte Alexander einen spitzen Holzspan, jemand hatte ihn dem Mann in den Körper gerammt. Wer dazu in der Lage war, wußte jeder: nur diejenigen, die auch ein Messer besaßen.

Einer der Männer deutete auf eine Stelle über den Blatnoij. Deutlich war an einer Bohle ein heller Streifen auszumachen, wie frisch herausgeschnitten.

Drohend rückten die Häftlinge wie eine Wand gegen die am Boden hockenden Blatnoij vor. Die sprangen hoch, stellten sich im Halbkreis auf, zückten ihre Messer und blickten wild in die Runde. Keiner sagte ein Wort.

Zögernd wichen die Männer zurück und ließen sich wieder auf ihre Plätze nieder. Ohnmacht war Bestandteil ihrer selbst geworden. Ohnmacht und Angst.

Abermals hielt der Zug. Alexander sah draußen aber keinen Bahnhof und auch keine Häuser. Sie standen mitten auf der Strecke. Plötzlich hörten sie unter sich Geräusche. Immer lauter wurde das Hämmern, dann ein Bersten, Holz splitterte. Mitten im Wagen standen die Blatnoij, die Messer angriffslustig in der Hand. Plötzlich verschwand einer nach dem anderen durch eine Öffnung nach unten. Kaum war der letzte weg, setzte sich der Zug wieder in Bewegung.

Als gäbe es ein Wunder zu bestaunen, gruppierten sich die Häftlinge um das gezackte Loch. Rasend huschte einen Meter tiefer der Schotterkörper vorbei. Als der Junge, dem man in den Mund uriniert hatte, er hieß Anatoli, hinuntersteigen wollte, um in die vermeintliche Freiheit zu entweichen, die doch nur den sicheren Tod bedeutet hätte, hielten ihn einige zurück. Widerstrebend ließ sich Anatoli in eine Ecke führen. Deutlich bemerkte Alexander eine Hand, die den Kopf des Jungen streichelte.

»Der Tote ist auch weg«, rief jemand erstaunt.

Am Abend, es war schon längst dunkel, stoppte der Zug in einem Bahnhof. Scheinwerfer wurden auf die Waggons gerichtet, die

Türen geöffnet, eine Kette von Soldaten rückte vor und bezog Position. Während sich alle Häftlinge aufstellen und zum Appell antreten mußten, wurden die aus Alexanders Wagen ausgesondert und in einer Art Scheune untergebracht.

»Weil die Blatnoij geflohen sind«, vermutete Mikola. »Jetzt geht es gleich heiß her.«

Aber die nächsten Stunden ließ man die Gefangenen in der dunklen Scheune schmoren. Plötzlich flammte Licht auf, etwa zehn Soldaten eskortierten drei Männer, die sich an der Stirnseite aufbauten. Der mittlere der drei, den Rangzeichen nach ein Leutnant, legte gleich im Kasernenhofton los: »Ich will die Wahrheit hören. Und bevor ich sie nicht erfahren habe, werdet ihr diesen Platz nicht verlassen. Solange gibt es auch nichts zu essen und nichts zu trinken. Habt ihr mich verstanden?«

Gegen Mittag des kommenden Tages – alle Häftlinge waren einzeln verhört worden – erklangen draußen vor der Scheune laute Kommandos. Das Tor wurde aufgestoßen, die Strafgefangenen aufgefordert, hinauszutreten und sich in Zweierreihen aufzustellen. Ein Pkw fuhr vorneweg, ein Lkw mit Soldaten, die alle drei Stunden ihre Kollegen abwechseln sollten, bildete den Schluß.

In der Nacht hatte es kräftig geschneit. Stapfend setzten sich die Männer in Bewegung. Man trieb sie zur Eile an, um die anderen Häftlinge einzuholen, die sich bereits im Morgengrauen auf den Weg gemacht hatten.

Zuerst ging es den Schienen entlang, die unvermittelt an einem Prellbock endeten, anschließend über eine Allwetterstraße. Links und rechts hatte man im Abstand von je ungefähr hundert Metern blaugelbe Stäbe in den Boden gerammt. Je länger der Marsch dauerte, erneut setzte Schneefall ein, desto langsamer wurde das Tempo. Der Alte neben Alexander hielt erstaunlich gut mit, dafür aber brach ein anderer zusammen. Mit Gewehrkolbenhieben brachten ihn Vertreter der Begleitmannschaft wieder auf die Beine. Seltsamerweise fanden sich zwei Leidensgenossen, die dem Malträtierten stützend unter die Arme griffen.

Um Mitternacht erreichten die Erschöpften – sie sehnten sich nach einem warmen Ofen, nach Wodka und frischgebackenem

Brot – ausgangs eines Dorfes eine Lagerhalle. Dort schliefen bereits die anderen Häftlinge, die vorher aufgebrochen waren.

Für die Neuankömmlinge hielt man eine dünne Suppe bereit, sie dampfte zumindest, und ein Stück Weißbrot.

Alexander setzte sich neben den jungen Anatoli, der schweigend vor sich hin starrte und keinen Appetit zu haben schien.

»Komm, du mußt was essen.«

Anatoli sah ihn mit stumpfen Augen an.

»Los, nimm das Brot.«

Aber Anatoli griff nicht danach.

»Du schämst dich?«

Anatoli reagierte nicht.

»Gegen die Kerle hättest du keine Chance gehabt. Du hast klug gehandelt und dich nicht gewehrt, sonst wärst du jetzt tot.«

Langsam, als kehrte Anatoli wieder in die Gegenwart zurück, sah er Alexander an. »Hat man dir schon mal in den Mund gepißt?«

»Nein.«

»Dann weißt du auch nicht, wie das ist. Laß mich in Frieden.«

Alexander legte dem Jungen eine Hand auf den Unterarm. Der schüttelte sie ab. »Du wirst es vergessen.«

»Niemals.«

Zweitausend Kilometer von Moskau entfernt, erreichten die 253 Männer – inzwischen waren fünf von ihnen an den Strapazen des langen Marsches gestorben – drei Tage später eine kleine Anhöhe. In einer Senke vor ihnen lag am Ende einer Straße eine Ansiedlung, wie Alexander zuerst glaubte.

»Perm 35«, flüsterte jemand hinter ihm. Er tat das so ehrfurchtsvoll, als kenne er ein wichtiges Geheimnis.

Mikola hatte auch schon von der Strafkolonie gehört. »Das sicherste Lager der Welt. Noch keinem ist die Flucht gelungen. Einen großen Friedhof soll es dort auch geben und viele weitere schöne Einrichtungen, die uns den Aufenthalt so richtig angenehm machen werden.«

Als sie näher kamen, fielen ihnen sofort die Wachtürme auf, wie auf dem Kopf stehende Flaschen. Dazwischen verliefen endlose Reihen und Schleifen von Stacheldraht, der oberste war dicht gerollt wie zu einer Spirale.

»Hier gibt es auch viele Politische, wie mir einer erzählt hat«, raunte ein Gefangener in der Reihe vor Alexander. »Verurteilt nach Artikel 70 des Strafgesetzbuches. Der Gummiartikel für alle Fälle.«

»Schnauze«, brüllte ein Aufseher und stieß mit dem Gewehr zu. Ein Aufstöhnen folgte und ein erstickter Fluch, der wie ein Versprechen klang, es dem Peiniger heimzuzahlen.

Als die Häftlinge durch das Tor ins Lager trotteten, wurden sie von dem in lange olivgrüne Mäntel gehüllten Wachpersonal beobachtet. Einige von ihnen hatten Schäferhunde, die wild an der Leine zerrten und bellten.

Trotz des Schnees, der alles barmherzig unter einer weißen Decke verbarg, ging etwas Gefährliches von Perm 35 aus. Vielleicht wegen der Ruhe und der Art, wie die Strafkolonie angelegt war: leicht geneigte Satteldächer aus Wellblech und darunter eingeschossige Unterkünfte aus Holz mit weiß gestrichenen Fensterrahmen.

Als Alexander sich umschaute, bemerkte er außerhalb des Lagers das verputzte zweistöckige Verwaltungsgebäude aus Stein. Es hob sich kaum von der Umgebung ab. Daneben standen die kleinen Wohnhäuser der Wachmannschaft, eine Siedlung für sich in unmittelbarer Nähe des Strafgefangenenlagers. Die Grenzen zwischen Inhaftierten und Bewachern verschwamm, viele Familien waren isoliert vom übrigen Rußland und kamen sich gleichfalls eingesperrt vor, nicht durch Stacheldraht, sondern durch die Unendlichkeit des Landes.

Der Zählappell. Wie schon auf dem langen Marsch, wurden sie auch hier wieder in Gruppen, entsprechend der Belegung der Zugwaggons, aufgeteilt. Zwei Stunden dauerte die Prozedur, einige Gefangene kippten vor Erschöpfung um und wollten nicht mehr aufstehen.

Später verfrachtete man die Ankömmlinge in unbeheizte Baracken. Einer nach dem anderen wurde aufgerufen, durch den Schnee in ein anderes Gebäude geführt, mußte sich auskleiden und zum Desinfizieren unter eine Dusche stellen. Nicht aus Fürsorge den Gefangenen gegenüber, sondern um die Wachmannschaft vor ansteckenden Krankheiten zu schützen.

Nach dem Duschen erhielten die Strafgefangenen die typische Häftlingskleidung aus grobem Stoff in einem dunklen Marineblau und eine gleichfarbige Mütze. Noch bevor sie sich anziehen durften, wurde eine Nummer auf die Jacke genäht, fortan ihr Name, wurde ihnen der Schädel kahlgeschoren, ihr Erkennungszeichen.

Alexander, inzwischen angekleidet und als Nummer 648 registriert, mußte einen Gang mit einem mehrere Meter hohen Metallzaun passieren und durch ein doppelflügeliges Tor zu seiner neuen Unterkunft in einem Seitentrakt des Lagers marschieren. Der Vorraum des eingeschossigen Hauses war erstaunlich geräumig, die Wände hatte man weiß gestrichen, den Sockel von Fußleiste bis Schulterhöhe dagegen hellblau und im gleichen Ton wie das Schwimmbecken des Hallenbades unweit des Moskauer Gorki-Parks, das er als Student einige Male aufgesucht hatte.

Alexander wurde in einen Schlafsaal geführt, zwei Glühbirnen baumelten von der Decke, der penetrante Geruch von Desinfektionsmitteln reizte die Schleimhäute. Da er der erste war, durfte er sich eines der zwanzig Metallbetten aussuchen. Sie standen mit den Kopfenden an den Wänden, dazwischen war jeweils ein schmaler Durchgang. Er wählte eines am Fenster und stutzte, denn die Betten, neben jedem stand sogar ein kleiner weißer Nachttisch, waren alle sauber bezogen. Unter den Fenstern sah er klobige Heizkörper. Noch nie hatte er sich so über den Anblick der warmen Metallgerippe gefreut.

Gleich nebenan befand sich hinter einer grünen Holztür ein Waschraum mit zwei Waschbecken. Die Leitungen, auf der Wand verlegt, sahen aus wie dicke Adern. Alexander probierte den Wasserhahn aus, für Millionen Sowjetbürger auf dem Land immer noch das Hauptindiz des Fortschritts. Er funktionierte und tropfte nicht einmal, wenn man ihn zudrehte.

Alexander wunderte sich noch mehr, als er eine weitere Tür aufstieß und eine kleine Küche entdeckte. Waren alle Geschichten, die er von Strafanstalten gehört hatte, übertrieben, Schreckensbilder

der Phantasie? Zumindest Perm 35 machte einen sauberen und humanen Eindruck.

Am Abend war der Schlafraum mit einer exotischen Mischung von Gefangenen belegt: unter ihnen ein Jude, ein orthodoxer Priester, ein Politischer und der Sohn eines KGB-Offiziers. Nicht zu vergessen Mikola, der jetzt nicht mehr so stank; sein Bett stand zwei Reihen von Alexanders entfernt. Anatoli, den Jungen, hatte man woanders untergebracht.

Als sie in die Kantine gehen wollten, wurde Alexander erneut mit dem Ritual eines Appells vertraut gemacht. Immer wieder gab es diese Appelle, fünfmal am Tag, sonntags einmal weniger: nach dem Aufstehen, vor dem Weg zur Arbeit, vor dem Mittagessen, vor dem Weg zurück, vor dem Abendessen. Und jedesmal wurden die Gefangenen durchsucht. Neben Alexander saß ein Mann ohne Zähne und schlürfte Suppe aus einem Aluminiumteller. Anschließend kaute er verbissen auf dem Brot herum.

»Sie wollen, daß wir die Würde verlieren«, nuschelte er. »Die Würde ist das Vornehmste beim Menschen. Wenn wir keine Würde mehr haben, dann sind wir schwach und ihnen ausgeliefert. Deshalb wollen sie uns die Würde nehmen.«

Alexander schaute den Mann an, doch der tat so, als beachte er ihn nicht.

Alexander brachte sein Geschirr – Löffel und Gabeln waren gleichfalls aus Aluminium, Messer gab es aus verständlichen Gründen nicht – zurück und schob es unter einer hochgelassenen Glasscheibe hindurch. Wieder im Schlafsaal, setzte sich Wanja, der Politische, neben ihn. Wie er es nur aushalten könne, in diesem Land zu leben, fragte er Alexander. Der sagte, er habe sich darüber noch keine Gedanken gemacht, denn ihm sei es bisher nicht schlecht gegangen.

»Mich haben sie nach Artikel 70 des Strafgesetzbuches wegen antisowjetischer und antisozialistischer Aktivitäten verurteilt. Und weißt du, was ich gemacht habe? Einem Bekannten ein ausländisches Buch besorgt. Zwölf Jahre haben sie mir gegeben. Zwölf Jahre. Für jede Seite zehn Tage.«

»Und wie lange mußt du noch absitzen?«
»Vier, wenn es gut geht und mir nicht irgendein Natschalnik noch eine Zugabe verpaßt.«
»Wie ist denn der hiesige Natschalnik?«
Wanja zog die Schultern hoch. »So, wie alle Lagerchefs nun mal sind: Viehtreiber.«
Sergej, ein Bett weiter, verachtete die Sowjetunion und wollte nicht länger in dem Land bleiben. Er habe schon viele Ausreiseanträge gestellt. »Als ich in der Fabrik, in der ich arbeitete, dann aus Wut eine Maschine zerstört habe, wurde ich zu zehn Jahren verurteilt. Ich hatte mich am sozialistischen Eigentum vergriffen. Etwas Schlimmeres kann es nicht geben.«
Vadim Sonnenberg war Jude. In Israel zu leben sei sein Traum. Deshalb habe er in der Nähe von Odessa am Schwarzen Meer ein Schiff gekapert, um durch die Dardanellen in die Freiheit zu gelangen. Natürlich sei er erwischt worden. Sie erwischen jeden, sagte Vadim. Und jetzt müsse er dreizehn Jahre in einem Lager leben, ohne seine Frau und die Kinder, die noch nicht einmal wüßten, wo er überhaupt sei. Das bedrücke ihn besonders.
Bis tief in die Nacht, längst war das Licht gelöscht worden, unterhielten sich die Häftlinge. Neuankömmlinge seien, so gab einer zu, die einzige Abwechslung und auch die einzige Möglichkeit, ungefiltert Nachrichten von draußen zu erfahren.
Alexander erhielt nach und nach Einblick in Schicksale, die im Vergleich zu seinem wesentlich härter und schrecklicher waren. Und zehn Jahre, so trösteten ihn einige, seien doch wirklich kaum der Rede wert.
Irgendwann rollte Alexander sich in die Bettdecke, drehte sich zur Fensterseite, befühlte die Rippen der Heizung. Er zog sich in seine Gedankenwelt zurück und flüchtete aus Perm 35 zu Hellen.

»Sag mal, Alexander, ich habe noch nie blaue Augen mit einer solchen Wärme gesehen wie die deinen.«
»Du meinst nur, sie seien warm.« Sie setzten sich auf eine Bank.
»Nein, sie sind es wirklich.« Hellen folgte mit dem Zeigefinger der Kontur einer Augenbraue.

»Vielleicht, weil ich in dich verliebt bin.«
»So? Du bist in mich verliebt?« Sie lächelte ihn an.
»Ja.«
»Und seit wann?«
Er zuckte mit der Schulter und streichelte ihr Kinn.
»Ging es schnell?«
»So schnell, wie man ein Stück Schokolade angeboten bekommt. Und wie ist es mit dir?«
Hellen lehnte sich an seine Schulter und schaute auf die Moskwa. Auch heute an diesem trübkalten Oktobertag waren sie die einzigen Spaziergänger.
»Mir geht es ebenso.«
Er drehte ihren Kopf zu sich und sah sie an. »Tatsächlich?«
Sie küßte ihn. »Eigentlich dürfte ich dir so etwas nicht sagen. Immerhin bin ich zwei Jahre älter als du, also schon eine reife Frau. Außerdem habe ich mir einen Schnupfen geholt.«
»Ich werde das Bild nie vergessen: Du in der Universität, durchnäßt und mit geröteten Augen. Es ist für mich ...« Er schluckte, stand auf und zog sie mit sich hoch. Eng umschlungen gingen sie weiter und schwiegen lange. Der Kremlkai lag hinter ihnen, als Hellen stehenblieb.
»Ich habe Angst, Alex. Wegen unserer Zukunft.«
»Was ist mit unserer Zukunft?«
Sie antwortete nicht sofort. »Hast du dir nicht auch schon vorgestellt, wir könnten gemeinsam ...«
Er preßte die Lippen zusammen. Und nach einigen Sekunden klang es wie ein Versprechen, als er hervorstieß: »Wir werden eine gemeinsame Zukunft haben, Hellen.«
Sie schien von der Art, wie er gesprochen hatte, irritiert zu sein.
»Du wirst doch nichts Unüberlegtes tun?«
»Nein.«
Das beruhigte sie. »Meine Firma wird demnächst hier in Moskau ein Büro eröffnen. Ich könnte etwas für dich tun, Leute wie du sind gesucht.«
Er schaute sie an. »Wieso?«
Hellen tippte ihm mit dem Zeigefinger auf die Nase. »Einmal,

weil du perfekt deutsch sprichst und dein Land kennst. Zum anderen, weil es für Bergbauingenieure in unserer Branche immer eine Verwendung gibt.«
»Noch bin ich kein ...«
»Aber in zwei oder drei Jahren.« Nach einer kurzen Pause fügte sie hinzu: »Vielleicht könnten wir dann beide gemeinsam hier in Moskau arbeiten.«

In dieser Nacht, der ersten im Lager Perm 35, war Alexander in die schöne Welt seiner Vorstellung entrückt, die ihn für die Realität entschädigte. Als öffnete er ein geheimnisvolles Schatzkästlein, empfand er die gleichen Gefühle wie wenige Wochen zuvor und glaubte sogar, Hellens Körper zu riechen. Ihr Haar, die Haut, der Duft unter ihren Achseln, eine Mischung aus Schweiß und Parfüm, der ihn so aufregte, wenn sie miteinander geschlafen hatten. Er sah sie gehen, ihre Hüften schwingen, sah die Wadenmuskeln und die hochhackigen Schuhe, deren Absätze auf dem Steinboden klackerten. Alexander hörte das Aneinanderschaben der Nylonstrümpfe, wenn sie die Beine übereinanderschlug, das Rascheln der Bluse, das Schnippen ihrer Finger im Rhythmus der Musik. Jedes Detail offenbarte sich ihm, weil er es für alle Zeiten in seinem Gedächtnis gespeichert hatte: Die gespitzten Lippen, wenn sie am Strohhalm saugte, ihre typische Handbewegung, falls ihr die langen Haare wieder einmal ins Gesicht gefallen waren, und die Art, wie sie ihre Armbanduhr zurechtrückte. Hellen, das war seine Vision, seine Zuflucht und sein Phantasiegebilde, sein Nachtgebet. Alexander fieberte den ganzen Tag über dem Abend entgegen, wenn er endlich allein und ungestört mit ihr vereint sein konnte.

Seine Zimmerkollegen verstanden nicht, warum er immer so früh zu Bett ging. Falls einer mal nach ihm schaute, die offenen Augen sah und das zufriedene Gesicht, dann verstand er noch weniger.

Allmählich wurde er ihnen suspekt und sie meinten, er sei nicht ganz richtig im Kopf. Und da er auch tagsüber oft abwesend wirkte, verfestigte sich diese Vorstellung. Träumer nannten sie ihn, da er vieles um sich herum nicht mitbekam und sie mehrfach nachfragen mußten, bevor er überhaupt reagierte. Alexander der Träumer spürte oft den Stock des Wachpersonals, weil er sich nicht schnell genug bewegte. Aber was bedeuteten schon körperliche Schmerzen, wenn man geistig gar nicht zugegen war.

Am nächsten Tag saß er im Speisesaal einem neuen Gesicht gegenüber. Obwohl Reden verboten war, sprach Alexander den Mann an, weil er nichts vom Gefangenennachschub mitbekommen hatte.

»Sag mal, wann bist du denn gekommen?«
Der Angesprochene reagierte nicht. Er schien abwesend zu sein.
»Hast du nicht verstanden?«
»Ich bin schon vier Jahre in dem Lager.«
»Ich habe dich aber …«
»Die letzten sechs Monate war ich im Schizo.«
»Und was ist mit deinen Armgelenken?«
Der Mann blickte auf die dunklen Ringe in verschiedenen Braun- und Violettfärbungen. »Zwei Monate habe ich Handschellen getragen.«
»Den ganzen Tag?«
»Jede Minute.«
Alexander verschluckte sich. Gut, das Lager hatte sich ihm am ersten Tag sehr freundlich dargestellt, kein Wunder nach der Zugfahrt und dem langen Marsch. Aber eine psychiatrische Abteilung und dann nur Handschellen? Skeptisch forschte er im Gesicht des Mannes, ob er ihn auch nicht belog.
»Wie heißt du?«
»Gregori.«
»Alexander. Und warum hat man dich in das Schizo gesteckt?«
»Weil ich die Arbeit verweigert habe.«
»Warum verweigerst du auch die Arbeit? Bist selbst schuld.«
Gregori hob langsam den Kopf und schaute Alexander an. »Weißt du, es ist nicht eine Frage des Verweigerns, sondern eine Frage, wie du dich als Mensch siehst.«
Alexander erinnerte sich an das, was ihm vor einigen Tagen der Mann ohne Zähne über die Würde erzählt hatte. »Du willst dir deine Würde bewahren.«

»Nein. Ich bin Antikommunist, weil das bolschewistische ökonomische und politische System gegen die menschliche Natur verstößt. Und antisowjetisch bin ich, weil ich nicht hinnehmen kann, daß dieses Land so viele Menschen den Tod gekostet hat.«

»Wie sieht es im Schizo aus?«

Alexander rührte in der Tasse, während Gregori von seiner Zelle erzählte. Sie sei in einem Holzbau untergebracht, fast wie eine Kirche, sein Aussehen lasse nicht vermuten, was sich drinnen abspielte. Dicke Eisentüren, mit Blech beschlagen, riegelten die Zellen hermetisch ab.

»Man kann nicht durchschauen, nichts hören, und wenn sich der Schlüssel im Schloß dreht, dann zuckst du zusammen, weil du denkst, es ist das Ende.«

Gregori beschrieb die gekachelten Zellen, für zwei Personen etwas mehr als einen Meter breit und drei lang. Die Wände seien feucht, die Betten tagsüber hochgeklappt und festgehakt. In der Mitte stehe eine Holzbank, und an der Decke hänge eine Kette, an die man die Insassen fessele, wenn sie renitent seien. Er, Gregori, habe mit seinen Handschellen drei Tage an der Kette gehangen. Ratten seien ihm über die Füße gelaufen, denn es gäbe keinen festen Boden in der Zelle, sondern lediglich gestampfte Erde. An der Stirnseite befinde sich ein kleines Lichtloch.

»Keine Heizung, nur ein dickes Rohr, durch das ab und zu lauwarmes Wasser fließt, damit du nicht erfrierst. Und einen Blecheimer gibt es als Toilette. Wenn du brav bist, dann darfst du sogar in der Zelle arbeiten. Aber mich haben sie, als ich schließlich wollte, nicht gelassen. Ohne Beschäftigung zu sein ist das Schlimmste, was dir passieren kann.«

Als Alexander seine Arbeit aufnahm, er war der Schlosserei zugeteilt und hatte Blech zu Zylindern zu biegen, die später einmal Abfalleimer werden sollten, war er wegen Gregoris Erzählung bedrückt. Noch bedrückter wurde er am Abend, als Gregori ihm einen Mithäftling vorstellte. »Das ist Janis. Schau dir mal seine Hände an.« Alexander betrachtete sich das verwachsene Etwas. Dick und verwuchert die Gelenke, mit roten Malen, und die Hände standen seltsam ab und waren in sich verdreht.

»Erzähl es ihm«, forderte Gregori Janis auf.

»Die einfachste Sache der Welt. Man hat mir die Hände gebrochen. Mehrmals.«

»Und warum?«

»Weil ich mich gesträubt habe, mich kahlscheren zu lassen.«

»Das war alles?«

Janis nickte. Alexander schaute verstohlen zu einem der Wachposten, der sie argwöhnisch beobachtete. Er war nicht bewaffnet, abgesehen von dem obligatorischen Stock, den er in der Hand wippte, und er erweckte auch keinen allzu gefährlichen Eindruck. Gut, sie schrien und fuchtelten wie wild, wenn man sich nicht schnell genug bewegte oder eine Arbeit falsch verrichtete. Dann konnte auch schon mal der Stock auf einen niedersausen, mehr hatte er bisher noch nicht mitbekommen.

»In welchem Lager sind wir eigentlich?«

»Das hier ist die schwarze Seele des Teufels.«

»Aber wir leben doch im 20. Jahrhundert, unser Land ist das mächtigste auf der Erde.«

Gregori lächelte sonderbar. »Die Schlange häutet sich, aber die Natur bleibt dieselbe.«

Normalerweise wurden sie durch eine harte Kommandostimme geweckt, aber an diesem Morgen plärrte schon sehr früh laute Musik aus dem Lautsprecher an der Decke des Schlafsaals.

»Ist es bereits sechs?« wollte Alexander wissen.

»Erst halb.«

»Warum wecken sie uns denn jetzt schon?«

Ohne weiter darüber nachzudenken, standen die Männer wie gewohnt auf, gingen in den Waschraum und zogen dann ihre Sachen an. Einige kleideten sich auch zuerst an, denn sie standen, trotz aller Proteste der übrigen Insassen, mit dem Wasser auf Kriegsfuß. Wieder andere waren skeptisch, weil sie nicht wußten, wo das Leitungswasser herrührte. Einer meinte sogar, man versetze es mit Bakterien und Bazillen oder mit sonst was, um sie krank und schlapp zu machen. Ihm seien schon die Haare ausgefallen.

Während Alexander sich die Zähne putzte, wünschte ihnen eine freundliche Stimme einen schönen Tag und die Übererfüllung des Plansolls, auf daß der Sozialismus endlich siege.

»Wieder ein Appell an die Produktivität«, vermutete Dimitri, der orthodoxe Priester. Aber er hatte unrecht.

»Wie uns soeben gemeldet wurde«, klang es gutgelaunt aus dem Lautsprecher, »ist vor wenigen Stunden der schlimmste Feind des Sozialismus und der größte imperialistische Agitator aller Zeiten erschossen worden. Der amerikanische Präsident John Fitzgerald Kennedy, der auf Besuch in Dallas, Texas, weilte, um wieder eine seiner Hetzreden zu halten, die nur dazu dienen, den Weltfrieden zu stören, erlag in einem Krankenhaus seinen Verletzungen. Besonders das kubanische Volk wird nun Grund zum Jubeln haben. Wir schließen uns an.«

Alexander, der die Wahl des neuen amerikanischen Präsidenten vor zwei Jahren mitbekommen hatte, verstand nicht, warum sich der Radiosender »Stimme des Volkes« so euphorisch über dessen gewaltsamen Tod freute.

»Denk doch an Kuba«, wurde er von Wanja, dem Politischen, belehrt.

»Was ist mit Kuba?«

»Die große Sowjetunion ist mit der Karibikinsel befreundet, die Zuckerrohrfresser sind unser Brudervolk.«

»Ist das alles?«

»Im letzten Jahr gab es wegen Kuba eine Krise, fast wäre es zum Krieg gekommen.«

Alexander, der brav alle Schulungsabende besucht hatte, erinnerte sich. »Die imperialistischen Feinde haben es darauf angelegt, der Sowjetunion und ihren Verbündeten zu schaden.«

Wanja sah Alexander an, als zweifelte er an dessem Verstand. »Du Schwachkopf. Wir waren doch die Aggressoren, weil unser guter Nikita die Insel zu einer waffenstarrenden Bastion ausbauen wollte. Raketen über Raketen, alle bestückt mit Atomsprengköpfen, und das nur wenige hundert Kilometer von den Zentren der USA entfernt. Hättest du dir das gefallen lassen, wenn du amerikanischer Präsident wärst?«

Alexander starrte Wanja nur an, so hatte er den Vorfall noch nicht betrachtet. Und daß die Amerikaner in der Türkei, also direkt vor der russischen Haustür, schon seit langem Mittelstreckenraketen stationiert hatten, die bis weit über Moskau hinaus Ziele treffen konnten, wußte er auch nicht.

»Und dann mußte Nikita, unser von militärischen Hohlköpfen umgebener Ministerpräsident, vor der Weltöffentlichkeit den Schwanz einziehen. Wie blamabel. Die Amerikaner blockierten einfach die sowjetischen Schiffe. Wären sie weitergefahren, dann hätte es geknallt.«

Alexander war sehr unbedarft und gutgläubig, nicht nur, was die Politik anbelangte. Kritiklos hatte er bisher die staatliche Propaganda geschluckt. Dies konnte man auch ohne Kritik, denn für alle verständlich und in kleinen Portionen wurde sie, gewürzt mit einprägsamen Schlagworten und Floskeln, von oben an den Sowjetbürger herangetragen.

»Aber unsere Aktion diente doch der Sicherung des Weltfriedens und um dem Imperialismus Einhalt zu gebieten.«

Wanja schlug ihm leicht mit der flachen Hand gegen die Stirn. »Genauso, wie unsere Inhaftierung dem Weltfrieden dient, du Träumer.«

Mit der Zeit lernte Alexander alle Winkel von Perm 35 kennen. Es war in mehrere Segmente unterteilt und jedes für sich mit einem dichten, kreuz und quer gewebten undurchdringlichen Muster aus Stacheldraht umgeben.

Wollte man von einem Teil des Lagers in den anderen wechseln, viele Gittertüren mußten geöffnet und wieder verschlossen werden, dann ging das nur in Begleitung einer Wachperson.

Jenseits des äußersten Zauns befand sich eine Sichtschutzwand aus etwa fünf Meter hohen Palisaden, damit niemand der Insassen mitbekam, was außerhalb ihrer Welt vor sich ging.

Inzwischen brauchte man Alexander nicht mehr davon zu überzeugen, daß dies das sicherste Gefängnis der Welt war. Nicht nur wegen der Hunde, die nachts frei herumliefen und jeden Häftling anfielen, der es wagte, an die frische Luft zu gehen. Nach und nach wurde Alexander auch mit den Gepflogenheiten vertraut. So hatte er mittlerweile selbst am eigenen Leib erfahren, was es bedeutete, zehn Stunden am Tag zu arbeiten, und das sechs Tage in der Woche. Er wurde einem Brigadier unterstellt, der zwar auch Strafgefangener, aber verantwortlich für die Erfüllung des Plansolls war und dessen Anordnungen Alexander zu befolgen hatte.

Mit dem Brigadier war gut auskommen, weil Alexander ihm ab und zu eine Zigarette zusteckte. Wie überall im Lager mußte man sich auch bei ihm gewisse Vergünstigungen erkaufen. Weil aber Zigaretten und Wodka die einzig akzeptierten Zahlungsmittel waren, gewöhnte er sich das Rauchen ab, um mehr Spielraum für seinen kleinen privaten Handel zu haben.

Selbstverständlich hatte er dem Gesetz nach ein Anrecht auf den sowjetischen Durchschnittslohn, und der betrug nun mal laut Verordnung, alle Inhaftierten kannten sie, 125 Rubel. Aber das Geld bekam niemand ausgezahlt, mehr als die Hälfte wurde für Unterkunft und Verpflegung einbehalten. »Hotel Sowjetski« nannten die Gefangenen das Prinzip. Urlaub beim Staat.

Was man Alexander aushändigte, vom Rest bekam er nichts zu sehen, war ein monatliches Taschengeld von sieben Rubel, die er im lagereigenen Geschäft verprassen durfte. Bei den total überhöhten Preisen gab es dafür zwei Päckchen Zigaretten. Falls er mehr Geld haben wollte, mußte er mehr arbeiten und sein Soll übererfüllen. War er ein guter Gefangener, wurde das in seiner Akte vermerkt. War er ein sehr guter, konnte sich das positiv auf die Dauer seiner Strafe auswirken.

Alexander machte von dem Recht Gebrauch und schrieb seiner Mutter jeden Monat. Sie antwortete ihm, allerdings fehlten oft einige Seiten, die der Zensur nicht gefallen hatten. Was man ihm aushändigte, waren ihre inständigen Bitten, sich brav und anständig zu verhalten, allen Anordnungen zu folgen und dem Lagerleiter zu vertrauen, dann gehe die Zeit schnell für ihn vorbei. Vielleicht würde man ihn sogar früher entlassen.

Alexander weitete für sich das Recht aus und schrieb an die Deutsche Botschaft in Moskau, einen ehemaligen Kaufmannspalast in der

Großen Grusinischen Straße Nummer 17, mit der Bitte, seinen Brief an Hellen Birringer, Düsseldorf, weiterzuleiten.

Antwort erhielt er nicht, aber schon zwei Tage später fand er sich in einer der Spezialzellen wieder, die im selben Gebäude untergebracht waren wie der Sanitätsraum. Warum das so war, erfuhr er am eigenen Leib. Man schnallte ihn auf eine Holzpritsche und setzte seinen Körper unter Strom. Immer wieder fragte jemand, den er nicht sehen konnte, warum er an die Deutsche Botschaft geschrieben habe, und immer wieder gab Alexander die gleiche Antwort: damit man den Brief an seine deutsche Freundin weiterleite. Sobald er das gesagt hatte, wurde die Stromstärke erhöht, und zur Abwechslung kippte man ab und zu einen Eimer Wasser über ihn aus. Dann zitterte Alexander wie wild und spürte, wie sein Herz in der Brust hämmerte und raste, als wolle es sich selbständig machen. In seinem Kopf säuselte und quietschte es, das Blut rauschte in den Ohren, die Augen meldeten seltsame Bilder weiter.

So ging das einige Tage. Zwischendurch schnallte man Alexander los und verfrachtete ihn in die Zelle, nackt und ohne etwas zum Zudecken. Nach einer Woche setzte die Strombehandlung aus, man gab ihm seine Kleidung wieder und dazu noch eine Decke.

Dafür wachte Alexander immer mitten in der Nacht mit fürchterlichen Kopfschmerzen auf und hatte das Gefühl, als wollte sich sein Gehirn durch die Ohren nach außen drücken. Er preßte die Hände gegen den Kopf, aber die Schmerzen ließen nicht nach. Auch dann nicht, wenn er schrie und tobte, aufsprang und hin und her raste. Sie hörten erst dann auf, wenn er mit dem Kopf gegen die Wand lief und ohnmächtig zusammenbrach. Das tat er zweimal. Jedesmal, wenn er wieder zu sich kam, rann Blut aus seiner Nase, und ihm war, als fehlte in seinem Schädel etwas, als hätte ein Teil des Gehirns seine Tätigkeit eingestellt.

Apathisch auf dem Boden hockend, hörte er, wie eine Klappe in der Tür geöffnet wurde. Deutlich konnte er verstehen, was einer auf dem Gang zu seinem Kollegen sagte. »Wenn wir so weitermachen, dann bringt er sich noch um.«

Von diesem Zeitpunkt an wurde die Lage für Alexander erträglicher. Er war zwar immer noch in der Spezialzelle, aber die Kopfschmerzen ließen nach, allerdings blieb ein seltsam dumpfes Gefühl. Wenn er sich hastig bewegte, wurde ihm schwindelig, ähnlich wie während seiner Gerichtsverhandlung in Moskau. Damals hatte das die Spritze des Arztes bewirkt.

Nach einem halben Leben, so zumindest kam es ihm vor, wurde er wieder in den Schlafsaal gebracht. Als er die Augen aufschlug, standen alle um ihn herum und sahen ihn besorgt an.

»Was haben sie mit dir gemacht?«

Alexander erzählte, auch von den rasenden Schmerzen im Kopf.

»Ultraschall«, ließ sich Wanja vernehmen. »Damit quälen sie dich, ohne daß du weißt, was los ist. Ultraschall, sage ich euch.«

In den kommenden Nächten erlebte Alexander gedanklich die gleiche Prozedur wie in den Nächten zuvor. Die Folge war, daß er sich einfach nicht mehr auf Hellen konzentrieren und sich nicht mehr mit ihr in Verbindung setzen konnte. Andere Dinge drängten sich vor, banale und alltägliche, und so war es ihm unmöglich, ihr Bild abzurufen. Mitten zwischen seinen Hirnwindungen war irgendwo ein weißer, undurchsichtiger Vorhang, der alles verbarg. Krampfhaft versuchte er, sich an Einzelheiten zu erinnern, etwa an die Art, wie sie ihren Körper bewegte, oder ihre Lippen, wenn sie zu ihm sprach. Manchmal glaubte er, den weißen Vorhang zerreißen oder durchdringen zu können, denn die Konturen der Vergangenheit wurden plötzlich etwas klarer, und Hellen kam näher. Dann jedoch, als würde es jemand bewußt darauf anlegen, zerliefen alle Bilder, sogar das einprägsamste: Hellen, vom Regen durchnäßt in der Universitätshalle. Statt dessen sah er die Spezialzelle vor sich, die Gurte, mit denen man ihn angeschnallt hatte, das Wasser auf seinem Körper. Und er spürte die Schmerzen im Kopf, zuerst nur zuckende Blitze, dann Wellen voller Pein. Nicht wirklich, aber das konnte er nicht unterscheiden. Gegen diese körperlichen Nachwirkungen und empfindungsmäßigen Kapriolen, die mit Herzrasen und Schweißausbrüchen einhergingen, hatte Hellen keine Chance. Und weil dem so war, fühlte Alexander Trauer aufsteigen und Resignation. Er weinte.

Da Alexander so ausgiebig mit sich selbst beschäftigt war, bekam er nicht mit, wie man Mikola abholte. Warum, wußte niemand.

Zwei Tage später, sie gingen gerade zum Frühstück, schrie einer laut auf und deutete nach vorn. Alexander, der es sich in der letzten Zeit angewöhnt hatte, auf den Boden zu schauen, das gefiel den Wachposten, hob den Kopf und sah einen Körper am Zaun hängen, der ihm seltsam vertraut vorkam. Im Näherkommen erkannte er Mikola, mit auf den Rücken gefesselten Händen, den Kopf von einem Metallpfosten des Zaunes aufgespießt. Zwischen Unterkiefer und Kehlkopf eingedrungen, hatte sich das blutige Ende der Spitze oberhalb des linken Ohrs durch die geborstene Schädeldecke gedrückt.

Die Häftlinge blieben stehen und murrten, aber das Wachpersonal brachte sie wieder in Bewegung, indem es mit Knüppeln wie wild auf die gebeugten Rücken eindrosch.

Im Speisesaal gab es nur ein Thema: Mikola. Was war vorgefallen? Warum hatte man ihn umgebracht? Denn daß er umgebracht worden war, darüber gab es keinen Zweifel – die Füße so hoch frei über dem Boden baumelnd.

Am Abend machte dann das Gerücht die Runde, Mikola sei im Schizo gewesen. Aber warum, wußte niemand. Alexander, der nicht einschlafen konnte – immer wieder sah er den aufgespießten Mikola vor sich, die weitaufgerissenen Augen und die auf dem Rücken gefesselten Hände –, hatte das Gefühl, als würde er unter riesigen Wellen von Gewalt begraben. Schon wurde ihm die Luft knapp, er glaubte einen ungewohnten Druck auf der Brust zu spüren und atmete stoßweise. Wie gern wäre er gedanklich auf Reisen gegangen, nur weg von der grausamen Realität. Aber leider konnte er keine Zuflucht mehr bei Hellen finden, sie blieb für ihn ohne Gesicht.

Am nächsten Tag lernte er den Viehtreiber kennen, wie die Gefangenen den Natschalnik nannten. Kaum mittelgroß, dick, mit einer Halbglatze und hinterlistigen Augen starrte der Lagerchef, er war im Range eines Hauptmannes, Alexander an. Neben ihm saß ein zweiter Offizier, der Lagerpolitruk, verantwortlich für die politische Leitung.

Alexander mußte sich mitten im Raum vor dem Schreibtisch aufstellen, hinter ihm verharrte einer vom Wachpersonal, der schon in

Vorfreude des Kommenden den Knüppel fester umschloß. Zu seinem Leidwesen schickte man ihn hinaus.

Leise sprach der Lagerchef zu seinem politischen Vertreter, der wesentlich jünger war, mit vollem Haar und einem nichtssagenden Gesicht. Der Politruk richtete dann eilfertig Fragen an Alexander. Er wollte vor seinem Vorgesetzten glänzen, das war ungemein wichtig für die Karriere.

»Gautulin, sehr traurig, was mit Mikola Plikussin geschehen ist. Findest du nicht auch?«

»Ja, Genosse ...« Alexander wußte nicht, wem er antworten sollte. Und als der Viehtreiber-Natschalnik gönnerhaft nickte, sagte er: »Jawohl, Genosse Hauptmann.«

»Bringt sich einfach um.«

»Jawohl, Genosse Hauptmann.«

»Dabei hätte er es bei uns so gut haben können. Dir geht es doch auch gut?«

»Jawohl, Genosse Hauptmann.«

»Kein Grund zum Klagen. Oder gibt es den?«

»Nein, Genosse Hauptmann.«

»Du bekommst ja auch Post von deiner Mutter. Schön, wenn man noch eine Mutter hat, die sich um einen sorgt.«

»Jawohl, Genosse Hauptmann.«

So ging das eine Weile. Der Viehtreiber raunte seinem Vertreter etwas ins Ohr, und der wandte sich an Alexander. Dabei sah der Natschalnik Alexander mit seinen kleinen, unsteten Augen an, als hätte er in ihm endlich das nächste Opfer gefunden.

»Ihr seid bereits im Zug zusammengewesen?«

»Jawohl, Genosse Hauptmann.«

»Dann mußt du doch schon damals festgestellt haben, wie depressiv Mikola war.«

Alexander zögerte, dem Politruk dauerte das zu lange.

»Das hast du doch festgestellt?«

»Jawohl, Genosse Hauptmann.«

»Andere haben das auch bestätigt, und Mikola war wirklich in der letzten Zeit sehr sonderbar. Er hat doch mit dir in einem Schlafsaal gelegen?«

»Jawohl, Genosse Hauptmann.« Nach dieser Frage durchschaute Alexander das Spielchen des Politruks, der vor sich hin murmelte: »War in der letzten Zeit sonderbar.« Dazu machte er sich einige Notizen.

»Mikola hat also von Selbstmord gesprochen. Du hast ihn doch gut gekannt.«

»Ja, Genosse Hauptmann.«

»Hat von Selbstmord gesprochen«, murmelte der Politruk, während er schrieb.

»Und er hat auch gebetet, nicht?«

»Ich weiß nicht, Genosse Hauptmann.«

»Mikola soll öfters in der Ecke gesessen haben.«

»Ja, Genosse Hauptmann.«

»Hat gebetet.« Und lauter zu Alexander, unüberhörbar war der Vorwurf herauszuhören: »Gautulin, wenn du das alles weißt, warum hast du Mikola dann nicht geholfen?«

Alexander schwieg, er fühlte sich schon halbwegs schuldig.

»Warum hast du uns, die Lagerleitung, nicht informiert? Du bist verpflichtet, uns über alles zu informieren, was einem Mithäftling schaden könnte.«

»Jawohl, Genosse Hauptmann.«

»Wir werden uns überlegen, wie wir mit dir verfahren werden. Ja, mein lieber Gautulin, das war eine schwere Unterlassung. Wegtreten!«

So mit Schuld beladen, verließ Alexander das Büro des Natschalnik und war ganz geknickt. Draußen auf dem Flur spürte er sogleich den Knüppel des Wachmanns.

»Mach gefälligst Mitteilung, wenn dir was sonderbar vorkommt«, zischte er. »Hast du verstanden?«

»Jawohl, Genosse …«

Wachmänner dürfen an den Türen lauschen.

Mikola war noch lange Gesprächsthema, und zwar so lange, bis es Kraut zu essen gab und am nächsten Tag alle Lagerinsassen über reißende Leibschmerzen klagten. Etliche übergaben sich, andere hatten Magenkrämpfe, wieder andere Fieber und Schüttelfrost. Nur Alexander spürte nichts, obwohl er gleichfalls von dem säuerlich schmeckenden Gemüse gegessen hatte. Wie gern hätte auch er sich elend gefühlt, wie gern hätte er auf diese Weise für seine Unterlassung, die Lagerleitung nicht informiert zu haben, gebüßt.

»Bestimmt hat der Schuft von Koch das Zeug auf dem Schwarzmarkt gekauft«, beschwerte sich Wanja. »Und einen dicken Profit gemacht. Wird ihn sich mit dem Viehtreiber teilen.«

Alexander verstand wieder mal überhaupt nichts. Wie kann man denn Kraut auf dem Schwarzmarkt kaufen und dabei auch noch Profit machen? Waren nicht die Preise festgeschrieben und vom Staat reguliert? Irgendwann, den Insassen ging es nach einer Phase, in der alle Durchfall hatten und stundenlang die Toiletten blockierten, wieder besser, kam das Gerücht auf, Mikola müsse etwas Schreckliches beobachtet haben, deswegen sei er umgebracht worden. Aber was er beobachtet haben könnte, wußte niemand. Was sollte es denn auch schon Geheimnisvolles in der Näherei, in der Mikola gearbeitet hatte, zu sehen geben?

Eines Abends, als Alexander den Schlafraum betrat, stand der orthodoxe Priester Dimitri Warschenko mitten im Raum und las aus einem dicken Buch vor.

»Die Bibel«, flüsterte Wanja, der Politische, und legte einen Finger auf den Mund.

Alexander lauschte den Worten des Priesters, der vom Frieden auf dieser Welt sprach. Und man müsse den Feinden vergeben, denn Weihnachten sei nun mal das Fest des Friedens und der Vergebung. Einer der Gefangenen hatte einen Kerzenstummel aufgetrieben. Als das Licht gelöscht wurde, saßen zwanzig zu vielen Jahren Lagerhaft verurteilte Männer schweigend und seltsam andächtig um die kleine flackernde Flamme. Jeder ging auf eine innere Reise, nur Alexander nicht. Für ihn gab es nichts mehr zu reisen.

Weihnachten war vorüber, das neue Jahr hatte begonnen, Mikolas Tod schien ohne Konsequenzen zu bleiben.

»Wenn einer von uns schuldig gewesen wäre, dann hätte es eine Untersuchung gegeben«, klärte Wanja, der mit den Interna eines

Lagers bestens vertraut war, Alexander auf. »Jeder Natschalnik fürchtet nichts mehr als eine Untersuchung, die von Moskau anberaumt wird. Dann könnten Dinge ans Tageslicht kommen, die er schon längst begraben und vergessen glaubt.«

Alexander verstand die innere Logik nicht. »Aber Mikola ist doch eindeutig umgebracht worden. Wie kann einer mit auf den Rücken gefesselten Händen so hoch springen und sich auch noch selbst aufspießen?«

Wanja wußte es besser. »Es war Selbstmord. Glaube mir, das hat die Untersuchung eindeutig ergeben. Mord darf es nicht gewesen sein, weil in einem Lager offiziell keiner eines gewaltsamen Todes stirbt. Hast du das verstanden?«

»Ja.«

»Mikola war nun mal depressiv, wir alle haben es bestätigt. Und gegen Depressionen kann man niemanden schützen.«

Der übliche Zählappell an diesem Morgen, aber ein unübliches Ergebnis: einer fehlte. War ihm etwa die Flucht gelungen? Obwohl die Strafgefangenen stillzustehen hatten, wurde geraunt und getuschelt, und es bildeten sich Gruppen. Man sah ihren Gesichtern an, sie gönnten es dem noch Unbekannten, entkommen zu sein. Immer wieder kreiste die Frage: Wer ist es denn?

So wurde spekuliert, man blickte sich um, alle Kollegen und Leidensgenossen schienen anwesend zu sein.

Eine Stunde verging, die Häftlinge froren. Noch eine Stunde, dann kursierte unter der Hand die Nachricht, es habe sich etwas ereignet, und zwar in der Näherei. Müsse eine schlimme Sache sein, der Viehtreiber sei auch schon dort.

»War da nicht Mikola beschäftigt?« fragte Wanja.

Die Männer durften endlich wegtreten. Jetzt hätten sie in den Speisesaal eilen können, doch da existierte ja das Gerücht: Näherei. Weil die Wachen nicht instruiert waren, ließen sie die Gefangenen passieren. Sie seien auf dem Weg zur Arbeit, behaupteten diese, Frühstücken wollten sie heute nicht.

Vor der Näherei stand ein Doppelposten mit Gewehr. Das war unüblich für den inneren Lagerbereich, denn bei einer Revolte hätten sich die Häftlinge die Waffen aneignen können. Die Strafgefangenen zwängten sich einfach an den Bewaffneten vorbei und gelangten in eine Halle mit dreißig verschiedenen Arbeitsplätzen, an jedem stand eine Nähmaschine. Nebenan gab es einen Raum, in dem das Material gelagert wurde. Ballen über Ballen von Stoff stapelten sich dort, alle in der Einheitsfarbe des Militärs: olivgrün. Mittendrin entdeckten sie den Viehtreiber, der den Sträflingen verwundert entgegenglotzte und sich einem Aufstand ausgesetzt glaubte.

Die ersten waren schon an der Verbindungstür angelangt. Der Lagerleiter wollte sich ihnen in den Weg stellen, und sein Politruk bemühte sich, ihm beizustehen. Die Häftlinge, inzwischen aufgebracht, weil sie wegen der Umstände ahnten, daß einem von ihnen etwas Schreckliches widerfahren sein mußte, quetschten sich vorbei und standen unvermittelt vor einer nackten Leiche. Gekrümmt lag sie auf dem Boden, bleich die Haut, die Hände auf dem Rücken gefesselt, blutunterlaufene Würgemale am Hals. Aus dem Mund war weißer Schaum, wie dicke Milch, ausgetreten und hatte sich auf dem dreckigen Boden verteilt. Und Blut war zu sehen, es kam aus dem After des Toten.

»Anatoli! Das ist Anatoli«, schrie Alexander und kämpfte sich nach vorn in die erste Reihe. Er bückte sich, da wurde er von hinten gepackt und in die Menge zurückgestoßen.

»Halt dich da raus«, zischte einer, »sonst landest du im Schizo oder im Isolator.«

Zwei Minuten später das Geräusch von polternden Stiefeln, der Holzboden begann zu schwingen. Zwanzig Wachsoldaten strömten in die Näherei und trieben die Häftlinge mit Gewehren und aufgepflanzten Bajonetten hinaus. Einer bekam den blanken Stahl in den Oberschenkel.

An diesem Tag fiel die Arbeit aus, die Häftlinge versammelten sich in den Schlafräumen und diskutierten. Alexander erinnerte sich jetzt auch wieder, daß er Anatoli länger nicht mehr gesehen hatte. Schon zwei Wochen nicht. Aber das hatte gewöhnlich nichts zu sagen, denn als er in der Spezialzelle einsitzen mußte, konnten die anderen ihn auch nicht sehen.

»Hier läuft irgendeine Schweinerei ab«, fluchte Wanja. »Der arme Kerl. Wie alt war er?«

»Neunzehn, glaube ich«, antwortete Alexander.

»Was die mit ihm getan haben, liegt doch auf der Hand. Die Hände auf dem Rücken gefesselt, wie Mikola.«

Anatoli war vergewaltigt worden, und zwar auf eine sehr brutale und entwürdigende Art, wie das Blut gezeigt hatte. Vergewaltigungen von meist jüngeren Strafgefangenen gehörten in den Lagern zur Tagesordnung. Als Täter kamen die Kapos in Frage, aber auch Mithäftlinge, die sich gut mit der Obrigkeit stellten, und das Wachpersonal. Viele von ihnen waren unverheiratet, und für sie gab es weit und breit keine Möglichkeit, ihre Triebe zu befriedigen, sich zu entladen.

Eine gereizte Stimmung lastete in dem Schlafsaal. Zum einen waren die Strafgefangenen bedrückt, weil einer von ihnen umgebracht worden war, zum anderen staute sich von Sekunde zu Sekunde die Wut, und die Wut suchte nach einem Ventil.

»Man müßte die Kerle auf offenem Feuer rösten«, schimpfte einer. »Zuerst die Wurzel, dann die Glocken und schließlich den ganzen Körper.«

Beifälliges Nicken.

Plötzlich tauchte eine Vermutung auf, Alexander sprach sie aus.

»Sagt mal, hat der Tod von Mikola etwas mit dem von Anatoli zu tun?«

Die Männer überlegten. Schnell erkannten sie den Zusammenhang, denn Mikola war in der Näherei beschäftigt gewesen, wo man Anatoli gefunden hatte. Eigentlich war dessen Platz in der Küche. Lange diskutierten die Strafgefangenen, jeder versuchte eine Parallele zu konstruieren zwischen dem gewaltsamen Ableben von Mikola und Anatoli.

Alexander kam nach Einschätzung der übrigen Anwesenden der Wirklichkeit sehr nahe, als er sagte: »Mikola hat gesehen, was sie mit Anatoli gemacht haben, und ist entdeckt worden. Deswegen mußte er sterben.«

Schlagartig veränderte sich das Lagerleben. Der Ton der Wachen wurde härter, die Befehle knapper, es wurde häufiger geschrien, der Stock sauste bei jeder Gelegenheit auf die ausgemergelten Körper hernieder. Und die Gefangenen ballten immer öfter eine Faust in der Hosentasche.

Die Lagerleitung, die für solche Dinge oft eine sensible Antenne hatte, rächte sich auf ihre Art, und das Essen verlor an allem: Die Portionen schrumpften, die vorher schon nicht abwechslungsreiche Vielfalt wich der Monotonie, Fleisch, immer schon alt und zäh, gab es nun gar nicht mehr, das Brot war meist hart. Obendrein wurde die Arbeitszeit um eine Stunde täglich verlängert.

Gleichzeitig liefen die Untersuchungen durch den Lagerleiter. Jeder der Insassen von Perm 35 wußte, was als Ergebnis herauszukommen hatte: Einer der Häftlinge mußte gefunden und als Täter verantwortlich gemacht werden, damit jeglicher Verdacht von der Wachmannschaft beseitigt war. Wehe dem einen Häftling!

Die Verhöre zogen sich über viele Stunden hin, auch Alexander war wieder einmal fällig. Er kannte die Prozedur schon von Mikolas Tod, allerdings war die Stimmung des Lagerleiters und die seines Vertreters dieses Mal mehr als gereizt. Und der Wachmann, der Alexander in das Verwaltungsbüro geführt hatte, stand schlagbereit hinter ihm.

Auch heute versuchte der Politruk, die gewünschten Antworten über sein seltsames Doppelfragenspiel zu erhaschen. Aber Alexander war auf der Hut und erdreistete sich sogar, seine Aussagen richtigzustellen, wofür er prompt jedesmal einen Schlag mit dem Knüppel genau zwischen die Schulterblätter erhielt. Dabei achtete der Wachmann sorgfältig darauf, nicht den Hinterkopf zu treffen, denn der Lagerarzt, manche fühlten sich ihrem hippokratischen Eid verpflichtet, konnte in einem solchen Fall unangenehme Fragen stellen.

Mehr und mehr tastete sich die Lagerleitung in eine ganz bestimmte Richtung vor. Ob er homosexuelle Neigungen verspüre, wurde gefragt.

»Nein, Genosse Hauptmann.«

Wieso er das so genau wisse?

»Weil ich eine Freundin in Deutschland habe, Genosse Hauptmann«, antwortete Alexander voller Stolz.

Das könne jeder sagen.

»Aber ich habe gegen eine Bestimmung verstoßen und bin dafür zu Recht in einer Spezialzelle belehrt worden, Genosse Hauptmann.«

»Wie denn das?« Der Lagerkommandant fühlte sich auf den Arm genommen. Allein schon auf den zweifelnden Blick seines Vorgesetzten hin leistete der Knüppelschwinger seine nächste Attacke ab, die diesmal wesentlich heftiger ausfiel als die vorherigen. Er traf Alexanders Hinterkopf, der sich in Erwartung des Schlages etwas zur Seite gedreht hatte. Die Kopfhaut platzte wie bei einer überreifen Tomate, warm spürte Alexander das Blut den Nacken herunterlaufen und hinter dem Kragen verschwinden.

»Weil ich versucht habe, an sie zu schreiben, Genosse Hauptmann«, quetschte Alexander hervor und kämpfte gegen Sternchen an, die auf ihn zuflogen und in seinem Kopf zerplatzten.

Als der Natschalnik daraufhin den Politruk verwundert anglotzte, bestätigte dieser die Aussage. Das paßte dem Lagerleiter überhaupt nicht. Auch noch ein aktenkundiger Vorgang, der den Gefangenen entlastete. Fatal. Sich wieder Alexander zuwendend, registrierte der Viehtreiber das viele Blut und erschrak. Nicht schon wieder ein ... Dann blickte er strafend auf den Wachposten.

»Das werden Sie zu verantworten haben«, zischte er, die Augen zu Schlitzen zusammengepreßt. »Im Lager wird kein Gefangener geschlagen, solange ich die Aufsicht habe. Ist das klar?«

Alexander, verwundert über die Zurechtweisung, schaute über die Schulter und sah, wie der Gemaßregelte dienstfertig nickte.

»Jawohl, Genosse Hauptmann.«

»Rufen Sie sofort den Arzt.«

Und wieder einmal hatte die Administration auf subtile Art ihre Hände in Unschuld gewaschen. Selbstverständlich wurde das Verhör sofort abgebrochen, zuviel war in letzter Zeit auf den Natschalnik eingestürmt. Zwei Tote und dann auch noch so etwas.

Man brachte Alexander in die Krankenstation. Der Arzt untersuchte ihn, nähte die Kopfverletzung und stellte im übrigen keine körperlichen Schäden fest, die auf Schläge oder Folter zurückzuführen wären. Schwellungen und gerötete Haut stammten ganz einfach von dem Bettzeug, vielleicht eine Allergie, und vom unruhigen

Schlaf. Im Gegenteil, der Mediziner bescheinigte dem Patienten sogar eine ausgezeichnete Konstitution. Alexander, der sich derweil im Spiegel betrachtete, sah an seinem Oberkörper ihm ganz neue Ecken und Kanten, besonders dort, wo sich an Schlüsselbein und Schulterblatt die Knochen durch die Haut drückten. Mehrere Kilogramm hatte er abgenommen, Dellen unterhalb der kurzen Rippe und die dünn gewordenen Oberschenkel bewiesen es. Alexander wurde in ein Bett verfrachtet und mit einer heißen Suppe verwöhnt. Noch nie hatte er etwas so Köstliches gegessen: Rindsbrühe mit echten Fleischstückchen.

Kurze Zeit darauf besuchte ihn der Lagerkommandant mit einem Zivilisten, der sich nach Alexanders Befinden erkundigte. Ein Fotograf war auch zufällig zugegen, aber bevor Alexander eine Frage an den freundlichen Fremden richten konnte, hatte der Viehtreiber ihn wieselflink hinauskomplimentiert. Eine halbe Stunde später mußte Alexander das schöne Krankenbett räumen und in den Schlafsaal umziehen. Zu seinem Glück hatte er die Suppe da bereits gegessen.

Alexander, der mehr und mehr in sich hineinzuhorchen schien, als sei er auf der Suche nach sich selbst, merkte, wie er sich veränderte. Zu Beginn zählten nur seine Gedankenwelt, nur sein Hinwenden zu Hellen Birringer und die schönen Stunden, die er so mit ihr Nacht für Nacht erlebte. Deshalb fehlte ihm die Antenne für das, was um ihn herum geschah. Er war der Träumer und den ganzen Tag über auf der Flucht vor der Wirklichkeit.

Die Wende war eingeleitet, als er in der Spezialzelle hatte einsitzen müssen. Schlimm war für ihn die Erfahrung gewesen, daß ein Menschenleben für seine Peiniger, die er noch nicht einmal richtig zu Gesicht bekommen hatte, nichts zählte. Schlimm auch die Erkenntnis, so brutal seine Grenzen aufgezeigt zu bekommen, was Schmerzempfindlichkeit und Durchhaltevermögen anbelangte. Noch schlimmer aber äußerte sich als Folge der demütigenden Quälerei die eigene Selbstaufgabe, die Einsicht, ohne Würde zu sein, ein willenloses Bündel aus schlaffen Muskeln, Haut, Sehnen und Haaren, nur noch dem Aussehen nach ein Mensch. Hätte man ihn damals nicht davon abgehalten, Alexander wäre immer wieder gegen die Wand gelaufen.

Wegen der Vorgänge in seinem direkten Umfeld, erst durch Mikolas, am meisten aber wohl durch Anatolis Tod, der ihn sehr berührte, wurde Alexander allmählich aufgerüttelt. An Stelle von Hellens Bild sah er in der Folgezeit immer deutlicher Anatolis bleichen Körper vor sich, mit dem Schaum im Mund und dem blutigen After. Anatoli, dem man im Zug schon in den Mund uriniert hatte. Keiner der Mitgefangenen konnte damals auf der Fahrt zum Strafgefangenenlager ahnen, daß dies nur ein harmloses Vorspiel gewesen war. Ein Vorspiel, das mit dem grausamen Tod des Jungen enden sollte.

Und je mehr Alexander die Wirklichkeit registrierte, desto auffälliger spürte er innerlich die Angst, und er gestand sich ein, den Anforderungen des Lagerlebens nicht gewachsen zu sein. Wie sollte er auch, bei der gutbehüteten Jugend, die er genossen hatte.

Die Stimmung unter den Lagerinsassen wurde immer aggressiver, vor jeder Mahlzeit klapperten sie minutenlang mit dem Eßgeschirr. Unüberhörbar forderten sie, die Schuldigen am Tod von Anatoli und Mikola zur Verantwortung zu ziehen. Als daraufhin die Lagerleitung die Essensausgabe sperrte, flogen spontan Teller und Löffel und Gabeln durch die geschlossenen Fenster nach draußen ins Freie. Stühle und Tische folgten.

Die Wachposten im Lager wurden verstärkt, jetzt kontrollierten sie nur noch zu dritt. Als das immer noch nicht genügte, um die Gefangenen einzuschüchtern, drehte man mitten im Winter kurzerhand die Heizung herunter. Frierend saßen die Inhaftierten die ganze Nacht zusammen, rückten enger und enger und schmiedeten Pläne. Aber es blieb bei den Plänen, denn auch die Anzahl der Schäferhunde hatte man erhöht. So, wie die draußen herumhechelten und bellten, waren sie sehr hungrig.

Mehrere Wochen dauerte die angespannte Situation in Perm 35, Wochen, in denen Alexander hin- und hergerissen war zwischen Wunschwelt und Gegenwart, bis er sich schließlich endgültig vom Träumen verabschiedete. Und als sich die Lage zu entkrampfen schien, sich Strafgefangene und Lagerleitung schon auf einen Waffenstillstand geeinigt hatten, da erhängte sich eines Tages kurz vor dem Mittagessen in der Ecke des Speisesaals ein Häftling – der Ersatzmann für Anatoli, dessen Aufgabe es gewesen war, Tische und Boden zu reinigen. Er schaukelte an dem lose herunterbaumelnden Elektrokabel, an dem normalerweise eine Lampe befestigt war. Vollkommen unbemerkt von den Wachposten war es geschehen, die derweil in der Küche herumlungerten und sich die besten Brocken aus der Suppe fischten.

Nachdem die Gefangenen den Toten entdeckt und wieder irgendeine Schweinerei vermutet hatten, stürmten sie nach draußen und machten ihrem Ärger Luft. Als erstes rissen sie die Betonpfosten mit dem Stacheldraht aus dem Boden. Eine beachtliche Leistung, denn die Pfosten waren eingefroren. Dann schleuderten sie die Pfosten gegen die Gebäude, einige Scheiben gingen zu Bruch. Zu Bruch gingen auch die Rippen eines Wachpostens, der dem Wurfgeschoß nicht mehr ausweichen konnte.

Eine Maschinengewehrsalve, die Kugeln wirbelten kleine Schneefontänen in die Luft, stellte die Ordnung aber schnell wieder her. Im kalten Schnee flach auf dem Boden liegend, hatten die Gefangenen eine halbe Stunde Zeit, über ihr Verhalten nachzudenken und sich abzukühlen. Anschließend durften sie zu ihrer Verwunderung in die Baracken. Alle warteten dann mehr oder weniger angstvoll auf die Reaktion des Viehtreibers.

Zwei Tage später die Überraschung: Keine Untersuchung, keine direkten Strafmaßnahmen, statt dessen wurden die Insassen auf andere Lager verteilt. Noch bevor sich die Häftlinge erholen und entsprechend reagieren konnten, fuhren schon Lkw mit geschlossenen Blechaufbauten vor. Dicht zusammengepfercht zwischen anderen brachte Alexander zwei Tage und eine Nacht in diesem dunklen, schaukelnden Gefängnis zu. Alle vier Stunden gab es eine kurze Pause und ein Stück Brot. Kein Wasser – überall lag ja Schnee.

Nicht, daß er schon wieder in die Rolle eines Träumers geschlüpft wäre, aber Alexander malte sich die zukünftige Entwicklung etwas rosiger aus als die Vergangenheit. Wenn Perm 35 das sicherste

Gefängnis der Welt war, mit schönen Einrichtungen, wie Mikola ironisch gemeint hatte, als sie ankamen, und einem großen Friedhof, auf dem der Achtundvierzigjährige jetzt selbst lag, dann konnte es doch nur besser werden.

Dieses Bild hielt an, bis man nach langer holpriger Fahrt die hintere Klappe des Lkw öffnete und das harte Kommando zum Aussteigen erklang. Geblendet von der Helligkeit des die Märzsonne reflektierenden Schnees schloß Alexander die Augen. Als er sie wieder öffnete, dachte er, er habe sich getäuscht, aber der Lkw stand tatsächlich mitten in einem Lager, falls das, was er sah, überhaupt diese Bezeichnung verdiente: Schief der Stacheldrahtzaun, schief die Gebäude, schief sogar die Wachtürme. Alles war heruntergekommen, wie er auf den ersten Blick erkennen konnte. In vielen Fenstern befanden sich keine Scheiben, Türen hingen lose in den Angeln, das Holz der Wände war aufgerissen, so daß man bis in den Raum dahinter schauen konnte.

Etwas abseits stand ein nach zwei Seiten offenes Zelt in den Tarnfarben des Militärs. Holzbretter auf leeren Teerfässern dienten als Tische, kleinere Ölkanister oder was immer sie gewesen waren als Stühle. Ein Schild wies unzweifelhaft darauf hin: Hier befand sich die Kantine.

Am abschreckendsten jedoch wirkten auf Alexander die wenigen zerlumpten Gestalten, die an ihm vorbeischlurften. Hängende Schultern, magere Körper, blutunterlaufene Augen und die Füße in Lumpen gewickelt.

Wieder ein Appell, wieder das gewohnte Warten. Aber jetzt mußte man regungslos stehenbleiben, sonst gab es sofort den Knüppel.

Insgesamt 28 Strafgefangene waren von Perm 35 hierher verfrachtet worden, und sie wurden so aufgeteilt, daß sie in ganz entfernten und unterschiedlichen Lagerbereichen untergebracht wurden.

Abgesehen von dem verkommenen Zustand war Alexanders neues Domizil um ein Mehrfaches größer als das bisherige. Für mindestens dreitausend Häftlinge hatte man es konzipiert, also zehnmal so groß wie Perm 35. Zusammengepfercht waren jedoch insgesamt mehr als fünftausend Häftlinge, wie er später erfahren sollte.

»Alexander Petrowitsch Gautulin.«
»Hier, Genosse Natschalnik-Olp.«
»Vortreten!«

Und dann stand Alexander dem Chef eines Lagerbezirks gegenüber, dem Natschalnik-Olp. Im Vergleich zu der Kälte seiner Augen war der Schnee geradezu warm. Jeder Zentimeter an diesem schlanken, hochgewachsenen Mann strahlte ein Übermaß an Arroganz und Unnahbarkeit aus. Und Unnachgiebigkeit und Brutalität.

»Mitkommen!«

Alexander, der noch weiche Beine von der langen Fahrt hatte, konnte dem Offizier kaum folgen. Und schon traf ihn unerbittlich der Knüppel, das wohl entwürdigendste Instrument in allen sowjetischen Straflagern. Entwürdigend, weil der Knüppel ein Relikt aus der Leibeigenschaft war und weil man das Vieh mit einem Knüppel trieb. Aber zwischen Vieh und Strafgefangenen besteht ja auch kaum ein Unterschied.

In einem kleinen Holzhaus war eine Art Büro eingerichtet. Während der Natschalnik-Olp auf einem Stuhl gleich neben dem warmen Ofen Platz nahm, klärte ein anderer Bediensteter Alexander im Schnelldurchgang über die Gepflogenheiten des Lagers auf.

»Erster Fluchtversuch sechs Monate Eiskeller und drei Jahre Haftverlängerung. Zweiter Fluchtversuch ein Jahr Eiskeller.« Von einer Haftverlängerung sprach er nicht mehr. Alexander erfuhr noch am gleichen Tag, daß der bisherige Rekord eines Gefangenen im Eiskeller bei knapp drei Monaten lag, alle anderen waren vorher krepiert.

»Das Arbeitssoll beträgt pro Tag sieben Tonnen.«

Alexander stutzte. »Eine Frage, Genosse Natschalnik-Olp: Ist das hier ein Bergwerk?«

Der Angesprochene lächelte unmerklich, und sein Adlatus antwortete: »Sicher, wir bauen Bauxit ab.«

»Ich bin Ingenieurstudent für Bergbau, Genosse Natschalnik-Olp.«

Der Hochgewachsene reagierte nicht.

»Ich werde mich bemühen, alle Anforderungen zu erfüllen. Mehr als zu erfüllen, Genosse Natschalnik-Olp«, ereiferte sich Alexander.

Der Vertreter und ein Wachposten brachten Alexander zu einer Baracke, deren Rückseite an einen Hügel gebaut war. Drinnen roch es feucht und nach Moder, und es war verdammt kalt.

»Da hinten das Bett ist frei.« Der Wachposten deutete auf ein kastenähnliches Gebilde, über das man eine Zeltplane geworfen hatte. Wie gemütlich und komfortabel war dagegen seine Schlafstatt in Perm 35 gewesen.

»Danke, Genosse Natschalnik-Olp.«

Obwohl er nicht der Leiter des Lagerbezirkes war, wertete Alexander den Adlatus bewußt auf. Diese Taktik hatte er schon in Perm 35 gelernt. Alexander, der seine ganzen Habseligkeiten in einem Kartoffelsack verstaut hatte, ging, nachdem man ihn allein gelassen hatte, zu dem Kasten und sah unter die Plane. Er entdeckte einen Häckselsack, normalerweise gefüllt mit Stroh, der so gottserbärmlich stank, daß er verfaultes Gras darinnen vermutete.

Anschließend inspizierte Alexander die Baracke. Auch hier waren die Hälfte der Fensterscheiben kaputt, und die Bewohner hatten die Löcher notdürftig mit Holzbrettern vernagelt, die mehr oder weniger dicht abschlossen. In der Ecke stand ein Ofen, daneben lagen einige nasse Holzscheite. Das Ofenrohr führte in einem weiten Bogen durch den ganzen Raum, um am hinteren Ende nach draußen zu verschwinden. Und genau an dieser Stelle tropfte es stetig, das Dach war undicht. Als Alexander nach unten blickte, konnte er durch die weit auseinanderklaffenden Bodenbretter den nackten Fels sehen. Das erklärte, warum es in der Behausung so kalt war.

Einen Waschraum gab es nicht, auch keine Toilette, dafür aber einen unscheinbaren Nebenraum, der nur von außen zu öffnen und zu schließen war. Alexander hatte schon davon gehört, daß man solch kleine separate Zellen in der Gefangenenunterkunft einrichtete, damit die Selbstjustiz der Inhaftierten der Lagerverwaltung einen Großteil der Arbeit abnahm. Wer das Plansoll nicht erfüllte oder sonst gegen die Vorschriften verstieß, wurde vom Barackenleiter über Nacht in das leere Kabuff gesperrt. Diese Erziehungsform durch Gleichgesinnte wirkt Wunder und soll zu einer seltsamen Art von Solidarität führen.

Es war längst dunkel, als die Strafgefangenen schlurfend und in sich zusammengesunken von der Arbeit kamen und sich die Baracke füllte. Verwundert sahen die ausgemergelten Gestalten Alexander an. Mißtrauen trat in ihre Augen, sie strafften sich und nahmen plötzlich eine Körperhaltung an, die Kampfbereitschaft und Aggressivität signalisierte. Was will der Neue? Wer ist es?

Alexander stellte sich ihnen vor. Daß er bisher in Perm 35 eingesessen hatte, wirkte wie eine Entwarnung auf die skeptischen Männer, die sich wieder entspannten und zu ihren Pritschen schwenkten.

»Dann sind wir also jetzt Nachbarn«, wurde Alexander angesprochen, und eine Hand schob sich ihm entgegen. »Rassul.«

»Alexander.«

Als er in das Gesicht des Mannes schaute und es mit dem von Mikola verglich, der trotz seiner achtundvierzig Jahre bereits so alt ausgesehen hatte, erschrak Alexander. Hier stand er einem Greis gegenüber, eingefallen, schon geschrumpft, mit tiefen Falten im Gesicht und mit silbrigen Bartstoppeln. Er hatte nur noch wenige Haare und mit einer schwarzgrauen Ausnahme keine Zähne mehr im Mund, statt dessen wulstige Lippen wie ein Schwarzer.

»Ich weiß, ich bin nicht mehr der Jüngste und auch keiner der Schönsten«, scherzte Rassul, und Alexander hatte Mühe, ihn zu verstehen. »Um das Altwerden brauchst du dich hier nicht zu kümmern, das geschieht von allein.«

Rassul warf sich auf die Pritsche und streckte sich mit einem Seufzen. »Was hast du ausgefressen?«

»Devisenvergehen. Und subversive ... Aber ich bin ...«

»Wir sind alle unschuldig. Reg dich nicht auf. Hast Glück, erwischst einen guten Platz. Jurij ist gestern gestorben.« Als sei das Sterben eines Häftlings das Natürlichste auf der Welt, deutete Rassul auf die Pritsche, nun Alexanders Bett. »Zehn Tonnen Gestein hält kein Körper auf die Dauer aus.«

Unauffällig beobachtete Alexander die übrigen Strafgefangenen, eine andere Schicht von Häftlingen als in Perm 35, nicht nur was ihr Erscheinungsbild betraf. Es gab keine Politischen unter ihnen, jeder hatte eine Mindeststrafe von zehn Jahren abzusitzen. Das erstaunte Alexander nicht. Ihn verwirrte allein der Umstand, was einer hatte tun müssen, um diese zehn Jahre zu erhalten. Rassul, so erzählte er ihm später, war aus Versehen bei einem Umzug ein Stalinbild von der Wand gefallen. Zehn Jahre. Und dabei hatte man ihn gerade erst aus dem gefürchteten Workuta, der Perle des Nordens, entlassen.

Semja war zu vierzehn Jahren verurteilt worden, weil er sich am sozialistischen Eigentum vergriffen, im Herbst auf einer Sowchose eine Karre voll Holz hatte mitgehen lassen. Und zwanzig Jahre mußte Ilja absitzen, wegen zweifachen Mordes. Frau und Kind hatten daran glauben müssen, als er im Vollrausch zum Messer griff.

Was so unlogisch anmutete, das Strafmaß-Verhältnis für einen Mord und für eine Karre voll Holz, hatte doch System und Sinn. Einen Mörder hinzurichten, brachte dem Staat keinen Gegenwert, denn er vernichtete ein Leben, ohne es für den Rest seiner Funktionsfähigkeit auszubeuten. Deshalb verurteilte man die meisten Angeklagten zu hohen Gefängnisstrafen, damit ihnen auch eine lange Zeitspanne zur Verfügung stand, über ihre Schuld nachzudenken und um die staatliche Zeche mit der Kraft ihres Körpers zu bezahlen. Zwanzig Jahre, das war aber in vielen Straflagern so gut wie ein Todesurteil. Allein die Tatsache, daß sich die Verurteilten an das Leben klammerten, man es ihnen quasi geschenkt hatte, setzte bei ihnen eine Motivation frei, die der Staat für sich ummünzen und ausnutzen konnte. Sterben auf Raten brachte ihm mehr ein, so wie bei Jurij, dessen Pritsche Alexander jetzt benutzen durfte. Er hätte noch wegspringen können, verdeutlichte Rassul ohne Emotionen, aber Jurij sei wohl schon zu schwach gewesen. Immerhin habe er zwölf Jahre in 60/61 durchgehalten.

»Was bedeutet 60/61?«

»Die Zahlen sind die geographischen Koordinaten: 60. Grad östliche Länge und 61. Grad nördliche Breite. Kapiert?«

Alexander nickte. »Und wie heißt die nächste Stadt?«

»Friedhof.«

»Wie bitte?«

»Unser Friedhof hat mehr als fünftausend Bewohner.« Rassul lachte, und in seiner schwarzen Mundhöhle zeichnete sich nur unwesentlich heller der Zahnstumpf ab. »Iwdel, so lautet der Stadtname.«

»Noch nie gehört.«
»Und Serow?«
»Kenne ich.«
»Nützt dir auch nichts, ist weiter entfernt als der Mond. Wirst du nie mehr sehen können. Schade um die Mädchen, die doch so sehnsüchtig auf dich warten.«

Rassul sprach das ohne Groll. Einfach nur als Feststellung, ohne besondere Betonung und ohne Hintergedanken, als beschreibe er das Wetter. Aber er hatte Alexander das Stichwort geliefert: Hellen. Alexander dachte wieder an sie.

Die Verpflegung lief im Eiltempo ab. Jeder der Strafgefangenen machte sich, sobald eine Pfeife, ähnlich die einer Dampflokomotive, ertönte, schnell auf den Weg zum Zelt, stellte sich ans Ende der Schlange und hoffte, daß seine Portion größer ausfallen möge als die des Vordermannes. Dann nichts wie zurück in die Baracke und den Fraß runtergeschlungen.

Rassul machte aus dem Essen eine Zeremonie, wohl auch deswegen, weil ihm das entsprechende Werkzeug dazu fehlte. Langsam und bedächtig und mit geschlossenen Augen schob er das harte oder weiche Brot, weich, wenn man es kurz vor dem Schimmeligwerden ins Wasser gelegt hatte, in den Mund und genoß. Er war immer als letzter fertig. Rassul übernahm es auch, Alexander an diesem Abend ein wenig im Lager umherzuführen und ihm den Bereich zu zeigen, den er betreten durfte. Als Alexander – die Trostlosigkeit des Gesehenen hatte ihm die Stimme verschlagen, und er fühlte sich sehr deprimiert – am von Scheinwerfern angestrahlten Grenzzaun zum nebenliegenden Bezirk vorbeiging, hörte er plötzlich seinen Namen.

Alexander blieb überrascht stehen. »Mensch, Sascha, haben sie dich auch hierher gebracht?«

Sascha, der in Perm 35 mit Alexander im selben Schlafsaal gelegen hatte, trat an den Zaun. »Wie geht es dir?«

»Morgen wird es uns schlechter gehen«, entgegnete Alexander ahnungsvoll.

»Aber hier haben sie kein Schizo.«

Alexander, der merkte, wie Sascha sich Mut zu machen versuchte, entgegnete mit einem Blick zu Rassul: »Brauchen sie auch nicht. Sie haben das Bergwerk.«

»Und auch keine Spezialzellen.«

»In meiner Baracke ist eine.«

Dann meinte Sascha scheinbar ohne Zusammenhang: »Vielleicht sehe ich doch noch mal die Elefanten.«

Ein Aufseher trennte sie. Sascha erhielt einen Schlag mit dem Knüppel, Alexander hatte Glück, er war unerreichbar auf der anderen Seite des Zaunes.

»Perm 35?« fragte Rassul.

»Ja. Sascha ist ein armes Schwein.«

»Es gibt keine armen Schweine. Es gibt nur uns.« Und nach wenigen Metern: »Was hat er ausgefressen?«

»Nichts.«

Rassul atmete schwer. Vielleicht wegen des Staubs in der Lunge. Sechs Jahre war er nun schon hier in 60/61.

»Das kannst du deinem Popen erzählen.«

»Sein Vater war ein hoher Offizier beim KGB. Er blieb in England, und da hat man kurzerhand die ganze Familie eingesperrt, Sascha schon seit fünf Jahren. Er weiß überhaupt nicht, wie lange er sitzen muß.«

Rassul stocherte mit dem Finger in einem seiner großen Nasenlöcher. »Habe ich noch nie gehört. KGB-Agent bleibt im Ausland. Wird denen sauer aufgestoßen sein. Und was für einen Tick hat Sascha mit den Elefanten?«

»Sein größter Wunsch ist, die Elefanten zu sehen. Afrika ist für ihn der Inbegriff von Freiheit.«

»Afrika? Wird er lange warten müssen.« Schwerfällig setzte sich Rassul wieder in Bewegung. »Wenn du es aber unbedingt darauf anlegst: Einen Elefanten kann ich dir auch hier zeigen. Einen ganz gewaltigen.«

»So?« Alexander versuchte in Rassuls verschlossenem Gesicht zu lesen. »Und wo, bitte schön?«

»Morgen früh, wenn es zur Arbeit geht. Der Elefant ist mächtiger als unser Natschalnik.«

»Du meinst den Hageren mit dem kalten Gesicht?«

»Pagodin? Ist nur der Leiter unseres Bezirks. Vor dem Elefant kuscht der wie ein Hund vor einem Bären.«

»Los, sag schon, wer ist der Elefant?«

Rassul zog Alexander vor der Baracke etwas auf die Seite. »Er ist der Chef der Verbrecherorganisation, die das Lager im Griff hat. Elefanten nennt man die Führer der Blatnoij.«

Alexander zuckte zusammen und sah die Situation im Zug vor sich: Anatoli, mit Urin in Mund und Gesicht.

»Ich habe in Perm 35 gehört, die Organisation sei schon 1948 von Berija verboten worden.«

»Das ist ... richtig.« Rassul lachte verächtlich. »Wenn sie aber damals verboten worden ist, wie konnte es denn dann 1952 zu meiner Zeit in Workuta zu einem Aufstand der Blatnoij kommen, he? Ein Aufstand, bei dem mehr als hundert ums Leben gekommen sind, und die meisten von ihnen waren Soldaten.«

Rassul straffte sich unbewußt, als er vom Widerstand sprach, dem Streik der Häftlinge wegen der unmenschlichen Zustände und weil man sie wie den letzten Dreck behandelte. Zuckenden, lebenden Dreck. Eine künstliche, zwanghafte Ansammlung von Menschenmassen unter unwürdigen Bedingungen, die dazu führte, daß die primitivsten Instinkte freigesetzt wurden. Jeder hatte nur ein Ziel: Überleben, auch auf Kosten anderer. Aber fast niemand erreichte sein Ziel.

»Wir hatten eigene Gesetze, Regeln und Sitten. Zwar wurden wir von den Tschekisten bewacht, aber ins Lager wagten sie sich nur selten. Manch einen von ihnen hat man mit einem Messer im Rücken gefunden.«

Einen Führer der Blatnoij habe er gut gekannt, einen großen, stattlichen Mann mit viel Ausstrahlung. Sein Prinzip sei es gewesen, nicht die armen Insassen auszubeuten, sondern es von den Reichen zu nehmen, von der Lagerleitung. Deshalb habe er mit allem geschoben, was ihm unter die Finger gekommen sei: Holz, Kleidung, Tee, Tabletten und Plan, dem Rauschgift. Und dieser Elefant habe den stärksten Krepki tschai getrunken, 35 Gramm grusinischen Tee auf 125 Gramm Wasser. »Mann, das geht dir ins Blut!«

Es habe auch einen Politruk gegeben, der sich einen Spaß daraus machte, die Verurteilten zu quälen und zu schikanieren. Bei minus 40 Grad schickte er sie hinaus in den Schnee, damit sie Holz für den Ofen suchten oder mit der Spitzhacke den gefrorenen Boden bearbeiteten. Der größte Sadist, dem er in seinem langen Lagerleben begegnet war.

Er sei Zeuge geworden, wie dieser Elefant den Lagerpolitruk zur Rede gestellt habe. Er solle sich menschlich verhalten, die armen Kreaturen nicht so schinden. Als der Politruk höhnisch lachte, griff der Elefant unter seinen weiten Umhang, zog zwei Dolche hervor und stieß sie dem Verhaßten in den Leib. »Wir waren alle erstarrt, und der Blatnoij ging aufrichtig und stolz zur Wache und legte denen die Dolche auf den Tisch. Ich habe noch gesehen, wie man ihn abgeführt hat.«

»Ist das wirklich wahr?«

»Beim Tod meiner Mutter.«

Das Licht wurde gelöscht. Alexander rückte seine Pritsche etwas näher an Rassuls, damit die anderen Häftlinge nicht durch ihre Unterhaltung gestört wurden.

»Rassul, warum husten alle Männer, auch wenn sie schlafen?«

»Weil es feucht ist in der Baracke. Und dann der Staub im Berg.«

»Wie alt bis du?«

»Sechsundfünfzig. Habe mich doch gut gehalten, nicht?« Alexander hörte ihn kichern.

»Und warum bist du früher schon mal in einem Lager gewesen?«

Rassul erzählte vom »Großen Vaterländischen Krieg«, in dem er drei Jahre gekämpft hatte, bis er in deutsche Gefangenschaft geriet. Das war 1944. Und als man ihn dort entließ, da glaubte ihm keiner. Dabei war er krank gewesen, schwere Lungenentzündung, und für die Deutschen zu einer Belastung geworden. Weil seine Landsleute meinten, er sei ein deutscher Spion, aus welchem Grund sonst habe er so ohne weiteres entlassen werden können, verurteilten sie ihn 1945 zu zehn Jahren strenger Lagerhaft. Rassul kam nach Workuta am nördlichen Polarkreis, auch Knochenstadt genannt, weil sie auf den Knochen von Hunderttausenden errichtet worden war. Rassul sprach von den Bergwerken, in denen sie zu Tausenden die Kohle abbauen mußten. Ohne Hilfsmittel oder Geräte, ausgenommen Hammer und Meißel und einige wenige Helme, um die man sich stritt. Die Stollen wurden nicht abgestützt, und Loren zum Kohletransport unter Tage gab es nur hin und wieder. Esel und Menschen mußten die Kohle in Säcken auf dem Rücken bis zum Hauptschacht schleppen.

»Alexander, im Winter habe ich monatelang nicht die Sonne gesehen. Was heißt Sonne, noch nicht einmal das Tageslicht. Ich kam mir vor wie lebendig begraben.«

Oft sei es minus 40 Grad und kälter gewesen, da habe man sich richtig darauf gefreut, in den warmen Berg zu fahren.

Rassul, der froh zu sein schien, daß ihm mal jemand zuhörte, berichtete über das Leben im Lager und in den Behausungen, die noch schlimmer gewesen seien als in 60/61. Und er erzählte vom Tod und seinen vielen grausamen Gesichtern. Die Gefangenen starben wie die Fliegen, aber das spielte keine Rolle. Nachschub gab es Ende der vierziger und zu Beginn der fünfziger Jahre genug, Stalin sorgte schon dafür.

Nachdem Rassul geendet hatte, gab er Alexander noch einen Rat: »Morgen werde ich dir einige der schlimmsten Verbrecher zeigen, sie tragen fast alle ein Messer. Wenn einer von ihnen mit einem Wunsch an dich herantritt, erfülle ihn. Will jemand in der Pause deinen Platz haben, so steh auf und such dir einen anderen. Und wenn er dein Stück Brot fordert, gib es ihm. Alexander, du bist neu, sie werden dich zuerst einmal auf eine ihnen angenehme Größe zurechtstutzen. Wehr dich nicht, das macht es nur noch schlimmer.«

Mitten in der Nacht wurden die Häftlinge geweckt. Auf dem Weg zum Zelt machten sie in einer anderen Baracke halt, dort standen einige verbeulte Blecheimer. Sie tauchten ihre Teller und Tassen in das mit Eisklumpen durchsetzte Wasser, lutschten es und putzten sich mit Hilfe der Finger die Zähne. Einige hatten Holzstückchen faserig gekaut, damit ging es besser. Alexander war einer der wenigen, der sich wusch. Rassul belustigte das. »Wirst doch gleich wieder dreckig.«

Das Frühstück – was für ein hochstehender Begriff für lauwarmes, braunes Wasser, das man als Kaffee auswies, ein Stück Brot und eine Scheibe fettiger Wurst – wurde heruntergeschlungen, und sofort machten sich die Strafgefangenen auf zum Berg. Knapp einen Kilometer hatten sie auf einem etwa drei Meter breiten Pfad zu gehen, der links und rechts und oben tunnelartig mit Stacheldraht eingezäunt war. Bewacht wurden die Häftlinge von Soldaten mit Gewehren, die außerhalb marschierten und ständig vor sich hin fluchten. Schließlich gelangte Alexander mit Rassul zu einem Flachbau aus Stein, wo ihm, dem Neuen, aus einem Depot Werkzeug ausgehändigt wurde: Hammer, Meißel, Schaufel, Spitzhacke und ein Helm.

Rassul drehte den Helm zwischen den Fingern. »Den trägst du doch nie. Wirst nämlich ganz schön ins Schwitzen kommen.«

Alexander wurde belehrt, daß er einen Monat in den Isolator müsse, falls er sein Werkzeug verlegte oder verlöre, oder wenn es ihm gestohlen würde, denn das mache keinen Unterschied.

»Isolator, ist das eine Einzelzelle?«

Rassul nickte. »Da bist du so richtig von unserer Welt abgeschnitten und kannst in Ruhe über dich nachdenken. Heizung gibt es dort übrigens auch nicht, wäre doch Verschwendung.«

In einem separaten Raum zog Alexander Arbeitskleidung an. Seine Größe konnte er nicht auswählen, aber da er schlank und nur etwas über mittelgroß war, gab es keine Mühe, das Entsprechende zu finden. Ein Seil um die Hüfte machte die Hose passend. Gemeinsam mit Rassul stellte er sich dann draußen auf dem freien Platz auf.

Alexander, der dachte, die Lagerleitung hielte diesen Appell ab, sah sich getäuscht. Zwar standen im Hintergrund Wachsoldaten und stützten sich auf ihre Gewehre, aber abgezählt und zur Arbeit eingeteilt wurden die Brigaden vom Elefanten, dem Chef der Blatnoij. Und der war eine imponierende, eine wahrlich gewaltige Erscheinung: Er wog mindestens zwei Zentner, hatte einen schwarzen Bart, dazu langes Haar, trug eine gefütterte Jacke und feste, saubere Lederstiefel. Im Mund baumelte eine richtige Zigarette und keine aus Zeitungspapier gerollte Papyrossi.

»Unser Brigadier ist ebenfalls ein Blatnoij. Wolkow heißt er, Wolkow, der Schlächter. Wundere dich also nicht, wenn er keine

Hand anlegt. Er geht nur rum, beobachtet seine Leute und treibt sie unentwegt an, damit die Prämie höher ausfällt.«

»Wie, bekommen wir eine Prämie?«

Rassul spuckte auf den Boden. »Wir doch nicht, wo denkst du hin. Die Blatnoij. Wir schuften für die verdammten Hunde.«

»Schnauze«, brüllte der Elefant und schaute angriffslustig in ihre Richtung. Und zu Wolkow gewandt: »Merk dir die beiden Burschen.«

Der Brigadier trat zu Alexander und Rassul und grinste in Vorfreude. Was wohl in seinem Kopf vorging? Welches gemeine Spielchen er sich bereits ausgedacht hatte?

Um in den Berg zu gelangen, brauchte Alexander nur geradeaus zu gehen. Es gab keinen Schacht, so wie in Workuta, sondern lediglich einen waagerechten Stollen. Nach fünf Minuten und vielen Richtungswechseln erreichten sie ihren Arbeitsplatz.

»Wenn du hier elektrische Lampen siehst, dann nur deswegen, weil es angeblich kein entzündliches Gas geben soll. Ich wäre mir da nicht so sicher. Wenn es also knallt, dann nichts wie auf den Boden.« Für Alexander kaum verständlich, fügte Rassul hinzu: »Falls du dazu noch Zeit hast.«

Vier Stunden später gab es die erste Pause. Alexander spürte seinen Rücken nicht mehr, und es dauerte einige Zeit, bis er sich vollständig aufgerichtet hatte. Rassul beruhigte ihn und sagte, das lege sich ab dem dritten Tag.

Alle Strafgefangenen erhielten Wasser und Brot, nicht aber Rassul und Alexander. Der Brigadier klammerte die beiden aus, weil der Elefant sie vorhin ermahnt hatte.

»Der Schweinehund. Wenn er irgendwann mal eine Spitzhacke im Kreuz hat, dann die von mir.« Rassul spuckte hinter ihm her, die einzige ihm verbliebene Art, Verachtung auszudrücken. Aber er tat es so, daß es keiner mitbekam.

Nach drei Stunden war die nächste Pause, wieder zehn Minuten, wieder gab's kein Brot und kein Wasser für Rassul und Alexander.

Der Alte erhob sich ächzend vom staubigen Boden und ging zu Wolkow, dem Schlächter. »Warum gibst du uns nichts zu essen und zu trinken? Haben wir nicht gut gearbeitet?« Der Brigadier stieß den alten Mann vor die Brust. Rassul taumelte, prallte mit dem Rücken gegen die Wand und rutschte zu Boden.

Alexander war aufgesprungen, um Rassul zu helfen. Wolkow dachte, er wolle sich auf ihn stürzen, und stieß mit dem Fuß zu. Da Alexander in der Bewegung war, traf ihn Wolkow nicht, sondern glitt auf dem lockeren Untergrund aus und fiel hin. Die Strafgefangenen schüttelten sich vor Lachen, Brotkrümel flogen ihnen aus dem Mund, klatschend landeten ihre Hände auf den Schenkeln. Wutentbrannt sprang der Brigadier auf, noch ein letzter giftiger Blick zu Alexander, dann war er verschwunden.

»Rassul, was ist mit dir?«
»Es geht schon.« Der Alte rappelte sich hoch, dabei sah er Alexander seltsam an. »Ich würde an deiner Stelle jetzt höllisch aufpassen, du hast dir einen Feind gemacht. Und was das schlimmste ist, für den Vorfall gibt es mehr als zwanzig Zeugen. Heute abend hat sich das Ereignis im Lager verbreitet, das geschieht schneller als ein Flächenbrand.«

Alexander wunderte sich über die Eindringlichkeit der Warnung: »Was kann mir denn schon geschehen?«

Sie arbeiteten nochmals drei Stunden, dann war der zehnstündige Arbeitstag beendet. Müde schleppten sich die Männer durch den Stollen nach draußen, gaben ihr Werkzeug ab, wechselten die Kleidung und stapften zurück in das Lager.

Wie Alexander schon auf dem kurzen Marsch mitbekam, machte sein Vorfall bereits die Runde. Während er durch das Tor von 60/61 schritt, spürte er vertrauliche Knuffe in der Seite und Hände, die ihm aufmunternd auf die Schulter klopften. Es tat gut zu wissen, welch schlechtes Ansehen die Blatnoij unter den Strafgefangenen hatten. Allerdings schienen die Sympathiebekundungen der Mitgefangenen nichts anderes als das Eingeständnis zu sein, selbst nicht den Mut zu haben, sich gegen die brutale Organisation zur Wehr zu setzen.

Alexander wusch sich in der Baracke, in der sie am Morgen die wassergefüllten Eimer vorgefunden hatten. Jetzt standen – dafür war die Lagerbrigade zuständig – ausrangierte Benzin- und Ölfässer bereit, und ein jeder beeilte sich, möglichst noch an den frischen Inhalt heranzukommen.

Alexander, den jede Faser schmerzte und der sich wunderte, wo überall im Körper man Muskeln hat, schleppte sich schwerfälliger in die Unterkunft als der alte Rassul. Total ausgepumpt ließ er sich auf seine Pritsche fallen und war sofort eingeschlafen. In einem hektischen Traum meldeten sich alle seine Probleme und Erinnerungen auf einmal. Hellen im Wechsel mit Anatoli und Mikola. Und seine Mutter, wie sie ihn ermahnte, es der Lagerleitung recht zu machen.

Rassul rüttelte an ihm, er wachte auf. Verstört sah Alexander in das verknitterte Gesicht des Alten.

»Hier, dein Essen.«

Rassul stellte einen Blechteller mit einem undefinierbaren Eintopf neben Alexander auf den Boden und einen Becher mit Tee.

»Wo hast du den Tee her?«

»Für dich gekauft.«

»Und der Preis?«

»Fünf Zigaretten.«

»Kostet der normalerweise nicht zwei?«

»Für dich und mich kostet er ab sofort fünf.«

Wut stieg in Alexander auf, denn er wußte, wer die Preise diktierte. Dann aber war er nur noch dankbar, weil Rassul ihm das Essen gebracht hatte, denn er wäre vor Müdigkeit nicht mehr aufgewacht und am nächsten Tag um so kraftloser gewesen.

Die Zeit schleppte sich genauso träge dahin wie die Strafgefangenen. Nach sechs Arbeitseinheiten folgte ein Tag Pause, der viel zu kurz war, um sich einigermaßen zu erholen. Aber immer noch lang genug, um zumindest mit den anderen ein Gespräch zu führen.

Alexander traf Sascha, den man in seinen Lagerbezirk verlegt hatte.

»Weil der Natschalnik-Olp gehört hat, daß mein Vater beim KGB war.«

»Und der eigentliche Grund?«

Sascha zuckte mit der Schulter. »Ich nehme an, der ist auch beim KGB und will sich nun an mir rächen ... oder was auch immer.«

Er sagte das ohne jede Regung, als hätte er sich mit seiner Situation abgefunden. Oft war Fatalismus die einzige Möglichkeit, zu überleben. Wer seine Lage erkenne, hatte Rassul emotionslos zu Alexander gesagt, dem bleibe im Grunde genommen nur noch der Ausweg, sich aufzuhängen.

Sascha gehörte nicht zu Alexanders Arbeitsbrigade, aber er sah ihn jeden Morgen beim Appell. Und auch Sascha warnte ihn vor den Blatnoij. »Die sind auf dich ungemein schlecht zu sprechen. Besonders der fiese Typ, den du lächerlich gemacht hast.«

»Das wollte ich gar nicht.«

»Interessiert keinen. Absichten zählen nicht, nur das Ergebnis«, wußte Sascha. Und so wartete Alexander darauf, was der Blatnoij mit ihm anstellen würde. Alle Zeichen deuteten jedoch auf Ruhe, denn der Schlächter gab ihm in den Pausen auch wieder Brot und Wasser, und er unterhielt sich sogar mit ihm.

»Er will dich nur einlullen«, meinte Rassul.

»Aber der Vorfall ist doch schon zehn Tage her.«

»Die Lagerinsassen lachen immer noch darüber. Das werden sie auch noch in zwei Jahren tun.«

Als in der nächsten Woche nichts geschah, dachte Alexander, Rassul und Sascha hätten sich getäuscht, und vergaß die Warnungen. Körperlich fühlte er sich auch besser, denn er hatte sich mittlerweile an die Arbeit gewöhnt und kraftsparende Techniken entwickelt, von denen sich eine als besonders wirkungsvoll erwies: um die Ecke verdrücken und nichts tun. Das funktionierte hervorragend, denn man warnte sich in der Brigade gegenseitig durch Pfiffe und bestimmte Melodien vor Wolkow. Da der Schlächter nicht überall sein konnte, auch weggelockt wurde, nutzten das die übrigen weidlich aus.

Wieder Sonntag, ein Ruhetag. Inzwischen war es Mitte April. »Jetzt feiern die Orthodoxen das Osterfest«, sagte sinnend Rassul, und Alexander fragte sich, was wohl aus dem Priester geworden war, der zu Weihnachten in Perm 35 aus der Bibel vorgelesen hatte.

Am Nachmittag schien zum erstenmal seit längerer Zeit wieder die Sonne, und das stetige Tropfen von den Dächern verkündete die Schneeschmelze.

Rassul war im Lager unterwegs, um für zwanzig Zigaretten eine Extrawurst einzuhandeln. Vorgestern hatte er sogar zwei Schluck Wodka mit in die Baracke gebracht, den Alexander und er unter der

Zeltplane getrunken hatten. Dabei hatten sie gekichert wie Kinder, die heimlich ihre erst Zigarette rauchen.

Semja, zu vierzehn Jahren verurteilt wegen einer Karre voll Holz, betrat die Baracke und wandte sich an Alexander.

»He, aufstehen! Du sollst zu Rassul kommen. Bring ihm einige Zigaretten mit, er will noch was eintauschen.«

Alexander schwang sich von der Pritsche, griff unter die Plane und tastete nach seiner Monatsration Zigaretten. Vierzig gab es normalerweise, bei Übererfüllung des Plans für jedes Prozent nochmals eine. Obwohl er das Plansoll übererfüllte, hatte er vom Schlächter keine Extraration erhalten.

»Wo ist Rassul?«

»Hinter der Waschbaracke.«

Alexander verzichtete auf die Jacke, denn es waren nur knapp hundert Meter bis dahin. Außerdem wollte er die Sonne genießen. Er wunderte sich, weil er keinem der anderen Strafgefangenen auf dem Weg zur Baracke begegnete. Da er Rassul hinter dem länglichen Holzgebäude nicht entdeckte, wo gewöhnlich der Schwarzmarkt – das Eintauschen von Zigaretten gegen alle anderen Dinge, angefangen von Tee, Wodka, Stiefel bis hin zu Plan, dem Rauschgift – abgewickelt wurde, stieg er die vier Stufen zum Waschraum hoch. Aber auch dort war niemand. Sämtliche Türen zu den einzelnen Toiletten, nichts weiter als mit Teer bestrichene Öffnungen im Boden, aus denen es fürchterlich stank und an dessen Rändern sich dicke braune Krusten gebildet hatten, waren angelehnt.

»Rassul, wo steckst du?«

Ein Geräusch ließ ihn herumfahren. Alexander zuckte zusammen – drei Männer hatten die Baracke betreten und bauten sich drohend im Halbkreis auf. In der Mitte Wolkow, sein Brigadier, mit einem zynischen Lächeln im Gesicht.

Alle Warnungen, die er gehört, aber nicht ernst genommen hatte, schossen Alexander durch den Kopf.

»Was … was wollt ihr?«

Ohne zu antworten, kamen die drei näher, und Alexander wich langsam rückwärts in Richtung Toiletten. Deutlich vernahm er das Quietschen einer rostigen Angel. Als er einen schnellen Blick über die Schulter warf, sah er aus den Kabinen vier weitere Männer treten. Sie hatten sich hinter den angelehnten Türen versteckt und auf ihn gewartet. Nun waren es also sieben, und sie kamen näher.

»Los, draußen Wache schieben!« befahl Wolkow dreien von ihnen, die sofort verschwanden. Immer noch vier blieben übrig, viel zu viele für Alexander. Außerdem waren die Körper der Blatnoij nicht von der Arbeit verbraucht. Im Gegenteil. Einige hatten sogar Speck angesetzt, dank üppiger Sonderrationen.

Wolkow griff mit einer Hand hinter den Rücken und zog ein feststehendes Messer aus dem Hosenbund. Nun wußte Alexander, wieso er den Beinamen »Der Schlächter« trug. Grinsend stapfte Wolkow auf Alexander zu. Der stand inzwischen mit dem Rücken an der Wand und konnte nicht mehr weiter zurück.

»Was wollt ihr von mir?« Alexander erschrak über das Zittern in seiner Stimme.

Mit einem an Ausdruckslosigkeit nicht mehr zu überbietenden Tonfall entgegnete Wolkow: »Mit dir spielen.«

»Warum denn? Ich habe euch doch nichts getan.«

»Wir tun dir doch auch nichts.«

Alexander, von plötzlicher Panik erfaßt, rannte auf die vier zu und versuchte, durchzubrechen. Acht starke Hände hielten ihn fest und preßten ihn gegen die Wand.

»Ich melde euch dem Natschalnik.«

Das hätte Alexander nicht sagen sollen. Sie schlugen zwar nur einige Male zu, aber ihre Fäuste bohrten sich tief in seinen ausgemergelten Körper. Alexander klappte zusammen, ließ die Zigaretten fallen und schnappte nach Luft. Stiche wie von feurigen Lanzen zuckten in seinem Magen und unter der kurzen Rippe.

»Er wollte uns doch tatsächlich ein Geschenk machen.« Einer der vier bückte sich nach den Zigaretten. »Wirklich ein braver Junge.«

Wolkow stimmte in das Lachen der anderen nicht ein. »Los, hebt ihn auf.«

Zwei Mann packten Alexander und hievten ihn hoch. Der Brigadier trat näher und schlitzte mit seinem Messer Alexanders Hosenbund auf. Als der Stoffring um Alexanders Füße lag, höhnte er: »Was für schönes, weißes Fleisch. Wir werden jetzt mit dir spielen.«

Alexander ahnte Schlimmes, mobilisierte die ihm noch verbliebenen Kräfte, bekam eine Hand frei und schlug dem Nächststehenden mitten ins Gesicht. Als letztes sah er, wie Blut aus den Nasenlöchern des Blatnoij schoß und über den Mund nach unten lief, dann wurde es dunkel um ihn herum.

Irgendwann wich der Nebel, und er wachte wieder auf. Sein Hinterkopf hatte ein Brandmal, und er fühlte sich auf seltsame Weise angeschoben. Dann wollte er nur noch schreien. Aber in seinem Mund steckte ein Knebel. Er drehte und wand sich in der Absicht, den Oberkörper aufzurichten, doch er verspürte einen starken Druck gegen die Brust. Erst jetzt bemerkte er, daß er mit dem Oberkörper auf einem Tisch lag. Seine Beine konnte er auch nicht bewegen, sie waren seltsam abgespreizt und an irgend etwas festgebunden.

Alexander wandte den Kopf und blickte genau in die höhnische Fratze von Wolkow.

»Ich hab' es doch gesagt: Wir spielen bloß mit dir, mein Junge.«

Als der Brigadier brutal sein Glied einführte, stöhnte Alexander so wuchtig in den Knebel, daß er meinte, sein Kopf müsse platzen. Mit beiden Händen umklammerte er den Tisch, und es gelang ihm sogar, ihn etwas von der Stelle zu schieben. Hinter sich hörte er Wolkow fluchen. Da Alexander nicht zu bändigen war, rief Wolkow nach einem Messer. Von der Seite beugte er sich über den Gefesselten und heftete dessen rechte Hand an die Tischplatte.

Der Schmerz zuckte Alexander bis ins Gehirn und zerplatzte dort. Da gab er sich auf. Inzwischen stand der Tisch an der Wand, so daß Wolkow, der Brigadier, genügend Widerstand verspürte. Alexander registrierte im Unterbewußtsein rhythmische Bewegungen, die schneller und heftiger wurden und in einem Stöhnen endeten.

Anschließend kam der nächste, dann der dritte und auch der vierte. Halb wach, halb von Bewußtlosigkeit eingehüllt, kam Alexander die Situation ganz unwirklich vor. Nur noch gedämpft nahm er alles wahr, Bilderfetzen schossen durch seinen Kopf. Einmal wähnte er sich auf einem Schiff, das auf den Wellen schaukelte. Dann wieder hatte er den Pleuel einer Lokomotive vor Augen, wie er hin und her schwang und die Räder antrieb. Schneller und schneller.

In Etappen kehrte Alexander in die Wirklichkeit zurück. Zuerst war da der Geruch von frischer Bettwäsche. Weil das nicht sein konnte, beschloß er, weiterzuschlafen. Als aber der Geruch blieb und er trotz der geschlossenen Augen die Helligkeit spürte, verhielt er sich ganz ruhig und lauschte.

»Ich glaube, er wird bald zu sich kommen.«

Nicht die Worte waren es, die ihn so bestürzten, sondern der Umstand, von wem sie stammten. Das war ganz eindeutig eine Frauenstimme.

Und dann hörte sich Alexander aufschreien. Er hatte sich gedreht, und seine rechte Hand war mit etwas in Berührung gekommen. Als sich der Schmerz wieder in seinem Kopf ausbreitete und dort explodierte, setzte die Erinnerung ein. Angst und Schock ließen ihn unkontrolliert hochschnellen und sich aufrichten. Wutentbrannt riß er die Augen auf, um die vier Peiniger anzustarren. Aber er sah keine Peiniger, nur Licht und grelle Punkte. Seine rechte Hand tat weh, und der After brannte und schmerzte. Alexander, unvermittelt mit der schrecklichen Erinnerung an das Vorgefallene konfrontiert, sank nach hinten, drehte sich auf die Seite, zog die Beine an und schluchzte. Sein Körper war eine einzige Wunde, sein Empfinden nur noch Schmach. Wo bin ich, fragte er sich? In einem Krankenhaus? Auf der Sanitätsstation?

»Junge, wie geht es dir?«

Erst allmählich drangen Rassuls Worte zu Alexander durch. Vorsichtig sah er den Alten an, doch er konnte nicht antworten. Zwar öffnete sich sein Mund, aber er brachte keinen Ton über die Lippen.

»Fein, daß du wieder unter uns bist.« Rassul streichelte seine Hand. Alexander wollte zurückzucken, dann ließ er es geschehen.

»Gefangener Gautulin, wie fühlen Sie sich?«

Da sprach ihn jemand mit Sie an. Es dauerte einige Sekunden, bis Alexander merkte, daß er gemeint war. Zögernd drehte er den Kopf und sah in ein Frauengesicht. Die erste Frau seit mehr als einem halben Jahr. Schön sah sie aus, mit dem weißen Häubchen auf dem Kopf und dem hochgeschlossenen Kragen. Knallrot die Lippen, rot die Wangen und violett die Lider über den hellblauen Glubschaugen. Abermals versuchte Alexander zu sprechen. Die Krankenschwester hob seinen Kopf an und flößte ihm etwas Tee ein. Wie köstlich, so schön süß und warm dazu.

»Danke«, krächzte Alexander.

»Er hat die Sprache wiedergefunden«, freute sich Rassul, der mit seiner abgewetzten und verschmutzten Kleidung nicht in die hygienische Umgebung des Krankenzimmers paßte.

»Laß dir Zeit, Alexander. Erhol dich. Du wirst sehen, alles wird wieder gut.«

So trostreich die Worte auch klangen, Rassul log. Nichts würde wieder gut werden, nichts mehr wie früher sein.

»Schwester, können Sie ihm noch etwas Tee holen?«

Alexander wollte keinen Tee. Aber bevor er noch protestieren konnte, sah er das Zwinkern in Rassuls Gesicht.

»Nenn um Himmels willen keine Namen«, warnte ihn der Alte, als sie allein waren. »Hast du verstanden?«

Obwohl Alexander nickte, fragte er: »Warum nicht? Es war Wolkow, der Brigadier. Und die anderen werde ich auch wiedererkennen.«

Rassuls Miene war an Eindringlichkeit nicht mehr zu überbieten. »Ein Name, und du bist tot.« Der Alte umklammerte seine Oberarme. »Du bist tot. Geht das in deinen Schädel?«

Die Krankenschwester kam zurück. Gebannt, als gäbe es nichts Interessanteres auf der Welt, starrte Alexander auf die weiche, weiße Frauenhand mit dem abblätternden rosaroten Nagellack dicht vor seinem Gesicht, die in unnachahmlicher Anmut den Becher hielt. Gleich daneben war seine wie zum Vergleich: erdfarben, rissig, entzündet, voller Schwielen und mit schwarzen Rändern unter den Nägeln und auch drumherum.

»Was ist mit meiner Hand?« fragte er, nachdem er getrunken hatte.

»Die bekommen wir schon wieder hin. Keine Sehnen verletzt, nur eine Ader. In sechs Wochen wird sie wieder in Ordnung sein.«

Alexander nickte teilnahmslos, als ginge ihn das nicht viel an.

»Die haben ganz schön über dich geflucht.« Spott hörte Alexander aus Rassuls Worten heraus. »Weil du so gestunken hast und sie dich zuerst einmal waschen mußten.«

Und als Alexander nicht reagierte: »Wenn Sie wüßten. Dabei bist du noch der sauberste von uns.« Rassuls Augen verschwanden zwischen den Lachfalten.

Dann mußte der Alte gehen. Alexander wunderte sich, wieso man ihn überhaupt hatte herkommen lassen. Normalerweise war die Krankenstation eines Lagers ein geheiligter Bezirk, den Unautorisierte nicht betreten durften.

Alexander war allein. Mit den frischen Erinnerungen, die sich ausdehnten und alles andere verdrängten. Er sah nur noch die Baracke, die vier Männer, das Messer und das höhnische Gesicht des Brigadiers. Unwillkürlich stöhnte er auf, weil er das Gefühl hatte, sie würden erneut in ihn eindringen.

Die Finger der linken Hand taten gleichfalls weh und fühlten sich steif an. Sie waren zwischen Tisch und Wand geraten, hatten jeden Stoß mitbekommen. Später, als Alexander seine geschwollenen Leisten betrachtete, sah er blaue Streifen und Blutergüsse, die von der Tischkante herrührten.

Die erste Nacht war schlimm. Eine Schwester entdeckte Alexander auf der Toilette, als er immer wieder seinen Hintern zu waschen versuchte. Die Infusionsflasche mit dem Schlauch hatte er einfach abgerissen. Beruhigend redete sie auf ihn ein, während sie ihn wieder zu Bett brachte.

Noch schlimmer war der Morgen für Alexander, als er auf der Toilette saß. Er schrie und stöhnte, und Tränen traten ihm in die Augen. Sein Stuhl war rot.

In den darauffolgenden Nächten fand ihn die Krankenschwester wiederholt im Waschraum. Blut war auch auf dem Handtuch, mit dem er sich gereinigt hatte.

Alexander verlor jedes Zeitgefühl. Irgendwann besuchten ihn der Natschalnik und der Natschalnik-Olp, der Leiter des Lagerbezirks, in dem man ihn untergebracht hatte. Weil die Schwester dabei war, bemühten sich die beiden Männer um einen freundlichen Ton. Aber Pagodin, der Natschalnik-Olp, ließ ihn seinen Widerwillen und seine Geringschätzung spüren. Er übernahm es auch, die Fragen an Alexander zu richten.

»Haben Sie gesehen, wer er gewesen ist?« fragte er lauernd.

Alexander, er hatte genügend Zeit zum Überlegen und um die Konsequenzen zu bedenken, hielt sich an Rassuls Warnung.

»Nein, ich konnte niemanden erkennen.«

Täuschte sich Alexander oder atmete der Natschalnik-Olp wirklich erleichtert auf?

»Wie viele waren es?«

»Vier. Drei weitere hielten draußen Wache.«

»Was hatten Sie in der Baracke zu suchen?«

Alexander wunderte sich, warum Pagodin ihn so freundlich ansprach. Nicht mit Nummer 196 F, unter der er registriert war.

»Ich wollte auf die Toilette.«

»Selbstverständlich. Haben Sie sonst jemanden gesehen?«

»Der Platz davor war leer.«

Da Alexander in der Krankenstation lag und sich erbärmlich fühlte, ließ er das »Jawohl« und den »Genossen« weg. Außerdem weitete er die Warnung von Rassul auch auf Semja aus, der ihn aus der Baracke in den Waschraum gelockt hatte. Aber zu gegebener Zeit würde er ihm einige Fragen stellen. Die Antworten ahnte er schon jetzt: Sie haben mich dazu gezwungen.

»Leer? Der Platz war leer?« Der Vertreter schaute zu seinem Vorgesetzten. »Aber es war doch so schönes Wetter.«

Und dann druckste der Natschalnik-Olp herum. Vorsichtig wählte er seine Worte, wegen der Zeugin. »Gautulin, ich habe in Ihrer Akte aus Perm nachgesehen. Da ist ein seltsamer Vorfall erwähnt. Man hat Sie schon mal in einer Sache vernommen, in deren Verlauf homosexuelle Praktiken eine Rolle gespielt haben.«

Alexander sah Anatoli vor sich. Der durfte wenigstens sterben.

»Ja, das stimmt.«

»Was ... was mir zu denken gibt, ist die Duplizität.«

»Ich verstehe nicht, Genosse Natschalnik-Olp.«

»Dort die Vergewaltigung und hier die scheinbare Vergewaltigung.«

Alexander zuckte bei der plumpen Unterstellung zusammen.

»Scheinbare Vergewaltigung?«

»Also Vergewaltigung. Ich verstehe das nicht.«

Alexander sah Pagodin nur an.

Nach einer Kunstpause sprach der weiter: »Verzeihen Sie die Frage, aber sind Sie homosexuell?«

»Nein.«

»Ist ja nichts Schlimmes.«

So verständnisvoll, wie der Natschalnik-Olp das sagte, hoffte er auf ein Eingeständnis. Genau das würde den Vorfall blitzschnell vom Tisch fegen.

»Ich bin nicht homosexuell.«

»Also gut. Könnte es sein, daß Sie den Kerlen Andeutungen gemacht haben? Versprechungen?«

»Nein.«

Pagodin massierte sein Kinn und erweckte dabei den Eindruck, über das Gesagte nachzudenken. »Oder besteht die Möglichkeit, daß die vier etwas falsch ausgelegt haben?«

»Ich kam in die Toilette, und da warteten sie bereits.«

Alexander merkte, er hatte sich verplappert. Er erwartete, daß der Natschalnik-Olp nachfragen würde, warum sie schon auf ihn gewartet hätten. Aber nichts dergleichen geschah.

»Sehr mysteriös, die ganze Angelegenheit. Wirklich sehr mysteriös. Wenn Ihnen noch etwas einfällt, dann lassen Sie es uns wissen.«

Aber ein Blick in die Gesichter der Lagerleiter, der Natschalnik hatte kein Wort gesagt und alles seinem Vertreter überlassen, zeigte Alexander, er möge sich gefälligst hüten, noch ein neues Detail nachzuliefern. Er möge sich überhaupt hüten. Deutlicher konnte für Alexander kein Beweis ausfallen, daß Lagerleitung und Blatnoij zusammenarbeiteten.

Eine Woche durfte Alexander in der Krankenstation verbringen. Seine Hand heile gut, sagte ihm der Arzt, den er auch einmal zu Gesicht bekam. Vielleicht dürfe er schon früher wieder arbeiten. Alexander wisse ja, daß jeder Mann gebraucht werde, um das Plansoll zu erfüllen.

Und dann lag Alexander wieder auf seiner stinkenden, dreckigen und von Ungeziefer wimmelnden Pritsche mit der Zeltplane und dem Häckselsack voller vermodertem Gras. Stumpfsinnig starrte er gegen das Dach und reagierte kaum, wenn man ihn ansprach. Der einzige, der einigermaßen Zugang zu ihm hatte, war Rassul. Der Alte wurde Zeuge, wie es in Alexander arbeitete, wie er sich nachts hin und her warf, im Traum Schreie ausstieß und dabei wie wild um sich schlug. Morgens wachte er dann immer schweißgebadet auf und zitterte am ganzen Körper.

Zwei Tage später kam der Natschalnik-Olp und teilte Alexander mit, er dürfe in ein Gebäude aus Stein umziehen, in eine kleine Zelle nur für zwei Personen.

Mit der für Strafgefangene typischen lauernden Wachsamkeit wollte Alexander wissen: »Für zwei? In die Psychiatrie, Genosse Natschalnik-Olp?«

Pagodin ging darüber hinweg. »Nein, keine Psychiatrie, auch keine Strafzelle. Ein Ausweichquartier.«

»Und warum das, Genosse Natschalnik-Olp?«

»Weil wir wollen, daß du dich ungestört erholen kannst, Gautulin.«

»Aha. Eine Zelle nur für mich allein?«

»Rassul wird dir Gesellschaft leisten.«

Alexander verstand die Welt nicht mehr. Aber dafür Rassul, der ihm eröffnete, während er seine Sachen in eine Holzkiste verstaute: »Du hast im Fieber phantasiert. Das hat mir die Krankenschwester gesagt. Sie hat sich verplappert. Ich nehme an, dabei hast du auch den oder die Namen deiner Peiniger genannt.«

»Und jetzt will uns der Natschalnik-Olp vor ihnen schützen?«

Der Alte sah ihn an. »Ich weiß nicht, Alexander, was es zu bedeuten hat. Am wenigsten weiß ich, warum ich mitgehen soll.«

»Hat dich Wolkow mal angesprochen?«

»Er ist scheißfreundlich zu mir und gibt mir immer eine Extraration Brot und Wasser. Und die Norm erfülle ich, selbst wenn ich nichts mache.«

Die neue Unterkunft entpuppte sich als ein feuchter Steinbau gleich im Anschluß an das Verwaltungsgebäude. Außer ihrer Zelle gab es noch zehn oder zwölf weitere, aber keine war belegt.

»Das gefällt mir nicht«, sagte Rassul. »Wenn uns die Blatnoij fertigmachen wollen, dann hier und ohne Zeugen.«

Im Vergleich zur Baracke hatten sie aber einen guten Tausch gemacht. Die schmalen Betten waren sogar etwas gefedert, die Decken wärmten, und es regnete nicht durch das Dach. In der Ecke stand zu ihrer Überraschung eine echte Toilette. Kein Loch im Boden, kein Blecheimer, sondern eine Toilette, zwar ohne Sitz, aber aus ehemals weißem Porzellan. Mittlerweile war es grau und braun und schwarz geworden, am Fuß mit Schimmel und unhygienischem Pilz oder was auch immer überzogen. Außerdem gab es da noch einen Wasserhahn und ein kleines Waschbecken.

Tagsüber konnten sie sich in dem Steingebäude und im Lager frei bewegen. Sie gingen zum Zelt und holten sich ihre Verpflegung ab wie bisher, aber immer wieder zogen sie sich in ihre Zelle zurück, als böte sie ihnen Schutz. Alexander wollte es nicht wahrhaben, denn im Grunde genommen versteckte er sich, da er die Blicke der anderen nicht ertragen konnte.

»Sie sagen zwar nichts, aber sie klagen mich an.«
»Keiner klagt dich an.«
»Doch. Ich bin für sie Abschaum.«

Alexanders Hand entzündete sich erneut. Zwar schaute der Arzt danach, aber außer einer Salbe, mit der er die feuerrote Wunde ohne Rücksicht auf Schmerzen behandelte, und ein paar Tabletten, die er dem Kranken verabreichte, tat er nichts.

»Was ich dich schon längst fragen wollte, Rassul: Bist du verheiratet?«
»Nein.«
»Und Kinder?«

Rassul biß sich auf die Lippen, aber das konnte Alexander nicht sehen.

»Nein«, stieß er hervor und ballte die Fäuste, denn Alexander hatte seinen wundesten Punkt angesprochen. Dieser verfluchte Staat, der ihn einfach nach Workuta geschickt hatte, weil sie ihm unterstellten, er sei ein Spion, hatte ihm das Schönste im Leben vorenthalten und ihn daran gehindert, zu heiraten, Vater zu werden und eine Familie zu gründen. Hatte ihn daran gehindert, seinen Bruder wieder mal zu sehen, bei der Beerdigung seiner Eltern dabeizusein und sich mit alten Freunden zu unterhalten. Ihn, Rassul, hatte man vom Leben ausgeschlossen und dazu verurteilt, den Tod in Raten zu empfangen, jeden Tag ein Stückchen mehr. Und er spürte den Tod nahen. Nicht auf leisen Sohlen, sondern ganz offen. Schon lange tobte in seiner Brust der Schmerz, wenn er tief durchatmete. Dazu das Stechen in seinem Herzen. Und weil dem so war, er seit dreißig Jahren keinen Menschen gekannt hatte, der sich um ihn kümmerte, klammerte er sich an diesen Alexander, der ihm alles bedeutete: Sohn, Freund, Bruder. Zärtlich streichelte er dem Fiebernden über das Haar.

»Rassul, was du auch getan hast, du bist ein guter Mensch.«

Der Alte fühlte sich bei seinen Gefühlen ertappt und schluckte. Er lehnte sich gegen die Wand, zog Alexander höher, deckte ihn zu und legte einen Arm um ihn, als wollte er ihn wärmen.

Alexander bekam Fieber. Nachts schlug er unwillentlich um sich, lief in der Zelle umher, und Rassul versuchte oft vergeblich, ihn zu beruhigen. Am ehesten gelang ihm das noch, wenn er ihn umklammerte und gegen die Pritsche drückte.

Als es einmal ganz schlimm war, ging plötzlich das Licht an und einige Wachmänner standen vor dem Gitter und grinsten.

»Guck mal, er hält ihn im Arm.«

»Ach, wie romantisch.«

»Und wie gern sie sich haben.«

Einer der Grinsenden machte ein Foto.

»Komm, wir lassen die Verliebten allein. Der Natschalnik wird sich freuen, er hat wieder mal recht behalten.«

Nun wußte Rassul, warum er mit in die Zelle hatte gehen sollen. Fortan mißtraute er dem Doktor, denn erst nach dessen letztem Besuch setzte bei Alexander das Fieber ein. Ob es an den Tabletten gelegen hatte?

In dieser Nacht redete Alexander vollkommen wirres Zeug, erwähnte Vorgänge, von denen Rassul keine Ahnung hatte, sprach immer wieder von einem tropfenden Wasserhahn und von amerikanischem Geld. Zwischendurch fiel ein Name, den der Alte zum erstenmal hörte: Hellen. Nach der Art, wie Alexander ihn aussprach, zärtlich und mit einer seltsamen Betonung, konnte es sich nur um eine Frau handeln. Irgendwann schien Alexander eingeschlafen zu sein. Als Rassul vorsichtig zu seinem Bett gehen wollte, bat der Fiebernde mit unnatürlicher klarer Stimme: »Rassul, erzähl mir von damals, von Workuta und den Blatnoij.«

»Warum soll ich dir von ihnen erzählen?«

»Ich will alles über sie wissen. Es gibt mir das Gefühl, ihnen nicht mehr ausgeliefert zu sein. Wenn du deinen Feind kennst, ist er nur noch halb so gefährlich.«

Am Morgen wurden sie durch den Natschalnik-Olp geweckt. Geschniegelt und gestriegelt, seine Lederstiefel, die ihm bis zum Knie reichten, glänzten wie eine Speckschwarte, stand er vor der Zelle.

Rassul sprang vom Bett auf und nahm Haltung an. Alexander zitterte am ganzen Körper, wollte auch aufstehen, schaffte es aber nicht.

»Häftling 196 F. Wir können deine Angelegenheit bereinigen.«

»Jawohl, Genosse Natschalnik-Olp.«

»Dich und Rassul, man hat euch erwischt. Ihr seid schwul.«

»Nein, Natschalnik-Olp.«

»Wenn du unterschreibst, dann ist die Sache vom Tisch.«

Pagodin schob ein Blatt Papier durch die Gitterstäbe. Rassul nahm es und gab es Alexander.

»Ich bin zu schwach, ich kann nicht unterschreiben, Natschalnik-Olp.«

Der grinste anzüglich und wippte auf den Fußspitzen. »Aber wiederum nicht zu schwach, dich an die Brust deines Liebhabers zu werfen, mein Guter.«

Der Geschniegelte drehte sich um und war verschwunden. Rassul las Alexander das Schreiben vor, in dem er zugab, sich mit den Vieren verabredet zu haben, »zwecks Austauschs von Zärtlichkeiten«, wie man es formuliert hatte.

»Warum machen sie das?«

Rassul ließ sich wieder auf sein Bett fallen, er atmete schwer.

»Ganz einfach, mein Junge. Jede Verletzung, die nicht durch einen Arbeitsunfall entstanden ist, muß nach oben weitergemeldet werden. Und du bist nun mal nicht durch einen Unfall verletzt worden. An der Hand und ...«

Mit sich überschlagender Stimme fiel ihm Alexander ins Wort: »Sag's schon. Am Arsch. Jawohl, sie haben mir das Arschloch aufgerissen.«

»Bitte, beruhige dich.«

Insgeheim freute sich Rassul über den Gefühlsausbruch. Endlich mal eine andere Reaktion als diese ständige Lethargie.

»Wenn sie dich bewegen können, diesen Wisch zu unterschreiben, dann ist für die Verwaltung der Vorfall aufgeklärt. Als Schwuler bist du selbst schuld, wenn deine Liebhaber zu stürmisch sind.«

In der darauffolgenden Nacht wollte Alexander nur noch sterben. Er wimmerte und schluchzte, krümmte sich zusammen und hatte Schüttelfrost. Rassul deckte ihn mit allem zu, was er hatte. Als letztes zog er sich Jacke und Hose aus.

»Ich will nicht mehr«, jammerte Alexander. Seine Augen glänzten im Fieber.

»Sterben wäre eine Flucht. Jemand hat dir das Leben geschenkt, und du hast die Verpflichtung, dieses Geschenk anzunehmen.«

»Aber die wollen doch alle, daß ich sterbe.«

»Die Verwaltung?« Der Alte lachte hart. »Seit wann tust du denn, was die Verwaltung will?«

Alexanders Zähne schlugen aufeinander. »Die lassen mich krepieren.«

»Erst wenn du dich aufgibst, krepierst du, und zwar zu recht.«

»Die haben doch die Macht und die Gewalt. Wir sind keine Menschen, noch nicht einmal Vieh.«

Rassul setzte sich zu dem Fiebernden und deckte ihn wieder zu.

»Macht und Gewalt haben nur wenige. Und sie brauchen beides, um sich vor der Mehrheit zu schützen.«

»Schöne Worte. Wir sind im Lager die Mehrheit, wir, die Plennis, der Abschaum. Aber was haben wir für eine Macht?«

Darauf wußte Rassul nichts zu antworten. Statt dessen kam er auf das Leben zu sprechen. Er schwärmte von der Freiheit und von Dingen, die er schon Jahre nicht mehr gemacht hatte. An einem Fluß sitzen und fischen, stundenlang fischen, auf das sich kräuselnde Wasser schauen, das wäre sein sehnlichster Wunsch.

»Lüg dir doch nichts vor, Rassul. Du wirst all das nie mehr sehen, was du dir wünschst.«

»Aber im Gegensatz zu dir habe ich noch Hoffnung.«

Rassul atmete schnell und spürte wieder diesen Schmerz in seinem Inneren. »Und du bist so jung und hast keine Hoffnung mehr.«

»Die haben mir die vier Bastarde genommen. Wenn ich hier herauskomme, dann probieren sie es erneut.«

»Wehr dich.« Hart stieß Rassul die Worte hervor. »Wehr dich«, wiederholte er. »Sei anders als ich. Jetzt ist es für mich zu spät.«

»Wie denn?« Als koste es ihn viel Kraft, schaute Alexander den alten Mann an.

»Du bist intelligent, hast studiert. Dir wird was einfallen.«

»Hm.«

»Aber mach es so, daß sie dich nicht erwischen.«

Wenige Sekunden später wollte Alexander, der über den harten Klang von Rassuls Stimme und dessen fordernde, aufpeitschende Worte erstaunt war, dann doch wieder sterben, als ihn ein neuer Anfall von Schüttelfrost heimsuchte. Er zitterte am ganzen Körper, seine Zähne schlugen aufeinander, kalter Schweiß brach aus, und seine Stirn glänzte. Unvermittelt wurde ihm warm. Er riß sich die Decke vom Leib und stöhnte: »Ich verbrenne.«

Rassul drückte den sich Aufrichtenden zurück auf das Bett und hüllte ihn wieder ein.

»Laß mich sterben.«

Rassul umfaßte Alexanders Schulter. »Was ist dein größter Wunsch?«

»Die Freiheit.«

»Und warum willst du dann sterben?«

»Weil ich nie wieder frei sein werde. Genausowenig wie du.«

»Woher willst du das wissen?«

Alexander mit monotoner Stimme: »Ich will sterben.«

Rassul stand auf und ging in die Ecke der Zelle. Alexander beobachtete ihn. »Was machst du?«

Der Alte kam zurück und öffnete seine Hand. »Siehst du das hier?«

»Eine ... Schabe.«

»Richtig. Sie hat auch ein Leben. Und sie ist auch damit beschenkt worden. Los, zerquetsch sie.«

Rassul packte Alexanders Hand und führte sie zu der seinen. »Los, zerquetsch das Tier.«

»Warum?«

»Du hast die Macht und die Gewalt, es zu tun. Stell dich nicht so an.«

Und als Alexander sich sträubte, wurde Rassuls Griff fester. Als ob die Schabe spürte, um was es ging, versuchte sie, aus der gewölbten Hand des Alten herauszukrabbeln.

»Drück zu, lösch das Leben aus. Es ist nichts wert. Es ist bloß eine Schabe, und davon haben wir Tausende in der Zelle.«

Nur noch wenige Millimeter war Alexanders Daumen von dem Krabbeltier mit dem seltsam braunen Körper, dem unter einer Halskrause verborgenen Kopf und den borstenförmigen Antennen entfernt. Mit einem Schrei riß er seine Hand los.

Vorsichtig ließ Rassul die Schabe wieder frei. Er lächelte.

»Du kannst es nicht. Das ist gut.«

»Was sollte das?« Alexander wischte sich mit dem Handrücken über die Stirn.

»Wenn du nicht in der Lage bist, diese unwichtige Schabe zu töten, um wieviel größer muß deine Verpflichtung sein, dein eigenes Leben zu erhalten.«

»Aber die Schabe ist nicht vergewaltigt worden. Und sie muß nicht zehn Jahre in einem Straflager verbringen.«

Rassul stand auf und legte sich auf sein Bett. Zufrieden sah er aus, als hätte er einen kleinen Sieg davongetragen. Leise murmelte er vor sich hin: »Du wirst leben, mein Junge. Du wirst leben. Und du wirst dich rächen. Schade, daß du es noch nicht weißt, denn das gäbe dir ungeheuer viel Kraft. Und etwas mehr Kraft könntest du im Augenblick sehr gut gebrauchen.«

Alexander war zu schwach, um aufzustehen. Rassul ging zum Zelt und kam mit dem Essen zurück. Anschließend bat er einen Posten, die Krankenstation zu benachrichtigen, Nummer 196 F habe hohes Fieber. Aber der Arzt ließ sich nicht blicken, dafür brachte der

Wachmann einen Becher mit Tee, der inzwischen kalt geworden war. Gierig trank Alexander den Tee.

»Warum hast du mich so ausführlich über die Blatnoij ausgefragt?«

»Weil ich mehr über die Schweine wissen will.«

Rassul atmete tief ein und schwieg.

»Hast du gehört, ich will meine Schänder kennenlernen.«

»Ich habe es gehört. Aber die heutigen Blatnoij sind gefährlicher, brutaler und unberechenbarer.«

»In England lebte vor langer Zeit ein guter Blatnoij. Robin Hood hieß er. Kennst du ihn?«

»Nein, Alexander, nie was von ihm gehört. Er war gut, sagst du?«

»Ja. Er bestahl die Reichen und verteilte seine Beute unter den Armen, die ihn sehr verehrten. Für sie war er ein Held.«

»Damals, bis vor ein paar Jahren, waren unsere auch noch gut, einige zumindest. Sie hatten Satzungen, nach denen sie sich verhielten. Wer dagegen verstieß, wurde bestraft. Ihr Prinzip war, nicht zu arbeiten und den Unterhalt durch Raub und Diebstahl zu verdienen. Unerbittlich brachten sie die eigenen Gefolgsleute um, die der Polizei irgendwelche Dienste anboten. Führer der Blatnoij eines Bezirks war immer der Beste und Fähigste. Ihn wählte man zum Ältesten. – Und die Sukkis, also die abgefallenen Blatnoij, hatte man verfolgt und liquidiert. Besonders die Tschisjorki, junge Burschen, die Blatnoij werden wollten, taten dies, um sich auszuzeichnen und in den Stand aufgenommen zu werden. Bei jeder Gelegenheit griffen sie zum Messer, um sich zu bewähren. Auch in Workuta. Ein Elefant brauchte nur mit dem kleinen Finger zu schnicken, schon war ein Tschekist für alle Zeiten stumm. War dein Robin ... wie hast du ihn genannt?«

»Robin Hood.«

»War er tatsächlich ein Blatnoij?«

»Nicht so, wie du meinst. Er setzte sich wirklich für die Armen ein.«

Nach einigen Sekunden fragte der Alte, um das Thema zu wechseln: »Wer ist Hellen?«

Alexander drehte den Kopf zur Seite und schwieg.

»Willst du nicht darüber sprechen?«

Obwohl sich Alexander müde und schlapp fühlte, sprudelte es plötzlich nur so aus ihm heraus.

»Du liebst sie immer noch?«

»Ja.«

Alexander merkte, daß Rassul etwas bedrückte. Als er nachfragte, sagte dieser: »Bist du auch Realist?«

»Du meinst, es hat keinen Sinn, an Hellen zu denken?«

»Genau.«

»Und warum, he?« Plötzlich war da ein Glühen in Alexanders Augen, das so gar nicht zu seiner Verfassung paßte.

»Zehn Jahre sind eine Ewigkeit. Du kannst von keiner Frau verlangen, daß sie auf dich wartet.«

»Aber sie liebt mich auch.«

»Und wird schon längst enttäuscht sein, weil du nicht an die Deutsche Botschaft geschrieben hast.«

»Verdammt, ich konnte doch nicht ...«

»Woher soll sie das denn wissen, mein Junge?«

Zuerst dachte der Alte, Alexander sei betroffen von seinen Worten. Dann aber bemerkte er verwundert, wie er sich straffte und aufrichtete und mit erstaunlich fester Stimme entgegnete: »Das interessiert mich nicht. Hellen ist hier drin.« Er klopfte gegen die Brust. »Und da wird sie immer bleiben. Egal, was du sagst.«

Rassul war beruhigt, Alexander zeigte wieder Lebenswillen.

In dieser Nacht vollzog sich die Häutung.

Das Fieber hatte etwas nachgelassen, Alexander lag wach. Vieles ging durch seinen Kopf. Zum erstenmal fühlte er keine Scham aufsteigen, als er an die vier Bastarde dachte. Im Gegenteil, klamm-heimliche Freude glaubte er zu empfinden, Vorfreude auf das, was er tun wollte, wenn er körperlich wieder ganz hergestellt war. Er ballte seine gesunde Faust, fest, noch fester, die Fingernägel drückten sich in den Handballen. Als müsse er sich von seiner neugewonnenen Kraft überzeugen, tastete die verwundete Hand nach der Faust und überprüfte sie. Kantig die Knöchel, wie eine Klammer der Daumen, hart die Muskelstränge am Unterarm. Die Faust kam unter der

Decke hervor. Alexander besah sie sich im Gegenlicht des Zellenfensters und konnte nur die Konturen ausmachen. Das genügte ihm, und er nickte, als sei er mit dem Gesehenen zufrieden. Während er sich auf die Seite drehte, rammte er seine Faust in die harte Matratze. Und noch mal, und immer wieder. Er war wirklich mit sich zufrieden.

Alexander merkte, wie in ihm eine Kraft wuchs, die sich von Sekunde zu Sekunde ausbreitete. Diese Kraft hieß Leben, und eine innere Stimme schrie immer wieder: Ich will leben!

Zuerst hörte er noch auf eine zweite Stimme, die, wie so oft in den vergangenen Wochen, zu bedenken gab: Was erwartest du denn überhaupt vom Leben? Bist du nicht lebendig begraben, ohne es zu wissen, ohne den Zustand zu akzeptieren? Bist du nicht deinen Peinigern ausgeliefert, dem Staat und seinem Willen ausgeliefert und ohne Aussicht, je etwas daran ändern zu können?

Noch vor zwei Tagen hätte dies genügt, in Gleichgültigkeit zu verfallen und zu resignieren. Noch vor zwei Tagen wäre all sein Lebenswille, zu der Zeit nur ein bescheidenes Relikt aus längst vergangener Zeit, zusammengeschrumpft und bedeutungslos geworden. Nicht aber in dieser Nacht. Er drängte die zweite Stimme einfach zur Seite, ohne sie weiter zu beachten, und setzte sich über sie hinweg, als leite ihn die Erkenntnis, die Wirklichkeit sei anders, sei gut.

»Ich will leben. Für Hellen, für … mich, für meine Zukunft. Und ich überlebe auch dieses Straflager. Ich werde nicht zerbrechen oder eingehen, ich ordne mich den Blatnoij nicht unter.«

Tief in sich hineinhorchend, registrierte er die Warnung, sich nicht zu überschätzen, seine Position zu überdenken, die Umstände zu beachten. Sei wie eine Weide im Wind! Bieg dich, aber zerbrich nicht! Und wenn der Wind nachläßt, richte dich auf! So, wie der Wind nachläßt, wird die Kraft deiner Feinde nachlassen.

Am nächsten Morgen stand Pagodin wieder vor dem Gitter, korrekt gekleidet und mit glänzenden Stiefeln.

»Na, 196 F, wie ist es. Unterschreibst du?«

»Jawohl, Genosse Natschalnik-Olp.«

Der stutzte über Alexanders Sinneswandel, aber noch mehr wunderte sich Rassul. Als der Alte jedoch in Alexanders Gesicht schaute, die Veränderung bemerkte, den Glanz in den Augen und die neue Körperspannung, da lächelte er heimlich.

»Gut, daß du zur Einsicht kommst. Unterschreib jetzt gleich.«

Alexander stand auf, viel langsamer, als er dazu in der Lage war. Er schwankte, griff sich an den Kopf und stützte sich mit der unverletzten Hand an der Wand ab.

»Entschuldigung, Genosse Natschalnik-Olp, aber ich fühle mich ...«

»Schon gut. Hier unten, dort, wo das Kreuz ist.«

Alexander nahm das Blatt Papier und den Stift, überflog den Text und setzte seinen Namen darunter. Ohne ein weiteres Wort entfernte sich Pagodin.

»Hast du dir das auch genau überlegt?«

Alexander sah Rassul nur an.

»Und über die Konsequenzen bist du dir im klaren?«

»Pagodin wird im Lager verbreiten lassen, daß ich schwul bin und du auch. Damit kann ich leben.«

»Aber es wird ihm keiner glauben.«

»Darum geht es ihm nicht. Er kann den Vorfall abschließen und den Blatnoij Entwarnung geben. Außerdem hat er nun ein wichtiges Dokument in den Händen, falls der Arzt es anders sehen sollte.«

»Und du bist jetzt wieder Freiwild für die Blatnoij.«

Alexander setzte sich auf das Bett. »Zumindest werden sie mir noch eine Schonfrist einräumen. Und das genügt mir.«

»Wozu?«

Alexander antwortete nicht.

An diesem Morgen ging er das Essen holen, Rassul fühlte sich nicht wohl.

»Wieder die stechenden Schmerzen?«

Rassul nickte und kaute das Brot noch bedächtiger als sonst.

»Und dein Herz?«

»Ich habe mich schon daran gewöhnt.«

»Warum gehst du nicht auf die Krankenstation?«

Rassul trank die lauwarme Wasserbrühe, in der zwei Möhrenstückchen schwammen. »Ich kann denen leider keine Verletzung zeigen oder sonst etwas. Für die bin ich ein Simulant. Und was mit Simulanten geschieht, weißt du.«

Alexander nickte. Man erhöhte einfach ihr Plansoll, und schon regelte sich die Lage von selbst. So lautete die Einschätzung der Lagerverwaltung, und die kannte jeder Plenni. Deshalb versuchte es erst gar keiner, die Krankenstation mit so was Alltäglichem wie einer Lungenentzündung aufzusuchen. Oder Magenschmerzen oder Herzrasen.

Wenig später spazierten die beiden in der warmen Frühlingssonne.

Alexander mußte Rassul stützen.

»Ich möchte mich bei dir bedanken, Alexander.«

»Ist es nicht umgekehrt? Hast du mir nicht das Leben gerettet? Es mir wieder eingeredet?«

Rassul lächelte. »Nein, ich möchte mich bedanken.«

»Wofür?«

Der Alte blieb stehen, atmete stoßweise und massierte sich die Brust. »Weil du mich beachtest und ernst nimmst. Weil du normal mit mir sprichst und mich nicht beschimpfst, ›aus dem Weg, spur dich, los, arbeite schneller‹. Du hast mir das Gefühl gegeben, ein Mensch zu sein. Seit vielen Jahren habe ich dieses Gefühl vermißt. Aber die wichtigste Erkenntnis war, daß du mich gebraucht hast. Für jemanden dazusein bedeutet, anerkannt zu werden, eine Aufgabe zu haben. Dafür danke ich dir.«

Alexander war betroffen. Um seine Bewegung zu überspielen, meinte er scherzhaft: »Das ist ja so, als wolltest du dich von mir verabschieden. He, will man dich entlassen?«

»Ja, ich glaube, es gibt da einen, der mich entlassen will.«

Der Wärter schloß die Zellentür auf, aber Rassul regte sich nicht. Alexander schlug die Decke zurück und rüttelte den alten Mann. Er lag halb auf der Seite, die Augen geöffnet und auch den Mund. Und in seinem Mund Hunderte von Schaben, die rein- und rauskrabbelten, das gleiche in Nasenlöchern und Ohren.

»Nein«, schrie Alexander und wollte die Tiere vertreiben.

Unvermittelt hielt er jedoch inne und schaute zu Boden, wo eine Schabenkarawane auf dem Weg war zu Rassuls Hand, die aus dem Bett baumelte und den feuchten Untergrund berührte. Über Finger, Arm und Schulter krabbelten die Tierchen hoch, um in Rassul zu verschwinden. »Er hat ihnen einen Weg zu sich gewiesen«, sagte sich Alexander. Ohne seinen Arm hätten sie nicht zu ihm gefunden, denn die Metallbeine des Bettes waren ständig feucht und glitschig.

Der Wachposten entfernte sich, um Meldung zu machen.

Alexander setzte sich auf sein Bett und schaute unentwegt den Toten an. Er trauerte, und er weinte. Er war froh um die Tränen, die er vergoß.

»Mein lieber Rassul, du bist ein liebenswertes Schlitzohr. Erst bringst du mich dazu, wieder leben zu wollen, und dann verabschiedest du dich von mir. Außerdem bist du an Berechnung nicht mehr zu überbieten. Du gibst mir eine Hypothek mit auf den Weg. Dein Tod ist die Hypothek, weiterzuleben. Auch wenn ich sonst nie mehr im Leben ein Versprechen halten sollte, du kannst auf mich zählen. Rassul, wir werden beide leben.«

Alexander stand auf und schnitt dem Toten ein Büschel Haare ab.

Das Produkt der Häutung hatte zum erstenmal Gelegenheit, sich zu beweisen und zu bewähren. Der Natschalnik-Olp verhörte Alexander mit so viel Genuß, daß seine Zukunft nur noch eine Frage von Tagen zu sein schien. Er unterstellte ihm unterlassene Hilfeleistung, weil er niemanden benachrichtigt habe. Als Alexander nicht wie erwartet eingeschüchtert reagierte, sprach er von Mord.

»Gautulin, du hast ihn umgebracht. Der Alte ist dir lästig geworden, jetzt wo du dich wieder besser fühlst. Er hat seine Schuldigkeit getan.«

Alexander, dessen Emotionen in einem Käfig aus Überlegung und Lebenswillen festgehalten wurden, verneinte. »Genosse Natschalnik-Olp, er hat schon lange über Schmerzen in der Brust geklagt.«

»Lüge, alles Lüge, 196 F. Der Arzt untersucht ihn gerade. Wir werden es gleich wissen.«

Alexander dachte, er sei entlassen.

»Hier, schau dir die schönen Bilder einmal an.«

Pagodin legte zwei Fotos auf den Tisch. Alexander trat näher und erkannte sich in den Armen von Rassul. Friedlich, wie es schien, schlummerte er an der Brust des alten Mannes.

»Na, kommen die Gefühle?«

»Jawohl, Genosse Natschalnik-Olp, ich habe Gefühle. Rassul hat mir sehr, sehr viel bedeutet.«

Pagodin war verwirrt, Alexander durfte gehen.

Er war wieder bei den anderen in der Baracke. Um die verletzte Hand trug er nur noch eine dünne Binde, die Entzündung war zurückgegangen, obwohl die Wunde immer noch schmerzte. Zur Arbeit mußte er an diesem Tag noch nicht.

Alexander war allein, lag auf der Pritsche und starrte mit weit geöffneten Augen zur Decke. Er atmete gleichmäßig, wirkte jedoch abwesend und der Wirklichkeit entrückt. Sein hypnoseähnlicher Zustand wurde lediglich von tiefen Seufzern unterbrochen und von Mundbewegungen, als wiederhole er stumm einen gerade in Gedanken gefaßten Vorsatz. In diesen Stunden machte er die zweite Häutung durch. Wut überschwappte ihn in einer Dimension, die ihm selbst Angst bereitete, noch wußte er nicht, wie er mit ihr umzugehen hatte. Aber sie kam ihm gelegen wie ein langersehntes Zeichen körperlicher und geistiger Bereitschaft, für einen Kampf gewappnet zu sein, vielleicht nur gegen sich selbst und um der Achtung willen. Auch die Wut konservierte er in seinem Innern, und sie wurde dadurch zu einem Potential, zu einem abrufbereiten Reservoir, auf das er immer wieder zurückgreifen konnte. Warum sollte er nicht diese unbändige Wut nähren, von der keiner etwas wußte? Warum sie nicht als Motivation benutzen? Sie einsperren und zähmen wie ein wildes Tier, um sie bei Gelegenheit freizulassen? Kontrolliert freizulassen, denn nur er allein war der Dompteur.

Alexander wurde durch ein fremdes Geräusch gestört. Er stellte sich ans Fenster und sah einen Bulldozer mit breiten Ketten in das Lager herein und am anderen Ende wieder hinausfahren.

»Was hat das zu bedeuten?« fragte er einen von der Lagerbrigade, der die Wasserfässer des Waschraums für den Abend auffüllte.

»Du schwules Arschloch, mit dir rede ich nicht.«

Mit einer Schnelligkeit, die den Strafgefangenen verblüffte, packte Alexander ihn mit der gesunden Hand am Kragen. Ganz ruhig fragte er ein zweites Mal. »Was hat das zu bedeuten?«

Der Plenni schaute in Alexanders Augen und senkte den Blick.

»Nebenan bauen sie eine Anlage oder so was, um das Bauxit zu verarbeiten.«

Alexander lag wieder in der Baracke und gab sich seiner Gedankenwelt hin. Es bereitete ihm ein Höchstmaß an Zufriedenheit, Pläne zu schmieden, von denen außer ihm keiner eine Ahnung hatte. Mehr und mehr wuchs in ihm ein euphorisches Gefühl, er glaubte, endlich seine Zukunft mitbestimmen zu können.

Am Nachmittag wurde er erneut dem Natschalnik-Olp vorgeführt. Neben ihm stand der Lagerarzt.

»Seit wann hat 112 F über die Schmerzen in der Brust geklagt?«

»Seit drei oder vier Wochen, Genosse Hauptmann.« Alexander sprach den Arzt mit seinem Rang an.

»Nicht schon länger?«

»Nein, Genosse Hauptmann.«

»Kaum zu glauben. Hatte er starke Atembeschwerden?«

»Jawohl, Genosse Hauptmann.«

»Und er ist immer noch in den Berg gegangen?«

»Jawohl, Genosse Hauptmann.«

»Daran sollten sich andere mal ein Beispiel nehmen.«

Für diese Bemerkung hätte Alexander den Arzt am liebsten umgebracht. Fehlte nur noch, daß sie Rassul postum einen Orden verliehen.

»Die Lunge total zu, die Herzkranzgefäße verengt, und immer noch für den Sozialismus bereit. Da sollten sich andere mal ein Beispiel nehmen.«

Der Arzt verließ den Raum.

»So, wie es aussieht, 196 F, bist du noch einmal davongekommen. Aber das nächste Mal werde ich dich schon noch zu fassen kriegen.«

»Jawohl, Genosse Natschalnik-Olp.«

Erstaunlicherweise schienen die Bewohner der Baracke des Lagerbezirks F Alexander zu respektieren. Sie hänselten ihn nicht, keine Schimpfworte und keine Andeutung über den Vorfall im Waschraum. Erst recht akzeptierten sie ihn, als er am kommenden Tag wieder mit ihnen in den Berg mußte und Alexander wie wild schuftete.

Wolkow, sein Brigadier, sah es mit Wohlwollen. In einem Seitengang stellte er Alexander zur Rede.

»Wenn du irgendwann ein Wort ausplauderst, bringe ich dich um.« Er ließ das Messer aufblitzen. »Hast du mich verstanden?«

»Natürlich.«

»Und wenn du wieder ganz gesund bist, dann können wir uns mal im Waschraum treffen. Ich habe bisher noch keinen so weichen Arsch wie den deinen gefickt.«

»Gerne. Aber bring noch ein paar Freunde mehr mit. Mit dir macht es keinen Spaß, du bist nämlich ein miserabler Ficker.«

Wolkow stutzte. Irritiert ging er davon.

Nach dieser Szene sah ihn Wolkow immer sonderbar an, aber Alexander erhielt zur Verwunderung aller stets das größte Stück Brot und den ersten Schluck Wasser. Auch das Plansoll erfüllte er mehr als üblich, die Zigaretten, sein Lohn, häuften sich unter der Zeltplane der Liege. Meist tauschte er sie gegen Wodka ein, den er gemeinsam mit seinen Mithäftlingen in der Baracke trank. Als nur noch ein letzter Rest in der Flasche war, glitt diese einem aus der Hand und zerbrach, worauf sich zwei Mann auf den Boden warfen und den mit Schmutz vermischten Rest aufleckten.

Der Schlächter eröffnete an einem Sonntag den Barackeninsassen, daß seine Brigade und eine andere eingesetzt werde, um außerhalb des Lagers einen Bereich einzuzäunen. Gleich morgen ginge es los. Da die Jahreszeit vorangeschritten und die Tage länger geworden waren, standen die Strafgefangenen bereits früh um fünf Uhr auf. Der Boden, längst frei von Frost, war weich und leicht zu bearbeiten. Zuerst hoben die Gefangenen im Abstand von fünf Metern Löcher aus, in die sie mit Teer getränkte Pfosten aus Holz stellten. Der wieder aufgefüllte Boden wurde mit einem Stampfer verdichtet. Mehr als vierhundert Meter war das Areal lang, welches die Häftlinge einzugrenzen hatten, und fast genauso breit. Schon am Abend standen alle Pfosten in Reih und Glied.

Am nächsten Tag kam dann der Stacheldraht. Wegen der Steifigkeit der Konstruktion zuerst immer über Eck gespannt, wurde Reihe für Reihe provisorisch befestigt, um am Ende, wenn alles ausgerichtet war, die gezackte Umzäunung festzurödeln.

Gerade hatte man mit dieser Tätigkeit begonnen, als ein singendes, peitschenartiges Zischen, übertönt von einem infernalischen Schrei, die Gefangenen innehalten ließ. Gebannt schauten alle in die Richtung und bekamen gerade noch mit, wie ein Körper durch die Luft gewirbelt wurde. Zwei Sekunden tat sich nichts, dann rannten die Häftlinge los, als hätte jemand ein Kommando gegeben. Kein schöner Anblick bot sich ihnen. Tief hatte sich der Stacheldraht in die Haut des Mannes gedrückt, in Augen, Mund und Zunge, die seitlich heraushing und an die Wange geheftet worden war. Eng um den Hals zog sich der Draht, wo sich noch schwach der Pulsschlag regte, als kämpfe er gegen die Zacken an. Ein zuckender Mensch, eingeschnürt und von einem todbringenden Geflecht aus hellem Draht stranguliert, die Arme eng an den Körper gepreßt wie eine Raupe, die sich verpuppt.

Sosehr sich die Anwesenden auch mühten, den Eingewickelten zu befreien, er starb qualvoll vor ihren Augen.

»Schweinerei«, schimpfte einer, der wieder Unheil auf die Brigade zukommen sah. In letzter Zeit nahmen sie es bei Arbeitsunfällen ganz genau.

»Los, ruf den Natschalnik-Olp«, kommandierte Wolkow. »Und ihr da«, er meinte zwei Herumstehende, »überprüft alle anderen Drähte. Nicht, daß mir eine solche Sauerei noch mal passiert.«

Zwei Minuten später kam Pagodin. »Wie konnte das geschehen?«

»Die oberste Reihe war festzuzurren, und da hat sich der Draht gelöst«, antwortete Wolkow, der Brigadier.

»Und wieso ist der Gefangene auf diese seltsame Weise eingewickelt?«

Auch darauf hatte Wolkow eine Antwort. »Der Stacheldraht wird uns auf Rollen geliefert.« Er deutete auf eine. »Durch das

Aufrollen im Werk im warmen Zustand hat er nach dem Erkalten eine Eigenspannung und ist bestrebt, sich wieder zusammenzurollen, wenn man ihn losläßt. Genau das ist in diesem Fall geschehen.«

Pagodin schaute zu den übrigen Rollen und prüfte den Sitz des Drahtes an einem Pfosten. »Wo hat der Mann gearbeitet?«

»Am vierten Pfosten von hier aus gesehen.«

Alexander, der etwas abseits stand, wunderte sich, wieso der Brigadier nicht in der vorgeschriebenen Form »Genosse Natschalnik-Olp« antwortete und warum sich Pagodin nicht daran störte. Der Natschalnik-Olp machte einen Schritt auf den Toten zu und verzog bei dessen Anblick das Gesicht. »Wie kommt er hier an diesen Platz?«

»Der Draht hat ihn mitgerissen. Wie gesagt, die Spannung.«

Das leuchtete Pagodin ein. »Aber aus welchem Grund konnte sich der Draht überhaupt lösen?«

Wolkow zuckte mit den Schultern. »Weiß ich nicht, ist bisher auch noch nie passiert. Der Draht wird an einem Pfosten angeheftet und anschließend gespannt.«

»Wo war er angeheftet?«

»Am Ende, ganz da hinten.«

»Das heißt also«, überlegte Pagodin laut, »der Draht hat durch die fünfzig Meter oder wieviel es immer sind, so viel Wucht bekommen, daß er einen ausgewachsenen Mann mitreißen konnte.«

Der Unfall sprach sich schnell im Lager herum, und bei der Essensausgabe sah Wolkow, der Schlächter, Alexander wieder seltsam an. Der raunte ihm so leise zu, daß kein anderer es verstehen konnte: »Leider fehlt jetzt einer bei der nächsten Verabredung im Waschraum. Aber zu dritt macht es auch Spaß, oder?«

Selbstverständlich war es auch den übrigen Barackeninsassen nicht verborgen geblieben, daß einer von Alexanders Peinigern, jeder kannte ihn, obwohl sein Name nie offiziell genannt worden war, sein Leben hatte lassen müssen. Alle rekonstruierten, wo wohl Alexander zum Zeitpunkt des Unfalls gewesen war. Einhellig kamen sie zu dem Ergebnis, ihn treffe keine Schuld, das müsse wirklich ein Zufall gewesen sein.

Alexander jedoch, der an diesem Abend lange wach lag und in sich hineinforschte, sah Rassul auf sich zukommen und lächeln. Der Alte kam näher und näher und wirkte sehr zufrieden. Als er dicht vor ihm stand, zwinkerte er mit einem Auge.

Längst war der Bereich eingezäunt, kein weiterer Vorfall hatte sich ereignet. Inzwischen war der Bulldozer damit beschäftigt, Gräben für die Fundamente auszuheben, die man anschließend mit Beton füllen wollte. Dazu zog das schwere Gerät eine Art Pflug hinter sich her, der sich tief in den Boden grub, denn auf diesen Fundamenten sollte später eine Halle aus Stein errichtet werden.

Bergseitig standen jedoch noch einige Bäume im Weg. Da es an Sägen und anderem Werkzeug mangelte, kam Wolkow die arbeitssparende Idee, die Bäume einfach mit einem Drahtseil, welches man an das stark motorisierte Kettenfahrzeug befestigte, aus dem Boden zu reißen. Und das klappte auch hervorragend.

Das klappte bis zu dem Zeitpunkt hervorragend, als ein markerschütterndes Brüllen den Hang herunterhallte, der Bulldozer angehalten wurde, der Fahrer, er war kein Strafgefangener, die Kabinentür öffnete und zögernd ausstieg. Er ging in die Hocke, richtete sich wieder auf und schien sich dann die Haare zu raufen.

Schnell bildete sich ein Kreis von Menschenleibern. Jeder sah den Arm, der unter dem Gerät hervorlugte. Und wo ein Arm ist ...

»Verdammt, da liegt einer drunter. Wer ist es denn?«

Brigadier Wokow war inzwischen auch herangekommen, erkannte die Lage und erstarrte. Als entfalteten seine Augen ein Eigenleben, suchten diese Alexander. Aber der stand ganz weit hinten und gab sich total unbeteiligt.

»Er ist tot«, sagte einer der Häftlinge, der sich gebückt und den Puls gefühlt hatte.

»Und wenn ihm nur der Arm abgerissen worden ist?« bemerkte ein anderer makaber.

Wolkow überzeugte sich selbst: Kopf und Schultern lagen unter der Kette.

»Der ist alle. Los, beweg das Ding.« Einem Strafgefangenen befahl er: »Ruf Pagodin, er wird erneut Arbeit bekommen.«

Der Fahrer setzte sich wieder auf seinen Bulldozer und tuckerte einige Meter weiter. Die Umstehenden, einige begannen zu würgen und wandten sich ab, bekamen mit, daß von dem Mann nicht mehr viel übriggeblieben war. Der ganze Oberkörper war zu einer unförmigen Masse zerquetscht und mit Erde vermischt.

»Ich krieg' die Schuhe.«

Wütend ruckte Wolkow in die Richtung des Sprechers, der sich hinter den Rücken der anderen verschanzte.

»Verdammt, er hat ja ein Seil um den Fuß.«

Wie eine Erscheinung verfolgten alle den Weg des Seiles. Um einen noch stehengebliebenen Baum verlief es zurück bis zum Ende des Fahrzeuges, wo es hinter einem Metallhaken eingeklinkt war.

Einer der Strafgefangenen fand sofort eine Erklärung für den Unfall. »Er ist in die Schlaufe des Seils getreten, und die Raupe hat ihn an sich herangezogen und zermalmt.«

»Wer ist verantwortlich für das Ausreißen der Bäume?« fragte Wolkow in die Runde.

Ein Mann trat vor.

»Was ist dir aufgefallen?«

»Nichts.«

»Ist jemand in der Nähe gewesen, der nicht dorthin gehört?« Wolkow schielte in Alexanders Richtung.

»Nein.«

Pagodin kam im Laufschritt herbeigeeilt, das Gesicht vor Anstrengung rot. Seine Stimme zitterte vor verhaltenem Zorn. »Wer hat was gesehen?«

Schweigen.

»Gautulin, wo warst du zu dem Zeitpunkt?«

Alexander trat vor. »Dort drüben in einem der Gräben, ich habe mit einer Schaufel die Sohle geglättet.«

»Wer war bei dir?«

Zwei Männer meldeten sich. »Es stimmt. Er stand zwischen uns.«

Alexander durfte nach einem warnenden Blick wieder zurücktreten. Das direkte Ansprechen des Natschalnik-Olp zeigte ihm, daß Wolkow der Schlächter ihm von seinem Verdacht Mitteilung gemacht hatte, wahrscheinlich auch von dem Vorfall während des Essens.

Um ganz sicher zu gehen, wie der Unfall abgelaufen war, rekonstruierte man ihn, nachdem ein Trupp die Leiche abtransportiert hatte.

Die Raupe rollte auf den Ausgangspunkt zurück, das Seil wurde um den Baum gelegt und weiter bis zu der Stelle, wo die Schleifspuren auf dem Boden zeigten, daß hier der Ärmste erwischt worden war. An das Seil befestigte man ein Stück Holz, und alle Sträflinge mußten sich auf ihren Platz stellen, den sie während des Geschehens innehatten. Auf einen Wink von Pagodin fuhr der Bulldozer los. Exakt an der gleichen Stelle, an der der Körper zermalmt worden war, geriet jetzt das Stück Holz unter die Kette. Dem Fahrer war durch den hohen Vorbau des Motors und den wuchtigen Auspuff der Blick verwehrt, ihn traf keine Schuld.

»Eindeutig Unfall«, lautete Wolkows Kommentar, ohne Pagodin den Vortritt zu lassen.

»Trotzdem wird es eine Untersuchung geben. Zwei Tote innerhalb einer Woche, das ist zuviel. Was wohl Moskau darüber denkt?«

Genau das war Pagodins Problem. Daß zwei Strafgefangene umgekommen waren, interessierte ihn nicht sonderlich. Ihn beschäftigte allein der Umstand, wie man die Vorgänge in Moskau bewerten würde. Besonders schlimm war nur, daß er sich als der Verantwortliche des Lagerbezirks unangenehmen Fragen ausgesetzt sah.

Die Häftlinge warteten auf die Untersuchung, aber die wurde zur Überraschung aller nicht eingeleitet. Dafür spielten sich seltsame Dinge im Lager ab. Eines Tages fuhren Militärfahrzeuge vor, und Soldaten errichteten schöne Holzbaracken mit Duschen und Toiletten. Gleich nebenan kam eine Kantine, dazu auch noch ein Gebäude für die Freizeit mit einer Tischtennisplatte. Die Strafgefangenen wußten nicht, wie ihnen geschah, und bewunderten die Tischtennisplatte wie ein Weltwunder. Die meisten von ihnen hatten keine Ahnung, wozu das grüne Rechteck mit den weiß aufgemalten Linien gut war, bis zwei Soldaten es ihnen mehr oder weniger gekonnt demonstrierten.

Als die Ungewißheit der Inhaftierten nicht mehr gesteigert werden konnte, kam das überraschende Kommando, jeweils zu sechst in die neuen Baracken umzuziehen.

»Haben wir irgendeinen Krieg gewonnen?« scherzte jemand. Die Verblüffung der ausgemergelten und unterernährten Männer nahm noch zu, als sie an diesem Abend ihr Essen in Empfang nahmen.

»Jetzt wollen sie uns vergiften«, meinte Selmja, der Holzdieb. »Fleisch gibt es und richtige Kartoffeln. Und Gemüse.«

Selmja, dem Alexander längst verziehen hatte, er war damals gezwungen worden, ihn hinter den Waschraum zu locken, beäugte mißtrauisch das wohlduftende Essen.

Zu allem Überfluß durften sie auch noch an sauberen Tischen sitzen, mit blitzendem Besteck hantieren und aus Gläsern trinken. Der letzte Wunsch wurde ihnen erfüllt, wie vor einer Hinrichtung. Einer der Gefangenen spuckte sogar den ersten Bissen aus, so ungewohnt war für ihn der Geschmack des Fleisches.

Der Höhepunkt der Überraschung war am nächsten Tag die Einkleidung. Neue Hemden, Hosen, Jacken, Strümpfe und Schuhe gab es, dazu einen Regenumhang und Zahnbürsten und Seife. Besonders die Zahnbürsten wurden kritisch beäugt, denn mancher hatte so ein Borstending zum erstenmal in den Händen.

»Und morgen entlassen sie uns alle.«

Aber vorher mußte jeder in die neue Dusche und sich von Kopf bis Fuß abschrubben. Erst nach Begutachtung durch den Lagerarzt, der sogar auf das Schwarze unter den Fingernägeln achtete, war den Gefangenen erlaubt, die neuen Hemden anzuziehen und sich in die frisch bezogenen Betten zu legen.

Am kommenden Morgen kein Wecken, keine Arbeit, nichts. Unschlüssig versammelten sich die Männer vor den Baracken und diskutierten. Plötzlich fuhr ein Geländewagen vor. Ein Offizier, den sie bisher noch nicht gesehen hatten, stieg aus, schnappte sich ein Mikrofon und verkündete über Lautsprecher, das Lager erhalte Besuch aus dem Ausland, genauer gesagt aus der Schweiz. Das Rote Kreuz – jeder kenne ja wohl diese humanitäre Einrichtung – wolle sich überzeugen, wie gut die sowjetischen Strafgefangenen behandelt würden.

Jetzt wußten alle, was der eigentliche Zweck war: dem Ausland Sand in die Augen zu streuen und darauf zu verweisen, was man alles für die Inhaftierten tat. Möglicherweise waren Berichte nach draußen gedrungen, so vermutete Alexander, die die unmenschlichen Praktiken in diesen Lagern anprangerten. Um der Kritik zu begegnen, sahen sich die Sowjets gezwungen, die Weltöffentlichkeit, vor der das riesige Land gut dastehen wollte, vom Gegenteil zu überzeugen. Sozialismus als politische Weltreligion und inhumane Straflager vertragen sich nun einmal nicht.

Schöner hätte das Wetter nicht sein können, als eine Autokarawane, dick war an den Seiten das rote Kreuz auf weißem Untergrund aufgemalt, die neuen Unterkünfte ansteuerte. Nicht aus südlicher Richtung kamen sie, dann hätte man das alte Lager durchqueren müssen, sondern nach einem gebührenden Umweg von Norden, und zwar über eine extra planierte Straße. Die Fahrzeuge hielten an, eine Kamera wurde aufgebaut und begann, die Insassen zu filmen. Die Gefangenen wußten nicht recht, wie sie sich verhalten sollten, und vollführten linkische Bewegungen. Einer spreizte später beim Essen ständig den kleinen Finger ab. Wo er das wohl gesehen hatte? Keinen der Häftlinge hörte man schlürfen, rülpsen oder schmatzen.

Pagodin scharwenzelte mit dem strahlendsten Gesicht des Landes um die Gefangenen herum und unterhielt sich so freundlich mit ihnen, daß später die Betrachter des Films nicht würden unterscheiden können, wer hier eingesperrt war und wer Aufpasser.

Zur Freude aller hatte man Bänke und Tische an die frische Luft gestellt, damit das Picknick auch voll zur Geltung kam. Pagodin richtete gesülzte Worte an die Besucher und lud sie ein, sich ein genaues Bild von dem Lager zu machen. Jeden könne man fragen, jeder dürfe den ausländischen Gästen sagen, was ihn bedrücke.

Nun, so einfach war das nicht, denn der Dolmetscher, ein Russe, übersetzte so, wie man es ihm von Moskau vorgegeben hatte. Ein Häftling wollte verdeutlichen, dies alles sei nur Show, nur Zirkus. Im Englischen, auf das man sich geeinigt hatte, klang das anders: Der Mann habe nur noch ein Jahr abzusitzen. Ihm gefalle es sehr gut hier, die Unterbringung sei ohne Tadel, die Behandlung zuvorkommend, er wisse überhaupt nicht, was er machen solle, wenn seine Strafe um sei.

Was wie das Protokollieren der Antwort aussah, war nur dazu gedacht, den armen Kerl später zur Rechenschaft zu ziehen.

»Sprechen Sie Deutsch?« fragte Alexander einen der Ausländer.

»Ja, es ist meine Muttersprache«, antwortete er. »Ich komme aus der Schweiz. Brechbuel, mein Name. Hans Brechbuel.«

»Können wir uns ohne Zeugen unterhalten?«

»Aber sicher doch. Ihnen geht es gut?«

»Bitte ohne Zeugen, aber mit Kamera und einem Mikrofon.«

»Und wo bitte?«

»Auf der Toilette.«

»Wie?«

»Sehen Sie denn nicht, wie wir beobachtet werden? Erkennen Sie nicht, daß unsere Hemden noch Bügelfalten haben? Und alles nach frischer Farbe riecht?«

Der Schweizer kam ins Grübeln. »Sie meinen ...«

»Die Wirklichkeit ist die Hölle.«

»Wann in der Toilette?«

»In genau einer Stunde.«

Alexander schlenderte davon. Pagodin quetschte sich neben ihn.

»Was wollte der Ausländer?«

»Er sprach so einen seltsamen Dialekt, ich habe ihn nicht richtig verstanden.«

Pagodin entfernte sich wieder. Da er wußte, daß Alexander ausgezeichnet deutsch sprach und der Ausländer aus der Schweiz kam, reimte er sich einiges zusammen. Glücklicherweise gab es ja noch den treuen Turja, auch ein ehemaliger Wolgadeutscher.

Aber der, wenige Minuten später herbeizitiert, um sich mit dem Schweizer zu unterhalten, schüttelte nur den Kopf.

»Das ist nie und nimmer Deutsch, was der brabbelt. Nichts habe ich verstanden. Absolut nichts. Nur ch, ch, ch.«

Pagodin war beruhigt und ließ Alexander aus den Augen. Der hatte sich beeilt und in seiner Baracke einen Brief an Hellen Birringer in Düsseldorf geschrieben. Zwei Seiten, mehr Zeit war ihm nicht geblieben. Und mit diesem Brief machte er sich auf zur

Toilette. Dort wurde er Zeuge, wie geschickt Brechbuel vorging. Pagodin wurde von einem Kollegen interviewt, während er mit Alexander und einem Kameramann die Toilette aufsuchte. Ein weiterer Helfer des Roten Kreuzes stand derweil vor der Tür Wache.

Längst waren die neuen Baracken wieder abgebaut, die Waschräume und Toiletten weggeschafft, die Kantine und die Kleidungsstücke wieder einkassiert worden. Dies geschah noch am gleichen Tag, an dem die Schweizer abgereist waren.

Mittlerweile hatte man auf der Baustelle damit begonnen, die Gräben auszubetonieren. Manche der Gefangenen bearbeiteten, da es an Schaufeln und noch mehr an Handschuhen mangelte, den Beton mit bloßen Händen. Bereits in der darauffolgenden Nacht schrien sie vor Schmerzen, denn der Zement hatte die Haut angefressen, die Finger anschwellen und aufplatzen lassen. Aber blutende, pochende und eiternde Wunden waren noch längst kein Grund, die Krankenstation aufzusuchen.

Nach dem Fundament folgten die Zwischenräume, der spätere Boden für die neue Halle. Dazu legte man zuerst auf eine Filterschicht aus Schotter und Sand eine Lage Stahlmatten – der Beton sollte nachher nicht reißen. Und die Matten verteilte ein kleiner mobiler Kran mit Gummireifen, den man hinten beschwert hatte, damit er nicht durch die Last überkippte.

Zuerst dachten die Arbeiter, es mache sich jemand einen Scherz. Baumelte doch tatsächlich einer von ihnen hoch oben in der Luft an den Matten. Dann jedoch stutzte der Kranführer, als er auf die seltene Fracht aufmerksam gemacht wurde, denn von seinem Standpunkt aus war nichts zu sehen gewesen. Als er die Matten wieder auf die Erde abließ, fanden die Zuschauenden die Situation überhaupt nicht mehr lustig. Da hing doch einer an dem verrosteten Eisengeflecht, und zwar mit einem Stück Draht um den Hals. Lang und dick streckte er ihnen die Zunge entgegen, der Kopf war angeschwollen und blaurot angelaufen, die Augen weit aufgerissen und hervorgequollen.

Als der Schlächter näher kam, riß er die Augen genauso auf, auch sein Kopf lief blaurot an. Und er begann laut zu fluchen. Aber dann verstummte seine Stimme – er hatte den Toten erkannt. Aus den Augenwinkeln schielte er zu Alexander hinüber, aber der arbeitete am anderen Ende und hatte von alledem nichts mitbekommen.

»Mensch, der riecht ja nach Wodka«, moserte Valentjuk, ein Weißrusse, der dem Strangulierten am nächsten stand. »Muß einiges gesoffen haben.«

Die Strafgefangenen traten hinzu, einige von ihnen schlossen die Augen und vergaßen die Situation. Zu verführerisch war der Duft.

»Ruf Pagodin«, kommandierte Wolkow in ungewohnt gemäßigter Lautstärke. Um das Zittern seiner Knie wieder in den Griff zu bekommen und keinen merken zu lassen, wanderte er mit kleinen Schritten umher.

Pagodin baute sich auf, blickte in die Runde und sagte kein Wort. Dann umkreiste er den Toten und inspizierte den Boden, als gäbe es dort noch Spuren zu entdecken. Schließlich schnupperte er widerwillig, weil er dem toten Häftling sehr nahe kommen mußte. Anschließend flüsterte er Wolkow etwas ins Ohr und verschwand.

»Wir müssen alle hierbleiben, keiner rührt sich von der Stelle.«

In fünf Minuten waren die Gefangenen vom Wachpersonal umzingelt, die Gewehre im Anschlag. Kurz darauf erschien der Lagerarzt, um sich den Erhängten anzusehen.

»Eindeutig Tod durch Strangulieren«, verkündete er den Männern keine Neuigkeit. Bei der dicken Zunge!

»Und der Wodkageruch?«

Der Arzt schaute Pagodin an. »Ich muß ihn aufschneiden und untersuchen.« Sein Gesicht ekelte sich schon jetzt vor der Arbeit, die auf ihn zukam. Aber Wodka würde er bestimmt nicht feststellen, der war nämlich streng verboten.

Der Tote wurde aus der Drahtschlinge befreit, und alle erkannten, es war der gleiche Draht, der auch die Matten zusammenhielt. Es war aber keine richtige Schlinge, in die der Kopf geraten war, sondern eine Schlaufe, die jetzt wie ein Halbkreis herunterbaumelte. Durch sein eigenes Körpergewicht hatte sich der Arme ins Jenseits befördert. Fragte sich nur, wie er mit dem Kopf hineingeraten konnte. War der Wodka die Erklärung?

Der Natschalnik-Olp führte die Untersuchung, und er tat es mit der von ihm erwarteten Gründlichkeit. Lange befragte er alle Strafgefangenen, am ausführlichsten Alexander.

Pagodin, beide Ellbogen auf den Schreibtisch gestützt, beugte sich nach vorn. »Häftling 196 F, gibt dir der Tote nicht zu denken?«

»Nein, Genosse Natschalnik-Olp.«

»Drei Männer in so kurzer Zeit ums Leben gekommen. Das ist doch kein Zufall mehr.«

»Ich weiß nicht, Genosse Natschalnik-Olp.«

»Sind das nicht drei von denen gewesen, die dir im Waschraum so zugesetzt haben?«

»Ich habe die Männer nicht erkannt, Genosse Natschalnik-Olp.«

»Aber im Fieber hast du Namen genannt.«

»Ich kann mich nicht erinnern, Genosse Natschalnik-Olp.«

»Jetzt sind drei der Missetäter tot. Fühlst du nicht Genugtuung?«

»Nein, Genosse Natschalnik-Olp. Ich habe die Männer damals durch mein Verhalten provoziert.«

»Jetzt rede keinen Quatsch. Die haben sich an dir vergangen.«

»Nein, Genosse Natschalnik-Olp. Erinnern Sie sich bitte an das Blatt, das ich unterschrieben habe. Ich bin ein Homosexueller.«

Pagodin kochte. »Aber du und ich, wir wissen doch, es befindet sich nur in den Akten, um denen da oben«, sein Daumen deutete gegen die Decke, »eine Erklärung zu liefern.«

»Das kann ich nicht beurteilen, Genosse Natschalnik-Olp. Aber Sie haben außerdem die Fotos, Rassul und ich, und die sind sehr eindeutig. Finden Sie nicht auch, Genosse Natschalnik-Olp?«

So ging das immer hin und her. Pagodin wollte Alexander mit der Wahrheit kitzeln, er wisse doch genau, was man ihm damals angetan habe, das hätte ja schließlich jeder gesehen, der später hinzugekommen sei. Alexander dagegen verwies auf den Text, den er unterschrieben hatte, und auf die Fotos.

Es war nicht die Art, wie er das tat, sondern der Umstand, daß ein Strafgefangener den Natschalnik-Olp mit seinen eigenen Waffen schlug, und zwar so wirkungsvoll, daß er, der große Lagerpolitruk, nichts dagegen unternehmen konnte. Nach zwei Stunden sprang Pagodin erregt auf, packte Alexander an der Jacke und schüttelte ihn.

»Ich werde aus dir die Wahrheit herausprügeln lassen, mein Lieber.«

»Jawohl, Genosse Natschalnik-Olp. Gestatten Sie mir eine Frage?«

Irritiert schaute der Lagerpolitruk den Gefangenen an. »Bitte.«

»Glauben Sie an die Vorsehung, Genosse Natschalnik-Olp?«

»Was soll das?«

»Bitte beantworten Sie meine Frage, Genosse Natschalnik-Olp.«

Folgsam entgegnete Pagodin: »Nein. Ich bin für die Logik.«

Als Alexander schwieg, wollte er wissen, was das zu bedeuten habe.

»Ist es nicht seltsam, wie mir die Vorsehung hilft, Genosse Natschalnik-Olp?«

»Inwiefern?«

»Wenn es wirklich drei der vier Männer sein sollten, wie gesagt, ich habe sie damals nicht erkannt, Genosse Natschalnik-Olp, dann hilft mir doch die Vorsehung.«

»Wieso?«

»Obwohl ich immer sehr weit von dem Geschehen entfernt war, hat die Vorsehung die Männer bestraft, Genosse Natschalnik-Olp.«

»Was willst du damit sagen?«

»Vielleicht hilft mir die Vorsehung auch weiter, wenn sich wieder einer an mir vergreifen sollte, Genosse Natschalnik-Olp. Egal, wer immer das auch sein mag.«

Als hätte er eine heiße Niete angefaßt, ließ der Lagerpolitruk Alexanders Jacke los, die er immer noch umklammert hatte.

»Abführen«, brüllte er.

An diesem Abend erhielt Alexander überraschenden Besuch. Ehrfürchtig machten die Barackeninsassen dem großen, bärtigen Mann mit den langen Haaren Platz. Der setzte sich auf Alexanders Pritsche und sah ihn an. Alexander hielt dem Blick stand. Nach zwei Minuten oder mehr drehte der Besucher den Kopf und tat so, als hätte er etwas Interessantes entdeckt.

»Du kennst mich?«

»Sicher.«

»Kannst du dir auch denken, warum ich hier bin?«
»Du wirst schon einen Grund haben.«
Die übrigen Häftlinge vergaßen zu atmen. Respektlos, wie Alexander dem Elefanten, dem mächtigsten Mann im Lager, begegnete.
»Ich möchte mit dir reden.«
»Worüber?«
»Über Zufälle.«
»Ein schönes Thema.« Alexander lächelte. »Ich würde dir gerne etwas anbieten, aber leider habe ich nichts.«
»Das dürfte genügen.« Der Bärtige zog eine Flasche Wodka unter seiner Jacke hervor und reichte sie Alexander.
»Du zuerst.«
Der Bärtige lächelte, entfernte die Kappe und setzte die Flasche an. Er nahm einen kräftigen Schluck. Alexander begnügte sich mit wesentlich weniger. Keiner seiner Mithäftlinge konnte das verstehen. Wodka, und dann auch noch gratis.
»Zigarette?«
»Ja. Zwanzig, für meine Kumpane.«
Wortlos griff der Bärtige in seine unergründliche Jacke und gab Alexander eine Handvoll Zigaretten. Der reichte sie weiter.
»Ich habe drei Männer verloren.«
»Ich weiß. Deine Macht als Chef der Blatnoij nimmt ab.«
»Wenn ich will, dann zerquetsche ich jeden.«
»Fast jeden.«
»Dich auch.«
»Dann bist du morgen tot.«
Die Zuhörer vergaßen an den Zigaretten zu ziehen, der Elefant zuckte zusammen. So hatte ihm noch keiner gedroht. »Ich bin morgen tot, wenn ich dich zerquetsche?«
»Ja.«
»Wie das?«
Alexander streckte seine Faust aus. »In dieser Faust ist mehr Macht, als du jemals hattest.«
Verwundert wanderten die Augen des Bärtigen zwischen Faust und Alexanders Gesicht hin und her.
»Ich verstehe dich nicht.«

»Jeder im Lager weiß, du bist der Chef der Blatnoij. Und weil drei deiner Männer umgekommen sind, ist deine Macht geschrumpft. Wir alle wissen, wer zu dir gehört.«
»Los, sprich weiter.«
»Meine Macht kennst du nicht, und genau davor hast du Angst. Keiner kann mir was in die Schuhe schieben, was den Tod deiner Leute angeht. Während du jemanden offen umbringen läßt, bin ich nicht für dich einzuschätzen. Und du weißt nicht, wer alles zu mir gehört. Genau davor hast du Angst.«
»Ich habe nie Angst.«
»Pagodin hat auch Angst.«
Alexanders Gefährten verhielten sich vollkommen ruhig, kein Wort sollte ihnen entgehen, denn hier spielte sich ein Machtkampf ab.
»Ich lasse mich einsperren in den Isolator. Hundert Flaschen Wodka, daß du am nächsten Tag tot bist.« Alexander streckte seine Hand aus.
Zuerst sah es aus, als wollte der Elefant einschlagen, dann aber zögerte er.
»Wie willst du das machen?«
»Alle werden es erfahren, nur du nicht mehr.«
Dann schwiegen die beiden eine Weile und taxierten sich mit Blicken. Der Bärtige fragte sich, was an diesem mittelgroßen, schlanken Kerl mit dem hageren Gesicht Besonderes dran war, daß er so auftrumpfen konnte? Gut, seine Augen, sie verströmten eine Kraft, aber mit Augen kann man nicht töten. Und allzu hart sieht sein Gesicht auch nicht aus, wenn man sein durchsetzungsstarkes Kinn ausklammert. Weshalb ist er sich so sicher?
»Ich möchte Ruhe im Lager haben.« Jeder bekam mit, wie der Elefant einlenkte.
»Schickt dich Pagodin?«
»Mich schickt niemand.«
»Ich lasse mir nichts vorschreiben.«
Wieder blieb es eine Weile still zwischen ihnen.
»Gibt es eine Möglichkeit, daß du mit mir zusammenarbeitest?«
»Nein.«

»Du willst Krieg?«
»Nein.«
»Was willst du?«
»Wenn Zusammenarbeit, dann nicht ich mit dir, sondern wir beide gemeinsam. Hast du mich verstanden?«
»Ich bestimme, was geschieht.«
»In einigen Wochen sitzt du wieder hier, und du wirst betteln, damit ich dich anhöre.«
»Nie und nimmer.«
»Doch. Du wirst Angst haben, mein Freund. Schon jetzt ist sie in dir drin. Und sie wird wachsen. Glaube mir, du wirst kommen.«
Der Bärtige erhob sich. »Schließen wir bis dahin ein Abkommen? Wir beide bekämpfen uns in diesen Wochen nicht.«
»Einverstanden.«
Als der Elefant gegangen war, schlugen die Häftlinge, die Zeuge der seltsamen Unterhaltung geworden waren, Alexander anerkennend auf die Schulter. »Dem hast du es aber gegeben, Alexander.«
In der Achtung der Strafgefangenen war er um Meilen gestiegen. Das merkte er schon am nächsten Morgen, als er sich anstellte, um sein Brot abzuholen. Sie boten ihm freiwillig ihren Platz an, ganz vorn in der Schlange. Alexander lehnte ab, und das imponierte ihnen noch mehr. Er war der erste, der keine Vergünstigungen akzeptierte.

Keiner wußte besser als Alexander, auf was für ein gefährliches Spiel er sich eingelassen hatte. Aber im Verlauf der Unterhaltung mit dem Elefanten merkte er dessen Verunsicherung, je mehr er selbst auftrumpfte. Die Verunsicherung des Blatnoij nahm zu, denn ein solches Verhalten war der Mächtigste im Lager nicht gewohnt. Ein Umstand trug besonders dazu bei, daß am Ende des Gesprächs die Bereitwilligkeit für eine Art Burgfrieden bestand: Der Elefant konnte Alexander nicht einschätzen. Eine Kraft, die man nicht einschätzen kann, bleibt riesengroß und wird, erst recht, wenn es sich um die des Gegners handelt, zum Unsicherheitsfaktor.
Etwas Neues trat ein. Wolkow, der Schlächter, wurde auf Schritt und Tritt von mindestens zwei weiteren Blatnoij begleitet. Er, der letzte der vier, hatte um Personenschutz gebeten, und der Elefant

bewilligte ihn. Überall folgten ihm die finsteren Gesellen hin, sogar bis auf die Toilette und in den ... Waschraum.

»Na, Wolkow, auch Angst?«

Die lässig hingeworfene Bemerkung von Alexander verursachte bei dem Angesprochenen ein Zittern der Augenlider und rasches, stoßweises Atmen.

»Wieso sollte ich?« Selbstbewußt sollten die wenigen Worte klingen, aber sie waren bloß gestammelt.

»Nur noch du und ich. Willst du mir nicht ein Messer in den Rücken rammen?«

»Weshalb?«

»Nun, vielleicht ist damit meine Vorsehung beendet, und du wirst verschont.«

»Wovor verschont?«

»Ich weiß nicht. Hast du ein schlechtes Gewissen?«

Wolkow schluckte. Vor Verlegenheit bot er Alexander eine Zigarette an, doch der lehnte ab.

»Und wenn ich mich bei dir entschuldige?«

»Wozu? Was hast du denn getan?«

»Nun ... äh ...«

»Nein, du brauchst dich nicht zu entschuldigen. Ich glaube nicht, daß sich die Vorsehung auf diese Art und Weise beeinflussen läßt.«

Inzwischen war der Bau der Halle gut vorangeschritten, und man begann schon weiter in Richtung Berg mit dem zweiten Abschnitt. Dort aber war der Untergrund felsig, Dynamit stand jedoch nicht zur Verfügung. Außerdem galt es, lediglich ein kleines Stück in dem harten Gestein vorzudringen.

Deshalb wurden zwei Kompressoren herbeigeschafft, und dann rückte man dem präkambrischen, braunblauen Material, das wenige Kilometer weiter nördlich nahe bei Polunotschnoje in Schiefer überging, mit Preßluft zu Leibe. Das war Knochenarbeit, die Männer schwitzten in der Junisonne, und das Wasser lief ihnen nur so in Linien den Rücken herunter. Auch Alexander, der sich nicht ausklammerte, obwohl er es hätte tun können, half mit. Sein Stellenwert war enorm gestiegen.

Und immer wieder tauchte Wolkow mit seinem Personenschutz auf. Stets lungerten sie in seiner Nähe herum, noch näher waren sie ihm abends und sogar nachts.

Heute liefen die Kompressoren schon ununterbrochen seit dem Morgen. In der Mittagspause stellte man die lauten Ungetüme ab, um sich einigermaßen unterhalten zu können. Die Männer hockten sich auf Erdwälle und verzehrten ihren mitgebrachten Proviant, denn bis zur Kantine war es zu weit. Nach einer halben Stunde kam das Zeichen des Arbeitsbeginns. Ächzend erhoben sich die Strafgefangenen und stapften zu ihren Plätzen.

Die Kompressoren wurden angeworfen und drehten hoch, als ein tierischer Schrei jedes andere Geräusch überlagerte. Für Sekunden schienen alle regungslos für einen Fotografen zu posieren und auf dessen Zeichen zu warten, bis jemand auf die Idee kam, die Aggregate wieder abzustellen.

»Was ist los?«

Jemand deutete halblinks auf einen Körper, der sich offensichtlich unter unsäglichen Qualen wie ein Wurm am Boden krümmte. Die Häftlinge liefen hin und erkannten Wolkow. Mit einer Hand hielt er sich den Bauch, mit der anderen das Gesäß. Blut sickerte durch den Stoff seines Hosenbodens.

Die Männer kamen sich hilflos vor. Alexander, der an einem der Kompressoren stand und eine Schnur aufwickelte, trat näher.

»Er blutet ja aus dem Hintern«, stellte er ruhig fest. »Was ist passiert?«

Niemand wußte es. Wolkow konnte vor Schmerz nicht sprechen, hatte sich aber mittlerweile die Lippen blutig gebissen. Immer wieder fixierten die Männer Alexander, als könne allein er die Erklärung liefern. In ihren Gesichtern war die unausgesprochene Frage zu lesen: Was geht hier eigentlich vor?

Wolkow war der Brigadier, und da er nicht angesprochen werden konnte, gab Alexander das Kommando, Pagodin zu rufen. Und der kam in Begleitung des Elefanten. Bevor die beiden Wolkow auch nur eines Blickes würdigten, sahen sie Alexander an, und Pagodin wollte von ihm wissen, was vorgefallen war. Alexander hob die Schultern, alle zuckten die Achseln.

»Ich lasse euch schmoren, bis euer Darm an Verdurstung stirbt.«

»Wolkow stirbt jetzt schon.«

Pagodin ruckte herum, konnte den Sprecher aber nicht mehr ausmachen.

»Schafft Wolkow zur Krankenstation. Aber plötzlich.«

Wolkow jammerte und mußte unheimliche Schmerzen haben. Sie legten ihn auf zwei Bretter und trugen ihn fort.

Pagodin wandte sich wieder an die Herumstehenden. »Ich will wissen, was hier gespielt wird.«

Einer meldete sich. »Wie es geschehen ist, kann ich nicht sagen, Genosse Natschalnik-Olp. Aber an meinem Preßlufthammer fehlt der Schlauch, jemand muß ihn abmontiert haben.«

»Los, zeigen.«

Pagodin schritt hinter dem Häftling her, der nach wenigen Metern stehenblieb und auf sein Arbeitsgerät deutete. Oben war ein Quergriff, darunter ein dicker Rumpf aus Metall, der sich verjüngte und in einem Meißel endete.

»Wo wird der Schlauch befestigt?«

»Hier.« Der Häftling zeigte auf eine Öffnung. »Einklinken und eine halbe Drehung, durch den Druck wird die Verbindung absolut dicht.«

Pagodin rieb sich das Kinn. »Hat noch einer was gesehen?«

»Ja, ich, Genosse Natschalnik-Olp.« Selmja meldete sich. »Als die Kompressoren angeworfen wurden, sah ich Wolkow hier stehen.« Er deutete auf die Stelle, wo man Wolkow gefunden hatte.

»Weiter!«

»Dort aus dem Graben tauchte eine Hand auf, die Wolkow von hinten umfaßte.«

Pagodins Gesicht lief rot an. »Weiter.«

»Eine andere Hand folgte mit dem Schlauch.«

Pagodin rieb sich nervös die Hände. »Und dann?«

»Ich sah, wie der Schlauch gegen Wolkows Gesäß gedrückt wurde.«

Pagodin packte Selmja am Oberarm und zog ihn näher. »War das vor oder nachdem die Kompressoren angeworfen wurden?«

Selmja überlegte. »Ich würde sagen, genau zu dem Zeitpunkt, als man sie einschaltete.«
Pagodin ging in kurzen Schritten auf und ab. Vor Alexander blieb er stehen. »Hat das auch was mit deiner Vorsehung zu tun, Gautulin?«
»Ich weiß nicht.«
Pagodin kam zu einem Ergebnis. »Das bedeutet, es müssen zwei gewesen sein. Einer stellt den Kompressor an, der andere hält Wolkow den Schlauch an den Hintern, und dann die Druckluft.«
Pagodin schüttelte sich bei der Vorstellung.
»Eigentlich müssen es drei sein«, meldete sich ein anderer.
»Wieso?« Pagodin sah den Redner ungehalten an, weil sich der Vorfall mehr und mehr verkomplizierte.
»Der Kompressor wird auf der abgewandten Seite eingeschaltet. Aber auf der uns zugewandten muß ein Hebel umgelegt werden, damit die Druckluft in den Schlauch schießt. Und dann noch ...«
»Schon gut. Mal hören, was uns Wolkow zu sagen hat.«
Aber Wolkow hatte nichts mehr zu sagen. Zwei Stunden später war er tot, gestorben unter qualvollen Schmerzen, trotz Morphiums. Innere Blutungen, diagnostizierte der Arzt, alles aufgerissen und zerfetzt, nicht nur der Darm. Alles.
Noch am selben Abend meldete sich Klimkow, der Elefant, bei Alexander. Wieder brachte er eine Flasche Wodka mit, gemeinsam mit Alexander leerte er sie.
»Können wir uns einigen?«
»Mach einen Vorschlag, Klimkow.«
»Ich möchte mit dir zusammenarbeiten.«
»Gut. Und unter welchen Bedingungen?«
»Wir handeln sie aus.«
»Aber zum Vorteil aller Strafgefangenen.«
Klimkow überlegte. »Einverstanden.«
»Und eine besondere Abmachung für mich.«
»Welche?« Klimkow beugte sich nach vorn.
»Wenn es mir schlecht geht, dann hilfst du mir.«
»Wer könnte es dir schlecht gehen lassen?«
»Pagodin.«

Klimkow überlegte. »Keine Frage, ich helfe dir. Aber nur unter einer Voraussetzung.«
»Welcher?«
»Deine Garantie, die Vorsehung nicht weiter zu strapazieren.«

Die ersten Tage ging es auch wirklich gut. Ruhe kehrte im Lager ein, wie nach einem Unwetter, das sich gelegt und die Luft gereinigt hatte. Die Männer waren zufrieden, die Versorgung verbesserte sich, und Pagodin gab sich unerwartet kooperativ. So hätte es bleiben können.

Zu essen gab es einmal sogar etwas Fleischähnliches, dann eine dicke Erbsensuppe und zwischendurch den bekannten Mischmasch aus Kohl und Kartoffeln, aber alles etwas reichhaltiger und schmackhafter als sonst. Der Elefant – oder war es Alexander? – konnte wirklich Dinge bewegen.

Am Ende der Woche paßte Klimkow, der Elefant, Alexander ab und zog ihn auf die Seite. »Kennst du das hier? Stoff aus Wolkows Hose.« Klimkow reichte Alexander das handtellergroße Stück. Genau in der Mitte war ein ausgefranstes Loch.

Mit gerunzelter Stirn sah Alexander den Blatnoij an. »Was soll das?«

Klimkow lächelte. »Das Loch hier hat die Druckluft gerissen.«
»Na und? Was habe ich damit zu tun?«

Der Elefant griff in seine Tasche und zog eine aufgewickelte Schnur hervor. »Der dritte Mann.«

»Moment mal, jetzt verstehe ich überhaupt nichts mehr.«

Klimkow kratzte sich den Bart. »Pagodin denkt, es müssen drei Leute gewesen sein, die Wolkow ins Land der glorreichen Revolutionäre befördert haben.«

»Und wieso stimmt das nicht?«

»Mein Freund, ich bin nicht auf den Kopf gefallen. Es waren höchstens zwei, wenn überhaupt.«

»Das mußt du mir erklären.« Alexander setzte sich auf die Stufen zum Waschraum, wo vor etlichen Wochen alles begonnen hatte.

»Ich habe mir draußen die Örtlichkeiten genau angesehen, und ich habe ein kleines Experiment gemacht. Willst du wissen, wie es ausgegangen ist?«

»Dafür bist du doch gekommen. Ich seh' dir doch dein Mitteilungsbedürfnis an.«

Klimkow grinste. »Einer meiner Männer hat den Kompressor eingeschaltet, während ich überhaupt nicht zu sehen war. Ich stand im Graben, genauso wie du ...«

»Moment mal, keine Unterstellungen.«

»Genau wie Wolkows Vorsehung«, scherzte Klimkow. »Und in der Hand hatte ich diese Schnur. Sie war am Kompressor an dem Hebel befestigt, den du umlegen mußt, damit die Luft in den Schlauch gedrückt wird. Bis hierhin alles verstanden?«

»Natürlich.«

»Also: Das Gerät wird angeworfen, ich habe den Schlauch und die Schnur in der einen Hand, umfasse Wolkow, der außerhalb des Grabens steht, mit der anderen und reiße ihn zu mir. Und genau in diesem Augenblick drücke ich ihm, wenn er nach hinten taumelt, den Schlauch gegen den Arsch. Gleichzeitig zerre ich an der Schnur, bewege dadurch den Hebel, und die Luft marschiert geradewegs bis in Wolkows schwarze Seele. Na, was sagst du nun?«

Alexander schüttelte den Kopf. »Kleine Märchenstunde, was?«

»Bestimmt nicht. Einer meiner Männer hat dich beobachtet, wie du eine Schnur aufgewickelt hast.«

Alexander gelangweilt: »Kann mich nicht mehr erinnern. Außerdem«, er deutete auf die Schnur, »brauchen wir die immer, um die Flucht für einen Graben oder eine Mauer auszurichten. Das dürfte dir doch bekannt sein.«

Klimkow entgegnete mit Spott in der Stimme, ohne auf Alexanders Einwand zu reagieren: »Und letztlich hat sich Wolkow selbst umgebracht, denn er setzte sich auf den Schlauch wie aufs Klo. Was 100 Atmosphären Druck nicht alles anrichten können! Und dabei handelt es sich bloß um Luft, nichts als Luft.«

Klimkow fischte ein zweites Stück Stoff mit einem ähnlichen Loch in der Mitte wie beim ersten aus seiner Tasche und breitete es auf der unteren Stufe aus. »Hier, das Ergebnis meines kleinen Experiments. Kein Unterschied zu Wolkows Hose, nicht? Die Fäden reißen bei dem Druck wie Spinnengewebe.«

Alexander stand auf und betrachtete den Bärtigen. »Klimkow, muß ich mir das alles noch länger anhören, he?«

Der stattliche Mann schmunzelte, seine Augen funkelten. »Lernt man als Ingenieur für Bergbau nicht auch den Umgang mit Kompressoren?«

Anfang August rollte eine schwarze Limousine mit vier ernst dreinblickenden Männern in Zivil vor das Verwaltungsgebäude. Kurz darauf wurde Alexander von zwei Wachposten abgeholt und in Pagodins Büro geführt. Noch bevor er etwas sagen konnte, schlugen ihn zwei der Männer brutal zusammen. Alexander registrierte ohne große Aufregung, daß seine Nase gebrochen war.

»Auf die Beine, Häftling 196 F«, schnarrte Pagodin, der Kompetenz beweisen wollte.

Mühsam rappelte sich Alexander hoch und stand schief vor den fünf Männern.

»Weißt du, wer wir sind?« fragte ein Untersetzter mit Hut.

»Nein.«

»Nein, Genosse Oberst, heißt das.«

Alexander zuckte zusammen. Ein Oberst in Zivil? Das gibt es nur ...

»Richtig, mein Bürschchen. Wir sind vom KGB, und wir werden uns ausgiebig mit dir unterhalten.«

»Jawohl, Genosse Oberst.«

Zwei der Anwesenden stellten sich gleich neben der Tür an die Wand, als wollten sie verhindern, daß Alexander reißaus nahm, die zwei anderen, einer davon der Oberst, pflanzten sich an Pagodins Schreibtisch auf, der wegrücken und abseits neben dem Fenster sitzen mußte. Das paßte dem Natschalnik-Olp überhaupt nicht.

Auf Umwegen tasteten sich die vier Sicherheitsbeamten zum Kernpunkt vor. Dabei versuchten sie, Alexander zu irritieren, indem sie ihn abwechselnd ansprachen, auch die in seinem Rücken. Zuerst wollten sie nebensächliche Dinge in Erfahrung bringen: Alexanders Herkunft, seine Militärzeit, das Studium. Übergangslos kamen sie auf Hellen zu sprechen, die deutsche Agentin, wie sie sie bezeichneten. Alexander protestierte und versuchte Hellen zu verteidigen.

Aber da landete wieder eine Faust in seinem Gesicht, und er taumelte gegen die Wand.

»Was hast du Schweinehund dem Roten Kreuz erzählt?«

Alexander konnte zuerst nichts mit der Frage anfangen, schlagartig erinnerte er sich jedoch wieder: Neue Baracken, Toilette, Kamera und Tonband. Eine klammheimliche Freude machte sich in ihm breit und ein Höchstmaß an Zufriedenheit, weil seine riskante Aktion Erfolg gehabt hatte. Deshalb registrierte er nicht die reale Gefahr, in der er sich befand.

»Die Wahrheit, Genosse Oberst.«

Ein scharrendes Geräusch hinter ihm, und sogleich spürte Alexander einen kräftigen Stoß in der Nierengegend. Der darauf folgende Schmerz konnte ihn nicht mehr überraschen.

Der Oberst wandte sich an Pagodin. »Haben Sie den Film gesehen?«

Pagodins Gesicht war ein einziges Fragezeichen. »Welchen Film?«

»Den das Rote Kreuz hier im Lager gedreht hat.«

Aus Pagodins Gesicht wich alles Blut. »Nein ... Genossen ...« stammelte er. »Was ist denn ...?«

Während zwei der KGB-Agenten zum Auto eilten und mit Projektor und Filmspule zurückkehrten, schleppte der andere Alexander in den kleinen Saal für politische Schulungen des Wachpersonals, den Pagodin aufschloß.

»Bitte, Genossen.«

Schnell war das Fenster verdunkelt, die Spule eingelegt, der Film lief ab. Häftlinge gingen umher, sie machten skeptische Gesichter, Pagodin hielt seine Rede und stolzierte durch die Gegend wie ein Pfau. Unvermittelt kam der krasse Schnitt: Alexander in der Toilette und das auf deutsch geführte Interview. Einer der KGB-Agenten stellte den Ton leiser, der Oberst las die russische Version von einem Blatt ab.

»Herr Gautulin, Sie sind Volksdeutscher.«

»Ja.«

»Stimmt etwas nicht an dem, was wir heute hier geboten bekommen?«

»Alles ist nur arrangiert worden, um Sie zu übertölpeln und die Weltöffentlichkeit zu täuschen. Bis vor wenigen Tagen haben wir in Baracken gewohnt ohne Heizung, mit Löchern in den Decken, durch die es regnete. Die Strafgefangenen müssen zehn Stunden am Tag in einem Bergwerk arbeiten und Bauxit abbauen, ohne jegliche Sicherheitseinrichtung und -vorkehrung, ohne Mundschutz und Frischluftzufuhr. Die Verpflegung ist mangelhaft, trockenes Brot und abgestandenes Wasser. Verbrecher, wir nennen sie Blatnoij, arbeiten mit der Verwaltung zusammen und kassieren die Prämien, die eigentlich den Häftlingen zustehen.«
»Also Bestechung der Lagerverwaltung.«
»Und Zusammenarbeit mit ihr weit über das normale Maß hinaus. Wer sich von den übrigen Häftlingen nicht fügt, kommt in Einzelhaft. Wir haben da sehr schöne Einrichtungen. Das kann schon mal, so wie in Lager Perm 35, in dem ich auch war, zum Anschnallen auf einer Pritsche und zu Stromstößen führen. Dazwischen kippt man Wasser über den Körper. Eine andere Variante ist Ultraschall, der einen zum Wahnsinn treibt, woraufhin Sie nur noch mit dem Kopf gegen die Wand laufen wollen. Selbstmord wird der Arzt diagnostizieren und gleich als Begründung für das unsozialistische Verhalten eine psychische Labilität mitliefern. Bei mir wäre es beinahe dazu gekommen.«
So ging das weiter. Alexander beschrieb die Zustände, wonach viele der Strafgefangenen wegen der mangelnden medizinischen Betreuung an Unterernährung und einfachen Krankheiten stürben. Fast jeder hätte Husten und eine leichte Lungenentzündung. Es gebe keine Gesetze, keinen Schutz, nichts. Er selbst sei von vier Blatnoij vergewaltigt worden. Alexander zeigte die Vernarbung an seiner rechten Hand und verwies darauf, wie die Wunde zustande gekommen sei. Gegenüber der Lagerleitung habe er einen Text unterschreiben müssen, in dem er zugab, schwul zu sein und die Männer angemacht zu haben. So löse man elegant alle Schwierigkeiten, um es sich ja nicht mit Moskau zu verderben.
Nach einer Stunde liefen die letzten Szenen des Films und zeigten bei einem Schwenk das alte Lager. Wird man wohl heimlich aufgenommen haben, vermutete Alexander, als er die unscharfen

und wackeligen Bilder sah. Abschließend war der Kommentator zu hören, der meinte, daß dieser Inhaftierte sein Todesurteil unterschrieben habe, falls die offiziellen Organe Kenntnis von diesem Film erlangten. Immer noch werde in der Sowjetunion die Meinung unterdrückt, erst recht die eines zu Zwangsarbeit Verurteilten. Zehn Jahre habe er bekommen, wegen angeblichen Devisenvergehens. Man werde sich an die UNO wenden, so der Sprecher weiter, damit die Weltorganisation sich des Strafgefangenen annehme.

Der Film war zu Ende, die leere Spule lief und lief, keiner stellte den Projektor ab. Schweigen, wohl einige Minuten. Ansatzlos ein heulender Aufschrei von Pagodin, der sich auf Alexander stürzen wollte. Ein Mitarbeiter des KGB hielt ihn zurück, ein anderer schaltete endlich den Projektor aus.

Der Oberst stand auf und machte Licht.

Daß sie ihn noch nicht an die Wand gestellt hatten, überraschte Alexander, der hoffte, Hellen möge den Brief erhalten haben.

In den nächsten Tagen unterzogen ihn die vier KGB-Agenten einem äußerst harten Verhör, exakt eine Woche dauerte es. Immer wieder schlugen sie auf ihn ein, aber nicht mehr ins Gesicht, sondern nur noch auf den Körper, und zwar mit stoffumwickelten Knüppeln. Pausenlos bombardierten sie ihn mit Fragen, dann mit der Aufforderung, er solle seine Aussage widerrufen.

Aber Alexander schüttelte Mal um Mal den Kopf. War es Sturheit, mangelnde Einsicht oder die Wut über seinen Zustand, er wußte es nicht. Weil er nicht nachgab und sich vor sich selbst bewies, fühlte er sich stark. Jeder Schlag auf seinen Körper ließ seine Kraft wachsen.

Irgendwie hatte er zwischendurch das Gefühl, daß sich eine ungeahnte Entwicklung anbahnte. Deshalb, so redete er sich ein, müsse er unter allen Umständen bei seiner Darstellung bleiben. Ob der abschließende Kommentar ihm vielleicht half, sein Leben zu retten? Die UNO wirklich bei der Sowjetunion intervenierte? Das Ausland an seinem weiteren Schicksal interessiert war? Genauso formulierte es einer der Agenten gegenüber Pagodin, der von der Schuld, dieses Interview nicht verhindert zu haben, gezeichnet schien. Sein

Gesicht war eingefallen und eine Maske. Aber was möglicherweise Alexander rettete, rettete auch Pagodin, denn er war im Film zu deutlich zu sehen gewesen.

Der Oberst, unzufrieden mit dem Verlauf des Verhörs, gab zweien seiner Leute ein Zeichen. Die Männer schleppten den angeschlagenen Alexander in den Nebenraum. Unbeschreibliche Leibschmerzen quälten ihn, vor zwei Tagen hatte er erschrocken Blut im Urin entdeckt. Während einer an der Tür stehenblieb und der andere zum Fenster hinausschaute, lehnte sich Alexander mit dem Kopf an die Trennwand zum Nachbarzimmer. Gedämpft konnte er jedes Wort verstehen.

»Der Vorfall schlägt hohe Wellen, mein lieber Pagodin. Der Sekretär des Zentralkomitees hat dem Roten Kreuz zugesagt, zu jeder Zeit könne es weitere Aufnahmen im Lager 60/61 machen.«

Pagodin verstand offenbar nicht sofort. »Warum? Wieso wird er nicht erschossen?« Unschwer konnte Alexander erraten, wer gemeint war.

»Weil wir Sie dann auch erschießen müßten, Genosse.«

»Mich? Wieso...« Und dann schien es Pagodin zu dämmern. Alexander vermeinte geradezu sehen zu können, wie das Blut aus Pagodins Gesicht wich und die hohen Wangenknochen sich noch deutlicher abzeichneten als gewöhnlich.

»Schon in einigen Wochen will das Rote Kreuz das Angebot annehmen und Gautulin erneut filmen, irgendwann im Herbst oder so. Deshalb muß das verräterische Schwein am Leben bleiben. Aber er wird aus dem Lager verschwinden.«

»Weshalb?«

»Die fallen auf den Trick mit den neuen Baracken nicht mehr herein«, verdeutlichte es der Oberst. »Sie haben doch die Bilder gesehen. Der Kameramann hat heimlich das richtige Lager gefilmt. Und Sie, Genosse, konnten es nicht verhindern.«

Pagodin schwieg. Was hätte er auch sagen sollen?

»Gautulin muß verschwinden. Und Sie auch. Der ganze Lagerbezirk F wird nach Westsibirien verlegt. Erdgasbohrung.«

»Kommt das Rote Kreuz dort nicht hin?«

»Doch, Genosse. Aber die Gasförderung wird erst noch aufgebaut, und dabei kann es schon mal zu einem Unfall kommen. Einem ... eindeutigen Unfall. Sie verstehen?«

Der Oberst quittierte Pagodins Zustimmung mit einem Nicken und konnte nicht ahnen, daß Alexander Zeuge des Gesprächs war.

»Aber er hat eine besondere Vorsehung.«

»Quatsch. Es gibt keine Vorsehung.« Ein Stuhl wurde gerückt. Dann Schritte. Nach wenigen Sekunden fragte der Oberst: »Welche Vorsehung soll das denn sein?«

Pagodin führte die vier Todesfälle auf, und er schwor Stein auf Bein, Alexander Gautulin hätte nie und nimmer der Täter sein können. In keinem einzigen Fall sei er in der Nähe gewesen. »Aber zufällig hat es all die Männer getroffen, die ihn im Waschraum vergewaltigt und so zugerichtet haben.«

»Quatsch«, wiederholte der Oberst. »In Westsibirien gibt es keine Vorsehung, so weit nach Norden verläuft sie sich nicht.«

»Was ist mit Gautulin?«

»Er muß vorerst am Leben bleiben. Zumindest so lange, bis das Rote Kreuz ihn wieder gesehen hat. Aber wie, das überlasse ich Ihrer Phantasie.«

Alexander lernte den Isolator kennen, verharmlost auch Karzer genannt oder Eiskeller, wegen der fehlenden Heizung. Aber jetzt, im Spätsommer, war es dort warm genug. Noch brauchte er keine Heizung, allerdings war es sehr feucht, und es gab kein Bett, keinen Stuhl, keinen Tisch, keinen Eimer mit Wasser und keine Toilette. Vier Wände aus unverputzten Ziegelsteinen, in denen eine Metalltür eingelassen war mit einem Guckloch, oben eine Decke aus Beton und als Boden gestampfte Erde. Es war dunkel in diesem Verlies, lediglich an den Türritzen schimmerte es hell. Allein daran konnte Alexander erkennen, ob es Tag oder Nacht war.

Jeden Morgen stellte man einen großen Becher mit Wasser in sein Verlies, das war alles. Kein Brot, nur Wasser, abgestandenes Wasser.

Anschließend hatte Alexander den ganzen Tag Zeit zu überlegen. Und die ganze Nacht. So abgeschottet von der Außenwelt, verlor er jegliches Zeitgefühl. Das einzige, was er tun konnte, war, sich in Gedanken mit Dingen zu beschäftigen, die ihm wichtig erschienen.

Um nicht wahnsinnig zu werden, ließ er der Reihe nach alle Bekannten aufmarschieren, von der Kindheit bis in die Gegenwart, vom Nachbarjungen, mit dem er in Omsk gespielt und dessen zwei Jahre ältere Schwester ihm hinter ihrem Wohnblock in einem Gebüsch den Unterschied zwischen Mädchen und Jungen gezeigt hatte. Danach kam die Schulzeit dran, der allsommerliche Ernteeinsatz, die Kartoffelfeuer im Herbst, das Treffen der Komsomolzen. Jeder sagte etwas zu ihm, erinnerte ihn an eine längst vergangene Episode, und Alexander verbot ihnen allen, ihn zu bedauern.

Das Militär: Seine Stubenkollegen traten an und schwärmten vom ersten Besäufnis. »Was waren wir alle blau. Und hast du die Mädchen gesehen, wie sie geguckt haben?«

Eines dieser Mädchen ging mit Alexander ins Bett, seine erste Frau. Er war damals neunzehn. Seine Kameraden hatten dieses Erlebnis zumindest ihren Worten nach längst hinter sich.

Die Militärzeit ging zu Ende, das Studium begann, der Umzug von Omsk nach Moskau. Die ersten Klausuren, Alexander war ein guter Student, und seine Professoren waren stolz auf ihn. Er lernte Tanja kennen, eine Kommilitonin, mit der er für die Prüfungen lernen wollte. Aber Tanja wollte nicht nur lernen. Sie hatte viel Erfahrung mit Männern, wie Alexander an ihren besonderen Fertigkeiten erkennen konnte. Sie bereitete ihm schöne Stunden, sehr zum Leidwesen der anderen Studenten im Wohnheim der Lomonossow-Universität, die, neidisch oder tatsächlich gestört, gegen die Wand klopften und um Ruhe baten.

Mit Tanja war Alexander sehr leichtsinnig gewesen. Er hatte sie mit auf sein Zimmer genommen, obwohl Damenbesuch streng untersagt war. Einige der Mitbewohner schränkte dieses Verbot in ihrer sexuellen Freiheit allerdings nicht ein. Im Gegenteil, sie verstanden es als Freibrief, sich um so intensiver dem gleichen Geschlecht zuzuwenden.

Hellen meldete sich, und die Erinnerung an sie war belastend und schön zugleich. Alexander hörte sich aufstöhnen, denn die Vorstellungen, die in seinem Kopf abliefen, schmerzten ungemein, weil sie sich nie würden verwirklichen lassen. Als gelte es, Hellen aus der Enge des Isolators herauszuhalten, sie nicht mit der beschämenden und deprimierenden Realität in Berührung zu bringen, wechselte Alexander zu Rassul, diesem treuen und liebenswerten Gefährten.

»Du kasachischer Dickschädel, ich habe es dir versprochen. Und ich halte mich daran, ich will leben.«

Rassul lächelte und war zufrieden.

Aber Alexander zweifelte nach einigen Tagen an der Umsetzung seines Versprechens. Nur Wasser, kein Brot, nichts. Er tröstete sich, dieser Umstand habe auch einen Vorteil. Seit zwei Tagen war sein Darm leer, er mußte nur noch Wasser lassen. Der Gestank in der Zelle war deshalb einigermaßen erträglich. Möglicherweise hatte er sich aber auch bereits daran gewöhnt.

Mit einer Entwicklung war Alexander zufrieden: Er ertrug die Schmerzen und jammerte nicht, obwohl sein Oberkörper eine einzige Wunde war. Schmerzen waren ein Zeichen des Lebens – er ignorierte sie nicht, aber er fühlte sich gut, weil sie ihm trotz aller Pein nicht entwürdigende Verhaltensweisen diktierten, ihn nicht unterkriegten. Alexander war inzwischen so weit, daß er seinen Körper dem Verstand und der Vernunft unterordnete. Oder waren es Wut und Haß?

»Und genau daran wirst du zerbrechen, Pagodin«, knurrte er. »Du alter, verbohrter Kommunistenschädel kennst nur Unterdrückung, Schläge, um den Willen deiner Untergebenen zu brechen. Das allein bringt dir Befriedigung. Aber nicht durch mich.«

Pagodin besuchte ihn und war von dem, was er sah, sehr angetan. Nicht zufrieden war er mit Alexanders Augen, die immer noch eine ungeahnte Kraft ausstrahlten. Und weil dem so war, verlängerte er die Wasserernährung um eine weitere Woche.

Alexander hätte seine Haft abkürzen können, wenn er gewinselt und um Gnade gebettelt hätte. Vielleicht wäre es dazu auch gekommen, hätte er nicht zufällig aus dem Nebenraum die Anweisung gehört, er müsse am Leben bleiben. Und dieses Wissen verlieh ihm Mut und Zuversicht.

Mut und Zuversicht allein genügten aber nicht, um zu überleben und um Pagodin Paroli zu bieten, einem Pagodin, der damit rechnete, daß Alexander in spätestens einer Woche ein menschliches Wrack sein würde.

Aber Alexander wollte kein Wrack sein. Bekam er nur Wasser, könnte es der Natschalnik-Olp jedoch schaffen, ihn dazu zu machen. Deshalb machte er sich gleich auf die Jagd.

Schon in den vergangenen Tagen und Nächten waren ihm die Viecher aufgefallen, die behende über Beine und Oberkörper huschten. Bestimmt lauerten sie auf Beute. Alexander tastete die Wand ab, denn irgendwo mußten die Ratten doch herkommen. Aber er fand keine Ritze, nichts. Erst als er auch den Boden untersuchte, entdeckte er Öffnungen, die groß genug waren, sie durchschlüpfen zu lassen. Zwei Stunden später hatte er eines der wibbeligen Tiere gefangen. Zuerst drehte er ihm den Hals um, riß den Kopf ab und biß hinein. Köstlich das warme Blut, leider war das Fleisch etwas zäh, denn seine Zähne waren feste Nahrung nicht mehr gewohnt.

Zweimal am Tag, wie Alexander an den Lichtritzen um die Tür erkennen konnte, machte er sich erfolgreich auf Nahrungssuche. Doch plötzlich war der Vorrat erschöpft. So lange er vor dem Loch auch auf der Lauer lag, keines der Viecher traute sich mehr in sein Verlies.

Zur Aufmunterung ließ er den Juden Vadim Sonnberg aus dem Lager Perm 35 von seinem Land erzählen und dem Leid, das man seinem Volk seit Jahrtausenden zufügte. Dadurch kam Alexander das eigene Schicksal nicht mehr ganz so schlimm vor.

Als die Wirkung nachließ, las ihm der orthodoxe Priester Dimitri Warischenko aus der Bibel vor, von Sodom und Gomorrha. Und die Passage: Mein ist die Rache, sprach der Herr. Alexander war anderer Auffassung. Er wollte die Rache dem Herrn nicht vorenthalten, aber einen Teil für sich abzweigen. Ich brauche die Rache, um zu leben. Verstehst du?

Mikola am Zaun, die Metallspitze durch den Schädel gerammt. Anatoli gefesselt und tot am Boden, vergewaltigt. Das waren seine letzten Erinnerungen. Allmählich wurde er schläfrig und apathisch. Als Alexander wenige Tage später bereit war, sich aufzugeben – er sah die Unsinnigkeit des Unterfangens ein, das Rassul gegebene Versprechen einzulösen –, wurde die Zellentür geöffnet. Alexander blinzelte, vom grellen Licht geblendet.

Pagodin stand in der Öffnung. »Na, lebst du noch?«

»Muß ich nicht am Leben bleiben?«
»Wieso?«
»Sonst hättest du mich doch schon längst erschossen.«
Alexanders Augen hatten sich an die Helligkeit gewöhnt, und so bemerkte er, wie Pagodin zurückzuckte, weil er ihn geduzt und das »Jawohl, Genosse Natschalnik-Olp« weggelassen hatte.
»Raus mit dir!«
Mühsam erhob sich Alexander. Schwankend ging er auf Pagodin zu und spuckte ihm einen Rattenknochen ins Gesicht. In den letzten Tagen hatte er ausgiebig Zeit gehabt, auf dem Knochen herumzulutschen.

Pagodins Hand zuckte zur Hüfte, wo in einem blankpolierten Lederhalfter seine Pistole steckte.

Aber Alexander stapfte einfach unbeeindruckt weiter. Wieder in seiner gewohnten Baracke, wurde er von den Mithäftlingen wie eine Erscheinung bestaunt.

»Wir dachten, du seist tot.«

Und dann kümmerten sie sich um ihn. Sie wuschen ihn, gaben ihm was zu essen, brachten warmen, aromatischen Tee und trieben irgendwo sogar etwas Fleisch auf.

Klimkow, der Elefant, kam ihn am nächsten Tag besuchen. »Alle Achtung. Inzwischen kann ich deine Kraft in etwa einschätzen.«

Alexander sah ihn an. Er versuchte ein Lächeln aufzusetzen, aber es mißglückte.

»Klimkow, kannst du mir eine Zange besorgen? Eine kleine, vorne spitz, mit der man Drähte zusammendreht.«
»Kein Problem.«
»Und einen Mann, der damit umzugehen versteht.«
»Bis wann?«
»Sofort.«

Eine Stunde später machte sich ein Strafgefangener an Alexanders Mund zu schaffen. Erst wackelte er, dann knirschte es, als die Greifer aus Metall den Backenzahn umschlossen. Mit einem kräftigen Ruck wurde der vereiterte Zahn gezogen. Alexander hatte bei der schmerzhaften Prozedur keine Miene verzogen.

»Warum bist du nicht in die Krankenstation gegangen?«

Alexander spülte den Mund mit Wasser aus und spuckte Blut in einen Eimer. »Weil ich Pagodin diesen Triumph nicht gönnte.«

»Er will dich zerbrechen.«

»Genau, Klimkow. Alles, was jetzt noch zwischen ihm und mir abläuft, ist ein Kampf: Pagodin gegen mich. Leider hat er schlechte Karten, denn er muß mich am Leben erhalten.«

Klimkow, der mit den letzten Worten nichts anzufangen wußte, gab sich skeptisch. »Ich weiß nicht, ob du das durchstehst. So, wie ich dich hier vor mir sehe, fühlst du dich ihm gegenüber überlegen. Was aber ist, wenn du dich täuschst? Dein Dickschädel dir den Blick für die Realität trübt?«

»Dann möchte ich bitte neben Rassul begraben werden.«

Alexander erfuhr von seinen Mitsträflingen, daß sich Klimkow sehr für ihn eingesetzt hatte. Zum Schluß habe er Pagodin sogar offen gedroht, und nur deshalb, so seine Kumpane, habe der Natschalnik-Olp ihn aus dem Isolator gelassen.

Unversehens erschrak Alexander. Was ist, wenn Pagodins Starrsinn genauso groß ist wie meiner? Es ihm gleichgültig ist, ob ich sterbe oder nicht? Hauptsache, er hat sich durchgesetzt und sich vor sich selbst bewiesen. So, wie ich vor mir.

Die Verlegung. Alexander war inzwischen wieder einigermaßen zu Kräften gekommen. Alle Insassen seiner Baracke, immerhin fünfundzwanzig Personen, wurden in einen bananenförmigen Hubschrauber verfrachtet, der abseits des Lagers landete. Anschließend flogen sie vier Stunden nach Nordosten. Obwohl ein Strafgefangener an den anderen gekettet war, empfand Alexander, weil er sich nicht von Stacheldraht umgeben sah, seit langer Zeit wieder mal das Gefühl von Freiheit.

Unter ihnen huschten anfangs Berge dahin, die zu Hügeln wurden, schließlich nur noch flaches Gelände. Eine grüne Ebene, so weit das Auge reichte. Nach zwei Stunden kam Wasser hinzu, zuerst linienhaft als Flüsse und Zubringer, dann braun und grau und unübersehbar der breite, träge Ob, der ohne Strömung zu sein schien. In seiner unmittelbaren Nachbarschaft kleine Seen, die größer wurden und sich mit dem Strom zu einem Meer verbündeten. Und mitten in dieser Wasserwelt schwammen Inseln.

Der Hubschrauber schwenkte etwas mehr nach Norden, die Anzahl der grünen Inseln, flach wie Teppiche und Zuflucht für viele Vögel, nahm zu. Eine steuerte der Pilot an, die über einen schmalen Steg mit einer Landzunge verbunden war, denn weiter im Osten hörte die Wasserfläche auf.

Schon aus der Luft war zu erkennen, daß Baumaterialien und Ausrüstungsgegenstände herumlagen. Nachdem der Hubschrauber auf einer präparierten Fläche gelandet war, stiegen die Häftlinge aus und betraten ihre neue Heimat. Damit sie sich auch wirklich wie zu Hause fühlten, wurden sie gleich von Wachsoldaten umzingelt, bevor man ihnen für einige Stunden die Fesseln abnahm.

Am Abend war der Umzug abgeschlossen. Alle zweihundertzwölf Insassen des Lagerbezirks F hatte man abgesetzt, dazu gut hundert Mann Wachpersonal und ... Pagodin. Nicht zu vergessen die beiden Ingenieure. Was mochte wohl die Zivilisten bewegt haben, ihnen in diese Einöde zu folgen, überlegte Alexander.

Die erste Nacht verbrachten die Strafgefangenen zu mehreren aneinandergekettet unter freiem Himmel, ein dichter Kordon von Posten umgab sie. Da sich der Sommer noch nicht ganz verabschiedet hatte, war es draußen auszuhalten.

Am nächsten Tag begannen die Auserwählten als erstes mit dem Aufrichten der vorgefertigten Bauteile. Bereits am Abend hatten sie die Unterkünfte für die Soldaten und die Ingenieure erstellt und für sich selbst provisorisch ein Areal von knapp fünfzig mal fünfzig Metern eingezäunt, damit es die Bewacher einfacher hatten und ihren Dienst in Schichten versehen konnten. Allerdings fragte sich Alexander, warum es Pagodin damit so genau nahm. Wohin hätten die Strafgefangenen fliehen sollen?

Die Ingenieure bemühten sich, einigermaßen guten Kontakt zu den Zwangsarbeitern zu pflegen, weil sie erkannten, daß sie bei dem bevorstehenden Projekt auf sie angewiesen waren. Ein Ingenieur erklärte ihnen, normalerweise sei es nicht so feucht in dieser Region nördlich des Flusses Kasym, zumindest nicht im Spätsommer. Das viele Wasser sei auf ein Unwetter am Oberlauf der Flüsse zurückzuführen, daher auch die Braunfärbung des Ob, es seien die schlimmsten Regenfälle seit Menschengedenken gewesen. Weil das Land so eben sei, habe sich schnell eine Seenlandschaft gebildet.

Bereits nach zwei Wochen war das Lager SIB 12 samt Verwaltungseinheit, Generatorstation, Magazin, Sanitätstrakt mit acht Betten, Kantine, zugleich auch Freizeitbereich, Toiletten- und Waschräumen errichtet. Genau in der Mitte zwischen Schlafbaracken und großem Tor stand ein Sendemast. Ein vier Meter hoher Zaun aus Stacheldraht umschloß das Lager, und an jeder Längsseite standen drei Wachtürme mit starken Scheinwerfern.

Für die Hubschrauber, die mindestens zweimal pro Tag einflogen, hatten die Gefangenen eine Plattform aus Holz ausgelegt, damit die Räder nicht im Morast versanken. Die Wachmannschaft war außerhalb auf einer sich kaum von der Umgebung abzeichnenden, flachen Kuppe untergebracht, Pagodin hatte eine eigene Baracke. Ein zweiter Generator lieferte den Strom.

Alexander hatte den Eindruck, daß Pagodin ihm aus dem Weg ging. Oft war er mit Klimkow zu sehen, und sie schienen sehr vertieft in ihre Unterhaltung zu sein.

Aber Pagodin hatte ihn nicht vergessen. Das sagte ihm Klimkow, der Alexander stets aufs neue warnte. Und wenn es eine gefährliche Arbeit zu verrichten gab, dann hatte dies Alexander zu tun.

Pagodin, inzwischen zum Natschalnik aufgestiegen, stand regelmäßig vor seiner Unterkunft und schaute nach Süden, in die Richtung also, aus der er das Rote Kreuz erwartete. Aber es traf nicht ein.

Alexander, der Pagodin oft beobachtete, glaubte zu bemerken, daß dieser immer nervöser wurde. Die Mißstimmung des Lagerleiters, in der tristen Abgeschiedenheit – ohne Aussicht auf Beförderung – seinen Dienst versehen zu müssen, bekamen alle zu spüren. Barsch war sein Ton, hart die Arbeitsanforderungen, oft sauste der Gewehrkolben auf die Strafgefangenen nieder, denn so weit abseits und von Moskau vergessen, bedienten sich die Wachposten nicht des Knüppels.

Die Ingenieure baten Pagodin um gemäßigtere Bedingungen, doch der Natschalnik ging nicht darauf ein. Eines konnte er allerdings noch nicht beeinflussen: Da es für alle nur eine Feldküche gab, aßen die Strafgefangenen das gleiche wie die Wachmannschaft. Nur aus diesem Grund fielen die Portionen auch groß genug aus.

Das Rote Kreuz ließ auf sich warten. Pagodins Gereiztheit nahm stetig zu, während die Hubschrauber nach und nach eine komplette Bohrausrüstung anlieferten. Aber vorerst standen nur Probebohrungen auf dem Programm, wie einer der Ingenieure meinte. Falls sie ergiebig seien, sehe man weiter.

Der Herbst meldete sich, die ersten Nachtfröste setzten ein, und es zeigte sich, daß die Unterkünfte nicht für diese kalten Breiten geeignet waren. Das Holz begann zu arbeiten, die Baracken verzogen sich, die vorgefertigten Teile ließen die für die Region notwendige Stabilität vermissen, klaffende Risse taten sich in Wand und Boden auf.

Dann passierte auch noch das Mißgeschick, als sie den Bohrturm errichteten.

Alexander hatte eine Metallstrebe zu halten, die verschraubt werden sollte. Er rutschte aus, schlug hin, ließ die Strebe los, die ihm auf das Schienbein fiel. Es knirschte.

»Was ist passiert?« Klimkow beugte sich über ihn.

»Verdammt, ich glaube, mein Unterschenkel ist gebrochen.« Alexander preßte die Worte aus dem Mund.

»Los, zum Sanitäter.«

Alexander stöhnte. »Nein.«

»Wieso nein? Du mußt zum Sanitäter.«

Alexander schüttelte den Kopf. »Diesen Triumph gönne ich Pagodin nicht.«

»Du Schwachkopf. Von welchem Triumph sprichst du?«

»Mich hilflos zu sehen.«

Klimkow schüttelte den Kopf. Dieser Gautulin blieb ihm ein Rätsel. Zugegeben, vieles nötigte ihm Respekt ab, aber dann auch wieder hielt er Alexander schlichtweg für verrückt. So wie jetzt. »Und wie willst du mit einem gebrochenen Bein weiterarbeiten?«

»Los, bring mich in die Unterkunft. Ich gehe in der Mitte zwischen dir und Janis. Der hat doch Ahnung, was Verletzungen betrifft.«

Alexander wurde in die Baracke geschleppt und auf einen Tisch gelegt. Seine Lippen waren blutig, so hatte er draufgebissen. Janis zog ihm die Schuhe aus und schob das linke Hosenbein hoch.

»Ganz glatter Bruch«, stellte er lakonisch fest. »Geschient und vergipst dauert das mindestens sechs Wochen.«

Klimkow baute sich neben Alexander auf. »Da hörst du es. Sechs Wochen. Sollen wir dich die ganze Zeit vor Pagodin verstecken?«

Alexander schüttelte den Kopf. Er hatte starke Schmerzen. »Janis, eine Frage: Genügt es, das Bein nur zu schienen?«

»Wenn du ruhig liegen bleibst, vielleicht.«

»Ich will arbeiten.«

Janis ließ das kalt. »Dann kannst du auch gleich mit dem Kopf in das Rotorblatt eines Hubschraubers laufen. Das geht schneller.«

»Schön, daß ihr so besorgt um mich seid. Aber ich stehe das schon durch. Janis, organisiere mir für die ersten Tage etwas Morphium. Und jetzt fang schon an und verarzte mein Bein.«

Janis schaute Klimkow an, und der nickte, weil er sich sagte, spätestens übermorgen würde es sich Alexander anders überlegen. Janis verstand wirklich etwas von Verletzungen. Zuerst richtete er Alexanders Unterschenkel aus, der schrie vor Schmerz. Dann verpackte er das Bein in eine dünne Lage Stoff, damit es keine Druckstellen gebe. Zwei Hemden mußten daran glauben. Anschließend schiente er es mit vier Holzstäben, zwei an jeder Seite. Diese Stäbe umwickelte er fest mit einigen Bandagen, damit sie sich nicht gegeneinander verschieben oder verrutschen konnten.

»So, du Held. Und weiter?« Janis stemmte die Hände in die Seite.

»Besorg mir Stiefel. Zwei Nummern größer.«

Eine Stunde später war Alexanders provisorisch geschientes Bein mit den vier Holzstöcken so in einem Stiefel eingepfercht, daß dieser halbwegs die Funktion des Gipses übernahm.

»Wenn du jetzt nicht laufen müßtest, könnte es funktionieren.«

Aber Alexander lief. Er versteckte sich immer hinter anderen Strafgefangenen, damit Pagodin sein Humpeln nicht bemerkte. Die ersten Tage schluckte er Morphium, das Klimkow vom Sanitäter besorgt hatte. Trotzdem knirschte es manchmal vernehmlich, wenn sich Alexander auf die Zähne biß. Nachts konnte er kaum schlafen vor Pein. Wellenartig breitete sich der Schmerz aus bis in die Hüfte. Immer wieder wollte Janis nach dem Bein schauen.

»Erst in sechs Wochen«, antwortete Alexander.

Der Winter zog über Nacht ein, Schnee fiel stetig. Nach einer Woche lag er etwa einen halben Meter hoch. Kalt waren die Nächte, und der kleine Bollerofen schaffte es nicht, die Baracke genügend aufzuheizen. Deshalb schoben die Strafgefangenen ab und zu einen in Öl getränkten Lappen nach. Dann begann das Rohr zu glühen, und es breitete sich nach kurzer Zeit eine wohlige Wärme aus.

Unter diesen widrigen Witterungsumständen war es für Alexander noch beschwerlicher geworden, sich draußen zu bewegen. Aber die Schmerzen ließen allmählich nach. Knapp vierzehn Tage war es jetzt schon her mit dem Bruch, und er hatte kein Fieber. Das sei ein gutes Zeichen, meinte Janis. Vielleicht heile das Bein wirklich richtig zusammen. Aber seinem Gesichtsausdruck nach glaubte er nicht daran.

Alexander vermied jede unnütze Belastung. Klimkow organisierte die Arbeit so geschickt, daß er sich etwas schonen konnte, aber wiederum nicht zuviel, um Pagodin nicht stutzig werden zu lassen.

Dann trat das Schönste ein, was Alexander passieren konnte. Ein Sturm fegte über das Lager und rüttelte an den Baracken, als wollte er ihnen das Fliegen beibringen. Gleichzeitig fiel das Thermometer unter minus dreißig Grad. Die Arbeit wurde eingestellt. Pagodin, so scherzte Klimkow, stehe jetzt nicht mehr vor seiner Unterkunft und warte auf das Rote Kreuz.

»Sag mal, Klimkow, weswegen hat man dich eigentlich verurteilt?«

»Wegen eines Verdachts.«

»Was für ein Verdacht war das?«

»Ich soll geheime Informationen über sowjetische Atom-U-Boote an den Westen verschachert haben. Dafür gab es fünfzehn Jahre.«

»Nicht die Todesstrafe?«

»Sie hatten keine Beweise.«

Alexander setzte sich zurecht, legte das linke Bein höher und warf ein Stück Holz in den Ofen. »Komm, erzähl.«

Klimkow blickte sich um, die anderen Häftlinge zeigten kein Interesse an ihnen.

»Vor langer Zeit hat man mich erwischt, als ich das Depot einer Sowchose ausgeraubt habe. Ich arbeitete auf einer Nachbarsowchose, und wir brauchten Ersatzteile. Die hatten leider nur die anderen. Dafür erhielt ich zehn Jahre, und die mußte ich auf Nowaja Semlja verbringen. Du kennst die Insel im Eismeer?«

»Habe davon gehört. Auch nicht sehr angenehm, was?«

»Wo ist es schon angenehm?« Klimkow zündete sich eine Zigarette an. »Ich war also auserwählt, dort zu arbeiten. Und da sind dann Dinge passiert, das glaubst du nicht.«

Klimkow erzählte von Atombombenversuchen, zu denen man Soldaten abkommandierte, die ohne jeglichen Schutz in den Blitz schauen mußten. Und das so nahe am Explosionsherd, daß sie alle stark verseucht wurden. Zuerst machte sich das durch Zahnfleischbluten bemerkbar, dann fielen ihnen die Haare aus und sie verloren an Gewicht. Viele seien gestorben.

»Einmal ereignete sich ein Unfall auf einem der Atom-U-Boote. Der Reaktor schmolz durch oder fast durch. Irgendwie konnten sie die Glut noch in den Griff bekommen. Dann aber mußten Freiwillige her, die das Boot zu demontieren und zu reinigen hatten. Da es jedoch keine Freiwilligen unter den Soldaten gab und man es ihnen aus bestimmten Gründen nicht befehlen wollte, das mit den Explosionen und ihren verstrahlten Kollegen hatte sich herumgesprochen, griff man sich einfach Strafgefangene. So auch mich. Wir bauten dann die hochverstrahlten Teile aus. Gut, sie gaben uns mit Metall beschichtete Schutzanzüge und einen Helm mit einer Glasscheibe, aber viel geholfen haben wird das nicht.«

»Wo habt ihr das Zeug hingebracht?«

»Hingebracht?« Klimkow lachte. »Über Bord ins Eismeer geworfen. Da, wo schon so vieles lag und noch vieles hinzugekommen ist.«

»Aber wieso Spionage?«

»Kommt gleich. Weil mein Verhalten, das Wegräumen des verseuchten Mülls, im höchsten Maße dem Sozialismus gedient hat, ließ man mich vorzeitig frei unter der Auflage, meine bisherige Tätigkeit weiter auszuüben, also das Reinigen von verstrahlten Booten. Dabei sind mir ... zufällig gewisse Papiere in die Hände gefallen.«

»Was steht in ihnen?«

Wieder ein Blick zu den anderen Barackeninsassen, die Karten spielten. Klimkow beugte sich vor, bis er Alexander ganz nah war.

»Das militärische Vorgehen bei einem Angriff der Amerikaner und die Taktik, falls man selbst einen Erstschlag beabsichtigte. Dazu Pläne der Boote mit allen Einrichtungen. Nicht zu vergessen die geheime Route ganz im Osten, nördlich von Japan. Da muß es was enorm Wichtiges geben.«

Alexander sah Klimkow zweifelnd an. »Das lag einfach so rum?«

»Natürlich nicht. Jedes Boot hat einen Safe. Den können unter bestimmten Umständen und auf Anweisung aus Moskau nur zwei Männer öffnen, der Kapitän und sein Stellvertreter. Da die aber aus verständlichen Gründen nicht runter wollten, schickte man zwei sogenannte Freiwillige. Und die haben unterwegs dummerweise die Papiere verloren. Ja, verloren, das könnte man sagen. Dann legten sie ein Feuer und behaupteten, alles sei verbrannt.«

»Was ist mit den beiden geschehen?«

»Erschossen.«

»Und warum bei dir fünfzehn Jahre?«

»Weil ich Mitwisser war. Von den Papieren haben die keine Ahnung, man hat mich ja auch erst eine Woche nach dem Vorfall verhaftet. Alle Beteiligten wurden verhaftet und zu fünfzehn Jahren verurteilt. So einfach ist das.«

»Die beiden Freiwilligen, das waren Blatnoij?«

»Richtig. Deren oberstes Prinzip bestand darin, es dem Staat zu zeigen. Sie haben ihn sabotiert, wo sie nur konnten. Ihnen war es eine Ehre, dafür in den Tod zu gehen.«

»Und du warst deren ...«

»Auch richtig.«

»Bist du wirklich ein Blatnoij?«

»Was spielt das für eine Rolle? Ich bin groß und stark, kann mich gegen jeden durchsetzen. Und ich bin brutal geworden, brutaler als alle anderen. Insgesamt sechs habe ich bisher in den einzelnen Lagern umgebracht, darunter zwei echte Blatnoij, weil ich überleben wollte, so wie du. Schnell hatte ich meinen Ruf weg. Deswegen haben mich später in 60/61 alle so geachtet. Es ist wie in der Natur: Nur der Kräftigste überlebt. Und wir« – er schaute sich in der Baracke um –, »wir sind die wilden Tiere.«

Die Sonne wagte sich wieder einmal hervor und überflutete die weiße Landschaft für wenige Stunden. Ein beschauliches Bild, die Schneeverwehungen und der blaue Himmel, das jede Ansichtskarte hätte zieren können.

Die Strafgefangenen saßen gerade in der Kantine, als die Lautsprecher an der Decke knisterten. Verwundert schauten sie hoch. Schon so früh eine Durchsage des Natschalnik?

Unvermittelt setzte Marschmusik ein, und anschließend noch ein Triumphmarsch. Ähnlich dem, als der amerikanische Präsident Kennedy ermordet worden war, erinnerte sich Alexander. Schließlich meldete sich mit gedämpfter Freude, als sei sie verordnet worden, eine Stimme, die verkündete, Nikita Chruschtschow – seit September 1953 erster Sekretär der KPdSU und im März 1958 als Ministerpräsident Nachfolger von Parteifeind Bulganin, einem ehemaligen Tschekisten, den man seiner Ämter enthoben hatte – sei entmachtet worden. Zum neuen starken Mann im Staate habe man Leonid Breschnew gewählt. Ausführlich wurde der politische Werdegang von Breschnew geschildert, vom Zentralratsmitglied über das Präsidium der Partei bis zum Vorsitzenden des Obersten Sowjet.

Parteichef Breschnew, mächtigster Mann neben ihm war fortan Ministerpräsident Kossygin, richtete einige Worte an sein Volk und versprach, dem Sozialismus endlich zum Sieg zu verhelfen. Zuerst aber müsse der Staat von allen Schmarotzern, Kollaborateuren und Kapitalisten gereinigt werden – das war eine diskrete Umschreibung für den Mißerfolg, den man Chruschtschow in der Kubakrise unterstellte, und deren Folgen es nun zu beseitigen gelte. Unverhohlen wurde jedoch der Vorwurf ausgesprochen, der Entmachtete habe den Konflikt mit dem selbstbewußten kommunistischen China unter Mao Tse-tung provoziert.

»Ob es jetzt besser wird?« Klimkow strich sich nachdenklich den Bart.

»Was soll sich schon ändern?«

»Immerhin hat Chruschtschow zwei Jahre nach Stalins Tod viele Strafgefangene amnestiert. Und er hat über eine Million Soldaten entlassen. Viele sind kriminell geworden, haben sich Banden angeschlossen oder selbst welche gegründet.«

Alexander schob ein Stück mit Dickmilch bestrichenes Roggenbrot in den Mund, als Brotaufstrich gab es auch noch Rübensirup, und kaute. »Sag nur, du hoffst wieder auf eine Amnestie.«

»Wer weiß? In der großen Politik ist alles möglich.«

»Und vorhin die starken Worte? Bedeutet das nicht, daß sich die Lager füllen? Kollaborateure findest du an jeder Straßenecke. Falls mal keiner da sein sollte, machen sie dich dazu.«

Was niemand für möglich gehalten hatte: Alexanders Bein wuchs zusammen. Als Janis nach acht Wochen, er hatte zwei zugegeben, den Stiefel von Alexanders linkem Fuß entfernte, da schlug ihnen zuerst bestialischer Gestank entgegen, denn der nie gelüftete, ungewaschene Fuß starrte vor Dreck. Außerdem war die Haut weich und ließ sich wie bei einer Pellkartoffel abziehen. Vorsichtig löste Janis die Hölzer, dann lag der Unterschenkel frei. Kein schöner Anblick. Zum einen war der Bruch nicht exakt verheilt, im Schienbeinknochen selbst war ein Knick. Zum anderen war die betreffende Stelle stark angeschwollen und schillerte in den Farben Blau und Braun.

»Los, steh auf und geh mal ein paar Schritte.«

Alexander humpelte unsicher durch die Baracke und spürte nicht mehr Schmerzen als sonst auch.

»Tut das weh?« Janis klopfte auf die Verdickung.

»Und ob. Laß die Finger davon.«

»Wird auch noch in einigen Jahren schmerzen. Außerdem kündigt sich in Zukunft jeder Wetterumschwung in deinem Bein an.«

»Kann nur von Vorteil sein«, scherzte Alexander.

Zuerst protestierte er, dann ließ er Janis gewähren, der das Bein erneut schiente, nachdem es gereinigt war. Dazu benötigte er jetzt aber nur noch zwei der Holzstäbe. Janis betrachtete sein Werk. »Wenn mir das einer erzählen würde, ich könnte es nicht glauben.«

Alexander fühlte sich nicht mehr gehandikapt und Pagodin wieder ebenbürtig. Den Mithäftlingen kam es trotz allem seltsam vor, mit welchem Elan er sich wieder an die Arbeit machte, als hätte er einiges aufzuholen.

Ende November entfernte Janis auch die restliche Stütze. Genau zum richtigen Zeitpunkt, denn der Natschalnik trieb sie bei Eiseskälte hinaus zur Arbeit. Der Bohrturm war inzwischen errichtet worden, die ersten Probebohrungen sollten beginnen.

Hubschrauber kamen nun nicht mehr, das gesamte Material für den Winter hatten sie eingeflogen. Lebensmittel und notwendige Ausrüstungsgegenstände transportierte man jetzt mit Lkw. In der kalten Jahreszeit war das kein Problem, denn die schweren Fahrzeuge benutzten die zugefrorenen Flüsse und kamen gut voran. Manchmal ging einer der Laster zu Bruch, wenn sich die Fahrer ein Rennen lieferten, betrunken waren oder im Frühjahr die Vorboten des Tauwetters nicht beachteten. Viele Hunderte von Transportfahrzeugen samt Ladung liegen auf dem Grund der sowjetischen Flüsse und Seen.

Sosehr sich die Insassen des Lagers SIB 12 auch bemühten, ihre Baracken bekamen sie nicht warm. Es zog an allen Ecken und Enden, und manchmal lagen morgens auf dem Boden des Schlafraums neben den Ritzen kleine Schneeverwehungen.

Alexander konnte dem Mann im Depot nach langem Hin und Her etliche alte Säcke abschwatzen. Die Häftlinge trennten sie auf, tränkten die Fasern mit Wagenschmiere, wovon es genügend gab, und stopften damit die größten Spalten zu.

Das sprach sich schnell im Lager herum, denn auch die übrigen Strafgefangenen und das Wachpersonal wollten es warm haben. Aber Pagodin verbot, die restlichen Säcke aufzuteilen, obwohl sie keine Funktion mehr hatten. Außerdem ordnete er an, daß die Sträflinge das abgedichtete Material wieder entfernen sollten, weil sie es ohne Genehmigung angebracht hatten. Doch die Barackenmannschaft weigerte sich, und Pagodin gab den Befehl ein zweites Mal. Sie weigerten sich immer noch, weil erneut die Purga, ein eisiger Schneesturm, aufzog und der Wind über das flache Land fegte, als beabsichtige er, jede Unebenheit wegzuschleifen.

Eines Tages, eigentlich konnte man nicht von Tag sprechen, denn in diesen nördlichen Breiten war es lediglich zwischen elf am Morgen und drei am Nachmittag leidlich hell, ließ Pagodin die Wachen aufmarschieren mit der Anordnung, Alexanders Unterkunft zu umzingeln. Die Soldaten fluchten, denn der Wind peitschte ihnen den Schnee wie spitze Nadeln ins Gesicht. Aber Pagodin blieb stur, er wollte sich keine Schwäche leisten. Deshalb mußten die Barackeninsassen heraustreten, sich aufstellen und der Kälte trotzen. Der Sturm unterschied jedoch nicht zwischen Obrigkeit und Verurteilten und bestrafte jeden, auch Pagodin, der gleichfalls ausharrte.

Aggressiv standen sie sich gegenüber: Frustrierte Wachen, die keinen Sinn in dem Befehl ihres Vorgesetzten sahen, und dickköpfige Strafgefangene, denen die Anordnung noch unsinniger erschien. Dabei wußte jeder, dies war lediglich ein Machtkampf zwischen Pagodin und Alexander, bei dem der Sieger vorab feststand: der Natschalnik.

Pagodin trat näher. Von seinem Gesicht war wegen Pelzjacke und Schapka nicht viel zu sehen.

»Gautulin, zum letztenmal, entferne die Abdichtung.«

Obwohl Pagodin höchstens zwei Meter entfernt stand, konnte Alexander ihn kaum verstehen, so laut heulte der Wind.

»Ich weiß nicht mehr, wo wir überall abgedichtet haben.«

»Ich gebe dir zehn Sekunden.«

»Gut, wenn der Sturm vorbei ist.«

»Nein, jetzt.«

»Wenn der ...« Plötzlich sprang Alexander nach vorn, packte Pagodin und riß ihn mit sich zu Boden. Krachend fiel genau an der Stelle, an der eben noch der Natschalnik gestanden hatte, der Sendemast in den Schnee. Zwei der Soldaten agierten übereifrig und stießen Alexander mehrmals den Gewehrkolben in den Rücken. Aber die Strafgefangenen hatten mitbekommen, was geschehen war. Drohend schoben sie sich näher.

Inzwischen hatte sich Pagodin wieder aufgerappelt. Alexander blieb am Boden liegen, Blut tropfte aus seinem Mund.

»Los, bringt ihn zum Sanitäter«, befahl der Natschalnik und verschwand.

Eine Stunde später schleppte sich Alexander mit schmerzverzerrtem Gesicht zurück in die Baracke.

»Wieso bist du nicht geblieben?« fragte ihn einer.

»Ich gönne ihm diesen Triumph nicht«, keuchte Alexander und spuckte Blut.

Pagodin besuchte ihn und bat ihn, zur Krankenstation zu gehen.

»Gautulin, ich bin für dich verantwortlich.«

»Ich muß am Leben bleiben, wie? Bis das Rote Kreuz hier war, dann hast du freie Hand.«

Pagodin war irritiert. Woher konnte Gautulin davon Kenntnis haben? Außerdem hatte jeder mitbekommen, wie Alexander ihm das Leben gerettet, ihn zumindest vor einer sehr schlimmen Verletzung bewahrt hatte.

»Gautulin, bitte.«

»Du hast bitte gesagt?«

Pagodin nickte.

Wenige Minuten später entspannte sich Alexander. Schönes, weißes, sauberes Bettlaken, eine weiche Matratze und ein freundlicher Sanitäter. Auch er ein Zivilist, wie die Ingenieure.

Weihnachten. Ein Häftling erinnerte sich daran. Die Männer versammelten sich um einen stilisierten Weihnachtsbaum, den einer geschnitzt und mit vertrockneten Ästen versehen hatte. Ein anderer stellte einen Teller auf den Tisch, darauf einen Metallstab, an dem er ein in Öl getränktes Seil befestigte. Er zündete das Seil an, und es brannte wie eine Kerze. Leider war der Geruch weniger angenehm. Während die meisten schweigend um den Tisch hockten, begann einer zu singen.

Nach und nach stimmten die anderen ein. Es war Semja, der einen Kamm aus der Hose zog, ihn in ein Stück Papier wickelte und auf dem Instrument zu blasen begann. Eine seltsame, eine unwirkliche Andacht hatte die Baracke erfaßt. Die harten Männer, nicht alle waren Verbrecher, und trotzdem zu vielen Jahren Zwangsarbeit verurteilt, versuchten mit weicher Stimme zu singen und hatten Tränen in den Augen. Wodka kreiste, Zigaretten wurden gereicht, beides eine Sonderration der Lagerleitung, und zur Verwunderung aller trug Aljoscha, der allgemein als Trottel der Truppe galt, ein Gedicht vor. Und anschließend noch eines. Dann wollte jeder wissen, wieso er denn so schöne Gedichte kenne. Weil er sie während des Studiums gelernt habe. Aber keiner hatte bis zu diesem Zeitpunkt überhaupt geahnt, daß Aljoscha mal Student für russische Literatur gewesen war.

Warum er denn nie etwas davon erzählt habe.

»Mich hat keiner danach gefragt.«

Die Häftlinge senkten beschämt den Kopf.

»Weshalb sitzt du eigentlich?« Alexander hatte Aljoscha auf die Seite genommen und prostete ihm zu.

»Weil ich ein Buch geschrieben habe, das ich nicht hätte schreiben dürfen.«

»Los, mach mich schlauer.«

»Ein Onkel von mir war bereits während des Krieges in einem Konzentrationslager, und darüber habe ich berichtet. Wegen hundert Seiten muß ich fünfzehn Jahre hinter Stacheldraht. Ökonomisch ist das Vorgehen des Apparates absolut richtig. Wozu unproduktiv erschießen, wenn man mich und meinen Körper noch Jahre ausbeuten kann.«

Aljoscha klärte Alexander über die Entstehungsgeschichte von Arbeits- und Konzentrationslagern auf, das Thema seines Buches. Sie hätten eine lange Tradition, sagte er. Nicht nur in Rußland, bereits die Buren in Südafrika kannten sie. Lenin und Trotzki seien für Rußland die Erfinder der »konzentraziónnyie lágeri«. Die ersten beiden habe es 1918 während des Bürgerkrieges in Finnland und südlich von Leningrad gegeben. Später erst sei Nischnij Nowgorod hinzugekommen, das ehemalige Nonnenkloster. Heute heiße die Stadt Gorki. Bereits im Jahre 1923 habe man im Moskauer Adreßbuch neun Lager namentlich aufgeführt. Das, was die Nazis – allerdings noch viel schlimmer – getan hätten, sei erst viel später geschehen.

»Und warum weiß von unseren KZs keiner was?«

»Wir wissen vieles nicht, was in unserem Staat vor sich geht. Weißt du, nach welcher Mode gekleidet im Augenblick in Moskau die Mädchen herumlaufen?«

Als Alexander nicht reagierte: »Das System kann deswegen existieren, weil die Sinnlosigkeit der Zwangsarbeit perfekt funktioniert.«

Aljoscha glitt weiter in die Vergangenheit und kam, als gäbe es nur das Thema Gefangenschaft, auf die Kartoga zu sprechen. Abgesehen von der Todesstrafe war im zaristischen Rußland Zwangsarbeit die wohl schwerste und entwürdigendste Art der Bestrafung.

»Wir führen nur eine alte Tradition fort, Alexander, die bis auf die Tataren zurückgeht.«

Einen Freund seines Vaters habe man vor dem Krieg in die Verbannung geschickt, sprach Aljoscha weiter. Er sei ein Politischer gewesen. Zuerst war es ihm verboten, sich in Moskau aufzuhalten. Später verschärfte man seine Strafe, er wurde einem bestimmten Gebiet zugeteilt, einem Dorf in Westsibirien, von dem er sich nicht weiter als 50 Kilometer entfernen durfte. Dort suchte er sich eine Wohnung und ließ seine Familie nachkommen. Der Staat versorgte ihn mit einem Taschengeld. Man genehmigte ihm auch, Briefe zu schreiben und zu empfangen. Aber sein Bekannter hielt sich nicht an die Auflagen und floh, denn die Polizei nahm es mit der Bewachung nicht sehr genau. Dann hätte sie auch viel zu tun gehabt, bei den vielen Verbannten.

»Weißt du eigentlich, daß unser großer Stalin auch in der Verbannung war?«

»Nein.«

»Fünfmal soll er geflohen sein. Fünfmal.« Und dann mit verträumtem Unterton: »Alexander, was ginge es uns gut, wenn wir nur in der Verbannung wären. Wir könnten in einem Haus leben, hätten ein Frauchen und Kinder, würden denen abends Geschichten erzählen und sie zu Bett bringen.«

Alexander, der sich von seinem Beinbruch einigermaßen erholt hatte, stürmte in Pagodins Büro. Als ein Wachposten drohend näher rückte, schickte ihn der Natschalnik hinaus.

»Wenn du den Krieg willst, dann kannst du ihn haben«, polterte Alexander los. »Und er wird viele Opfer kosten.«
»Wovon sprichst du?«
»Die Abdichtung bleibt.«
»Ich lasse sie entfernen.«
»Sie bleibt.«
Angriffslustig sahen sich die beiden Männer an. Jeder war bestrebt, sein Terrain zu verteidigen.
»Denk nur nicht, weil du mich umgerissen und vor dem Mast bewahrt hast, daß du jetzt Sonderrechte genießt.« Pagodin unterstützte seine Worte mit der Faust, die krachend auf dem Tisch landete.
Alexander machte eine wischende Handbewegung, als gelte es, eine Mücke zu verscheuchen. »Vergiß es. Aber übertreib nicht den Kadavergehorsam gegenüber Moskau.«
»Wie wagst du, mit mir zu sprechen?« Pagodin sprang auf.
In Alexanders Gesicht stand ein geringschätziges Lächeln. »Sag mal, stellst du dich so dumm, oder bist du es wirklich?«
Da es Pagodin vor Verwunderung die Sprache verschlug: »Du scheinst dir noch immer nicht im klaren zu sein, daß du deinen Dienst hier auf einem Abschiebeposten versiehst, du selbst ein Gefangener des Systems bist.«
»Wieso?«
»Sobald das Rote Kreuz kommt und seinen Bericht abgedreht hat, werde ich an die Wand gestellt, und du gehst in Lagerhaft. Nein, man wird dich nicht degradieren, das wäre zu billig. Du wirst zu einem von uns. Zehn Jahre, mindestens. Und dann mußt du ungemein aufpassen, sag' ich dir. Die Schatten deiner Vergangenheit werden vielleicht sehr schnell lebendig.«
Pagodin wurde bleich und ließ sich auf seinen Stuhl fallen.
»Du und deine Leute, ihr seid auch Gefangene, wir alle sind Gefangene. Du hältst dich an die Vorschriften, so, wie du es gewohnt bist, aber kein Schwein in Moskau kümmert sich darum.«
»Wie kannst ...«
Alexander unterbrach Pagodin einfach. »Es gibt nur eine Möglichkeit, heil aus der Sache herauszukommen: Das Rote Kreuz darf

nicht erscheinen. Und wenn doch, dann werde ich in einem Interview, Bericht oder was immer die Sowjetführung loben, und dich loben, und den Sozialismus loben und all die liberalen Bestrebungen im Land. O nein, es fällt mir nicht schwer zu lügen, denn es geht ganz allein um meinen Arsch. Und ein bißchen auch um deinen.«

Pagodin merkte nicht, wie er automatisch einen Stift ergriff und unsinniges Zeug auf ein Blatt Papier kritzelte. Aber Alexanders Worte drangen allmählich tiefer und wirkten in ihm nach.

»Eventuell hilft es uns«, sprach Alexander weiter, um sofort zweifelnd anzumerken: »Das allein wird jedoch nicht genügen.« Und nach wenigen Sekunden, als sei ihm etwas eingefallen: »Möglicherweise ist in Moskau durch den Machtwechsel auch sonst einiges anders geworden. Man betrachtet den damaligen Vorfall nicht mehr als so schwerwiegend. Darauf dürfen wir uns aber nicht verlassen, Erfolgsmeldungen müssen her. In vier Wochen verziehen sich die Ingenieure, dann sind wir auf uns gestellt und du mußt gute Nachrichten nach Moskau liefern. Die sollen staunen, was der Pagodin alles erreichen kann. Aber dazu brauchst du uns.«

Pagodin reagierte nicht.

»He, hörst du mir eigentlich zu?«

Langsam drehte Pagodin den Kopf und starrte Alexander an. »Was meinst du, mit guten Nachrichten?«

»Ganz einfach: Unser Plansoll übererfüllen.«

»Und wie schaffen wir das?«

»Indem die Männer motiviert werden, ich meine die Strafgefangenen, und mindestens fünfzig deiner Wachposten bei der Arbeit mit anpacken. Die übrigen reichen immer noch, uns in Schach zu halten.«

Pagodin schüttelte den Kopf. »Die werden nicht mitmachen.«

»Das ist deine Angelegenheit.«

»Und die Strafgefangenen auch nicht.«

»Das wiederum ist meine Angelegenheit.«

Die beiden Kontrahenten sahen sich an. Keiner wich dem Blick des anderen aus, sie verkrallten sich richtiggehend ineinander.

»Warum das Angebot?« wollte Pagodin wissen. Seine Haltung hatte etwas Lauerndes.

»Einsicht.«
»Keine Vorsehung?«
»Ich brauche keine Vorsehung mehr.«
»Und wie stellst du dir das vor?«
»Wir fangen gleich morgen früh an.«
»Bei dem Wetter?« Pagodin schüttelte den Kopf.
»Bei dem Wetter. Zuerst erlaubst du den Strafgefangenen, daß sie ihre Baracken abdichten dürfen, sie sollen es wenigstens in ihrer freien Zeit warm haben.«
»Nie ...«
»Doch. Das ist eine unumstößliche Bedingung. Und dann legen wir gleich los und bauen die Stromleitung zur nächsten Bohrplattform.«
»Bei dem Wetter?« wiederholte Pagodin.
»Wir haben das Material, und es ist, wie es sich nun mal für einen vorbildlichen sozialistischen Staat gehört, gleichmäßig entlang der Trasse verteilt. Pfosten, Kabel, Streben, Isolatoren, alles. Die Ausführung ist also allein eine Frage der Organisation. Verschaff uns warme Winterkleidung, dann wird es schon gehen.«
Pagodin schüttelte den Kopf. »Mehr als tausend Masten müssen in den Boden gesetzt werden.«
»Wir übernehmen fünfhundert, und die von Truz 16 auch, so wie es der Plan vorsieht. Obwohl unsere Mannschaft wesentlich kleiner ist als die der Nachbarstation. Los, wette mit deinem Natschalnik-Kollegen um hundert Flaschen Wodka, daß wir unser Soll zuerst erfüllen. Und ruf bei einer Zeitung an, die eine gute Geschichte daraus machen sollen. Überschrift: Planerfüllung bei minus dreißig Grad. Na, ist das nichts?«
Pagodin blieb skeptisch, aber Alexander überrannte ihn immer wieder in einer Art Begeisterung, die den Lagerleiter mehr als erstaunte. Was war mit diesem Gautulin los? Warum plötzlich dessen Einsatzwille? Was führte er im Schilde?
»Mach Werbung für dich. Wer so gut arbeitet wie du, den darf man nicht in Lagerhaft stecken.«
Als Alexander zwei Tage später wieder mal auf dem Rückweg zur Baracke war, wußte er, er hatte einen Sieg errungen. Und er wußte

auch, nur jenes unscheinbare Wort »bitte«, das Pagodin zu ihm gesagt hatte, als er ihn aufforderte, in die Krankenstation zu gehen, war Basis seiner eigenen Bereitschaft. Nun, etwas an den Haaren herbeigezogen war seine Rechtfertigung schon, aber das ahnte ja außer ihm und Pagodin niemand.

Alexander eröffnete den Strafgefangenen, was auf sie zukam, und vergaß auch nicht, die Vergünstigungen zu erwähnen. Wenn es Pagodin gutgehe, dann ihnen auch.

Die Männer gaben sich mißtrauisch. Sie sahen nicht ein, mehr zu leisten als bisher, immerhin seien sie keine Angestellten des Staates. Alexander versprach kein Mehr an Arbeit. Im Gegenteil, durch bessere Organisation hätten sie es sogar einfacher. Außerdem ginge ihre Zufriedenheit nur über die der Lagerverwaltung, die nach oben glänzen wolle. Aber das könne sie nur, wenn Erfolge anstünden.

Erst als Alexander Klimkow, der sich die Haare hatte schneiden lassen, um nicht mehr als Blatnoij zu gelten, auf seiner Seite hatte, stimmten die Häftlinge zögernd zu.

Gleich am kommenden Tag machten sich zwei Brigaden auf den Weg, die ersten zehn Löcher – ein Vermessungstrupp hatte die einzelnen Stellen bereits im letzten Sommer markiert – für die knapp fünfzehn Meter langen Strommasten auszuheben.

Eine andere Brigade marschierte mit Klimkow die zehn Kilometer ab, die sie zu bewältigen hatten. Sie überprüften das Material, es war vollzählig. Und eine dritte Brigade unter Alexander nähte große Zeltplanen zusammen, die Überreste ihres Notquartiers im Sommer. Keiner wußte, wofür sie gut sein sollten, Alexander schwieg beharrlich auf jede Frage.

»Wie willst du denn die Pfosten aufrichten?« fragte Pagodin, dem es gelungen war, seine Männer von der Plansollerfüllung zu überzeugen. Fünfzig von ihnen bildeten, jedoch abgeschottet von den Inhaftierten, im Wechsel mit den anderen fünfzig eine eigene Arbeitsgruppe und machten mit.

»Warte ab. Wir schaffen das schon.«

»Ohne Maschinen geht das nicht bei dem Schnee. Die Männer rutschen aus und schlagen hin.«

»Es geht.«
»Wir werden nie gegen die anderen gewinnen können. Die haben einen fahrbaren Kran.«
»Wir gewinnen. Hast du deinem Kollegen die Wette angeboten?«
»Er hat auf fünfhundert Flaschen erhöht. Das war mir zuviel.«
»Verdammt, Pagodin, kannst du den Gefangenen nicht ein einziges Mal vertrauen? Schau dir doch an, wie sie sich ins Zeug legen.«
Pagodin sah es. Nachdenklich ging er zurück in sein Büro. Nach Süden schaute er seit diesem Tag nicht mehr, aber er wurde zunehmend unsicher, ohne zu wissen, weshalb. Eine Situation, so günstig sie sich für ihn auch darstellte, nicht richtig einschätzen zu können, bereitete ihm Kopfschmerzen. Seine Denkweise war die der Kaderschule, auf der er als junger Offizier geglänzt hatte. Dort hatte man ihm eingeimpft: Vertraue niemandem, außer dem Staat und der Partei. Sich daran erinnernd, gab er Anordnung an die Wachmannschaft, scharf aufzupassen. Außerdem ließ er einen zweiten Satz Scheinwerfer auf den Wachtürmen montieren und einen Draht im Zaun einziehen, der bei jeder Erschütterung oder Berührung sofort Alarm auslöste. Zusätzlich erhöhte Pagodin die Appelle von vier auf sechs am Tag. Der letzte war jetzt abends um acht, gleich nach dem Essen. Die Gefangenen murrten, beließen es aber dabei, denn Alexander hatte sie darauf vorbereitet.

In den folgenden Wochen malträtierte Pagodin seinen Schädel auf der Suche nach einem stichhaltigen Grund: Warum ist dieser Gautulin so kooperativ? Weshalb geht er mit solchem Elan ans Werk? Dabei hätte er doch allen Grund, mich bis in die Ewigkeit zu hassen. Nach alldem, was er unter mir hat leiden müssen. Schuldgefühle machten sich bei ihm jedoch nicht bemerkbar.

Ist es Berechnung, fragte sich Pagodin ein andermal, die Gautulin so handeln läßt? Oder die Aussicht auf Vergünstigungen? Vielleicht die Erkenntnis, sich mit mir zu arrangieren zum Vorteil beider, ohne uns wie bisher zu zerfleischen. Plötzlich glaubte er den wahren Grund zu kennen: Wir sind aufeinander angewiesen, zwar auf unterschiedlichen Seiten stehend, aber angewiesen. Der Vorfall um die Schweizer und deren Film hatte ihm, dem Politkopf, im nachhinein deutlich gezeigt, daß oft nur ein gradueller Unterschied bestand zwischen der Position vor und hinter dem Zaun. Diese Erkenntnis ließ Pagodin erschrecken.

Mit Preßlufthämmern bearbeiteten die Häftlinge die oberste gefrorene Bodenschicht. Anschließend setzten sie das einzige Gerät, das sie hatten, auf die vorbereitete Fläche und bohrten ein drei Meter tiefes Loch mit einem Durchmesser von vierzig Zentimetern. Die Masten waren fünfunddreißig dick.

Nach den ersten fünf Bohrungen ließ Alexander die langen Pfosten so ausrichten, daß deren oberstes Ende in Windrichtung zeigte, das untere dicke genau vor ein Loch zu liegen kam, dessen hintere Hälfte mit Holzbohlen erhöht worden war. Etwa zwanzig Meter davon entfernt rollten zwei Männer die zusammengenähten Zeltplanen aus, verteilten sie nach Alexanders Anweisung und postierten sich anschließend auf die dunkle Fläche, die sich markant vom weißen Schnee abzeichnete. Zehn Strafgefangene hatten sich paarweise im Abstand von vier Metern aufzustellen und je eine lange Stange, an deren Spitze ein aufgeschraubtes V war, zu halten. Anschließend dirigierte Alexander weitere vier Leute an die Zeltplanen, wo sie sich zu den anderen gesellten.

Pagodin beobachtete die Vorbereitungen und ahnte, was Gautulin beabsichtigte. Falls es funktionierte, sagte er sich, dann ist das die genialste Lösung, die je ein Teufelskerl in Westsibirien erdacht hat.

Alle standen auf ihren Posten. Alexander gab das Zeichen, das eine Ende der Zeltplane wurde angelupft. Knatternd fuhr der Wind darunter und bauschte sie auf wie einen Fallschirm. Und dann zerrte die riesige Plane an den Stricken, die bis zur Spitze des langen Mastes verliefen. Der Mast zitterte, wurde angehoben, die Männer drückten mit ihren Stangen nach. Am Fußende arretierte eine Gruppe die halbkreisförmig angeordneten Holzbohlen, denn der Mast brauchte ein Widerlager, damit er nicht auf dem glatten Boden wegschmierte. Höher und höher richtete sich der Mast auf, exakt in der Richtung gehalten von den jeweils zehn Männern mit den V-förmigen Stangen. Als er annähernd senkrecht stand, rutschte das stumpfe Ende in das kurz vorher mit Wasser gefüllte Loch und sackte weiter nach unten. Mit einem schmatzenden Geräusch verkeilte sich der Mast.

»Leinen kappen.« Zwei Mann rissen an den Schlaufen, damit sich das Seil, die Verbindung zwischen Windsegel und Mastspitze, löste. Und dann applaudierten die Arbeiter, Strafgefangene wie Wachposten. Der Mast wurde ausgerichtet, eine halbe Stunde später würde er unverrückbar in einem Panzer aus Eis stehen.

Pagodin drehte sich auf dem Absatz um und rannte in sein Büro. »Ich gehe auf die Wette ein«, hörte ihn einer rufen.

Die Häftlinge schafften in der ersten Woche vierzig Masten. In der darauffolgenden, prophezeite Alexander, gehe es noch schneller, denn das Team spiele sich mehr und mehr ein. Was alle verwunderte: Ein Ruck ging durch die Strafgefangenen, ein ungeahntes Wirgefühl schweißte sie zusammen. Außerdem fühlten sie sich motiviert, weil ihre Leistung von der Lagerverwaltung durch Sonderrationen und andere Vergünstigungen anerkannt wurde. Erst recht legten sie sich ins Zeug, als sie hörten, daß die Wette mit der Bohrstation Truz 16 doch noch zustandegekommen war.

In der darauffolgenden Woche blies der Wind stärker. Ein Mast wurde überrissen und zersplitterte, beinahe wäre ein Wachposten zu Tode gekommen. Er konnte gerade noch wegspringen.

»Siehst du, Pagodin, ein bißchen Vorsehung ist stets dabei«, scherzte Alexander.

Auch wenn der Erfolg sich einstellte, die gegenseitige Abneigung war immer noch physisch zu spüren. Aber die ungleichen Kontrahenten hatten zumindest erkannt, als Zweckgemeinschaft mehr erreichen zu können. Beide akzeptierten den Status quo, indem sie den jeweils anderen, soweit es ihnen möglich war, respektierten. Pagodin setzte seine Beziehungen ein, um alle wichtigen Dinge zu organisieren. Inzwischen hatten die Strafgefangenen gefütterte Winterkleidung erhalten, dazu wärmende Stiefel und Fäustlinge.

Über die Verpflegung brauchten sie sich nicht zu beklagen. Einmal gab es zur Verwunderung aller einen Apfel zum Nachtisch. Ein

Apfel, und das mitten im Winter? Wo Pagodin den wohl hergezaubert hatte?

Die Hälfte ihres Arbeitspensums hatten die Sträflinge bereits errichtet, als überraschend Besuch von der Bohrstation Truz 16 kam. Voller Stolz zeigte Pagodin den drei Kollegen die bisher geleistete Arbeit. Anschließend konnten der leitende Ingenieur und seine beiden Begleiter nicht schnell genug wieder zurück, als sie sahen, was sich alles auf SIB 12 getan hatte.

In der sechsten Woche flaute der Wind überraschend ab, die Kälte nahm zu. Die Männer verlegten sich auf das Bohren der drei Meter tiefen Löcher, die sie abdeckten, damit der Schnee sie nicht wieder füllte. Als das Thermometer bis auf fünfzig Grad unter Null sackte, gab es einige Tage nichts zu tun.

Alexander unterhielt sich oft mit Aljoscha. Bewundernswert, wie der schmächtige Blondkopf aus Odessa die Entwicklung von Kunst, Malerei und Literatur erklären, in Verbindung bringen und an Beispielen belegen konnte, wie eines das andere bedingte und beeinflußte.

Die Purga, auch Witwenmacher, Windmörder oder Totengräber genannt, sauste erneut in Orkanstärke über das Land und lähmte, obwohl es nicht mehr ganz so kalt war, jede Tätigkeit in Westsibirien. Unbeeindruckt von der Naturgewalt, arbeiteten die Lagerinsassen weiter, und am 15. März hatte SIB 12 das Plansoll erfüllt. Der letzte Mast schrammte in sein Loch, wurde verkeilt und saß. Schnell wurde das restliche Stück Stromkabel gezogen, die Männer warfen ihre Fellmützen in die Luft, johlten und klatschten in die Hände.

Am nächsten Tag kamen wirklich zwei Reporter eingeflogen, um sich selbst von der Leistung der Strafgefangenen zu überzeugen. Die ließen es sich nicht nehmen, ihre ausgefallene Technik an einem Beispiel zu demonstrieren. Den Reportern verschlug es die Sprache, sie schossen einige Fotos, und bereits eine Woche später hielt Pagodin je ein Exemplar der »Sowjetski Technik« und der »Prawda« in der Hand, die der Lebensmitteltransporter aus dem Süden mitgebracht hatte.

Neue Wege im Strafvollzug, stand zuoberst zu lesen. Der folgende Artikel war eine Lobeshymne auf den Staat und dessen kreativ fähige Köpfe wie den Lagerleiter Pagodin, der es geschafft habe, den Strafvollzug zu revolutionieren. Seine Gefangenen seien mit Eifer bei der Sache und betrachteten ihre Haft als Zeit der Besserung und als Vorbereitung auf die Reintegration in die sozialistische Gesellschaft.

»Wie du siehst, Gautulin, haben sie den Text genauso übernommen, wie du ihn mir vorformuliert hast.«

Alexander grinste spitzbübisch. »Was willst du mehr? Die Propaganda ist doch sehr wirkungsvoll, nicht?«

SIB 12 hatte das avisierte Ziel um mehr als drei Monate früher erfüllt. Die Stromkabel waren längst gespannt, auch das zum Telefonieren, aber noch warteten sie auf den Wodka, den ihnen die Bohrstation schuldig war. Wahrscheinlich hatte der Leiter von Truz 16 Schwierigkeiten, auf die Schnelle eine solche Menge zu organisieren.

Und schon kam Alexander mit einer neuen Idee.

»Bis zum Sommer müssen wir unseren Bohrturm streichen. Möglichst früh sollte das geschehen, damit das Metall nicht zu rosten beginnt. Aber während der Tätigkeit können wir nicht nach Erdgas suchen, deshalb gehen uns ungefähr vier Wochen verloren. Im April jedoch kommen schon das neue Bohrgestänge und der Bohrmeißel.«

Und als keiner der Mithäftlinge etwas sagte, wie sollte er auch, denn niemand wußte, auf was Alexander aus war: »Jungs, wir machen es sofort. Gleich auf der Stelle malen wir das Ding an.«

Obwohl die Strafgefangenen inzwischen ungemein Respekt vor Alexander hatten, war das neue Vorhaben in ihren Augen eine mehr als spinnerte Idee. Wie sollte man jetzt, Ende März, und dann noch bei tiefem Frost, den Bohrturm streichen? Wo doch jeder wußte, daß die Schutzfarbe nur bei Temperaturen über Null verarbeitet werden konnte, weil sie kälteempfindlich war.

Alexander ließ sich nicht beirren. Inzwischen hatte Pagodin die Rolle mit den dreihundert Meter Schlauch erhalten, Durchmesser zwei Zoll, wie von Alexander gewünscht. In zwei gleichlange Stücke wurde der Schlauch geteilt, und auf Alexanders Geheiß warf man die Dieselaggregate an, die immer noch für die Stromversorgung notwendig waren. Hätten die von Truz 16 ihre Masten im Boden gehabt, dann hätte es längst Elektrizität gegeben. An diese Generatoren wurden die beiden Schläuche, in die die Abgase des großvolumigen Sechszylinders eingeleitet wurden, angeschlossen. Jeweils zwei Mann nahmen den einen Schlauch und wärmten mit den heißen Abgasen das Metall des Bohrturms vor. Sofort rückten zwei weitere nach und begannen zu streichen, als gelte es einen Rekord aufzustellen. Und gleich hinterher kamen wieder zwei Sträflinge mit dem anderen Schlauch und den warmen Abgasen, mit deren Hilfe sie die Farbe trockneten. Zwar waren jeweils nur sechs Sträflinge im Einsatz, aber Alexander ließ sie alle fünfzehn Minuten auswechseln. Anschließend hatten sie fünfundvierzig Minuten Pause, um sich von der Kälte und von den Abgasen – Schutzmasken gab es nicht, glücklicherweise trieb der Wind das meiste von ihnen weg – zu erholen.

Zwei Wochen benötigten sie, dann erstrahlte der Bohrturm in einem dunklen Braun-Rot. Dafür gab es von der Lagerleitung zwanzig Flaschen Wodka extra, obwohl Alkohol offiziell streng untersagt war. Wer aber sollte die Einhaltung des Verbots kontrollieren?

Kaum war die Arbeit beendet, als Pagodin Alexander zu sich bestellte.

»Manchmal sind die in Moskau oder sonstwo wie Raubtiere. Je mehr du ihnen zu fressen gibst, desto hungriger werden sie. Wir haben für Aufsehen gesorgt, und schon kommen sie mit ganz unsinnigen Forderungen. Zwischen uns und Truz 16 soll jetzt ein Gleis verlegt werden, über das später der Nachschub anrollt. Damit unsere Außenstelle als Brückenkopf für andere Erschließungsvorstöße in das Land dient, wie es so schön in der Begründung heißt. Auf der anderen Seite haben sie bereits mit dem Bau begonnen, allerdings ist vor unserem Lager eine Senke mit vier oder fünf Kilometer schwerem Gebiet, im Sommer total versumpft und überschwemmt.«

Alexander setzte sich. »Das ist der Lohn der Arbeit. Bist du gut, mußt du nächstes Mal noch besser sein.«

»Soll ich denen in Boresowo absagen, es sei undurchführbar?«

»Welche Gerätschaften stellen sie uns zur Verfügung?«

»Insgesamt vier schwere Kettenfahrzeuge und das Material, das auf Truz 16 so rumliegt.«
»Schienen?«
»Die werden schon geliefert.«
»Also rechnen sie mit unserer Zusage. Schwellen?«
»Genau das ist das Problem. Jetzt, gegen Ende des Winters, können sie kein Holz schlagen.«
Alexander grübelte. »Ich muß mir anschauen, was die auf Truz 16 alles haben.«
Ein Strafgefangener durfte nur zu Arbeitszwecken im Bereich des Lagers eingesetzt werden. Verlegte man ihn, dann bedurfte das der Genehmigung. Zuständig war in diesem Fall die Verwaltung der nächstgelegenen Stadt Boresowo, die zugleich auch Mittelpunkt des Oblast war, also des hiesigen Bezirks. Aber in Westsibirien sind die Bezirke größer als manches europäische Land, dementsprechend zäh agiert auch die Administration. Deshalb verzichtete Pagodin darauf, sie mit so etwas Banalem wie dem Ausflug eines Gefangenen zu einer benachbarten Bohranlage zu belästigen. Als Alexander die Materialanhäufung in Truz 16 sah, verschlug es ihm die Sprache. Besonders beeindruckte ihn das Lager der Rohre, die über und im Boden das Erdgas bis zur nächsten Station leiten sollten.
»Was ist mit diesen Rohren? Warum haben die hier so viele rumliegen? Und weshalb sind die so verrostet?«
Er wurde darüber aufgeklärt, daß es sich um einen Restposten der deutschen Lieferung von vor zwei Jahren handelte. Man könne sie nicht verarbeiten, weil es keinen Nachschub mehr gäbe. Sie mit den ersatzweise produzierten sowjetischen verbinden ginge auch nicht, die seien nämlich kurioserweise im Durchmesser genau um die Materialstärke kleiner.
»Hat da jemand in Moskau bei der Planungsbehörde Innen- und Außendurchmesser verwechselt?« scherzte Alexander, obwohl ihm nicht danach zumute war, denn unvermittelt schlug sein Gehirn eine Brücke zwischen diesen Rohren und Hellen. War es den westdeutschen Firmen inzwischen gelungen, die Verträge mit der Sowjetunion zu erfüllen? Um sich abzulenken, besah er sich ausführlich die Ausrüstung.

Als man Pagodin und Alexander mitteilte, mit Schwellen sehe es schlecht aus, fragte Alexander, ob er die Rohre verwenden dürfe. Zwar konnte sich niemand vorstellen, was er damit beabsichtigte, aber wenn es für die Materialbahn sei, stünde dem nichts entgegen. Wieder in SIB 12, erklärte Alexander den Strafgefangenen seinen Plan.

»Wir legen zwei Reihen Rohre in den Boden, schweißen die Schienen einfach obendrauf und regulieren den Abstand mit anderen Metallteilen. Davon haben wir genug. Nur an Holz fehlt es.«

Alle waren skeptisch. Alexander auch, aber das wichtigste Argument war, sie sollten eine Bahn für den Nachschub bauen und keine für den Reiseverkehr. Materialzüge brauchten nur zwanzig Kilometer schnell zu sein. Sie mußten funktionieren und sollten keinen Schönheitspreis gewinnen.

»Und außerdem können wir in den Rohren Wasser hierher bis ins Lager leiten. Im Winter friert es und verleiht der Bahn Stabilität, im Sommer kühlt das Wasser die Rohre und verhindert, daß der Boden aufgewärmt wird und die Bahn im auftauenden Dauerfrostboden versinkt.«

Das leuchtete allen ein. Alexanders Vorhaben wurde von Truz 16, die gefragt werden mußten, weil sie das Material stellten, abgesegnet.

Als der erste Kilometer in Angriff genommen wurde, dazu mußte zuerst mit den schweren Raupenfahrzeugen eine Trasse freigelegt und planiert werden, landete ein Fernsehteam, unter ihnen eine Frau, und machte Aufnahmen.

Pagodin und Alexander erschraken, denn sie dachten zuerst, das Rote Kreuz sei nun doch noch eingetroffen. Als man die beiden später zu einem Interview bat, nutzten sie die Gelegenheit der Propaganda, von deren nicht zu unterschätzender Wirkung Alexander vor Wochen bei dem Versuch, Pagodin zu begeistern, gesprochen hatte. Aufs Positivste stellten sie die hervorragende Zusammenarbeit zwischen Insassen und Aufsichtspersonal heraus. Nicht zu vergessen sei die Unterstützung des Oblast Westsibirien und die Kooperation mit Truz 16.

Als Galina, so hieß die knapp dreißigjährige Reporterin, nahe an Alexander herantrat, roch dieser seit langer Zeit wieder einmal den betörenden Duft eines Parfüms. Er schloß die Augen und hätte immer nur schnuppern können. Übermächtig wuchs in ihm der Wunsch, den Frauenkörper zu berühren. Weil ihm das aber Unannehmlichkeiten eingebracht hätte, klammerte er sich am Stuhl fest und wirkte wie eine Statue.

Die Arbeit am Bahnkörper, etwa einen Meter tief im Boden, war hart. Schwer und wie zum Trotz schwarze Abgaswolken ausstoßend, kämpften die Raupenfahrzeuge gegen den gefrorenen Untergrund. Manche Kette riß und mußte repariert werden. Da es an Steckbolzen, die die einzelnen Glieder miteinander verbanden, mangelte, schweißte man die Teile einfach zusammen.

Die Rohre arretierte man auf der neuen Sohle, drumherum wurde Aushub angeschüttet und verdichtet. Abstandshalter sollten verhindern, daß die Hohlkörper ihre Lage veränderten. Anschließend schweißte man die Schienen obendrauf und alle zwei Meter einen Eisenstab als Querverbindung.

Die Bahn bestand ihre Jungfernfahrt mit Bravour, der Geschwindigkeit von vierzig Kilometern pro Stunde hielt sie stand. Ausführlich wurde die neue Technik in verschiedenen Fachzeitschriften besprochen, und die Häftlinge konnten nach der Schneeschmelze noch einen angenehmen Nebeneffekt genießen: Das durch die Rohre fließende Wasser wurde weiter bis ins Lager geleitet und diente im Sommer zum Waschen und zu vielem mehr. Gleichzeitig brauchte die Lagerbrigade die Rückstände aus den Toiletten nicht mehr per Hand einzusammeln und in tiefe Löcher verschwinden zu lassen, jetzt wurde alles weggespült. Allerdings hatte Pagodin nicht vergessen, genau an der Stelle, an der der kleine Fluß aus dem Lager trat, eine doppelte Lage Stacheldraht anbringen zu lassen.

Schlagartig, nach einer knappen Übergangszeit von zwei oder drei Wochen, setzte der Sommer ein. Das neue Gestänge wurde geliefert, und die Bohrungen nach Erdgas begannen. Aber mit dem Sommer kam auch die schlimmste Plage, die Westsibirien zu bieten hat: Mücken. Oftmals waren es so viele, daß es einem vorkam, als filterten die Milliarden von kleinen schwirrenden Körpern das Sonnenlicht.

Und gegen Mücken sollte es, so Pagodin, kein Mittel geben. Die Quälgeister hielten sich nicht an Normen und schlüpften in jede nur denkbare Öffnung. Permanent hielten sie die Männer von der Arbeit ab, die alle zwei Sekunden die Biester mit einer Handbewegung zu verscheuchen suchten.

Eines gab es im Überfluß, und das war Wagenschmiere. Als Abfallprodukt minderer Qualität bei der Erdölförderung mit etwas Öl vermischt, konnte man sie – Alexander machte es vor – als Paste dünn auf die Haut auftragen. Das stank zwar bestialisch, vertrieb aber die Mücken. Fortan sahen die Strafgefangenen und die Wachposten in SIB 12 aus wie Soldaten im Nahkampfeinsatz.

Noch ein Mittel machte die Runde, Alexander hatte es von seinem Vater überliefert bekommen. Bei jedem Riß in der Haut oder bei einer offenen Verletzung wandte der es früher an. Er urinierte einfach über die Wunde, wodurch sie, so zumindest verdeutlichte es ihm sein Vater, desinfiziert werde, was das Brennen erkläre.

In Lager SIB 12 hatten die Männer oft Risse in den Händen oder kleine Verletzungen. Sie guckten sich Alexanders Methode ab und kopierten sie unbesehen. Nach dem erfolgreichen Einsatz der Wagenschmiere gegen die Mückenplage trauten sie ihm einfach alles zu.

Was Alexander in der Folgezeit auch anpackte, es gelang. Im Juli stieß der Bohrturm auf Erdgas, wie eigentlich überall in Westsibirien, und bereits Mitte August wurde das Material für einen größeren Turm geliefert, damit man den kostbaren Rohstoff in der entsprechenden Menge fördern und verwenden konnte. Aber genau an diesem Punkt setzte das Problem ein: Rohre. Zwar gab es noch einen Restbestand auf Truz 16, die aus Deutschland stammten, aber die waren nun mal um die Wandstärke zu dick im Vergleich zu den sowjetischen. Die eigenen, so erklärte es ein Ingenieur, konnten ohne Lieferschwierigkeiten beschafft werden, hatten jedoch einen großen Nachteil. Da das Material zu kohlenstoffhaltig war, platzten die Schweißnähte regelmäßig wieder auf. Bis es bessere gebe, würde es noch mindestens ein halbes Jahr dauern.

Aber das Erdgas brauchte man für die Industrie, die in rasantem Wachstum begriffen war. Die Ukraine und Weißrußland warteten sehnsüchtig darauf, außerdem wurde der Energieträger dringend benötigt, um ihn an die sozialistischen Brudervölker zu liefern: Ungarn, DDR und Polen. Letztlich galt es, den Erzfeind Amerika zu überholen. Wie also aus dem Dilemma herausfinden?

Pagodin und alle Experten fluchten insgeheim auf die Planwirtschaft, die, falls das Soll erfüllt wurde, immer noch nicht garantierte, daß auch alles ins Rollen kam. Was man nämlich nicht einplante, aber am besten funktionierte, so ein Zyniker, seien der Ausschuß und die Fehlproduktion.

Pagodin, der wieder mal mit SIB 12 glänzen wollte – inzwischen, so konnte man glauben, gewöhnte er sich an den Medienrummel –, feuerte Alexander an, eine Lösung zu finden. So, als brauche er nur in die Tasche seiner Jacke zu greifen, um sogleich ein Konzept auf den Tisch zu legen.

»Jetzt haben wir das schöne Erdgas, könnten liefern und liefern, und woran hapert es? An den blöden Rohren.«

»Die sind nun mal erforderlich, mein lieber Pagodin.«

»Man müßte riesige Luftballons füllen und verschicken.«

»Gar nicht mal so schlecht, Pagodin.«

»Was macht eigentlich dein Bein?«

Alexander streckte es aus. »Nur bei Kälte tut es manchmal verdammt weh.« Er stutzte. »Aber wieso weißt du davon?«

Pagodins Gesicht verzog sich vor Spott. »Ich habe mitbekommen, wie der Träger draufgefallen ist.«

Alexander schluckte. »Und du …«

»Hättest ja in die Krankenstation gehen können.«

»Wollte ich nicht.«

»Meinetwegen, was? Kampf bis aufs Messer, keiner gibt nach. Dadurch hast du es mir aber gezeigt!«

In Alexander glomm die alte Wut auf. Was hatte er nicht schon alles wegen Pagodin durchstehen müssen? Und Rassul? Sie beide damals in der Zelle und er später allein im Isolator. Dann das gebrochene Schienbein. In diesem Augenblick vergaß er, daß er sich zumindest im letzten Fall geweigert hatte, sich medizinisch versorgen zu lassen. Pagodin merkte den Stimmungsumschwung. »Zehn Flaschen Wodka, wenn du mir für das Gas eine Lösung anbietest.«

Alexander sah den Natschalnik an. Ihm zuliebe würde er es bestimmt nicht tun, obwohl sie voneinander abhängig waren. Was ihn reizte, war nicht der Wodka, sondern die Aufgabe. Und mit jeder Aufgabe, die er bewältigte, bestätigte er sich vor sich selbst. Außerdem kam ihm dann die Zeit, die er noch abzusitzen hatte, nicht so lang vor.

Auf Alexanders Wunsch wurden eines der sowjetischen und ein deutsches Rohr nach SIB 12 transportiert. Dann forderte er seine Männer auf, zwei Scheiben von je einem Meter Länge vom deutschen Rohr abzuschneiden. Als das geschehen war, ließ er das sowjetische aufbocken. Zuerst versuchten die Sträflinge mit vereinten Kräften, den größeren deutschen Ring über das sowjetische Rohr zu schieben. Als das nicht gelang, probierten sie es mit wuchtigen Hammerschlägen. Es ging nicht, irgendwo verhakte sich das Metall. Vielleicht stand auch nur ein Grat über, und schon war es unmöglich. Auch Einfetten mit Wagenschmiere, sonst Allheilmittel für jeden Zweck, versagte in diesem Fall.

»Du willst über jede Naht ein deutsches Stück ziehen?«

»Genau, Klimkow. Und dann verschweißen.«

Wenige Nächte später glaubte Alexander die Lösung gefunden zu haben. Am folgenden Morgen mußten die Mitgefangenen unter seiner Anleitung einen deutschen Ring aufwärmen, der sich anschließend problemlos über das sowjetische Rohr schieben ließ. Nach dem Erkalten saß der Ring unverrückbar fest.

»Eine Schwierigkeit könnte es geben. Die Schweißnähte dürfen nicht überstehen, wo das der Fall ist, müssen sie begradigt werden.«

Die Erdgaspipeline wurde in Angriff genommen. Vierzig Kilometer, so lautete die Vorgabe. Alle zwanzig Meter, so viele deutsche Rohre waren noch vorhanden, kam ein Ring von einem Meter genau über die Stoßstelle zu liegen und wurde mit den darunterliegenden sowjetischen Rohren verschweißt, um diese am Aufplatzen zu hindern.

Wenn ein Plan erst einmal anlief und Material in genügender Zahl vorhanden war, dann konnte der sonst starre Apparat ungemein schnell reagieren. Weitere fünfzehn Brigaden Strafgefangene wurden »geliefert« – so lautete der Fachausdruck, als handelte es sich um eine Ware –, die in neuerrichtete Baracken einzogen, sich über die wundersame Unterkunft und über die traumhafte Verpflegung freuten. An vier Stellen zugleich hatte man mit dem Bau der Erdgasleitung begonnen, und in Alexanders Abschnitt flutschte die Arbeit nur so von der Hand. Ende September war er mit den ersten drei Kilometern fertig, die anderen Sektionen meldeten nach und nach die Beendigung ihres Bereichs. Alle fünf Kilometer installierte man eine Druckstation. Leider würde die beabsichtigte Menge an Gas nicht durchgehend verschickt werden können, weil die Schaufelräder der sowjetischen Turbinen, die für den Druck zuständig waren, die Hitze nicht verkrafteten. Obwohl man das wußte, wurde einfach weitergebaut, als löse sich das Problem von selbst. Bereits Ende Oktober schoß das Gas durch die Leitung bis zur zentralen Verteilungsstelle östlich von Berjosowo.

Genauso schnell, wie der Apparat zu Beginn des Unternehmens reagiert hatte, reagierte er auch jetzt, gleich nach Beendigung des Projekts. Die meisten Strafgefangenen wurden wieder abgezogen, mit Ausnahme der im Sommer neu hinzugekommenen. Alexander und seine Brigade durften bleiben, auch Klimkow, der kräftige Blatnoij oder was immer er war, da Pagodin sich für ihn eingesetzt hatte. Aber Semja, der Holzdieb, mußte gehen, ebenfalls Aljoscha, der so schöne Gedichte aufsagen konnte und mit dem Alexander sich oft unterhalten hatte. Aljoscha, der so ungemein belesen war, kannte sich auch gut in der westlichen Literatur aus. Besonders Ed Elkin, betonte er am letzten Abend ihres Zusammenseins, habe es ihm angetan.

»Wirst du ein neues Buch schreiben, wenn du frei bist?«

Aljoscha sah Alexander an, als müsse der verwirrt sein.

»Hast du immer noch nicht kapiert, was los ist? Das Regime kann nur funktionieren, wenn es die Oppositionellen und diejenigen, die anderer Meinung sind, krepieren läßt.«

»Du bist verbittert.«

»Du etwa nicht? Nimmt man dir denn nicht das Wichtigste im Leben?«

»Das Leben ist das Wichtigste«, entgegnete Alexander und dachte an Rassul.

»Richtig, da gebe ich dir recht. Aber um zu leben, mußt du auch frei sein.«

»Und was tun wir? Leben wir etwa nicht?«

»Zuerst vegetieren, dann krepieren.« Haßerfüllt stieß Aljoscha die Worte aus, und Alexander war erstaunt, weil er dem Sanftmütigen eine solche Regung nicht zugetraut hatte.

»Träumst du etwa noch von der Freiheit?«

Alexander nickte. »Ja, jede Nacht. Und allein die Hoffnung auf die Freiheit läßt mich ... vegetieren.«

»Dann wünsche ich dir viel Glück bei deinem Traum.«

Noch etliche Flaschen Wodka wurden geleert, dann Abschied genommen, weg waren viele gute Kameraden.

Bereits knapp eine Woche später merkte Pagodin, welch schlechten Tausch er gemacht hatte. Es gärte unter den Strafgefangenen, Rangeleien wurden ausgetragen, die Arbeit boykottiert. Den ganzen Winter über zog sich das hin, mehr und mehr bildeten sich Gruppen, die tuschelten, sich absonderten und den anderen mit Mißtrauen begegneten. Einen Toten gab es auch, erstochen, aber der Täter blieb unerkannt.

Was zu diesem Zeitpunkt keiner wußte, war die Tatsache, daß alle Strafgefangenenlager, die im Sommer Nachschub an SIB 12 hatten liefern müssen, auf elegante Art und Weise ihren Abschaum losgeworden waren. Unter ihnen zuhauf Kriminelle der schlimmsten Sorte, die sich anfänglich noch wegen der guten Unterkunft, der ausgezeichneten Verpflegung, und weil sie in der Minderheit waren, ruhig verhalten hatten.

Nun jedoch hatten sie das Sagen. Alexander und Klimkow fanden zwar uneingeschränkt Rückhalt in ihrer Brigade, aber was konnten knapp dreißig Männer schon gegen mehr als einhundertfünfzig ausrichten? Erst recht, als diese nach und nach alle Schlüsselpositionen besetzt hielten: angefangen in der Kantine, wo ganz offensichtlich die eigenen Leute bevorzugt wurden, bis hin zur Materialausgabe im Depot. Mit der Wachmannschaft legten sich diese finsteren Gesellen auch an. Zuerst gab es nur kleine Provokationen, dann hier ein freches Wort, dort einen Rempler. Der Streit fand einen vorläufigen Höhepunkt, als zwanzig der Blatnoij, mit denen sich Klimkow weigerte, verglichen zu werden, einen Unteroffizier und vier Soldaten krankenhausreif schlugen.

Was niemand für möglich gehalten hatte: Das Wachpersonal bekam Angst vor den Insassen.

Alexander wurde im Waschraum aufgelauert. Schmerzlich erinnerte er sich an seine Vergewaltigung vor zwei Jahren, als er die sechs Gestalten sah.

»Du hast zwei Möglichkeiten«, eröffnete ihm ein gedrungener Kerl. Alexander wußte, er nannte sich Barkow.

»Mit uns zusammenzuarbeiten oder über die Klinge zu springen.«

Barkow zückte ein Messer, um seine Worte zu verdeutlichen.

»Was habt ihr vor?«

»Wir übernehmen das Lager.« Barkow kam auf Alexander zu. »Na, was ist?«

»Wenn ich mich euch anschließe, wer hat das Sagen?«

»Ich.«

»Dann mache ich nicht mit.«

Barkow gab ein Zeichen, die anderen stürzten sich auf Alexander und schlugen ihn zusammen.

»Du kannst es dir noch mal überlegen«, höhnte Barkow und blickte auf die gekrümmte Gestalt am Boden. Blut breitete sich um Alexanders Kopf aus. »Ich gebe dir eine Woche.«

Alexander rappelte sich hoch und wusch sich das Gesicht. Glutwellen durchzuckten seinen Körper, aber das kannte er noch von früher. Diese würde er auch überstehen.

Als er Klimkow und den anderen von dem Überfall berichtete, war deren erste Reaktion: Nichts wie hin und es den Schweinen zeigen. Und genau in diesem Augenblick durchschaute Alexander die Taktik von Barkow. Zum einen wollte er, daß Alexander als Zeuge seine Brutalität dokumentierte, und zum anderen legte er es darauf an, Streit und Zwietracht unter den Gefangenen auf die Spitze zu treiben. Sie sollten sich gegenseitig anfeinden und Cliquen bilden, die bereit waren, aufeinander loszugehen.

In der Folgezeit spazierten die Mitglieder der Brigade nur noch zu sechst und mehr im Lager umher. Barkow sah das und grinste, sein Plan war aufgegangen. An Alexander lag ihm nichts, die Woche Bedenkzeit war längst verstrichen.

Die Ruhe in Frühjahr und Sommer war unwirklich, die Strafkolonie in der Weite Westsibiriens glich einem Pulverfaß. Jeder der Insassen wußte, es würde irgendwann zu einer Eskalation kommen, aber niemand ahnte, zu welchem Zeitpunkt und auf welche Weise. Pagodin wurde immer nervöser und forderte Nachschub an für die Bewachung, man lehnte ab. Im letzten Jahr sei er auch ohne ausgekommen, bekam er zu hören, da hätte es doch noch viel mehr Strafgefangene gegeben.

Klimkow war inzwischen aufgefallen, daß etliche Werkzeuge im Materialdepot fehlten, darunter auffallend viele Spitzhacken.

Die zum Greifen anschwellende Spannung entlud sich schlagartig, als eines Nachts Gewehrsalven die Ruhe störten. Schreie, Füßetrampeln in den Baracken, keuchende Geräusche und knappe Kommandos waren zu hören.

Klimkow weckte Alexander. »Es geht los. Zieh dich an.«

Alexander schlüpfte in die Stiefel und warf eine Jacke über.

»Ein Aufstand?«

»Schlimmer. Sie wollen ausbrechen.«

Wieder das Geknatter von Gewehren und zwischendurch erstickte Schreie, darunter einer im Todeskampf.

»Es sind mindestens fünfzig, die es versuchen werden«, raunte Klimkow Alexander zu, als er die Barackentür öffnete. »Und sie haben eine Chance, es zu schaffen. Viele der Wachsoldaten schlafen, etliche sind wie an jedem Wochenende weg zum Saufen. Pagodin kann seinen Leuten doch nicht alles verbieten.«

Draußen war die Hölle los. Hier ein Schatten, dort eine huschende Bewegung, und in der Nähe des Zauns zuckende Leiber auf dem Boden, von Kugeln zerfetzt. Männer liefen geduckt im Lager umher, andere schlichen mit Messern in den Händen auf die Wachtürme zu. Scheinwerfer irrten durch die Dunkelheit und wußten nicht, welche schrecklichen Szenen sie anstrahlen sollten.

Klimkow deutete nach Osten. »Dort, sie haben den Wachturm gestürmt. Jetzt sind sie draußen.«

Während Alexander noch unschlüssig war: »Komm, wir hauen auch ab.«

Klimkow zog Alexander einfach mit. Der verharrte, rannte wieder in die Baracke und kam mit einer kleinen Schachtel zurück, die er unter dem Hemd verstaute.

»Was ist das?«

»Ach nichts«, entgegnete Alexander, denn für Klimkow war es bestimmt ohne Bedeutung. Was sollte er auch mit der Haarsträhne anfangen, die Alexander dem toten Rassul abgeschnitten hatte?

Sie kamen an der Kantine vorbei, die Tür war aufgebrochen. Hastig stopften sie sich alles Eßbare unter die Jacke und in einen Mehlsack, auch zwei Teller, einen kleinen Topf und Eßbesteck aus Aluminium, dann hetzten sie auf den Zaun zu.

Plötzlich hörten sie neben sich ein Stöhnen. Alexander bückte sich und sah in das schmerzverzerrte Gesicht von Pagodin. Mitten in der Brust steckte eine Spitzhacke.

»Mich hat es erwischt.«

»Ich bringe dich zur Krankenstation. Die nehmen dir das Ding wieder heraus.«

Pagodins Stimme war sehr leise. »Nicht mehr nötig. Sie haben mir außerdem mit ihren Messern den ganzen Leib aufgeschlitzt. Nutz die Gelegenheit und verschwinde. Aber nicht nach Süden. Hier, nimm meinen Ausweis.«

Alexander steckte den Ausweis ein.

»Los, in meine Unterkunft. Da gibt es Pläne, und in meinem Schreibtisch ist eine Pistole. Die wirst du brauchen. Nicht nach Süden, sage ich dir.«

Sie drückten sich die Hände. Zuerst kräftig, dann erschlafften Pagodins Finger. Er war tot.

Keine Sekunde zu früh erreichten sie die Wohnräume.

Im Lager flammten zusätzliche Scheinwerfer auf, erneut Salven von Kalaschnikows, wieder Schreie, dann war Ruhe. Die Wachmannschaft, verstärkt um die Heimkehrer, übernahm das Kommando.

Ohne Licht zu machen, durchsuchten Alexander und Klimkow die Schränke und den Schreibtisch des Natschalnik. Alexander entdeckte die Pistole und eine Schachtel mit Munition, beides steckte er ein. Klimkow trat mit Landkarten zum Fenster und besah sie sich. »Genau die brauchen wir«, knurrte er zufrieden.

In den Nebenräumen schnappte sich Alexander ein paar Stiefel und einen Regenumhang. Kurz bevor sie hinausstürmten, rollte Klimkow eine Plane zusammen und zerstörte das Funkgerät.

II
YOKOLA

FREIHEIT. Nur ein Wort und doch von einer Bedeutung, die Alexander mit Schrecken erfüllte: weil er es nicht fassen konnte. Er war frei, der Traum vieler Nächte in Erfüllung gegangen. War er wirklich frei? Die Nacht gewährte ihnen noch vier Stunden Schutz. Trotz Pagodins Warnung wählten sie den Weg nach Süden, um die Verfolger zu verwirren. Daß man sie suchen würde, war ihnen so klar wie das Anbrechen des kommenden Tages. Der Staat konnte es sich nicht leisten, ausgebrochene Strafgefangene entkommen zu lassen, das kratzte an seiner Reputation und würde Nachahmer finden.

Anfangs war es nur ein grauer Streifen im Osten, der stetig heller wurde. Inzwischen hatten sie vielleicht 15 Kilometer hinter sich gebracht, immer parallel zur Bahnlinie, die sie gebaut hatten. Im Morgengrauen bemerkten sie andere Gestalten wie huschende Schatten, die in die gleiche Richtung hetzten. Zehn oder zwölf waren es, ein Teil der Entkommenen.

»Was meinst du, wie viele es geschafft haben?«

»Bis jetzt?« Alexander sah Klimkow schräg an. »Fast alle, würde ich sagen. Hundert oder noch mehr.«

»Schätze ich auch.«

Dann schwiegen sie wieder. Überhaupt hatten sie sich wenig zu sagen. Sich auf ihre Umgebung zu konzentrieren, das Gelände zu beobachten, war wichtiger.

Als die Sonne aufging, schwenkten sie nach Osten, der goldgelben, blendenden Helligkeit entgegen. Sie durchwateten seichte Tümpel und hüfttiefe Rinnsale. Ihre Füße sackten in den teigigen Untergrund, und mit einem quatschenden Geräusch gab der Morast sie wieder frei.

Alexander schaute über die Schulter. »Tolle Spuren machen wir. Für jeden Blinden zu sehen.«

»Ich würde auch lieber fliegen«, entgegnete Klimkow sarkastisch und gereizt.

Die erste Rast machten sie gegen Mittag auf einem kleinen Hügel. So weit das Auge reichte, nur sanftgewellte, flache Kuppen, Gras und Himmel und Wasser. Die Freiheit strapazierte sie mit ihrer Unendlichkeit.

Hastig schlangen sie einige Bissen hinunter, tranken dazu Wasser und ruhten einige Minuten. Anschließend ging es weiter. Klimkow voran, als wollte er beweisen, wie groß und stark er war, Alexander hinterher.

Gegen Abend, ihr Atem ging keuchend, die Schritte wurden schwerer, hielten sie Ausschau nach einer Schlafstelle. Sie entdeckten einige Sträucher und legten die Zeltplane darüber.

»War er verheiratet?«

Klimkow packte den Proviant aus. »Natschalnik Pagodin? Ich weiß nicht.«

»Er hat nie von seiner Frau gesprochen oder von Kindern.«

Klimkow interessierte sich nicht sonderlich für das Thema.

»Und nur einmal hat er, seit wir in Westsibirien sind, drei Wochen Urlaub gemacht.«

»Weil er Angst hatte wegen der Konsequenzen aus dem Fernsehfilm. Nur so kann das System bestehen: Jeder hat Angst vor seinen Vorgesetzten, und die haben wiederum Angst vor dem Volk.«

»Vielleicht war er gar nicht mal so schlecht.«

Der Bärtige sah Alexander von der Seite an und schwieg.

»Innerlich wird Pagodin einsam gewesen sein. Und sein brutales Verhalten mir gegenüber war nur ein Schutz, denn der Kampf gegen mich war im Grunde genommen sein Kampf, um sich vor dem unmenschlichen System zu behaupten.«

Klimkow lachte hart. »Mach nur weiter. In wenigen Minuten hast du aus ihm einen Heiligen gemacht.«

»Ich meine es ernst. Warum sonst hat er uns zum Schluß geholfen? Seinen Ausweis, den er mir gab, und der Hinweis auf sein Büro mit der Pistole.«

Klimkow sah das nüchterner. »Seine letzte Trumpfkarte im Angesicht des Todes. Wenn die Katholiken recht haben, dann könnte es ja danach noch was geben. Deshalb vielleicht.«

Alexander grübelte und versuchte, Pagodins Handlungsweise zu verstehen.

Klimkow schnitt ein Stück Wurst ab und reichte es ihm. »Rede nicht soviel, spar deine Kräfte. In zwei Stunden geh's weiter.«

»Aber es ist doch gleich dunkel.«

Klimkow deutete kopfschüttelnd nach Süden. »Vollmond.«

Milchig und kaum am Himmel auszumachen, erblickte Alexander die kreisrunde Scheibe. Er legte sich hin und schlief sofort ein.

Klimkow weckte ihn, und es zeigte sich, daß er sich ausgezeichnet in der freien Natur zu bewegen und zu orientieren wußte. Weil er lange auf dem Land gelebt hatte, wie er sagte.

Sie waren wieder unterwegs. Stunde für Stunde. Zwischendurch nur kleine Pausen, um zu verschnaufen und sich für wenige Minuten auszustrecken. Das tat gut, es beruhigte den Puls und die Lungen. Wo genau sie sich befanden, wußten sie nicht. Aber mindestens 30 Kilometer vom Lager entfernt, eher noch mehr, meinte Klimkow. Leider noch viel zu nah, um in Sicherheit zu sein.

»Jetzt ein Fluß und ein Boot. Dann die ganze Nacht treiben lassen, das würde uns enorm helfen.«

Früh am Vormittag gelangten sie tatsächlich an einen Fluß, der Karte nach ein Nebenfluß vom Kasym oder Polui. Aber leider entdeckten sie kein Boot. Und da sie beide total übermüdet waren, beschlossen sie, bis zum Einbruch der Nacht am Ufer zu bleiben. Wieder wurde die Plane aufgespannt. Sie wuschen sich die Füße und den Oberkörper, tauchten in das Wasser: eine unbeschreibliche Wohltat.

Stunden später, die Sonne stand bereits tief im Westen, rollte Alexander den Regenmantel, auf dem er geschlafen hatte, zusammen und verharrte in der Bewegung. Erst schwach und in wenigen Sekunden zu einem Getöse anwachsend, vernahm er das Geräusch eines Flugzeugs. Und sofort setzte das Geknatter ein. Alexander sah Klimkow, der das Eßgeschirr abwaschen wollte, die sanfte Uferböschung hinuntertaumeln, rote Flecken wuchsen auf seinem Rücken. Schon war die Maschine verschwunden.

»Klimkow«, schrie Alexander, kroch unter der Plane hervor und lief zu dem Bärtigen. Mit der Kraft der Verzweiflung schleppte er ihn unter die Plane. Wieder das anschwellende Getöse einer Propellermaschine. Sie fauchte über ihr Versteck, ohne zu schießen. Alexander wunderte sich, und dann kam ihm die Erkenntnis: Die Plane war auf der Außenseite mit Tarnfarbe versehen und bei den diffusen Lichtverhältnissen aus der Luft nicht zu erkennen. Und von Klimkow dachte der Pilot vielleicht, er sei in den Fluß gefallen.

Der Verwundete atmete schwer. Zwei Einschüsse hatte er im Rücken, und auf der Brust, dort wo die Kugeln wieder ausgetreten waren, große, zerfetzte Löcher.

»Klimkow, halt durch!«

Alexander erkannte die Unsinnigkeit seiner Worte, denn der Kumpel würde nicht überleben.

»Es war schön, noch einmal die Freiheit zu genießen. Auch wenn es nur für kurze Zeit war«, hörte er Klimkow schwach sprechen.

»Schone dich, rede nicht so viel.«

Alexander fühlte sich hilflos. Er preßte sein Hemd auf die Brust des Gefährten und hoffte, damit die Blutung stillen zu können. Gleichzeitig spürte er, wie am Rücken der Lebenssaft aus dem mächtigen Körper austrat und warm über seine Beine lief.

»Komm, verlaß mich nicht.«

Klimkow drehte den Kopf in Alexanders Richtung. Um ihm in die Augen zu schauen, war es nicht mehr hell genug.

»Jetzt mußt du alleine weiterziehen. Zeig es den Kerlen, laß dich nicht schnappen. Geh nur, wenn es dunkel ist. Noch in dieser Nacht mußt du aufbrechen, denn morgen werden sie hier sein. Hinterlasse keine Spuren, lauf im Wasser. Keine Spuren, sag' ich. Verstanden?«

Klimkows Kopf fiel zur Seite. Alexander dachte schon, er sei tot. Aber er atmete noch. Nach wenigen Minuten sprach er weiter.

»Laß mich liegen. Gleich am Ufer. Und laß einen Teil meiner Sachen zurück. Sie sollen denken, ich sei allein gewesen.«

»Und die Spuren hinter uns?«

»Es wird in der Nacht regnen.«

»Woher weißt du das?«

»Ich weiß es.«

Alexander streichelte Klimkows Kopf, wie Rassul es bei ihm getan hatte. Mit einemmal empfand er mehr als nur Sympathie für diesen riesigen Mann. So etwas wie Freundschaft. Das war eine ganze Menge für jemanden, der beinahe drei Jahre in einem Straflager verbracht, den Abschaum der Menschheit kennengelernt und die Verrohung und noch vieles mehr am eigenen Leib gespürt hatte.

»Jetzt das wichtigste. Ich habe dir von den Plänen erzählt, die von dem Atom-U-Boot. Ein Freund bewahrt sie auf. Er lebt nahe Nowosibirsk. Sage nur: ›Strahlende Sonne auch nachts‹, dann wird er sie dir aushändigen.«

»Was soll ich damit anfangen?«

»Du Dummkopf. Wer hat dich all die Jahre eingesperrt?«

»Der Staat.«

»Wer hat mich ...« Klimkow hustete. Schaum trat aus seinem Mund, warmer Schaum. Alexander vermutete, es war Blut. Demnach hatte man seine Lunge getroffen.

»Der Staat.«

»Dann gehe hin und schädige den Staat! Bekämpfe ihn auf deine Weise. Und tue es für mich! Schwöre es.«

»Ich schwöre es.«

»Viktor Antropowitsch, so heißt mein Freund. In Gorudne, einer kleinen Stadt unweit von Taiga, das ist bei Nowosibirsk.«

»Klimkow, wir kennen uns schon so lange. Wie heißt du eigentlich mit Vornamen?«

»Witali.«

Klimkow schwieg. Für immer.

»Mach es gut, Witali.« Noch eine halbe Stunde trauerte Alexander um den Gefährten, dann tat er all das, was ihm Klimkow geraten hatte. Er schleifte den schweren Körper an den Fluß, die Beine legte er ins Wasser, und begann mit dem Aufbruch. In die Plane legte er alle Nahrungsmittel, für eine Woche würden sie noch genügen. Obendrauf kamen der Regenmantel und Klimkows zweite Jacke, dann rollte er die Plane zusammen, verschnürte sie, schnallte sie sich auf den Rücken und beseitigte seine Spuren. Ein letzter Blick zu dem Toten, neben ihm lag seine Ausrüstung. Entschlossen marschierte Alexander los. Er hielt sich immer im seichten Wasser dicht am Ufer. Und während er noch mal das Bild vor Augen hatte, wie Klimkow unter den Kugeln zusammenzuckte, erschauerte Alexander. Woher konnte der Pilot wissen, daß er einen der ausgebrochenen Strafgefangenen vor sich hatte?

Eine Stunde später begann es zu regnen.

Alexander wanderte Nacht für Nacht, tagsüber ruhte er sich aus. Einige Male hörte er Flugzeuge über sich hinwegdonnern, und nach einer Woche, als er dachte, das Schlimmste sei überstanden, wachte er vom Knattern eines Hubschraubers auf. Er blickte unter dem Rand der Plane dem Geräusch entgegen und sah einen Helikopter in den Farben des Militärs. Aber das besagte nichts, fast alle hatten den grünoliven Tarnanstrich. In weniger als hundert Meter Abstand flog der Hubschrauber an ihm vorbei, ohne Notiz von ihm zu nehmen. Außerdem war es nur ein kleiner mit einer Kugel aus Glas, in dem höchstens vier Personen Platz fanden, und nicht die große Banane, die sogar Lkw transportieren konnte.

Wie gut die Tarnplane war, davon konnte sich Alexander immer wieder überzeugen. Entfernte er sich wenige Schritte von seinem Lager, war sie zwischen dem Busch- und Strauchwerk nur noch zu erkennen, wenn man wußte, wo sie sich befand.

Nach dieser Aufregung schlief Alexander nicht mehr ein, und noch in der Nacht ging er weiter. Da er sich immer in unmittelbarer Nähe eines Flusses hielt, hatte er genügend Wasser zum Trinken. Das Brot war ihm allerdings schon vor einigen Tagen ausgegangen, auch die Wurst. Seitdem ernährte er sich von Fischen, die er gegen Abend, also kurz nach dem Aufstehen, mit einem angespitzten Holzstück harpunierte. Anfangs mißlangen all seine Versuche, bis er sich wieder an die Physik und das Brechungsverhältnis von Luft und Wasser erinnerte.

Mit einem Messer zerlegte er die Fische und briet sie über dem offenen Feuer. Manchmal steckte er ihnen auch bloß einen Stock in das Maul, das hatte er als Kind auf einem Fest in Omsk gesehen. Kurz vor dem Abmarsch verwischte er seine Spuren, die Überreste des Feuers und die Gräten vergrub er.

Das Gefühl für die Zeit hatte Alexander mittlerweile verloren und auch, abgesehen von der Himmelsrichtung, jede Orientierung. Auf der Militärkarte schien es den Fluß, vielleicht ein Nebenfluß des Ob oder des Polui, nicht zu geben, dem er nun schon viele Kilometer folgte. In diesem völlig flachen Gebiet veränderten sie bestimmt jedes Jahr nach dem Hochwasser ihren Lauf, vermutete er. Der Sommer ging zur Neige, die Städte Kasym-Mys und Gorki, die irgendwo im Westen lagen, umging er großräumig. Sich streng an seine Vorgabe haltend, nur nach Norden zu wandern, hatte er einen anderen Fluß zu überqueren. Er entkleidete sich, rollte all seine Habseligkeiten in die wasserdichte Plane, bauschte sie wie zu einem kleinen Boot auf und stieß sie im kalten Wasser vor sich hier. Am anderen Ufer angekommen, wagte er, aus trocknem Reisig ein Feuer zu entfachen.

Irgendwann, seine Flucht aus dem Lager lag inzwischen mindestens drei Wochen zurück, fühlte Alexander zum erstenmal die Freiheit. Er spürte nicht mehr allgegenwärtig das gehetzte Gefühl in sich, das ihn antrieb und unruhig schlafen ließ. Er zuckte auch nicht mehr bei jedem Geräusch zusammen, denn mittlerweile mußte er drei- oder vierhundert Kilometer hinter sich gebracht haben. Und in wenigen Tagen, so hoffte er, würden sie die Suche einstellen, falls das nicht schon geschehen war. Überzeugt war er nicht, aber die Ausrede half, sich etwas Mut zu machen.

Alexander wechselte von der Nacht- zur Tagwanderung und genoß es, sich in der weiten Landschaft zu bewegen, von der er bisher immer gedacht hatte, sie sei monoton. Er beobachtete Vögel auf ihrem Weg in den Süden, der Keilformation nach waren es Wildgänse. Aber um sicher zu sein, kannte er sich zu wenig aus.

Alexander bemühte sich, natürliche Zusammenhänge zu erkennen und zu begreifen. Hockte er sich auf den Boden, um zu rasten, dann betrachtete er das Gras, als sähe er es zum ersten Mal. Bei jedem Windstoß zitterte es, um sich wieder aufzurichten. Blies der Wind dagegen stetig, dann verharrten die gebeugten Halme, als verneigten sie sich vor der Urkraft.

Dieses Bild setzte Assoziationen frei. Damals, während er mit Rassul eine Zelle in dem Steinhaus teilte, hatte er im Fieber den

Vorsatz gefaßt: Sei wie eine Weide im Wind. Bieg dich, aber zerbrich nicht. Und wenn der Wind nachläßt, richte dich auf, denn so, wie der Wind nachläßt, wird die Kraft deiner Feinde nachlassen. Kurz darauf hatte er sich als homosexuell bezeichnet und dem Natschalnik-Olp den geforderten Text unterschrieben.

»Pagodin, wie hat es wirklich in dir ausgesehen?«, murmelte er vor sich hin. »Warst nicht auch du nur ein Grashalm im Wind?«

Alexander merkte, wie ihn die Natur mehr oder mehr beeinflußte. Weil er so lange unter Freiheitsentzug gelitten hatte, registrierte er nun Dinge, die ihn früher nicht interessierten oder ihm entgangen waren. Auf unerklärliche Weise faszinierte ihn die Konsistenz des feuchten Bodens, der von dunkler, fast schwarzer Farbe und erstaunlicher Plastizität war, wegen der hohen Bestandteile an Schluff und Ton. Oft formte Alexander kleine Kügelchen oder abstrakte Gebilde, gab ihnen Namen und redete mit ihnen. Manchmal schnupperte er am Boden, der überhaupt nicht modrig oder nach abgestandenem Wasser roch. Es sei denn, er war feucht. Alexander grub Löcher und störte dadurch die Bewohner. Am ungewohnten Tageslicht kringelten sich die Würmer auf der Suche nach einer kleinen Erdspalte, Mäuse hoppelten unbeholfen über das Gras. Mücken, überall Mücken. Noch hatten sie einige Tage, bis der erste Frost einsetzte, der sie dahinraffte. Wie Strafgefangene im Lager, kam es Alexander in den Sinn. Aber ein Sommer in der Tundra genügte, um eine Unzahl von Eiern zu legen, aus denen im Jahr darauf wieder die neue Generation schlüpfte.

Alexander sah an diesem Tag zum letztenmal für viele Monate eine Libelle, die am Ufer von einem Stein zum anderen tanzte. Abgehackt und eckig bewegte sich das Insekt, verharrte sekundenlang mit schillernden Flügelschlägen auf der Stelle, um dann abrupt seine Position zu verändern.

Die seltsamen Steine hatte er bereits gestern weiter flußaufwärts bemerkt: rund und abgeschliffen vom vielen Wasser. Aber warum ausgerechnet hier? Wieso nicht schon unterwegs, weiter am Oberlauf und damit näher zu den tausend und mehr Kilometer entfernten Bergen, was zu verstehen wäre? Er wußte es nicht, dafür aber schien jeder der Rundlinge auf der Oberfläche andere Bewohner zu haben. Nahe an der Feuchtigkeit hatten sich Algen festgesetzt, sattgrün und stumpf in der Farbe. Die sanftgeneigte Uferböschung hinauf und nur während des Hochwassers überspült, schienen es Flechten zu sein, meist gelbbraun. Sie bildeten seltsame Muster, kleine Kreise und Erhebungen, schimmerten im Gegenlicht in den unterschiedlichsten Tönen, und bei Sonnenschein glitzerten sie sogar.

Nach weiteren Stunden sah er immer mehr Steine, jetzt auch gleich neben dem Fluß. Sie waren zu ringförmigen Gebilden angeordnet, als hätte sich jemand einen Spaß gemacht, Alexander zu verwirren. Die ganze Niederung war von einem Muster übersät, und dazwischen wuchs Moos in allen Farbnuancen: weiß, orangefarben, rötlich und sogar mit einem Blaustich.

Manchmal lag Alexander auf dem Rücken und ertappte sich, wie er aus der Wolkenformation Gesichter oder Gegenstände herauszulesen versuchte. Dabei vergaß er die Zeit, bis er irgendwann aufschreckte und sich wieder zu orientieren suchte. Entdeckte er keinen Stacheldrahtzaun, war er beruhigt und ließ seine Bekannten antreten, um mit ihnen zu diskutieren. Klimkow gab ihm immer einen Rat, wie er sich zu verhalten hatte, Rassul war für den Lebenswillen zuständig. Und Aljoscha, der das verbotene Buch geschrieben hatte, war ein Mahnmal, die Freiheit nicht wieder aufs Spiel zu setzen.

Hellen klar vor sich zu sehen, wie in den ersten Wochen in Moskau und auch noch später in Perm, gelang ihm nicht. Was er konnte, war, aus der Erinnerung heraus gewisse Szenen und Abläufe nachzuvollziehen: wie sie in der Universität aufeinander zugestolpert waren, ihr Spaziergang an der Moskwa, die Wachablösung vor dem Lenin-Mausoleum, die Miliz im Einsatz, als sie die Betrunkenen einsammelte, um die Hauptstadt für die wenigen Touristen und Fremden reinzuhalten. Sozialismus und Alkohol, das war wie Engel und Sünde. Oder besser Teufel und Weihwasser?

Angesichts der Unendlichkeit der arktischen Breiten fielen nach und nach jedes Gewicht und jede Gewichtigkeit, was seine Vergangenheit betraf, von ihm ab wie nutzloser Ballast. Dann hatte er das Gefühl, zu schweben. War er wieder gelandet, kam es ihm vor, als versinke sein Körper im Boden. Tiefer und tiefer, um ihn herum wuchsen die Erdränder in die Höhe, wie bei einem Grab. Die Luft wurde ihm knapp, Druck lastete auf seiner Brust.

Alexander hatte Phasen, in denen er für Minuten die Atemzüge zählte, sie auf Stunde, Tag und Woche umrechnete, um der Freiheit eine Dimension zuzuweisen. Sechzehn Atemzüge in der Minute, in einem Monat demnach ungefähr eine dreiviertel Million. Und mit jedem Ein- und Ausatmen wuchs seine Freiheit, wurde größer und größer. Dann muß ich in Gefangenschaft ja mehr als 20 Millionen ... Als er die Zahl vor Augen hatte, hörte er mit dem Zählen auf.

Oft litt er unter Schlafstörungen, weil er sich im Schlaf hilflos und anfällig fühlte, als könnte jemand seinen neugewonnenen Zustand der Freiheit zu verändern suchen. Deshalb lag er lange wach, blickte zum Himmel hoch und bestaunte die Sterne. Klein und unwichtig kam er sich vor, zu unbedeutend, als daß sich einer aufregte, wenn es ihn nicht mehr gäbe. Niemand würde ihm eine Träne nachweinen. Wenn er stürbe, dann wie eine Kerze im Wind: vielleicht noch etwas Rauch, und das war es dann auch schon. Diese Erkenntnis stürzte ihn in eine dumpfe Traurigkeit, und sein Leben kam ihm sinnlos vor.

Der erste Frost überraschte ihn. Alexander dachte, er hätte noch zwei Wochen oder mehr, aber in dieser Nacht fror er erbärmlich und führte stundenlange Selbstgespräche. Das tat er auch sonst, um nicht das Gefühl der Einsamkeit aufkommen zu lassen, sich zu beschäftigen und die Monotonie seiner Schritte zu kaschieren. Er diskutierte erregt mit ehemaligen Kommilitonen, wenn es um ein Problem aus dem Bergbau ging. Oder er versuchte seine Mutter zu besänftigen, als er wieder einmal Süßigkeiten – in seiner Kindheit gab es mit Honig übergossene Äpfel, an Weihnachten sogar manchmal welche in Schokolade getaucht – genascht hatte. Naschen war allerdings nicht öfter als vier- oder fünfmal im Jahr möglich, denn zu mehr reichte das Geld nicht. Zudem verführte das dürftige Angebot in den Omsker Geschäften auch nicht sonderlich dazu.

Eines bedrückte Alexander. Bei allen Bildern, die er aufzubauen und zurückzurufen versuchte, bei allen Zwiegesprächen kam eine Person sehr selten vor: sein Vater. An ihn war die Erinnerung blaß, fast nicht vorhanden. Alexander war zwölf, als der Vater starb. Die rauhen, aufgeplatzten Hände hatte er vor Augen, ähnlich wie seine, als er im Lager 60/61 unter Tage arbeitete, und die dicken Schwielen, denen er jeden Samstag nach dem wöchentlichen Bad mit einem speziellen Stein zuleibe rückte.

Eine Erinnerung an seinen Vater hatte sich am tiefsten eingeprägt, eine Szene, die Alexander als Junge im Frühling miterlebt hatte. Der Boden der Sowchose, auf der sein Vater arbeitete, war gerade gepflügt worden, als er sich während eines Spaziergangs bückte, einige Krümel in den Mund schob und auf ihnen herumkaute.

»Guter Boden«, hatte er gesagt. »Etwas salzig zwar, aber gut. Man darf ihn nicht nur bewässern, man muß ihn auch entwässern.« Er hatte auch Alexander etwas von der schwarzen Erde zu essen gegeben. Aber dem war mehr nach Süßigkeiten, und so spuckte er sofort alles wieder aus.

»Später wirst du auch einmal Boden essen, mein Junge.«

Als Alexander jetzt daran dachte, schabten seine Finger im weichen Untergrund, und er leckte sie ab. Nicht, weil ihm nach Boden war, sondern um das Bild seines Vaters zu verstärken. Ein Bild, schwach und verschwommen und ohne Gefühle. Warum empfinde ich für Rassul mehr als für meinen Vater?

Wenige Monate nach diesem Spaziergang trug seine Mutter plötzlich Schwarz und war ganz aufgelöst. Kurz zuvor hatte sie die Nachricht erreicht, daß ihr Ehemann in ein Getreidesilo gefallen und erstickt war. Wie kann man in Getreide ersticken, hatte er sich damals als Zwölfjähriger gefragt.

Am nächsten Tag die Überraschung. Vor ihm, nicht einmal einen Kilometer entfernt, bemerkte er halb versteckt durch ein Birkenwäldchen eine kleine Ansiedlung. Etwa ein Dutzend windschiefe Holzhäuser mit fast bis zum Boden heruntergezogenen Dächern, in der Mitte ein freier Platz. Aber niemand war zu sehen.

Alexander legte sich hinter einen Strauch und beobachtete die Umgebung. Alles blieb totenstill, kein Rauch aus einem der Schornsteine, keine Hühner oder Gänse, kein Hund. Nach und nach dämmerte ihm, dies mußte das Winterquartier von Rentierzüchtern sein, die im Sommer mit ihrer Herde weiter im Norden weilten. Mit dem ersten Schnee zogen sie sich dann in diese festen Häuser zurück. Was seine Vermutung bestätigte, war ein etwa hüfthoch eingezäuntes Areal für Tiere.

Gegen Abend traute sich Alexander, offen auf die Ansiedlung zuzugehen. Zwischen den kleinen Häusern, die Wände waren aus Reisig und Lehm, die Ritzen hatte man mit Gras und Moos abgedichtet, blieb er abwartend stehen. Schließlich betrat er eines. Die Tür, sie hatte einen Klappmechanismus und kein Schloß, hing in Lederschlaufen am Rahmen. Im Innern war nur ein großer Raum, der Boden aus gestampfter Erde, und in der Mitte stand ein Steinofen. Den Dachboden konnte man über eine schmale Leiter erreichen.

Die Einrichtung war spärlich, genau wie die der anderen Hütten, die Alexander später auch inspizierte. Holzgestelle dienten als Liegen, eine kleine Kammer – abgesehen von einigen, mit Tüchern zugedeckten Steinfässern war sie leer – für den Vorrat. Und in den Fässern befanden sich Salz, eingelegtes Fleisch und Schmalz. Alexander, seit Wochen auf Fisch eingestellt, traute sich nicht recht, zuzugreifen. Schließlich überwand er seine Scheu, aß von dem gepökelten Fleisch und trank frisches Wasser aus einem Brunnen.

Zuerst wollte Alexander im Freien übernachten, dann erinnerte er sich an den letzten Frost.

Am Morgen zog er weiter, immer nach Norden, hinein in den Winter und in die Kälte, die von Tag zu Tag zunahm. In seinem Gepäck gab es nun ein Rentierfell, das er auf dem Dachboden entdeckt hatte, wo viele herumlagen. Um nicht undankbar zu erscheinen, teilte er den Bewohnern auf der verstaubten Herdplatte mit, daß er Fleisch gegessen und ein Fell an sich genommen hatte.

Am Nachmittag die nächste Überraschung: Deutlich konnte er Spuren sehen – zwei Rinnen, die sich tief in den Untergrund drückten, und dazwischen ein Wulst. Alexander war auf eine Allwetterstraße gestoßen und hoffte, daß demnächst ein Fahrzeug vorbeikommen würde. Zugleich aber hatte er Angst davor. Er wußte nicht, wie er sich entscheiden würde, falls tatsächlich eines auftauchte. Weil ihm der Wind ins Gesicht blies, hörte er den schweren Dieselmotor erst sehr spät. Als er sich erschrocken umblickte, war der Lkw nur noch wenige Meter hinter ihm. Das Fahrzeug bremste, die Räder blockierten auf dem staubigen Untergrund, und die Frontpartie mit dem Motor wippte. Zischend verkündeten die Druckluftbremsen ihren erfolgreichen Einsatz.

Die Seitenscheibe wurde heruntergekurbelt, ein Kopf tauchte auf.

»Na, Brüderchen, willst du mit?«

Alexander besah sich den Mann.

Ungepflegt wirkte er, eine Mütze auf dem Kopf und den Oberkörper in ein enges kariertes Hemd gezwängt. Dazu eine Latzhose, deren letzte Bekanntschaft mit Wasser wohl schon Monate zurücklag.

»Wohin geht es?«

»Auch noch wählerisch, was? Nach Salechard. Und von dort weiter nach Nyda.«

Alexander kannte Salechard, die Stadt nahe am Eismeer, wo der Ob mündete. Von Nyda hatte er noch nie etwas gehört.

»Ja, gerne.« Er wollte die Beifahrertür öffnen, aber der Mann rutschte auf die andere Seite und deutete auf seinen Platz. »Kannst dir die Fahrt verdienen.«

Alexander, er hatte das Chauffieren von Lastkraftwagen bei der Armee gelernt, stieg ein, verstaute sein Gepäck, besah sich das Armaturenbrett, drückte die Kupplung und schob unter Zwischengas einen Gang in das Getriebe. Mit einem Seitenblick erkannte er sofort, warum er das Gefährt steuern sollte. Noch bevor er weiter hochschalten konnte, hatte der Fahrer eine Flasche angesetzt und trank mit geschlossenen Augen. Dann rülpste er vernehmlich.

»Auch einen Schluck?«

»Nein.«

»Bist unterwegs, was?«

»Ja.«

»Ingenieur?«

»Landvermesser.«

»Aha. Und deine Ausrüstung?«

»In einem Dorf bei Rentierzüchtern. Deren Winterquartier. Mein Auto ging die Brüche.«

»So, so. Ist dein Rasierapparat auch in die Brüche gegangen?« Der Mann lachte und deutete mit der Flasche auf Alexanders Gesicht.

Im nachhinein konnte sich ein Bart als günstig erweisen, falls er gezwungen war, Pagodins Ausweis vorzuzeigen. Obwohl der ehemalige Natschalnik mindestens zehn Jahre älter war, half der Bart, den Unterschied zu kaschieren.

»Wie heißt du?«
»Romuald Pagodin.«
»Markus Nadeike. Bin Lette.«
»Weißrusse.«

Die Allwetterstraße war nicht einfach zu befahren. Ein Schlagloch löste das andere ab, manchmal setzte der Unterbau des Lkw auf, schrammte über den Boden, und die Ladefläche mit der Plane schaukelte wild.

»Was transportierst du?«
»Dies und das.«
»Und wo kommst du her?«
»Von Süden.«

Alexander, über die einsilbigen Antworten verärgert: »Da wäre ich jetzt nicht drauf gekommen.«

Die nächsten Minuten konzentrierte er sich auf die Strecke. Immer noch war links und rechts kein Gebäude und keine Ansiedlung zu sehen. Wenn überhaupt, dann gab es sie nur in direkter Nähe einer Verkehrsanbindung.

»Wie weit ist es noch bis Salechard?«

Nadeike schaute auf seine Uhr. »Sechs Stunden.« Und nach einem Seitenblick: »Du willst Landvermesser sein und weißt nicht, wie weit es bis Salechard ist?«

Alexander antwortete nicht.

»Werden irgendwo übernachten müssen.«

»Und wenn ich durchfahre?« Das gefiel dem Letten. »Mir soll es recht sein. Ich habe die Ware am 30. September abzuliefern.«

Nadeike rutschte in die Ecke, schob die speckige Mütze nach vorn, schloß die Augen und begann kurz darauf zu schnarchen.

Obwohl erst kurz nach fünf am Nachmittag, wurde es schon früh dunkel. Alexander schaltete die Scheinwerfer ein, und bei dem schwachen Licht hatte er einiges zu tun, um nicht von der Straße abzukommen.

Stunden später begegnete ihm ein anderer Lkw. Wie in Sibirien üblich, hielten die Fahrer an und quatschten ein paar Minuten, um auf Streckenschwierigkeiten aufmerksam zu machen und sich über dies und jenes auszutauschen: Wie es geht, was man geladen hat, ob es etwas zu tauschen gibt. Leider hatte der andere nichts anzubieten, und Alexander wußte immer noch nicht, was er kutschierte.

»Vor Salechard ist eine Kontrolle. Fahr nicht zu schnell«, wurde er von dem Fremden gewarnt.

Alexander erschrak.

»Steck ihnen 50 Rubel zu, dann winken sie dich durch. Oder Tabak oder sonst was.«

»Gute Fahrt.«

Alexander hatte kein Geld, aber bis dahin würde wohl sein Begleiter ausgeschlafen haben. Das war eine Stunde später der Fall. Er reckte und streckte sich und nahm einen Schluck aus der Flasche. Anschließend kramte er unter dem Sitz, legte eine braune Tüte mit Brot, gekochten Fleischstreifen und Zwiebelringen auf seine Oberschenkel.

»Auch was?«

»Ja, gerne.« Alexander vermied es, gierig dreinzublicken.

»Jetzt 'nen Schluck?«

»Einverstanden.«

Und dann aß Alexander mit Heißhunger sein erstes Brot seit Wochen. Den Wodka konsumierte er nur in kleinsten Schlucken, wegen der bevorstehenden Kontrolle und weil er ihn nicht mehr so recht gewohnt war.

»Fahr rechts ran, wir tauschen die Plätze. Außerdem muß ich pinkeln.«

Auf der Weiterfahrt erklärte ihm der Lette, er kenne die Leute an dem Kontrollposten, das werde er schon auf seine Art und Weise regeln.

Eine halbe Stunde später wurden sie angehalten. Zwei Militärfahrzeuge standen auf der sich verjüngenden Straße so im spitzen

Winkel zueinander, daß lediglich noch im Schrittempo eine schmale Durchfahrt passiert werden konnte, wollte man keinen der Lastwagen rammen. Die dazugehörige Besatzung, acht Pioniere in Tarnanzügen, hatten ihre Gewehre zu einer Pyramide zusammengestellt, saßen etwas abseits um ein Feuer und schauten noch nicht einmal auf. Nachdem Nadeike gestoppt hatte, trat ein Polizist in grauer Uniform näher. In der Hand hielt er eine Taschenlampe.

»Na, Markus, wie steht es heute?« Da erst bemerkte der Milizionär, der in Sperrgebieten mit dem Militär die Kontrolle durchführte, Alexander auf dem Beifahrersitz.

»Wer ist das?« fragte er Nadeike, der aus den Augenwinkeln zu den Soldaten schielte. Heute würde der Wegezoll teurer als sonst.

»Landvermesser.«

»Name?«

»Romuald Pagodin«, antwortete Alexander äußerlich ruhig.

»Ausweis.«

»Komm, mach kein Theater, der Junge ist sauber. Sein Auto hat den Geist aufgegeben.«

»Gut, zwei Rationen mehr. Und etwas für die armen Schweine da drüben.«

Der Milizionär deutete auf die Pioniere.

»Einverstanden.«

Der Lette stieg aus und erkletterte den Aufbau des Lkw. Alexander hörte ihn hinter sich hantieren und wieder herunterspringen. Nadeike trat ins Scheinwerferlicht und überreichte dem Uniformierten einen Karton und einen Geldschein. Anschließend durften sie weiterfahren.

»Du hast doch einen Ausweis?«

»Klar doch.«

»Einen freien oder einen limitierten?«

»Einen freien.« Alexander sagte sich, ein Hauptmann wie Pagodin habe immer einen freien Ausweis und nicht einen limitierten, mit dem man nur bestimmte Regionen betreten durfte, Sperrgebiete ausgenommen. Und in ein solches fuhren sie nun hinein.

»Natürlich, mußt du ja als Landvermesser. Hier, das habe ich geladen.«

Nadeike warf ihm eine eckige Dose hin. Da es in der Kabine zu dunkel war, schaltete Alexander eine Lampe an und bekam vor Verwunderung den Mund nicht mehr zu. Nach einigen Sekunden stammelte er: »Mensch, das ist ja amerikanisches Corned Beef.«

Nadeike grinste. »Was denkst du, warum der Posten so scharf darauf ist.«

»Und wo hast du das her?«

»In Chanty-Mansijsk geladen. Kam den Irtysch runter, von Semipalatinsk.«

»Wie, gibt es dort eine Fabrik für amerikanisches Corned Beef?«

Nadeike lachte. »Du Dummkopf. Natürlich nicht. Was denkst du, wo es herkommt?«

»Aus Amerika.«

»Klar doch. Aber zwischendurch lag es woanders. Na, wo könnte das gewesen sein?«

Alexander kam nicht drauf.

Nadeike kostete seine Überlegenheit aus. »Kombinier doch mal. Wo sind denn im Augenblick viele Amerikaner. Außer in Amerika.«

»Keine Ahnung.«

»Viele Soldaten«, wurde Nadeike deutlicher und erklärte schließlich, das Corned Beef stamme aus Vietnam. Dort sei Krieg, Schlitzaugen gegen Großmäuler. Der Vietcong habe es den Amis abgenommen, die nähmen ihnen da unten einfach alles ab. Und dann gelangte es auf Umwegen in die UdSSR. Sozialistische Bruderhilfe nenne man so etwas. Immerhin würden sie ja auch mit sowjetischen Waffen versorgt. Und das nicht schlecht.

»Das geht so einfach? Ich meine, die Sachen nach hier zu bringen?«

»Nichts im Leben geht einfach. Aber der Vietcong hat unsere Militärs als Berater, und die benutzen natürlich ihre Drähte. Nenne mir jemanden, der nicht seinen Vorteil sieht? Diese Ladung hier«, Nadeike deutete mit dem Daumen hinter sich, »haben sie mit unseren Militärkisten eingeflogen. Nach Semipalatinsk. Und von dort ging es, wie gesagt, den Irtysch runter bis Chanty-Mansijsk. Genau da wartete der liebe Markus, um seine Fracht in Empfang zu nehmen. Einen Teil habe ich bereits in Gorki verscherbelt, einen weiteren werde ich in Salechard los, der Rest geht nach Nyda, dort sind die Preise noch höher.«

Alexander verstand die Welt nicht mehr. War er so lange im Straflager gewesen, oder gab es diese Art von Schieberei schon länger?

»Die fliegen das Zeug einfach raus aus Vietnam?«

»Ja. Mit Maschinen, die gewartet oder repariert werden müssen, das fällt nicht auf. Zuerst nach Wladiwostok, von dort weiter in verschiedene sowjetische Städte.«

»Und keiner fragt danach?«

»Doch, aber jeder kriegt seinen Anteil. In den Flugzeugen ist ja nicht nur Corned Beef. Jeans, kennst du Jeans?«

»Nein.«

»Das sind hellblaue Hosen, der Renner schlechthin. Sehen aus, obwohl neu, wie ein Jahr getragen. Also Jeans, medizinische Artikel, Fotoapparate, Schuhe, Whisky. Alles, was der dekadente Westen so zu bieten hat. He, warum fliegen wir denn so drauf?«

Alexander wußte es nicht.

»Vor sechs Wochen hatte ich eine Fuhre mit Whisky. Mann, das war vielleicht ein Geschäft.«

Der Straßenbelag wurde fester und ging schließlich in eine Betondecke über, als sie in die Bezirkshauptstadt rollten. Meist säumten eingeschossige, erbärmlich und verkommen aussehende Holzhäuser die Straße, weiter zum Zentrum änderte sich das Bild. Die Anzahl der Geschosse nahm zu, viele der Gebäude mit flachen Dächern ruhten auf Pfosten. Hier und da erblickte Alexander ein Gasthaus, eine Gastinizia, oder einen Laden, vor einigen standen die Käufer noch um diese späte Stunde Schlange. Nadeike schien sich auszukennen, denn er steuerte eines der wenigen Hotels in der Stadt an.

»Hier werden wir übernachten. Ich lade dich ein, durch dich habe ich einen Tag gewonnen. Außerdem fragt hier keiner nach deinem Ausweis.« Nadeike zwinkerte ihm vertraulich zu.

Alexander hatte gebadet und lag auf dem Bett. Ein richtiges Bett mit Matratze, einigermaßen weißen Laken und einem Kopfkissen. Außerdem war der Raum geheizt, und neben ihm auf dem Boden stand eine Kiste mit Corned Beef, sein Lohn für die Fahrt. Zusätzlich hatte ihm Nadeike noch hundert Rubel gegeben.

Es ging auf Mitternacht zu. Aber Alexander konnte nicht einschlafen, denn Nadeike hatte ihm versprochen, es gäbe noch angenehmen Besuch. Und der klopfte gerade an der Tür.

»Ja, bitte?«

»Komm, Junge, laß mich schon rein. Soll ich hier draußen festwachsen?«

Eine Frauenstimme, dunkel und verführerisch. Als Alexander die Dame bei Licht betrachtete, wirkte sie nicht mehr so verführerisch. Vierzig war sie bestimmt.

Sofort begann sie sich zu entkleiden, dann nach einem Blick auf ihn meinte sie: »Los, mach schon. Ich habe nur eine halbe Stunde.«

Alexander war verwirrt. Nackt stand sie vor ihm, mit wabbeligen Hüften und schlaffen Brüsten, und half ihm, die Hose auszuziehen.

»Na, keine Lust?«

»Doch, schon.«

»Dann voran.«

Sie zog ihn zum Bett und ließ sich einfach fallen. Zögernd streichelte er ihr Haar und sah es sich genau an, weil er schon lange kein Frauenhaar mehr gesehen hatte. Dieses war hellblond gefärbt, aber Alexander merkte es nicht. Dann schaute er in das grell geschminkte Gesicht, registrierte den herben Mund, die abschätzenden Augen mit dem Faltennetz drumherum. Und er roch den tabakgeschwängerten Atem.

»Willst du mich malen?«

»Wieso?«

»Weil du mich so anstarrst. Komm, spring drauf.«

Aber Alexander hatte keine große Erfahrung mit käuflichen Frauen und stellte sich sehr linkisch an. Er wollte sie liebkosen, zärtlich sein, Konversation machen und sogar küssen.

»Junge, das gibt es bei mir nicht. Ist nicht im Preis drin. Mach schon, steck ihn rein.«

Sie griff ihm zwischen die Beine und umfaßte sein Glied. Etwas rauh zwar, aber als gelte es zu salutieren, nahm es eine strenge Haltung an. Dann war Alexander nicht mehr zu halten, die Zärtlichkeit konnte warten.

»Mensch, du hast aber 'nen Stoß«, meinte sie anerkennend und wollte aufstehen.
»Komm, noch einmal.«
»Das kostet was.«
»Wieviel?«
»Dreißig.«
»Und wie ist es hiermit?«
Alexander tastete nach dem Karton und hielt ihr eine Dose Corned Beef unter die Nase.
»Wo hast du denn das her?«
»Eingetauscht.«
»Das genügt. Dafür darfst du die ganze Nacht, wenn du willst.«

Alexander lag auf dem Rücken, die Arme hinter dem Nacken verschränkt wie vor drei Jahren, als er mit Hellen, der deutschen Dolmetscherin, geschlafen hatte. Was für ein Unterschied zwischen ihr und Lydia, so hieß die Frau, die ihn gerade verlassen hatte. Gefühl und Zärtlichkeit und Hellen, an die er mit Wehmut dachte, waren damals im Hotel National in Moskau ein und dasselbe. Lydia dagegen schaute immerzu auf ihren Nagellack, selbst während des Geschlechtsverkehrs, drehte ihr Haar und gebärdete sich emotionslos, wie eine menschliche Maschine. Aber Alexander hatte auch nur verrichtet, mechanisch und wie unter Zwang. Nach der anfänglichen Überraschung wollte er diese Lydia unbedingt haben, gleichgültig, was sie gekostet hätte.

Alexander war dabei, als Nadeike mit seiner Ware einen Schwarzhändler aufsuchte. Der begutachtete das Corned Beef und machte einen Preis in amerikanischen Dollar. Für Alexander nahm der Handel immer skurrilere Züge an. Mitten im hohen Norden der Sowjetunion wechselte ein amerikanisches Produkt gegen Dollar seinen Besitzer.

Nadeike lud 150 Kisten ab und erhielt dafür knapp 5000 Dollar.
»Und der Kerl geht hin und verscheuert das Fleisch weiter im Westen an Hotels und deren Shops, wo man nur mit harten Devisen bezahlen kann. Der Kreis schließt sich. Stell dir vor, es kommen

dann auch noch zufällig Amerikaner in den Laden und kaufen ihr eigenes Corned Beef.«

Der Lette schüttelte sich vor Lachen und fragte, ob Alexander weiter mitfahren wolle in Richtung Nyda und darüber hinaus. Alexander war einverstanden, denn Salechard behagte ihm nicht. Es gab zu viele Soldaten, wie eigentlich überall in den Sperrbezirken.

Als sie aus der Stadt rollten, kamen sie wieder in eine Kontrolle. Diesmal mußte Alexander Pagodins Ausweis vorzeigen. Der Wachposten hatte keine Beanstandung, trug seinen und Nadeikes Namen in eine Liste ein und vermerkte dahinter das Fahrtziel. Anschließend durften sie passieren.

»Warum die scharfen Kontrollen?« wollte Alexander wissen.

»An die mußt du dich gewöhnen. Wenn ich von Chanty-Mansijsk nach Norden tuckere, habe ich drei oder vier an jedem Tag. Sie wollen eben genau im Bilde sein. Kostet mich jedesmal einen Teil meines Profits. Die Hände aufhalten, das können sie. Aber wehe, du verstößt gegen eine Bestimmung. Dann nehmen sie dir den ganzen Plunder ab.«

»Ich war noch nie hier im Norden. Hat das mit dem Sperrgebiet zu tun?«

»Darf lange nicht jeder rein. Unterwegs, auf der Fahrt gen Süden vor einigen Wochen, gab es einen anderen Grund. Da suchten sie nach ausgebrochenen Strafgefangenen. Wirklich schlimme Kerle, Mörder und so. Sind alle wieder geschnappt worden. Es hat auch Tote gegeben.«

Wer wußte das besser als Alexander, der den von den Einschüssen zerfetzten Körper Klimkows vor Augen hatte.

»War ein großer Ausbruch«, plapperte Nadeike weiter. »Östlich von Berjosowo suchten sie zuerst bis Belojarski, später sogar bis Numto mit Hubschraubern und Flugzeugen nach ihnen. Die Idioten. Konnten sich doch denken, daß man sie auf dem flachen Land aufspüren würde. Mehr als 20 hat man anschließend nach einem Schnellverfahren erschossen. Es sollen die Rädelsführer gewesen sein, alles berüchtigte Blatnoij.«

Sie schliefen in dem Lkw. Nadeike versicherte, er würde sein Fahrzeug nie aus den Augen lassen, dazu sei die Fracht viel zu wertvoll. »Letzte Nacht, als du die Schöne auf deinem Zimmer verwöhnt hast, blieb ich auch im Auto. War sie wenigstens gut?«

Alexander antwortete nicht und verzog sich auf die Ladefläche. Dort lagen genügend Decken, trotz der Kälte fror er nicht.

Am nächsten Tag das erste Schneetreiben des Herbstes. Nadeike fluchte ununterbrochen und in einer Sprache, die Alexander nicht verstand. Nach einer Weile erklärte er auf russisch, er habe seine Schneeketten in Nyda gelassen, weil er dachte, er sei rechtzeitig wieder zurück.

Gegen Mittag kamen sie nur noch schlingernd voran. Manchmal dachte Alexander, sie würden in einem der tiefen Schlaglöcher steckenbleiben oder umkippen, so gefährlich neigte sich der Aufbau des Lastwagens zur Seite.

Die Straße endete am Fluß Nadym. Nadeike steuerte den Lkw südwärts, und sie erreichten nach wenigen Kilometern eine Hütte und eine Fähre. Dort konnte man auch Kraftstoff tanken. So weit im Norden und außerhalb einer Stadt ist das eine Seltenheit. Nadeike bezahlte in Dollar, erst danach setzte sie der Fährmann über. Das dauerte fast eine Stunde, denn der Nadym war sehr breit, wie alle Flüsse nahe des Eismeeres.

»Noch einen halben Tag bis Nyda, dann werde ich meinen Rotz hier los. Mir wird wohler sein. Vor Landpiraten mußt du höllisch aufpassen. Weiter nach Tasowksij fahre ich nur, wenn ich mich einem Militärkonvoi anschließen kann.«

Das Schneetreiben nahm zu, und eine Stunde später fuhren sie durch Nori, eine kleine, unscheinbare, in Weiß getauchte Stadt mit einem zentralen Heizkraftwerk. Der sternförmig mit Stahlseilen verankerte Schornstein stieß dunklen Rauch in den Himmel, der sich wie unter Protest wieder auf die Erde senkte, das Atmen erschwerte und die Augen reizte.

»Verfeuern hier nur mit Dreck vermischte, nasse Kohleabfälle. Ich verstehe nicht, wie das die Leute aushalten können«, beschwerte sich Nadeike und hustete.

Nyda errichten sie kurz vor Mitternacht, abermals wurden sie kontrolliert und in eine Liste eingetragen. Außerdem mußte Nadeike auch noch das Hotel angeben.

»Hotel, daß ich nicht lache. Ein Dreckschuppen ist das. Keine Duschen, nur eine Toilette und ein Waschbecken. Dafür jedoch darfst du auf ausrangierten Metallbetten der Armee schlafen, falls sie inzwischen nicht durchgerostet sind. Und wenn dein Vormieter einigermaßen sauber war, das kommt allerdings nur selten vor, stinkt die Bettwäsche nicht allzusehr. Zumindest«, Nadeike zwinkerte ihm vertraulich zu, »legt man keinen Wert auf gewisse … Formalitäten. Du brauchst also nichts auszufüllen und so.«

Nyda war wesentlich kleiner als Salechard und längst nicht so bedeutungsvoll. Zwar verdeckte der Schnee einiges, aber die Ärmlichkeit des Nordens schimmerte bei den kleinen Anwesen, die einen Anstrich dringend nötig hatten, durch. Viele von ihnen waren provisorisch für den Winter hergerichtet worden, wie die neuen, unbehandelten Bretter zeigten. An Stelle der zu Bruch gegangenen Glasscheiben, eine Mangelware in dieser Region, dichteten mit Stoff umwickelte Konstruktionen die Öffnungen notdürftig ab. Was Alexander sofort auffiel, waren die dünnen, schiefen Schornsteinrohre aus Blech, die mit Brettern abgestützt oder mit Seilen verspannt worden waren, um dem Wind zu trotzen. Etliche der Bewohner hatten sich originelle Gebilde einfallen lassen und auf die Spitze des Kamins montiert, einige davon rotierten sogar, damit die darunterliegende Feuerstelle auch bei Sturm funktionierte und nicht das Haus verräucherte.

Nadeike stellte seinen Lastwagen in einer Art Garage unter, die verschließbar war. »Zehn Dollar«, knurrte er nur und setzte die Flasche an. »Hier, mach dir ein paar schöne Stunden. Und morgen früh gehst du zu Rudenkow und kaufst dir was zum Anziehen. Wird bald Winter.«

Nadeike schob Alexander 100 Dollar hin, stand auf und ging in die Nacht.

Am Morgen weckte Nadeike Alexander und zeigte ihm den Laden von Rudenkow: ein gedrungenes Haus mit einem mächtigen gemauerten Schornstein, weißen Fensterrahmen und blauen Klappläden.

Rudenkow war gut sortiert. Er möge bitte alles aufschreiben, er, Nadeike, käme nachher vorbei, um zu bezahlen.

Alexander wählte eine knielange gefütterte Jacke, dazu warme Hosen, Unterhosen, Wollstrümpfe, Handschuhe und eine schwere Schapka mit Ohrenklappen, die ihm bis zum Hals reichten.

Wenig später machte er sich wie verabredet auf den Weg zum Treffpunkt mit dem Abnehmer der restlichen Kisten Corned Beef. Die Miliz, unverkennbar ihre grauen Uniformen, war auch schon da. Alexander wollte sich verdrücken, aber hinter ihm stoppte gerade ein weiteres Polizeifahrzeug. Als sei er unbeteiligt und zufällig hinzugekommen, schlenderte er weiter.

Nadeike, um den Kopf trug er einen Verband, an einer Stelle drückte sich Blut durch, stand inmitten einer Gruppe von Beamten und schimpfte wie ein Rohrspatz.

»Und als es ans Bezahlen ging, da schlägt mir einer der Kerle ein Rohr über den Schädel, und ich bin weggetreten«, konnte Alexander hören. »Wie ich aufwache, ist alles verschwunden. Keine Kiste mehr auf dem Lkw.«

»Und wo ist die Lade- und Fahrgenehmigung?«

Jetzt haben sie ihn, dachte Alexander, aber der gewiefte Lette griff in die Brusttasche seiner vor Schmutz starrenden Latzhose und zeigte die entsprechenden Unterlagen. Schwarzhandel mit richtigen Papieren, wie konnte das funktionieren?

»Hier, mein Freund Romuald, er kann bestätigen, was ich geladen hatte. Und daß wir vor zwei Tagen in Salechard waren und dort einen Teil losgeworden sind.«

Nadeike deutete auf Alexander, der zögernd näher trat.

»Ausweis.«

Höflichkeit durfte man bei der Miliz im hohen Norden nicht erwarten.

»Das Bild hat aber keine große Ähnlichkeit.«

Alexander zwang sich zur Ruhe. »Das macht der Bart.«

Der Milizionär nahm Alexanders Personalien auf und notierte sich seine Aussage.

»Kommt heute nachmittag auf die Station, um die Anzeige zu unterschreiben.«

Nadeike und Alexander waren allein. »Da steckt der Rabe dahinter«, fluchte der Lette, und Alexander erfuhr, beim Raben handele es sich um den größten Schwarzhändler im Norden. Alles könne man von ihm erstehen: Radios, Schmuck, Gold, Damenunterwäsche und Waffen.

»Zehntausend Dollar habe ich verloren«, klagte Nadeike. »Wie soll ich das meinem Bruder in Tasowskij erklären? Sein Geld steckt mit drin in dem Geschäft.«

Alexander wollte sich davor drücken, aber Nadeike schleppte ihn mit zur Polizeistation. In wenigen Minuten waren die noch offenstehenden Fragen von Nadeike beantwortet und die Angelegenheit erledigt worden. Später, beim Essen, erzählte der Lette, wie er zum Schwarzhandel gekommen war, und zwar durch seinen Bruder, der sehr gute Kontakte zur Marine habe. Denen verkaufte er, was sie eben brauchten. Offiziell und gegen Rechnung, wie Nadeike betonte. »Litvius, so heißt mein Bruder, macht damit ein Vermögen. Wenn du mal Hilfe brauchst, geh zu ihm hin und sage einfach, ich schickte dich.«

Zuerst, also vor zehn Jahren oder weiter zurück, hätten sie nur sowjetische Produkte verschoben. Nahrungsmittel aus dem Süden in den Norden, Pelze und Felle und speziell Rentierfleisch in die entgegengesetzte Richtung bis nach Moskau. Dann seien sie auf Wodka und Tabak umgeschwenkt, was wesentlich mehr Gewinn gebracht habe.

»Du glaubst ja nicht, welche Mengen die hier oben schlucken. Alkohol ist in dieser Kälte und Einsamkeit dein bester Freund und ersetzt vom dritten Glas an jede Frau.« Nadeike kugelte sich vor Lachen. Vor knapp zwei Jahren sei sein Bruder durch einen guten Bekannten, der es wiederum von einem Armeeoffizier wisse, auf die Vietnamspur gestoßen. Und die werfe ungemein viel Profit ab.

»Ist aber auch gefährlich, wie du sehen kannst.« Nadeike befühlte seinen Hinterkopf und verzog das Gesicht.

Die Dinge überschlugen sich. Nadeike verbrachte die Nacht wieder in seinem Lkw, weil er Angst hatte, den würden sie ihm auch noch stehlen – trotz des abschließbaren Schuppens. Als Alexander ihn am Morgen aufsuchte, stand das Fahrzeug noch am alten Platz, aber sein Besitzer war nicht zu sehen. Statt dessen entdeckte Alexander auf der Ladefläche eine große Blutlache.

Alexander, der sich einiges zusammenreimem konnte, durchsuchte das Fahrerhaus und nahm alles an sich. Unter dem Sitz fand er in Zeitung eingewickelte Papiere, ausländisches Geld, überwiegend Dollar, aber auch Deutsche Mark, und mehrere tausend Rubel.

Dann machte er sich auf zu seiner schäbigen Unterkunft. Dort wartete jedoch die Miliz. Was sie von ihm wollten, konnte Alexander sich ausrechnen. Einige Male hatte man seine Personalien, oder richtiger, die von Pagodin, aufgenommen. Vielleicht waren die Angaben verglichen worden? Oder man hatte sie weitergemeldet? Schlimme Vermutungen durchzuckten sein Hirn. Sie sind mir auf der Spur und haben herausgefunden, daß ich mich für Pagodin ausgebe, redete er sich ein. Sie wissen somit genau, daß sie Alexander Gautulin vor sich haben, denn außer mir scheint es keinen zu geben, dem die Flucht aus SIB 12 gelungen ist.

Diese Erkenntnis setzte in ihm einen Mechanismus in Gang, der zum Weglaufen animierte. Alexander kämpfte dagegen an, zog den Kopf ein, vergrub die Hände in seiner Jacke, überquerte einen Hinterhof und schwenkte in eine Seitenstraße. Sich zu einem gemäßigten Tempo zwingend, stapfte er in die entgegengesetzte Richtung.

Zwar war er einigermaßen gut, aber leider nicht wintertauglich genug gekleidet, falls er zu Fuß nach Tasowskij, wie von selbst hatte sich ihm wegen Nadeikes Bruder sofort dieser Ort als Ziel angeboten, wandern wollte. Außer Pagodins Pistole, Munition und Ausweis hatte er alles in seiner Unterkunft gelassen. Deshalb suchte er Rudenkow auf und kaufte in aller Schnelle eine Ausrüstung zusammen. Rudenkow, der nach dem Ziel fragte und neben der fadenscheinigen Bemerkung, er sei Landvermesser, keine weitere Antwort erhielt, beriet ihn. Alexander zahlte einen überhöhten Preis, weil der Händler spürte, daß er es eilig hatte, dafür jedoch vergaß er auch nicht, ihm eine Schneebrille, einen Kompaß, eine Karte und einen kleinen Ölbrenner anzubieten. Und die entsprechenden Nahrungsmittel, die er natürlich mit den anderen Sachen am besten auf einem handlichen Schlitten hinter sich herziehen könne, wie Rudenkow geschäftstüchtig einfließen ließ. Aber der war Alexander zu teuer, ein großer Rucksack müsse es auch tun.

Wichtigste Requisiten waren ein leichtes Zelt und ein paar Langlaufski mit den entsprechenden Schuhen. Alexander hatte noch nie auf den schmale Brettern gestanden.

Bei anbrechender Dunkelheit, es war vier Uhr nachmittags und es schneite, machte sich Alexander auf den Weg. Wieder war er auf der Flucht. Aber jetzt wußten seine Verfolger genau, in welchem Teil des Landes sie nach ihm zu suchen hatten. Alexander hoffte jedoch, daß es noch bedeutungsvollere Dinge gab, als ihn zur Strecke zu bringen. Drei Stunden später, inzwischen konnte er leidlich mit den Ski umgehen, schaufelte er mit dem Klappspaten ein Viereck frei, stellte das kleine weiße Zelt auf und drückte an den Rädern den Schnee zusammen.

Früh am Morgen ging es weiter. Der Schneefall half ihm, die Spuren zu verwischen. Aber das Wandern war mühsam, weil Alexander von der ungewohnten Schreitbewegung die Beine schmerzten. Noch mehr setzte ihm der schwere Rucksack zu, denn trotz der Felljacke als Polster drückten ihm die Gurte an den Oberarmen das Blut ab. Alle halbe Stunde mußte er anhalten und mit den Armen kreisen, damit das Blut wieder einigermaßen zirkulierte.

An Hand der Karte, auf der außer markanten Geländeeinschnitten, Flüssen und der nahen Eismeerküste nicht viel eingetragen war, hielt sich Alexander immer in unmittelbarer Nähe einer als Winterpfad ausgewiesenen Straße. Damit man sie auch bei Schnee nicht verfehlen konnte, steckten Markierungspfosten im Boden.

Alexander wählte einen Weg parallel dazu im Abstand von vielleicht 200 Metern. Und er tat gut daran, denn unvermittelt tauchte hinter einer Schneeverwehung ein Lkw auf. Alexander, der das weiße Zelt so auf dem Rucksack befestigt hatte, daß dieser nicht zu sehen war, ließ sich kopfüber in den Schnee fallen.

Wenige Minuten später war das schwere Fahrzeug verschwunden und mit ihm das Rasseln der Schneeketten.

Die Einsamkeit war Alexander nicht fremd. Fremd war ihm die Umgebung, alles in ein grelles Weiß getaucht, das trotz der Schneebrille in den Augen schmerzte. Seine Sicht betrug, wenn es schneite, nur einige Meter, nicht viel mehr war es an niederschlagsfreien, diesigen Tagen. Erschwerend kam noch hinzu, daß die Konturen verschmolzen, Himmel und Erde ineinander übergingen. Für Alexander war es unmöglich festzustellen, ob dies 20 Meter oder zwei Kilometer vor ihm geschah.

Einzige Abwechslung in dieser Monotonie waren flache, sanftkuppige Erhebungen, an der Nordseite dunkler, die der Landschaft schwache Konturen verliehen. Und kleine vereiste Birken und Sträucher, die sich wie abstrakte Gebilde durch den Schnee drückten und mit ihrer dunkleren Rinde den einzigen Kontrast boten.

Inzwischen war es tagsüber mindestens zehn Grad unter null, nachts sank die Temperatur noch weiter ab. In Alexanders Bart setzte sich die Feuchtigkeit des Atems fest, es bildeten sich Eiszapfen, und die feinen, vom Wind getriebenen Schneeflocken drangen durch alle Öffnungen und piekten die Haut wie feine Nadeln.

In den folgenden Tagen hatte er einige Begegnungen, vor denen er sich noch rechtzeitig verstecken konnte. Einmal war es ein Militärkonvoi aus acht schweren Fahrzeugen, ihnen eilte ein leichtes, geländegängiges mit einer kleinen roten Fahne voraus. Auf den Ladeflächen saßen dick vermummte Männer mit Gewehren zwischen den Fäustlingen. Ob sie auf der Suche nach ihm waren?

Etliche Transporter benutzten den Winterweg, auffällig viele Tanklastzüge waren darunter. Auffällig, was die Anzahl betraf und auch, weil sie ein rasantes Tempo vorlegten. Andere hatten Langholz geladen, vielleicht für ein Sägewerk in Tasowksij, bei den übrigen war die Fracht unter festgezurrten Planen versteckt.

Abermals verlor Alexander jeglichen Zeitbegriff. Mehrere zugefrorene Flüsse hatte er zu überqueren, darunter einen sehr breiten. Dort war das Eis am unsichersten. Es knarrte und quietschte, und in der Mitte hatten sich zusammengefrorene Schollen übereinandergeschoben, als habe man mit dem Eisbrecher eine Fahrrinne freizuhalten versucht. Vielleicht für eine Fähre, denn irgendwie mußten ja auch die Lastkraftwagen überwechseln. Ob das schon die Tas war?

Auf der anderen Seite nahm der Verkehr zu, weil von Süden eine zweite Allwetterstraße nach Tasowskij verlief.

Wenige Stunden später sah Alexander die Stadt, und ihm bot sich ein ähnliches Bild wie in Nyda. Überhaupt glichen sich die Ortschaften im Norden auf den ersten Blick, weil der Schnee und die schlechte Sicht viele Unterscheidungsmerkmale verschluckten. Vor den Fenstern hingen unzählige Säcke und Beutel mit Nahrungsmitteln, der energiesparende sibirische Tiefkühlschrank.

Alexander bemerkte keine Straßenkontrolle, war aber trotzdem sehr vorsichtig und umrundete den Ort halb, um ihn aus Nordosten zu betreten. Ein gefährliches Unterfangen, aber von dort, so zumindest redete er sich ein, würde man ihn nicht erwarten. Um möglichst wenig aufzufallen, versteckte er seine Ausrüstung samt Ski vor der Stadt unter einem Berg aus Schnee und markierte sich die Stelle.

Als gehöre er dazu, spazierte er mit hochgeschlagenem Kragen in Tasowskij umher. Er trank Tee, schön stark und heiß, das belebte, und er aß eines der weichen Brötchen, zäh und widerspenstig, die jedes schlechte Gebiß und erst recht die dritten Zähne auf eine ernsthafte Probe stellen konnten. Der Raum, in dem er alles konsumierte, nannte sich Restaurant und war gemütlich wie eine heruntergekommene Bahnhofshalle. Auf den Tischen keine Decken, nicht einmal welche aus Papier oder Plastik, dafür verkratztes Holz, wackelige Stühle und ein verdreckter Boden. Die Bedienung, ein altes Mütterchen und ein Mann, vermutlich ihr Sohn, waren nicht auf Freundlichkeit aus. An Wasser wurde auch gespart, denn aus seiner Tasse hatten vor ihm schon andere getrunken, darunter eine Frau mit rosarot geschminkten Lippen. Sozusagen als Ausgleich dafür war es in dem Raum warm, und das wog einiges wieder auf.

Alexander, sein Bart war noch dichter geworden und verlieh ihm etwas Abenteuerliches, bemühte sich um einen beiläufigen Ton, als er nach Litvius Nadeike fragte. Die alte Frau sah ihren Sohn an und dann wieder den einzigen Gast.

»Was wollen Sie von ihm?«

»Ich habe Nachricht von seinem Bruder.«

Wie aus der Pistole geschossen: »Kann nicht sein.« Das Mütterchen lachte und zeigte hier und da einen Zahn. »Der ist nämlich tot.«

Alexander gab sich erstaunt. »Ich habe ihn doch noch vor ein paar Wochen weiter im Süden gesehen.«

»Das mag ja stimmen. Aber inzwischen ist er tot.«

Als Alexander nicht reagierte, kam sie näher und baute sich neben ihm auf. »Ich weiß es von Zwergowitsch, dem Leutnant der Miliz«, verkündete sie gewichtig. »Er kommt häufig zum Essen. Nadeike soll in eine dunkle Machenschaft verstrickt gewesen sein.«

Alexander starrte vor sich auf die Tasse, und in seinem Kopf kreisten die wildesten Gedanken. Da Markus Nadeike ordentliche Papiere hatte vorweisen können, konnte es sich bei der dunklen Machenschaft folglich nur um ihn, Alexander, handeln.

»Trotzdem. Ich habe was für Litvius. Wo kann ich ihn finden?«

Der Sohn schob sich näher. »Wäre es nicht besser, wenn ich zu ihm ginge und ihm sagte, ein Fremder wünsche ihn zu sprechen?«

Alexander war einverstanden.

»Macht fünfzig.«

Nach einer Stunde kam der Sohn wieder zurück.

»Litvius will dich sehen. Kennst du die Straße nach Nordosten?«

Obwohl er aus der Richtung gekommen war, verneinte Alexander.

»Halte dich nach links. Hinter dem letzten Haus geht ein Weg ab. Ist nicht zu verfehlen, wegen der Spuren im Schnee. Nach einem Kilometer kommt eine Gabelung, dort wartet Litvius auf dich.«

Alexander gab sich gelassen, als er das Restaurant verließ, aber draußen auf der Straße zitterten ihm die Knie. Langsam, als könne ihn nichts auf der Welt treiben, verließ er die Ansiedlung und erreichte den Weg und nach einem Kilometer die Abzweigung. Aber von Litvius war nichts zu sehen. Er hockte sich neben eine Strauchgruppe und bemühte sich, keine zusätzlichen Spuren zu hinterlassen. Inzwischen hatte es zu schneien aufgehört.

Plötzlich wurde er von der Seite angesprochen.

»Du hast Nachrichten von meinem Bruder?«

Alexander brauchte nicht nach dem Ausweis zu fragen, die Ähnlichkeit mit Markus war verblüffend. Untersetzt, dunkler Bart und die gleiche Augenpartie. Auch die Sprechweisen ähnelten sich, Letten sind an der Aussprache zu erkennen.

»Ja. Indirekt. Daß er tot ist, habe ich vorhin erfahren. Ich sah nur eine Blutlache auf der Ladefläche seines Fahrzeuges.«

»Woher kann ich wissen, daß du ihn nicht umgebracht hast?«

»Ich war es nicht.«

»Wie ist er gestorben?«

»Messer.«

»Und wo hat man ihn gefunden?«
»Zehn Meter entfernt vom Auto, in einem Holzverschlag.«
Alexander ging auf den Mann zu. Er sah die Ausbuchtung unter der schweren Felljacke. Um ihn nicht im unklaren zu lassen, schlug Litvius die Jacke zurück und ließ Alexander die Pistole sehen.
»Ich traue dir nicht.«
Alexander erzählte von ihrer letzten Fahrt und beschrieb die Zusammenhänge, die ihm Markus ausführlich geschildert hatte. Litvius wunderte sich, als Alexander ihm das Geld gab, das er unter dem Sitz gefunden hatte. Und über die Papiere war er hocherfreut.
»Die Lieferanten und die neuen Kontaktadressen«, murmelte er. »Da habe ich lange drauf gewartet.« Und zu Alexander gewandt: »Weißt du, daß dies hier für mich ein Vermögen bedeutet?«
»Nein.«
Die Pistole verschwand, Litvius brachte eine kleine Lederflasche zum Vorschein, nahm einen Schluck und reichte sie Alexander. Der im Norden übliche Willkommenstrunk.
»Jetzt glaube ich dir.«
Alexander spürte die wohlige Wärme des Alkohols, aber es war kein Wodka.
»Was ist das?« Er gab die Flasche zurück.
»Whisky.«
Und dann fixierte der Lette Alexander. Lange schaute er ihn an.
»Du steckst in großen Schwierigkeiten.«

Alexander sah an Litvius vorbei und schwieg.
»Vor wenigen Tagen kamen sie mit zehn Milizionären, um nach dir zu suchen.«
Alexander reagierte immer noch nicht.
»Du sollst einen Hauptmann umgebracht haben.«
»Nein.«
»Mit der Spitzhacke. Und aus einem Strafgefangenenlager geflüchtet sein. Du bist ein mehrfacher Mörder.«
Alexander biß sich auf die Lippen.
»In Tasowskij ist es gefährlich für dich. Das mit dem Restaurant war ein Fehler. Die von der Miliz gehen dort ein und aus.«

»Was soll ich machen?«

»Wo ist deine Ausrüstung?«

»Versteckt.«

»Das ist gut. Ich helfe dir. Von meinen Bekannten haben viele in einem Lager gesessen. Die meisten wissen heute noch nicht, warum.«

Wenig später war Litvius verschwunden. Alexander möge bitte hier auf ihn warten, in zwei Stunden sei er wieder zurück. Als Zeichen seines Vertrauens überließ der Lette ihm Geld und Papiere.

Litvius hielt Wort. Auf Ski und einen beladenen Schlitten hinter sich herziehend, traf er innerhalb der verabredeten Zeit ein. Von der Dunkelheit geschützt, suchten sie die Stelle auf, an der Alexander seine Ausrüstung deponiert hatte.

»Wärest du aus Südwesten gekommen, sie hätten dich geschnappt. Seit einer Woche warten sie auf dich.«

»Woher können sie wissen, daß ich nach Tasowskij kommen würde?«

»Überleg doch mal: Deine Vergangenheit, du warst mit meinem Bruder zusammen, ihr habt einige Kontrollen passiert, mein Bruder wird ermordet. Die Miliz denkt, du seist es gewesen und hättest es auf mich abgesehen. Immerhin ist die Ware verschwunden. Das mit dir als Zeugen damals hält sie für einen Trick.«

»Die haben dich aber sehr gut aufgeklärt.«

»Hat mich zehn Flaschen gekostet. Für hundert erfahre ich, welcher General in der Armee schwul ist und wie sein Freund heißt.«

Immer im gleichen Rhythmus stapften sie durch die Nacht, und Alexander fragte Litvius nicht, wo er ihn hinbrachte. Nach einigen Stunden steuerte der Lette auf einen größeren Schneehügel zu, unter dem sich eine Holzhütte verbarg.

»Im Sommer bin ich oft hier draußen«, verriet er. »Es ist meine Jagd- und Gedankenhütte. Wenn ich allein sein will, ziehe ich mich hierhin zurück. Die Einsamkeit vertreibt alle Nebel.«

Litvius räumte den Schnee vor dem Eingang beiseite, und Alexander staunte über das gemütlich eingerichtete Innere: ein großer Raum mit der obligatorischen Schlafstelle aus Fellen, in einer Ecke aufgeschichtetes Brennholz, vor den Wänden mit Schnitzereien verzierte Holzkisten, gefüllt mit Gebrauchsgegenständen. Schüssel und Teller aus Holz, sie sahen schon älter aus, und übergroße Löffel, wie für Riesen angefertigt. Waren die Menschen in der Zwischenzeit geschrumpft? Im Gegensatz dazu kam ihm das Bett relativ klein vor. Alexander würde nur gekrümmt liegen können.

»Auf dem Schlitten ist genug zu essen und zwei Flaschen. In den Kisten findest du Dörrfleisch und einige Konservendosen aus amerikanischen Beständen. Ich lasse alles hier, auch den kleinen Schlitten. Du kannst einige Tage bleiben. Ich weiß allerdings nicht, wie lange du an diesem Ort in Sicherheit bist. Von der Hütte wissen nur wenige, aber das hat nichts zu bedeuten. Und noch etwas: Mach nur in der Nacht ein Feuer.«

Litvius blieb eine halbe Stunde, wärmte sich an dem gußeisernen Ofen und verabschiedete sich dann. »In drei Tagen komme ich wieder. Wenn du vorher gehen willst, ich überlasse es dir.«

Die Öllampe verbreitete genügend Helligkeit, um sich in der Hütte zurechtzufinden. Sie war aus dicken Brettern errichtet, die Zwischenräume hatte man mit einer weißen rauhen Paste zugekleistert, die überall gerissen war. Kalk mit Stroh gemischt, vermutete Alexander. Das Satteldach bestand aus übereinanderlappenden Brettern, an denen noch die Borke zu sehen war. Auch hier hatte man die Ritzen abgedichtet. Abgesehen von der Tür gab es auf der gegenüberliegenden Seite noch ein kleines Fenster.

Alexander wunderte sich über den Holzboden, ein Luxus so hoch im Norden. Und über die vielen Felle von Bären, Wölfen und Rentieren. Sie hingen an den Wänden oder lagen auf der Schlafstelle.

In einer Kiste fand er Spezialmesser mit Griffen aus Hirschgeweih zum Häuten der erlegten Tiere. Daneben lag ein Schabeisen, um das restliche Fleisch vom Fell abzukratzen, bevor man es zum Trocknen aufhängte. Zuunterst entdeckte er auch ein Gewehr mit der dazugehörigen Munition. Er nahm es heraus, lud es durch und lehnte es an die Wand.

Müde von all den Strapazen, legte er sich hin und überlegte. Soll das immer so weitergehen? Nur noch auf der Flucht? Ein ganzes Leben lang? Aber besser auf der Flucht als in einem Lager, sagte er sich. Unruhig wälzte er sich im Schlaf hin und her.

Am kommenden Tag gab es für wenige Stunden strahlenden Sonnenschein. Alexander erkundete die Umgebung und fand Spuren von Tieren im Schnee. Da er keine Ahnung vom Fährtenlesen hatte, konnten sie alles und nichts bedeuten.

Nachts hörte er einmal ein Brummen und Röhren. Alexander erschrak. Ob das Rentiere waren? Oder sogar ... nein, Elche lebten weiter im Süden, am Übergang von Tundra und Taiga, der Nadelwaldregion. Und Bären würde es hier kaum geben, Wölfe auch nicht. Aber sicher war er sich nicht.

Ohne daß er ihn hatte kommen hören, stand Litvius mittags in der Tür. Sein Gesicht war bedrückt.

»Sie wissen, daß du in der Stadt warst«, sagte er, während er seine Jacke auszog. »Ich habe das Gerücht verbreiten lassen, du seist nach Süden verschwunden. Hoffentlich nützt es was.«

Sie tranken Tee und anschließend Kaffee, den Litvius außer einigen anderen Dingen mitgebracht hatte.

»Bist auf der Hut, was?« Litvius deutete auf das Gewehr. »Kannst es mitnehmen.«

»Danke.«

»Ich habe dir zu danken. Die Papiere sind sehr wichtig für mich. Hier, steck das Geld ein. Auch ein paar Dollar. Falls du auf Nomaden stößt, die nehmen kein Geld. Mit denen kannst du nur tauschen und handeln.«

Alexander sträubte sich, aber Litvius ließ das Bündel Banknoten später, als er ging, einfach liegen.

»Am besten machst du dich morgen auf den Weg. Ich traue dem Frieden nicht.«

»In welche Richtung?«

»Zuerst nach Osten, später nach Süden.«

»Was ist mit Ust-Port? Markus hat gesagt, dort kann man sich einschiffen.«

»Doch nicht jetzt im Winter. Ist alles zugefroren. Da kommst du frühestens im April weg.«

Nach einer Weile meinte der Lette: »Aber Ust-Port ist keine schlechte Idee. Dann bist du gleich am Jenissei, und den kannst du im Sommer flußauf benutzen.«

»Was ist mit der Miliz?«
Sie unterhielten sich lange. Litvius machte ihm das Angebot, später einmal, wenn sich alles gelegt haben sollte, mit ihm Kontakt aufzunehmen, falls er irgendwelche Dinge zum Kauf anzubieten habe oder etwas benötige. Er könne ihm alles besorgen.
»Aber wenn ich ganz ehrlich bin, dann glaube ich nicht, daß wir uns wiedersehen.«
»Ist der Weg bis nach Ust-Port so gefährlich?«
»Ich kenne niemanden, der ihn im Winter gegangen ist. Glaube mir, die 350 Kilometer sind die Hölle. Ich wünsche dir viel Glück.«
Ein paar Sekunden später fügte er in einem Ton hinzu, als sei es überflüssig: »Hier, noch eine Adresse. Dort kannst du vielleicht für einige Zeit unterkommen.«
Litvius hatte einen Zettel auf den Tisch gelegt und war gegangen. Alexander begann sofort mit den Vorbereitungen für seinen Abmarsch, er nahm die Warnung des Letten ernst. Den Schlitten von Litvius wollte er benutzen, weil er handlich und leicht war und dank der Holzverstrebungen trotzdem robust. Geformt wie eine Badewanne, hatte er eine breite Schneeauflage und sank nicht so tief ein. Mit den zwei stabilisierenden, metallbeschlagenen Kanten würde das Ziehen kaum Kraft beanspruchen. Außerdem konnte er auf seinem Marsch, dessen Gelingen eine Frage der Ausrüstung zu sein schien, wesentlich mehr mitnehmen als in einem Rucksack.

Als er das Geld einstecken wollte, bemerkte Alexander den Ausweis, der ihn berechtigte, den militärischen Bereich des Hafens von Salechard zu betreten. Abgebildet war ein Mann mit Bart, das verschwommene Foto konnte fast jeden x-beliebigen darstellen. David Delkowitsch würde er nun bei allen offiziellen Kontrollen heißen.

Alexander erreichte Ust-Port. Es war eine Tortur, die schlimmste, die er bisher überstanden hatte. Kälte, das Trommelfeuer des eisigen Schnees, das sein Gesicht taub werden ließ, dann das Klopfen im schlecht zusammengewachsenen Schienbein, die Einsamkeit und die schlimmen Gedanken. Mehrmals war er geneigt, einfach aufzugeben, die Plane seines Zeltes abzustreifen, seine Jacke auszuziehen, alles Wärmende abzustreifen und den Kältetod zu sterben. Das

Ende, so hatte er gehört, sei ein schmerzloser Tod. Die Kälte würde einen hinüberdämmern lassen.

Müde, ausgelaugt und von einer Gleichgültigkeit besessen, die ihn erstaunte und zugleich ängstigte, erreichte Alexander die Stadt am zugefrorenen Jenissei, einem der mächtigsten Flüsse der Erde. Abgesehen von den Kai- und Hafenanlagen war Ust-Port nicht viel größer als Tosowskij. Vielleicht gab es einige Steingebäude mehr, das war es aber auch schon. Alle festen Häuser standen auf Stelzen, die einzige Möglichkeit, auf dem Dauerfrostboden mehrgeschossig zu bauen. Dazu rammte man Betonpfosten – ähnlich wie in SIB 12 die Strommasten – so tief in den Boden, bis sie im Untergrund standen, der nie auftaute. Fester konnte ein Fundament nicht sein.

Alexander deponierte auch hier seine Ausrüstung samt Schlitten vor der Stadt und fragte sich wenig später zu der angegebenen Adresse durch. Als er den flachen Holzbau betrachtete und das Schild über dem Eingang las, wollte er kehrtmachen und verschwinden, denn vor sich sah er die Kantine und gleich hinter einem Zaun die Baracken der Marinesoldaten. Oder war es die Armee? Ausgerechnet hier sollte er sich melden? Was hatte sich Litvius dabei gedacht?

Alexander wurde bereits erwartet, er war durch den Letten, trotz dessen pessimistischer Einschätzung über das Gelingen des Fußmarsches, per Funk angekündigt worden.

»Sie sind also der Neue«, sprach die übergewichtige Frau so laut, daß jeder Gast, alle spitzten die Ohren, es verstehen konnte. Nach einigen Sekunden, in denen die Dunkelhaarige den Ankömmling ungeniert musterte, fügte sie hinzu: »Scheinen ja einiges hinter sich zu haben. Und das alles wegen so einer verrückten Wette. Warum haben Sie denn keinen der Transporter genommen? Ich warte schon seit zwei Wochen auf Sie.«

Alexander, um dessen Stiefel sich kleine Wasserlachen bildeten, atmete auf. Litvius hatte an alles gedacht und die ungewöhnliche Art seiner Reise begründet.

»Ich brauche die fünfhundert Rubel. Verstehen Sie?«

Die Dicke schüttelte den Kopf und kam auf ein anderes Thema zu sprechen. »Sie haben zuletzt in Salachard gearbeitet, in der militärischen Sperrzone am Hafen. Dann zeigen Sie mal Ihren Ausweis.«

Die neugierigen Gesichter, man interessierte sich im dünnbesiedelten Norden für jeden Fremden, beugten sich, nachdem man Alexander ausgiebig taxiert, den Grund für seinen körperlichen Zustand erkannt und ihn in die Kategorie armer Schlucker eingeordnet hatte, wieder über das Essen oder über den Wodka, halb und halb mit Tee gemischt.

»Ich kann einen Mann für die Küche brauchen. Melden Sie sich noch beim Stadtsowjet von Ust-Port an. Sie können hier bei mir wohnen.«

Einige der Gäste kicherten, aber Alexander, den Gelenkschmerzen, besonders im Knie, plagten, wußte zu dem Zeitpunkt noch nicht, was das zu bedeuten hatte.

Nach einer Woche hatte er die Strapazen überstanden, sein Körper sich wieder einigermaßen regeneriert. Den ganzen Winter verbrachte Alexander, der sich ordnungsgemäß beim Stadtsowjet als neuer Bewohner vorgestellt hatte, in der privat von Rima Plachina geführten Kantine. Sie habe eine Lizenz, die Soldaten zu bewirten, erklärte ihm die Übergewichtige, die wegen des besseren Angebots und der zivilen Preise viel lieber zu ihr kämen als die kostenlose, militäreigene Kantine zu benutzen. Und wenn man sie so anschaue, dann mache sie doch selbst die beste Werbung für sich, kokettierte Rima mit ihrer Körperfülle.

Alexander, der die karge, sich nur an Vorschriften orientierte Militärkost selbst kennengelernt hatte, wagte sich nur selten in die Stadt, weil er es für zu gefährlich hielt. Aber der Druck, stets auf der Flucht zu sein, legte sich allmählich. Nach zwei Monaten hatte er es sich abgewöhnt, immer über die Schulter nach einem Verfolger Ausschau zu halten.

Alexanders Zimmer war klein, aber warm, zu essen gab es reichlich. Dafür jedoch hatte er bereits morgens um sechs aufzustehen und die Kantine für das Frühstück herzurichten: etwas Kaffee und ein Mehrfaches an Tee aufzusetzen, Brot zu schneiden, Sirup und Marmelade auf kleine Teller zu schaufeln und Dickmilch in Tassen zu füllen. Er mußte Geschirr abwaschen, Einkäufe tätigen und durfte die

Gäste bedienen. Überwiegend handelte es sich um Soldaten bis zum Rang eines Feldwebels, die Offiziere hatten ihre eigene, wesentlich besser ausgestattete Messe innerhalb des abgesperrten Geländes.

Alexander erfüllte alle Aufgaben und Pflichten, nicht zuletzt auch die, mit der dicken Rima ins Bett zu gehen. Deshalb hatten seinerzeit die Gäste gekichert.

Obwohl ihn der massige Körper manchmal zu erdrücken drohte, war Rima ungemein feurig und brachte ihn auf andere Gedanken. Leider verausgabte sie sich immer so sehr, daß ihr der Schweiß in Strömen von der Stirn lief. Glitschig wurde sie am ganzen Körper, wie ein Fisch. Und da Rima auch noch die Oberhand behalten wollte, ihre Lieblingsstellung war das Reiten auf ihm, brannten Alexanders Augen ständig von ihrem Schweiß. Salzig schmeckte er obendrein, aber das nahm er in Kauf. Nur an ihre feuchten Küsse konnte er sich nicht gewöhnen. Wie ein Schwamm, der ausgedrückt wurde. Und daß sie ihn immerzu in den Po zwickte, auch vor Gästen.

Der Winter erreichte seinen Höhepunkt. Nur noch knapp eine Stunde am Tag war es milchig grau, die restliche Zeit herrschte Dunkelheit. Im Januar wurde es mit minus 48 Grad bitter kalt. Nachts hörte Alexander auf der benachbarten Militärbasis das Brummen der Lkw. Man ließ die Motoren, obwohl die Fahrzeuge in Blechhallen untergestellt waren, rund um die Uhr laufen, sonst würden die Blöcke platzen oder der Motor nicht mehr anspringen.

Alexander registrierte nach und nach, daß die Kantine beliebter Umschlagplatz für ganz bestimmte Waren war. Die Soldaten kamen mit Stiefeln und tauschten sie gegen Wodka und Zigaretten ein. Andere trugen scheinbar nichts bei sich. In solchen Fällen bekam Alexander oft mit, wie unter dem Tisch eine Pistole rübergereicht wurde und einige Geldscheine in die Gegenrichtung wanderten.

Alles, was man mehr oder weniger unauffällig übergeben konnte, wechselte so den Besitzer. Militärmäntel, Pelzjacken, Munition, Bajonette und Handschuhe. Dazu Materialien aus dem Fuhrpark wie Fett, Öl, Keilriemen und andere gesuchte Ersatzteile.

Jedesmal, wenn ein Geschäft zur Zufriedenheit beider Parteien abgewickelt worden war, spendierte man Alexander einen Wodka, sein Schweigegeld. Dafür hatte er sich auch schon mal auf einen Wink hin an die Tür zu stellen und aufzupassen.

Gipfel des Tauschgeschäftes war ein Geländewagen. Alexander beobachtete den Soldaten und den Zivilisten sehr lange. Sie redeten und redeten, feilschten über den Preis, aber das Handelsobjekt blieb Alexanders Augen vorenthalten. Auch, als mehrere dicke Bündel mit Banknoten diskret von einer in die andere Manteltasche wechselten. Erst als Alexander an das Fenster trat und den Zivilisten zufrieden in ein Fahrzeug steigen sah, wußte er, was wirklich abgelaufen war. Diesmal erhielt er als Lohn eine Flasche Wodka und hundert Rubel, mehr als sein Monatsverdienst bei Rima, wenn man einmal von ihren überschwenglichen Geschenken in Sachen Liebe absah.

Einer der Soldaten, ein Gefreiter mit riesigen Füßen und klobigen Händen, den sie Oki nannten, machte ihm ohne Scheu einen Vorschlag. »Wenn du mir ein Geschäft vermittelst, fällt selbstverständlich auch was für dich ab.«

»Was kannst du denn anbieten, Oki?«

»Alles. Benzin, Öl, Ersatzteile für Autos und Reifen sofort. Und Funkgeräte.«

Alexander wollte es wissen. »Das kann mir auch jeder andere besorgen. Wie ist es mit Waffen?«

Der Gefreite blickte sich um. Leise fragte er. »Was brauchst du?«

»Kalaschnikow.«

»Kein Problem.«

»Und einen Granatwerfer?«

»Tausend Rubel.«

»Hm. Wie ist es mit einem Maschinengewehr?«

»Eine Woche. Inklusive zweitausend Schuß zweitausend Rubel.«

»Und wie steht es mit schweren Fahrzeugen?«

»Wenn ich genügend Zeit habe, dann ist auch das machbar. Aber sag mal, willst du mich nur aushorchen?« Drohend rückte der Großgewachsene näher.

»Ich muß doch wissen, was du im Sortiment hast.«

Oki überlegte, runzelte die Stirn, dann wußte er mit dem Wort Sortiment etwas anzufangen. »Verstehe.«

»Warum hast du mich überhaupt angesprochen?«

Der Gefreite grinste. »Weil du doch inzwischen genau mitbekommen hast, was hier läuft, und die Schnauze hältst.«

»Also, Panzerfahrzeuge und ähnliches. Wie sieht es damit aus?«

Der Gefreite rückte noch näher. »Letztes Jahr hatten wir ein Manöver in den Gyda-Sümpfen nordwestlich von hier. Da sind doch tatsächlich vier Lkw und zwei Panzer abgesoffen. Und mit den Lkw Zelte, Gewehre, Decken und anderes Material.«

»Und wie viele Soldaten sind umgekommen?«

»Keiner, die konnten sich alle retten. Glaube mir, wir haben eine Menge Geld verdient, davon gingen 25 Prozent an den Kommandanten. Im Juni haben wir wieder Manöver. Sag mir nur rechtzeitig Bescheid, was du brauchst. Hör dich mal diskret um.«

»Gilt dein Angebot auch für Pläne von geheimen Militäranlagen?«

Der Gefreite Oki studierte lange Alexanders Gesicht. »Kommt darauf an, was du zu zahlen bereit bist.«

Alexander nahm an Körpergewicht zu. Als der Winter zur Neige ging, fühlte er sich ausgeglichener und kräftiger.

Die Sonne wanderte höher und höher und leckte den Schnee weg. Nur noch an den Nordseiten hielten sich einige Inseln aus Weiß, und dann beeilte sich die Vegetation, als wüßte sie genau, ihr stünden lediglich drei Sommermonate zur Verfügung. Gräser schossen aus dem Boden, Mücken erwachten, Libellen schwirrten umher. Alles blühte in den Tönen Weiß bis Violett, ein riesiger Teppich aus bunten Mustern und Farben. Mit ungeahnter Geschwindigkeit erwachte die Tundra zum Leben: Kleine Sträucher schlugen aus, eine Invasion von Vögeln fiel über die Landschaft her, die vielen Beeren wurden von Tag zu Tag runder und saftiger.

In den zahlreichen Treibhäusern reifte die erste Ernte von Gemüse und Frischobst. Im Winter dagegen versorgte man Ust-Port aus der Luft vom Mutterland, auch Festland genannt oder Materik, was soviel wie Kontinent bedeutete. Das schraubte die Kosten in die Höhe, und jedes Kilogramm Fleisch und Tomaten wurde um drei Rubel teurer. Die Bewohner kamen sich während der neun Monate dauernden Isolation in der arktischen Eiswüste, an mehr als 250 Tagen hatten sie Schnee und Frost, vor wie Insulaner.

Die Kinder durften die kurze Sommerzeit mit den langen Polartagen dazu benutzen, Licht aufzutanken. Oft spielten sie bis weit nach Mitternacht, damit sie die Quarzlampen, die künstlichen Sonnen, in ihren Kinderzimmern vergaßen, mit denen sie während der Kälteperiode vorlieb nehmen mußten. Für manchen Ust-Porter war der Sonnenhunger gefährlicher als die im Winter bis auf minus 60 Grad absinkende Temperatur.

Hie und da bestellte ein Hobbylandwirt seinen Boden und pflanzte Produkte an, die nur eine kurze Vegetationszeit benötigten. Zu gering war sie für Getreide, lediglich zwei speziell gezüchtete Kartoffelsorten versprachen einigermaßen Ertrag.

Arbeitskräfte reisten für wenige Monate an, um im Herbst der Region trotz des Rubel-Zuschlags schnell wieder den Rücken zu kehren. Rima stellte noch einen Mann in der Kantine ein, damit Alexander freigestellt wurde für die Winterbevorratung. Er kaufte die Erträge der wenigen Landwirte und lagerte sie neben anderen Lebensmitteln in Erdgruben, die er mit einer Lage Holz, Segeltuch und getrocknetem Gras abdeckte. Konserven kamen in einem speziellen Raum unter Verschluß, die meisten wurden diskret von Armeeangehörigen geliefert. Obst hielt sich bei entsprechender Pflege, alle zwei Tage war es zu drehen, bis weit über die Jahreswende.

Im Mai wurde Alexander Zeuge eines gigantischen Naturschauspiels. Er saß nur in Hose und luftigem Pullover am zugefrorenen Jenissei, denn die Sonne schien schon seit zwei Wochen voller Kraft, schleuderte ihre grellen Blitze in die Landschaft und wärmte sie. Plötzlich bemerkte er auf dem Eis ein dünnes Rinnsal, Wasser von weiter oberhalb, wo der Fluß bereits aufgetaut war. Das Rinnsal wuchs, wurde zu einem kleinen, auf dem Eis fließenden Bach. Und dann war ein Singen in der Luft, das in Knistern überging. Der Boden erzitterte, das Knistern, hell und fein, schwoll an, wurde dumpfer und von einem brüllenden Knallen abgelöst. Kurz darauf hörte er ein Geräusch wie das Rumpeln von schweren Steinblöcken bei einer Lawine, die zu Tal stürzte. Jetzt war kein Bach mehr auf dem Jenissei, sondern ein Fluß, der Eisstücke mit sich führte, die über das Untereis schrammten. Unvermittelt brach der Jenissei auf.

Breite Risse zogen sich über den Strom wie Adern, große Schollen lösten sich, stellten sich auf, blockierten andere, die sich dahinter stauten. Ein Berg von Eis, weiß, grau und in verschiedenen Blautönen, alles ineinander verkeilt, aufgeschichtet, hochgetürmt, versuchte dem Druck des nachströmenden Wassers standzuhalten. Und wie das Brechen eines übervollen Dammes, genauso platzte diese Naturbarriere mit ohrenbetäubendem Poltern auf. Wasser und Eis zeigten ihre Muskeln, Blöcke kullerten und bollerten übereinander und zermalmten sich gegenseitig. Schollen, eine schubste die andere an, tanzten auf dem quirligen, brodelnden Fluß, der nach erzwungener Winterpause unruhig dem Eismeer zuströmte.

Der Sommer, so kurz, als wäre er ein Urlaub vom Winter und lediglich eine Verschnaufpause für die Kälte, verflog rasend und neigte sich schon Anfang August dem Ende entgegen. Alexander bemerkte eine Unruhe unter den Soldaten, die, durch Befehl von oben in ständige Alarmbereitschaft versetzt, oft lange an den Tischen saßen, ihre Köpfe zusammensteckten und diskutierten. Für Alexander war das heimliche Getue ungewöhnlich, denn normalerweise gaben sie sich wesentlich offener. Schließlich bekam er mit, was der Grund war: der Einmarsch der Roten Armee in Prag, der Hauptstadt der Tschechoslowakei, einer sogenannten Brudernation.

»Warum besetzen wir ein befreundetes Land?« fragte Alexander den grobschlächtigen Oki. »Sind wir denn nicht alle gleichberechtigte Partner?«

Oki kratzte sich den kurzgeschorenen Schädel mit den abstehenden Ohren und überlegte. »Weil es unsere Hilfe braucht, die Hilfe des großen Bruders.« Dann wurde Oki philosophisch: »Der große Bruder paßt immer auf die jüngeren Geschwister auf.«

Alexander spielte den Unwissenden, und Oki klärte ihn auf. »Ergibt sich für die sozialistische Gemeinschaft eine Gefahr, dann müssen sich alle andere Staaten um dieses Land kümmern. Damit ist zeitweise für dieses Land eine gewisse Einschränkung verbunden, bis die Normalität wieder hergestellt ist.«

Allgemeinverständlich erklärte Oki mit eigenen Worten, was die Politoffiziere ihm und den anderen Soldaten während des Sommers auf den diversen Schulungsabenden vermittelt hatten. Im Grunde genommen war es nichts anderes als die verkürzte Wiedergabe der als Breschnewdoktrin bekanntgewordenen These, die als Alibi dazu diente, gegen die Reformbewegungen der ČSSR und deren Experiment des »demokratischen Sozialismus mit menschlichem Antlitz« vorzugehen.

»Aber es muß doch etwas vorgefallen sein«, gab Alexander zu bedenken.

Oki gefiel das Nachfragen überhaupt nicht, denn bei den Schulungen hatte man sich das stets verbeten. Und weil er selbst auch nicht genau wußte, was der eigentliche Anlaß für die Invasion war – warum sollte er sich Gedanken machen, die da oben wissen schon, was zu tun ist – bastelte er sich eine Version zurecht, die ihm schlüssig erschien. »Die ČSSR liegt näher bei den imperialistischen Staaten als wir, deshalb ist das Land eher gefährdet, was die Infiltration betrifft.« Das Wort Infiltration bereitete ihm einige Schwierigkeiten. Mit einem unwilligen Unterton, der das Ende der Diskussion signalisierte, fügte er hinzu: »Verstehst du das jetzt endlich?«

Alexander hatte sich längst eingelebt, und die Körpermasse von Rima machte ihm, wenn ihr nicht gerade dreimal hintereinander danach war, immer noch nichts aus. Tunlichst vermied er es jedoch, zum Zwischenhändler für die Schiebereien der Kantinenbesucher zu werden. Oki, der Gefreite mit den großen Händen und Füßen, nahm es ihm nicht übel, er werde auch so seine Ware los. Leider hätte es beim Manöver wieder schlimme Verluste an Material gegeben. Augenzwinkernd spendierte er Alexander einen Wodka.

Ja, wenn der Schnaps nicht gewesen wäre, Alexander hätte noch Monate bleiben und die Zeit gut überstehen können. Der Wodka, die Seele des Nordens, Trostspender und Verkürzer der Einsamkeit. Jeder Soldat trank in seiner Freizeit, mancher in solchen Mengen, daß es ihm sprichwörtlich aus den Ohren herauslief. Was sollte man nach dem langweiligen Dienst auch anderes in dieser Einöde tun? Etwa politische Schulungsabende besuchen, zu denen man sogar dienstlich verpflichtet war? Das kam eher einer Bestrafung denn einer Abwechslung gleich.

Zum Leidwesen all derer, die gerade in dem Alter waren, wo das Feuer unbarmherzig zwischen den Lenden brannte, gab es kaum Mädchen, immer noch bestand eklatanter Mangel am anderen Geschlecht. Nördlich des Polarkreises sogar weit mehr als im übrigen Sibirien, obwohl auch dort die Männer schon seit jeher über das Ungleichgewicht klagten. Und das einzige Kino der Stadt zeigte zu allem Überfluß nur heroische Filme der Sowjetarmee, die jeden Abend wieder aufs neue die deutsche Wehrmacht besiegte, ohne selbst einen einzigen Toten zu beklagen.

Die ewigen Lobhudeleien aus dem Radio, was Plansollerfüllung und die Errungenschaften des Sozialismus anbelangte, interessierten die 19- und 20jährigen, einige waren auch erst 17, überhaupt nicht. Was also blieb, waren der Wodka und eine feuchtfröhliche Runde oder einmal die Woche der Gang zu einer Hure, falls die vielbeschäftigte Dame gerade verfügbar war. Im Verlauf eines Besäufnisses kristallierten sich seltsame Mutproben heraus wie überall auf der Welt bei Heranwachsenden und jungen Männern: Wer es am längsten draußen bei minus 40 Grad in der Badehose aushielt. Das war noch harmlos und führte höchstens dazu, daß man mal jemanden auftauen mußte. Oder die Fahrt auf einem Motorrad, ein seltenes Fortbewegungsmittel so hoch im Norden, nach einer in wenigen Minuten ausgetrunkenen Flasche Schnaps. Wer am weitesten kam, hatte gewonnen. Aber mit der Zeit verloren alle herkömmlichen Spielchen an Glanz, neue mußten her. Im letzten Jahr schaffte es einer der jungen Soldaten, einen Schützenpanzer zu entwenden und mit ihm durch Ust-Port zu fahren. Fazit der Spritztour: Ausstoß aus der Armee und zwei Jahre Lagerhaft. Human war das im Vergleich zu dem Strafmaß, das Alexander erhalten hatte. Aber hier oben im Norden schienen die Bewohner schon allein durch ihr Ausharren genug bestraft.

Seit einiger Zeit waren unter den Soldaten auch welche aus Kasachstan und Usbekistan. Warum, das wußte niemand. Wenn die Südländer aus ihrem Heimaturlaub wieder in die Kasernen am Rand des Eismeeres rücken mußten, dann befanden sich oft seltsame Dinge im Reisegepäck. Der neueste Hit war Plan, ein Rauschgift. Die Soldaten nahmen es in kleinen Dosen zusammen mit Wodka. Dadurch wurde die Wirkung verstärkt, schnell ging die Kontrolle verloren, und die Usbeken waren bekannt für ihre dann lose sitzenden Krummdolche, mit denen sie ausgezeichnet umzugehen verstanden. Als zu aller Überraschung auch noch eines der seltenen Geschöpfe, die sich Mädchen nennen, auftauchte und gekonnt die Jungen anheizte, woraufhin diese um sie zu kämpfen begannen und, gewürzt mit einer Extraration Plan, noch mehr Wodka tankten, um ihr zu imponieren, da war das Desaster perfekt.

Alexander wollte schlichten und befand sich plötzlich mitten in einer Messerstecherei. Hier ein Schrei, dort ein Fluch, und auf dem Boden lag ein lebloser Körper.

Die gewichtige Rima telefonierte aus Angst um ihren Alexander mit dem Lagerkommandanten, wenige Minuten später rückte eine halbe Kompanie Soldaten an. Alle Beteiligten wurden zuerst mit dem Knüppel ruhiggestellt, dann auf Lkw verfrachtet und zum Militärstützpunkt transportiert. Alexander war auch darunter.

Er durfte jedoch, nachdem man seine Personalien festgestellt hatte, wieder nach Hause gehen. Aber seit diesem Vorfall war er sehr beunruhigt.

Rima merkte das und stellte ihn zur Rede.

»Du hast eine andere Frau.«

Alexander verneinte. Wie sollte er auch, bei dem Mangel.

»Doch, ich spüre es. Du betrügst mich.« Drohend baute sie ihre vielen Kilogramm vor ihm auf, die Hände angriffslustig auf die ausladenden Hüften gestemmt.

»Nein, ich betrüge dich nicht.«

»Was gibt es denn, he? Du hast seit Tagen nur noch einen Schlappschwanz in der Hose. In deinem Alter ist das nur dann der Fall, wenn du ihn oft auslaufen läßt. Bei einer anderen. Oder findest du mich nicht mehr attraktiv?«

Rima wippte mit ihrem beeindruckenden, in ein Korsett eingezwängten Oberkörper und den beiden fußballähnlichen Wülsten, die sich unter der Bluse drängten und die Knöpfe zu Schwerstarbeit zwangen.

»Ich finde dich attraktiv.«

»Dann los, nichts wie hoch ins Bett.«

Alexanders Unruhe nahm von Tag zu Tag zu: Sie hatten seine

Personalien. Und wenn einer auf die Idee kam, diese weiterzugeben, dann mußte der Schwindel mit dem falschen Ausweis auffallen. Vorsichtshalber bereitete er alles für eine Flucht vor. Außerhalb von Ust-Port in einer verfallenen Hütte, die Rima gehörte, verstaute er seine Reiseutensilien, angefangen vom Schlitten über das Zelt bis zu den Ski. Aber noch lag kein Schnee. Zusätzlich unterhielt er ein umfangreiches Depot an Nahrungsmitteln und sonstigen lebensnotwendigen Dingen.

Eine Woche später fielen endlich die ersten Flocken, bald lag alles unter einer dünnen weißen Decke. Tief am Horizont meldete sich, diffus und ohne Kraft, wie eine ausgehende Lampe, die schwächer werdende Sonne.

Sie kamen tatsächlich. Alexander war von einem jungen Soldaten vorgewarnt worden, der aber nicht genau wußte, um wen es sich handelte. Ein Mörder und ehemaliger Strafgefangener solle in Ust-Port gesehen worden sein. Die auf dem Stützpunkt warteten nur noch auf die Bestätigung.

In der darauffolgenden Nacht begann Rima wie von Sinnen zu schreien, als sie Alexander nicht im Haus vorfand. Sie rief überall an, auch bei der Miliz, und machte eine Vermißtenmeldung, denn noch nie sei ein Mann von sich aus verschwunden. Immer habe sie ihn weggeschickt. In wenigen Minuten waren die Grauröcke da und umstellten die Kantine. So schlimm sei es nun auch wieder nicht, meinte Rima. Er habe ja nichts ausgefressen oder mitgehen lassen.

Und ob er was ausgefressen habe, berichtigte sie ein Leutnant. Man wisse zwar nicht genau, wer er sei, aber er heiße gewiß nicht David Delkowitsch. Der lebe nämlich in Salechard. Der Leutnant der Miliz vergaß zu erwähnen, daß man dies schon vor mehreren Monaten hatte in Erfahrung bringen können. Damals, nach Alexanders Anmeldung beim Stadtsowjet, war ein Schreiben an die Militärbehörde nach Salechard gegangen, mit der Bitte, die Unterlagen des David Delkowitsch nach Ust-Port zu schicken. Bei der Gelegenheit erfuhr die Miliz, daß er noch gesund und munter seine Arbeit verrichtete. Ein junger Milizionär hielt dies für einen Scherz oder was auch immer, und die Nachricht wanderte in die Ablage, wo alle Nachrichten irgendwann einmal zu finden waren.

Erst als man sich jetzt erneut erkundigte, erinnerte sich der arme Graurock wieder. Leider zu spät, denn Alexander war verschwunden. Aber er hatte lediglich einen Vorsprung von einigen Stunden, und das war zu wenig.

Weiter, weiter, eine neue Flucht ins Ungewisse. Aber diesmal waren ihm die Verfolger dicht auf den Fersen. Alexander haßte es, wie ein Tier gejagt zu werden, genau das würden sie tun, und seine Chancen standen nicht allzu gut. Allerdings hatten sie ihm beinahe ein Jahr Ruhe gegönnt, deshalb war er gut genährt und voller Kraft. Und, vielleicht sein größtes Plus, er hatte die Freiheit kennengelernt und genossen. Nie mehr wollte er sie aufgeben.

Außer Atem erreichte er den kleinen Schuppen. Unter zusammengebundenem Reisig und getrocknetem Moos lagerten sein Schlitten und die übrige Ausrüstung mit genügend, über Monate haltbaren Konserven und anderen Nahrungsmitteln aus der Kantine, die er immer wieder aufgefrischt und aufgefüllt hatte. Er verstaute noch hastig ein Bettlaken, schnallte sich die Ski an, befestigte die Zuggurte des Schlittens und stapfte in die Dunkelheit hinaus. Es war sechs Uhr in der Früh. Was ihm jetzt noch helfen konnte, war dichter Schneefall, um seine Spuren zu verwischen, und die Dunkelheit eines langen Winters. Gedanklich hatte er sich in den vergangenen Monaten trotz allen Sträubens immer wieder zwingen müssen, eine erneute Flucht einzukalkulieren. Dann gehe ich nach Süden, vielleicht nach Kasachstan oder noch weiter, so lautete sein Plan, und von dort über die Grenze ins Ausland.

Nun, da der Augenblick gekommen war, wußte Alexander nicht, wohin er sich wenden sollte. Das Zentrum von Ust-Port lag zwei Kilometer entfernt, weiter in Richtung Norden kam nicht viel mehr, und die etliche Kilometer breite Mündung des Jenissei, der Übergang zum Eismeer, schnitt ihm den Weg nach Süden und Westen ab. Deshalb marschierte er einfach nach Osten. Als nach zwei Stunden die ersten kleineren Erhebungen sichtbar wurden, die zu erklimmen zu viel Kraft kosteten, wandte er sich südwärts.

Wie sind sie auf mich gestoßen, fragte er sich immer wieder. Weil sie die Personalien dieses David Delkowitsch aufgenommen haben?

Das erschien ihm zu dürftig. Welchen Zusammenhang gab es sonst? Vor Jahren in der Lubjanka, da hatte man ihn als Alexander Gautulin geführt, ihn vermessen, fotografiert, seinen Körper nach unveränderbaren Merkmalen abgesucht und leider nichts entdeckt. Keine Narbe, keine abstehenden Ohren, keine O- oder X-Beine. Heute fänden sie wesentlich mehr, allein schon die Verdickung des schief zusammengewachsenen Schienbeins war ein solches Erkennungsmerkmal und die Narbe auf der rechten Hand.

Mit seiner Verlegung von Moskau über Perm 35, Lager 60/61 nach SIB 12 wanderte seine Akte mit, und in ihr standen alle Details. Sicherlich, so überlegte er, sind sie auf mich gekommen, weil man mich und Klimkow hat fliehen sehen und Pagodins Ausweis fehlte. Und …

Alexander erschrak. Bisher hatte er sich, mit Ausnahme bei seiner Flucht von Nyda nach Tasowskij, noch nicht allzu viele Gedanken darüber gemacht. Plötzlich glaubte er, die Hintergründe zu kennen. Sie haben meine Fingerabdrücke in Pagodins Büro und Wohnung entdeckt und wußten vom ersten Augenblick an, spätestens jedoch, als man Klimkows Leiche fand, wer sich den Ausweis des Natschalniks angeeignet hat. Sie sind auf Salechard gestoßen, die Stadt am Eismeer, wo man mich und Markus Nadeike bei der Abreise kontrolliert und in eine Liste eingetragen hat. Das gleiche in Nyda, meiner nächsten Station.

Alexanders Spur zog sich weiter: zuerst die Miliz, das Protokoll, dann der Tod von Markus und in Tasowskij schließlich dessen Bruder Litvius. Stets müssen sie gewußt haben, es war Gautulin, Alexander Gautulin, der versuchte, einer Festnahme zu entgehen. Hinzu kam, wie er schon früher vermutet hatte, daß er womöglich der einzige sich noch in Freiheit befindliche Lagerhäftling von SIB 12 war.

Bevor er sich die Frage beantworten konnte, welche Verbindung zwischen Tasowskij und Ust-Port bestand, eventuell auch über den Letten Litvius, den man wegen des gefälschten Ausweises bestimmt vernommen oder sogar verurteilt hatte, hörte er das Geschwirr eines Hubschraubers. Zu sehen war nichts, noch verbarg ihn die Dunkelheit. Aber der Hubschrauber, dem singenden Geräusch nach einer, der höchstens sechs oder acht Personen aufnehmen konnte, bewegte sich exakt in die Richtung, die er eingeschlagen hatte, bevor er verschwand.

Gegen zehn Uhr wurde es hell, die Sonne zeigte sich; leider also kein bedeckter Himmel und kein Schneefall. Überhaupt hatte er wenig Weiß unter den Kufen des Schlittens. Oft konnte er hören, wie sie über den Untergrund schrammten.

Noch einen weiteren Nachteil brachte die Sonne mit sich. Da sie tief stand, warf er einen langen Schatten. Aber außer seinem Schatten, aus der Luft ein unübersehbarer schwarzer Streifen, würde es, abgesehen von Sträuchern, Büschen und einigen Birken, keinen weiteren in diesem flachen Land geben. Folglich mußte er irgendwann zwangsläufig auffallen. Es sei denn, er versteckte sich für ein paar Stunden. Aber es blieben seine Spuren, eine unübersehbare Linie, auch wenn der Rumpf des Schlittens die Eindrücke der Ski zum Teil wieder egalisierte.

Was Alexander auch unternehmen würde, alles deutete auf ein schnelles Ende der Verfolgung hin. Und so beschloß er, einfach weiterzugehen und zu hoffen, der nächste Hubschrauber würde noch etwas auf sich warten lassen. Hoffen war in der Tat seine einzige Möglichkeit, vielleicht hielt man ihn auch nicht für so verrückt, sich nach Osten zu wenden, und kontrollierte deshalb zuerst die Allwetterstraßen.

Drei Stunden währte seine Gnadenfrist, die Sonne ging allmählich unter. Kurz bevor die Nacht das Land wieder einhüllte, hörte er erneut das Geknattere in der Luft, der Ostwind trug es ihm zu. Noch hatten sie ihn nicht entdeckt, aber wenn die Suchmannschaft eine Schleife flog, dann mußte sie unweigerlich seine Fährte sehen.

Alexander tastete mit zittrigen Fingern nach dem weißen Bettlaken, welches er noch aus Rimas Schrank, in dem sie seit Jahren ihre Hochzeitswäsche aufbewahrte, hatte nehmen können, knotete es sich um den Hals und warf den Rest wie eine Schleppe über den Schlitten. Auf diese Weise etwas getarnt, marschierte er, als gäbe es keine Verfolger. Mehr und mehr dämmerte es, die Sicht betrug höchstens noch 50 Meter. Plötzlich war der Hubschrauber dicht vor ihm. Gegen den Wind angeflogen, hatte er ihn erst später registriert. Alexander ließ sich gleich neben das Gerippe eines verkrüppelten Baumes zu Boden fallen, zog den Schlitten näher und versteckte sich unter dem Laken. Der Hubschrauber sauste über ihn hinweg, hell klang das Pfeifen der Gasturbine. Und dann drehte er, kam wieder näher. Aber der Pilot schien unschlüssig zu sein, denn er kreiste am Himmel, ohne sich zur Landung entscheiden zu können. War es schon zu dunkel? Tarnte ihn Rimas Hochzeitslaken? Warum flammte kein Scheinwerfer auf, der den Boden absuchte, fragte sich Alexander. Dann haben sie mich in zwei Minuten.

In diesem Augenblick konnte er nicht ahnen, daß ihm die sowjetische Mangelwirtschaft eine Schonfrist gewährte. Der Suchscheinwerfer funktionierte nicht, es fehlte am Nachschub von speziellen Birnen. Aber was Alexander wenig später aus dem gleichmäßigen Zwitschern des Rotors heraushören konnte: Der Hubschrauber war nicht weit von ihm entfernt gelandet. Im letzten Tageslicht hatte man also doch noch seine Spuren im Schnee entdeckt. Alexander sprang auf und hastete weiter. Er vermutete, daß seine Verfolger keine Ski hatten, obwohl ihm die geringe Schneehöhe kaum einen Vorteil verschaffte. Außerdem waren die Häscher ausgeruhter.

Alexander wußte nicht, welche Richtung er einschlug. Bloß weg von dem Hubschrauber, sagte er sich, verlor nach wenigen Minuten jedes Gefühl und hatte keine Ahnung, wie lange er schon durch die beginnende Nacht gehetzt war. Blickte er über die Schulter, dann bemerkte er in einiger Entfernung auf und ab tanzende Lichtpunkte: Taschenlampen. Der Abstand war schwer zu schätzen. 300 Meter vielleicht? Aber sehen konnten ihn seine Verfolger nicht, sonst hätten sie längst auf ihn geschossen.

Alexander stolperte, rutschte, das Gelände wurde abschüssig. Als es wieder eben verlief, durchzuckte ihn der nächste Schreck: Er befand sich auf einem zugefrorenen Fluß. Handelte es sich um einen kleinen, unbedeutenden, dann war das nicht so schlimm. Aber um den Jenissei zu überqueren, war es noch zu früh im Jahr. Erst Mitte Oktober konnte man sicher sein, also in gut zwei Wochen.

Alexander blieb keine Zeit zum Überlegen. Für ihn gab es keine Alternative, als geradeaus zu stapfen, bis zum … anderen Ufer. Nach wenigen Minuten ahnte er, es mußte der Jenissei sein, der an dieser Stelle mindestens fünf Kilometer breit war und in der Mitte, wenn überhaupt, nur eine dünne Eisschicht hatte, gerade so dick, den Schnee zu tragen und die Gefahr zu tarnen.

Nach weiteren fünf oder zehn Minuten kam es ihm vor, als habe der Untergrund sich verändert, als schwanke er. Und auch das Schaben des Schnees, den er mit seinen Ski durchpflügte, klang anders.

Nicht darauf achten, nur weiter. Ein Blick zurück, die Lichtpunkte folgten ihm noch immer. Täuschte er sich oder war die Entfernung wirklich größer geworden?

Alexander orientierte sich verbissen nach vorn. Jetzt vernahm er ganz klar ein feines Knistern. Das Eis. Keine hektischen Bewegungen, immer gleiten, die Ski möglichst gleichmäßig belasten und nicht zu abrupt abstoßen, gab er sich das Kommando. Und kontrolliert den Stock einsetzen. Dadurch wurde er zwar langsamer, aber das Risiko schien ihm geringer zu sein.

Das Knistern nahm zu, die Schwingungen des Untergrunds auch. Plötzlich ein gedämpfter Knall, nicht lauter als eine ins Schloß fallende Tür. Seitlich, in zwei, oder drei Meter Abstand, registrierte er im grauen Untergrund eine dunklere, gezackt hin und her springende Linie. Das Eis war aufgerissen, Wasser drückte sich durch Alexanders Gewicht nach oben.

Vorsichtig schwenkte Alexander etwas flußaufwärts, weg von der Bruchstelle. Aber dieses dumpfe Knallen hörte er erneut und dann schon wieder. Beim letzten Mal meinte er zu fühlen, wie das Wasser seine Füße umschwappte. Er wagte nicht, nach unten zu schauen und war dankbar für die langen Ski. Keine schmalen, wie die Rentierzüchter sie trugen, sondern breite, welche zum Wandern, mit denen man nicht so tief im Schnee einsank.

Alexander erinnerte sich nicht, wann er das letzte Mal gebetet hatte. Heimlich von seinen Eltern katholisch erzogen, weil es unsozialistisch und frevelhaft und obendrein verboten war, einer Religion nachzugehen, rasselte er nun das Vaterunser herunter. Da er schnell damit fertig war, schickte er noch ein zweites hinterher und anschließend das Versprechen: Wenn ich hier heil herauskomme, werde ich mich bessern. Bessern zu was? Sich stellen?

Weiter, weiter, weiter! hämmerte es in seinem Kopf. Sanft und fließend gleiten, nur nicht mit harten Stöcken abdrücken, und das

Gewicht gleichmäßig auf beide Bretter verteilen. Aber das war auch mit streichelnden Stockeinsätzen nicht zu machen, einen Fuß mußte er immer anheben. Außerdem wog der Schlitten zu viel.

Ob ich ihn zurücklasse, überlegte Alexander. Dann bin ich schneller. Ich Dummkopf. Der Schlitten ist doch meine Lebensversicherung, wenn ich das andere Ufer jemals erreichen sollte. All die Gegenstände, die ich brauche, um auch nur eine Nacht zu überstehen, befinden sich doch auf dem Schlitten. Dazu Nahrungsmittel für mindestens drei Monate und sogar noch länger, wenn ich ab und zu einen Fuchs oder ein anderes Tier erlege.

Ein neuer Riß im Eis. Alexander redete sich ein, der Riß sei nicht mehr so breit und seit dem vorigen viel Zeit vergangen. Hatte er schon die Flußmitte überschritten?

Alexander machte sich was vor, das seltsame Singen unter seinen Füßen nahm nicht ab, und der Untergrund wurde auch nicht fester. Aber hinter ihm, da tat sich etwas.

Er wagte einen erneuten Blick zurück, ohne das Tempo zu drosseln. Waren das nicht Schreie? Tanzten dahinten nicht plötzlich weniger Taschenlampen?

Jetzt vernahm er die Schreie deutlich. Schreie, wie in Todesangst. Und Alexander hörte das Bersten. Nicht nur ein Krachen, sondern unwilliges Bersten, als beschwere sich das Eis über die unangemessene Belastung. Das Bersten nahm zu, kam hinter ihm hergelaufen.

Mit einem Mal verstand Alexander, welche Tragödie sich auf dem Fluß abspielte. Er hatte das Eis zum Reißen gebracht, und seine Verfolger, ohne Ski und vielleicht nicht mit genügend Sicherheitsabstand, waren eingebrochen.

Alexander frohlockte, es waren keine Lichtpunkte mehr zu sehen. Die Schreie wurden auch schwächer. Nicht verwunderlich, bei einer Wassertemperatur um den Gefrierpunkt. Höchstens zehn Minuten lang bestand dann noch eine Überlebenschance, hatte Alexander einmal gelesen. Vielleicht konnten seine Verfolger per Funk den Hubschrauber herbeidirigieren?

Noch war er nicht außer Gefahr. Mit leicht gedrehtem Kopf und einem Ohr zurücklauschend, glitt er weiter. Hoffen und Beten wechselten sich in ihm ab mit allen möglichen Versprechungen.

Zum Schluß wollte er sogar Kerzen in Sagorsk anzünden, falls er mal in der Nähe sein sollte.

Zuerst bekam er es nicht mit. Dann merkte er, wie seine Art, sich fortzubewegen, beschwerlicher wurde, der Untergrund anstieg. Aber Flüsse konnten nicht ansteigen. War das schon das rettende Ufer? Nach wenigen Metern ließ Alexander sich keuchend hinfallen. Es flimmerte ihm vor den Augen, schwer hob und senkte sich die Brust. Er rieb sich Gesicht und Nacken mit Schnee ein, die Kühlung tat gut. Und er stopfte sich Schnee in den Mund.

Anschließend mußte er sich zwingen, sich aufzurichten und zum Fluß zu schauen. Lange starrte er in die Dunkelheit. Keine Taschenlampe blitzte auf, kein Geräusch war zu hören, außer seinem Atem und dem Rauschen des Blutes in den Ohren.

Nach einer halben Stunde wußte er, für diese Nacht war er in Sicherheit. Er baute sein Zelt auf, schob den Schlitten hinein, legte sich in die mit Fell ausgeschlagene Wanne, deckte sich zu und war wenig später eingeschlafen.

Schon in der Nacht begann es zu schneien. Am Morgen, es war sieben Uhr, mußte sich Alexander aus dem Zelt pellen. Die Wände hingen durch und waren gespannt vom Gewicht der weißen Last.

Draußen herrschte Dunkelheit, die Hand vor den Augen war kaum zu erkennen, so dicht fielen die Flocken. Alexander wagte es, den Brenner anzuzünden und sich einen Tee zu kochen. Dazu aß er getrocknetes Fleisch und ein Stück Brot. Anschließend fühlte er sich wesentlich besser.

Um nicht die Orientierung zu verlieren, hielt er sich immer am Ufer und ging nach Süden. In wenigen Tagen wollte er den Jenissei erneut überqueren, denn die Freiheit, die große Freiheit, falls er sie jemals erlangen sollte, gab's nur im Osten.

Der Jenissei lag längst hinter ihm, Alexander hatte eine tischebene Fläche durchwandert, einen zugefrorenen See. Noch einige Male war das Geräusch von Flugzeugen zu hören und das nervöse Geschwirr der Helikopter. Aber die Sicht war, abgesehen vom stetigen Schneefall, der nach wenigen Minuten alle verräterischen Spuren zudeckte, zu schlecht, um seine Fährte auszumachen.

Alexander schien es zu riskant, den nach Nordosten verlaufenden Winterweg zu benutzen, auf den er vor einem Tag gestoßen war. Er wanderte parallel von ihm und hielt sich, wenn möglich, an Bodensenken, in denen man seine Eindrücke nicht so leicht ausmachen konnte. Außerdem füllte der Wind die Senken wieder schnell mit Schnee.

Sehr selten war jetzt noch ein Fahrzeug zu sehen. Wenn sich eines näherte, verschwand Alexander unter dem Laken. In der Nacht bestand keine Gefahr, entdeckt zu werden. Die wenigen Stunden am Tag, die es hell war, machte er Rast und suchte nach trockenen Sträuchern und Ästen für ein wärmendes Feuer.

Allmählich veränderte sich das Gelände und stieg sanft an. Die ersten höheren Kuppen tauchten auf, dann Berge und schließlich schroffer Fels. Der Karte nach mußte er sich nördlich von Norilsk in den westlichen Ausläufern des Putoranaplateaus befinden.

Noch war Alexanders Schlitten mit Nahrungsmitteln gut bepackt, außerdem hatte er ein Gewehr. Ab und zu gelang es ihm, einen Polarfuchs zu schießen, auch mal einen Schneehasen oder ein Schneehuhn. Einmal war sogar ein Zobel darunter mit einem ungewöhnlich dichten und weichen Fell. Alexander wunderte sich, was der so tief in der Tundra und abseits der Zirbelkiefer, deren Nüsse seine Hauptnahrung sind, zu suchen hatte. Alle Tiere zerlegte er in kleine Portionen, briet das Fleisch nur gerade an, um Brennstoff zu sparen, und gönnte sich immer ein ausgiebiges Festmahl.

Äußerst beschwerlich war der Aufstieg in eine Bergregion. Alexander hätte es einfacher haben können, wenn er sich weiter nach Norden orientiert hätte, aber er redete sich ein, in dem schwierigen Gelände sei er sicherer. Außerdem fühlte er sich noch gut bei Kräften, und das wollte er ausnutzen.

Die Einsamkeit, ein stetig größer werdendes Problem, war noch zu ertragen, Trugbilder hatte er nicht, im Gegenteil. Oft fand er Zeit, die Landschaft zu betrachten und zu beobachten, wie sich der Schnee je nach Tageszeit farblich veränderte. Bei Anbruch der Morgendämmerung gegen zwölf Uhr mittags bläulich, dann für etwa eine Stunde weiß-grau und mit beginnender Dunkelheit grau-blau bis hinüber ins Violette.

Die Zeit verging, die Tage summierten sich zu einer Woche, die Wochen zu einem Monat, und Alexanders Kräfte schwanden, obwohl ihm immer noch Füchse vor das Gewehr liefen. Es war auch mehr die totale Abgeschiedenheit, die ihm unvermittelt zu schaffen machte und ganz seltsame Verhaltensweisen mit sich brachte. Stundenlang redete und diskutierte er mit sich selbst, nur um von seinem eigentlichen Zustand abzulenken. War er guter Stimmung, dann lobte er sich auch, fühlte er sich dagegen mies, und das kam nun immer häufiger vor, konnte er erbarmungslos in seiner Selbstkritik sein. Dieses Kritisieren und Sich-in-Frage-Stellen demotivierte ihn, aber noch konnte er Widerstand leisten und sich rechtfertigen. »Ich will nur die Freiheit«, murmelte er dann stereotyp vor sich hin, »nur die Freiheit.« Das Alleinsein jedoch zermürbte seinen Erkenntnis- und Freiheitsdrang. Was nützte es ihm, frei zu sein, wenn er immer auf der Flucht war und keinem Menschen begegnete?

Als Folge seiner inneren Zerrissenheit schimpfte und tobte er und lief wild gestikulierend durch die Gegend, als hätte er einen Ring von Feinden um sich oder Starrköpfe, die es zu belehren galt. Das kostete dann auch wieder Kraft, dafür allerdings sah er seit vielen Tagen wieder mal verkrüppelte Bäume und Sträucher, für ihn in dieser Schneewüste ein Zeichen des Lebens, das den Augen und noch mehr seinem Vorrat an Brennholz guttat.

Manchmal ließ ihn trotz der Karte die Orientierung im Stich, die ersten Trugbilder bauten sich auf. Dann wollte er sich ausziehen, ins blaue Meer stürzen oder sich in der Sonne aalen.

Oft hockte Alexander stundenlang in einer Felsspalte, neben sich ein kleines Feuer, auf das er von Zeit zu Zeit Äste und Reisig legte, und starrte vor sich hin, um irgendwann erschreckt zusammenzuzucken. Er konnte sich nicht mehr erinnern, woran er gedacht hatte. Ist das bloß die Einsamkeit oder schon eine Vorstufe des Verrücktwerdens? Als müsse er sich für ein angebliches geistiges und körperliches Fehlverhalten bestrafen, bewältigte er im Anschluß an solche Phasen stets eine Gewalttour. Danach war er zu müde, sein Zelt aufzubauen. Er räumte einfach den Schlitten leer, drückte ihn etwas in den Schnee und legte sich in die körpergerechte Wölbung. Mit Zelt und Plane und allem, was er hatte, deckte er sich zu.

Mehr und mehr kämpfte Alexander mit Halluzinationen. Es begann zu dem Zeitpunkt, als sich auch die tägliche graue Stunde nicht mehr meldete und ihn die Polarnacht mit ihrem Schattenreich verschluckte. Alexander kam es vor, als habe man ihn in einen riesigen Sack gesteckt. Plötzlich jedoch sah er Lichter vor sich, die Häuser einer kleinen Siedlung. Warme, gelbe, einladende Lichter, wie damals, als er auf dem Weg nach Perm 35 war. Dann sprang er auf und rannte auf die Lichter zu, aber sie kamen nicht näher. Und wenn er merkte, daß er einem Trugbild aufgesessen war, machte er kehrt und suchte seinen Lagerplatz. Das dauerte seine Zeit, manchmal eine Stunde und länger.

Alexander sang Lieder, sagte die wenigen ihm bekannten Gedichte auf, fluchte auf Gott und die Welt und steckte dem Mond, von dem er sich beobachtet fühlte, die Zunge heraus. Er zählte seine Schritte, begann bei tausend und zählte rückwärts. Alexander ließ sich in den Schnee fallen und grub mit den Händen eine kleine Höhle, in die er den Kopf steckte, als gäbe es etwas zu suchen. Noch war er in einem Stadium, in dem er, wieder bei Verstand, die Sinnlosigkeit seines Verhaltens erkannte. Als schäme er sich vor sich selbst, marschierte er dann mit gesenktem Kopf um so raumgreifender voran.

Das Gelände wurde einfacher, nur noch vereinzelt gab es kleinere Hügel. Als es fast wieder tischeben war, bemerkte er zwei schroffe Felsnadeln gleich vor sich im Mondlicht wie zwei zu Stein erstarrte Zwillinge. Alexander steuerte darauf zu, umrundete die linke und brach ein. Samt Schlitten stürzte er einige Meter tiefer, landete aber weich auf einem Schneepolster. Um ihn herum herrschte totale Finsternis, oben sah er durch einen Spalt den Sternenhimmel.

Alexander löste die Gurte des Schlittens und schnallte die Ski ab. Dann lachte er irr, denn er war überzeugt, dieser Sturz sei Vorsehung gewesen, er jetzt endlich in dem längst für ihn bestimmten Grab gelandet.

Ohne sich dessen recht bewußt zu sein, richtete er sich in der Höhle ein, die noch einige kurze Nebengänge hatte. Obwohl es auch hier weit unter null Grad war, kam ihm die Temperatur angenehm vor, weil der Wind fehlte und der Schneefall. Noch etwas anderes war angenehm: Die Höhle mußte schon einmal jemandem als Unterkunft gedient haben, denn in einer Ecke waren dünne Äste und Reisig aufgeschichtet. Der kleine Vorrat genügte, um sich ab und zu ein Feuer zu gönnen. Als seien die zuckenden Flammen eine Verbindung mit der Wirklichkeit, sie wuchsen und fielen in sich zusammen wie das Leben, wurde sich Alexander dann seiner Lage bewußt. Depressionen überfielen ihn, er sah alles negativ und sinnlos: die Qualen der Haft und das Leid, die Flucht, seine Erinnerungen, besonders die an Hellen. Als habe jemand in seinem Kopf die Möglichkeit eingepflanzt, aus seiner Scheinwelt, gebildet aus Fanatismus und Depressionen, in die Gegenwart zurückzukehren, genügte es Alexander in solchen Momenten, sich im Lichtschein des Feuers seine rechte Hand zu betrachten und dort die längliche Narbe: das Mal der Vergewaltigung. Wie ein Schwall meldete sich dann stets sein Lebenswille zurück.

Alexander wußte nicht, wie lange er in der Höhle ausgeharrt hatte. Sein Vorrat an Trockenfleisch ging zur Neige, Brot hatte er längst nicht mehr. Nur noch einige Schwarten Speck waren ihm geblieben, auf denen er stumpfsinnig herumkaute und dabei ins Nichts stierte.

Körperlich fühlte er sich einigermaßen frisch, was jedoch, wie er inzwischen wußte, nichts zu bedeuten hatte, als er mit dem Gewehr in der Hand hinauskletterte und Ausschau nach einem Tier hielt. Alexander traute sich nur wenige Meter von seiner Unterkunft weg. Warum, wußte er nicht, denn die schroffen Nadeln waren selbst in der Polarnacht deutlich zu sehen. Oder wußte er es doch? Wollte er sein Grab nicht verfehlen? Wenigstens im Tod ein Zuhause haben? Die Erinnerung an seine Großmutter durchzuckte ihn. Sie hatte sich, so erzählte es ihm sein Vater, schon zu Lebzeiten einen Sarg gekauft und ihn im Schuppen aufbewahrt.

An diesem Tag schoß er nichts, auch nicht am nächsten. Dafür aber scharrte er vor dem Höhleneingang den Schnee weg und aß Moos. Da es gefroren war, schmeckte es nach nichts, höchstens etwas erdig. Und zwischendurch kaute er auf immer kleineren Stückchen der Speckschwarte, bis auch sie schließlich aufgebraucht war. Jetzt hatte er nur noch Schnee und Moos und ab und zu ein kleines Feuer. Seine Chance, die Höhle lebend zu verlassen, wurde zusehends geringer. Irgendwann würde er aus Schwäche einschlafen und nicht mehr aufwachen. Falls ihn einer finden sollte, dann brauchte der Betreffende nur an die Felswand zu schauen, um zu wissen, wer der Tote war. Alexander hatte alle seine Daten in das Gestein geritzt, und darunter noch eine Botschaft an Hellen.

Verwundert bekam Alexander mit, wie es eines Tages wieder heller wurde. Zuerst für wenige Minuten, dann immer länger. Mit neuer Hoffnung schleppte er sich aus der Höhle, die ihm nun schon als Grab vertraut war. Eine unberührte, märchenhafte Landschaft bot sich ihm. Rein der Schnee, angenehm und ungefährlich, in Richtung der tiefstehenden Sonne glitzerte er verlockend. Scharf abgegrenzt, wie ein gemalter Strich, der Horizont mit dem hellblauen Himmel, der auf der Erde zu liegen schien. Und irgendwo weiße Wolken, zart und filigran wie Chiffonvorhänge.

Alexander lehnte sich mit dem Rücken an den Fels und schaute zu. Er nahm das Bild in sich auf, ein Bild voller majestätischer Kraft.

Sibirien, das schlafende Land.

Und dann träumte er. Ein Vogel war er, der über die Weite flog und nach Menschen Ausschau hielt. Er sah niemanden und war zufrieden, weil sein Reich unberührt blieb. Stundenlang schwebte er durch die Schneewüste, und Alexander gewann tatsächlich den Eindruck, als sähe er alles aus der Luft. Aber da ihm der Vogel zu schnell war, verwandelte er sich in eine Wolke, um Zeit zu finden und den Ausblick nach unten zu genießen.

Einen Grund, seinen Schlitten zu packen, die Ski anzuschnallen und sich auf die Reise zu machen, hatte er nicht, denn einen Überlebenswillen verspürte er schon lange nicht mehr. Vielleicht war es der Instinkt, irgendwo in einer Nische seines Gehirns beheimatet, der ihn dazu trieb. So stapfte Alexander los, bei schönstem Wetter und vollkommener Windstille. Nach Südosten orientierte er sich, immer etwas links von der Sonne, die nun schon täglich zwei Stunden zu sehen war.

Zum Aufbau des Zeltes fand er nach wenigen Tagen keine Kraft mehr, der ausgeräumte Schlitten mußte genügen. Schließlich hatte er auch keine Kraft mehr, den Schlitten zu ziehen. Nur mit dem Gewehr über der Schulter irrte er weiter und weiter, immer links von der Sonne. Das Gewehr wurde ihm zu schwer, er warf es weg, wie schließlich auch die Skistöcke, obwohl sie ihm Halt boten. Was ihm noch blieb, waren die Bretter an den Füßen und Pagodins Pistole, ein Ausstieg für alle Fälle.

Nachts kauerte er sich in den Schnee, er fror trotz des dicken Pelzes. Und dann legte er sich hin, um zu sterben.

Zuerst dachte er wieder, es sei eine Sinnestäuschung, als er das Tier vor sich sah. Ein Ren. Wenige Meter stand es von ihm entfernt und beäugte ihn. Deutlich erkannte er das gezackte Geweih.

Halluzinationen konnten etwas Schönes sein, so wie in diesem Fall. Alexander schloß die Augen. Zum letztenmal. Er war bereit. Rassul, ich kann nicht mehr ...

Aber dann wollte er sich des Rens vergewissern, doch es war weg. Als er leicht den Kopf drehte, da sah er es wieder, und immer noch schaute es in seine Richtung.

Alexander versuchte sich aufzustützen, war aber zu schwach. Die Hand mit der Pistole heben ging auch nicht. Weil er den Anblick des Tieres nicht ertragen konnte, drückte er das Gesicht in den Schnee und schluchzte. Die Rettung so dicht vor den Augen, warmes Fleisch, warmes Blut, und dann seine körperliche Ohnmacht.

Jetzt schnupperte das Ren sogar an ihm. Deutlich spürte er es an der Schulter. Und es packte ihn mit einem Huf und drehte ihn auf die Seite. Aber Hufe können doch nicht zupacken.

Alexander riß die Augen auf und starrte in das faltige, gelbbraune Gesicht eines Mannes. Klein waren die Augen, hohe Wangenknochen, und auf dem Kopf eine seltsame Mütze, bunt bestickt und mit Bendeln verziert.

Der Fremde sagte etwas, aber Alexander verstand ihn nicht. Er betastete sein Gesicht und schaute ihm in den Mund. Alexander erinnerte sich, daß man dies bei Tieren tat, besonders bei Pferden, um sich zu vergewissern, ob sie den geforderten Preis auch tatsächlich wert waren. Wer wollte ihn kaufen?

Wieder sprach der Mann zu ihm. Dann erhob er sich – Alexander beobachtete ihn mißtrauisch – und schaufelte Schnee auf die Seite.

Und in die Schneemulde legte er Alexander, der nicht mitbekam, daß er hochgehoben und transportiert wurde. Kein Gefühl, kein Schmerz, nichts, fast angenehm der Zustand.

Anschließend breitete der Fremde etwas über ihn aus, nur Alexanders Gesicht ließ er frei. Alexander dachte, er werde beerdigt. Aber ich bin noch nicht tot, wollte er sagen. Kein Laut kam über seine Lippen.

Ein Knall. Automatisch schloß Alexander die Augen. Er bringt mich um. Er hat mir in den Mund geschaut und bringt mich um. Zu alt. Keinen Wert mehr. Aber Alexander konnte noch denken, zumindest glaubte er das. Und jetzt war auch wieder Licht zu sehen, als er blinzelte und den Mann anzuschauen versuchte. Neben sich bemerkte er stapfende Füße. Dann wurde Alexander mit etwas Schwerem belastet, es schien ihn fast zu erdrücken. Flüssigkeit lief in Alexanders Gesicht. Reflexhaft öffnete er den Mund. Zuerst schmeckte er es, dann roch er es auch: Blut. Er trank das warme Blut, sein Blut, wie er meinte. Und es tat gut, obwohl er Schwierigkeiten mit dem Schlucken hatte. Aber er trank.

Wieder sprach der Fremde zu ihm. Alexander trank weiter, ohne sich zu fragen, wo denn das viele Blut herkam. Seines konnte es doch nicht sein, dann müßte er ja inzwischen ausgelaufen sein.

Der Mann bückte sich, kam in Alexanders Blickfeld und deutete zuerst in Richtung Sonne, dann etwas weiter nach Westen. Er richtete sich auf, nickte noch einmal und verschwand.

Was will er mir damit sagen? Sonne weiter im Westen bedeutet Nachmittag. Was ist am Nachmittag? Meine Beerdigung?

Alexander hob langsam den Kopf und sah zuerst nichts, denn vor ihm war ein Berg, ein kleiner Berg aus Haaren, und seitlich bemerkte er etwas Längliches. Weiter unten schien ein vertrockneter Strauch zu sein. Nein, bizarrer, eher wie ... wie ein Geweih. Wo soll denn plötzlich ein Geweih herkommen? Und vor ihm der Berg aus Haaren, fast wie das Fell eines Rens. Ja, genau, wo ist denn das Ren von vorhin? Alexander bemühte sich, den Kopf zu drehen, aber er konnte nicht über den Rand der Mulde schauen. Was ist das für ein Gewicht auf meiner Brust? Wo kommt plötzlich die Wärme her? Und das Gewicht? Alexanders Hand kroch unter der Abdeckung hervor und tastete. Aber er fühlte nichts, weil er noch einen Handschuh trug. Mit dem Mund biß er in den Handschuh und befreite sich von ihm. Und dann tastete er erneut. In der einen Richtung war der Berg weich, in der anderen borstig, wie ein Fell. Wie ein Fell?

Alexander wollte sich aufsetzen. Dazu war er zu schwach, außerdem drückte ihn das Gewicht auf den Boden. Das warme, angenehme Gewicht. Allmählich dämmerte ihm, was geschehen war. Als seine Hand schräg an dem Berg vorbeiglitt und in eine klebrige Masse griff, wabbernd und noch etwas warm, wurde ihm alles bewußt. Die Innereien des Ren, kombinierte er. Der Mann hat es erschossen, aufgeschlitzt und auf mich gelegt. Werden in dieser Gegend so die Menschen beerdigt? Opfert man Tiere?

Nein, nicht um mich zu beerdigen. Um mich ... zu wärmen. Zu wärmen? Das bedeutet doch, er kommt zurück. Genau, er kommt zurück. Die Sonne. Weiter im Westen, dann kommt er zurück. Warum kommt er zurück? Um mich zu retten. Mich zu ...

Alexander spürte in sich die zarten Regungen eines Hochgefühls. Ich werde gerettet. Er leckte seine Hand ab, auch sie schmeckte nach Blut. Dann versuchte er eines der länglichen Gebilde heranzuziehen. Es gelang nicht, das Bein war zu schwer.

Alexanders Finger krallten sich in das Wabbernde, rissen daran, und immer wieder leckte er sie ab. Unter seinen langen Nägeln klebten kleine Stückchen, die er im Mund zergehen ließ. Es war auch einmal ein etwas größerer Fetzen darunter, aber er war zu schwach, ihn zu kauen. Als er ihn herunterschluckte, blieb er im Hals stecken. Alexander würgte und spie ihn aus.

Dann mußte er eingeschlafen sein. Schöne Träume hatte er. In einem warmen Bett fand er sich wieder, und neben ihm schlief eine nackte Frau. Er streichelte ihre Haut, fühlte das Haar, aber immer, wenn er in das Gesicht schauen wollte, war da nur ein bleicher Fleck. Aus Verzweiflung schlief er wieder ein.

Sie rüttelten ihn wach. Das Gewicht auf seiner Brust war verschwunden. Alexander versuchte die Augen zu öffnen. Jetzt waren es plötzlich drei Gesichter, und eines sprach zu ihm.

»Wir helfen dir«, glaubte Alexander zu verstehen. »Halte durch.«

Sein Kopf wurde angehoben, jemand flößte ihm etwas ein. Alexander schluckte und hustete. Das Zeug brannte, aber er bekam es hinunter. Und dann wärmte es ihn von innen.

Halb im Unterbewußtsein registrierte er, wie man ihn hochhob und auf etwas legte. Und das setzte sich dann Bewegung. Drehte er den Kopf, konnte Alexander den vorbeiflitzenden Schnee sehen. Aber Schnee kann doch nicht laufen.

Er wußte nicht, was er zuerst wahrnahm. Den Rauch eines Feuers oder den Duft von Essen? Vielleicht waren es auch die ungewohnten Geräusche um ihn herum. Alexander öffnete die Augen und starrte gegen eine graubraune, schräge Wand und bemerkte zuoberst ein hellblaues Loch. Genau durch dieses Loch zog Rauch ab, demnach mußte es irgendwo ein Feuer geben.

Alexander inspizierte seine Umgebung und blickte in viele Gesichter. Alle lächelten sie, einige nickten ihm zu. Sehen so Engel aus? Er drehte sich auf die Seite und schlief weiter.

Das nächste Erwachen. Alexander fühlte sich angehoben, und jemand drückte etwas gegen seine Lippen. Eine kleine Holzschüssel. Automatisch begann er, die heiße Brühe zu trinken, und mit jedem Schluck kehrte etwas Kraft in seinen Körper zurück. »Danke«, murmelte er und war erstaunt über seine Stimme. Wie lange hatte er sie nicht mehr gehört? Wird im Himmel überhaupt gesprochen?

Wenig später ahnte er, es konnte nicht der Himmel sein, denn er verspürte Schmerzen, und besonders stark schmerzte sein linker Fuß. Noch schlimmer, er brannte. Alexander winkelte das Bein an, weil er dachte, der Fuß sei zu nahe ans Feuer geraten. Aber das Brennen blieb.

»Was ist geschehen?«

Ein Frauengesicht beugte sich über ihn. »Alles gut«, sagte sie. Und dann sprach sie in eine andere Richtung ein paar Worte, die Alexander nicht verstand.

»Wo bin ich?«

»Bei uns. In Sicherheit.«

»Wer seid ihr?«

»Eine Rentiersowchose.«

»Und wo?«

Hilflos blickte das Mädchen über die Schulter. Ein Mann trat in Alexanders Blickfeld.

»Kennst du den Fluß Kotui?«

»Nein.«

»In seiner Nähe bist du.«

»Aha.« Alexander schlief erneut. Wie lange, das wußte er nicht, denn für die Zeit hatte er kein Gefühl. Abermals wachte er durch das Brennen auf.

»Was ist mit meinem Fuß?«

»Wir haben dir zwei Zehen abgenommen«, antwortete der Mann von vorhin.

»Und warum?«

»Sie waren erfroren.«

»Einfach abgenommen?«

Der Mann nickte und zeigte Alexander ein Messer mit kurzer gebogener Klinge, der Griff bestand aus einem Stück Geweih. »Einfach abgenommen. Es mußte sein.«

»Wer seid ihr?« fragte Alexander erneut.

»Wir gehören zum Stamm der Ewenken.«

»Du siehst aus wie ein … Mongole.«

»Ja, so ähnlich.« Der Fremde lachte, und seine Augen verschwanden fast hinter den Wülsten des Jochbeines. »Wahrscheinlich wegen unserer Vorfahren, sie stammen aus der Mandschurei.«

»Wie heißt du?«

»Urnak. Und du?«

»Alexander.«

»In deinem Ausweis steht David.«

Alexander erschrak. »Der ist nicht von mir.«

»Habe ich mir gedacht.«

»Was sprecht ihr für eine Sprache? Ich kann nichts verstehen.«

»Sie hat ihren Ursprung im Mandschu-Tungusischen. Aber so genau weiß das keiner.«

»Und wo hast du Russisch gelernt?«

Urnak lachte erneut. »Wir leben doch in Rußland.«

Und wieder schlief Alexander. Jede Stunde rückte er ein Stück näher an die Normalität. Körperlich noch fühlte er sich schwach, aber sein Kopf funktionierte wieder einigermaßen. Wie ein Puzzle rekonstruierte er zwischendurch die Vergangenheit, einige der wichtigsten Stücke schienen noch zu fehlen.

Im Halbschlaf bekam er mit, wie man seine rechte Hand behandelte, mit eine Paste bestrich und in einen kühlenden Umschlag verpackte. Und er registrierte, wie eine Frau etwas in einem Holzteller zerstampfte, kleine grüne Schnipsel darüber streute, wieder und wieder darauf spuckte und das Ganze verrührte. Anschließend packte sie seinen Fuß aus und verteilte die breiige Masse an der Stelle, an der sich einmal die beiden Zehen in guter Nachbarschaft wohl gefühlt hatten.

Tarike, so hieß die junge Frau, die sich meist um ihn kümmerte, verriet ihm, wie es zu seiner Rettung gekommen war. Yokola, der beste Fährtensucher der Sowchose, sei hinter einem entlaufenen Ren hergewesen. Schon zwei Tage. Plötzlich habe er es neben einem dunklen Fleck stehen gesehen. »Und dieser dunkle Fleck warst du.«

»Dann hat er mich mit etwas zugedeckt, nicht wahr?«

»Ja, zuerst mit einer wasserdichten Plane. Und dann das Ren getötet und es auf dich gelegt, wegen der Körperwärme des Tieres.«

»Aber vorher hat er mir noch Blut zu trinken gegeben.«

Tarike lächelte, und ihre langen schwarzen Haare fielen nach vorn. Alexander fand es anmutig, wie sie Strähne für Strähne aus dem Gesicht strich. Dunkel waren ihre Augen, und sie hatte kaum etwas von einem asiatischen Einschlag.

Tarike flößte ihm wieder Brühe ein. Von Tag zu Tag wurde das Essen kräftiger, inzwischen schwammen schon kleine Fleischbrocken darin.

»Ich weiß immer noch nicht, wo ich genau bin.«

»Im Norden von Mittelsibirien.«

»Wie heißt die nächste Stadt?«

»Jessej wird zu klein sein, aber vielleicht Cheta.«

»Nie gehört.«

»Katyryk. Kennst du Katyryk?«

Alexander schüttelte den Kopf.

Tarike überlegte. »Wolotschunka, 200 Kilometer im Westen.«

»Wie weit ist es bis Norilsk?«

»400 Kilometer. Wir leben am Kotui, nicht weit entfernt ist ein See, und der Kotui macht hier einen großen Bogen.«

Tarike informierte Alexander, daß ihr Dorf, ungefähr 200 Ewenken lebten dort, identisch mit der Sowchose sei, deren Aufgabe es war, Rentiere zu züchten und den Norden zu bevölkern. Sie seien jetzt noch in ihrem Winterlager, aber feste Häuser, so verriet sie auf Alexanders Frage, kannten sie nicht. Im Sommer zögen sie mit den 5000 Tieren bis an das Eismeer, dort gebe es genügend Moos. Weil das Hauptnahrungsmittel der Tiere aber unter den klimatischen Gegebenheiten sehr langsam wachse, maximal drei Millimeter in einem Jahr, könne man erst wieder im vierten Jahr an die alte Stelle zurückkehren.

Einzige ständige Verbindung zur Außenwelt sei ein Funkgerät, mit dessen Hilfe man Nahrungsmittel und andere wichtige Dinge bestelle, die dann von einem Flugzeug gebracht würden. Falls einer aus dem Dorf sehr krank sei, ordere man auch schon mal einen Hubschrauber herbei, der den Betreffenden in ein Hospital bringe.

»Wer hat mich rasiert?«

Tarike errötete und schaute auf ihre Hände. »Ich mußte es tun, wegen der Kälte. Wir haben dein Gesicht mit Kräutern behandelt.«

»Warum lächelst du so?«

Tarike deutete auf sein Kinn. »Deshalb.«

»Was habe ich dort?«

»So ein kleines ... Loch.«

»Du meinst ein Grübchen.«

Sie nickte.

Wenig später begann Tarike, nachdem Alexander sie dazu aufgefordert hatte, zu erzählen. Ihr Volk lebe vom Ren und von der Jagd und vom Verkauf der Geweihe, die zu Pulver gemahlen – Tarike kicherte und schlug die Augen nieder – als Potenzmittel besonders in Korea und Japan reißenden Absatz fänden. Außerdem schnitzte man aus dem Horn Werkzeuge für die Lederverarbeitung. Knochen der Rentiere dagegen wurden präpariert, um dem Schlitten mehr Stabilität zu verleihen, während Sehnen als Schnüre das Zelt zusammenhielten. Kurz vor dem Winter schlachte man viele Tiere, die, in Schnee und Eis eingefroren, nach und nach von Flugzeugen abgeholt würden. Nur wenige hundert Meter entfernt landeten die Menschen, versicherte ihm die Ewenkin.

Manchmal schossen die Männer im Herbst oder Frühjahr auch Bären. Sie verehrten den Bär, weil er so stark sei. Und sein Blut tranken sie, um von ihm Kraft zu erhalten. Die fähigsten Jäger dürften sich dann die Tatzen der Bären abschneiden, wer drei Tatzen habe, gehöre zum Dorfrat. Urnak habe die meisten, er sei der beste Jäger und Fallensteller. Aber ihr Stamm, so führte Tarike weiter aus, ziehe keine Bären groß, wie das die Niwchen nahe des Amur täten, die in den zotteligen Kolossen Abgesandte des Waldherrschers sähen.

Das Brennen im linken Fuß ließ nach, und Alexander schaute interessiert zu, wie Tarike die Wunde versorgte. Neben dem großen Zeh fehlten die beiden nächsten, aber die anderen sahen auch nicht aus wie sonst. Dunkelbraun waren sie, kaum noch ein Übergang von Haut und Nagel festzustellen. Allerdings konnte Alexander sie bewegen, und das beruhigte ihn.

Tarike stützte ihn, als er zum erstenmal aufstand und in der Jaranga, dem Zelt, umherhumpelte. Es war größer, als er gedacht hatte, in der Mitte mindestens vier Meter hoch und durch Felle in verschiedene Bereiche unterteilt. Sechs lange Stangen, die sich an ihrem oberen Ende überkreuzten und durch Streifen aus Leder zusammengehalten wurden, trugen die sorgfältig zusammengenähte Bespannung aus Fellen. Deren Außen- und Unterseite hatte man mit Tran und Fett bestrichen, so daß keine Feuchtigkeit eindringen und Kondenswasser an der Innenseite bis zum Boden ablaufen konnte. Und genau unter der Öffnung in der Zeltspitze, oft hatte er im Liegen das kleine Stück Himmel angeschaut, befand sich eine aus runden Steinen eingerahmte Feuerstelle, die immer brannte und über der große Rentierstücke getrocknet wurden. Am Zeltrand bemerkte er zusammengerollte Felle, die Schlafstätten der anderen Ewenken, und etwas höher hingen geräuchertes Fleisch und daneben frisch gegerbte Häute, aus denen man Stiefel und Kleidungsstücke fertigte. Doppellagig verarbeitet, hielten sie laut Tarike viel besser warm als alle synthetischen oder aus Wolle hergestellten. Und die Felle seien so isolierend gegen die Kälte, daß ihre Stammesangehörigen auch im tiefsten Winter stets nackt schliefen.

Alexander war vor Tagen sehr erschrocken, als er hörte, er sei auf einer Sowchose. Inzwischen aber hatte sich seine Aufregung gelegt, weil ihm Urnak verdeutlichte, dieser Betrieb sei nicht mit einem weiter im Süden oder Westen zu vergleichen und sie, die Ewenken, dürften ihre Eigenständigkeit behalten. Zwar gäbe es noch Einschränkungen, was die wirtschaftliche und kulturelle Unabhängigkeit anbelange, aber in einigen Jahren, zumindest hoffte das Urnak, sei man auch da bestimmt weiter. Einziges Eingeständnis an den Staatsapparat sei die Vorgabe an Tieren. Da aber die selbsternannten Experten in Moskau keine Ahnung hätten, sie hier vor Ort die Zahlen bestimmen und sogar eigene Rentiere besitzen dürften, gebe es keine administrativen Hemmnisse. Deshalb übe der staatliche Inspektor, der sich einmal im Jahr, immer im Sommer, wenn das Wetter angenehm sei, per Hubschrauber blicken lasse, nur eine untergeordnete Kontrollfunktion aus.

Alexander bewegte sich häufig zwischen den Zelten und vollführte sogar, von vielen Ewenken mit großen Augen bestaunt, gymnastische Übungen. Sein Fuß schmerzte immer noch, und auch das Schienbein meldete sich bei der Kälte. Tarike hatte ihm verraten, daß man lange Angst um seine rechte Hand gehabt habe, sie sei schlimm vom Frost betroffen gewesen.

»Weil du den Handschuh ausgezogen hast«, tadelte sie und lächelte.

Sie hatte ebenmäßige, weißgelbe Zähne, trug einen flachen, farbig bestickten Hut und darüber ein Kopftuch. Ihre Jacke war mit Stickereien verziert, und die Stiefel aus Fell waren eine handwerkliche Meisterleistung.

Sie führte Alexander zu den Renen, für die ihre Familie verantwortlich war. Wohl 500 Tiere, in einem großzügigen Areal eingepfercht, scharrten mit den Hufen und legten den Boden frei. Knapp 100 von ihnen seien im Privatbesitz.

Braun und weiß gemischt war das Fell der Rene, und die meisten, es gab in dieser Beziehung keinen Unterschied zwischen den Geschlechtern, hatten ein ausladendes, wie zu einem Bumerang gebogenes Geweih mit vielen Enden an den Außenseiten. Die Kälber des Vorjahres konnte man kaum von den älteren Tieren unterscheiden, so kräftig waren sie bereits.

»Jede Familie bewirtschaftet einen Teil der Sowchosherde«, erklärte Tarike. »Das Vieh benötigt sehr viel Platz, um sich mit Futter zu versorgen. Deshalb müssen wir im Winter auch alle vier Wochen umziehen.«

Alexander war inzwischen kräftig genug, die Umgebung kennenzulernen. Gleich im Anschluß an die Zeltsiedlung erstreckte sich ein kleines Wäldchen mit Krüppelkiefern und kleinwüchsigen Lärchen, dahinter lag der See.

Zwei Ewenken beobachtete er bei einem seltsamen Ritual. Sie gingen regelmäßig zu einem kleinen Hügel, steckten Zigaretten in den Schnee und legten Geschenke daneben. Alexander erfuhr auf Nachfragen, daß dort die Großväter der beiden begraben lagen und die Enkel sie für die lange Reise mit allen nötigen Dingen versorgten. Ihre Stammesgenossen weiter im Süden beerdigten die Toten zwischen aufgespaltenen Stämmen, um so die Leichen vor wilden hungrigen Tieren zu schützen.

Die Speisekarte der Ewenken war reichhaltiger, als Alexander zuerst dachte, und sie ernährten sich keineswegs nur von Rentieren. Es gab getrockneten Lachs, im Sommer zog man ihn zentnerweise aus den Flüssen, Fleisch von erlegten Füchsen und Birkhühnern, Gemüse aus Dosen und im Winter frisch gefangene Fische aus dem See. Stundenlang konnten die Nomaden über dem Eisloch hocken und mit der selbstgefertigten Harpune in der Hand warten.

Die Ewenken nahmen Alexander mit auf die Jagd. Viele von ihnen benutzten aus Tradition noch einen Bogen, aber ersatzweise nahmen sie stets ein Gewehr mit. Alexander kam in einen Schlitten ohne Kufen zu sitzen, der voll auf dem Boden auflag, ähnlich wie ein Boot im Wasser. Andere hatten welche aus Birkenholz mit vorne hochgebogenen Kufen, und nur wenig Zentimeter darüber befand sich die Sitzfläche aus Fell.

»Damit der Schwerpunkt tief ist«, erklärte ihm Urnak. Alexander fragte nicht nach, wieso diese jahrhundertealte Tradition beim Bau von Schlitten schon den Schwerpunkt berücksichtigte.

Erlegten die Ewenken ein Tier, ob Wolf, Wildfuchs, Zobel oder Schwarzbär, dann zerlegten sie es an Ort und Stelle und aßen, einem alten Ritual entsprechend, gemeinsam die rohe Leber.

Aus dem Schlachten eines Rens machte man im Winter, in Ermangelung anderer Aktivitäten, ein Ritual. Beobachtet von vielen Stammesangehörigen, darunter auch etlichen Kindern, stach ein Ewenke mit einem spitzen Dorn dem Ren gleich hinter dem Ohr ins Gehirn. Das Tier taumelte, fiel zu Boden, zuckte noch einige Male und war tot. Zuerst zog man ihm das Fell ab, ohne einen Tropfen Blut zu vergießen. Weiß lag der Tierkörper wenig später auf dem Boden. Anschließend wurde die rohe Leber herausgeschnitten, verteilt und in kleinen Stückchen gegessen.

»Im Winter und Frühjahr lassen wir uns beim Schlachten Zeit«, erklärte Urnak. »Aber im Herbst, wenn der erste Frost einsetzt, muß alles schnell gehen. Wir treiben die Rentiere auf einen eingezäunten Platz und bringen sie zum Kreisen, immer rechts herum.«

»Warum nicht in die andere Richtung?«

»Das Blut in unserem Körper kreist auch rechts herum.«

Als Alexander nichts zu entgegnen wußte, sprach Urnak weiter: »Oft siehst du nichts vor lauter aufgewirbeltem Staub, sogar die Sonne scheint frühzeitig unterzugehen. Und das laute Klicken der aneinanderschlagenden Geweihe übertönt jedes Wort.«

Wenn man einen Bock ausgewählt habe, dann werde dieser mit einem Lasso eingefangen und aus der schneller drehenden Herde gelöst. Dazu seien mehrere Männer nötig, die sich am Ren festklammerten oder auf seinen Rücken sprangen. Schließlich werde der Bock zu Boden gedrückt, und einer der Ewenken steche ihm zwischen die Rippen genau ins Herz. Dem röchelnden Tier halte man Mund und Nase zu, die weitaufgerissenen Augen quöllen aus den Höhlen. Noch ein letztes Aufbäumen, dann sei das Ren tot. Derjenige, der es erlegt habe, trinke Wasser und besprenge anschließend Messer und Wunde, um die Tierseele um Vergebung zu bitten.

»Unsere Frauen ziehen das Fell ab, andere schöpfen das Blut aus dem Brustraum der Tiere, Männer zerlegen das Fleisch und stapeln es. Und wenn wir unser Plansoll erfüllt haben, dann veranstalten wir ein großes Fest, essen gepflückte Beeren und Lachs, dazu frischen Kaviar mit Salz und das gebratene Fleisch von Rentieren, Kormoranen oder Kranichen.«

Einmal alle 14 Tage landete ein Propellerflugzeug – unter den Rädern waren große Kufen montiert – auf einer notdürftig präparierten Piste. Es kam aus dem gut 200 Kilometer entfernten Wolotschunka und versorgte die Ewenken mit den nötigsten Dingen, darunter auch Medikamente, ältere Zeitungen und eine Menge Wodka. Im Gegenzug beluden einige Stammesangehörige den kleinen Frachtraum mit tiefgefrorenem Rentierfleisch, das abseits der Zelte im Schnee steckte. Wenige Stunden später und nach einem ausgiebigen Palaver flog der Pilot mit der schwerbeladenen Maschine zurück.

Jeden Abend versammelten sich die Männer des Dorfes um ein kleines Feuer und ließen, als Zeichen der Zivilisation, die Wodkaflasche kreisen. Alkohol war auch bei den Ewenken ein Problem. Früher stellten sie ihn selbst aus Beeren her, jedes Dorf nach einem eigenen Rezept.

»Ich verstehe nicht, wie ihr alle ruhig und ausgeglichen sein könnt«, sagte Alexander zu Urnak. »Ihr lebt so weit abseits jeder Zivilisation, in einer Kälte- und Eiswüste, und dann diese ... Ruhe.«

Urnak schaute ihn von der Seite an. »Wir warten.«

»Auf was?«

»Auf das, was uns das Leben bringt.« Urnak lächelte und zeigte eine Zahnlücke. Er war kaum älter als Alexander. »Wie ist es mit dir?«

»Ich erwarte vom Leben nur noch den Tod«, entgegnete Alexander unnatürlich ernst. »Und viele seiner Vorstufen habe ich bereits kennengelernt.«

Yokola, der Fährtensucher und Lebensretter, wollte von dem jüngeren Urnak wissen, was Alexander gesagt habe. Er übersetzte, und dann begann Yokola: »Ich habe dich nicht gerettet, damit du auf den Tod wartest.«

Alexander fühlte sich an sein Versprechen gegenüber Rassul erinnert.

»Das Leben ist ein Geschenk«, sprach Yokola weiter. »Jedes Geschenk muß man achten und pflegen. Und da das Leben sehr kostbar und unersetzlich ist, hast du die Verpflichtung, besonders darauf zu achten.«

Alexander wunderte sich. Fast die gleichen Worte hatte Rassul gebraucht. War es die Weisheit älterer Männer, die sie so reden ließ?

»Das tue ich doch.«

»Nein, das tust du nicht. Du bist noch nicht alt genug, um das zu verstehen. Dein Abschnitt des Lebens ist unbedeutend, und das Leben, das wir kennen, ist unbedeutend. Ein kleiner Teil wie die Stunde eines Tages und noch weniger.«

»Yokola ist sehr gläubig«, flüsterte Urnak Alexander ins Ohr. »Er ist unser Saman. Keiner kann den Weg der Herde und den der wilden Tiere so genau voraussagen wie er. Deshalb hat er dich auch gefunden.«

»Ein Saman? Was ist das?«

»Später«, winkte Urnak ab, und Alexander bemerkte den Respekt, mit dem der Jüngere dem älteren Fährtenleser begegnete.

Yokola fuhr fort: »Du hast den Tod beinahe kennengelernt und müßtest eigentlich jetzt etwas mehr vom Leben verstehen. Unterschätze nicht seinen Wert, denn es ist die Vorstufe für etwas Größeres.«

Alexander schwieg eine Weile, die eindringlichen Worte wirkten, und er besann sich auf die Zeit im Lager. Wie hatte er sich im Eisloch, als er die Ratten verzehrte, an das Leben geklammert?

»Viele schätzen das Leben überhaupt nicht. Sie bringen Menschen um, es gibt Kriege, sie weiden sich am Tod. Warum gehen sie so sorglos mit dem Leben anderer um?« wollte Alexander wissen.

»Sie kennen die Bedeutung ihres eigenen Lebens nicht und kommen sich stark vor, weil sie vielleicht die Macht haben, über andere zu richten. Und sie meinen dann, sie seien ein Teil der Unsterblichkeit. Aber glaube mir, im Angesicht des Todes werden sie winseln.«

»Handeln sie wirklich nur so, weil sie die Bedeutung ihres Lebens nicht kennen?«

»Und weil sie keinen Glauben haben«, erwiderte Yokoka. »Glaubst du an das weiße unendliche Licht?«

Als Alexander nachfragte, übersetzte Urnak den Begriff mit Gott und deutete hoch zum Himmel, wo der Polarstern zu sehen war.

»Ich weiß nicht«, antwortete Alexander zögernd. Trotz seiner katholischen Erziehung haderte er oft mit Gott. Warum prüfte Gott ihn ständig, obwohl er doch früher so gläubig gewesen und heimlich mit seinen Eltern in die Kirche gegangen war? Lieder und Bibelpassagen auswendig gelernt, Bilder vom heiligen Abendmahl angefertigt und Kreuze geschnitzt hatte? Aber wenn es eine Vorsehung gibt, müßte es eigentlich auch einen Gott geben, sagte er sich. Und war er nicht durch Yokola so wundersam gerettet worden?

Mit Augen, die Alexander irritierten, sah Yokola ihn an. »Das Licht steht über allem und ist jedem gnädig. Ich meine nicht das schreckliche Licht, das krank macht, wie bei unseren Brüdern, den Tschuktschen. Dieses schlechte Licht stammt von bösen Menschen, die gottähnlich sein wollen.«

Urnak verdeutlichte, daß die Tschuktschen ein Nomadenvolk seien wie die Ewenken und viel weiter im Osten lebten, auf der nach ihnen benannte Tschuktschenhalbinsel an der Beringstraße. Yokola meinte mit dem schlechten Licht gewaltige künstliche Blitze, die es dort gebe, seit die Armee aufgetaucht sei. Dadurch würden die Menschen krank.

Alexander, der den Zusammenhang nicht verstand, wandte sich wieder an den Alten. »Aber Gott soll doch die Bösen zu unsagbaren Qualen verurteilen. So habe ich es gelernt. Die Bösen kommen in die Hölle.«

Urnak übersetzte Himmel mit Oberwelt und die Hölle mit Unterwelt und fügte hinzu, er, Alexander, meine die böse Unterwelt.

»Das wird Gott niemals tun«, widersprach Yokola. »Sonst wäre er nicht Gott.«

»Kommt jeder in den Himmel? Auch Mörder und Kommandanten von Strafgefangenenlagern, in denen Tausende sterben?«

»Ja. Es wird eine fremde Welt für sie sein, weil sie zum erstenmal Liebe erfahren.«

»Sie werden sie nicht schätzen können.«

»Doch, weil sie ihre Kraft spüren, werden sie sich daran gewöhnen.«

»Warum soll ich denn Gutes auf der Erde tun, wenn ich ohnehin in den Himmel komme? Wenn es keine Hölle gibt, die mir drohen kann?«

Alexander konnte Yokola nicht aus der Fassung bringen.

»Gott droht uns mit der Hölle, und wir drohen unseren Kindern auch manchmal, wenn sie etwas Unrechtes getan haben. So wie wir unsere Kinder erziehen, erzieht uns Gott.«

Alexander, der Zeuge geworden war, wie kaltblütig die Ewenken ihre Rentiere töteten, begehrte auf. »Deine Liebe bezieht sich nur auf den Menschen, denn die Tiere haben unter euch zu leiden.«

»Sie werden getötet, damit wir leben können. Das ist der Lauf der Natur. Größere Tiere töten kleinere.«

So einfach war das für Yokola und aus Alexanders Sicht absolut richtig, denn genauso handelten die Menschen. Große Menschen mit Macht töteten auch kleinere. Und was hatte er all die Zeit getan? Unter anderem auch Tiere getötet, um überleben zu können und noch einiges mehr …

»Wenn ich einen Menschen töten muß, um überleben zu können – wie ist es dann?«

»Nur schlimme Menschen kommen in die Verlegenheit, andere zu töten, um zu überleben. Gott wird es nicht dulden, aber er wird, wenn es keinen Ausweg gegeben hat, die Schuld abwägen.«

Als hätte Yokola es herbeigeschworen, war am Himmel ein Nordlicht zu sehen. Gelbrot und mit einem Schweif, wie zur Erde fallendes Feuer. Yokola deutete nur zum Nordlicht, für ihn der Beweis seiner Worte, stand auf und verschwand.

»Habe ich ihn verärgert?«

Urnak schüttelte den Kopf. »Nein, aber du hast es gewagt, ihm zu widersprechen. Das ist er hier bei uns nicht gewohnt. Yokola geht nichts über seinen Glauben. Er verbringt viele Stunden in der Natur, sitzt oft nur da und starrt in den Himmel.«

Am nächsten Tag erklärte ihm Urnak während eines Spaziergangs, Alexander humpelte noch leicht wegen der beiden amputierten

Zehen, welche Funktion Yokola als Saman habe. Er sei so eine Art Wahrsager, Träumer, Schamane oder Medizinmann. Abgesehen davon, daß er der beste Spurenleser sei, aus der Wolkenformation das Wetter voraussagen und sich auch ohne Hilfe monatelang in der Natur orientieren könne und immer wieder zurückfinde, besitze er die Fähigkeit, sich durch bestimmte Kräuter, die er zu Brei vermische und esse, in den Zustand der Trance zu versetzen. Das könne nur er, keiner sonst sei dazu in der Lage.

»Unsere Regierung tut das alles als Humbug ab und hat nach der Revolution die Samanen verfolgt, ihre Trachten verbrannt und den Kult verboten. Inzwischen duldet sie die Wanderer zwischen den Welten, wie wir sie nennen. Wenn wir weiter im Süden sind, dann schickt mancher Arzt sogar Patienten zu Yokola, die nur er heilen kann.«

»Wie macht er das?«

Urnak zuckte die Achseln. »Das weiß Yokola allein. Hat er einen Schwerkranken vor sich, dann zieht er eine spezielle Kleidung an, nimmt ein Fell, spannt es und schlägt auf ihm wie auf einer Trommel. Dazu ißt er Kräuter. Wenige Minuten später taucht er in eine Welt ein, die außer ihm keiner betreten kann.«

»Und ihr glaubt an diesen ... Kult?«

Urnak blieb stehen. »Was heißt glauben? Ich bin in den großen Städten gewesen und habe sogar beim Militär gedient. Wie oft habe ich studierte Menschen ratlos gesehen, auch Mediziner, wenn beispielsweise einer meiner Kollegen an einfachem Fieber gestorben ist. Bei Yokola ist noch niemand durch Fieber ums Leben gekommen.«

»Das ist doch keine Erklärung.«

Urnak sah Alexander nur an. »Brauchst du immer eine Erklärung?«

Alexander überlegte. »Ja, sie hilft mir und meiner Logik.«

»Unser ganzes Dorf war der Meinung, das Ren sei in eine ganz bestimmte Richtung geflohen. Auch ich, denn im Schnee sahen wir eindeutige Spuren, und das war logisch. Aber Yokola marschierte mit drei anderen Männern vollkommen unlogisch nach Westen. Zwei Tage später sträubten sie sich, Yokola zu folgen, weil sie das

Tier nie entdecken würden. Die drei blieben zurück und warteten, denn Yokola sagte ihnen, er sei nach einem halben Tag wieder zurück, und zwar mit dem Ren. So hat er dich gefunden.«

Alexander schaute nachdenklich zu Boden und stieß mit der Stiefelspitze in den Schnee. Nicht der Logik, sondern einem Schamanen und dessen Intuition verdankte er sein Leben.

Um Urnaks Mund war ein spöttischer Zug, als er Alexanders Nachdenklichkeit bemerkte. »Mir geht es wie dir. Ich glaube nicht an den Kult, aber warum soll ich mich wehren, wenn er hilft? Wenn Yokola seinem Volk hilft?«

Urnak führte weiter aus, daß Yokola noch ein gemäßigter Saman sei, der nur ab und zu seine Hilfsgeister anrufe, wenn es gelte, böse Geister, die Krankheiten und Leid verursachten, zu vertreiben. Andere Dörfer hätten unter ihren Wahrsagern zu leiden, die sich wie die Könige aufführten und immer nur hofiert werden wollten, obwohl deren Trefferquote, genauso drückte sich der Ewenke aus, weit niedriger läge als die von Yokola.

Alexander mußte über diese Form der Erklärung lachen.

»Yokola selbst ist als Kind sehr krank gewesen. Seine Eltern hatten schon die Beerdigung vorbereitet, als er wundersamerweise wieder gesund wurde. Seitdem ist Yokola ein Auserwählter.«

Schon den ganzen Tag über spürte Alexander die Unruhe und registrierte die Vorbereitungen. In der Mitte zwischen den Zelten schichtete man einen Holzstoß auf, gleich daneben wurden zwei Pflöcke in den gefrorenen Boden gerammt. Bereits am Nachmittag schmückten sich die Ewenken und zogen ihre besten Kleider an. Die Männer trugen Hüte mit vielen Zipfeln, die Frauen eher mützennähnliche, allerdings ohne Schirm und nach hinten abgeflacht, und dazu Lederkleidung, die ihnen bis zu den Waden reichte. Darunter hatten sie Hosen an, ebenfalls aus Leder, und Fellstiefel, die sie mit einer speziellen Paste aus Tran und Fett behandelten, damit sie geschmeidig und wasserdicht blieben.

Nach und nach versammelte sich das ganze Dorf. Zuerst die Männer, die besten Jäger in der ersten Reihe, dann die Frauen und zum Schluß die Kinder. Heute, so erfuhr Alexander, werde der Winter verabschiedet. Es konnte nur der 21. März gemeint sein, die Tagundnachtgleiche.

Der Holzstoß wurde angezündet, die Flammen schlugen höher und höher, zwei junge Rene, die man an die Pflöcke gebunden hatte, zerrten angstvoll an den Stricken.

Einige Männer begannen auf eine zwischen die Knie geklemmte Trommel zu schlagen, andere ratschten mit Holzstäben über in Horn gesägte Zacken und stimmten einen monotonen Gesang an. Der Rhythmus wurde schneller, zwischendurch stand einer der Jäger auf, tanzte stampfend um das Feuer, wackelte mit dem Kopf und stieß wilde Worte aus. »Er bittet um Vergebung«, flüsterte Urnak Alexander ins Ohr. Weitere Ewenken gesellten sich zu dem Tänzer, das Stampfen wurde lauter, die Zuschauer ließen derweil die Flasche kreisen, Kinder durften schnuppern.

Als riefe jemand vom Himmel, reckten die Tänzer ihre Gesichter in die Höhe, hoben die Arme zu einem Gebet und drehten sich dabei wie Mühlen. Schneller und schneller, schweißnaß glänzte ihre Stirn. Yokola, in einen bunten Umhang gehüllt, trat zu ihnen. Die Tänzer sackten zusammen und kauerten sich auf den Boden, als hätten sie alle Kraft verloren.

Yokola schaute in die Runde, schloß die Augen, sein ganzer Körper geriet wellenartig in Bewegung. Zuerst warf er den Umhang ab, dann auch die Kleider darunter, um die Geister zu beruhigen, wie Urnak Alexander verriet. Yokola, ein wirbelnder, kreisender und hüpfender Derwisch, zückte ein Messer, zog ein verängstigtes Ren näher, schnitt ihm die Kehle durch und hielt das zuckende Tier an den Hörnern fest. Tarike fing das pulsierende Blut mit einer Schüssel auf, alle Anwesenden tranken davon.

Yokolas Augen rollten, sein Mund stand offen, der Kopf pendelte seitwärts, nach vorn und nach hinten. Zuerst nur ein dunkles Brummen, entwickelte sich sein Singen zu einem zusammenhanglosen Geschrei. Das zweite Ren wurde geopfert.

Abgestoßen und fasziniert zugleich verfolgte Alexander das fremde Schauspiel. Yokola ritzte sich die Haut auf, Blut lief in feinen Linien an seinem Körper herunter, er schien keinen Schmerz zu verspüren. Anschließend rammte er sich das Messer in den Oberschenkel, ohne mit dem Tanzen aufzuhören. Alexander wurde allein schon vom Zuschauen schwindelig. Und als Yokola sich mit nacktem Oberkörper in das Feuer warf und darin wälzte, wollte er aufspringen. Aber Urnak hielt ihn zurück.

Nach einigen Sekunden tauchte Yokola wieder aus den Flammen auf, beide Hände voll glühender Kohle. Beschwörende Worte murmelnd, ging er reihum, und jeder der Männer nahm sich ein Stück.

»Damit will uns Yokola sagen, daß alle Kraft aus dem Licht kommt und alles Leben. Vor dem Licht brauchen wir keine Angst zu haben. Nicht die Gefahr ist gefährlich, sondern der Glaube daran.«

Der Frühling setzte ein, die Sonne leckte den Schnee auf. Tausende von kleinen Seen bildeten sich, weil das geschmolzene Wasser nicht ablaufen konnte. Und in diesen Tümpeln erwachten wie auf Kommando ganze Heere von Mücken, als hätten die Sonnenstrahlen ihnen das Leben eingehaucht. Mittendrin brüteten Schneehühner, Kraniche riefen, Lachse wanderten die eisfreien Flüsse hinauf.

Tarike wollte wissen, woher denn die Narbe an Alexanders rechter Hand stamme. Alexander redete sich heraus, indem er behauptete, es sei ein Arbeitsunfall gewesen. Aber innerlich spürte er eine Erregung aufsteigen, die ihn zittern und seine Stimme hart klingen ließ. Er war froh, diesen schrecklichen Vorfall noch nicht vergessen zu haben. Bild für Bild konnte er abrufen, falls es erforderlich war, und sich dadurch in eine Stimmung versetzen, die ihm angst machte. Angst vor der Konsequenz des Umsetzens.

Alexander, dessen dreizehiger Fuß keine Probleme mehr bereitete, lernte auf einem Ren, die trächtigen Muttertiere hatte man von der übrigen Herde getrennt, reiten. Zuvor hatte er das Vertrauen des Tieres zu gewinnen, und das ging nur über die Neugier. Sobald er etwas für es Fremdes in Händen hielt, kam es näher und schnupperte.

Der Rhythmus eines Rens war ungewohnt für ihn, und die kurzen Laufschritte brachten seinen Körper zum stetigen Wippen, als sauste er über ein riesiges Waschbrett.

Dann, inzwischen waren die im März geborenen Jungtiere kräftig genug, war allgemeines Packen. Die Zelte wurden abgebrochen, der gesamte Hausrat mitgenommen und auf Rentiere und Schlitten verladen. Weiter in den Norden sollte es gehen, bis zur Einmündung des Flusses Anabar in das Eismeer.

Alexander zog mit ihnen, obwohl er wußte, daß seine Zeit bald vorbei war. Er hatte Monate bei den Ewenken verbracht und war ihnen für die Pflege dankbar. Aber sein Ziel lag nicht in Richtung Eismeer, er wollte in den Süden, vielleicht sogar an die Lena, mitten in das Herz des Landes.

Für die Nacht schlugen die Ewenken immer ein provisorisches Lager auf, um am nächsten Tag schon früh mit ihrer Herde aufzubrechen. Die Frauen waren für den Transport aller Gegenstände verantwortlich, die Männer kümmerten sich um die Tiere.

Nach gut einer Woche errichteten die Ewenken ein stabileres Zwischenlager, und hier verabschiedete sich Alexander von ihnen. Er bedankte sich, und Urnak schenkte ihm ein Ren.

»Es braucht nichts, außer Wasser und etwas Moos. Es wird dir dankbar sein, wenn du es gut behandelst. Mußt du es töten, dann tue es schnell. Und verspeise es ganz, dann fühlt es sich geborgen.«

Alexander wurde mit Eßbarem und mit Kleidung versorgt, erhielt als Geschenk weiche Stiefel und einen Mantel, der bis zu den Waden reichte. Urnak händigte ihm seine persönlichen Dinge aus, die er, als man ihn gefunden hatte, bei sich trug. Darunter auch der Ausweis von David Delkowitsch, das Geld und die Pistole von Pagodin.

Nachdenklich betrachtete Urnak die mattglänzende Waffe.

Tarike begleitete ihn ein Stück, hinter den beiden trottete an einer Leine das mit Lebensmitteln und anderen Dingen bepackte Ren.

»Schade, daß du gehst. Ich mag dich.«

Alexander wurde verlegen. Oft hatte er das Verlangen gehabt, mit ihr zu schlafen. In den ersten Nächten, als er nicht zwischen Traum und Wirklichkeit unterscheiden konnte, hatte sie sich sogar neben ihn gelegt, um ihn zu wärmen. Später dann wollte er nicht die Gastfreundschaft der Nomaden mißbrauchen.

»Ich mag dich auch.«

»Warum bleibst du dann nicht?«

»Ich warte nicht auf das Leben, ich gehe ihm entgegen.« Oder laufe ich vor ihm davon?

»Bei uns kann es auch schön sein.«
»Ich weiß. Ich habe es kennen und schätzen gelernt.«
»Gefalle ich dir nicht?«
Tarike blieb stehen. Nun ahnte Alexander auch, warum sie ihn begleitete. Sie schämte sich, solche Worte in Anwesenheit der übrigen Dorfbewohner zu gebrauchen.
»Doch, du gefällst mir.« Und sie gefiel ihm wirklich. Ihr Gesicht mit der kleinen Nase, nicht breit, nur klein. Und die braunen Augen waren von einer Wärme, wie er noch nie welche gesehen hatte, und ohne jede Berechnung.
»Bitte, bleib.«
Alexander schüttelte den Kopf. »In mir ist eine ... eine Landkarte, die mir den Weg vorgibt und mich zwingt, ihm zu folgen. Ich muß einfach.«
Tarike senkte den Kopf. »In meinem Zelt gebe ich dir eine neue Landkarte. Sie wird dich zwingen, mir zu folgen.« Sie strich sich mit den Händen über die Hüften.
»Tarike, ich kann meine Welt nicht abschütteln. Ich bin auch nicht so gläubig wie Yokola. Bitte, laß mich gehen.«
Tarike legte kurz ihren Kopf an Alexanders Brust, sah ihn noch einmal an, drehte sich um und eilte zurück ins Lager.
Alexander kam sich undankbar vor, denn sie hatte ihn aufopferungsvoll gepflegt und war stets für ihn dagewesen. Nur über eines war er froh: Daß er etwas für sie empfand, daß offenbar noch nicht alle Gefühle tief im Innern eingemauert waren.
Aber er machte sich etwas vor, denn in Zukunft sollte sein Leben nur noch ohne Gefühle ablaufen, auch gegen sich selbst. Gefühle, das war Ballast, bedeutete Einengung und Abhängigkeit. Genau das wollte er nicht: weder abhängig noch eingeengt sein.
Alexander war noch nicht weit gegangen, als er über ein Geräusch erschrak. Unvermittelt stand Yokola vor ihm. Der Saman trat näher und schaute ihn lange an. Alexander fühlte sich unbehaglich und hatte das Gefühl, als könnte der Alte in ihm lesen.
»Menschen wie du beherbergen einen bösen Geist«, sagte der Ewenke in akzentfreiem Russisch.
»Ich dachte, du könntest kein ...«

Yokola unterbrach ihn, indem er nur kurz die Augen schloß. »Ich weiß nicht, wie böse dein Geist ist, aber du läufst Gefahr, daß du dich ihm unterordnest.«

»In mir in kein böser Geist«, protestierte Alexander und wußte sofort, er log.

»Doch, ein Geist aus Haß und Gleichgültigkeit.«

Alexander schwieg.

»Ein Saman kann es nicht zulassen, daß er das, was er gerettet hat, durch einen bösen Geist verliert.«

»Ist es unter deiner Würde?«

Yokola schüttelte den Kopf. »Nein, es ist meine Verpflichtung.«

Einige Sekunden konnte Alexander dem Blick des Schamanen standhalten, dann sah er zu Boden.

»Dein Leben gehört mir. Immer, wenn man ein Leben rettet, vereint man seines mit ihm. Wenn du es wegwirfst, dann werde auch ich sterben.«

Bevor Alexander antworten konnte, klopfte ihm Yokola leicht gegen die Brust. »Die Haare des alten Mannes, auf seine Art war er auch ein Saman, haben dir bisher geholfen.«

Alexander stand die Überraschung im Gesicht geschrieben, denn er konnte sich nicht erinnern, von Rassul erzählt zu haben.

»Nimm auch meine dazu.«

Mit einem Messer schnitt Yokola sich ein Haarbüschel ab und reichte es Alexander. Der verstaute es in dem kleinen Lederbeutel mit Rassuls Haaren. Beide konnte er gut auseinanderhalten, denn die des Fährtenlesers waren pechschwarz.

»Woher weißt du von diesen Haaren? Habe ich im Fieber davon gesprochen?«

Yokola schüttelte den Kopf. »Ich bin ein Saman.«

Zwei Minuten, die Alexander wie eine kleine Ewigkeit erschienen, standen sich die beiden Männer gegenüber. Da Yokola ihn nun an beiden Oberarmen umklammert hielt, sein Griff fester und fester wurde, kam es Alexander vor, als fließe etwas von dem zähen, energiegeladenen Körper des Alten in den seinen. Wortlos wandte Yokola sich ab und marschierte davon, ohne noch einmal zurückzuschauen.

Alexander zog durch das Land, als sei es sein Bestreben, alle Winkel des riesigen Kontinents kennenzulernen. Er traf auf andere Ewenken, die weit verstreut im nördlichen Sibirien umherwanderten. Manche waren sehr freundlich, andere wiederum begegneten ihm mißtrauisch. Einmal sogar verfluchte ihn ein Saman und ließ ihn, nachdem ihm die Bewohner als knappeste Form der Gastfreundschaft etwas zu essen angeboten hatten, aus dem Dorf treiben, weil in ihm ein böser Geist wohne.

Das war seine letzte Begegnung mit den Ewenken, danach machte er sich auf den Weg nach Südosten. Er kam in Dörfer, die ohne Kanalisation, Strom und Wasser waren. Aufgedunsene Tierkadaver, eingehüllt und belagert von einer Wolke aus Fliegengeschwirr, lagen zwischen den primitiven Behausungen, Berge aus Knochen, verrosteten Blechdosen, leeren Flaschen und Unmengen von sonstigem Abfall. Im Sommer stank es bestialisch, erst der Winterfrost machte das Atmen erträglicher.

Gewöhnlich arbeiteten die Bewohner auf einer Blaufuchsfarm, die einzige Erwerbsmöglichkeit weit und breit, und das Einkommen war mehr als dürftig. Das hielt jedoch viele Männer nicht davon ab, schon früh am Morgen torkelnd durch die Gegend zu ziehen. Wodka war auch hier die einzige Abwechslung und ein Allheilmittel, wenn es ums Vergessen ging.

Das Rentier verkaufte Alexander zwei Monate später für 180 Rubel, weil er einen Fahrer fand, der ihn mit seinem Lkw mehr als 500 Kilometer auf einer aufgeweichten Allwetterstraße mitnahm.

Alexanders innere Unruhe ließ ihn zu einem Mann werden, der plötzlich da war, arbeitete, redete, jedoch nie über sich selbst, und ohne Abschied wieder verschwand. Im Sommer verbrachte er einige Wochen in einem Holzfällercamp. Keiner fragte, woher er kam, keiner wollte wissen, wohin er wollte. Was zählte, war seine Arbeit, und Papiere brauchte er auch nicht vorzuzeigen.

Alexander erfüllte die Norm und noch mehr. Mit einer Verbissenheit, als hinge sein Seelenheil davon ab, trieb er die Axt in den Stamm oder setzte die Motorsäge an. Konnte einer seiner Kollegen seinem Tempo nicht folgen, Alexander feuerte ihn an.

Genauso intensiv, wie er arbeite, lebte er auch. Kein Fest ließ er aus, keiner Rangelei ging er aus dem Weg, meist wurde sein Kopf erst wieder am kommenden Morgen in der frischen Luft klar. Frauenbekanntschaften waren selten, da ein chronischer Mangel an diesen begehrten Geschöpfen herrschte. Kam es doch mal dazu, dann endeten die Beziehungen sehr schnell, meist schon nach der ersten Nacht, weil er sich nicht bemühte und von ihm, wie ihm sogar die Käuflichen vorwarfen, eine beängstigende Kälte ausging. Das Leben, Alexander wußte nicht, wie lange es noch dauern würde, nahm er einfach hin, ohne zu überlegen, denn oft genug hatte er den Tod vor Augen gehabt, oft genug waren ihm gute Freunde und Kameraden weggenommen worden. So, als sei ein bestimmter Termin verstrichen oder eine Schuld zu tilgen gewesen. Und weil der Tod nicht fragte, ob man bereit war, gab sich Alexander, trotz der immer noch nachwirkenden letzten Begegnung mit Yokola, als könne er jeden Augenblick eintreten. Er lebte von Tag zu Tag, unbedarft und aus Sicht der anderen ohne übermäßige Rücksicht. Was nützt es, beim Fällen von Bäumen besondere Vorkehrungen zu treffen, sagte er sich, und du wirst von einem Bulldozer überfahren oder durch eine Sprengung in Fetzen gerissen.

Seine Holzfällerkollegen, alles harte Männer und viel gewohnt, beobachteten ihn manchmal heimlich, weil er ihnen fremd vorkam. Solch einem Burschen, der sich so gleichgültig gab und auf der anderen Seite wiederum so bedingungslos kämpfte, waren sie noch nicht begegnet. Galt es, im morastigen Untergrund den letzten, entscheidenden Keil in den Stamm zu treiben, Alexander tat es, auch wenn die Gefahr bestand, vom abreißenden Baum erschlagen zu werden. Mußte einer als erster über den gerade noch zugefrorenen Fluß, Alexander wurde gerufen. Und wenn eine Dynamitladung nicht hochging, schaute er als einziger nach der Lunte oder dem Zündkabel. Auf solche Art einzuspringen und gefordert zu werden, machte ihm nichts aus. Im Gegenteil, er sah sich bestätigt, und er lachte über die Memmen, die Angst hatten. Doch bei jedem Risiko, das er einging, errechnete er für sich die potentiellen Chancen, wobei die Vorsehung eine bestimmte Größe ausmachte. Die Vorsehung und Yokola, so redete Alexander sich ein, garantierten ihm noch ein langes Leben. Diese Einschätzung akzeptierte er, und sie schien ihm stichhaltig, denn sonst müßte er ja schon längst ...

Nie überschritt er deshalb, gestützt auf seine einseitige Betrachtungsweise, ein gewisses, jedoch weit in den Grenzbereich verschobenes Limit. Und das Limit hieß Yokola. Denn mit so viel Glück wie vor Monaten, als ihn der Fährtensucher mitten in der Schneewildnis gefunden hatte, konnte er seine Zukunft nicht noch mal belasten.

Bis Herbstbeginn arbeitete er in dem Holzfällertrupp, wenig später weiter südlich nahe der Stadt Satagai in einem Erzbergwerk, das verschrien war wegen seiner hohen Normen und der schlechten Bedingungen. Aber es schien genau der richtige Ort zu sein, um unterzutauchen.

Auch hier brauchte Alexander keine Papiere vorzuzeigen, dafür jedoch lernte er den realexistierenden Kommunismus und dessen besondere Form der Menschenverachtung kennen. Unter Tage gab es kein Material, um die Stollen abzustützen. Das brauche man nicht, meinte ein leitender Ingenieur, denn der Permafrostboden sei so hart, da passiere schon nichts. Jeder Stollen sei stabil und tragfähig wie ein Tunnel im gewachsenen Fels. Gleichzeitig jedoch erfuhr Alexander, daß alle Jahre bei der Bedarfsanmeldung auch das Abstützmaterial angegeben und geliefert wurde, ins Bergwerk gelangte es jedoch nie. Die Leitung verscherbelte es vorher gegen wesentlich wichtigere Dinge: Der Direktor brauchte ein Häuschen zur Jagd, der Stellvertreter ein Auto und der leitende Ingenieur ein neues Badezimmer. Der Dauerfrostboden würde schon halten.

Alexander meldete Bedenken an, immerhin habe er einige Semester Bergbau studiert. Auf der Universität sei ihm eingebleut worden, daß man sich in Zentralsibirien nicht auf eine gleichbleibende Dicke des Permafrostes verlassen dürfe. Es gebe unterschiedliche thermische Sprünge, die dazu führten, daß an einer Stelle das Erdreich zwei- oder dreihundert Meter tief gefroren war, an einer anderen jedoch bis zu tausend Meter.

Der Ingenieur hörte nicht auf Alexander, der daraufhin eine schriftliche Eingabe beim zuständigen Beauftragten für Sicherheitsfragen machte. Das kam dem Ingenieur zu Ohren, aber noch bevor er Alexander wegen Kompetenzüberschreitung, er hatte den Dienstweg nicht eingehalten, und Zweifel am System zur Rechenschaft ziehen konnte, geschah der Unfall. Neun Bergleute waren in einer Luftblase eingeschlossen, weil sich der Boden unvermittelt als brüchig erwies und eine geothermische Anomalie zu einer Erwärmung um zwei Grad geführt hatte. Gemeinsam mit den anderen Wärmequellen genügte das, den Stollen einstürzen zu lassen.

Der eifrigste Anpeitscher war anschließend der leitende Ingenieur, der die Konsequenzen für sich abschätzen konnte. »Leute, gebt euer Bestes, rettet die Kameraden.«

Einer der Männer hatte dem Ingenieur daraufhin fast mit dem Hammer auf den Helm geschlagen, ein anderer fiel ihm gerade noch rechtzeitig in den Arm.

Wie die Besessenen schufteten die Kumpels, aber das herabstürzende Material war klumpig und fror zum Teil wieder wegen der kälteren Umgebung. Außerdem bestand die Gefahr, durch Erschütterungen einen weiteren Einsturz herbeizuführen.

Die Leitung des Erzbergwerks, eines der kleineren mit vierhundert Beschäftigten, gab sich verzweifelt. Aber nicht aus Angst um die Verschütteten, sondern wegen der Repressalien, die sie als Folge einer Untersuchung zu befürchten hatten. Schließlich fand man sich damit ab, nichts für die armen Kollegen tun zu können. Der Sozialismus fordere leider nun mal Opfer.

»Gibt es eine thermische Karte des Bergwerkes«, fragte Alexander den leitenden Ingenieur.

»Ja, ist doch vorgeschrieben.«

»Und wo kann man die einsehen?«

»Im Büro des Direktors.«

»Besorg sie mir.«

Der Ingenieur sträubte sich.

»Dann ziehe ich auch meine Eingabe zurück.«

Zehn Minuten später hatte Alexander die Karte vor sich liegen. Er und fünf seiner Arbeitskameraden studierten sie und orteten die Luftblase.

Einer meinte: »Wenn wir uns von hier aus mit zehn Grad Steigung heranarbeiten könnten, dann müßte es zu schaffen sein.«

Alexander maß aus. »Sind knapp 20 Meter durch das Gestein.«

Wieder der erste: »Lose und fest zugleich. Der Frost klammert es zusammen.«

»Drumherum jedoch ist alles kälter als an der Einsturzstelle. Hier in dem Bereich«, Alexander deutete mit einem Finger darauf, »ist von der thermischen Anomalie nichts mehr zu sehen, falls die Karte stimmt.« Und während er sich an das Anstreichen des Bohrturms in Lager SIB 12 mitten in der Frostperiode erinnerte, murmelte er kaum hörbar: »Nur 20 Meter. Das muß doch zu schaffen sein, auch ohne Erschütterung.«

Er richtete sich auf. »Zehn Flaschen Wodka, daß wir die Leute an einem Tag frei haben.«

Alexander erhielt innerhalb von zwei Stunden alles, was er benötigte. Zuerst schloß man das Gerät an eine Wasserleitung an. Der Dieselmotor wurde gestartet, und vorne aus der Düse kam nebelartiger, heißer Dampf mit einem Druck von 50 Atmosphären. Die Abgase leitete man in einen Entlüftungsschacht. Mit Hilfe des Dampfstrahlers bearbeitete Alexander die Stollenwand, sie taute auf und wurde mit dem Wasser weggespült. Weil sich die Männer schräg nach oben hielten, lief alles wie in einem kleinen Schlammfluß aus dem Arbeitsbereich heraus.

Alle fünfzehn Minuten wechselten sich die Kumpels ab. Sie trugen Schutzbrillen, die schnell beschlugen. Nach zwei Stunden hatten sie bereits einen Tunnel von einem Meter Durchmesser und fünf Metern Länge in das Gestein getrieben. Die Arbeit war schwierig, weil sie nur gebückt verrichtet werden konnte und die Bergleute aus Zeitmangel darauf verzichteten, den Stollen vorschriftsmäßig abzustützen.

Zehn Stunden später drangen aus rauhen Männerkehlen freudige Jauchzer und Schreie, man hatte die Eingeschlossenen erreicht. Alexander mußte viele Hiebe auf die Schulter verkraften. Kumpels sind harte Gesellen, Anerkennung konnte schmerzen.

Der Ingenieur bedankte sich überschwenglich bei Alexander, die Bergwerksleitung tat es ihm nach, und einen Monat später verlieh man ihm während einer Feierstunde einen Orden. Fortan prangte sein Bild in der Eingangshalle des Bergwerkes: Held von Jakutien durfte er sich jetzt nennen.

Wenig später, Weihnachten war gerade vorbei, mußte sich Alexander deshalb wieder auf die Wanderschaft machen. Zuvor jedoch suchte er noch den Direktor des Bergwerks auf. Als man ihn hindern wollte, unangemeldet dessen Büro zu betreten, stürmte Alexander einfach hinein, zog den sich Sträubenden hinter seinen voluminösen Schreibtisch hervor und schlug ihn zu Boden.

»Das ist für den Orden, den man mir verliehen hat.«

»Wieso das?« Der Direktor, seine Reaktion schwankte zwischen Empörung und Angst, wischte sich das Blut aus dem Gesicht.

»Du mieses Schwein. Bestellst Material, man liefert es dir auch, aber du verschiebst es an einen illegalen Betrieb. Über einen Strohmann hast du ihn gegründet, vergibst Aufträge zu überhöhten Preisen und steckst den Gewinn ein, während deine Leute wegen mangelhafter Ausrüstung in den Stollen krepieren. Dich sollte man …«

Der Direktor rappelte sich hoch, er sah blaß aus. »Ich werde dich umbringen.«

»Dazu wirst du keine Gelegenheit mehr haben. Die Arbeiter wissen von deinen Praktiken. Rette deinen Hals, mach ihnen ein Angebot.«

Alexanders nächste Station war ein Sägewerk im Dreieck der Flüsse Ygyatta und Wiljui. In kurzer Zeit wurde er Spezialist im Einstellen des Sägegatters. Seine Maschine hatte die wenigsten Ausfallzeiten, weil er nicht so hohe Umdrehungen fuhr. Seine Kollegen waren der Auffassung, Plansollerhöhung ginge einher mit schnellerem Gattertempo und höherer Vortriebsgeschwindigkeit des Holzstammes, wodurch aber die Zähne schnell stumpf wurden oder abrissen. Beides reduzierte Alexander, und belohnt wurde er mit weit weniger Reparaturen und Standzeiten.

Nach wenigen Wochen hörte er zum erstenmal vom Bau der Baikal-Amur-Magistrale, der um etliches schwieriger sein sollte als der der Transsibirischen Eisenbahn vor mehr als 60 Jahren. Aber noch habe man nicht damit begonnen, zuerst richte man überall Stützpunkte ein und fertige Stichbahnen, um das Material kostengünstig an Ort und Stelle zu transportieren.

»Meinst du, die suchen Arbeiter?«

»Bei solchen Projekten suchen die immer Arbeiter. Zwar melden sich auch Tausende von Komsomolzen, macht sich gut, falls man in der Partei nach oben will, aber das sind alles keine Männer.«

Damit stand für Alexander fest, er würde an dieser Bahn mitbauen und bis dahin im Sägewerk östlich von Mirnyj bleiben oder durch das unendliche Jakutien ziehen.

Aber er hatte ein Problem. Seinen richtigen Namen durfte er nicht nennen, doch auch den Ausweis von David Delkowitsch nicht weiter benutzen. Er mußte aber etwas Amtliches vorweisen können, wenn er sich weiter südlich in einem Staatsbetrieb oder an der BAM bewarb.

Diskret sprach er einen Arbeitskollegen an, einen gewieften Burschen, der unter der Hand die Schwellen an den Meistbietenden verschob. Das konnte unter Umständen auch ein staatlicher Betrieb sein.

»Sag mal, Boris, ich brauche deinen Rat«, begann er vertraulich.

»Komm, laß uns einen dabei trinken.«

Sie saßen auf grob zusammengezimmerten Bänken an einem Tisch und kippten den Schnaps runter.

»Ein Bekannter von mir hat seinen Ausweis verloren. Wo kann er einen neuen bekommen?«

Boris sah Alexander schräg an. »Auf jeder Behörde, bei jedem Dorf- oder Stadtsowjet. Und bei der Miliz.«

Alexander nickte, als sei ihm das als Antwort genug. »Aber mein Bekannter möchte einen anderen Namen haben. Verstehst du?«

Boris verstand. »Was hat er denn ausgefressen?«

»Och ..., eigentlich nichts. Nur einen anderen Namen.«

Boris massierte sein stoppeliges Kinn. Provozierend langsam schob er die Mütze aus der Stirn. »Einen anderen Namen, sagst du?«

»Ja.«

»Aber echt muß alles aussehen.«

»Selbstverständlich.«

Boris bestellte noch mehr Schnaps und dazu ein paar saure Gurken. Die würden den Alkohol neutralisieren, meinte er.

»Kannst du das arrangieren?«

Boris nickte.

»Bis wann?«

»In drei oder vier Wochen. Was will er ausgeben?«

»Kann nur hundert Rubel zahlen, höchstens zweihundert.«

»Vollkommen neuer Name oder der eines Toten? Ich kenne da jemanden, der macht beides.«

Alexander überlegte. »Wie, er macht beides.«

»Von ihm erhält dein Bekannter einen echten Ausweis, und er erledigt gleich denjenigen mit, dem der Ausweis gehört.«

Alexander, obwohl abgebrüht und durch nichts mehr zu erschüttern, erschrak. »Sag nur, der bringt jemand wegen eines Ausweises um.«

»Nein, wo denkst du hin«, wehrte Boris ab und zwinkerte mit den Augen. »Aber ich frage dich: Was zählt schon einer von uns?« Der untersetzte Mann hob die Schultern und ließ sie wieder fallen. In seinem Gesicht bemerkte Alexander keine Regung. »Unfall oder so. Das kommt ja immer mal vor, nicht? Und die Leiche verschwindet für immer. Ein echter Ausweis hat ungemeine Vorteile, kann ich dir nur sagen. Du bist überall registriert, man kann zurückverfolgen, wo du gewesen bist, alles hat seine Ordnung. Bis auf die Fingerabdrücke. Aber die haben sie nur, wenn du ... äh ... wenn die Leiche straffällig geworden ist.«

»Und beim Militär. Dort werden sie dir auch abgenommen.«

»Da denkt niemand dran. Na, was ist? Fiktiver oder echter Name?«

Alexander gab vor, seinen Bekannten zu fragen. Boris akzeptierte. Aber egal was er möchte, allein der Ausweis und die anderen Dokumente kosteten zweihundert und nicht eine Kopeke weniger.

Geld spielte für Alexander keine Rolle. Er hatte noch genügend übrig von dem, was ihm der Lette Litvius gegeben hatte. Und als Holzfäller, Bergmann und Sägewerksarbeiter, der ständig das Plansoll übererfüllte, bekam er, einschließlich der Sibirienzulage, auch an die fünfhundert Rubel im Monat. Was ihn noch zögern ließ, war Boris' Angebot, und zwar das mit dem echten Ausweis. Nicht, daß er einen solchen haben wollte. Bei ihm spielte es keine Rolle, denn seine Daten hatte man ohnehin registriert. Ihn erschütterte mehr, wie belanglos Boris vom Tod eines Mannes gesprochen hatte, den man nun mal für ein solch amtliches Dokument in Kauf nehmen müsse.

»Einen fiktiven Namen«, sagte Alexander zwei Tage später zu Boris. »Das genügt meinem Bekannten.«

»Gut, geht in Ordnung. Und wie willst du heißen?«

Mitte April ergab sich die Möglichkeit, mit einer Ladung Holz nach Oljokminsk an der Lena mitgenommen zu werden. Dort wartete Alexander, noch war der Strom wegen des Eises nicht passierbar. Anfang Mai tuckerte ein altes, wohl noch aus der Zarenzeit stammendes Schiff mit großem Schornstein die Lena und anschließend die Oljokma hinauf. Später fand Alexander Gelegenheit, nach Aldan zu fahren, hinein in das Stanovojgebirge. Er fragte sich nach Tynda durch, einem geplanten Stützpunkt der Baikal-Amur-Magistrale weiter im Süden. Zu Fuß und per Lkw erreichte er zwei Wochen später 20 Kilometer nördlich von Tynda und schon auf halbem Weg nach Lapri ein Materialdepot, zugleich auch ein Basislager der Baikal-Amur-Magistrale.

Alexander stellte sich der Bauleitung vor, wurde medizinisch untersucht, beantwortete alle Fragen nach seinen Verletzungen, Schienbeinbruch und Verlust der Zehen, ohne die näheren Umstände zu schildern. Er sei mit einem Landvermessertrupp unterwegs gewesen und habe diesen bei einem Schneesturm verloren, erklärte er. Dabei habe er sich das Bein gebrochen und die Erfrierungen eingehandelt. Alexanders Version klang glaubhaft, zumindest wollte keiner der Anwesenden Genaueres wissen. Der Arzt machte ihn darauf aufmerksam, daß er seinen linken Fuß weiter nach innen stellte als den rechten. Weil zwei Zehen fehlten und der große deshalb Mehrarbeit leisten müsse, um das Manko auszugleichen. Mit der Auflage, sich seine Zähne nachsehen zu lassen, das gehe auf Kosten des Staates, befand man ihn tauglich.

Der Einstellungsleiter, er trug seiner wichtigen Position entsprechend einen Anzug, ein weißes Hemd und eine Krawatte, schob Alexander einen Vertrag zu, und der unterschrieb als Kirjan Morosow. Er steckte seinen Ausweis wieder ein und machte sich auf den

Weg zum Zahnarzt. Dort zeigte er seine Einstellungspapiere, erhielt sofort einen Termin und verzichtete auf eine Spritze.

»Aber es wird weh tun, mein lieber Morosow.«

»Für jeden Schmerzenslaut zehn Rubel.«

Der Zahnarzt konnte sich an diesem Tag kein Zubrot verdienen. Mit fünf neu plombierten Zähnen verließ Alexander seine Praxis. Draußen vor der Tür wischte er sich die schweißnassen Hände ab. Er hatte keinen Ton von sich gegeben und sich wieder mal, wie so oft, vor sich selbst bewiesen. Warum er diese ständigen seltsamen Bestätigungen brauchte, konnte er sich nicht erklären. Irgendwie kam es ihm vor, daß er durch neue Schmerzen stets an die in den Straflagern erinnert werden wollte, um sie ja nicht zu vergessen.

Alexander quartierte sich in einem Holzgebäude ein. Alle Häuser waren rechteckig und langgestreckt und im Grunde genommen Baracken. Aber immer noch wesentlich komfortabler als die vielen Unterkünfte, die er bisher kennengelernt hatte.

An den meisten Streckenabschnitten und Neubauvorhaben, so wurde ihm erzählt, hausten die Arbeiter in Zelten. Bis zu zwanzig Mann pro Zelt, und das auch im Winter. Keine Toiletten, kein Waschraum, nichts. Oder in alten Waggons, die einfach in der Landschaft abgestellt wurden, möglichst nahe an der geplanten Strecke.

Sein Zimmer, es war vier mal vier Meter groß, für sowjetische Verhältnisse wahrhaft fürstlich, mit zwei Betten, zwei Stühlen und einem Schrank bestückt, hatte er später mit noch jemandem zu teilen. Der Waschraum lag über den Gang, die Toilette daneben. Gleich nach der ersten Benutzung merkte Alexander, sie war, obwohl neu und schön weiß, schon jetzt verstopft. Das sollte sich zu einem geruchsbelästigenden Dauerzustand ausweiten.

Von diesen rechteckigen Holzunterkünften gab es mehr als 30, und Alexander konnte sich ausrechnen, daß hier später 600 Beschäftigte wohnen würden. Unter ihnen auch etliche Frauen, wie man munkelte.

Die ersten bemerkte er bereits am selben Abend, als er sich auf den Weg zur Gastiniza machte. Sie kamen ihm sehr luftig gekleidet vor für diese Jahreszeit, und einige waren aufdringlich geschminkt. Blau oder braun die Lider, die Augenbrauen als dicke schwarze Balken und die Lippen in einem grellen Rot. Zwei blieben stehen, als sie ihn sahen, zogen einen Spiegel hervor und besserten ihr Makeup aus.

Die Gastiniza: Restaurant, Gaststätte, Kantine, alles in einem. Außerdem diente sie als Freizeitbereich, war zugleich Aufenthaltsraum bei schlechtem Wetter und Versammlungsort für Besprechungen aller Art. Aber die Verpflegung war gut, reichhaltig und billig: Reis, Krautsalat, Gulasch, ein süßlicher Brei, Obstsaft, Tee, Fisch, Rindfleisch, Sauermilch, gekochte Eier und drei Sorten Brot. Die Brotvielfalt tat es Alexander besonders an. Und immer war es frisch, manchmal sogar noch warm.

Bepackt mit Eßbarem, zahlte er an der Kasse je nach Menge und Appetit 30 bis 40 Kopeken. Frühstück, Steak und Fisch mit Zwiebelringen, dazu Schampanskoje und Wodka, gab es für 35, und Abendessen kostete nochmals 50, die Flasche Schnaps 1,20 Rubel.

Leonid, der Brigadier, ein großgewachsener, kräftiger Georgier mit einem riesigen Schnurrbart und pechschwarzen Haaren, erzählte Alexander, er befände sich auf einem wichtigen Basislager und Materialdepot, Station 22 genannt. Von hier aus würden sie zuerst für die Lkw eine Allwetterstraße nach Norden bauen, um die Versorgung mit Schwellen und Schotter zu gewährleisten. Bis zum nächstgelegenen Sägewerk seien es acht Kilometer, der Schotter werde drei Kilometer weiter gebrochen und zerkleinert.

Auf einer Landkarte zeigte er, wie der Verlauf der 3145 Kilometer langen Bahn geplant war. Von Ust-Kut im Westen, also noch jenseits der Lena, dann an der Spitze des Baikalsees vorbei nach Tschara, Tynda, Nora Urgal bis Komsomolsk am Amur im Fernen Osten.

Und ihr Standort befinde sich hier. Mit dem Daumen deutete der Brigadier auf einen Punkt nördlich von Tynda. »Wir haben den schwierigsten Teil.«

Leonid schwärmte von dem gigantischen Vorhaben, das aufwendigste und möglicherweise zukunftsträchtigste Projekt der ganzen Sowjetunion, und behauptete, mit allen Anschlußeinrichtungen, dem Erstellen von Siedlungen, Zufahrtsstraßen und Nachschubstationen sei es das teuerste Bauwerk der Erde.

»Warum sind wir nicht direkt an der Strecke?«

Der Brigadier kratzte sich unter der Mütze. »So genau weiß ich das auch nicht.«

»Bis wann soll die BAM ...«

Leonid blickte aus dem Fenster, als stünde es dort geschrieben.

»Vielleicht in zehn Jahren? Ja, 1980 ist eine schöne runde Zahl.«

»Und wie kommt es zu dem Namen Station 22?«

»Bei uns hat doch alles eine Nummer. Ob du nun geboren wirst oder stirbst. Dein ganzes Leben bist du eine Zahl. Und Station 22 könnte bedeuten, hier bei uns entsteht der 22. Halt der BAM auf dem Weg in den Osten.«

Weil Alexander so skeptisch dreinblickte, erklärte es ihm Leonid an Hand der Transsib.

»Irkutsk zum Beispiel hat die Nummer 36, ist also der 36. Haltebahnhof von Moskau aus gesehen. Und bis Wladiwostok gibt es noch 60 weitere. Kapiert?«

»Das hast du aber alles schön auswendig gelernt, Leonid.«

Die Brigade begann am nächsten Tag mit der Arbeit. Zuerst mußten noch etliche Lagergebäude errichtet werden. Dazu bohrte man ein Netz von Löchern zwei Meter tief in den Boden, in die man Pfosten aus geteertem Lärchenholz stellte und dann Beton füllte. Auf die Pfosten wurden Balken genagelt, die den Fußboden des Gebäudes und die vorgefertigten Teile in der genormten Größe zu tragen hatten. Zuoberst kam das Dach aus Wellblech oder Teerpappe, je nachdem, was gerade vorrätig war.

Juni, Sommereinzug, Mückeninvasion. Und sie war noch schlimmer als im Straflager SIB 12, weil es sich um eine besondere Form von Plagegeistern handelte, die sibirischen Moskitos. Jeder Stich verursachte eine kleine Schwellung und unerträglichen Juckreiz. Alexander setzte seine Wagenschmiere ein, die auch hier in großen Mengen vorrätig war. Andere Männer taten es ihm nach, die Frauen verzichteten darauf und litten weiter. Abends versuchten sie statt dessen die Schwellungen mit Eis und diversen Salben zu behandeln.

In den nächsten Wochen waren sie mit der Allwetterstraße beschäftigt. Zuerst erkundete Alexander mit Brigadier Leonid die

Strecke, sie legten den günstigsten Verlauf fest und markierten Bäume, die gerodet werden mußten. Feuchtstellen und steile Anstiege vermieden sie, lieber nahmen sie einen kleinen Umweg in Kauf. Als nächstes fuhren schwere Raupenfahrzeuge und Bergungspanzer paarweise und im Abstand von etwa 30 Metern in die Taiga. Die Ungetüme waren durch eine beindicke Kette miteinander verbunden. In der Mitte befand sich eine Eisenkugel, sie drückte die Kette mit ihrem Gewicht auf den Boden. Alles, was zwischen den beiden wuchtigen Fahrzeugen wuchs, Birken, Lärchen und andere Bäume, wurde um- und ausgerissen, Stämme knickten weg wie Streichhölzer. Anschließend reinigte man die Schneise, zog die zu weit hervorstehenden Strünke samt den Wurzeln heraus und planierte den Untergrund. Zuerst kam dann eine Lage aus sehr grobem Schotter, darüber körniger Sand. Als nächste Schicht legte man quer zum Straßenverlauf die ausgerissenen Baumstämme, die auf eine Länge von acht Metern zurechtgeschnitten waren, was der späteren Fahrbahnbreite entsprach. Abschließend verteilte man feinen Schotter, der nur noch festgewalzt werden mußte. Fertig war die Allwetterstraße – die allerdings je nach Witterung mehrmals im Jahr ausgebessert werden mußte.

Zwei Monate hatten sie für die elf Kilometer gebraucht, sich von den Endpunkten vorgearbeitet und exakt in der Mitte getroffen, aus Alexanders Sicht eine beachtliche Leistung für die Brigade.

Inzwischen war Station 22, ohne Stacheldrahtzaun und deshalb für Alexander, der immer Assoziationen an seine Vergangenheit hatte, ein ungewohnter Ort, mit Arbeitern und Arbeiterinnen belegt.

Alexanders Zimmernachbar hieß Woiloda und stammte aus Leningrad. Er gehörte dem kommunistischen Jugendbund Komsomol an und hatte sich für fünf Jahre in den Osten verpflichtet. Wegen des Abenteuers und wegen der Sibirienzulage, wie er Alexander verriet, um schnell hinzuzufügen: »Selbstverständlich steht für mich der Aufbau des Sozialismus und die Erschließung Sibiriens zu unser aller Vorteil im Vordergrund.« Zweimal im Jahr durfte Woiloda wie jeder andere auch nach Westen in die Zivilisation fliegen, vier Wochen Urlaub am Schwarzen Meer gab es obendrein kostenlos. Woiloda war gerade 22, voller Enthusiasmus so wie viele Zigtausende auch und stolz darauf, dem Fortschritt zu dienen.

Alexander mit seinen 31 Jahren gehörte schon zu den Älteren, und mit der Zeit gingen ihm das empathische Gesabbere des Komsomolzen und seine Lobhudeleien auf den Geist. Bald jedoch hatte er eine besondere Form gefunden, Woiloda, dem Wasserfall, gegenüber Interesse zu bekunden und sich trotzdem dabei zu entspannen.

Beim Abendessen in der Gastiniza setzte sich Leonid zu Alexander. Zuerst schlangen sie schweigend alles hinunter. Anschließend tranken sie Tee und aßen Prusnicka, frische rote Preiselbeeren, gesäumt von einer knirschenden Borte aus Zucker. Das alles ertränkten sie in Wodka, die übliche Beschäftigung am Ende eines harten Tages und sinnvoll obendrein, um sich die nötige Bettschwere zu verschaffen. Allerdings kannte Alexander sein Limit genau, so daß er durch den Alkohol nie die Kontrolle verlor.

»Du kennst dich mit der Arbeit aus.« Der Brigadier schob den Teller weg.

»Ja, etwas.«

»Und wo hast du es gelernt?«

»Hier und dort.«

»Hast du keinen richtigen Beruf?«

»Ich war einmal Student. Bergbau. Das habe ich dann aufgegeben.«

Leonid beugte sich nach vorn. »Wer so rangeht wie du, hat eine harte Schule hinter sich. Kirjan Morosow ..., ich habe deinen Oberkörper gesehen.«

»Na und?«

»Deine Hand, die Narbe. Dann dein Schienbein.«

»Kleiner Unfall.«

Der Brigadier lächelte leicht. »Und unter der Dusche habe ich bemerkt, daß dir zwei Zehen fehlen. Was hast du alles erlebt?«

Alexander schob nun seinerseits das Geschirr in die Mitte des Tisches. »Ich war viel unterwegs. Habe in Kasachstan in der Landwirtschaft geholfen, bei Baku nach Öl gebohrt und auf dem Schwarzen Meer gefischt.«

Leonid beobachtete ihn mit spöttischen Augen. »Und alles nur, weil es dir Spaß gemacht hat.«

Alexander verschränkte die Arme vor der Brust. »Was dagegen?«

Leise und nur für ihn verständlich antwortete Leonid: »Dann bist du der erste, den ich kenne, dem Lagerhaft Spaß gemacht hat.«

Alexander schaute den Brigadier überrascht und mißtrauisch an. Der stand auf, nahm sein Tablett und wollte gehen. Er zögerte und raunte Alexander zu: »Mir hat sie nämlich keinen Spaß gemacht.«

Station 22 hatte man inzwischen ausgestattet mit diversen Einkaufsmöglichkeiten, Friseur, Krankenstation, Funkstation, Sauna, kleiner Sporthalle und einer Bibliothek.

Was Besuchern und Neuankömmlingen sofort ins Auge sprang, waren die vielen Masten mit schönen, bunten Flaggen, darunter auch die der Sowjetunion. Über dem Verwaltungsgebäude – in jedem Zimmer hingen großformatige, wandfüllende Bilder von Lenin, Karl Marx und Breschnew, als sei das Plansoll für Farbe unerfüllt geblieben – stand in großen roten Buchstaben auf weißem Untergrund die Losung des Lagers: »Für uns ist keine Herausforderung zu groß«. Etwas kleiner darunter: »Jeden Tag ein bißchen mehr als verlangt.« Damit die Beschäftigten auch immer wieder an diesen Vorsatz erinnert wurden, plärrten von Zeit zu Zeit Lautsprecher auf dem Gelände, um die Errungenschaften des Sozialismus und die Wichtigkeit der Pionierarbeit in Sibirien tief in jedes Ohr zu drücken.

Unübersehbar auch das große schwarze Brett im Vorraum der Gastiniza, auf dem neben den amtlichen Bekanntmachungen und Anordnungen auch Namen und Fotos von besonders zu lobenden Arbeitern verewigt wurden. Im Gästehaus der Siedlung, auch daran war gedacht worden, wohnte vorübergehend ein Politkommissar, zuständig für die Verwaltung des Rayons. Der hatte zwar die Größe von Belgien, aber in ihm lebten nur 10 000 Menschen.

Der unentwegt von Camp zu Camp reisende Kommissar, einer der vielen parteikonformen ideologischen Animateure in diesem riesigen Land, sah es als seine Aufgabe an, mit gestelzten Worten die Arbeiter und Arbeiterinnen auf ihre Pflicht hinzuweisen, und die sei nun mal, dem Sozialismus und damit dem Frieden zu dienen. Einige der Anwesenden, der stereotypen Phrasen überdrüssig, buhten an diesem Abend und riefen: »Aufhören!« In Sibirien konnte man sich das erlauben, hier herrschten eben andere Gesetze.

»Das Ausland wird auf uns schauen und uns an unseren Leistungen messen, Genossinnen und Genossen. Deshalb meine eindringliche Bitte: Gebt alles für die Arbeit, erfüllt euer Plansoll.«

Der Kommissar erwartete Beifall, statt dessen fragte jemand aus der zweiten Reihe nach den Schwellen, wie es denn damit aussehe. Das Sägewerk habe immer noch nicht mit der Produktion begonnen, obwohl es fertiggestellt sei und die Straße dorthin ebenfalls.

Der Kommissar stotterte etwas von unvorhergesehenen Schwierigkeiten und Planüberschreitungen und einer falschen Logistik, was die Termine und das unberechenbare Wetter angehe. Seine Entschuldigung gipfelte in der Bemerkung: »Wir hatten in der letzten Nacht den ersten Frost.«

»Aber länger als drei Monate einen schönen Sommer«, wurde ihm respektlos gekontert.

In die Enge getrieben, schmollte der Kommissar, der eigentlich dafür zuständig war, die Moral der Beschäftigten positiv, also im Sinne der Staatsführung, zu beeinflussen. Aber heute kam er nicht richtig zum Zuge, die monotonen Floskeln zeigten keine Wirkung. Mehr und mehr kristallisierte sich heraus, daß es eine ungenügende Planabstimmung gab, allein verursacht durch das explosionsartige Wachstum der sowjetischen Industrie, wie der Kommissar versicherte, man also leider auch in Zukunft mit Verzögerungen rechnen müsse. »Hochwertige Güter, die dem Aufbau unseres Landes dienen, sind nun mal gefragt«, konstatierte er und war froh, einen so eleganten Ausweg gefunden zu haben. Sehr schnell wurde er wieder auf den Boden der Tatsachen gebracht, als schließlich ein anderer wissen wollte, wo denn nun endlich die banalen Nägel blieben, diese einfachen, schlanken Drahtstifte, die man in das Holz treibe. Man müsse doch noch einiges zusammenhämmern, außerdem ginge ein Großteil der Prämie verloren, weil man das Soll nicht erfüllen könne.

Über die fehlenden Nägel und andere rare Ausrüstungsgegenstände tasteten sich die Arbeiter zu den Lkw vor, die auch bald eintreffen müßten, immerhin werde man im Frühjahr die ersten Kilometer der Trasse zu erstellen haben.

Die Brust des Kommissars wölbte sich nun voller Stolz, zufrieden schaute er in die Runde. »Da kann ich euch beruhigen, Genossinnen und Genossen, die Lieferung ist unterwegs. Für unseren Bauabschnitt werden wir achtzig neue Lkw erhalten. Deutsche. Von der Firma Magirus Deutz.«

Eine Woche später herrschte große Aufregung, denn seit einigen Tagen wurde ein Arbeiter vermißt, der allein auf die Jagd gegangen war. Schnell stellte man eine Suchmannschaft zusammen und teilte sie in Gruppen ein. Jeweils zu viert durchkämmten sie das umliegende Gebiet. Sie krochen unter feuchten Sträuchern hindurch, balancierten über umgestürzte Strünke und Stämme und tauchten tief in einen nahe gelegenen Waldberg hinein, den sie erklommen. Lager und Siedlung schrumpften zu einem graubraunen Fleck im grüngelben Bäumeozean, und je höher sie stiegen, desto mehr veränderte der Berg seine Farbe. Zur Südseite hin wurde er bunter, der gelbrote Ton nahm zu.

Nach wenigen Minuten erreichte der Suchtrupp eine sanfte Mulde, aufgefüllt mit Geröll, die zum Berg hin steil auslief. Mittendrin wuchsen, als sei es ein Park, Zwergkiefern in solch intensivem Grün, wie Alexander es nicht für möglich gehalten hätte. Sie standen so dicht, daß er kaum den Himmel sehen konnte. Den lockeren Untergrund bedeckte ein dicker Moosteppich, in dem sie tief versanken. Alexanders Füße rutschten zwischen das Geröll und verkeilten sich, aus allen Ritzen krochen die schlanken Kiefern. Ihre Stämme waren zäh, geschmeidig, feucht und lederartig, wie erstarrte Schlangen. Je weiter sie den Berg hochstapften, desto mehr riß das Moos, eine mit Würmern und Kleingetier durchsetzte, erdige Haut, unter den Stiefeln auf. Oft verschwanden sie bis zum Schaftende in einer Spalte.

»Vielleicht ist er bei einer Frau?« meinte der zur Linken von Alexander mißmutig, der es schon bereute, sich dem Kommando angeschlossen zu haben. »Und wir müssen hier durch die Gegend stapfen.«

»Oder er hat ein Brüderchen im Kopf.« Gemeint war der Geist aus einer Wodkaflasche.

Nikita, der vorneweg Marschierende, blieb stehen und drehte sich um. »Kann nicht sein. Niemand trinkt allein.«

Damit war für Nikita die Situation geklärt, und er beschleunigte das Tempo. In den nächsten Minuten erwähnte er beiläufig, daß er etliche Jahre in der Taiga als Jäger unterwegs gewesen sei. Sie kamen an einem Bärenlager vorbei. Nikita deutete auf Reisig und Moospolster, schlagartig veränderte sich seine Haltung, und er nahm das Gewehr in Anschlag.

»Das Lager ist frisch«, flüsterte Nikita und schlich gebückt weiter. Dafür jedoch machten die anderen genügend Lärm, als wollten sie damit die plötzlich aufkommende Angst überdecken.

Auf einer kleinen Lichtung sahen sie den braunen Koloß. Witternd blickte er in ihre Richtung, sich seiner Kraft bewußt, kam er langsam auf sie zugetrottet. Bis auf 20 Meter schaffte er es, dann streckte ihn eine Kugel nieder.

»Nehmen wir auf dem Rückweg mit«, meinte Nikita, der Jäger. »Gutes Fleisch.« Noch zwei Stunden marschierten sie weiter. Erneut schnappte sich der Jäger das Gewehr, um es in Hüfthöhe in Anschlag zu bringen. Ein zweiter Bär saß vor etwas Undefinierbarem und kaute, träge schaute er sie an. Und das, was er kaute, war an einem Ende bunt.

Nikita legte an und erschoß auch diesen Bären. Von dem gesuchten Arbeiter war nicht mehr viel übrig. Sein Gesicht war kaum noch zu erkennen, das Fleisch an vielen Stellen bis auf die Knochen abgenagt. Unter einem Strauch lag eine zerfetzte Hand, die sich im letzten Todeskampf krallenartig zusammengezogen hatte.

Nikita zückte ein großes Messer und zerlegte den Bären. Gemeinsam hängten sie die Reste seines Kadavers an die umliegenden Äste. So verlangte es der Brauch, wenn man ein Tier erlegte, das einen Menschen getötet hatte.

Die Arbeit im Winter war mörderisch. Frauen und Männer hatten mit ungeahnten Schwierigkeiten zu kämpfen, von denen ihnen vorher kein Ingenieur und erst recht kein Politkommissar, die logen sowieso das Blaue vom Himmel, etwas erzählt hatten. Material wurde spröde, Gummi verlor seine Elastizität und brach, Rohre platzten oder rissen, Baggerzähne zerbarsten am gefrorenen Boden, als wären sie kariös, hartgefrorene Holzstämme zerfetzten die Sägeblätter. Keine Autobatterie behielt ihre Kraft über Nacht, Motoren versagten oder sprangen nicht mehr an und konnten nur durch Zusatzakkumulatoren und offenes Feuer zum Laufen gebracht werden. Um den Zeitplan einzuhalten, stellte man die Tätigkeit erst bei minus 42 Grad ein. Aber bereits ab minus 20 Grad froren die Arbeiter gottserbärmlich, denn ihre Ausrüstung war mangelhaft: Jacken zu dünn, Stiefel nicht gefüttert, und die Handschuhe platzten schon beim bloßen Zupacken auf. Alle halbe Stunde versammelten sich die Frierenden um Benzintonnen, in denen ein Feuer brannte, und wärmten sich.

Über Monate legten die Arbeiter einen Bahndamm an, der an manchen Stellen bis zu 20 Meter höher war als die Umgebung. Damit er auch noch in einigen Jahren und trotz des Frosts seine Form behielt, mußten die Flanken sanft geneigt und der Untergrund befestigt werden. Zuoberst auf die Dammkrone, dort, wo später die Gleise zu liegen kamen, verteilte man eine Lage Sand, falls er nicht gerade zu Klumpen gefroren war.

Ein schroffer Berg verzögerte die Tätigkeit, Bohrwerkzeug wurde herangeschafft. Kato stand in großen Buchstaben auf den Geräten, sie stammten aus Japan.

Mitte Januar wurden endlich die Schwellen geliefert und gleich in dem Basislager mit den Gleisen verschraubt. Alle 60 Zentimeter kam eine in Teer getränkte Schwelle aus Lärchenholz, und die Schienenstücke, insgesamt waren sie 25 Meter lang, wurden auf Waggons gestapelt und zum Standort transportiert. Ein Kran hob die Fertigteile an, legte sie auf den Sanduntergrund, wo sie mit der bereits montierten Strecke verschraubt wurden. Anschließend fuhr der Zug mit den restlichen Fertigteilen um das gerade erstellte Segment weiter, das nächste Teilstück wurde verlegt. Dahinter waren derweil noch etliche Männer mit Feinarbeit, dem genauen Ausjustieren und der Aufschotterung, beschäftigt.

An diesem Abend gab es in der Gastiniza eine Überraschung: Gäste. Sie kamen aus Österreich, waren allesamt Experten im Bahnbau und wollten die sowjetischen Methoden studieren, weil sie beabsichtigten, eventuell in den Alpen eine Strecke nach ähnlichem Muster zu errichten. Alexander setzte sich neben einen der Besucher und plauderte lebhaft mit ihm auf deutsch. Leonid, der Brigadier, wunderte sich und war doch beruhigt, weil sonst keiner Notiz davon nahm.

Der Abend dauerte viele Wodka lang. Alexander quetschte Gustl Lientscher richtiggehend aus und wollte alles wissen. Besonders wie es in Deutschland zugehe, ob er manchmal dort sei und wie sich die Beziehungen zur Schweiz darstellten. Überrascht gab der Österreicher Antwort und nahm sich vor, Alexander am nächsten Tag auf die gleiche Art und Weise auszuquetschen.

Für die Ausländer hatte man jedoch eigens einen linientreuen Dolmetscher abgestellt, der mit flammenden Worten die sowjetische Version des Bahnbaus verkündete, also eine Wunschvorstellung. Die reale erläuterte Alexander, der sich in Hörweite des Dolmetschers aufhielt, wenn er dazu die Gelegenheit hatte.

»Die Bahn kostet viele Opfer«, sagte er später zu Lientscher. »Allein in unserem Abschnitt gab es bisher schon zehn Tote, und das in einem halben Jahr. Man treibt die Männer zur Höchstleistung an, Sicherheitseinrichtungen fehlen – und dann die Kälte.«

»Wir im Westen bekommen immer wieder zu hören, um eure Ausrüstung und die Motivation stehe es bestens.«

Alexander lachte. »Ja, ihr im Westen. Natürlich werden die Männer hier im Vergleich zu anderen Projekten gut versorgt. In Bergwerken oder beim Bau von Staudämmen sieht es wirklich viel schlimmer aus. Am brutalsten ist es dort, wo sich keiner aus dem Westen hin verläuft. Von euch würde niemand unter diesen Bedingungen hier arbeiten. Haben Sie schon mal bei minus 40 Grad eine Schaufel in der Hand gehalten?«

Lientscher verneinte.

»Du hast kein Gefühl in den Händen, wegen der dicken Fäustlinge, falls es welche gibt. Alles gefroren, und dein Atem friert auch. Beim Einatmen hast du das Gefühl, jedesmal einen Eisstab zu verschlucken. Deine Reaktion läßt nach, und wenn dir eine Schwelle gegen den Oberschenkel knallt, dann bricht der Knochen wie Glas. Manchmal geschieht das auch schon bei einer unachtsamen Bewegung, du brauchst nur ins Stolpern zu geraten. Um all die Schmerzen und die Kälte zu umgehen, trinken die Leute Wodka. Bereits morgens. Das ist zwar streng verboten und wird offiziell auch geahndet. Aber wenn die Verwaltung die Richtlinien befolgen würde, müßte sie jeden entlassen.«

»Warum protestiert ihr nicht? Weigert euch, bei der Temperatur nach draußen zu gehen?«

»Weil uns die Arbeit Freude macht und Besucher, wie ihr aus dem Westen, zu uns kommen, um uns zu fotografieren. Und weil der Sozialismus in seiner Ideologie einen Streik nicht vorgesehen hat. Die Ausbeutung geschieht nur bei den Imperialisten und Kapitalisten. Wir geben unser Herzblut für unser Land und singen noch bei minus 40 Grad. Nur im Sozialismus hat Arbeit einen rechten Sinn, sie ist nämlich zum Wohle aller.«

Lientscher senkte den Kopf und schwieg. Verstohlen betrachtete er die anderen Männer in der Gastiniza. Harte, kantige Gesichter, vom Wetter gegerbt. Illusionslose Männer mit einer ungewöhnlichen Durchsetzungskraft. Die muß man auch haben, sagte sich der Österreicher, um hier nicht zu Grunde zu gehen.

»Ihr werdet doch mit allen Gütern besser ausgestattet als das übrige Land. Und außerdem die hohen Arbeitszulagen in Sibirien. Euer Verdienst beträgt mehr als das Doppelte.«

Alexander sah Lientscher nur an. »Wenn dem so ist, aus welchem Grund verschwinden dann so viele Arbeiter bereits wieder nach wenigen Monaten und hauen einfach ab in den Westen? Die Fluktuation beträgt in manchen Bereichen jährlich bis zu 40 Prozent, aber das Kontingent muß wieder aufgefüllt werden.«

Lientscher senkte die Stimme. »Etwa mit Strafgefangenen?«

»Mag sein, daß man die auch einsetzt, hier bei uns gibt es keine. Weil wir öfter Gäste haben«, fügte Alexander mit besonderer Betonung hinzu. »Strafgefangene werden immer unter Ausschluß der Öffentlichkeit gehalten. Allerdings kommandiert man Soldaten ab, Tausende von Soldaten, die einem Befehl nachzukommen haben und sich nicht wehren können, genau wie Strafgefangene. Die in

Moskau nehmen die Sache verdammt ernst, dabei handelt es sich hier bei uns noch nicht einmal um die richtige BAM. Was wir machen, ist die Erschließung der Region, damit man vielleicht in zwei Jahren mit dem eigentlichen Bau beginnen kann.«

»Aber die Streckenabschnitte werden doch irgendwann in die Bahnlinie integriert.«

»Selbstverständlich. Zuerst jedoch errichtet man punktuell Produktionsstätten mit eigener Energieversorung, damit man das verdammte Material nicht über Tausende von Kilometern transportieren muß. Territoriale Produktionskomplexe lautet die offizielle Bezeichnung dafür. Sicherlich eine gute Sache, wenn sie fertig und selbständig sind, also unabhängig und fast autark zum übrigen Sibirien. Und wenn die Prognosen auch eintreffen.«

Lientscher war von Alexanders Worten beeindruckt, noch mehr jedoch von seinen Ausführungen über das Verschieben von Material, inzwischen ein richtiger Sport und von existentieller Bedeutung. Manchmal sei man dazu gezwungen, verdeutlichte Alexander, weil die versprochenen Dinge einfach nicht geliefert würden und sich der Bau sonst unnötig verzögerte.

»Wenn wir den Zeitplan einhalten, dann nur, weil wir selbst vieles organisieren, wozu die Planungsbehörden nicht in der Lage sind.«

»Wie macht ihr das?«

Alexander grinste. »20 Kilometer entfernt haben wir ein eigenes Bordell. Klassefrauen gibt es dort, sogar welche aus China und Indien. Direktoren von bestimmten Kombinaten sind dort Stammgäste.«

In den kommenden Tagen sprach Lientscher oft mit Alexander. Das paßte dem offiziellen Dolmetscher nicht, der, ganz dienstbeflissen, bei der Aufsicht Meldung machte. Alexander wurde ermahnt, sich nicht zu offensichtlich um den Österreicher zu kümmern, weil der immer, wenn er von ihm komme, so unangenehme Fragen stelle. Leonid, der das alles mitbekommen hatte, warnte Alexander vor den Konsequenzen. Außerdem habe er sich durch sein gutes Deutsch verdächtig gemacht.

»Morgen geht es zurück.« Lientscher hatte sich an den Wodka gewöhnt und schenkte aus.

»Und, wie ist Ihr Eindruck?«

»Ganz einfach: Ich habe mir Ihren angeeignet. Sie haben recht.«

»Können Sie wenigstens etwas von unseren Techniken verwenden?«

»Wenig. Wir haben nicht die Kälte und nicht die lange Winterperiode. Und wir bauen unsere Trassen anders als ihr.«

»Warum seid ihr überhaupt gekommen?«

»Man hat uns eingeladen. Wir liefern von der Firma Voest Maschinen und Ausrüstungsgegenstände, und als Gegenleistung hat man uns eingeladen. Österreicher sind nun mal höflich. Trotz allem hat es uns schon interessiert, wie ihr hier zu Werke geht. Eines kann ich sagen: Unter diesen Bedingungen wären wir längst nicht so weit mit der Arbeit vorangekommen.«

Für Alexander ein schwacher Trost. Er wollte von Lientscher wissen, ob er Kontakt zur Schweiz habe. Es käme darauf an, um was es gehe. Alexander erwähnte, er habe vor Jahren einen Schweizer aus Bern kennengelernt, einen gewissen Hans Brechbuel vom Roten Kreuz. Und diesem Hans Brechbuel habe er einen Brief mitgegeben für eine deutsche Bekannte.

»Eine Frage, Herr Lientscher: Kann ich Ihnen vertrauen?«

Der Österreicher sah ihn schräg an. »Jetzt müßte ich eigentlich beleidigt sein. Natürlich können Sie mir vertrauen. Haben wir nicht offen über alles gesprochen?«

»Allerdings brauchen Sie im Gegensatz zu mir keine Konsequenzen zu befürchten, falls etwas herauskommt.«

»Das stimmt. Was also kann ich für Sie tun?«

Ob er bitte so freundlich sei und ebenfalls einen Brief mitnehme? Der Österreicher hatte keine Bedenken. Und ob er der Adressatin, falls es für ihn möglich sei, sie in Düsseldorf aufzusuchen, von ihm, Alexander Gautulin, erzählen könnte?

Lientscher sah ihn erstaunt an. »Aber Sie nennen sich doch Kirjak Morosow.«

Alexander rückte etwas näher. »Frau Birringer hat mich als Alexander Gautulin kennengelernt.«

»Verstehe. Ich soll also der betreffenden Dame von Ihnen erzählen, wie Sie leben, was Sie machen.«

Alexander schluckte. »Und daß es mir ... gutgeht.«

Nachdenklich betrachtete Lientscher den hageren Mann mit den glatt nach hinten gekämmten Haaren, den zusammengepreßten Lippen und dem Grübchen mitten auf dem Kinn. Was ihn verwirrte, waren Alexanders Augen, von einer Eindringlichkeit oder was immer, die den Österreicher zwang, den Blick zu senken. Augen mit einer Kraft, die verstörend wirkte und ihn in die Defensive drängte. Aber im Widerspruch dazu war etwas im Verhalten des Russen, das so gar nicht zu ihm paßte. Trauer und Niedergeschlagenheit glaubte Lientscher herauszulesen.

»Versprochen. Ich fahre nach Düsseldorf.«

»Es kann natürlich sein«, begann Alexander zögernd, »daß sie inzwischen verheiratet ist und einen anderen Namen trägt. Würden Sie trotzdem ...«

Lientscher war bereit, und er steckte zwei Briefe ein. In jedem stünde das gleiche. Einen möge er bitte einem Kollegen geben, den anderen behalten.

»Warum diese Vorsichtsmaßnahme?«

»Sie sind Ausländer. Obwohl man Sie eingeladen hat, sind Sie trotzdem ein potentieller Feind. Alle Kapitalisten sind Feinde.«

»Wir Österreicher sind neutral.«

»Für den Sozialismus gibt es keine Neutralen. Dazu liegt ihr zu weit im Westen.«

Der Frauenanteil im Lager, wohl an die 30 Prozent, wie Alexander schätzte, war für sibirische Verhältnisse erstaunlich hoch. Sozialistisch und moralisch streng getrennt hatte man das eine Geschlecht hier untergebracht und das andere dort, allerdings hielt sich niemand an diese Regelung. Wie nicht anders zu erwarten, begann deshalb jeden Abend, das Bordell in Wankoje war teuer und mehr für Direktoren und Politfunktionäre gedacht, eine regelrechte Wanderung.

Eine Anna interessierte sich sehr für ihn, weil er – wie sie sagte – so schweigsam sei und nicht die blassen Sprüche der anderen von sich gebe. Kennengelernt hatte er Anna eines Abends beim Tanz in der Gastiniza. Tische und Stühle waren auf die Seite geräumt worden, damit sich die Paare bewegen konnten. Eine Band spielte auf, die Männer trugen lange Haare, Sonnenbrillen, und ihre Hosen hatten einen weiten Schlag. Dazu machten sie sich die Seele frei und anderen die Ohren voll. All dies kannte Alexander noch nicht, dafür aber Anna um so besser. Sie erzählte ihm von der Popmusik aus dem Westen, schwärmte von den Beatles, den Rolling Stones und den Beach-Boys, alles Namen, die Alexander zum erstenmal hörte.

»Im letzten Jahr habe ich in Moskau ein großes Popkonzert besucht. Wirklich phantastisch.«

So wie Anna die Augen verdrehte, kam da kein Orgasmus mit. Obwohl, wie Alexander sich später überzeugen konnte, Anna auch das phantastisch fand. Alles fand sie phantastisch: die BAM, die Weite des Landes, Bäume, Seen, reine Luft, das Essen und die vielen Bekanntschaften, die man machen konnte.

Alexander schloß sich gleichfalls der abendlichen Völkerwanderung an, und Woiloda, sein Zimmergenosse, fluchte auf ihn, weil er sich so der Fleischeslust hingebe und seine Kraft woanders lasse als dort, wo sie gebraucht werde. »Du betrügst den Staat«, rief er ihm einmal erbost hinterher.

Nun, Woiloda rief so lange, bis auch für ihn, der mit Pickeln im Gesicht nicht gerade zu den schönsten seiner Art zählte, eine Frau abfiel. Sie ergänzten sich hervorragend, was das Aussehen betraf. Bereits wenige Monate später heiratete Woiloda und mit ihm 20 andere Paare. Die angehende Baikal-Amur-Magistrale entpuppte sich als gigantischer, vielversprechender Markt für die Partnersuche. Außerdem hatten Verheiratete ein Anrecht auf größere Zimmer und sogar Wohnungen. Anna hätte auch gerne ein Anrecht gehabt, aber Alexander war nicht danach. Er kam lieber abends zu ihr, und zwar immer dann, wenn ihre Kollegin in der Gegenrichtung unterwegs war. Kurz nach der Hochzeit kündigten sich bei den Paaren die ersten Kinder an, ohne die übliche Frist von neun Monaten einzuhalten. Bei Woiloda waren es gerade fünf. Aber er schämte sich nicht wegen seiner verlotterten Moral. Im Gegenteil. Sein Kind, so verkündete er angetrunken, sei ganz im Sinne des Sozialismus gezeugt worden.

Abgesehen von der Partnersuche mit Abschlußgarantie für Frauen und den zweimonatlichen Popabenden gab es nur noch wenig Abwechslung in der Taiga. Wodka und Fernsehen rangierten an erster Stelle, und bei denen, die keine Gespielin abbekamen, konnte der Konsum an Schnaps ohne weiteres auf zwei Flaschen pro Tag anwachsen. Das führte zu erheblichen Schwierigkeiten bei der Arbeit, die Leistung ging zurück, Unfälle häuften sich, und die Führung drohte mit strengen Maßnahmen. Dabei blieb es auch.

Es wurde von Seiten der Bauaufsicht viel geredet und beschönigt, es wurde versprochen, hingehalten, beschwichtigt und gelogen, aber die Fehlorganisation schien auch bei diesem Prestigeobjekt ein unsterblicher Virus zu sein. Der Plan hätte wesentlich schneller voranschreiten können, wenn es immer die richtigen Materialien zur richtigen Zeit gegeben hätte. Sogar auf Dinge, die in unmittelbarer Nähe hergestellt oder abgebaut wurden, mußten die Brigaden oft tagelang warten, unter anderem auf Schwellen und Schotter. Monate konnte es dauern, bis auf offiziellem Wege ein Ersatzteil für den japanischen Kran oder die deutschen Magirus Deutz eingetroffen waren; während der ganzen Zeit standen die wichtigen Geräte still. Oder endlich neue Spezialmeißel mit einer Diamantbeschichtung geliefert wurden, die als einzige beim Bau des Tunnels mit dem harten paläozoischen Untergrund fertig wurden.

Auch manche Nahrungsmittel trafen gar nicht oder verspätet ein. Auf Obst und Gemüse freuten sich alle, wenn es endlich wieder mal angeboten wurde, leider oft in einem wenig erfreulichen Frischezustand. Winterschuhe füllten die Regale im Sommer, dazu schön gefütterte Stiefel und Pelzmützen. Badehosen, Sandalen und Sommerkleidung dagegen gab es im Herbst oder Winter, und so ging das mit fast allen Produkten in boshafter Regelmäßigkeit.

»Wir brauchen nur die Jahreszeiten zu vertauschen, schon werden wir makellos versorgt«, flachste Alexander zum Brigadier, der darüber schimpfte, daß es nun schon am Primitivsten fehle: den Eisenstangen, um den Schienenkörper auszurichten. Die alten seien zu schwach und hätten sich bei jedem Ruck verbogen. Sie immer wieder auf die Gleise zu schlagen, um sie gerade zu bekommen, ermüde das Material zu sehr.

Im Spätsommer lud Leonid Alexander zur Jagd ein. Alexander dachte, der Georgier würde ihn in ein Auto verfrachten, gerade mal um die Ecke fahren, ihm ein Gewehr in die Hand drücken und sagen: Los, knall einen Elch ab. Oder einen Rehbock. Er täuschte sich. Sie wurden von einem Hubschrauber abgeholt, den Leonid herbestellt hatte. Alexander wuchtete seine Tasche in die kleine Kanzel, und dann flogen sie vier Stunden nach Westen, hinein ins Witimplateau, unweit der Stadt Kalakan. Auf einer Waldlichtung landete der Hubschrauber, Alexander und Leonid stiegen aus, und der Brigadier entließ den Piloten mit dem Hinweis, sie in vier Tagen wieder an der gleichen Stelle zur gleichen Zeit abzuholen.

Am Rande der Lichtung stand eine Holzhütte, errichtet aus beindicken Stämmen, darauf steuerte Leonid zu.

»Was glotzt du denn so? Noch keine Jagdhütte gesehen?«

Drinnen sah es spartanisch aus. Zwei harte Liegen, ein grob gezimmerter Tisch, zwei Stühle und in der Ecke eine provisorische Feuerstelle. Die Hütte von Litvius, dem Letten, erinnerte sich Alexander, war im Vergleich dazu sehr gemütlich und komfortabel.

»Das hier ist unsere Anlaufstation, jeden Tag geht es in eine andere Richtung.«

Leonid schien gar nicht so sehr auf das Schießen versessen zu sein. »Anlegen und ein Tier abknallen, das kann jeder«, erwähnte er einmal geringschätzig. »Viele ballern nur drauf los, wie in einem Rausch. Diese zum Teil einseitige und unfaire Art, meine angebliche Überlegenheit zu dokumentieren, mich als Richter über Leben und Tod aufzuspielen, brauche ich nicht.«

Alexander war von dieser Einstellung beeindruckt.

Stundenlang wanderten die beiden. Der Brigadier machte ihn auf Auerhähne, Hasel- und Birkhühner aufmerksam, die wegen ihrer Tarnfärbung nur sehr schwer zu erkennen waren. Erst recht, wenn sie sich an einen Birkenstamm schmiegten.

Von einer Bergspitze zeigte Leonid ihm unten im Tal einen Fluß, der sich tief in den Untergrund geschnitten hatte. Türkisblau glitzerte das Wasser, der Himmel und die Bäume des gegenüberliegenden Ufers spiegelten sich darin. Etwas oberhalb war eine helle Felswand zu sehen, ein gigantischer Prallhang, den das Wasser in Jahrtausenden bearbeitet und abgeschliffen hatte.

»Das ist der Witim. Na, was sagst du nun?«

Alexander ließ seine Blicke über die Landschaft schweifen. Wohin das Auge schauen konnte, nur Grün in allen Schattierungen und die Oberfläche der Kuppen gewellt. Weiter im Norden waren höhere Berge zu sehen.

»Das Stanowojgebirge«, erklärte Leonid.

Linker Hand veränderte sich das Grün, wurde heller und wechselte auch schon stellenweise ins Gelbliche. Ein riesiger Lärchenwald, dessen Nadeln bald abfallen würden, und daneben vergilbte Arven.

»Schön hier. Und ruhig. Ich spüre die Kraft der Natur. Sie ist …, sie ist souverän.« Alexander schloß die Augen.

»Mit dem Verstand ist Rußland nicht zu erfassen.«

»Wie bitte?«

»Das hat vor vielen Jahren Tjutschew gesagt, ein Schriftsteller.«

Sie hockten sich auf die Erde und schwiegen lange.

»Hast du jemals in deinem Leben einen Freund gehabt?«

Alexander fixierte den großgewachsenen Leonid von der Seite, dessen Gesicht ausdruckslos wirkte. »Was soll die Frage?«

»Im Augenblick bist du der einsamste Mensch, den ich kenne. Mißtrauisch, unentwegt unter Spannung stehend und auf dem Sprung, wie ein in die Enge getriebenes Raubtier. Ist das immer so gewesen?«

Alexander zögerte mit der Antwort. »Nein.«

»Jugendfreunde, gab es die?«

»Ja.«

»Sei doch nicht so gesprächig. Und später auf deiner langen … Wanderschaft?«

Alexander schaute ins Tal. »Was ist schon ein Freund.«

»Och, nichts Ungewöhnliches, nur ein Wesen aus Fleisch und Blut, dem man vertrauen kann.«

Alexander lachte hart. »Vertrauen, was ist das?«

»Dir zum Beispiel würde ich vertrauen.«

»Mir?« Alexander sah den Georgier skeptisch an. »Du kennst mich doch kaum.«

»Das ist nicht so entscheidend. Es ist eher ein Gefühl, eine Art ..., eine Art Intuition. Entweder ist es da, oder es kommt nie.«

Alexanders Lippen bewegten sich kaum, als er entgegnete: »Ich vertraue nur mir allein.«

Leonid war nicht gekränkt. Sein leichtes Nicken zeigte vielmehr, daß er Alexander zu verstehen schien.

Sie erlegten ein Reh, das sich den Vorderlauf gebrochen hatte und hilflos umherhumpelte, häuteten es und brieten das Fleisch am Abend vor der Hütte. Was sie nicht verzehren konnten, legten sie in ein kühles Erdloch. Leonid, der sich als guter Koch herausstellte und vorzügliche Pilmeni machte, kleine, mit Fleisch gefüllte Teigtaschen, die mit Preisel- und Moorbeeren gereicht werden, zündete sich eine Zigarette an und sprach von seiner Zeit als Lagerhäftling. Je mehr er erzählte, desto mehr hoffte er, auch Alexander würde etwas von sich preisgeben. Aber der schwieg und wollte all seine Erinnerungen für sich behalten, tief im Innern in einem Safe aus Haß, Verachtung und Widerwillen gegenüber dem Staat. Ihm allein gab er die Schuld an allem, obwohl ihm jemand vor vielen Jahren doch die Dollar hatte zustecken müssen.

»Du bist so ...« Leonid suchte nach dem richtigen Wort.

»Intelligente behaupten in einem solchen Fall, man sei introvertiert. Klingt ja auch irgendwie gut.«

»Und was sagst du? Nicht, daß ich dir keine Intelligenz zutraue.«

»Nimm es bitte nicht persönlich: Laß mich in Ruhe.«

Leonid lächelte verständnisvoll. »Mir ging es auch viele Jahre so. Aber eines wundert mich, Kirjan: Deine Ideen und Vorschläge zur Erfüllung des Plansolls. Ich frage mich: Warum setzt du dich so für das System ein? Müßtest du es nicht sabotieren und schädigen? Eine Zeitlang war das mein größtes Verlangen.«

»Und jetzt?«

Leonid überlegte. »Ich habe mich mit ihm arrangiert.«

In der Nacht lag Alexander lange wach und erkannte deutlich den Widerspruch in seinem Verhalten. Sein Ziel war es, den Staat zu bekämpfen, der ihn so viele Jahre gekostet hatte. Und was tat er statt dessen? Er half ihm, die selbstgesteckten Ziele schneller zu erreichen, er biederte sich seinem größten Feind als Partner an. Zuerst einmal ging es bei mir darum, zu überleben, redete er sich heraus. Im Lager SIB 12 zählte sonst nichts, das hat sogar Pagodin eingesehen. Was hätte mir der Kampf genützt? Anschließend die Flucht, ich mußte untertauchen und mich ruhig verhalten. Später kamen sogar immerhin einige Soldaten, die mich verfolgt haben, auf dem gerade zugefrorenen Jenissei ums Leben. Das war doch auch schon ein kleiner Sieg ... eine kleine Schädigung ...

Aber Alexander belog sich, denn die jungen Soldaten führten nur einen Befehl aus. Über sie konnte er den Staat nicht treffen, sondern höchstens dessen Rachegefühl schüren.

Erst jetzt, rechtfertigte er sich, bin ich so weit, mir Vorteile zu verschaffen und mich, ähnlich wie Leonid, den Umständen anzupassen und mit den Gegebenheiten zu arrangieren. Es ist, wenn überhaupt, nur eine Art Waffenstillstand, bis ich mich in einer besseren Situation befinde.

Am kommenden Morgen waren sie schon sehr früh unterwegs, sie wollten den Tag ausnutzen. Zwei Stunden marschierten sie nach Westen, dann erreichten sie eine Allwetterstraße.

»Ich weiß nicht, was die soll«, meinte Leonid. »Hier gibt es absolut nichts in der Nähe.«

»Scheint aber befahren zu sein.« Alexander deutete auf die Spuren: frische Reifenabdrücke im feuchten Untergrund.

Sie folgten der Straße nach Süden und schwenkten irgendwann von ihr ab. Leonid stapfte durch das dichte Unterholz, vorbei an Kiefern mit lachsfarbenen Stämmen, und beseitigte herunterhängende Äste, die ihn störten. Immer war ein lautes Krachen zu hören. Der Waldbewuchs wurde über dem Erdboden zusehends lichter, aber die Sonne hatte keine Chance, das dichte Nadelwerk zu durchdringen.

»Hier war ich noch nie«, fluchte Leonid, der eine Wurzel übersehen hatte und stolperte. »Wenn, dann wandere ich immer in die andere Richtung.«

Sie machten Rast auf einer kleinen Bergkuppe mit Blick über die Umgebung, aßen mit Salz bestreutes Roggenbrot und eingelegte Gurken. Wodka hatten sie nicht mitgenommen, nur klares Wasser.
»Fällt dir was an den Hängen auf?«
Leonid blickte sich um. »Alle dicht bewachsen.«
»Guck sie dir noch mal an.«
Das tat Leonid und zuckte mit den Schultern.
»Vergleiche die im Süden mit denen im Norden.«
In Leonids Gesicht blitzte es. »Die im Süden sind flacher. Woher kommt das?«
»Von der Sonne.«
Leonid schaute skeptisch drein, und Alexander erklärte ihm, sie seien deswegen sanfter geneigt, weil durch den häufigeren Frostwechsel, bedingt durch die Sonneneinstrahlung, der Untergrund öfter auftaue und wieder friere. Und das führe zur Gesteinszermürbung und zum Hangfließen, der sogenannten Solifluktion. Während des Studiums habe ihn ein Professor darüber aufgeklärt, fügte er hinzu, als er Leonids fragenden Blick bemerkte.

Sie marschierten weiter. Eine halbe Stunde später blieb Leonid verwundert stehen. »Schau dir das mal an, Alexander.« Er zeigte die vielen Eindrücke im Boden. »Das sind schwere Lkw, wie bei ... bei Militär. Und hier ein Kettenfahrzeug.«

Hundert Meter später standen vier Soldaten mit Gewehren vor ihnen. Leonid nahm es leicht. »Wohl im Manöver, was?« Die Soldaten hatten keinen Sinn für Humor und nahmen sie fest. Einer der Uniformierten machte mit seinem Funkgerät, das er auf dem Rücken trug, Meldung. Dann führten die Soldaten die beiden durch einen Hohlweg, tiefer in die grüne Wildnis hinein. Allerdings kam ihnen die Straße ungemein gepflegt vor für russische Verhältnisse. An einer Gabelung ging es nach rechts, und gleich darauf sahen sie auf einer Lichtung ein Holzhaus mit zwei Geschossen.

»Sag nur, die Armee hat auch Jagdhütten«, grinste Leonid.

In dem Haus angekommen, verging ihnen der Humor. Ein Leutnant baute sich vor ihnen auf, sie mußten die Rucksäcke abliefern und ihre Taschen leeren. Zwei Soldaten verließen den Raum, die anderen stellten sich hinter ihnen an die Wand.

»Wo ist eure Kamera?«

Leonid antwortete: »Wir haben keine. Sind auf der Jagd.«

Der Leutnant lachte und fühlte sich überlegen. »Zu Fuß mitten in der Taiga?« Einen besseren Witz hatte er noch nicht gehört. »Und eure Ausgangsstation?«

»Eine Jagdhütte gleich in der Nähe des Witimbogens.«

»Dann zeig mir mal, wo die liegen soll.« Der Leutnant breitete eine Karte aus und rückte sie zurecht.

»Wo befinden wir uns jetzt?«

»Geht dich nichts an.«

Es dauerte lange, bis Leonid sich auf der für ihn fremden Karte mit den vielen seltsamen Zeichen orientiert hatte. Dann war er sich sicher. »Hier.«

Der Leutnant betrachtete den Punkt, griff zum Telefon und schnarrte die Koordinaten hinein. »Los, suchen und aufspüren.« Lässig knallte er den Hörer auf die Gabel. »In einer Stunde wissen wir mehr.«

»Das sind zu Fuß vier Stunden. Und mit dem Auto kommt man …« Leonid stoppte mitten im Satz, denn er hörte, wie der Motor eines Hubschraubers angelassen wurde und auf Touren kam. Zwei Minuten später schwirrte er über das Haus.

»Höchstens eine Stunde.«

Der Leutnant ließ sie in eine Arrestzelle bringen.

»Was hat das zu bedeuten«, wollte Alexander wissen. Leonid deutete gegen die Ecke und formte mit der Hand eine kleine Kugel.

»Wie bei uns die Musik-Band?« fragte Alexander.

Leonid nickte.

Sie hörten den Hubschrauber zurückkommen, wenig später führte man sie wieder in das Zimmer des Leutnants. Der war jetzt in Gesellschaft eines Hauptmanns, aber die Fragen stellte, wie in solchen Fällen üblich, der Rangniedere.

»Was habt ihr in der Gegend gesucht?«

»Nichts. Wir wollten jagen.«

»Wo ist eure Kamera?«

»Das sagten wir bereits: Wir haben keine.«

Der Hauptmann winkte ab. Alexander hatte ihm zu folgen,

während der Leutnant sich weiter mit Leonid beschäftigen durfte.

»Wir haben eure Angaben überprüft. Ihr seid wirklich Arbeiter an der BAM. Gute dazu. Trotzdem will ich wissen, was euch hier in die Gegend verschlagen hat.«

Alexander bemühte sich, ganz ruhig zu bleiben. Niemand weiß, wer du bist, und einen Kirjan Morosow gibt es tatsächlich. Wenn sie den nicht persönlich ansprechen, merkt keiner, daß du in die Haut eines anderen geschlüpft bist. Deshalb zwang er sich, knapp und freundlich zu antworten. Er sei von Leonid, seinem Brigadier, eingeladen worden zu dieser Jagd und zum erstenmal hier in der Region. Leonid dagegen scheine öfter hiergewesen zu sein. Sie hätten sich die Gegend angeschaut und seien umhergewandert.

»Wo überall wart ihr?«

Alexander beschrieb Witim, die helle Felswand und den Blick über das wogende Grün der Taiga. Dazu den Himmel in einem solch intensiven Blau, daß er fast unwirklich anmutete und in den Augen schmerzte.

Der Hauptmann nickte, als habe er verstanden. »Und was ist weiter im Westen von diesem Bogen?«

Zuerst wußte Alexander nicht, auf was er hinauswollte. Dann fiel es ihm wieder ein. »Lärchen, ein riesiger Wald voller Lärchen.«

Die Nacht hatten sie noch in einer Arrestzelle zu verbringen. Am Morgen gab es dann ein gutes Frühstück, der Leutnant war ungewohnt freundlich zu ihnen. Kurz darauf mußten Alexander und Leonid ein Blatt unterschreiben, auf dem sie sich verpflichteten, keinem zu erzählen, was sie hier gesehen hatten. Vorsichtig schob der Offizier anschließend die Blätter in einen Umschlag.

Auf dem Rückweg rätselten sie, was ihr Abenteuer zu bedeuten hatte. »Wenn mich nicht alles täuscht, dann haben wir verdammtes Schwein gehabt. In Sibirien, besonders im Grenzraum zu China, aber auch sonstwo«, sprach Leonid weiter, »soll es viele geheime militärische Anlagen geben, Produktionsstätten und Waffenarsenale. Riesengroß und immer in den Bergen, damit keiner etwas aus der Luft fotografieren kann.«

Eine Brücke mußte gebaut werden. Geriet man in den Winter, setzte man kleine Holzhäuschen auf die Pfeiler und beheizte sie, damit der frische Beton abbinden konnte. Diese Prozedur war natürlich äußerst umständlich und zeitaufwendig.

Als wollte das Wetter zeigen, daß man immer mit ihm rechnen müsse, setzte der erste Frost just zu diesem Zeitpunkt ein, als die Fundamente betoniert wurden. Dabei hatten die Ingenieure noch die Hoffnung gehegt, die nächsten fünf Meter ohne die beheizbaren Häuschen fertigen zu können. Jetzt müsse man erst warten, bis sie geliefert worden seien. Das dauere mindestens zwei Monate.

Alexander aber hatte auf der allwöchentlichen Lagebesprechung eine andere Variante parat.

»Wenn über die ganze Breite des Pfeilers alle dreißig Zentimeter ein Hohlraum von zwei Zentimetern Durchmesser verläuft, hat das Auswirkungen auf die Statik?«

Die Ingenieure verstanden nicht, wie er das meinte, und baten um eine genauere Erklärung. Alexander händigte ihnen eine vorbereitete Zeichnung aus.

»Nein«, sagten die Herren wenig später, die Statik würde nicht beeinträchtigt.

»Dann kann man das Beheizen des Betons in Zukunft viel einfacher lösen als bisher.«

Ratlos sahen sich die Experten an, danach fixierten sie Alexander mit Blicken voller Zweifel. Wie konnte ein einfacher Arbeiter so etwas behaupten? Sie waren doch die Spezialisten.

»Inwiefern?«

»Man legt in den Beton Schläuche und läßt durch diese warmes Wasser laufen.«

»Hm.« Die Ingenieure beratschlagten. Was jedem der zweihundert anwesenden Arbeiter sofort einleuchtete, sie brauchten fünfzehn Minuten, um dann doch zu keinem Ergebnis gekommen zu sein.

»Wie soll das denn technisch ablaufen, Genosse ...« Einer erkundigte sich nach Alexanders Namen. »Genosse Kirjan Morosow.«

»Indem man mit jeder Betonschicht diese Schläuche im vorgesehenen Abstand mit einbetoniert, schleifenweise und Lage für Lage.

Anschließend läßt man das warme Wasser durchlaufen, bis der Beton abgebunden hat. Auf- und Abbauen der Häuschen entfällt somit.«

»Interessant.« Drei Minuten Pause. »Und wo wollen Sie das heiße Wasser herbekommen?«

Einer rief: »Aus einem Tauchsieder.« Alle lachten.

»Wenn es sein muß, von einem großen Kesselwagen, und zwar gleichzeitig und zentral für drei oder vier der Brückenpfeiler.«

Die Experten baten sich Bedenkzeit aus, um den Vorschlag zu prüfen. Das taten sie immer, wenn sie unvorbereitet mit Lösungsvorschlägen konfrontiert wurden, die nicht auf ihrem eigenen Mist gewachsen waren. Nach einer Woche kam die Zusicherung, man könne es ja mal probieren. Wo seien denn die Schläuche?

Genau das war das Problem. Alexander hatte schon mit Brigadier Leonid darüber gesprochen, und der wollte sich informieren, wo man sie auftreiben konnte. Da gebe es ein Werk in Ulan-Ude, erfuhr Leonid, etwa tausend Kilometer entfernt. Das war nicht viel für Sibirien, allerdings hätten die ihren Plan zu erfüllen und die Schläuche in ein Lkw-Werk nach Abakan zu schicken.

»Wie können wir deren Entgegenkommen beschleunigen?«

»Indem wir ihnen etwas anbieten, was sie unbedingt brauchen.«

Am nächsten Tag wußten sie es: Kupferdraht, um damit Rohmaterial für die Produktion der Schläuche einzukaufen.

»Wo kriegen wir, verdammt noch mal, den Draht her?«

Eine Woche später kam überraschend Besuch in die Gastiniza. Ein Mann, untersetzt und wohlgenährt und in einen Anzug gekleidet.

»Ich habe gehört, ihr braucht Schläuche?«

»Ja.« Alexander wunderte sich, wieso der Fremde davon wissen konnte.

»Und die gibt es nur gegen Kupfer.«

»Richtig.«

»Ich kann euch Kupfer besorgen, brauche aber fünf Stromgeneratoren und einen Lkw.«

Alexander und der Brigadier sahen sich an. »Geht nicht zu machen.«

»Dann müßt ihr euch eure Schläuche malen.« Der Mann wandte sich seinem Wodka zu.

»Wer bist du?«

»Ich organisiere«, antwortete er träge und ohne rechtes Interesse.

»Das mit den Generatoren wäre doch kein Problem. Aber wo sollen wir einen Lkw herbekommen?«

»Eure Sache. Stehen doch genug herum.«

»Ein Kipper etwa?«

»Ein kleiner mit Plane genügt. Siebentonner.«

»Und wieviel Meter Schläuche bekommen wir dafür?«

»Zehntausend.«

»Zwanzigtausend.«

»Zwölftausend.«

»Zweiundzwanzigtausend.«

Der Organisierer stutzte. »Bist wohl nicht ganz klar, was?«

»Dreiundzwanzigtausend.«

Als der Mann verwundert nachfragte, wieso er ihm nicht entgegenkomme, antwortete Alexander: »Wir müssen den Lkw loseisen, und das kann uns einige Jahre einbringen. Falls wir keine Schläuche bekommen, verzögert sich unsere Arbeit lediglich um vier bis sechs Wochen, aber sie wird schließlich doch gemacht. In diesem Fall habe ich also keinen Vorteil und keinen Nachteil.«

»Gut, zwanzigtausend Meter.«

»Innerhalb von zehn Tagen. Und für jeden von uns«, Alexander deutete auf den Brigadier und sich, »noch zweitausend Rubel.«

»Nie und nimmer.«

»Dreitausend.«

»Gut, dreitausend.« Zerknirscht bestellte der Organisierer Wodka. Jedes Geschäft mußte begossen werden. »Seit wann bist du denn in dem Metier tätig«, wollte er von Alexander wissen.

»Seit heute.«

Der Organisierer hielt Wort. Die Zeit war noch nicht um, als die Schläuche geliefert wurden. Und daß die Generatoren fehlten, hatte noch niemand bemerkt, weil man sie im Augenblick nicht benötigte. Allerdings gab es Aufregung wegen des verschwundenen Lkw.

Überall wurde gesucht, die Miliz und die Streckenpolizei schalteten sich ein, aber er blieb unauffindbar wie so vieles in dem unergründlichen Land.

»Wahrscheinlich wieder die Gruka«, meinte ein Beamter und schrieb das in seinen Bericht. Ihm war die Erleichterung anzusehen, mit der mafiaähnlichen Organisation, die man für viele Diebstähle und Schiebereien verantwortlich machte, einen Schuldigen gefunden und den Fall abgeschlossen zu haben. Wenn in Zukunft wieder mal was organisiert werden mußte und dafür etwas anderes fehlte, das kam schon mal vor, immer war es die Gruka, die nun auch in diesem Streckenabschnitt ihr Unwesen trieb.

Die Brückenpfeiler wurden im Herbst und bei Frost mit einer Schnelligkeit hochgezogen, die man bisher nicht gekannt hatte. Gut vier Monate lag man vor dem Zeitplan, und die Schläuche reichten noch für mindestens zwei weitere Bauwerke der gleichen Größenordnung.

Wenige Tage später konnte Alexander in der »Bahn-Zeitung« nachlesen, daß zwei Ingenieure mit dem Orden der Arbeit zweiter Klasse ausgezeichnet worden waren. Weil sie eine neue revolutionäre Methode entwickelt hatten, in Kälteregionen den Beton schneller zum Abbinden zu bringen.

Die Arbeiter und Arbeiterinnen in den Camps kamen sich wie auf einer Insel vor, weit abgeschieden von der übrigen Zivilisation, und fühlten sich obendrein durch das Klima benachteiligt. Aber Menschen, die unter extremen Bedingungen zu arbeiten haben, wollen sich auch auf extreme, zumindest jedoch auf lohnenswerte Art und Weise entspannen. Weil dazu keine Möglichkeit bestand, glich SIB 22 manchmal einem Pulverfaß; das Aggressionspotential nahm stetig zu und suchte wegen der Monotonie nach einem Ventil.

Oft war eine Frau im Spiel, um die gebuhlt wurde, denn die gesuchten Geschöpfe verstanden es vorzüglich, den Männerüberschuß zu ihren Gunsten auszunutzen. Schnell flogen wegen Kleinigkeiten die Fäuste, Messer wurden gezückt, Kollegen in der Nacht überfallen, zusammengeschlagen und Geld oder Armbanduhr geraubt.

Unfälle wegen Fahrlässigkeit und Schlamperei, die hätten verhindert werden können, gab es zuhauf und nicht zuletzt, um einem Rivalen etwas heimzuzahlen. Es war Sabotage, wenn plötzlich die Bremsen eines Fahrzeuges versagten und man nachher feststellte, daß sich jemand an ihnen zu schaffen gemacht hatte. Oder während der Nacht das Dach einer ganz bestimmten Unterkunft einstürzte und eine ganz bestimmte Person zu Schaden kam, weil vorher an den Balken gesägt worden war.

Gerüchte wurden verbreitet, Diebstähle und kleiner illegaler Handel waren an der Tagesordnung, und die Obrigkeit dachte sich Schikanen aus, um das Plansoll zu erhöhen und dadurch die Prämie zu sparen. Aber mit all dem konnten die harten Männer und Frauen noch leben, weil sie etwas anderes vereinte, das gemeinsame Schicksal, ihr Ziel: die Bahn. Und die Perspektive, nach einigen Jahren des sibirischen Eiskellers weiter im Westen, wie vom Staat versprochen, ein angenehmeres Leben führen zu können.

Von allen gehaßt und zugleich gefürchtet waren die Spitzel und Zuträger, eine über das ganze riesige Land verbreitete Seuche, die meist im Auftrag des KGB die kleinen alltäglichen Unregelmäßigkeiten und privaten Geschäfte weitermeldeten. Wenn man sie aufspürte, dann wurden sie zumindest grün und blau geschlagen, manche fanden sich auch in einem Krankenhaus wieder oder landeten, in besonders schlimmen Fällen, auf dem Friedhof.

Leonid eröffnete Alexander, in der Nachbarbrigade gebe es ein Ohr, aber noch wisse man nicht, um wen es sich handele. Als Folge sei ein Lagerist wegen Benzinschieberei verhaftet worden.

»Dabei hat er einen Engpaß für viele stillstehende Maschinen beseitigt«, erboste sich der schnauzbärtige Brigadier, ohne zu bedenken, daß dafür anderenorts aus dem gleichen Grund Maschinen womöglich nicht hatten betrieben werden können. »Verschiebt für den Staat und im Interesse des Staates und wird von ihm zur Belohnung auch noch verurteilt.«

Alexander beruhigte sich wieder, auf ihn hatte man es ja nicht abgesehen. »Was geschieht mit dem Kerl, wenn sie ihn enttarnen?«

Leonid sah Alexander lange an. »Und das fragst ausgerechnet du?«

Gezielt wurde die Information gestreut, daß zwei Arbeiter einige

Lkw-Ladungen mit Zement gegen Fernseher und Radioapparate einzutauschen beabsichtigten, die auf dem Schwarzmarkt bei sofortiger Lieferung zu einem horrenden Preis abgesetzt werden konnten. Um den Spitzel nicht mißtrauisch werden zu lassen, bereitete man die Aktion so geschickt vor, daß sie von einer echten nicht zu unterscheiden war.

Zwei Lkw trafen sich mitten in der Nacht außerhalb des Lagers und stoppten. Die Fahrer stiegen aus, sprachen miteinander, tauschten Papiere und Geld und öffneten die mit einer Plane überzogene Ladefläche. In diesem Augenblick stürzten Soldaten und Milizionäre aus ihren Verstecken und umzingelten die Fahrzeuge. Die beiden Männer wurden festgenommen, dann jedoch kam die Überraschung: Beide Lkw waren leer, hatten nichts geladen. Wie aus zwei Schreiben zu ersehen war, wechselte das Geld nur den Besitzer, weil einer es dem anderen schuldete.

Die Show war ein Erfolg, man konnte den Spitzel, der die Szene verdeckt beobachtet hatte, genau ausmachen. Was dann drei Wochen später geschah, war allein das Gesetz der Taiga.

Ein Trupp aus der Nachbarbrigade hatte die Auffahrt zu einer Bahnrampe zu befestigen. Aus diesem Grund wurde die Teermaschine von einem rückwärts fahrenden Bulldozer meterweise eine Schräge hochgezogen, damit Arbeiter mit Hilfe von Spritzdüsen den stinkenden Sirup auf dem vorbereiteten Untergrund verteilen konnten. Anschließend warf man Split darüber, und eine Walze drückte die kantigen Steine fest in den heißen, schwarzen Brei. Alle zehn oder fünfzehn Minuten kletterte ein Mann auf die Maschine, um von einem Begleitfahrzeug Rohmaterial aufzunehmen, das, wenn es genügend erhitzt worden war, kurz darauf in flüssiger Form weiterverarbeitet werden konnte. Dazu hatte der Betreffende manchmal mit einem Stab in einem Trichter herumzustochern, damit der sich nicht verstopfte.

Wie auf ein geheimes Zeichen schauten plötzlich alle zu der Teermaschine, als sich abermals ein Arbeiter die schmale Eisenleiter hochhangelte. Während er mit dem Stab hantierte, ruckte der Bulldozer – die Kupplung war wohl nicht mehr die beste – und damit zwangsläufig auch die Teermaschine. Der Mann verlor das Gleichgewicht und kippte kopfüber in die kochendheiße klebrige Masse. Zwei Sekunden zuckten seine Beine, ein letzter Kampf, dann war alles ausgestanden.

Bei der unmittelbar darauf angesetzten Untersuchung bezeugten mehr als vierzig Personen, daß es ein Unfall war.

Anna bedrängte ihn, ihre Beziehung zu legalisieren, Alexander sträubte sich, aber er wohnte auch weiterhin mit Anna zusammen. Inzwischen zum Hilfsbrigadier befördert, hatte man ihm zwei Zimmer zur Verfügung gestellt.

»Ich liebe dich, Kirjan.«
Er schwieg.
»Und wie steht es mit dir? Liebst du mich auch?«
»Bitte Anna, was soll das.«
»Ich will nur wissen, ob du für mich etwas übrig hast.«
»Ja, ich mag dich.«
Ihr Stimme klang enttäuscht. »Aber es ist keine Liebe.«
Er schaute zum Fenster hinaus.
»Kannst du überhaupt lieben?«
Alexander zählte die Sterne.
»Hast du schon jemals eine Frau geliebt?«
Er wollte nicht antworten. Hellen sah er vor sich, vom Regen durchnäßt und mit geröteten Augen. Ja, sie hatte er geliebt.
»Ich glaube, du bist unfähig, etwas zu empfinden. Kirjan, du tust mir leid. Du weißt nicht, was dir dabei entgeht.«
Er drehte sich zu ihr um, und seine Stimme klang hart, als er antwortete: »Glaube mir, ich empfinde schon etwas. Aber frage bitte nicht, was.«

Arbeit und Anna, beides wurde ihm zur Belastung. Nicht körperlich, sondern weil er sich eingeengt fühlte. Den langen Winter über zögerte Alexander seine Entscheidung hinaus, obwohl er schon längst wußte, was er zu tun gedachte.

Wohlüberlegt reichte er im Februar für den April ein Urlaubsgesuch ein. Da alle anderen im Sommer verreisen wollten, gab es keine Schwierigkeit, den Urlaub bewilligt zu bekommen.

Anna erfuhr von einer Kollegin aus der Verwaltung von Alexanders Vorhaben.
»Du willst ohne mich weg?«
»Ja.«
»Warum, Kirjan?«
»Ich besuche meine Familie.«
»Wo lebt die denn?«
»In der Nähe von Nowosibirsk.« Das stimmte nicht ganz.
»Komm, erzähl mir von ihr.«
Alexander wimmelte ab. »Du würdest dich nur langweilen.«
»Nein, bestimmt nicht.« Anna spielte mit seinen Brusthaaren.
»Ich bin ja zwei Wochen später schon wieder zurück.«
»Warum nur so kurz?«
»Weil ich etwas regeln muß.«
Sie schlängelte sich zu ihm hoch, und ihr warmer Körper lockte. »Wäre das denn keine gute Gelegenheit, mich deiner Familie vorzustellen?«
Alexander schüttelte den Kopf. »Das käme für meine Mutter zu überraschend. Sie ist krank«, log er.

Anna liebkoste Alexanders Körper, als könnte sie ihn dadurch umstimmen. Aber er war nicht umzustimmen. Ihn hatte tatsächlich das ungestüme Bedürfnis erfaßt, seine Mutter zu besuchen. Er sah sie vor sich, wie sie ihn nach dem Urteil ermahnte, sich in Haft zu benehmen. »Mach mir keine Schande«, lautete ihr Standardspruch schon zu seiner Schulzeit, wenn er, was selten vorkam, irgendwo eingeladen war. Was er unter Schande zu verstehen hatte, wußte er als Junge noch nicht, und heute waren die Grenzen verrückt. Schande kannte Alexander nicht, sondern nur Mittel und Wege, um zu überleben, und das war weiß Gott keine Schande.

Was der Grund für seinen plötzlichen Wunsch war – er wußte es nicht. Die Zeit der Trennung, redete er sich deshalb ein, weil ihm das als Erklärung schlüssig schien. Mehr als sieben Jahre habe ich sie nun nicht mehr gesehen. Immerhin ist sie meine Mutter.

Verstärkend kam hinzu, daß Alexander außer ihr keine weiteren Angehörigen hatte. Bisher fand er das nicht weiter schlimm, eher angenehm, da er sich als Einzelgänger fühlte. Ein Wolf auf der

Fährte. Nun aber gab es Anna, die unbedingt seiner Familie vorgestellt werden wollte. War sie der eigentliche Auslöser?

Aber Alexander wußte auch, es war gefährlich. Gut, seit seiner Flucht aus Ust-Port und von der dicken Rima waren knapp drei Jahre vergangen, und in der Zwischenzeit war ihm nichts Ungewöhnliches aufgefallen. Er fühlte sich sicher und unbeobachtet, niemand hatte eine Ahnung, wo er sich befand. Aber in Omsk bei seiner Mutter aufzutauchen, das war etwas anderes. Wenn man es nach der langen Zeit immer noch auf ihn abgesehen hatte, dann konnte es durchaus sein, daß ihr Haus beobachtet wurde oder es zumindest im Wohnblock einen Spitzel gab, der Alexanders Auftauchen sofort melden würde. Deshalb hatte er vorsichtig zu sein.

»Hast du nach Hause geschrieben, daß du kommst?«

»Ja.«

»Und wo ist die Antwort?«

Er richtete sich halb auf. »Anna, was soll das? Willst du mich verhören?«

Sie wich seinen Augen aus. Mit stockender Stimme antwortete sie: »Ich habe Angst, daß wir uns nie mehr wiedersehen.«

Sein Lachen klang aufgesetzt und zu laut, um echt zu wirken. »Das redest du dir doch bloß ein.«

So von Anna vorgewarnt, bemühte sich Alexander in den kommenden Wochen sehr um sie. Und gerade deswegen wurde sie immer trauriger, mehr und mehr bedrängte sie ihn, mitfahren zu dürfen.

»Ich habe auch ein Urlaubsgesuch eingereicht«, verkündete sie ihm. »Im April. Genau wie du.«

Das war dann der Anlaß für den ersten größeren Streit. Er warf ihr vor, sie mißtraue ihm. Dazu habe sie jedoch keinen Grund. Sie konterte, er mache ein Geheimnis um seine Urlaubsreise. Überhaupt sei er so schweigsam und geheimnisvoll. Da stimme doch etwas nicht. Noch nie habe sie jemanden kennengelernt, der sich so gebe wie er. Keine Freunde, keine lustigen Feiern, kein gemütliches Beisammensein, immer allein und unter Spannung. Und oft so überaus ernst und bedrückt, als laste eine Schuld auf ihm. Oder sonst was.

»Quatsch. Ich bin halt so.«

»Aber warum nur du? All die übrigen sind anders. Ich ...«
»Wenn du einen von den Schwachköpfen willst, dann such dir jemanden«, unterbrach er sie.
Daraufhin hatte sie ihn aus dem Zimmer geworfen. Alexander, der die Stimmung nicht noch mehr aufheizen wollte, verbrachte die Nacht bei Leonid, dem Brigadier, der einer der wenigen standfesten Junggesellen war, ohne ein Kostverächter zu sein.
»Immer, wenn es mit den Weibern brenzlig wird«, erklärte Leonid Alexander seine Taktik, »dann erzähle ich von zu Hause, meiner Frau und den drei Kindern. Was denkst du, wie schnell ich die Blume wieder los bin.«

Seit Stunden nieselte es, und es war so diesig, daß die Spitzen der Nadelbäume an den Wolken kratzten. An und für sich hätte Alexanders Mißtrauen Alarm schlagen müssen, als er während der Mittagspause in der Gastiniza den korpulenten Dolmetscher in Anzug, verschwitztem weißem Hemd, Krawatte und Regenschirm bemerkte. Wird wohl wieder eine Besuchergruppe begleiten und fürs Übersetzen ins Deutsche zuständig sein, wie damals bei den Österreichern, mutmaßte Alexander.

Im Hinausgehen registrierte er einen schlanken Mann, wohl schon sechzig Jahre alt, der etwas abseits saß und fremdländisch wirkte, weil er so auffallend gut gekleidet war. Er lächelte Alexander zu und nickte leicht.

Wieder an der frischen Luft, verschwendete er keinen weiteren Gedanken an den Fremden. Alexander wurde auch noch nicht stutzig, als sich am nächsten Tag ein neuer Arbeiter zu ihm gesellte. Er war sehr groß, kräftig und hatte einen Quadratschädel mit kurzem Borstenschnitt. Mit der Urkraft eines Bären versuchte er alles zu wuchten. Aber nach zwei Stunden war er müde und seine Finger aufgerissen.

Warum sind seine Finger jetzt schon aufgerissen, wunderte sich Alexander. Und überhaupt keine Schwielen sind zu sehen, richtig zarte Hände hat er. Wo hat er denn bisher gearbeitet? Der Neue setzte sich auf ein Gleis und schaute ihn an. Regen lief ihm ins Gesicht, sein Hemd war klatschnaß.

»Brauchst du keine Regenkleidung?«

Der Quadratschädel schüttelte den Kopf und grinste. »Hab' ich vergessen.«

Leonid, der Brigadier, schlenderte heran, rief Alexander zu sich und wollte mit ihm über den weiteren Arbeitsablauf sprechen. Gemächlich wanderten sie ein paar Schritte auf der Trasse umher.

»Hier läuft was«, raunte er Alexander zu, als sie außer Hörweite waren. »Es geht um dich. Einer der Männer hat zufällig auf der Verwaltung mitbekommen, wie dein Name gefallen ist, daß du in Wirklichkeit aber ganz anders heißen sollst und man noch auf eine Bestätigung von irgendwoher warte. Dann könne man sich dir zuwenden oder so ähnlich. Sag mal, wirst du gesucht?«

Alexander zögerte mit der Antwort, aber er war bleich geworden.

»Also wirst du gesucht«, konstatierte Leonid trocken, als sei das etwas vollkommen Normales. »Verlier jetzt um Himmels willen nicht die Nerven.«

Alexander reagierte nicht, er schien abwesend zu sein.

Leicht stieß Leonid ihm in die Seite. »Hast du gestern den im Anzug gesehen?«

»Wen meinst du? Den Älteren oder den Dicken?«

»Gibt es auch noch einen Älteren?« wunderte sich Leonid. »Dann meine ich den anderen. Der war damals Dolmetscher der Österreicher, nicht?«

Alexander nickte.

»Und der Neue«, Leonid deutete über die Schulter zu dem Quadratschädel, »hat noch nie in seinem Leben richtig zugepackt, obwohl er aussieht wie ein Möbelkran. Vergißt einfach den Regenumhang.«

Um für den Neuen nicht aufzufallen, zeigte Leonid auf gewisse Dinge, als müsse er Alexander etwas erklären. »Was hast du dem Österreicher alles erzählt?«

»Ich weiß nicht mehr. Die Wahrheit, wie es uns hier geht.«

»Mann, bist du nicht mehr bei Trost?«

Wieder einige Meter weiter blieb Leonid stehen, bückte sich und wies auf die Gleise.

Alexander hockte sich neben ihn.
»Hat der Österreicher etwas von dir?«
Alexander biß sich auf die Lippen.
»Kirjan, es muß doch einen Hinweis auf dich geben. Was denkst du, weshalb ...«
»Einen Brief.« Alexanders Ton war etwas patzig wegen der Anspannung, die ihn erfaßt hatte. »Adressiert an eine Frau in Deutschland.«
Leonid erhob sich. »Das ist es. Und was steht in dem Brief?«
»Private Dinge.«
»Auch dein ... richtiger Name?«
»Nein, ich glaube nicht.«
Leonid wollte schon aufatmen.
»Aber ich habe ihn dem Österreicher genannt.«
»Idiot«, zischte Leonid und fügte hinzu: »Wir werden von dem Möbelkran beobachtet. Mußt gleich wieder zu ihm hin.«
»Miliz?«
»Nein, eher KGB. Du scheinst ja ein schwerer Brocken zu sein.«
Alexander überging die Anspielung. »Und warum hat er mich noch nicht verhaftet?«
»Wegen der fehlenden Bestätigung. Was weiß ich. In den nächsten Stunden wird er Verstärkung erhalten.«
»Und jetzt?«
Leonid sah ihn nur an. Sie wanderten zurück zu der arbeitenden Gruppe. »Ich gehe in dein Zimmer und nehme deine privaten Dinge. Wo hast du alles versteckt?«
»Unter dem Bett habe ich zwei Fußbodenbretter gelockert.«
»Gut. Du arbeitest mit dem Wuchtigen weiter. Mach ihn körperlich richtig fertig, der kann unsinnige Arbeit von sinnvoller nicht unterscheiden. Laß ihn ruhig den Schotter stochern.«
Alexander zögerte.
»Hast du kein Vertrauen zu mir?«
»Doch.«
»Na also. Wir haben es jetzt ...«, Leonid warf einen Blick auf seine Armbanduhr, »... bald zehn. Wenn bis zum Ende der Mittagspause niemand mit dem Hubschrauber auftaucht, dann kehrst du zu

deiner Arbeitsstelle und dem Wuchtigen zurück. Er darf keinen Verdacht schöpfen. Aber spätestens um drei mußt du am Schwellendepot sein. Dort warte ich.«

»Du willst mich …«

Leonid drehte sich um und verschwand.

Alexander war wieder einmal beeindruckt vom Nachrichtendienst des Arbeitercamps, dem nichts zu entgehen schien. Wie sie das wohl mit dem Dolmetscher und dessen wahrer Funktion herausgefunden hatten? War der Mensch mitgekommen, um ihn zu identifizieren? Außerdem ahnte Alexander längst, daß er nicht der einzige entkommene Strafgefangene in dieser Station war, der eine andere Identität angenommen hatte. Für ihn wie auch für viele seiner Kollegen war es deshalb eine Frage des Überlebens, gut informiert zu sein.

Er drückte dem Neuen die Eisenstange in die Hand und erklärte ihm die Technik des Stocherns. Der trieb das Gerät so tief in den Untergrund, als suche er nach einer Wasserader.

»Ja, gut. Noch etwas kräftiger«, lobte Alexander, der schlagartig die Nervosität registrierte, die sich bei ihm in vielen fahrigen Bewegungen äußerte. Aus dem Augenwinkel beobachtete er den Möbelkran, der ließ sich durch nichts stören. Hau ruck, nichts wie rein mit der Stange.

Mittagspause. Alexander schlang geistesabwesend sein Essen hinunter, Leonid war nicht zu sehen. Wo blieb er denn nur?

Wieder auf der Baustelle. Mit einer Schaufel in der Hand inspizierte er die Trasse, blieb bei einigen Kollegen stehen und sprach zusammenhangloses Zeug. Die Zeit kroch zäh, immer noch kein Hubschrauber am Himmel. Hatte sich Leonid geirrt?

Es ging auf drei Uhr zu. Scheinbar gelangweilt schlenderte Alexander weiter in Richtung des Schwellendepots, bis dorthin waren es knapp fünfhundert Meter. Als er einen Blick über die Schulter warf, sah er, daß der Neue sich auf die Eisenstange stützte und ihm nachschaute.

Alexander blieb stehen und imitierte die Bewegung des Stocherns, der Möbelkran nickte und winkte mit der schweren Stange, als sei sie ein Spazierstock. Auf den letzten Metern mußte sich Alexander zusammenreißen, um nicht zu sprinten. Leonid wartete bereits und führte ihn zu einem geländegängigen Kleinlastwagen.

»Los, beeil dich! Deine Leibgarde aus Moskau ist schon da.«

Leonid startete den Wagen, und als Alexander aus dem Fenster schaute, sah er den Quadratschädel gerade aufs Depot zulaufen. Ob er ihn im Auto bemerkt hatte?

Der Transporter schlingerte auf dem aufgeweichten Weg hin und her. Leonid hatte alle Hände voll zu tun, ihn einigermaßen in der Spur zu halten.

»Sie sind in Camp 9 gelandet und mit dem Auto gekommen. Vier Männer. Und sie haben mit dem Leiter der Verwaltung gesprochen.«

»Wo sind meine Sachen?«

Leonid deutete hinter sich. »Papiere, Geld, Pistole.«

»Wirklich alles dabei?«

»Ja, sogar einige Kleidungsstücke habe ich in den Sack gestopft. Und deine Arbeitsbewilligung samt Gesundheitstest. Ich wußte gar nicht, daß du eine Pistole hast.«

Alexander schwieg und war irgendwie beruhigt. Mit dem Oberkörper pendelte er Schaukelbewegungen des Autos aus.

»Willst du nicht wissen, was sie gesprochen haben?«

»Hast du es etwa gehört?«

Leonid grinste. »Klar doch.«

»Haben die in deinem Beisein ...«

Leonid schüttelte den Kopf. »Da kommen Experten aus Moskau die weite Strecke bis ins tiefste Sibirien geflogen und verraten sich selbst, weil sie keine Ahnung haben, wie wir die Häuser bauen.«

»Du hast dich unter dem Fußboden zwischen den Pfosten versteckt und gelauscht?«

»Der Dolmetscher ist natürlich ein Spitzel, so wie alle seiner Zunft, die mit westlichen Besuchern zu tun haben. Deine Deutschkenntnisse haben ihn stutzig werden lassen. Den Österreicher hat er einfach als Spion angeschwärzt, weil er mitbekommen haben muß, daß du ihm etwas ausgehändigt hast. Bei der Ausreise in Moskau haben sie ihn gefilzt, alle Filme haben sie an sich genommen und natürlich auch deinen Brief gefunden. Wochen hat es dann noch gedauert, bis sie wußten, welcher Gautulin gemeint war. Einen ganz besonderen, den sie schon lange in ihren Akten führen und auf den sie so ungemein scharf sind.«

Leonid schaute kurz zu seinem Beifahrer hinüber. »Alexander Gautulin, Devisenvergehen, subversive Tätigkeit und Spionage für das imperialistische Ausland. Zehn Jahre Lagerhaft. Und ein mehrfacher Mörder sollst du sein. Der Tod eines Lagerkommandanten geht auch auf dein Konto. Du bist der einzige, den sie damals nach dem Ausbruch nicht geschnappt oder erschossen haben. Tolle Leistung.«

Alexander schwieg.

»Weiter im Norden mußt du einige Eskapaden gedreht haben. Fünf Soldaten sind während deiner Verfolgung umgekommen. Im Eis eingebrochen und ertrunken.«

Alexander schaute mit starrer Miene aus dem Fenster. Die Vergangenheit hatte ihn wieder eingeholt. »Was ist mit dem Österreicher?«

»So wie ich die aus Moskau verstanden habe, ist er frei. Nachdem er alles zugegeben hatte, durfte er ausreisen.«

»Wurden noch andere festgehalten?«

»Nein, davon war nicht die Rede.«

»Das ist gut.«

Leonid konnte nicht verstehen, weshalb Alexander sich auf einmal so zufrieden gab.

»Um vier kommt der Hubschrauber.« Leonid schaute auf die Uhr. »In dreißig Minuten. Bis dahin müssen wir ein Stück weiter sein.«

»Wohin geht die Fahrt?«

»Laß dich überraschen.«

Stoisch schaute Alexander vor sich auf die Fahrbahn. Tiefe Schlaglöcher und Spurrillen mit Wasser gefüllt, das aufspritzte, wenn Leonid mit hoher Geschwindigkeit hindurchbrauste. Rote Schlieren liefen dann an den Seitenscheiben herunter und an der Frontscheibe, wo sich die Wischer emsig um ein freies Sichtfeld bemühten. Die Straße, eigentlich nur eine Schneise im Wald, folgte dem Gelände und stieg leicht an. Leonid bremste das Fahrzeug ab und wich einem entgegenkommenden Lkw aus, der Langholz für das Sägewerk geladen hatte.

Alexander atmete tief durch. Mit Wehmut betrachtete er noch einmal die Taiga, in der er sich so wohl gefühlt hatte. Sie bot ihm Schutz, und ihre Wildheit faszinierte ihn.

»Der Möbelkran wird inzwischen Meldung gemacht haben.«

»Klar doch.« Leonid kurbelte am Lenkrad. »Sie werden hinter uns her sein. Leider vergeblich.«

Wenige Minuten später schwenkte Leonid in einen schmalen Weg. Tief hingen die Zweige der Kiefern und Lärchen, manchmal so tief, daß sie gegen die Windschutzscheibe klatschten.

»Der Regen hilft uns. In fünf Minuten weiß keiner mehr, an welcher Stelle wir abgebogen sind.«

Mehr sagte Leonid nicht, der sich wieder auf die Strecke konzentrierte.

Alexander nervte dessen Einsilbigkeit, im Augenblick hätte er einige aufbauende Worte gebrauchen können.

»Jetzt müßte der Hubschrauber landen.«

Leonid schien das nicht zu interessieren.

»Aber mit dem Hubschrauber können sie mich verfolgen«, meinte Alexander besorgt.

»Werden sie. Werden sie.«

»Verdammt, wie kannst du nur so ruhig sein? Immerhin geht es um meinen Arsch.«

»Eben.«

Der Waldweg stieg steil an, und das Auto hatte Schwierigkeiten, hochzukommen. Immer wieder drehten die grobstolligen Räder durch. Noch ein letzter Rumpler, dann stoppte Leonid. »Bald wird sich zeigen, ob du schwindelfrei bist«, feixte er übermütig. Er stieg aus, öffnete die hintere Klappe und zerrte einige Rollen hervor und Seile und Griffe.

»Was soll das?«

»Nimm dein Zeug und komm mit.«

Alexander stapfte hinter dem Brigadier her. Noch einige Minuten ging es einen Pfad bergauf, plötzlich war der Wald zu Ende. Vor ihnen klaffte eine tiefe Schlucht, und zwischen den schroffen

Felswänden quetschte sich ein Fluß. Weit und breit war keine Brücke zu sehen.

»Der nächste Überweg ist vierzig Kilometer entfernt«, sagte Leonid und lächelte. »Hin und zurück achtzig Kilometer, der Vorsprung müßte genügen.«

»Soll ich fliegen?«

»Nein, nur schweben.«

Leonid wandte sich nach Norden, Alexander folgte. Als er den Strommast erblickte, dessen Leitungen träge hängend den Fluß überquerten, ahnte er, was Leonid vorhatte.

»Ich soll mit dem ...«

»Genau.«

Unter dem Mast legte Leonid seine Ausrüstung auf den Boden und ordnete sie.

»Dann kann ich doch gleich den Berg runterspringen.«

»Tu es doch«, konterte der Brigadier trocken. »Aber zuerst schaust du dir an, was ich für dich organisiert habe. Diesen Fahrstuhl hier«, Leonid deutete auf eine Doppelrolle, die durch einen starken Bügel miteinander verbunden war, »klinkst du in das Tragseil. Das Tragseil ist das unterste.« Er zeigte nach oben.

Alexander nickte.

»An der Rolle ist ein Gurt, damit schnallst du dich fest, darüber kommt dein Rucksack mit dem Gepäck. In jede Hand nimmst du einen von diesen Griffen, dann stößt du dich ab und schaukelst über den Fluß. So einfach ist das.«

Alexander besah sich die Ausrüstung, dann den Strommast, der mit einem Kraftwerk verbunden war und die Energie für ihren Bauabschnitt lieferte.

»Das soll gehen?«

»Es ist die einzige Möglichkeit, inzwischen werden sie alle Wege abgesperrt haben. Und vergiß nicht, die Spürhunde haben einen Hubschrauber. Vielleicht fordern sie noch weitere an.«

»Und was ist mit den seltsamen Griffen?«

»Wie du siehst, hast du zuerst Gefälle bis zur Mitte. Da du ja nicht ewig genau über dem Fluß hängen bleiben willst, mußt du dich mit diesen Dingern weiterhangeln. Dazu nimmst du das Tragseil zwischen die beiden Stifte. Wenn du am Griff ziehst, die Schlaufen verhindern, daß sie runterfallen, wird das Seil eingeklemmt, du kommst voran.«

Alexander zögerte, aber Leonid klickte bereits die Gurte fest.

»Stell dich nicht so an. Unsere Elektriker machen das jeden Tag, wenn sie eine Leitung zu überprüfen haben«, meinte er salopp. »Du brauchst nur das eine Mal mit dem Ding zu spielen.«

»Schöner Trost.« Alexander schien sich mit seinem ungewöhnlichen Fluchtweg abzufinden, weil er sonst keine andere Möglichkeit sah. Er kletterte den Mast hoch, Leonid folgte ihm mit dem Rucksack. In etwa sechs Meter Höhe wollte Alexander die Rollen in das Tragseil einklinken.

»Bist du auch sicher, daß ich kein Stromkabel erwische?«

»Wirst du gleich merken.«

Alexander befestigte die Gurte an der Rolle und griff nach dem Rucksack. Leonid hielt ihn mit einer Hand fest, denn der Stand auf der schmalen Eisenstrebe war alles andere als sicher.

Alexander schnallte sich den Rucksack um und nahm die Griffe in die Hand.

»Eine Frage noch, Leonid. Wie bist du so schnell an die Ausrüstung gekommen?«

Der Brigadier grinste. »Schon seit mehr als einem Jahre habe ich sie. Man muß für alles gewappnet sein.«

Mit großen Augen starrte Alexander den Dunkelhaarigen an, dessen Schnauzbart wippte. Er lachte.

»Das hier ist also deine Lebensversicherung?«

»Los, mach schon. Gute Reise.«

»Danke, Leonid.« Ernst schaute er den Georgier an. »Ein Freund ist jemand, dem man vertraut, nicht?«

Leonid nickte.

»Dir vertraue ich.«

Der Brigadier gab ihm einen Schubs, und Alexander, der einige Sekunden die Luft anhielt, schwebte über den Abgrund. Er schaute vorsichtig zurück, Leonid winkte hinter ihm her.

Und wieder einmal hatte ihm jemand geholfen. Ist es nicht verwunderlich, fragte sich Alexander, daß ich immer einen guten

Freund habe? Nennt man das Vorsehung? Oder ausgleichende Gerechtigkeit?

Das Tempo nahm zu. Nachdem er den tiefsten Punkt des Tragseils durchlaufen hatte, wurde es langsamer, aber das Seil schwankte wie wild. Alexander hatte Mühe, die Pendelbewegungen auszugleichen und sich einigermaßen ruhig zu halten. Nachdem seine Schwebefahrt ganz zum Stehen gekommen war, hangelte er sich mit den Griffen Hand über Hand weiter. Alexander durfte nicht abrutschen, sonst wäre er bis zur Mitte des Flusses zurückgeglitten. Auf dem gegenüberliegenden Ufer angekommen, war er außer Atem und schweißgebadet. Er löste die Gurte, blickte auf die andere Seite und sah Leonid. Noch ein letztes Winken, dann verschwand der Kamerad.

Er muß sich eine gute Ausrede einfallen lassen, wo er so lange gewesen ist, überlegte Alexander, während er den Mast hinunterstieg.

Nach einigen Monaten spuckte ihn die Taiga an ganz anderer Stelle wieder aus. Mit seinem Rucksack, den kräftigen Lederschuhen und der verwaschenen Arbeitskleidung fiel er nicht auf. Viele zogen durchs Land auf der Suche nach Arbeit, einem Abenteuer oder was auch immer. Bambuika am Witim, vierhundert Kilometer westlich von Tynda, erreichte er als Beifahrer mit einem Sattelschlepper. Mehr als dreißig Stunden war er auf einer knochenharten, äußerst holprigen Piste parallel der geplanten Baikal-Amur-Magistrale unterwegs, unterbrochen von zwei Pannen und einer längeren Rast in Taximo, weil der Fahrer seinen Rausch ausschlafen mußte.

Er orientierte sich nach Süden und überquerte auf abenteuerliche Weise mit Hilfe eines Floßes – das Führungsseil gab seinen Geist auf – den reißenden Fluß Zipa. In Ust-Karenga war er das Ziel von Straßenräubern, die jedoch, als er Pagodins Pistole einsetzte, sehr schnell von ihrem Vorhaben abließen.

War es das Alleinsein und die permanente gedankliche Wanderschaft zwischen Vergangenheit und Gegenwart? Die Beschäftigung mit sich selbst, eine Gratwanderung nahe der Selbstzerfleischung? Das Aufarbeiten seiner Erinnerungen, auch die aus seiner Kindheit, oder etwa die Perspektivlosigkeit, die keinen Raum für die Zukunft ließ? Alexander wußte nicht, was letztlich den Ausschlag gab, aber der Wunsch, seine Mutter zu besuchen, nahm physische Zwänge an. Er würde alle Vorsichtsmaßnahmen beachten und kein unnötiges Risiko eingehen; sie zu sehen, genügte ihm schon. Vielleicht könnte er sogar ein paar Worte mit ihr wechseln? Außerdem war ihm nach einer Reise mit der legendären Transsibirischen Eisenbahn. Nicht aus Nostalgie oder weil er genügend Zeit hatte, sondern um sich zu sammeln und das Land einmal aus dem komfortablen Blickwinkel eines Reisenden zu sehen. Allerdings eines Reisenden auf der Flucht, wie ihm immer wieder bewußt wurde.

Seine nächste Station war deshalb Tschita, wichtiger Umschlagplatz für Felle aller Art, besonders Zobel, Fuchs und Bär. Dieser Hauptknotenpunkt der Transsib nahe der mongolischen Grenze boomte stärker als andere sibirische Städte, die er kannte. Überall wurde gebaut, Kräne ragten in den Himmel, Bagger schabten den Boden auf, man füllte Beton in die Löcher, schon hatte man ein neues Fundament gegossen.

Fremdartig und wie vom Reißbrett der Wirklichkeit aufgezwungen empfand Alexander die schnurgeraden, breiten, baumbestandenen Alleen der Verwaltungsmetropole, umgeben von mehrgeschossigen, neuerrichteten Wohngebäuden mit roten Ziegel- oder grauen Blechdächern. Er staunte über den enormen Straßenverkehr und die vielen Autos, die sich vor den Ampeln stauten. Am meisten beeindruckte ihn jedoch die Sauberkeit, die man geradezu einzuatmen glaubte. Kein Schmutz war auf den Bürgersteigen zu sehen, keine Papierreste, dafür aber wieselten überall Arbeitskolonnen, die mit Besen und Schaufeln zu Werk gingen. Unterstützt wurden sie von Wasserfahrzeugen, die die Straßen und Bürgersteige absprengten und keine Rücksicht auf Passanten nahmen, als gäbe es eine Verordnung, die Bewohner zwangsweise zu duschen.

Früh am Morgen bestieg Alexander den Zug und hatte ein Abteil für sich allein. Er saß am Fenster und betrachtete das zerklüftete, wie von einem Riesen zusammengestauchte und gefaltete Jablonowyjgebirge, weit und dicht bewaldet im unterschiedlichen Grün der Lärchen, Fichten, Kiefer, Eichen und Buchen, abwechslungsreich und von einer majestätischen Unberührtheit. Manchmal war an den Steilhängen das schroffe, säulenartige Gestein rötlich, um über Braun, Beige und Grau bis in ein im frühen Sonnenlicht glitzerndes Schieferblau zu wechseln. Alexander kam sich im Anblick der dominanten Natur unbedeutend vor, vergänglich und ersetzbar. Auch jetzt gewann er wieder den Eindruck, nur Gast zu sein, mit der Verpflichtung, die Schöpfung zu respektieren und sich ihr unterzuordnen.

Er verlor das Gefühl für die Zeit, das monotone Rattern und die kleinen Schläge, wenn der Wagen über die verschraubten Schienenverbindungen rollte, schläferten ihn ein. Draußen vor dem Fenster huschten im Abstand von fünfzig Metern die Pfosten der Strom- und Telefonleitungen mit den durchhängenden Kabeln – sie sahen aus wie zu hoch gespannte Wäscheleinen – vorbei, schienen zu salutieren und verursachten durch den sich ändernden Luftdruck des vorbeibrausenden Zuges ein Geräusch, als pustete jemand eine Kerze aus.

Irkutsk, Angarsk, Ussolje-Sibirskoje, Tscheremchowo, die Städte interessierten ihn nicht sonderlich. Es war sein Leben, das er an sich vorbeiziehen sah. Schweigsam und in sich gekehrt, machte er eine Bilanz; sie fiel ähnlich niederschmetternd aus wie die seines verstorbenen Mitgefangenen Rassul, der traurig darüber gewesen war, daß er nie hatte heiraten und Vater werden dürfen. Was ist der Sinn meines Lebens, fragte er sich? Immer verstecken, immer auf der Flucht? Oder war es noch derselbe wie vor einigen Jahren, als er den unbändigen, fast zwanghaften Trieb verspürte, gegen den Staat vorzugehen. Wollte er ihn tatsächlich noch mit allen Mitteln bekämpfen?

Als hätte er sich das Stichwort gegeben: Ja, genau, gegen den unmenschlichen Apparat kämpfen, das ist der eigentliche Sinn meines Lebens. Der Staat hat mir Jahre gestohlen, die für immer verloren sind. Er wird deshalb an mir keine Freude haben. Wie zum Trotz ballte er die Fäuste, aber Alexander wußte, daß er sich belog. Bisher hatte er seinem Land mehr gegeben als genommen. Auf welche Art und Weise, überlegte er, wäre in Zukunft die Bilanz zu seinen Gunsten und zu seiner Zufriedenheit zu verbessern? Wie müßte er sich verhalten, was hätte er zu tun? Er fand keine Antwort, weil er sich weigerte einzugestehen, er, Alexander Gautulin, könnte womöglich zu bedeutungslos sein.

Krasnojarsk, Nowosibirsk – Sibirien wurde nach dreitausend Kilometern ruhiger, flacher, endloser. Dörfer konnte Alexander sehen, von Windschutzhecken eingerahmt und gar nicht mal so weit von der Strecke entfernt. Die Häuser, kleine, schmutzige Würfel auf riesigen Schachbrettern, machten einen verlassenen und abgewirtschafteten Eindruck. Auf den Dächern Asphaltflicken, Bretter als Glasersatz vor die Fenster genagelt, ein morscher Zaun, daneben ein abgemagerter, kläffender Hund an einem ausgefransten Strick oder einer rostigen Kette, als hätte man ihn vergessen.

Je näher er Omsk kam – mittlerweile war Alexander vier Tage und Nächte unterwegs, hatte im Zug gegessen und geschlafen und die unhygienischen, verlotterten Toiletten benutzt –, desto mehr erfaßte ihn ein seltsames Kribbeln. Omsk, seine Heimatstadt. Dabei wußte er nichts mit dem Begriff Heimat anzufangen. Hat das was mit Blutsbanden zu tun, fragte er sich. Sind sie normalerweise nicht stärker? Nur ein unscheinbares Kribbeln? Oder bin ich nicht in der Lage, normale Gefühle zu entwickeln?

Genau das war es: In ihm war ein gefühlsmäßiges Nichts, alles schien abgetötet. Und wenn Anna ihn gefragt hatte, ob er sie mochte, dann mußte er sich zwingen, ja zu sagen. Zugegeben, Sympathie empfand er für sie, aber zu mehr war er nicht fähig. Tarike, die Ewenkin, bei ihr hätte es anders sein können. Dazu hätte er sich jedoch öffnen und Vertrauen entgegenbringen müssen, und das wollte er zu dem Zeitpunkt noch nicht. Er würde es nun wahrscheinlich nie mehr wollen, nie mehr können.

Natürlich habe ich Gefühle, überlegte Alexander und kühlte seine Stirn an der Fensterscheibe. Deutlich spürte er das Vibrieren des Zuges. Ich hasse. Und wie ich hasse. Und ich verachte. Das sind doch auch Gefühle, wichtige, tiefe und bedeutende, die mich zeitweise ganz vereinnahmen. Vielleicht sind sie sogar beständiger als alle anderen, weil ich mich auf sie verlassen kann und weil sie mir Kraft gegeben haben zum Überleben.

Omsk, der alte Bahnhof, Knotenpunkt für die Strecken aus Swerdlowsk und Tscheljabinsk. Hektisches Treiben im Zentrum, die

Anzahl der Autos fiel ihm sofort auf, es waren wesentlich mehr als früher. Unübersehbar die vielen Lkw, die, dunkle Abgaswolken ausstoßend, über die breiten Straßen holperten.

Langsam schlenderte er mit seinem Gepäck durch die Stadt. Er setzte sich in ein Teehaus und trank etwas, aß ein weiches Brötchen, ein gekochtes Ei und Zwiebelringe.

Als Kind war er oft mit seinen Eltern auf der Festung rechts der Om gewesen, deren wuchtige Mauern zwischen zwei Wohnblocks zu sehen waren. Dort hatte er auch am Geburtstag seiner Mutter zum erstenmal ein Eis gegessen. Alexander erinnerte sich, wie erschrocken er zuerst über die Kälte gewesen war, um sie anschließend mit geschlossenen Augen zu genießen.

Es war etwas Zögerndes an ihm, als er sich wieder auf den Weg machte, so, als sträubte er sich, mit der Vergangenheit konfrontiert zu werden. Angetrieben von einer inneren Unruhe, hatte er es plötzlich eilig. Spontan fuhr er mit einem Linienbus zur alten Festung. Nachdenklich wanderte er auf den Spuren seiner Kindheit, die ihm wie ein Teil aus einem früheren, weit zurückliegenden Leben vorkam. Er entdeckte auch den Tunnel, in dem er sich als Junge versteckt hatte. Lange hatten seine Eltern ihn gesucht.

Am Nachmittag betrat Alexander in einer engen Seitenstraße unweit des Bahnhofs ein unscheinbares Hotel, legte seine Urlaubs- und Arbeitsbewilligung vor, füllte ein Anmeldeformular aus, die Miliz sammelte es jeden Abend ein, und brachte seine Tasche aufs spärlich eingerichtete Zimmer. Er wusch sich auf dem Gang, die Toilette lag gleich daneben, zog frische Kleidung an und machte sich zu Fuß auf den Weg, um kein Indiz für sein Ziel zu liefern. Unterwegs kaufte er einer ihm freundlich zunickenden Bäuerin, die auf dem Bürgersteig einen kleinen Stand aufgebaut hatte, für zwei Rubel einen Blumenstrauß ab. Ihm war einfach danach.

Außerhalb des Zentrums hatte sich die Stadt sehr verändert. Viele Wohnblöcke waren hochgezogen worden, alle nach dem gleichen Baukastensystem, aber bereits die Fertigteile erweckten den Eindruck, als hätten sie schon Jahre hinter sich. Häuser, bei denen man gerade die ersten drei Stockwerke errichtet hatte, sahen aus wie Altbauten. Die Fassadenfarbe in Hellblau, Hellgrün oder Sandbeige blätterte ab, zwischen den genormten Teilen aus Beton klafften große Risse, die Fugen sprangen auseinander, und viele der Fensterscheiben waren bereits zu Bruch gegangen.

Nach einer halben Stunde gelangte Alexander in den Stadtteil, in dem er groß geworden war. Unvermittelt erblickte er auf der gegenüberliegenden Straßenseite das gegen Ende der vierziger Jahre errichtete Gebäude im typischen Nachkriegsbaustil mit den seltsamen Betonverzierungen. Obwohl Alexander es sich nicht eingestehen wollte, schlug sein Herz schneller. Weil hier mein Zuhause ist, fragte er sich?

In der zweiten Etage mit Blick zur Straße hatten sie gewohnt, von unten war durch die Fenster nichts zu erkennen. Der kleine dazugehörende Balkon, einen Meter im Quadrat, war vollgepropft mit Kisten und Kartons. Vor dem Geländer waren Leinen gespannt, an einer hing ein Beutel. Sibirische Kühlschränke auch in Omsk? Sogar in einer Großstadt, relativ weit im Süden?

Wenn er früher aus der Schule gekommen war, konnte seine Mutter ihn schon von weitem sehen und hören. Laut eilte ihm das Klackern seiner dick eingefetteten, mit Holz und Eisennieten beschlagenen Schnürschuhe, Leder und Gummi waren Mangelware, voraus. Jeden Tag winkte er ihr zu, und vor Freude kam er oft ins Stolpern. Manchmal hatte er auch unterwegs auf einer Wiese – inzwischen standen dort ebenfalls Wohnblöcke – Feldblumen und Gräser gepflückt, die er unter dem Hemd versteckte, bis er in der Diele angelangt war.

Alexander schlenderte die Straße auf und ab, wollte nicht auffallen und hatte trotzdem alles im Blick. In einem Fleischerladen um die Ecke wagte er, nach Natascha Gautulin zu fragen. Er beschrieb seine Mutter, aber die beiden Frauen mit den weißen Schiffchen auf dem Kopf und den fleckigen Schürzen konnten sich nicht an sie erinnern. Hier kämen jeden Tag viele Menschen zum Einkaufen, sagten sie. Ihr Geschäft versorge viertausend Einwohner, da könne man sich nicht jeden merken. Immer wieder schauten sie auf seinen Blumenstrauß.

Alexander betrat kurzentschlossen das Gebäude. Die Eingangstür ging schwer und knarrte in den Angeln, der Boden verströmte einen unangenehmen Duft und war mit einem abgetretenen Belag aus Plastik ausgelegt, durch den sich alle Unebenheiten drückten. Im Treppenhaus roch es außerdem nach Kraut und Kohl. Vorsichtig stieg er die Stufen hinauf, ein Stockwerk weiter, als er eigentlich mußte. Unerklärlicherweise überkam ihn das Gefühl, er würde beobachtet. Zu seiner Kinderzeit hatte es in jedem Wohnblock einen Spitzel für Miliz und Behörden gegeben. Das wird sich bis heute nicht geändert haben, sagte er sich, während er auf dem Weg nach unten war. Vor einer Tür in der zweiten Etage, das unterste Brett war ersetzt worden, allerdings fehlte noch der graue Anstrich, verharrte er und lauschte. Einem Impuls folgend, klopfte er an. Schritte, ein Schlüssel ratschte im Schloß, unvermittelt stand er einem jungen Mädchen gegenüber.

»Ich möchte zu Natascha Gautulin.«

»Zu wem?« Das Mädchen legte den Kopf auf die Seite, blinzelte und sah ihn an, als käme er von einem anderen Stern. Aber auch ihm hatten es die Blumen angetan.

»Wohnt hier nicht Natascha Gautulin?« Aus einem der Zimmer meldete sich eine herrische Stimme. »Wer ist denn da?«

Eine Frau quetschte sich an dem Mädchen vorbei und wischte sich die Hände an der Schürze ab. »Was wollen Sie?«

Alexander erkundigte sich freundlich und erfuhr, daß hier bestimmt keine Natascha Gautulin wohne. Schon mindestens vier Jahre nicht mehr, denn seit dieser Zeit seien sie, die Wankows, die rechtmäßigen Mieter. Alles legal, alles mit Bewilligung, und von einer Natascha Gautulin hätten sie noch nie etwas gehört.

Sie wird umgezogen sein, dachte Alexander, bedankte sich und wollte gehen.

»Unten, die Krimerowa, die kann Ihnen helfen. Soll schon seit einer kleinen Ewigkeit hier herumgeistern, die alte Hexe.«

Genau, die Krimerowa. Hatte immer geschimpft, wenn die Kinder zu laut waren oder bei Regenwetter im Treppenhaus spielten. Schon vor zwanzig Jahren war sie alt. Wie alt muß sie dann erst heute sein? Auf Alexanders Klopfen öffnete eine gebeugte Frau die Tür. Mißtrauisch sah sie ihn an, er erkannte die Krimerowa wieder und stellte sich als ein früherer Schulkollege vor, der zufällig in der Stadt sei und die Gautulins besuchen wollte.

»Gautulin?« krächzte die Krimerowa. Und dann überlegte sie. »Ach ja, zweiter Stock. Nur einen Sohn, so einen wilden Lausebengel.« Aber er habe ihr immer die Milch gekauft und vieles andere. »Nein, die wohnen schon lange nicht mehr hier.«

»Wissen Sie, wo ich die Familie Gautulin finden kann?«

Die Krimerowa traf keine Anstalten, Alexander hereinzubitten, und so mußte er im Flur stehend seine Fragen an sie richten. In der zweiten Etage sah er den neugierigen Kopf des Mädchens, es hatte die Arme aufs Geländer gelegt. Ungeniert hörte es zu.

»Der Junge ist unter die Räder gekommen. Ein Spion für die Imperialisten. Hat seine gerechte Strafe verdient. Muß in einem Gefängnis sein.« Die Krimerowa ballte eine Faust. »Die Mutter hat sich sehr für ihren Sohn geschämt und ist weggezogen. Das Ganze hat sie unheimlich mitgenommen.«

»Und wo ist sie jetzt?«

Die Krimerowa wußte es nicht, aber sie erinnerte sich an eine alte Freundin von Natascha Gautulin. Gleich im Block schräg gegenüber. Tusanskaja, ja, so heiße sie. Wenn jemand Bescheid wisse, dann die Tusanskaja.

Alexander bedankte sich, trat ins Freie und atmete tief durch. Ihm war mulmig zumute. Die Bewohner hatten also von seiner Verhaftung und Verurteilung erfahren. So etwas konnte auch nicht verheimlicht werden. In einem Fall wie dem seinen ging die Miliz ein und aus, sämtliche Familienmitglieder litten darunter und hatten mit Repressalien zu rechnen. Eine äußerst wirkungsvolle Methode des Staates, mit Hilfe von Gerüchten und Mundpropaganda Angst und Schrecken zu verbreiten.

Natürlich erinnerte sich die Tusanskaja an Natascha Gautulin, und sie erkannte Alexander auch sofort wieder. Aber seine Mutter sei nicht ausgezogen, sondern in ein Krankenhaus gegangen und vor vier Jahren gestorben.

Alexander trank von dem süßen Likör, aufmunternd nickte ihm die sechzigjährige Frau zu. Dann wollte sie wissen, wie es ihm denn im Lager ergangen sei. Mit knappen Worten beendete er das unangenehme Thema.

»War meine Mutter lange krank?«

»Ja, gut sechs Monate.«
»Und woran ist sie gestorben?«
»Herzversagen. So sagen die Ärzte.«
Sie habe schwer unter ihm, Alexander, gelitten. Oft sei die Miliz in Begleitung von Herren in Zivil gekommen, um sie zu befragen. Auch noch kurz vor ihrem Tod, bis ins Krankenhaus hätten sie sie verfolgt. Sogar als Natascha schon unter der Erde gewesen sei, erklärte die Tusanskaja, habe sie die Männer häufig in der Straße gesehen. In einem Auto hätten sie gesessen, als würden sie auf jemanden warten.

»Haben Sie meine Mutter im Krankenhaus besucht?«
»Einmal in der Woche, sonst kam ja keiner.« Vorwurfsvoll sah die Tusanskaja ihn an.
»Hat sie gelitten?«
»Jeder, der stirbt, leidet.«
»Und noch etwas gesagt?«
»Du meinst für dich? Ihren Sohn?«
Alexander hoffte, es wäre der Fall gewesen. Eine Bestätigung aus jüngerer Zeit, quasi als letzte Bindung an seine Familie und einen Beweis dafür, daß seine Mutter ihn nicht vergessen hatte. Warum war ihm soviel daran gelegen? Weil er wenigstens einmal die Gewißheit haben wollte, daß sich jemand an ihn erinnerte? Auch zwischendurch an ihn dachte?

»Nein, eigentlich nicht. Dich haben wir in allen Gesprächen ausgeklammert. Zuletzt war sie auch sehr verwirrt, ich meine, nach dem zweiten Herzanfall.«

Alexander verbarg seine Enttäuschung. »Wo sind die Sachen meiner Mutter abgeblieben?«

»Das ist alles beschlagnahmt worden. Weil es, außer dir, mein Junge, keine Verwandten gegeben hatte. Und du warst ja ...«

»Auch meine persönlichen Dinge? Wie Bücher und ...«
»Alles weg.«
Alexander starrte auf den Tisch. Seine Mutter tot, keine Nachricht, keine Erinnerung. Also bin ich doch wie eine Kerze, die ausgeht und keine Spuren hinterläßt. Noch nicht einmal bei der eigenen Mutter.

»Dann werde ich wieder gehen.« Alexander erhob sich.
»Ich habe einen Koffer für dich aufbewahrt.«
»Was ist drin?«
»Keine Ahnung. Hat sehr viel Platz weggenommen. Und ich habe immer sorgfältig darauf aufgepaßt.«
»Wo ist der Koffer?«
»Wie gesagt, er stand lange in meinem Schlafzimmer. Konnte mich nicht richtig rühren.«
»Wieviel Rubel?«
Die Tusanskaja tat so, als käme es ihr nicht aufs Geld an. So etwas sei doch selbstverständlich, wenn es sich um den letzten Willen der besten Freundin handele.
»Ich will dich ja nicht übervorteilen, aber hundert müssen es schon sein.«
Alexander bezahlte und wollte nur noch weg. Aber die verhärmte Frau fühlte sich nun verpflichtet, eine weitere Gegenleistung für das Geld zu bieten, indem sie plapperte und plapperte. Welches Nachthemd seine Mutter angehabt habe, was man ihr zu essen gab, daß zum Schluß die Augen nachgelassen hätten.
»Und den Koffer sollte ich aufheben. Sie hat ausdrücklich gesagt, er sei für dich. Im Krankenhaus hat sie ihn mir gegeben. Immer wieder sprach sie davon, daß du bestimmt eines Tages kommen und den Koffer abholen würdest. Ich war da ja ganz anderer Meinung, aber auf mich wollte sie nicht hören.«
Diese wenigen Worte genügten, um bei Alexander ein euphorisches Gefühl zu erzeugen: Sie hat an mich gedacht und über mich gesprochen! »Hier, die Blumen sind für Sie.«
So schnell er konnte, eilte er mit dem Koffer in der Hand davon. Er war aus Weide geflochten und nicht groß, etwa im Format einer Aktentasche. Und er war auch nicht allzu schwer.

In seinem Hotel angekommen, betrachtete Alexander den Inhalt. Fotos, ein kleines Album voll, dazu Briefe und ein ganzer Stapel beschriebener Blätter. Alexander erkannte die Handschrift seiner Mutter. Zuerst sah er sich die Bilder in dem Album an. Sie waren vergilbt und zeigten ein Mädchen und einen Jungen. Jahre später waren beide zusammen auf ihrer eigenen Hochzeit zu sehen, glücklich lächelte das Brautpaar in die Kamera. Die Braut wurde runder, auf einem anderen Bild hielt sie ein Baby auf dem Arm, daneben stand der stolze Vater. Hier hörten die sonderbaren Fotos auf. Die übrigen kannte Alexander. Seine Mutter war abgebildet, ebenfalls mit einem, jetzt schon größeren Kind auf dem Schoß, ihrem Sohn Alexander, daneben stand sein Vater. Und der Sprößling wuchs, die Eltern schienen sich zu freuen. Die anderen Abbildungen zeigten Alexander zu Hause bei den Schulaufgaben, während eines Ausflugs auf der Omsker Festung mit einem Eis in der Hand, er erinnerte sich nicht, daß seine Eltern ihn fotografiert hatten, und an seinem zehnten Geburtstag. Mitten auf dem Tisch stand ein großer, mit Schokolade überzogener Kuchen, zu damaliger Zeit eine Rarität. Er saß mit glänzenden Augen und gefalteten Händen daneben, als könnte er es nicht fassen. Das nächste Bild: Seine Mutter trug Schwarz, ihr Mann war gestorben. Alexander wurde größer und größer, war zuerst ein junger Mann in Uniform und auf dem letzten Foto ein Student.

Zögernd nahm Alexander die beschriebenen und zusammengefalteten Blätter, sie waren an ihn gerichtet.

»Lieber Alexander!

Es ist alles so schrecklich. Vor zwölf Jahren Dein Vater und jetzt Du im Gefängnis. Ich habe niemanden mehr. Das Leben hat nur genommen und mir nichts geschenkt. Was bleibt einer alten, einsamen Frau noch, die ahnt, sie wird Dich wahrscheinlich nie wiedersehen? Es soll so schlimm in den Lagern sein. Ja, ich weiß, sie haben dich nicht in ein normales Gefängnis gesteckt, sondern in eines der Arbeitslager. Man hört ja so viel Schlimmes über sie, Greueltaten und mehr.

Warum ich diesen Brief an Dich schreibe, ich weiß es nicht. Die Tusanskaja hat zu mir gesagt, ich solle es lassen. Du würdest ihn ja sowieso nie lesen, würdest nie mehr auftauchen. Weshalb also die Mühe? Aber ich tue es auch für mich, weil ich mich Dir gegenüber schuldig fühle. Ich hätte Dich schon längst aufklären sollen, jedoch fand ich in all den Jahren nicht den Mut. Damals, als Du noch zur Schule gingst, dachte ich, ich könnte auch noch Dich verlieren. Außerdem mußte ich ein Versprechen halten, erst mit fünfzehn sollte ich Dir alles erklären. Aber, wie gesagt, mir fehlte der Mut, zudem hatte ich Angst vor der Einsamkeit.

Alexander, ich bin nicht deine leibliche Mutter. Sie starb, als Du knapp ein Jahr alt warst. Und Dein Vater ist auch nicht Dein leiblicher Vater. Aber nun von vorn.

Deine Mutter und ich waren Freundinnen, wie es bessere nicht geben kann. Wir sind beide Wolgadeutsche und haben unsere Jugend in unserer autonomen Republik in Rußland verbracht. Ich heiratete Deinen Vater, einen Weißrussen, und wurde zu Natascha Gautulin. Deine Mutter jedoch heiratete den Wolgadeutschen Kurt Koenen, und Dir gaben sie den Namen Robert. In Wirklichkeit also heißt du Robert Koenen. Dein Vater verschwand kurz nach Deiner Geburt, er hat sich der deutschen Wehrmacht angeschlossen. So, wie viele andere auch, als Hitler den Krieg erklärte und im Spätsommer 1941 unser Land angriff.

Stalin reagierte prompt. Alle Wolgadeutschen, auch wir, die wir auf einer Kolchose nahe Saratow wohnten, wurden vertrieben und in den Osten zwangsumgesiedelt. Man sagte, wir seien Spione von Adolf Hitler, und bezeichnete uns als Schädlinge der Sowjetunion. Auf dieser grausamen Deportation sind viele vor Entkräftung umgekommen oder an Krankheiten gestorben, so auch Deine Mutter. Aber Tanja, so hieß sie, hatte keinen Lebenswillen mehr. Sie konnte es einfach nicht überwinden, daß ihr Mann Kurt sie verlassen hat, um sich der Wehrmacht, dem Erzfeind, anzuschließen. Ja, wir waren zwar Deutsche, aber wir fühlten uns durch Hitler angegriffen.

Kurzum, die Wanderung ging für die meisten weit nach Osten oder sogar bis nach Kasachstan. Für uns endete sie bereits in Omsk, weil Dein neuer Vater Gautulin ein Weißrusse war. Deshalb hatten wir es auch nicht ganz so schlimm wie die anderen. Dich habe ich als mein Kind ausgewiesen, wie ich es Deiner Mutter auf dem Totenbett versprochen habe. Den Behörden gegenüber habe ich gesagt, meine Papiere seien auf dem langen Marsch abhanden gekommen. Ohne nachzufragen, stellte man mir später für Dich neue aus, und zwar auf den Namen Alexander Gautulin.

Tanja, Deine Mutter und meine beste Freundin, liegt in der Nähe von Kustanaj begraben.

Ich war glücklich, daß Deine richtige Mutter so viel Vertrauen in mich setzte. Außerdem wollte ich Dir auch eine gute Mutter sein. Hoffentlich ist es mir gelungen.

Und ich war froh, Dich zu haben. Nicht, weil ich selbst keine Kinder bekommen konnte, sondern weil Du mir als Sohn sehr viel bedeutet hast. Für mich bestand kein Unterschied zu einem leiblichen Kind. Dein Vater trug es schon schwerer. Hatten wir Streit, dann schimpfte er auf mich und auf mein weiches Herz, wie er sich ausdrückte. Ich solle doch endlich den Behörden die Wahrheit sagen, aber das hat sich dann mit seinem Tod erübrigt.

Alexander ... Robert ..., wo Dein leiblicher Vater abgeblieben ist, ob er vielleicht noch lebt, ich weiß es nicht. Wenn überhaupt, dann in der Bundesrepublik Deutschland. Ist er jedoch in russische Gefangenschaft geraten, hat man mit ihm das gleiche gemacht, wie mit allen Wolgadeutschen, die sich Hitler angeschlossen hatten: Tod durch Erschießen.

Alexander, jetzt kennst Du die Wahrheit. Urteile bitte nicht zu streng über mich, weil ich es versäumt habe, sie Dir schon früher zu sagen.

Deine ... Mutter?«

Hier hörte der eigentliche Brief auf. Aber an ihn geheftet waren noch zwei Blätter. Auf dem einen stand: »Gern hätte ich Dir auch weiterhin geschrieben, nachdem man Dich eingesperrt hatte, aber die Miliz kam zu mir und verbot es. Du sollst Dich nicht gut benommen haben und seist ein Spion der Westdeutschen, der noch aus dem Gefängnis an seine westliche Geliebte, auch eine Spionin, Briefe schickt. Man sagte mir, Du seist unverbesserlich.«

Und auf dem anderen war zu lesen:

»Drei Jahre nach Deiner Verurteilung standen plötzlich viele Männer vor meiner Wohnung und stellten so seltsame Fragen: Welche Freunde Du hättest, wo Du Deine Ferien verbracht, von welchem Landesteil Du geschwärmt und ob Du einmal von der Flucht ins Ausland gesprochen hättest. Ich verstand nicht, was all die Herren wollten. Aber sie waren so ungemein ernst, manche sogar richtig frech. Einer beschimpfte mich als Spitzel des eigenen Sohnes und unterstellte mir, ich hätte Mittel und Wege gefunden, mit Dir Kontakt aufzunehmen, und ich hätte Dich überredet. Aber zu was sagten sie nicht.

In den Wochen danach kamen sie wieder und wieder, und jedesmal fühlte ich mich anschließend sehr schlecht. Du mußt wissen, ich habe Probleme mit dem Herzen. Aber die richtigen Tabletten zu bekommen ist nicht einfach.

Monatelang tauchten die Männer in den dunklen Anzügen unangemeldet auf, immer die gleichen Fragen. Und sie drohten mir, die Rente Deines Vaters ..., meines Mannes, zu kürzen, ja sogar, mich einzusperren. Ich verlor meine Arbeit und durfte kein Geld verdienen. Es war schlimm, aber jetzt habe ich endlich die wohlverdiente Ruhe. Dafür wird mein Gesundheitszustand von Tag zu Tag unerträglicher. Die Ärzte haben mir geraten, mich in einem Krankenhaus behandeln zu lassen. Ich glaube, das wird das beste sein.«

Alexander lag auf dem Bett und starrte zur Decke. Er war verwirrt und erschüttert, und er fühlte mehr als Sympathie für seine ... was war sie denn nun: seine Mutter, seine Amme?

Für Alexander blieb sie seine Mutter, und er machte sich mit einemmal Vorwürfe, nicht schon früher nach Omsk gekommen zu sein. Dann aber sagte er sich, das wäre für ihn zu gefährlich gewesen, sie hätten hier auf ihn gelauert und ihn geschnappt. Warum sonst die vielen Besuche, von denen seine Mutter geschrieben hatte.

Wahrscheinlich Miliz; falls die Männer Anzüge getragen hatten, der KGB, wie Alexander vermutete. Immerhin war er für sie ein mehrfacher Mörder, ein Devisenschieber und, was in ihren Augen vermutlich am schwersten wog, ein westlicher Spion.

Vor vier Monaten, als es ihm gerade noch gelang, seinen Häschern dank Leonids Hilfe zu entkommen, hatten sie da auch auf ihn gewartet? Warteten sie etwa immer noch?

Unvermittelt kam ihm noch eine andere Möglichkeit in den Sinn. War der Koffer ein Köder? Weshalb hatte ihn die Tusanskaja so lange aufbewahrt?

Alexander erschrak, stellte sich ans Fenster und beobachtete die schmale Straße. Kein Auto war zu sehen, nur Kinder, die spielten, und einige wenige Erwachsene. Nach und nach wurde er wieder etwas gelassener, obwohl er der Meinung war, daß die Tusanskaja als Zuträgerin fungierte und inzwischen die Miliz oder sonst wen verständigt haben dürfte. Allerdings wußte niemand, daß er in diesem Hotel abgestiegen war.

In dem Koffer lagen auch noch Liebesbriefe von seinen leiblichen Eltern, genauer von Kurt an Tanja. Alexander las sie und mußte lächeln – so rosarot waren sie, und voller Versprechungen und Liebesbeteuerungen.

»Damals noch die schönen Worte, und später?« sprach Alexander laut mit sich selbst. »Kurt, du Schwein. Nach meiner Geburt bist du einfach verschwunden. Ausgerechnet in dem Augenblick, in dem Mutter dich am nötigsten gebraucht hätte.«

Alexander dämmerte in einen unruhigen Schlaf hinüber. Er sah sich als Baby auf den Armen von Tanja. Im Traum durchlebte er die Flucht in den Osten, und er sah seine richtige Mutter sterben. Sie versuchte ihn noch einmal zu umfassen, aber es gelang ihr nicht, sie war zu schwach. Sein Vater Kurt stand daneben und lächelte. Im Traum ging Alexander zu seiner Mutter Tanja und kletterte zu ihr ins Bett. Ganz still lag er neben ihr, um sie nicht zu stören. Als er ihr das Gesicht streichelte, war es kalt.

Mitten in der Nacht wachte Alexander auf. Der Anmeldezettel, fuhr es ihm durch den Kopf. Dadurch erfährt die Miliz, wer in welchem Hotel logiert. Hat man meinen noch gestern abend eingesammelt?

Alexander wanderte im Zimmer umher. Ich habe mich als Kirjan Morosow eingetragen, versuchte er sich zu beruhigen. Meine echte Identität können sie kaum herausfinden. Trotzdem ertappte er sich immer wieder, wie er aus dem Fenster schaute.

Am kommenden Morgen, einschlafen konnte er nicht mehr, war er sehr aufgewühlt. Er, der von sich behauptete, Gefühle seien ihm fremd, spürte einen seltsamen Druck in sich wachsen und eine ständig zunehmende Rastlosigkeit. Aber er registrierte auch Dankbarkeit, allerdings nur gegenüber seiner zweiten Mutter Natascha Gautulin. Redete er es sich ein, oder hatte er jetzt die Erklärung, warum zu seinem Ziehvater nie eine richtige Bindung bestand? Gerade dessen Bild in der Weite der verschneiten Tundra, als er dem

Wahnsinn nahe und, um sich mit irgend etwas zu beschäftigen, all seine Bekannten aufmarschieren ließ, blaß und ohne Konturen geblieben war? Die Entwicklung, sagte er sich, meine richtige Vergangenheit, sie passen genau zu mir. Schon als Kind auf der Flucht, ist mir dieses Verhalten praktisch in Fleisch und Blut übergegangen. Ich werde immer ein Gehetzter bleiben.

Alexander packte seine Sachen, bezahlte die Rechnung, verzichtete auf das Frühstück und verließ, sich zur Ruhe zwingend, das Hotel. Weg wollte er, raus aus Omsk, hier wurde es für ihn zu gefährlich. Aber wohin? Er stand im Bahnhof und wußte es nicht. Weiter nach Westen? In Moskau untertauchen, dort gleichfalls auf den Spuren der Erinnerungen wandeln und zum zweitenmal enttäuscht sein? Oder doch wieder zurück in den Osten?

Wenn überhaupt, überlegte Alexander, dann habe ich nur im Osten eine Chance, mich zu verstecken und in der Anonymität zu leben. Er bestieg den nächstbesten Zug, und während ihn das monotone Rattern einlullte, beschäftigte er sich mit seiner Zukunft. Er hatte niemanden, keine Freunde, keine Verwandten, keine Familie. Würde er sterben, niemand weinte eine Träne oder bemerkte überhaupt, daß es ihn nicht mehr gab. Er – Alexander Gautulin ... Robert Koenen – war nur auf sich gestellt, brauchte deshalb keine Rücksicht zu nehmen und keine Rechenschaft abzulegen. Allein sein Handeln und sein Weg waren entscheidend. Welchen Weg aber sollte er einschlagen?

Wie elektrisiert zuckte er zusammen und beobachtete die übrigen Mitreisenden, die jedoch keine Notiz von ihm nahmen und noch weniger seine Gedanken erraten konnten. Gedanken, die, wie so oft, in die Vergangenheit schweiften, als fänden sie in der Gegenwart keine Orientierung. Bei Klimkow, dem Blatnoij aus den Lagern 60/61 und SIB 12, blieben sie hängen. Von Kugeln zerfetzt, sah Alexander den Hünen vor sich, der ihm zum Freund geworden war. Durch die Erinnerung intensiv mit diesem schrecklichen Ereignis konfrontiert, glaubte er sogar das Gewicht des Sterbenden zu spüren, den Todesschweiß auf dessen Stirn und die wachsende Blutblume mitten auf der Brust. Klimkow hatte ihm noch Namen und Anschrift eines Mannes gegeben, der nahe bei Nowosibirsk in einer kleinen Stadt leben sollte. Den werde ich aufsuchen, nahm Alexander sich vor, liegt ja auf der Strecke. Weil der Erinnerungsfilm chronologisch in ihm ablief, kam er automatisch auf das Versprechen, das er Klimkow gegeben hatte. »Gehe hin und schädige den Staat. Tue es auf deine Weise.«

Und ich Idiot habe diesem Staat noch beim Bau der Eisenbahn geholfen, wollte er sich, genau wie auf der Herreise, als er eine vernichtende Bilanz seines bisherigen Lebens gezogen hatte, vorwerfen. Aber dann stellte Alexander richtig: Nicht den Staat und die Bevölkerung will ich schädigen, sondern die Regierung, das Regime.

Um die Sinnlosigkeit seines Vorhabens zu kaschieren, vermied er es, nach dem Wie zu fragen. Statt dessen putschte er sich künstlich auf: Ich habe mich und meine Rache, und auf der anderen Seite steht der unmenschliche Apparat, der mich kaputtmacht. Soll er es ruhig versuchen. Mal sehen, wer am Ende übrigbleibt.

Gorudne konnte, wollte man der Ansiedlung schmeicheln, als kleine Stadt bezeichnet werden. Am Rande eines freien Platzes im Zentrum der protzige Komplex des örtlichen Sowjet mit der Hammer-Sichel-Fahne, darunter auf einem unübersehbaren Transparent Parolen für die Werktätigen. Eine war besonders hervorgehoben: »Wir müssen den Klassenfeind besiegen.« Daneben das Kulturhaus, die Polizeistation, ein Geschäft mit leeren Schaufenstern und ein größeres Hotel, dann schlossen sich die genormten Wohnblocks an, die aber alle schon älteren Datums zu sein schienen. In Gorudne schritt die Zeit etwas langsamer voran als im übrigen Westsibirien.

Alexander, durchgerüttelt von der Überlandfahrt des Busses, fand in einer Nebenstraße zwischen einzelstehenden Häusern im Datschenstil eine kleine Unterkunft, die sich Hotel nannte.

Wenig später stand er Viktor Antropowitsch gegenüber. Alles an diesem bärtigen Mann mit den schmalen Lippen und der langen Nase war Mißtrauen. Durch einen Gang führte er Alexander an der Küche vorbei in einen Wohnraum. Dort nahmen sie Platz. Und wieder begann das Abtasten mit den Augen.

»Sie wollen Klimkow gekannt haben?«
»Ja.«

Dann schwieg Antropowitsch lange. Zwischendurch nickte er, als führte er in Gedanken Selbstgespräche.

»Wie gut?«

»Er ist in meinen Armen gestorben.«

Darauf entgegnete Antropowitsch in sarkastischem Ton: »Das kann er auch in den Armen seines Mörders.«

Alexander zwang sich zur Ruhe, aber seine Stimme klang scharf. »Dort, wo wir waren, hat es viele Mörder gegeben. Und Klimkow ist durch Mörder gestorben, aber in meinen Armen.«

»Hat nichts zu sagen«, meinte Antropowitsch unbeeindruckt. »In meinen Armen sind auch schon viele gestorben.«

»Und durch Ihre Hände?«

»Auch durch meine Hände. Im Krieg.«

So alt sah Antropowitsch nicht aus, überlegte Alexander. Knapp fünfzig. »Warum wohl hat mir Klimkow Ihre Adresse gegeben?«

»Im Angesicht des Todes plaudern viele.«

Antropowitsch war immer noch voller Abwehr. Trotzdem stand er auf, verschwand in einem Nebenraum und kam mit Limonade zurück. Er schenkte ein und reichte Alexander das Glas.

»Was sind Sie von Beruf?«

Alexander schaute den Bärtigen an. »Ich arbeite bei der Eisenbahn.«

»Ich habe nach Ihrem Beruf gefragt.«

»Ich habe keinen.«

»Und weshalb?«

»Weil ich ausgiebig Lagerhaft genießen durfte.«

»Sie und Klimkow waren auf der Flucht, als es ihn erwischte?«

Alexander nickte und ärgerte sich, so weit gegangen zu sein. Aber Antropowitsch mußte gewußt haben, daß Klimkow zu Zwangsarbeit verurteilt worden war, und der wiederum hatte Vertrauen zu diesem äußerst mißtrauischen Mann.

»Erzählen Sie mir, wie es im Lager zuging.«

Alexander faßte sich kurz.

»Und jetzt, wie er gestorben ist.«

Alexander erzählte, wie der Riese aus dem Flugzeug von hinten erschossen wurde. Klimkow sei ohne Chance gewesen.

»Was genau hat Klimkow zu Ihnen gesagt?«

»Strahlende Sonne auch nachts.«

Antropowitsch schien zu erstarren und das Atmen zu vergessen. Sein linkes Augenlid begann zu zucken. »Strahlende Sonne auch nachts?« wiederholte er leise, als hätte er sich verhört. Langsam beugte er sich nach vorn. Alles an ihm war angespannt.

Nach einer Weile stand Antropowitsch auf und beobachtete das freie, abgeerntete Feld hinter seinem Haus. Kilometerweit erstreckte es sich und war, abgesehen von den Stoppeln, ohne jeden Bewuchs. Er beugte sich aus dem Fenster, schaute hinaus und schloß es anschließend. Als er sich hinsetzte, wirkte er nervös. Ständig ließ er die Daumen kreisen.

»Er muß Ihnen ungemein vertraut haben.«

»Wir waren eine lange Zeit zusammen. Und, glauben Sie mir, man lernt sich in Gefangenschaft sehr gut kennen.«

Antropowitsch lächelte dünn. »Ich weiß.«

»Sie waren ...«

Antropowitsch nickte. »Nur wenige Monate, aber das hat mir genügt.«

»Und wo?«

Zuerst sah es so aus, als wollte Antropowitsch nicht antworten.

»Nicht weit weg von hier.«

Während Alexander von der Limonade trank, beobachtete er den Bärtigen. »Klimkow, wo sahen Sie ihn das erste Mal?«

»Auf Nowaja Semlja. Ich war dort als einer der vielen Bauingenieure tätig und mußte riesige Bunker und Betonsilos errichten. Ich hatte nur die Pläne zu verwirklichen, und alle Fragen, was denn diese Klötze dort oben auf der ungemütlichen Insel sollten, wimmelte man ab.«

»War Klimkow zu der Zeit noch Häftling?«

»Nein. Etwa drei oder vier Monate arbeitete er als sogenannter Freiwilliger unter meinem Kommando. Er war rauh und hart, aber ein sehr verläßlicher Typ. Das Rauhe war nur ein Schutzschild. Hat er Ihnen von seiner Frau und dem Jungen erzählt?«

Alexander verneinte.

»Beide sind von Verbrechern umgebracht worden, und zwar auf

der Sowchose, wo sie noch nach Klimkows erster Verhaftung bleiben durften. Manchmal hat man das Gefühl, der Staat und seine Organe legten es darauf an, ihre Untergebenen zu peinigen und zu quälen, denn sie ließen Klimkow nicht zur Beerdigung seiner Familie gehen. Das hätte er vielleicht noch verschmerzt, aber es kam schlimmer. Einige Wochen nach ihrem Tod hat man ihm überhaupt erst von dem Vorfall berichtet. Das hat ihn fertiggemacht, Klimkow muß getobt haben wie ein Verrückter. Seit diesem Zeitpunkt war er verschlossen und brutal, am brutalsten wohl gegen sich selbst.« Es war Antropowitsch offensichtlich ein Bedürfnis, über Klimkow zu reden. Aus seinen Worten hörte Alexander Hochachtung heraus.

»Klimkow bedeutete Ihnen viel.«

»Ja.« Der Ältere, der zunehmend gesprächiger wurde, betrachtete seine Hausschuhe und begann zu lächeln. »Er hat mir das Leben gerettet, als unvermittelt eine zehn Meter hohe Schalwand, wir wollten sie gerade mit Beton auffüllen, einstürzte. Alle liefen weg, weil sie Angst hatten, es käme noch mehr nach. Der Major, der die Oberaufsicht hatte, gab sogar den Befehl, die Stelle zu räumen, es würde ja doch niemand mehr lebend herauskommen. Klimkow widersetzte sich und rettete mich. Mit seinen Händen, seinen bloßen Händen, räumte und riß er alles weg. Ich sehe ihn vor mir, wie er mich angrinst und sagt: ›Gleich habe ich dich. Dann trinken wir einen Schluck.‹ Allein und ohne Hilfe hob er einen mehrere Zentner schweren Eisenträger hoch, der mir die Luft abdrückte, und schleuderte ihn auf die Seite. Dann kam ich auf seine Schulter zu liegen. Nie werde ich dieses Gefühl vergessen. Behutsam, so wie ein Vater sein Kind auf die Schulter legt. Und wir waren noch nicht richtig weg, als alles hinter uns zusammenkrachte. Mit Klimkow habe ich einen sehr guten Freund verloren. Vielleicht den einzigen, den ich jemals hatte.«

Antropowitsch stand auf und schenkte sich einen Wodka ein. Alexander lehnte ab.

»Gautulin, ist das dein richtiger Name?« Antropowitsch sprach Alexander jetzt mit du an, weil er ihm eine sehr private Geschichte erzählt hatte.

»Ja.« Alexander wollte nicht auf den Inhalt des Koffers eingehen.

»Seit wann bist du auf der Flucht?«

»Mittlerweile sind es vier Jahre.«

»Gute Leistung. Normalerweise erwischen sie jeden. Oder die Natur erwischt sie.«

»Das hätten sie beinahe geschafft.«

»Du weißt, daß du immer auf der Flucht bleiben wirst.«

»Damit rechne ich.«

»In dir ist eine Unruhe, die zunimmt und ohne die du glaubst, nicht mehr leben zu können.« Antropowitsch blieb mit dem Glas in der Hand vor Alexander stehen. »Ich gebe dir einen Rat: Versuche nie, dich zu beweisen, spiele nicht mit deinem Leben.«

Alexander sah den Älteren von unten an. »Was soll das?«

»Ich habe viele kennengelernt, die auf der Reise waren, nur noch auf der Reise. Eine seltene Form des Fatalismus hat sie beherrscht, etwa in der Art: Die sollen mich nie mehr einsperren, lieber bringe ich mich selbst um.«

Alexander lächelte und erinnerte sich an das Versprechen, welches er Rassul gegeben hatte. »Keine Angst, das werde ich schon nicht tun.«

»Nein, nicht mit der Kugel oder dem Strick. Ich meine das bedenkenlose Umgehen mit deinem Körper, das Ignorieren von Gefahr. Da du nie weißt, wann die Häscher vor dir stehen werden, liebst du das Unstete, das Abenteuer und das Risiko. Du wirst zum Spieler. Und der Einsatz ist verdammt hoch: dein Leben.«

Alexander war die Unterhaltung unangenehm, weil Antropowitsch recht hatte. War er nicht schon oft genug bereit gewesen, Dinge zu tun, die anderen viel zu gefährlich waren?

»Arbeitest du immer noch als Ingenieur?« fragte Alexander.

»Ja, und zwar beim Staat. Was glotzt du so verwundert?«

»Aber du warst doch auch in Lager ...«

Antropowitsch grinste. »Ja, weil ich gegen Stalin und dessen Mißwirtschaft gewettert habe. Aber nach seinem Tod war ich plötzlich ein Held. So schnell kann das in unserem Land gehen. Erwarte nie Beständigkeit in der Politik und von den Regierenden.«

Nach einigen Stunden hatten die beiden Männer das Gefühl, sich schon länger zu kennen. Klimkow war eine Art Entrée für gegenseitige Offenheit und Vertrauen. Alexander verabschiedete sich von

Viktor und sagte, er würde morgen gerne wieder zu ihm kommen. Das müsse er auch, meinte dieser, denn jetzt die Unterlagen zu besorgen, das gehe nicht. Sie seien sicher deponiert.

Nur für einen Augenblick blitzte in Alexander der Verdacht auf, Antropowitsch könnte ihn hintergehen und den Behörden ausliefern. Immerhin stand er selbst im Dienste des Staates, außerdem war der Vorfall mit dem riesigen Blatnoij schon viele Jahre her. Menschen ändern nun mal sich selbst und ihre Einstellung. Aber dann hätte Klimkow mir doch nicht sein Erbe vermacht und Antropowitschs Namen genannt, beruhigte er sich.

Am kommenden Tag suchte Alexander den Ingenieur erneut auf. Während der einen starken Mokka braute, berichtete er, vor Jahren beim Aufbau einer geheimen staatlichen Einrichtung mitgeholfen zu haben. Plutonium werde jetzt dort hergestellt, für den Bau von Atombomben, von vielen tausend Atombomben. Um möglichst schnell und viel Plutonium zu gewinnen, damit man dem Erzfeind Amerika ebenbürtig sei, vernachlässige man alle Sicherheitsvorkehrungen. Die Strahlung sei dreimal höher als erlaubt, alle fünf oder sechs Monate komme es zu einem Unfall. Zwei Mitarbeiter seien so schwer verseucht worden, daß man sie in ein Spezialkrankenhaus nach Nowosibirsk habe bringen müssen.

»Arbeitest du immer noch dort ...?«

Antropowitsch schüttelte den Kopf. »Schon lange nicht mehr. Ich gehöre zum Ingenieurteam eines Walzwerkes. Bei uns geht es geruhsam zu.« Nach einigen Sekunden griff er den Gesprächsfaden von vorhin wieder auf.

»Aber das damals war noch human, verglichen mit dem, was sie jetzt in Planung haben. Tomsk-7, so lautet die interne Bezeichnung für die Anlage innerhalb einer geschlossenen Stadt, wird um einiges größer. Der Wahn nimmt zu.«

»Welcher Wahn?«

»Der des Gigantismus. Wir haben in unserem Land nur Männer an der Regierung, nicht nur in Moskau, sondern überall, die von diesem Wahn infiziert sind: die höchsten Staudämme, die längste Bahn, das gigantischste Walzwerk. All das akzeptiere ich ja noch. Aber nicht mehr die größten Atomkraftwerke, weil es gleichzeitig auch die unsichersten sind. Dann muß die größte Plutoniumfabrik her und natürlich die dickste Atombombe. Wir bauen den schwersten Panzer, produzieren die stärkste Rakete und werden auch noch den größten Krieg hinbekommen. Zugleich auch den letzten.«

Antropowitsch schüttelte verbittert den Kopf. »Was treibt die Herrschenden zu diesem Wahn? Ist es die Angst, bei weniger versagt zu haben? Oder brauchen sie stets einen Feind wie die USA, um sich an ihm zu orientieren? Um dem Land immer neue sinnlose Opfer abzuverlangen?«

Alexander hatte sich noch nicht damit beschäftigt.

»Und was machen wir, wenn es, egal aus welchem Grund auch immer, diesen Feind nicht mehr gibt? Müssen wir ihn nicht künstlich am Leben erhalten? Oder bauen wir uns dann einen neuen auf?« Der Bärtige erwartete keine Antwort. »In Moskau werden Pläne durchgespielt, die sibirischen Flüsse aufzustauen und rückwärts fließen zu lassen. Hinein in die Trockenregionen Kasachstans, auf daß sie grün werden und gedeihen. Wenn ich jedoch im Geschäft Fleisch kaufen will, ist keines da, ganz zu schweigen von Obst. Aber Flüsse rückwärts fließen lassen, das verstehe ich unter diesem Wahn.«

Antropowitsch, im Dienste des Staates, schimpfte auf diesen und den Bürokratismus, der alles hemme. Weil Wahn und Feigheit Partner seien. Jeder habe Angst, einen Fehler zu begehen. Deshalb baue man so viele Regularien ein, damit man sich immer auf sie berufen und herausreden könne.

Antropowitsch erhob sich und kam wenig später mit den Unterlagen zurück.

»Strahlende Sonne auch nachts«, murmelte er nur und breitete Papiere auf den Tisch aus. Langsam und bedeutungsvoll tat er das, als erfülle er ein Vermächtnis, und genau das war Klimkows letzter Wunsch in der Tat.

»Was wir hier vor uns liegen haben, kostet uns den Kopf, wenn es herauskommt. Innerhalb von zwei Tagen wird man uns erschießen, ohne Voruntersuchung und ohne Gerichtsverfahren.«

»Hast du Angst?«

Antropowitsch nickte. »Du etwa nicht?«

»Ich weiß es nicht. Ich habe dem Tod schon so oft …«

»... dann kommt es auf das eine Mal auch nicht mehr an«, ergänzte der Ältere mit einem ironischen Unterton. »Hör mir mit diesem Quatsch auf! Den habe ich bereits zu oft gehört. Was willst du eigentlich mit diesen Aufzeichnungen anfangen?«

Alexander zuckte mit den Schultern. »Gegenfrage: Warum hast du das alles gesammelt und aufbewahrt?«

»Unter anderem, weil ich in Klimkows Schuld stehe und er mich darum gebeten hat. Ich gehe davon aus, du hast den gleichen Grund wie er, dir diese Sachen anzueignen. Du möchtest es dem Apparat heimzahlen, weil er dir so verdammt hart mitgespielt hat. Und diese Dinge hier«, er deutete auf den Tisch, »verleihen dir das Gefühl, nicht ganz hilflos zu sein. Du spürst plötzlich ein Quentchen Macht.«

»Ja«, erwiderte Alexander trotzig. »Genau das könnte es sein.«

»Habe ich mir gedacht. Einer gegen alle. Gut, Klimkow hat dir seine Unterlagen zugestanden, mir soll es recht sein. Aber eines gebe ich zu bedenken: Mit so etwas spielt man nicht. Es gibt viele, die sich dafür interessieren und bereit sind, dir alles für eine Menge Geld, auch in Devisen, abzukaufen. Überlege dir also genau, auf welche Art du diese Papiere benutzen willst.«

»Das werde ich«, versprach Alexander, obwohl er überhaupt noch nicht wußte, um was es eigentlich ging. »Aber verrate mir bitte eines: Warum hat mich heute nicht die Miliz empfangen?« Der Ältere antwortete nicht.

»Was ist deine Motivation, den Staat zu unterlaufen. Gigantismus? Machtmißbrauch? Wahn oder Angst?«

Antropowitsch schlug die Beine übereinander. »Von allem etwas. Jeder bastelt für sich selbst eine Version zurecht, mit der er leben kann.«

»Wie lautet deine?«

»Vernunft.« Antropowitsch schloß für einige Sekunden die Augen, als müsse er sich konzentrieren. »Das Verhältnis der Weltmächte untereinander bezeichnet man als Kalten Krieg. Man läßt die Muskeln spielen, und dabei bleibt es. Möge Gott oder wer auch immer, daß der Zustand nie heiß wird.« Antropowitsch stützte die Arme auf den Tisch. »Kennst du die Theorie vom Gleichgewicht der Kräfte?«

»Nein.«

»Auf Amerika und die Sowjetunion bezogen, besagt meine moralische Version, daß wir, damit meine ich die Bürger beider Staaten, die dazu die Möglichkeit haben, verpflichtet sind, unsere Führung zu kontrollieren und jede Seite über die militärischen Pläne der anderen aufzuklären. Keine darf einen Vorteil haben, jede soll wissen, daß ein atomarer Krieg unausweichlich das Ende dieser Erde bedeutet, weil das Waffenpotential ausreicht, uns mehrfach zu vernichten. Die Amerikaner haben dafür den Begriff ›overkill‹ kreiert, also mehr als tot.«

»Wenn ich dich recht verstehe, dann rechtfertigt deine Moral zum Beispiel Spionage.«

Antropowitsch überlegte. »In gewissem Sinne ja, so wie in gewissem Sinne auch ein Mord gerechtfertigt sein kann, wenn es einen verruchten Diktator trifft.«

Antropowitsch stellte Parallelen her zur Vergangenheit und bemühte zuerst Boris Pasternak, wonach sie alle Opfer seien, Sieger und Besiegte, dann die Philosophie, um sich und seine Art der Anschauung zu rechtfertigen. Zwar begründete er sein Verhalten exakt und plausibel, trotzdem kamen Alexander die Argumente wie Alibis vor. Gab es da nicht so etwas wie Patriotismus, den jeder Bürger auf sein Land bezogen zu empfinden hatte? Alexander erkannte, wie närrisch er war, weil er sich selbst belog. Er fühlte diesen Patriotismus gegenüber den Herrschenden, die für ihn den Staat verkörperten, absolut nicht.

»Schluß jetzt mit unserer Philosophiererei.« Antropowitsch schien die Richtung, in die das Gespräch entglitten war, nicht zu gefallen, und sie vertieften sich in Klimkows Unterlagen. Als erstes bekam Alexander, der verwundert die Vertrautheit zu dem Älteren registrierte, Grundrißpläne eines Atom-U-Bootes zu sehen mit den einzelnen Sicherheitseinrichtungen. Damit könne er nicht viel anfangen, meinte Viktor Antropowitsch, die Zeichnungen seien in einem zu kleinen Maßstab. Aber bei den unterirdischen Hafenanlagen auf Nowaja Semlja, da sei doch schon vieles zu erkennen. Er breitete die Skizzen aus, und Alexander fand sich damit erst zurecht, nachdem ihm der Ingenieur einige wesentlichen Details erklärt hatte. Auf einem anderen Blatt waren irgendwo in Sibirien der Zugang und die Lagerstätten von Waffen abgebildet, ebenfalls unterirdisch. Zweihundert Meter Fels seien darüber. Alexander zuckte unmerklich zusammen und erinnerte sich an den Ausflug mit Leonid im vergangenen Jahr, der mitten in der Taiga von einem Trupp Soldaten gestoppt worden war.

In einem separaten Umschlag, den Antropowitsch vor sich hinlegte, steckten die Befehle an den Kommandanten eines Atom-U-Bootes, falls die Sowjetunion angegriffen würde. Und in einem zweiten die genaue Angabe, wohin er zu fahren habe, wenn man selbst angreifen wolle. Südlich von Irland war in diesem Fall das Ziel, von dort könnte man jede westeuropäische Großstadt mit den atombestückten Raketen erreichen.

Das könnte es gewesen sein, was sich Klimkow auf Nowaja Semlja aus dem U-Boot angeeignet hat, überlegte Alexander.

»Das hier scheint das Wichtigste zu sein«, meinte Antropowitsch und deutete auf das letzte, mehrmals zusammengefaltete Blatt. »Ich habe es mir schon des öfteren angeschaut, aber immer noch nicht herausgefunden, wo es sein könnte. Der Küstenformation nach liegt es möglicherweise weit im Osten, nördlich der Insel Sachalin im Ochotskischen Meer. Es muß sich um ein äußerst wichtiges und gigantisches Projekt handeln. Ich nehme an, es geht um einen unterseeischen Hafen für Atom-U-Boote, den man aus der Luft und aus dem Weltraum nicht orten kann. Die Lage zu Amerika ist strategisch günstig, und im Winter ist das Meer monatelang zugefroren, was die Überwachung erschwert.«

Nachdem Alexander alles betrachtet hatte, fragte er Antropowitsch, ob er die Pläne einfach mitnehmen könne.

»Natürlich. Falls sie dich jedoch erwischen, dann sind die schönen Unterlagen ein für allemal weg.«

»Wo hast du deine versteckt?«

»Sozusagen im Reich der Toten.«

»Reich der Toten ...«

Antropowitsch grinste. »Im Grab meiner Mutter in einer kleinen Ortschaft nahe Omsk. Einen halben Meter tief in einem wasserdichten Behälter.«

»Könnte ich meine auch dort deponieren?«
»Um sie zu gegebener Zeit wieder auszugraben?«
»Ja.«
Antropowitsch überlegte. »Einverstanden. Aber jedes Jahr zum 19. Juni, dem Sterbetag meiner Mutter, mußt du einen frischen Blumenstrauß opfern. Bleibt der zwei Jahre aus, dann bist du für mich tot.«
»Für den Fall vermache ich dir alles. Und woran erkenne ich, daß du noch lebst?«
»An meinem Blumenstrauß.«
Alexander wollte anschließend von dem Älteren wissen, was er an seiner Stelle mit diesen Plänen tun würde.
»Was soll denn jetzt noch die Frage? Haben wir nicht lange genug darüber diskutiert?«
»Schon, aber ...«
»Hast du nicht Klimkow versprechen müssen, dich am Staat zu rächen? An dem Staat, der dich auf so unmenschliche Weise behandelt hat?«
»Ja.«
»Dann fang doch endlich damit an.«

Und Alexander fing an. Als wollte er sich aber noch einen letzten Aufschub gönnen, zog er sich auf der Reise in das Herz Sibiriens für einige Minuten in seine Omsker Kinder- und Jugendzeit zurück, dachte an seine Mutter, wanderte weiter in die Gegenwart zum Koffer, den Fotos und den Briefen. Ja, seine Mutter. Noch nicht einmal ihr Grab durfte er aufsuchen, weil er es für zu gefährlich gehalten hatte, danach zu fragen. Die Tusanskaja wußte auch nicht, wo sie beerdigt lag. Irgendwo in Omsk, vielleicht in der Nähe des Krankenhauses. Für wenige Sekunden überkam Alexander ein Hauch von Wehmut, er war allein und auf sich gestellt. Deshalb brauche ich auf niemanden Rücksicht zu nehmen, folgerte er trotzig. Die Wehmut verflüchtigte sich, auch die erneut aufkeimenden Selbstvorwürfe, er hätte seine Mutter früher besuchen müssen.

Abgenabelt von allem, von jeglicher Familienbande, von Gemeinschaft, Staat und der übrigen Welt, rollte er ostwärts. Er, ein Lebewesen aus Fleisch und Blut, ein 80-Kilo-Mann, kam sich vor wie ein Besucher aus einer anderen Welt. Seine Augen entfalteten ein Eigenleben im Beobachten und Einschätzen von Vorgängen, alles fiel ihm auf, alles störte ihn. Und immer war der Staat der Verursacher, der Ausbeuter und Menschenschinder, der das Land ruinierte. Hörte Alexander ein Lachen, dann war es für ihn aufgesetzt, weil nicht in seine Vorstellung paßte, es könnte freiwillig sein.

Fortan war er noch nicht einmal mehr ein einsamer Wolf. Auch ein Wolf, egal wie einsam, hat Gefühle und Empfindungen, Alexander jedoch ließ nichts dergleichen aufkommen und war sogar stolz darauf. Er wurde zu einem Vagabunden und Herumtreiber, zu einem Abenteurer, der das Leben herausforderte, der hier und dort etwas sagte, meist aber schwieg und die Ohren offenhielt. Alexander spielte mit sich und mit dem Leben und tat genau das, wovor Antropowitsch ihn gewarnt hatte. In ihm war die Kälte Sibiriens, die alles erstarren und spröde werden ließ. Alexander war ein Heimatloser auf der Durchreise, ein Ruheloser ohne rechtes Ziel. Er wurde zum Gelegenheitsarbeiter, Schieber und Dieb, und er machte mit bei seltsamen Spielen, die mithelfen sollten, der Monotonie der Zeit ein Schnippchen zu schlagen. Er beteiligte sich am alljährlich im Herbst stattfindenden Rennen, wer als erster den gerade zugefrorenen Baikalsee südlich von Irkutsk überquerte. Zu Fuß, mit einem Motorschlitten oder wie auch immer.

Alexander, die Erfahrung des Jenissei nutzend, gewann und steckte die Prämie von zweitausend Rubel ein. Im Frühjahr das umgekehrte Spiel: Wer war der Letzte, der den See überquerte? Fast hätte es Alexander wieder geschafft, aber es heftete sich einer an seine Fersen. Und von den dreien, die es wenige Stunden danach versuchten, gab es später keine Spur. Nie würde man eine finden, wie von all den Dingen, die schon auf dem Grund des Baikal lagen: Lkw, Autos, Boote. Sogar ganze Züge mit Menschen und Material, weil man vor vielen Jahren zu Beginn des Winters einfach Schienen quer über den See verlegt hatte, um die Wegstrecke abzukürzen.

Alexander, der auftauchte und verschwand, der Unberechenbarkeit zu seiner Maxime erkoren hatte, bewegte sich auf der abschüssigen Straße des Lebens. Er brach Waggons auf und stahl Autoreifen, ein begehrtes Produkt auf dem Schwarzmarkt. Gemeinsam mit anderen koppelte er von einem fahrenden Zug einen ganzen Kesselwagen mit Benzin ab, das sie in Tanks umfüllten und verkauften. Diese Aktion war genauso lohnend. Und Alexander verkürzte sich die Wartezeit auf ein Auto, indem er es einfach mit den Originalpapieren stahl, die man der Einfachheit halber gleich im Handschuhkasten deponiert hatte.

Ohne es zu merken, war Alexander auf kriminelle Bahnen und in eine sonderbare Gesellschaft geraten, die er sonst immer gemieden und verachtet hatte. Aber er verdiente viel Geld, und er genoß den Nervenkitzel, ein besonderes, sehr wirkungsvolles Heilmittel, um sich abzulenken.

Überdies schädigte er auch noch den Staat. Was also wollte er mehr? Daß er nur noch auf der Flucht vor sich selbst war, merkte er nicht.

Alexander lernte viele absonderliche Menschen kennen, so auch Tom, einen schlaksigen Amerikaner mit feuerroten Haaren, ein wahrlich verrückter Exot.

Er sei nicht ganz richtig im Kopf, gab Tom zu. Der Vietcong habe ihm eine Kugel in den Schädel verpaßt. Als Verwundeter sei er nach Nowosibirsk in eine Spezialklinik gebracht worden, wo man seinen Kopf aufgemacht habe. »Dabei muß etwas herausgeflogen sein«, scherzte Tom, als er die Narbe zeigte. »Schon im alten Ägypten hat man Menschen ins Gehirn geschaut.«

Irgendwann, so sprach er weiter, habe er es im Krankenhaus nicht mehr ausgehalten. Geflohen sei er, einfach weg von den vielen Kitteln und dem seltsamen Geruch und den Spritzen. Aber man habe ihn wieder eingefangen und in ein Umerziehungslager gesteckt, dort warteten schon viele Landsleute. Und er habe beim Bau eines Staudammes mithelfen müssen. Atschinsk oder so ähnlich sei der Name der Stadt, von wo er dann endgültig verschwunden sei.

Alexander dachte zuerst, Tom wolle ihn verschaukeln, als er vom Krieg in Vietnam und seiner Gefangenschaft erzählte.

»Mann, kannst mir schon glauben, he. Ich posaune keine Stories.«

»Und was ist das mit den Lagern, in denen Amerikaner gewesen sein sollen?«

Tom grinste. »Nicht nur Amerikaner, auch andere Nationen. Engländer, Deutsche, viele aus Ostdeutschland, Chinesen, zwei Franzosen. Alles Spione oder was auch immer. Aber wir Yankees stellten die Mehrheit. Und unter unseren Männern waren sogar noch einige alte Veteranen, die ihr Russen vom Himmel geholt habt. U2-Piloten, Anfang und Mitte der Sechziger war das. Schon mal was davon gehört?«

Alexander erinnerte sich dunkel an einen Schauprozeß in Moskau während seiner Studentenzeit. Powers oder so ähnlich hieß der Amerikaner. Ja, Francis Powers.

Tom berichtete weiter, er sei jetzt zwei Jahre auf der Flucht, habe gute Kontakte und ein gutgehendes Geschäft: Rauschgift aus Afghanistan. »Bringt 'ne Menge Rubel. Jeder, den ich kenne, will aus seiner tristen Scheißkommunismuswelt fliehen, zumindest für einige Stunden. Kann ich gut verstehen, Mann.«

»Willst du denn nicht zurück in die USA?«

»Natürlich, sobald mir Flügel gewachsen sind. Bei jedem Trip werden meine länger.« Tom machte einen Vogel nach. »Siehst du, wie sie wachsen?« Er deutete auf seinen Rücken. »Aber ich frage dich, was macht es für einen Unterschied: Bei uns der Wilde Westen und hier der Wilde Osten.«

Tom bot Alexander einen Joint an und erklärte die Zusammensetzung. Alexander inhalierte den Rauch, aber außer einem schwammigen Gefühl im Kopf bemerkte er keine Reaktion. Als er jedoch sah, wie Tom sich den linken Arm abband, eine Spitze setzte und sich schlagartig veränderte, ein Wandeln wie im Traum, eine Hilflosigkeit und ein Sichgehenlassen, schwor sich Alexander, nie Rauschgift an sich herauszulassen.

Aber sein Schwur hielt ihn nicht davon ab, mit Tom Geschäfte zu machen. Der Amerikaner verriet ihm, das Zeug komme bei Kuschka an der afghanisch-turkmenischen Grenze ins Land.

Sosehr Alexander auch wissen wollte, auf welchem Weg dies geschehe, Tom sagte kein Wort. Dafür plauderte er über andere Dinge. Von Kuschka bringe er das Zeug nach Barnaul und Krasnojarsk, manchmal auch nach Buchara oder Taschkent, immer in handlichen Paketen zu fünf Kilogramm. Dort werde es dann an die einzelnen Kleinabnehmer verteilt.

Alexander machte eine Tour mit und wurde Zeuge, auf welche einfache und wirkungsvolle Art man das Rauschgift aus Afghanistan in die UdSSR schmuggelte.

Helfer von Tom, der sich wegen der strengen Kontrollen strikt weigerte, näher als drei Kilometer an die Grenze heranzugehen, versenkten in Afghanistan, in Gesigh, einer kleinen Siedlung südlich der Stadt Kuschka, die seit jeher vom Schmuggel lebte, in einen Nebenfluß des Murgab, der aus dem Gebirge in die turkmenische Senke fließt und dort später in der Wüste Karakorum versickert, kleine Behälter mit dem Rauschgift. Die »Bomben«, wie Tom sie wegen seiner militärischen Vergangenheit nannte, wurden alle luftdicht verpackt und trieben kurz unter der Wasseroberfläche. Versehen waren sie mit einer Sauerstoffpatrone, die per Zünder, der sich nach einer gewissen Zeit zersetzte, wenn er mit Wasser in Berührung kam, geöffnet wurde und einen Miniluftballon aufpumpte. Und der Zünder wurde jedesmal zeitlich so eingestellt, daß er erst einige Kilometer auf sowjetischem Gebiet mit seiner Arbeit begann.

Tom erklärte voller Stolz, als sie südlich der Stadt Kuschka am Kuschk, dem Nebenfluß des Murgab, und im respektvollen Abstand zur grenzüberschreitenden Fernstraße auf Lauer lagen, dieses Verfahren sei seine Idee gewesen. In Vietnam habe er viel mit Zeitzündern zu tun gehabt. Warum sollte er nicht seine Fähigkeiten nutzbringend anwenden?

»Mann, jedes Kilogramm bringt mir dreitausend Rubel. Das ist ein Vermögen in deinem Land.«

»Klar doch. Besonders, weil du mit dem Geld nicht viel anfangen kannst.«

Tom lachte. »Hast du eine Ahnung.« Er griff unter sein Hemd und zog einen Lederbeutel hervor. Mit einer Taschenlampe beleuchtete er den Inhalt.

»Diamanten«, flüsterte er. »Die wahre Reinheit. Weiße, saubere, lupenreine Diamanten.«

Alexander starrte den Amerikaner an, von dessen Gesicht er gegen den dunklen Himmel nur den Umriß mit der markanten Indianernase, wie Tom sie bezeichnete, mitbekam.
»Woher hast du sie?«
»Ihr Russen seid gut, wirklich Spitze. Ihr habt den schönsten Schwarzmarkt auf der Erde. Gekauft, selbstverständlich.«
»Gegen Rubel?«
»Nein, Stoff.«
»Und was haben die für einen Wert?«
Tom zog den Beutel wieder zu und verstaute ihn.
»In Rubel oder in Dollar?«
»Dollar.«
»Hunderttausend. Eher mehr.«
Alexander atmete tief ein. Und dann spürte er an seiner Seite einen harten Gegenstand. Ohne hinzuschauen, wußte er, es war Toms Pistole. »Komm ja nicht auf böse Gedanken, mein Freund. Ich puste alles aus deinem Wanst heraus. Hast du mich verstanden?«

Tom schaute auf seine Uhr. »Multan, der Lieferant, müßte jetzt das Geld schon eine Stunde haben. Er hat es nachgezählt, es stimmt. Folglich sind die Paketchen inzwischen eine halbe Stunde unterwegs. Gleich müßten die ersten antrudeln.«

Sie starrten auf den kleinen Fluß. Gerade mal dreißig Meter war er um diese regenarme, frühherbstliche Jahreszeit breit, und er wurde von den Grenzposten kaum kontrolliert, weil er aus Afghanistan kam. In der umgekehrten Richtung waren sie genauer, keiner sollte das gelobte Land Sowjetunion verlassen. Aber Tom wußte Wege, wie das trotzdem zu bewerkstelligen war. Habib, sein Geldkurier, komme problemlos durch, und dazu brauche er noch nicht einmal einen Russen zu bestechen. Es gebe nur wenige, die sich im afghanisch-sowjetischen Gebirge zwischen Herat und Faizabad auskannten, und so einer sei Habib.

»Warum bringt ihr das Zeug nicht durch die Berge rüber?«
Tom grinste. Alexander vermutete es mehr, als daß er es sah. »Alte Regel: Nie Geld und Ware über die gleiche Route. Klar, du könntest mehr rüberschaffen, besonders weiter östlich über Andkhoy-

Gaurdake, aber so ist es sicherer. Fliegt Habib auf, weiß niemand, wie ich das Zeug erhalte. Fliegt die Flußroute auf, kennt keiner den Geldweg.«

Tom wurde unruhiger, nach wenigen Minuten stieß er Alexander an. »Der erste Ballon.«

Da sie auf der Höhe des Wasserspiegels lagen, war dieser gegen den Hintergrund gut auszumachen. Tom glitt in den hüfttiefen Kuschk, der an dieser Stelle langsam floß, weil sich das Flußbett erweiterte, und stapfte auf den Ballon zu. Er schnappte ihn sich, drückte ihn unter Wasser und stieß mit dem Messer hinein. Dann duckte sich der Amerikaner, nur sein Kopf lugte noch heraus. Und das Wasser war verdammt kalt.

Wenig später der nächste Ballon, anschließend der dritte und der vierte. Der letzte kam mit etwas Verspätung. Vor Kälte schnatternd stapfte Tom ans Ufer zurück, zog die nasse Hose aus und warf sich eine Decke über die Schulter. Zuerst nahm er einen Schluck aus der Pulle, dann genehmigte er sich einen Joint. Sogleich fühlte er sich besser.

»Mann, was für ein aufregendes Leben. Findest du nicht auch?«

Alexander nickte. Zu aufregend, weil zu wenig geplant und mit zuviel Risiko. Und das größte Risiko war Tom mit seinem Rauschgiftkonsum. War er »loaded«, wie der Rotschopf den Zustand höchster Verzückung bezeichnete, dann erzählte er aus Vietnam. Der Vietcong habe sich seltsame Spielchen mit den gefangenen amerikanischen Soldaten ausgedacht. Quer über einen Fluß habe man sie in fünf Meter Höhe gezogen und an einer bestimmten Stelle ausgeklinkt. Dann seien die zappelnden Körper runtergesaust, mitten hinein in im Wasser verborgene Bambusstäbe. Und die anderen hätten zuschauen müssen.

»Die Schlitzaugen dachten noch, das alles sei ein faires Spiel. Sie haben den Fluß in Segmente unterteilt: sieben mit Bambusspitzen und drei ohne. Das Opfer durfte eine Karte ziehen. Einige hatten wirklich Glück und fielen in sauberes Wasser. Andere wiederum, die eine günstige Karte gezogen hatten, wurden aufgespießt. Weißt du, was der Vietcong dann gesagt hat? Der GI sei ein Falschspieler. Witzig, nicht?«

Einmal war Alexander kurz davor, sich zu übergeben, als Tom ihm ohne äußerliche Regung eine andere Begebenheit berichtete. Einen Soldaten habe man mit Schmerzmitteln vollgepumpt und ihm anschließend durch einen Trichter kleine lebende Schlangen in den Magen geführt. »Nicht viel länger als dreißig Zentimeter und vielleicht doppelt so dick wie ein Schnürsenkel. Insgesamt fünf Stück. Mann, die Biester müssen unheimlich gewütet haben. Als die Betäubung nachließ, hat der arme Kerl geschrien, daß wir uns die Ohren zuhalten wollten. Aber darauf stand ebenfalls die Schlangennummer, genauso, wenn einer sich abgewandt hat. Und weißt du, was das Makabere war?«

Tom zog an seinem Joint und sprach einfach weiter, ohne eine Antwort abzuwarten. »Der Vietcong hat unserem Kumpel, der in einem tiefen Erdloch saß, ein Messer runtergeworfen. Einzige Möglichkeit, die Schmerzen zu beenden, war Harakiri. Die armen Kerle haben sich den Bauch zerfetzt, daß die Gedärme nur so herausquollen. Irgendwann sind sie dann endlich krepiert.«

Hatte sich bei Tom der Nebel im Gehirn gelichtet, wollte er immer wissen, was er von sich gegeben habe. »Wieder Vietnam? Richtig liebe Kerlchen, die Vietcong. Hi, hi, hi.« Tom lachte irr, lief umher und rieb sich unentwegt die Hände an der Hose ab. »Scheißkrieg. Hi, hi, hi.« Er hämmerte mit den bloßen Fäusten gegen die Wand. »Und ich war mittendrin. Leben zählt da nicht, du wünscht dir den Tod. Und deine Peiniger kommen dir wie Samariter vor, wenn sie dich endlich sterben lassen. Hi, hi, hi.« Tom blieb vor Alexander stehen, er zitterte am ganzen Körper. Stockend fragte er: »Warst du schon mal in einem Krieg?«

»Nein.«

»Dann kannst du auch nicht mitreden.«

»O doch, Tom. Wir haben in der Sowjetunion eine Art von innerem Krieg: Eingesperrte gegen Bewacher. Manchmal noch schlimmer ist der Kampf der Gefangenen untereinander. Ich glaube, es gibt viele Vietnams auf der Welt, von denen wir keine Ahnung haben.«

Tom beugte sich nach vorn, seine Lippen zuckten. »Aber mein Krieg ist immer da, hier ist er drin. Peng, Peng, Wouff.« Mit der flachen Hand schlug er sich gegen den Kopf. »Ich kann tun und lassen, was ich will, ich bekomme ihn da einfach nicht raus. Er macht mich kaputt, meine Träume machen mich kaputt. Die Vergangenheit frißt und frißt und frißt. Kapierst du das?«

Seit diesem Zeitpunkt verstand Alexander den rothaarigen Amerikaner.

Viermal war Alexander dabeigewesen, jeden Monat gab es eine Lieferung. Fast zu einem Eisklotz erstarrt, hatte Tom noch einmal Mitte November alle Ballons aus dem Wasser gefischt, während Alexander im Schnee kauerte und erbärmlich fror. In Zukunft würden die Nachtfröste alle weiteren Aktivitäten unmöglich machen. Taichet war diesmal ihr Ziel, von dort sollte die Ladung nach Bratsk gehen. In Bratsk, so verkündete Tom mit rollenden Augen, seien viele Abnehmer, unter anderem auch welche aus dem Westen. Manager und leitende Ingenieure von Konzernen, die sich immer in der Stadt aufhielten, um Geschäfte zu machen.

Wahrscheinlich wäre alles gutgegangen, hätte Tom in betrunkenem Zustand nicht mit der Randale im Zug begonnen. Außerdem war er wieder einmal »loaded«, voll mit Rauschgift bis unter die Haarspitzen. Natürlich merkten die Mitreisenden, daß er einen starken Akzent hatte, und sie fühlten sich zu Recht von ihm angepöbelt. Deshalb verständigten sie den Zugbegleiter. Tom und Alexander, die, falls es erforderlich war, getrennt reisten, sahen bei ihrem nächsten Halt in Kansk die Grauröcke aus der Dunkelheit in den Lichtkreis der Laternen treten und durch den Schnee auf den Zug zustapfen. Tom ahnte trotz seines umnelbelten Gehirns, daß es ihm galt. Er ruckte hoch, zog hastig seinen Mantel an, sprang auf der anderen Seite aus dem Wagen und rannte davon. Immer wieder knickten ihm die Beine weg. Alexander lief hinter ihm her, denn der Amerikaner hatte das ganze Zeug und seinen Lohn bei sich, den er ihm noch aushändigen wollte. Tom sprintete über die Gleise. Aber er war in seinem Zustand nicht allzu schnell, auch wegen der fünf Kilogramm Heroin. Alexander überholte ihn, obwohl er wesentlich schwerere Winterkleidung trug, und wollte den Beutel mit dem Rauschgift tragen. Der Rotschopf weigerte sich jedoch.

»Laß nur, Kumpel«, keuchte er. »Gleich sind wir in Sicherheit.« Er meinte das Ende des Bahndamms, dahinter senkte sich das Land, und am Fuß des Dammes verlief eine Straße.

Aber die Miliz begann zu schießen, gegen den hellen Schnee boten sie ein gutes Ziel. Alexander, einige Meter vor Tom, ließ sich den Abhang hinunterkullern, seine gefütterte Kleidung bremste den Sturz. Dieser verdammte Yankee, knurrte er wütend. Bringt mich so in Schwierigkeiten, nur weil er nicht von dem Zeug lassen kann.

Wieder Schüsse. Tom taumelte auf die Kante zu, erstarrte, kippte vornüber, rollte seltsam verdreht direkt vor Alexanders Füße, blieb mit offenen Augen liegen und war tot. In den Rücken getroffen, so wie Klimkow. Nur Sekunden benötigte Alexander, um die Lage richtig einzuschätzen. Er bückte sich, riß Tom den Beutel mit den Diamanten vom Hals, steckte das Bündel Geldscheine ein und hetzte im Schatten des Bahndamms auf der Straße weiter. Nach knapp hundert Metern machte sie eine Biegung, Alexander folgte ihr, und dann kam ihm eine verwegene Idee. Er ließ sich fallen, robbte den Damm hinauf und sah wenige Meter entfernt den Zug stehen. Da die Milizionäre nur Augen für den Toten und die Rauschgiftbeutel hatten, schlich Alexander von ihnen unbemerkt vor der Lokomotive auf die andere Seite und noch etwas weiter in Fahrtrichtung.

Er kauerte neben dem Gleis und wartete. Milizionäre stiegen in die einzelnen Waggons und durchsuchten sie. Man würde ihr Gepäck finden. In seinem, Alexanders, befand sich jedoch kein Hinweis auf ihn, alle wichtigen Dinge trug er stets am Körper.

Der Zug fuhr schließlich mit Verspätung los. Alexander lief einige Meter vorneweg und sprang dann auf einen Puffer. Sozialismus, das bedeutet Diktatur des Proletariats plus Elektrifizierung des Landes: Alexander war froh, daß Lenins Forderung sich noch nicht vollständig erfüllt hatte, denn seine Lokomotive war eine dampfbetriebene mit genügend Platz und einer schmalen Plattform hinter den Puffern. Allerdings war es durch den Fahrtwind verdammt kalt, aber das kannte er ja zur Genüge aus der Vergangenheit.

Beim nächsten Halt, Alexander wußte nicht, wie lange er auf seinem Fluchtplatz ausgeharrt hatte, ließ er sich einfach auf der dem Bahnhof abgewandten Seite in den Schnee fallen. Um sich aufzurichten, war er zu sehr eingefroren, die Muskeln steif und nicht zu kontrollieren. Vorsichtig versuchte er sich im Liegen zu strecken. Der Zug fuhr an, und Alexander sah zwischen den Rädern hindurch einige Milizionäre im Bahnhofsgebäude verschwinden. Er wartete noch einige Sekunden, krümmte sich am Boden, stemmte sich hoch und kam langsam auf die Knie. Der Oberkörper war ein einziger Eispanzer, Beine und Arme taub, alles taub. Sein Gesicht kam ihm vor, als sei es in einer Folie eingeschweißt und stundenlang in einem Gefrierfach deponiert gewesen.

Neben sich hörte er Schritte im knirschenden Schnee. Alles umsonst, sie hatten ihn also doch noch entdeckt. Alexander, den schlagartig Resignation überflutete, fühlte sich hochgehoben, gleich darauf wurde er in ein Auto gelegt, das sofort anfuhr. Kein lautes Wort war zu hören, kein Gewehrkolben traf ihn in die Seite, aber den hätte er sowieso nicht mehr gespürt. Das Fahrzeug hielt, starke Hände trugen Alexander – der sich zu wundern begann, nie und nimmer ging die Miliz so fürsorglich mit einem Gesuchten um – in ein Haus und weiter in den ersten Stock. Aus den Augenwinkeln bekam er die Inneneinrichtung mit. Gefängnisse sahen anders aus.

Die gleichen Hände entkleideten ihn, legten ihn auf ein Bett und begannen seinen Körper zu massieren und anschließend mit Alkohol einzureiben. Und sie massierten weiter und weiter, keine Muskelfaser entging ihnen. Allmählich kehrte das Gefühl zurück. Sein Blut begann zu zirkulieren und war mit unendlich vielen Nadelspitzen angereichert, die piksten und kribbelten. Übergangslos begann alles zu jucken und zu brennen. Ein Heer von Ameisen biß sich in ihm fest, es war nicht mehr auszuhalten.

Aber Alexander, der sich aufbäumte und der Plagegeister erwehren wollte, konnte nicht aufstehen, die Hände drückten ihn unerbittlich auf das saubere Laken. Als wohltuend empfand er die kalten Tücher, in die man ihn schließlich einwickelte. Nach wenigen Minuten begann die nächste Prozedur mit Alkohol. Kurz darauf rieb man ihn ab, seine Haut wurde mit einer Salbe behandelt und unter dickem Bettzeug verstaut. Die seltsame Zeremonie war ohne ein Wort abgelaufen.

Obwohl sein Körper immer noch der Wallfahrtsort für alle möglichen Krabbelgeister zu sein schien, rührte Alexander sich nicht. Schuld daran war ein älterer Herr, der neben seinem Bett saß und ihn anschaute, immer nur anschaute.

»Gefalle ich dir nicht?«

Der Angesprochene, er kam Alexander wegen seines Erscheinungsbildes fremd vor, schwieg. Gut gekleidet war er, trug eine teure Lederjacke und eine maßgeschneiderte Hose. Am meisten wunderte sich Alexander über die Schuhe. Feines, mittelbraunes Leder mit einer dünnen Sohle, und das im November.

Der Grauhaarige schaute auf die Uhr. Alexander hatte eine solche noch nie gesehen, auch nicht die Brille, die so ganz anders wirkte als das für alle möglichen Härtefälle konstruierte sozialistische Einheitsmodell. Leicht geschwungene Bügel und obendrein aus Gold, zu allem Überfluß waren die Gläser unten noch nicht einmal eingefaßt.

»He, was ist denn?«

Der Fremde lächelte, griff neben sich und hielt Pagodins Pistole in der Hand. »Hiermit wäre es einfacher gewesen, sich umzubringen.«

»Ich will mich nicht umbringen.«

»Wer bei minus zwanzig Grad mehr als vierzig Kilometer vorne auf der Lokomotive von Kansk nach Poima fährt, will sich umbringen.«

Lange schauten sich die beiden Männer an. Auf gut sechzig schätzte Alexander sein Gegenüber. Ebenmäßige Zähne, sehr gepflegtes Erscheinungsbild, ein Auserwählter. So bezeichnete man eine bestimmte Kaste von Politikern und Privilegierten, das konnten Künstler sein, auch Wissenschaftler und Experten, die alles vom Staat erhielten, jede Vergünstigung und jeden Konsumartikel.

»Kirjan Morosow. Was hast du für einen Grund, auf eine Lokomotive zu springen?«

»Geht dich nichts an.«

Alexander wagte diesen patzigen Ton, denn von der Miliz konnte der Fremde nicht sein, auch nicht vom KGB oder einer sonstigen staatlichen Einrichtung.

»Und dann auch noch das hier.« Der Ältere beugte sich nach vorn und ließ den Lederbeutel dicht vor Alexanders Augen hin und her pendeln. Der wollte danach greifen, war aber in seinem jetzigen Zustand viel zu langsam.

»Diamanten. Wert zweihunderttausend Rubel und mehr. Woher hast du sie?«

»Geht dich nichts an.«

Spott funkelte in den Augen des Älteren und ließ seine Lippen leicht zucken. »In Kansk hast du Glück gehabt. Die Miliz hat nur den toten Amerikaner gefunden, aber keine Spur von einem Komplizen.«

Alexander antwortete nicht und wunderte sich. Von wem konnte der Alte das so schnell erfahren haben? Also doch vom KGB?

Der Grauhaarige schien seine Gedanken erraten zu haben. »Keine Angst, ich bin nur ein Privatmann und fühle mich nicht verpflichtet, dich dem Staat auszuliefern. Sie vermuten dich weiter im Westen oder immer noch in Kansk.«

»Und warum war die Miliz hier in Poima am Bahnhof?«

»Machen sie in solchen Fällen immer. Routine.«

Der Mann erhob sich. Alexander bekam mit, er war schlank, nicht allzu groß, aber von einer Körperspannung, als habe er ein Leben lang beim Militär gedient.

»Bist du Offizier?«

Der Fremde schaute über die Schulter. »Nein.«

»Was dann?«

»Ein Sibririake.«

»Ohne Namen?«

»Nikolai Schadow. Nenn mich Nikolai.«

»Und weiter?«

»Nichts weiter.«

Nikolai wanderte in dem großen Raum umher, sah dabei auf den Boden und überlegte.

»Sind wir hier in einem Hotel?«

»Nein, im Haus eines Freundes.«

»Wer bist du?«

Nikolai lächelte, blieb am Fenster stehen und schaute hinaus.

Alexander wurde unruhig. »Sind sie hinter mir her?«
»Sind sie das nicht unentwegt?«
»Wieso?«
»Kirjan, oder wie du heißen magst. Um das zu vermuten, braucht man nur deinen Körper anzuschauen, eine Landkarte deiner Flucht. Heute hast du verdammtes Glück gehabt. Zehn Minuten später, und du wärst tot.«
»Ich bin schon oft gestorben. Auf ein Mal mehr oder weniger kommt es nicht an.«
Nikolai trat, die Hände hinter dem Rücken verschränkt, zum Bett und betrachtete Alexander. »Das glaube ich dir. Du scheinst einer von diesen Typen zu sein, die es immer wieder darauf anlegen, ihr Limit kennenzulernen. Sie tasten sich weiter und weiter vor, fühlen sich gut dabei, sind den anderen scheinbar überlegen. Wo es wirklich liegt, erfahren sie nie. Der Tod ist schneller.«
»Schön, wie du das sagst. Ist aber meine Sache.«
»Natürlich. Allerdings würde ich an deiner Stelle nur dann mit einem so hohen Einsatz spielen, wenn es sich auch wirklich lohnt.«
Nikolai setzte sich wieder. Wenige Minuten später wurde angeklopft. Eine Frau brachte Alexander etwas zu essen und einen heißen Tee.
»Gibt es auch einen Mokka?«
Die Frau nickte und verschwand. Kurz darauf stand der Mokka vor ihm. Und dann aß Alexander mit gutem Appetit.
»Du bist wild. Und du bist einsam.«
Alexander reagierte nicht.
»Dazu brutal und kriminell.«
Er beobachtete Nikolai aus den Augenwinkeln und ließ sich nicht stören.
»Für dich gibt es zwei Möglichkeiten: rechtzeitig abspringen, wie vor wenigen Stunden, oder weitermachen. Im zweiten Fall gebe ich dir höchstens ein Jahr.«
»Inwiefern?« Alexander wischte sich den Mund ab.
»Dann haben sie dich.«
»Niemals.«

»Weil du den Zeitpunkt ...« Nikolai hob die Pistole, »... deines Todes selbst bestimmen willst.«

»Genau.«

»Und was ist der Grund für diese seltsame Lebensphilosophie?«

Alexander richtete sich im Bett auf und schob ein Kissen unter den Rücken. »Ich weiß nicht, wer du bist und was du mit mir vorhast. Gut, ich danke dir, weil du mich gerettet hast. Was bin ich dir schuldig?«

»Nichts.«

Alexander lachte bitter. »Endlich mal etwas umsonst in diesem Land. Und ausgerechnet auch noch das Leben. Vielleicht, weil es hier wirklich nichts wert ist.«

Nikolai sah ihn mit gerunzelter Stirn an. »Wunderbar, wir haben einen Zyniker unter uns. Einen, der nichts ernst nimmt. Wie steht es also mit deiner seltsamen Lebensphilosophie?«

»Laß mich in Ruhe.«

Aber Nikolai wandte sich nicht ab. Im Gegenteil, er schien ungemein neugierig auf Alexander.

»Morgen kannst du gehen, wohin auch immer.«

»Das werde ich.«

»Wenn du es dir anders überlegst, sag mir Bescheid.«

»Weshalb?«

»Ich würde gerne mit dir reden und dir eine Arbeit anbieten.«

»Mir?« Alexander schnaufte. »Einem Kriminellen oder was auch immer. Warum?«

»Wegen deiner Augen.«

Alexander überlegte es sich nicht anders. Nach dem Frühstück im Hause des Freundes bedankte er sich für die neue Kleidung, nahm seine privaten Dinge und verabschiedete sich, Als er bezahlen wollte, sagte man ihm, Nikolai habe das erledigt. Aber auf seine Frage, wer denn nun Nikolai sei, erhielt er keine Antwort.

Alexander ging wieder auf Tour. Die Unannehmlichkeiten mit Tom waren ihm eine Lehre, deshalb gab er sich fortan etwas vorsichtiger, was jedoch nicht bedeutete, daß er den Nervenkitzel sein ließ. Im Gegenteil.

III
NIKOLAI

NACH UND NACH trudelten sie ein: viele Männer, alte, junge und auch einige Frauen. Sie bezahlten den Eintritt, manche von ihnen wetteten sogar. Favorit war wieder mal Kyrill. Die Zuschauer stiegen die glatten Stufen hinauf, schoben den Schnee zur Seite und setzten sich auf die Holzbänke. Es war kalt. Dampfwölkchen krochen aus den Mündern der Interessierten, wenn sie atmeten oder etwas sagten. Unwirklich mutete die Szenerie an, denn vor den Besuchern befand sich lediglich ein Gleis mit einem einzelnen Waggon.

Wenige Meter von der provisorisch zusammengezimmerten Tribüne entfernt standen Blechfässer, in denen Feuer brannte. Ab und zu ging jemand hin, wärmte sich, stocherte in der Glut und legte einige Scheite nach. Neben den Fässern loderte ein anderes Feuer, und darüber pendelte ein Rost mit Würsten und Brot, gleich daneben lagen Kartoffeln und unscheinbare, runzlige Äpfel. Einen großen Topf mit Suppe und einen mit einer klaren Brühe gab es auch noch. Außer diesen warmen Dingen konnte man Getränke kaufen; Wodka war der Renner. Manch einem genügte auch Tee, die Limonade dagegen blieb unberührt.

Um die Tribüne hatte man Scheinwerfer installiert, die, von Dieselgeneratoren gespeist, das tief verschneite Areal taghell erleuchteten. Außerhalb dieser Lichtinsel verschluckte die Dunkelheit alles.

Die Tribüne war längst besetzt, und noch immer kamen Leute. Sie stellten sich links und rechts auf und traten auf der Stelle, andere verharrten gleich am Wurst- und Wodkastand.

Ein Mann in Stiefeln und mit einem langen Mantel bekleidet stapfte zum Gleis, postierte sich vor dem Waggon und betrachtete zufrieden die mehr als zweitausend Zuschauer. Gute Kulisse heute und einiges in der Kasse. Um auf sich aufmerksam zu machen, schlug er mit einem Eisenstab gegen die Schienen.

»Wer noch wetten will, der möge das bitte tun«, schrie er in die trichterförmig gewölbten Hände, damit man ihn verstand. Das nächste Mal wollte er sich ein Mikrofon besorgen.

»An der Tafel könnt ihr sehen, wie die Wetten stehen, Kyrill liegt vorn. Wenn ihr von mir einen Tip haben wollt: Setzt auf einen der Außenseiter, das bringt das meiste Geld.«

Und tatsächlich standen einige auf, balancierten die glatten Stufen hinunter und versammelten sich vor der schwarzen Tafel mit den Namen der Akteure. Daneben war das Wettbüro eingerichtet: ein glatzköpfiger Mann mit einer Kasse aus Blech und einem groben Holztisch. Der Mindesteinsatz betrug zehn Rubel, nach oben gab es kein Limit. Wieder baute sich der Sprecher von vorhin auf der freien Fläche auf. »Freunde, in zehn Minuten geht es los. Macht die letzten Einsätze. Und hier noch mal für alle zur Ansicht die heutigen Kämpfer, in der Reihenfolge, wie sie auf der Tafel stehen.«

Als erster marschierte Kyrill ein. Und dann kamen Joe, Gregori, Wilhelm, Unoki, Frenchman, Zamba und als letzter Lenin. Obwohl alles Phantasienamen waren, buhten die Zuschauer nur bei Lenin.

»Der Modus ist immer der gleiche. Paarweise treten die Männer an, der Sieger ist eine Runde weiter. In jeder Runde verdoppelt sich das Preisgeld, von fünfhundert über tausend, zweitausend bis viertausend für den Gewinner. Die letzten Wetten bitte!«

Kyrill war klarer Favorit. Wo er auch antrat, hatte er gewonnen. Deshalb war seine Quote zu ungünstig, um viel Geld zu verdienen. Ein Raunen war vor dem Wettbüro zu hören, denn jemand setzte zehntausend auf Lenin. Keiner kannte Lenin, und jetzt diese ungewöhnliche Summe. Der Glatzköpfige mit der Blechkasse, dem die Kälte nichts auszumachen schien, fragte den Organisator, ob er die Summe annehmen dürfe. Der nickte nur gelangweilt. Gegen Kyrill hatten auch zwanzig Lenins keine Chance.

Gleich anschließend die erste Begegnung: Frenchman kontra Gregori. Beide traten in die Mitte, verneigten sich und wurden mit Applaus bedacht. Umständlich legten sie ihre Umhänge ab und gingen, nur mit Hemd und Hose bekleidet, zu dem Waggon. Jeder stellte sich mit dem Rücken unmittelbar vor einem Puffer auf, und dann gab der Sprecher das Zeichen.

Angestrahlt von zwei Scheinwerfern, bekamen die Zuschauer mit, wie auf einer kleinen Anhöhe ein zweiter Waggon ausgeklinkt wurde. Er gewann an Tempo und lief mit zunehmender Geschwindigkeit auf die beiden Männer zu. Zwischen den Puffern befanden sich die Körper. Keine Frage, wer gewinnen würde.

Man sah Gregori und Frenchman die Spannung an. Sie starrten auf den sich nähernden Wagen, als könnten sie die Geschwindigkeit durch die Kraft ihrer Augen beeinflussen. Beide beugten sich nach vorn. Wollten sie dadurch den Aufprall mildern?

Unter den Zuschauern ein anschwellendes Gemurmel und warnende Stimmen. Vor Aufregung wippten die Frauen auf ihren Plätzen, und die Männer vergaßen die Wodkaflasche.

Noch fünfzig Meter. Der Waggon sauste ungebremst auf die beiden Wettkämpfer zu, und die standen wie erstarrt. Lediglich ihre Finger bewegten sich, als übten sie für die Klavierstunde. Jetzt ein schneller Blick von Frenchman zu seinem Konkurrenten. Noch zehn Meter, fünf, drei, zwei. Die Zuschauer schrien – und im allerletzten Augenblick sprangen die Männer zur Seite und ließen sich hinfallen. Die Waggons knallten aufeinander, die Puffer wurden zusammengestaucht, und der stehende Waggon mit einem berstenden Knall nach hinten geschoben, obwohl man ihn mit Bremsschuhen arretiert hatte. Eisen schrammte kreischend auf Eisen, Funken stoben. Das Kampfgericht erklärte Frenchman eindeutig mit drei zu null Stimmen zum Sieger. Gregori war damit überhaupt nicht einverstanden und fluchte auf die »Unfähigen« und »Bestochenen«.

Und so ging das mit Unterbrechungen, in denen der Organisator unentwegt zum Wetten animierte, bis Mitternacht weiter. Wieder und wieder zog eine Diesellokomotive den einen Waggon auf die kleine Rampe, wurde der andere in seine Ausgangsposition gebracht. Zum Schluß traten die beiden Übriggebliebenen an. Zuvor noch verkündete der Sprecher, daß sich die Verletzung von Zamba als nicht so schwerwiegend herausgestellt habe. Seinen Arm verliere er nicht, allerdings müsse man einen Teil des Muskels herausschneiden. Nur noch Matsch. Ha, ha, ha. Die Zuschauer applaudierten erleichtert, während vor dreißig Minuten ihr Kreischen fast das Trommelfell des Nachbarn zum Platzen gebracht hätte. Gerade noch in letzter Millisekunde war Zamba weggesprungen, konnte seinen rechten Arm aber nicht mitbekommen. So etwas gehörte nun mal zum Berufsrisiko, jeder der Wettkämpfer sei sich der Gefahr bewußt. Sie könnten ja auch eine Menge Geld verdienen: an einem Abend das Jahresgehalt eines Arbeiters.

Kyrill und Lenin stellten sich vor den Puffern auf. Sie schauten sich von der Seite an, um abzuschätzen, wie gut der andere war, wie lange er womöglich stehen bleiben würde.

»Junge, brauchst dich nicht anzustrengen. Ich habe bisher noch immer gewonnen. In mehr als hundert Duellen«, tönte Kyrill, doch Lenin antwortete ihm nicht.

Das Zeichen. Der Waggon schien einen Augenblick festgenagelt, dann setzte er sich allmählich in Bewegung, wurde schneller und schneller, die Räder quietschten. Eindeutig hatten Kyrill und Lenin bisher all ihre Begegnungen gewonnen, und die wirklich Besten trafen aufeinander, wie es sich gehörte. Viele Zuschauer sprangen auf, denn hier wurde ihnen etwas Sensationelles geboten. Gerade das Richtige für die langen und tristen Winterabende.

Noch zehn Meter. Das Gejohle schwoll an. Einige schlenkerten mit den Händen, als hätten sie sich die Finger verbrannt, andere drückten die zusammengeknüllten Fäustlinge in den Mund, um ja keinen Laut herauszulassen. Noch fünf, drei, zwei Meter, Lenin konnte die Nervenbelastung nicht aushalten und sprang viel zu früh weg. Kyrills Kopf ruckte zu ihm, ein siegessicheres Lächeln auf dem Gesicht, dann wurde sein Oberkörper zwischen den Puffern zerquetscht, er dämpfte das Aufprallgeräusch dabei kaum. Kyrill tropfte aus wie ein geköpftes Huhn, und der Schnee unter ihm färbte sich rot.

»Scheiße«, fluchte der Sprecher. Weniger, weil Kyrill tot war, sondern wegen der verlorenen Wetten.

Schnell breiteten einige Helfer eine Decke über Kyrill, der an einem Puffer klebte, damit die Zuschauer diesen Anblick nicht länger ertragen mußten. Noch geschockt von dem Erlebten, machten sie sich auf den Heimweg. Der Gesprächsstoff für die kommenden Wochen würde ihnen nicht so schnell ausgehen.

»Das Ganze ist irregulär«, tobte der Sprecher. »Dieser verdammte Lenin ist viel zu früh abgetaucht. Irregulär.«

Aber die Kampfrichter machten ihn darauf aufmerksam, daß die Regel besagte, wer als letzter wegspringe und unverletzt bleibe, sei der Sieger. Und Lenin sei nun mal unverletzt. Als letzter weggesprungen sei er auch.

»Aber weil er sich so früh verpißt hat, ist Kyrill irritiert worden. Das hat doch jeder gesehen. Lenin, der Scheißkerl, hatte doch die Hosen voll.«

Ein älterer Mann trat hinzu. »Ich habe auf Lenin gesetzt. Mein Geld bitte.« Er legte den Wettschein auf den Tisch.

Der Sprecher und Organisator sträubte sich, aber die drei Kampfrichter waren der Auffassung, Lenin habe gewonnen. Und wegen des Zuckens solle doch der Organisator bitte Kyrill fragen, ob es ihn gestört habe.

Wutschnaubend zahlte der Organisator fünfzigtausend Rubel aus. Anschließend trat er zu Lenin.

»Junge, willst du nicht für mich arbeiten?«

Lenin sah ihn verächtlich an und wandte sich ab.

»Und wo bleibt die Dankbarkeit?« kreischte der Organisator.

Lenin, in eine Decke gehüllt, trank heißen Tee. Über das Glas beobachtete er den älteren Mann, der auf ihn zusteuerte.

»Ich habe es gewußt«, begrüßte ihn dieser.

»Du schon wieder?«

Alexander trank den Tee in kleinen Schlucken. Er tat gut, und er beruhigte die Nerven. Kein schöner Anblick vorhin, Kyrill zwischen den Puffern. Und dann das schmatzende Geräusch und die Blutspritzer. Er hatte einige abbekommen.

»Angst oder Berechnung?«

Alexander stellte sein Glas ab und zog die Decke enger um den Oberkörper. »Ich kenne mein Limit.«

»Das ist gut. Angst ist auch gut, wenn sie einem hilft. So wie in deinem Fall.«

»Ich habe keine Angst.«

Der Ältere schaute ihn nachdenklich an. »Dann würdest du nicht mehr leben.«

Nikolai lud Alexander zum Essen ein. Der Jüngere gab zu bedenken, es sei doch schon sehr spät, um diese Uhrzeit gebe es nichts mehr. Dann solle er sich doch einfach überraschen lassen, meinte der Ältere. Alexander staunte nicht schlecht, denn Nikolai führte ihn in eines der unscheinbaren Lokale, zu denen nur hochstehende Persönlichkeiten oder westliche Touristen Zugang hatten. Von außen war es ein schlichter Holzbau, etwas größer vielleicht als andere, mit Klappläden vor den Fenstern und einem tief heruntergezogenen Dach. Innen jedoch erwarteten ihn ein gepflegter und spiegelnder Parkettboden, gepolsterte Stühle und Tische mit Decken: zuunterst dunkelrot und darauf weiße Sets mit Spitzen. An jedem Platz standen mehrere verschieden große Gläser, in denen das Licht funkelte, nicht zu vergessen die vielen Gabeln, Messer und die zwei Löffel. Zwischen den Gedecken hatte man Blumen in schlanken Vasen und in einer flachen Schale arrangiert. Blumen in Sibirien, und das mitten im Winter. Zaghaft berührte Alexander eine Rose.

»Ich wußte nicht, daß es so etwas überhaupt in Irkutsk gibt«, murmelte er, während er sich vorsichtig auf den geschwungenen Stuhl setzte. Ob der sein Gewicht verkraftete? Dann blickte er sich um. »Sehr schöne Einrichtung.«

»Vier dieser nur für wenige zugänglichen Restaurants kann die Stadt vorweisen. Und wer bezahlen kann, darf mitten in der Nacht erscheinen.«

»Mit Dollar, nehme ich an.«

»Selbstverständlich. Indem wir den Kapitalisten ihr Geld nehmen, höhlen wir deren System aus. Kapitalismus ohne Geld geht nun mal nicht. So einfach ist das.«

Sie lachten, während eine junge Frau die Kerzen anzündete. Alexander aß an diesem Abend Köstlichkeiten, die er nicht einmal dem Namen nach kannte.

»Die Franzosen wissen, was Eßkultur bedeutet«, verdeutlichte Nikolai. »Auch wenn der Lachs aus unseren Gewässern kommt, wir haben eben den besten. Das gleiche gilt für den Kaviar. Der

Stör schwimmt im Wolgadelta, wo man ihn seines zarten Fleisches wegen abfischt. Maiheringe, Barsch, Güster und Zander, allesamt kulinarische Genüsse, wenn man sie richtig zubereitet, stammen ebenfalls aus der Region. Mit französischen Namen versehen, schmeckt alles viel aufregender und ist außerdem um ein Mehrfaches teurer.«

Nikolai bestellte Zigarren und für Alexander einen Mokka. Alexander deutete auf die kleine Tasse. »Noch nicht vergessen?«

Sie zündeten die Zigarren an. Schweigend bliesen sie den Rauch gegen die Decke. Zwei Cognacs in großen bauchigen Gläsern wurden vor sie gestellt. Alexander tat es Nikolai nach, roch zuerst an der Flüssigkeit, schwenkte den Inhalt und betrachtete ihn gegen das Licht. Schließlich nippte er an dem bernsteinfarbenen Alkohol.

»Ich habe noch nie solche Augen gesehen wie deine«, sagte Nikolai mit ernster Stimme.

»Graublau. Viele haben diese Farbe.«

»Das ist es nicht. Ich meine den Ausdruck. Kirjan, was wollen mir deine Augen sagen?«

»Sind sie nicht ein Spiegelbild der Seele«, entgegnete Alexander spöttisch.

»Genau das gibt mir so zu denken.«

»Und was für eine Seele habe ich?«

»Gar keine. Deine Augen sind kalt, berechnend und sich ihrer Sache absolut sicher.«

»Das ist doch immer so, wenn sie berechnend sind.«

Nikolai schüttelte den Kopf. »Das meine ich nicht. Sie geben exakt wieder, was in deinem Kopf vorgeht. Du fühlst dich überlegen und schwebst über allem. Und du kennst deinen Zustand.«

»Und der wäre?«

»Mit dem Leben spielen.«

Alexander beschäftigte sich mit seiner Zigarre, streifte die Asche ab und schwieg.

»Aber das ist nichts Neues für dich. Hast du dir schon mal überlegt, daß du etwas Sinnvolleres anfangen könntest, als vor Puffern zu stehen?«

Alexander berührte mit den Fingerspitzen die Blumen in der schlanken hohen Vase. »Wie zart die Blätter sind, und so zerbrechlich.« Übergangslos fügte er hinzu: »Für mich hat es einen Sinn.«

»Weil du dich bestätigen willst?«

»Nein.«

»Weshalb denn?«

Alexander seufzte. Zögernd studierte er Nikolais Gesicht. »Das geht dich nichts an.«

»Richtig. Hätte man dich aber heute von dem Puffer abgekratzt, ich wäre um zehntausend Rubel ärmer.«

»Und so hast du vierzigtausend dazubekommen. Verdienst du immer, wenn andere ihren Arsch hinhalten?«

»Nein.« Nikolai registrierte des Jüngeren Unsicherheit, die er jedoch nie zugeben würde.

»Weshalb denn?«

Alexander drehte sich zur Seite und schaute aus dem Fenster. Niemand war um diese späte Stunde noch auf der Straße. Genau vor der Eingangstür stand Nikolais Wagen, ein schwedisches Modell. Wie kommt er an das Auto? Fahren doch nur allerhöchste Politiker. Und dann auch noch mit Chauffeur. Der sitzt in einem Nebenraum und wärmt sich. Wieso kann sich Nikolai einen Chauffeur leisten?

»Du bist auf der Flucht vor dir selbst.«

»Glaube ich nicht.«

»Sondern?«

Alexander zuckte mit den Schultern.

»Brauchst du die ständigen Beweise deiner Überlegenheit? Bist du auf das Geld angewiesen? Gefällt dir der Applaus der sensationslüsternen Masse, die, von Wodka und der eigenen Dummheit benebelt, im Endeffekt doch nur Blut sehen will?«

Alexander schüttelte den Kopf und stützte die Ellbogen auf den Tisch. Lange betrachtete er seine Hände. Die linke streckte er aus, sie zitterte nicht. »Warum willst du das wissen? Gleich gehen wir auseinander und sehen uns nie wieder.«

»Genau deshalb kannst du es mir verraten.« Mit ernster Stimme fügte Nikolai hinzu: »Mich interessiert deine Motivation. Laß mich für einen Augenblick in dein Innerstes schauen.«

Nach einer Weile antwortete Alexander: »Ich tue es, um mich abzulenken, um die Ausweglosigkeit meiner Situation nicht ständig vor Augen geführt zu bekommen. Deshalb setze ich mein Leben ein.«

»Warum hast du dich Lenin genannt?«

Alexander grinste. »Ist es nicht ein prickelndes Gefühl, Lenin zwischen die Puffer zu bekommen.«

Sie sprachen lange miteinander in dieser Nacht. Anschließend lud Nikolai Alexander zu einem Spaziergang ein, um ihm die Stadt zu zeigen. Von hier aus sei es nicht weit bis zum Zentrum. Das Hotel Sibir liege gleich um die Ecke und das Intourist nur zwei Minuten entfernt.

»Kennst du eigentlich den Bahnhof?« fragte der Ältere. Hart knirschte der Schnee unter ihren Füßen.

»Bin lediglich einmal nachts vorbeigekommen.«

»Ach ja, ich vergaß. Allein die Nebenstrecken üben einen besonderen Reiz auf dich aus.« Nikolai schaute zu Boden. »Immer, wenn ich in Irkutsk bin, gehe ich zum Bahnhof. Abends, gegen 19 Uhr 30, wenn der Transsibir einläuft. Ich wandere die sechzehn Wagen ab und schaue in den Zug. Gesichter will ich sehen, fremde Gesichter mit Augen, die mir verraten, was in den Menschen vorgeht. Meist ist der Zug voll besetzt.«

»Selbstverständlich kannst du in den Köpfen der Reisenden lesen, wie du in meinem zu lesen glaubst.« Ein spöttisches Lächeln umspielte Alexanders Mund.

»Ja, manchmal schon. Leid und Verzweiflung, Glück und Freude kann man fast immer erkennen. Was mich jedoch bei den meisten stört, ist die Ausdruckslosigkeit. Gesichter ohne Leben, Menschen ohne Ziel und Hoffnung und ohne Perspektive, die den Anschein erwecken, als litten sie stumm und geduldig unter der Zeit.«

Alexander zeigte wenig Interesse. »Ist das alles?«

»In der Bahnhofshalle mit den hohen Decken setze ich mich hin und beobachte die Vorübergehenden. Komm, sieh dir mal die stuckverzierten Schalter an. Und die Restaurants sind für russische Verhältnisse auch nicht zu verachten.«

Alexander blieb stehen. »Was soll das? Warum willst du, daß ich mir den Bahnhof anschaue?«

»Damit du ihn so schön findest wie ich.«

»Und warum soll ich ihn schön finden?«

»Weil vor mehr als fünfzig Jahren genau in diesem Bahnhof meine große Freiheit begonnen hat. Um mir der Bedeutung meiner Freiheit und der Einmaligkeit meines Lebens bewußt zu werden, suche ich ihn jedesmal auf.« Als verrate er ein Geheimnis, fügte der Ältere mit gedämpfter Stimme hinzu: »Übrigens, ich war erst gestern dort.«

Alexander, der mit Nikolais Ausführungen nichts anfangen konnte und ihm Sentimentalität unterstellte, schüttelte verwundert den Kopf. Schweigend gingen sie weiter. Nikolai machte Alexander auf die Altstadt von Irkutsk aufmerksam, die mit den ein- und zweigeschossigen Häusern, den verzierten Dachgiebeln und den baumgesäumten Straßen noch gewisse sibirische Züge habe. Sie kamen an einer Einkaufsstraße vorbei mit vielen Geschäften und an einem großen Platz, auf dem jeden Tag der Zentralmarkt abgehalten wurde.

»Sibirien, das ist etwas Besonderes und nicht mit normalem Maßstab zu messen. Hier bei uns sind fünf Wölfe kein Rudel, 50 Grad keine Temperatur, 500 Gramm Wodka kein Alkohol, 5000 Mücken noch kein Schwarm und 50 000 Bäume kein Wald«, dozierte Nikolai, als sie durch die Wartehalle schritten, in der die Miliz paarweise patrouillierte.

Alexander fühlte sich unbehaglich beim Anblick der Uniformierten. Wieder draußen, fragte er: »Nikolai, wer bist du?«

»Sagte ich bereits vor Wochen. Ein Sibiriake.«

Auf dem Rückweg überquerten sie die zugefrorene Angara. Nikolai blieb auf der Brücke stehen und deutete nach unten. »Auch so ein Phänomen für Sibirien. Die Angara ist der einzige Abfluß des Baikalsees, mehr als dreihundert Flüsse münden in ihn, die unzähligen Gletscherbäche nicht gerechnet. Aber der Wasserspiegel steigt nicht um einen Millimeter.«

»Was willst du damit sagen?«

»Nichts.«

Sie gelangten zur Uferpromenade und zum Hotel Intourist. Verwundert registrierte Alexander geschwungene Laternen, Ruhebänke und verschneite Grünanlagen, eine für ihn ungewohnte Eleganz. In einem Film über Odessa hatte er mal etwas Ähnliches gesehen. Langsam spazierten sie weiter bis zu den verwaisten Anlegestellen. Die kleineren Ausflugsschiffe waren in Hallen untergestellt oder an Land aufgebockt, die größeren hatte man im Hafen vertäut, umgeben von einem Ring aus Strohballen, der den Rumpf vor dem Eisdruck schützen sollte.

Plötzlich standen sie vor ihnen. Drei Männer waren es, alle hatten ein Messer gezückt, und sie verbauten ihnen den Weg.

»Los, raus mit dem Zaster.«

Alexander wußte, daß Nikolai fünfzigtausend Rubel mit sich trug.

»Wir haben nichts.«

Die Männer kamen näher. Alexander griff unter seinen Wintermantel und riß die Pistole hervor. Zwei der Kerle flüchteten, der dritte schnappte sich Nikolai, benutzte ihn als Schutzschild und setzte ihm das spitze Messer an den Hals.

»Wenn du zuckst, dann ist er hin.«

»Was soll ich jetzt deiner Meinung nach tun?« richtete Alexander ganz ruhig das Wort an den Messerhelden. Die Straßenbeleuchtung erhellte die gespenstische Szene notdürftig.

»Laß die Pistole fallen.«

»Nein.«

»Dann stech ich deinen Kumpel ab.«

»Und ich durchlöchere dich anschließend. Das weißt du genau.«

Der Mann wurde nervös. »Ich sage es nicht noch einmal. Laß die Waffe fallen.«

»Nein.«

Alexander hob die Pistole an. Der Messermann drehte Nikolai so, daß er sich fast vollständig hinter ihm verstecken konnte.

»Ich spaße nicht.«

Alexander mit einer Kälte in der Stimme, die sogar Nikolai zusammenzucken ließ: »Ich auch nicht. Diesen Herrn kenne ich kaum. Er ist weder mein Bruder, noch bedeutet er mir sonst was. Und er hat fünfzigtausend Rubel bei sich. Wenn du ihn umbringst, dann tust du mir einen Gefallen.«

Der Mann stutzte, Alexander schoß ihm aus drei Metern Entfernung mitten in die Stirn. Der Getroffene fiel nach hinten, mit weit aufgerissenen Augen, wie in einem letzten Erstaunen. An Nikolais Hals wurde ein roter Fleck größer, wo das Messer die Haut aufgeritzt hatte. Er trat zu Alexander und starrte ihn an. »Ich habe schon vieles gesehen, aber deine Kaltblütigkeit übertrifft alles.«

Alexander ließ die Waffe verschwinden. »Es ging ja nicht um meinen Arsch ... pardon, mein Leben. Komm, laß uns verschwinden.«

»Ich warte hier auf die Miliz.« Nikolai preßte ein Taschentuch auf die blutende Wunde.

»Gut, dann bis später.«

»Und du bleibst auch. Dir geschieht nichts.«

»Das kannst du ...«

»Dir geschieht nichts. Du willst doch wissen, wer ich bin?«

Alexander nickte.

»Dann bleibe.«

Ohne recht zu wissen, warum er es tat, vertraute Alexander der Zusicherung des Älteren. Die von Nikolai verständigte Miliz traf zehn Minuten später ein. Der Sibiriake zeigte seinen Ausweis und sprach mit den Beamten. Die hörten aufmerksam zu und nahmen eine respektvolle Haltung ein. Nikolai deutete auf Alexander, und der bekam mit, daß er ihn als seinen Leibwächter bezeichnete, der ihm das Leben gerettet habe. Kurz schauten die Polizisten zu ihm hin, beachteten ihn aber nicht weiter. Als Nikolai geendet hatte, fertigte einer von ihnen ein Protokoll an, das der Sibiriake unterschrieb. Die Milizionäre verabschiedeten sich wenig später, mit Alexander wechselten sie kein Wort.

»Wer ist der Tote?«

»Ein langgesuchter Krimineller, hat schon viele Straftaten auf dem Buckel. Brauchst keine Gewissensbisse zu haben.«

»Nikolai, wer bist du?«

Spöttisch blinzelte ihn der Grauhaarige an. »Finde es heraus, Kirjan Morosow. Oder sollte ich besser Alexander Gautulin sagen?«

Sie blieben noch einen Tag in Irkutsk. Alle Fragen, waren sie auch noch so drängend ausgesprochen oder geschickt formuliert, woher Nikolai seinen richtigen Namen wisse, wimmelte dieser ab. Statt dessen machte sich der Ältere einen Spaß daraus, Alexander in der eigenen Unsicherheit schmoren zu lassen. Wenn es in der Absicht des Sibiriaken lag, Neugier als Bindung zu benutzen, dann ging seine Taktik auf, denn der Jüngere fühlte sich auf unerklärliche Weise zu ihm hingezogen. In dem gleichen Maße, wie Nikolai sein Wissen über Alexander Macht verlieh, kam der sich unsicher und entblößt vor. Vielleicht bedeutete Nikolai ja sogar unterschwellig eine Bedrohung, da er ihm mit all seinen Informationen und seinem Wissen gefährlich werden konnte. Indem er vorerst bei ihm blieb, war aus Alexanders Sicht die sich abzeichnende Gefahr, entdeckt zu werden, womöglich kontrollierbar.

Ganz nebenbei erwähnte Nikolai, was er gestern noch alles bei sich getragen habe, nicht nur die fünfzigtausend Rubel. Er zeigte Alexander einen ähnlichen Beutel wie den des Amerikaners Tom, jedoch wesentlich größer und praller gefüllt. Als Nikolai den Beutel öffnete, kullerten große farblose Steine in seine Hand.

»Wem gehören die?«
»Mir.«
»Was haben sie für einen Wert?«
»Das spielt keine Rolle. Entscheidend ist, was ich dafür eintauschen kann.«
»Und woher stammen ...«
Nikolai legte einen Finger auf den Mund. »Pscht. Nicht so neugierig, mein junger Freund.«
Im Hotel Angara tranken sie Kaffee, Alexander aß ein Stück Kuchen und dann noch eines.
»Morgen fliegen wir nach Bratsk.«
»Wir?«
Nikolai nickte, als sei das eine längst beschlossene Sache.
»Wegen der ...« Alexander deutete auf Nikolais Brust.
»Ja. Aber nicht nur.«
»Weswegen denn noch?«
»Wirst schon sehen.«
»Und du bist überzeugt, ich komme mit?«
Nikolai lächelte amüsiert.
Wenn Alexander sich unbeobachtet glaubte, dann forschte er in dem Gesicht des Sibiriaken. Manchmal kam es ihm wie gegossen

vor, so starr. Dann wieder, wenn er lachte, und Nikolai lachte gerne, zerplatzte es vor Fröhlichkeit und war von Furchen und Fältchen durchzogen. Ungewöhnlich auch die Augen, die den Jüngeren manchmal voller Übermut musterten.

»Was ich dich noch fragen wollte, Nikolai: Warum bist du so versessen auf Irkutsk? Weil Kosaken es gegründet haben?«

»Sag nur, dir gefällt die Stadt nicht.«

»Doch, schon.«

»Ist das nicht Grund genug?«

Alexander zögerte. »Ich glaube, du hast einen wichtigeren. Ist es so?«

»Später vielleicht.«

Alexander ließ sich aber nicht vertrösten. »Vor mehr als fünfzig Jahren war das, nicht wahr?«

Nikolai schwieg.

»Vor mehr als fünfzig Jahren gab es nur einen Anlaß, sich so über einen Bahnhof zu freuen, den 36. an der Transsibirischen Eisenbahn und dazu so weit weg von Moskau.«

»Welchen?«

»Du bist der Revolution entkommen. Habe ich recht?«

Schlagartig veränderte sich Nikolai. Eben noch offen und interessiert, wirkte er nun verschlossen, fast brutal. Markant sein Kiefer, dünn die Lippen, als er lediglich ein Wort herauspreßte. »Ja.«

»Und hast du die Freiheit wirklich gefunden?«

Der Sibiriake zögerte. »Damals noch nicht.«

Wieder eine Bemerkung, die Alexander irritierte. Nikolai legte es scheinbar darauf an, ihn hinzuhalten und es bei Andeutungen zu belassen, als beabsichtige er, sich mit einem Geheimnis zu umgeben. Dabei war Alexander schon längst in dem Stadium, diesen ungewöhnlichen Mann zu bewundern. Daß der Ältere seinen richtigen Namen kannte, hatte ihn zuerst erschreckt, ihm dann jedoch imponiert. Aber mehr noch erstaunte ihn die Tatsache, wie ehrfurchtsvoll ihm die Milizionäre begegnet waren, ohne ihn, Alexander, über den Vorfall zu befragen. Dabei war immerhin ein Mensch erschossen worden. Welche Macht hatte dieser Sibiriake?

Sie saßen im Flugzeug und warteten. Der Start verzögerte sich, weil die Rollbahn zuerst noch von Schnee und Eis befreit werden mußte. Mit halbstündiger Verspätung wurden die Motoren angeworfen, hochgedreht, das Propellerflugzeug vibrierte, rumpelte über die Betonpiste, beschleunigte und hob zögernd ab. Im flachen Winkel brachte es der Pilot zum Steigen. Tee wurde den wenigen Passagieren serviert, in der Kabine roch es nach Desinfektionsmitteln und nach Essen. »Normalerweise fliege ich mit meiner eigenen Maschine oder einem Hubschrauber«, bemerkte Nikolai beiläufig und amüsierte sich über Alexanders Reaktion.

»Und im Sommer durchquerst du mit deinem U-Boot den Pazifik.«

»Warum nicht? Wenn mir danach ist.«

Alexander kam sich verschaukelt vor und starrte hinaus in die trübe Wolkensuppe.

Nach einigen Minuten kam er auf einen Punkt zu sprechen, der ihn dringlich beschäftigte. »Nikolai, woher kennst du meinen richtigen Namen?«

Der Grauhaarige schmunzelte, faltete die Hände über dem Bauch und machte es sich bequem. »Das geht auf die Schläuche zurück, die du für die Erwärmung der Brückenpfeiler benötigt hast. Tolle Idee. Der Organisierer hat mir von dir berichtet.«

»Wie kommt er ausgerechnet dazu, dir ...«

»Weil er für mich arbeitet.«

Alexander überlegte. »Aber meinen richtigen Namen konnte er nicht wissen.«

In Nikolais Augen tummelten sich Tausende kleiner Spotteufelchen. »Scharfsinnig kombiniert. Den hat unter anderem ein gewisser Leonid in Erfahrung gebracht.«

Alexander fand die Zusammenhänge immer verschwommener. Was hatte Leonid damit zu tun?

»Übrigens, dem Georgier geht es gut.«

Mit einem Ruck wandte sich Alexander an den Älteren. »Verdammt, kannst du nicht mal ein paar klare Worte sagen?«

»Nicht so laut.« Nikolai rückte näher. »Ich habe also von Suska, dem Organisierer, von deiner seltsamen Art zu verhandeln gehört.

Und als wieder einmal ein größerer Posten für dein ehemaliges Camp anstand, bin ich mitgegangen und habe Leonid kennengelernt. Ein bemerkenswerter Mann mit einer ausgefallenen Vergangenheit. Du hast Schwierigkeiten, mit ihm zu konkurrieren.«

Alexander erschrak. »Und Leonid hat dir von mir ...«

»Das tat der Leiter der Verwaltung, ein gesprächiger Kerl, der für hundert Rubel alles ausplaudert. Schnell kam das Thema auf dich und darauf, daß du deinen Häschern gerade noch entwischt bist. Danach erst hat Leonid mir einiges anvertraut.«

Aus Alexanders Erinnerung meldete sich ein ganz bestimmtes Bild, ein fremdartig gekleideter, älterer, schlanker Mann. »An dem Tag, als ich mich auf ... den Weg machte, warst du da nicht zufällig in der Gastiniza?«

Der Sibiriake nickte.

Schon im Anflug sah Alexander, daß Bratsk ein Konglomerat von Einzelsiedlungen und Stadtteilen war ohne eigentlichen Mittelpunkt. Dieser Eindruck verstärkte sich, als sie mit dem Taxi die vierzig Kilometer bis zum Zentrum fuhren. Sie rollten durch ein Dorf mit kleinen, gemütlich aussehenden Häusern, die sich um einen alten Holzturm, Teil einer ehemaligen Festung, gruppierten.

»Padun, was so viel bedeutet wie ›das Verfallende‹. Im Sommer blüht und grünt hier alles. Ein Fest für die Augen«, schwärmte Nikolai.

Eine halbe Stunde später, sie waren an vielen Datschensiedlungen vorbeigekommen, manche von ihnen füllten ganze Täler und krochen, als Zeichen der russischen Freizeitwut, sogar die Hänge hinauf bis in die entlegensten Winkel, stoppte das Taxi vor dem futuristisch anmutenden Hotel Taiga. Eigentlich sei der Renommierpalast allein Touristen und Ausländern vorbehalten, erklärte der Sibiriake. Aber wer in Dollar bezahle, könne hier ohne weiteres absteigen.

An der Rezeption bestaunte Alexander eine blühende Pflanze.

»Die chinesische Rose. Hübsch nicht?«

Nikolai nahm Alexander am Nachmittag mit in ein Café. Dort warteten bereits zwei Japaner, einer von ihnen übersetzte und sprach ein lustiges Russisch, aber es genügte, um alle Punkte zu klären. Nikolai zeigte den beiden Ausländern seinen Beutel mit Diamanten. Der Übersetzer reichte ihn weiter an Sato, einen jungen, drahtigen Mann mit schwarzumrandeter Brille. Sato prüfte die Steine mit einer Lupe, tauchte anschließend die kleinen, milchig-weißen Stückchen in Wasser und beobachtete, wie es ablief, ohne Spuren zu hinterlassen.

Alexander war nervös, hatte ein mulmiges Gefühl.

»Was hast du?« fragte Nikolai, dem das Verhalten des Jüngeren nicht entgangen war.

»Machst du deine Geschäfte immer so offen?«

»Was heißt offen? Ich habe das Café für zwei Stunden gemietet. Siehst du jemanden?«

Die Steine sagten Sato zu. »Wo ist die Lieferung?«

Der Übersetzer schaute auf seine Uhr. »In vier Stunden wird sie in Taischet sein. Sind Ihre Leute dort?«

Nikolai nickte. »Und alles wie verabredet?«

Sato zog eine Liste aus seiner Jacke und reichte sie Nikolai. Der überflog den russischen Text.

»Gut. Dann warten wir, bis mich meine Mitarbeiter angerufen haben.«

Nach vier Stunden trafen sie sich erneut mit den Japanern. Wenige Minuten später wurde Nikolai zur Rezeption gebeten, ein Telefonanruf. Der Sibiriake nahm die Liste mit, die er von Sato erhalten hatte. Kurz darauf kam Nikolai zurück. Er lächelte, wirkte ungemein entspannt, griff in seine Jackentasche und händigte seinen Geschäftspartnern den Beutel mit Diamanten aus. Die beiden Japaner standen auf und verabschiedeten sich freundlich mit einer Verbeugung.

»Sato kenne ich seit fünf Jahren, früher habe ich mit seinem Vater verhandelt. Er starb leider vor einigen Monaten.«

Alexander, der ahnte, daß der Sibiriake ihn in gewisse Dinge einweihen oder zumindest über seine Geschäfte sprechen wollte, beschränkte sich aufs Zuhören.

»Die Japaner sind sehr verläßlich. Noch nie bin ich enttäuscht worden, noch nie hat einer mich zu übervorteilen versucht.« Und als

Alexander auch jetzt keine Frage stellte: »Dich scheint nicht zu interessieren, um was es heute gegangen ist.«
»Doch. Ich habe dich auch mehrfach gefragt, wer du bist. Ich werde es nicht noch einmal tun.«
Nikolai bestellte für Alexander einen Mokka, für sich Tee. Umständlich verrührte der Ältere den Zucker und strich sich über die glatt nach hinten gekämmten Haare, als wollte er Zeit gewinnen, um seine Entscheidung ein letztes Mal zu überdenken.
»Ich bin der mächtigste Mann in Mittelsibirien.«
»Mächtiger als die Abgeordneten des Sowjet, die Volksdeputierten und Politkommissare der Rayons?«
»Ja.«
»Und wieso?«
»Weil sie mich brauchen. Mich und meine Leute.«
»Wie diesen Organisierer Suska.«
»Richtig. Ohne Tolkatschi würde nichts in unserem Staat funktionieren, wirtschaftlich gesehen hätten wir das reinste Chaos.«
»Du versuchst das zu ändern?«
»Ich versuche es nicht nur, sondern ich habe es bereits in vielen Bereichen getan und das Angebot verbessert. Nehmen wir zum Beispiel das heutige Geschäft. Sato hat mir aus Japan in doppelwandigen Containern fünftausend Transistorradios geliefert und viertausend Schminksets für Frauen. Dazu zweitausend Autoreifen in den gängigen Größen. Alles wurde inzwischen von meinen Leuten in Taischet entgegengenommen, die Ware ist bereits zu den einzelnen Händlern unterwegs. Die Kosmetika gehen an die staatlichen Geschenkläden. Du mußt wissen: Touristen und Reisende aus dem Westen kaufen überwiegend in den Berjoskas ein.«
»Und bezahlen in Dollar oder Mark und Yen.«
»So ist es.«
»Die Diamanten. Wo hast du sie her?«
»Gekauft.«
»Ich nehme an, in Jakutien, und zwar für Rubel, die im Ausland viel weniger wert sind.«
Nikolai nickte. »Die russischen Minenarbeiter können mit Dollars nichts anfangen. Man würde fragen, woher sie diese haben.«

»Aber wegen des für dich günstigen Umrechnungskurses zahlst du nur einen Bruchteil des Weltmarktpreises.«
»Allmählich erkennst du die Zusammenhänge.«
»Bei jedem Geschäft gibt es einen Gewinn. Zeig ihn mir.«
»Später.«
»Willst du mich wieder vertrösten?«
Nikolai schüttelte den Kopf.
»Dann frage ich mich, was ich hier soll, warum ich mit dir in Bratsk bin.«
»Gefällt es dir hier nicht? Bratsk, eine junge, dynamische Stadt und dann unser komfortables Hotel. Jeden Wunsch erfüllt man dir.«
»Bitte, weich nicht aus.«
Der Ältere schaute Alexander lange an. »Du bist bei mir, weil ich mit dir zusammenarbeiten möchte.«
»Nikolai, ich habe von alledem keine Ahnung.«
»In einem Jahr bist du ein Profi.«
»Und warum ausgerechnet ich?«
»Weil ich vor dreißig Jahren genauso war wie du und mich auch jemand in das Geschäft eingewiesen hat.«
»Etwa wegen deiner Augen?«
Sie lachten. Nikolai war an diesem Abend gesprächig, übermütig und spendabel.
»Sollen wir zu den Mädchen gehen?«
Alexander winkte ab.
»Was, ein Bursche in deinem Alter, und dann nicht zu den Mädchen?«
»Und du in deinem Alter immer noch zu den Mädchen?«
»Einer Versuchung sollte man folgen. Wer weiß, ob sie wiederkommt.«.
»Alles zu seiner Zeit.«
»Und welche Zeit ist jetzt?«
»Mir dein System zu erklären.«

Sie zogen sich auf Nikolais Apartment zurück und bestellten Wein. Alexander konnte sich nicht erinnern, jemals Wein getrunken zu haben. Sein Vater hatte sich einmal im Jahr zu Weihnachten eine

Flasche gegönnt, vorher jedoch in der Kirche eine Kerze geopfert, zur prophylaktischen Absolution und um sein Gewissen zu erleichtern. Dann zog er seinen einzigen Anzug an, das tat er sonst nur bei Beerdigungen, setzte sich in den Lehnsessel und nippte an dem Glas mit einer Ehrfurcht, wie sie sich der Pastor beim Besuch der Messe von ihm gewünscht hätte.

Nikolai machte es sich bequem.

»Ich habe mir lange überlegt, wie ich den Staat mit seinen hemmenden Mechanismen legal umgehen und seine Trägheit überwinden kann, und zwar zum Vorteil der Leute, die mit mir zusammenarbeiten, und natürlich auch zum Vorteil der Bevölkerung. So bin ich vor mehr als zwanzig Jahren auf ein ausgeklügeltes System gestoßen, das bereits punktuell in der Sowjetunion existierte. Die meisten Firmen bedienten sich dieser total unsozialistischen Einrichtung, erreichten dadurch ihr Plansoll und sogar noch mehr und hatten zugleich Angst, andere könnten es ihnen gleichtun und ihren Gewinn schmälern. Deshalb vermied man möglichst den Kontakt zur Konkurrenz, eigentlich dürfte es diese typisch kapitalistische Verhaltensweise in unserem System überhaupt nicht geben, und jeder wurschtelte weiter vor sich hin. Kurz und gut: Die Rede ist vom Tolkatsch oder Organisierer, auch Stoßer, Anheizer, Presser und Drücker genannt oder einfach Beschaffer. Er hat die entsprechenden Kontakte und bringt unsere Wirtschaft in Schwung, weil er weiß, wo was produziert und wo was gebraucht wird. Glaube mir, ein guter Organisierer ist für Betriebe unersetzlich und mehr wert als zweihundert Arbeiter. Im Westen, also in Japan und Amerika, nennt man diesen Typus im übertragenen Sinne Geschäftsmann. Er ist demnach derjenige, der das Geschäft einleitet oder macht, so wie Sato.«

Nikolai nippte an seinem Glas. »Meine Organisierer besuchen im ganzen Land, also nicht nur in Sibirien, die einzelnen Produktionsstätten und stellen die pünktliche Lieferung der Rohstoffe sicher. Außerdem treiben sie Waren auf, besorgen Ersatzteile, vermitteln überschüssige Güter im Tausch gegen andere und sind in der Lage, einen Handel über mehrere Stationen abzuwickeln, so wie damals mit deinen Schläuchen und dem Kupfer. Daß Suska noch eine Trikotagenfabrik dazwischengeschaltet hat und ein Schmelzwerk, wird dir nicht bekannt sein.«

»Gab es dafür einen Grund?«

»Das Schmelzwerk benötigte Kleidung für die Arbeiter und war nur bereit, das Metall im Tausch gegen diese auszuhändigen.«

»Was hat die Trikotagenfabrik erhalten?«

»Zwei der fünf Generatoren.«

Alexander nickte verstehend, er hatte selbst solche Dreiecksgeschäfte getätigt.

»Meine Leute bieten Extralieferungen an, damit eine Ware schneller zur Verfügung steht, oder stellen sogar Arbeiter ab, falls dadurch mehr produziert werden kann. Jeden Tag besuchen sie mindestens zwei Werke. Vier meiner besten Beschaffer sind ständig in Leningrad, einer hält sich ununterbrochen ausschließlich in der Firma Positron auf, die Elektronik herstellt.«

»Und was sagen die Behörden dazu?«

»Sie wissen natürlich von diesen Zuständen und Geschäften und ... dulden sie. Sie müssen sie dulden, denn ohne die Tolkatschi würde nichts laufen. Außerdem bedienen sie sich selbst dieser inzwischen quasilegalen Einrichtung. Sogar die Militärs sind auf Beschaffer angewiesen, zumindest, wenn es um die Versorgung der Truppe mit Nahrungsmitteln geht.«

»Zahlst du auch gewisse Summen links, damit ein Fabrikdirektor dich bevorzugt beliefert?«

Nikolai nickte anerkennend. »Du begreifst das Spiel. Ja, ich schmiere Direktoren, leitende Ingenieure und wichtige Politfunktionäre.«

Alexander stand auf und stellte sich ans Fenster. Bisher war ihm, der wußte, wie das System funktionierte, nicht viel Neues zu Ohren gekommen. »Du sprichst von deinen Leuten. Wie viele dieser Tolkatschi hast du?«

»Mehr als zweitausend.«

Der Jüngere fuhr herum. »Mehr als zweitausend?« Verwirrt sah er den Grauhaarigen an.

»Und keiner außer mir kennt sie alle. Niemand weiß, wer was anzubieten hat und zu welchen Konditionen. Deshalb bin ich der mächtigste Mann in Mittelsibirien.« Mit einem verschmitzten Lächeln fügte Nikolai hinzu: »Glaube mir, es ist schon ein berauschendes Gefühl, denn die richtige, echte Macht spielt sich immer im Verborgenen ab.«

Alexander, der selbst Waren organisiert und verschoben hatte, bombardierte Nikolai nun mit Fragen. Der Sibiriake schien sich über jede zu freuen, zeigte sie ihm doch, wie interessiert sein junger Zuhörer war. Ob er alles beschaffen könne, wollte Alexander wissen. Im Prinzip ja, aber von einigen Dingen halte er sich fern, besonders von Waffen und Drogen. Das sei nicht sein Metier.

Und einen Zug? Auch das sei möglich, entgegnete Nikolai, wenn er etwas Zeit dafür habe. Waggonweise würde er ihn zusammenstellen, je nach Bedarf. Viele Züge mit Ladungen seien schon in Sibirien verschwunden, aber das falle nicht weiter auf, weil niemand die genaue Anzahl der Wagen und Lokomotiven kenne. Nach dem Großen Vaterländischen Krieg habe die Siegermacht Sowjetunion aus Deutschland alles, was auf Schienen rollen konnte, von der europäischen Normalspur auf die russische Breitspur umgerüstet und in den fernen Osten verschickt. Man habe sich noch nicht einmal die Mühe gemacht, auf der Kriegsbeute die deutschen Bezeichnungen durch russische zu ersetzen.

Alexander, der sich an den Ausgangspunkt seiner Leiden versetzt sah und sich an die auf deutsch beschrifteten Gefangenenwaggons auf dem Kasaner Bahnhof erinnerte, gab zu bedenken, der Sibiriake bestehle trotz allem den Staat.

Nikolai konterte und rief in Erinnerung, wie er, Alexander, den Staat behandele. Sogar Rauschgift aus Afghanistan habe er schon geschmuggelt.

Alexander konnte nichts mehr überraschen. Er fand sich einfach damit ab, daß Nikolai alles über ihn wußte, und kam auf seinen Einwand zurück.

»Inwiefern bestehle ich den Staat?« wollte Nikolai wissen. »Wenn ich Waren und Güter, die nicht in Umlauf kommen, weil die potentiellen Abnehmer nichts davon wissen, weiter bis zu den Endverbrauchern bringe, dann tue ich doch für mein Land etwas Gutes. Ich verhindere einen Verlust und bügele die Fehlproduktion aus.

Deshalb wird man auch keinen Tolkatsch vor Gericht stellen, im Gegenteil. Viele meiner Leute sind ›Helden der Sowjetunion‹. Alexander, mein Prinzip ist nicht, den Staat und seine Gesetze zu unterlaufen, sondern die ihm eigene Trägheit und Unzulänglichkeit zu umgehen und die Nischen auszunutzen.«

Alexander ließ nicht locker. »Aber deine Tolkatschi verdienen doch etwas. Und du auch.«

»In dem Augenblick, wo Ersatzteile oder Rohstoffe herumliegen und verrotten, verlieren alle. Das geht dann vom sogenannten Volkseinkommen ab. Außerdem ...«, Nikolai öffnete eine Aktentasche und schob einen Stapel Papiere über den Tisch, »außerdem arbeite ich mit der Obrigkeit zusammen. Hier, schau dir das mal an. Alles amtlich beglaubigte Aufträge von Kommissaren, Verwaltungen und Fabrikdirektoren, bestimmte Dinge zu beschaffen.«

Alexander schien davon nicht beeindruckt zu sein. »Ganz konkret zu dem heutigen Geschäft: Sato hat fünftausend Transistorradios geliefert, viertausend Schminksets und zweitausend Autoreifen in den gängigen Größen. Du kannst mir doch nicht erzählen, daß diese Dinge aus der sowjetischen Produktion stammen.«

Nikolai rieb sich das Kinn, als wolle er Zeit gewinnen, und schien sich nach wenigen Sekunden zu einem Entschluß durchgerungen zu hagen. »Die Tolkatschi, das ist wirklich nur ein Bereich meiner Tätigkeit. Viele Produkte erhalte ich aus dem Ausland, die werfen auch den größten Gewinn ab.«

»Offiziell und mit amtlicher Genehmigung?«

Nikolai zögerte die Antwort hinaus. »Auch offiziell und mit amtlicher Genehmigung.«

Alexander wollte die Schwachstelle ausloten. »Ein heißspurniger Politbonze steigt dahinter und möchte nach oben glänzen. Was dann?«

»Einmal den unglaublichen Fall angenommen, man entlarvt mich als Organisator – vor wenigen Wochen habe ich beispielsweise 16 000 Reifen importiert –, dann tritt, weil viele einflußreiche Persönlichkeiten unseres Landes um ihre Position fürchten müßten, ein ganz besonderer Mechanismus in Kraft. Man wird unter der Hand abwägen, welche Vorteile der liebe Nikolai bisher dem Staat gebracht und inwiefern er ihn geschädigt hat. Glaube mir, die Bilanz fiele zu meinen Gunsten aus. Deinen Heißsporn würde man höchstoffiziell belobigen und schnellstmöglich an einen weit entfernten Ort versetzen, bevor er noch mehr Unheil anrichten könnte.«

»Du durchtriebener Hund«, spöttelte Alexander und knuffte dem Sibiriaken in die Seite. »Aber für 16 000 Pkw-Reifen benötigst du viele doppelwandige Container.«

»Überhaupt nichts habe ich damals benötigt. Das waren laut Frachtpapieren keine Reifen für Autos, sondern für Traktoren und Lkw.«

»Den Unterschied sieht man doch.«

»Zeige mir den Zollbeamten, der ein amtliches Dokument anzweifelt, wenn auch noch fünfhundert Rubel beiliegen. Außerdem gingen viertausend an das Militär und weitere sechstausend an Behörden und Miliz.«

»Das nenne ich Bestechung paradox.«

Nikolai beschrieb Alexander den langwierigen Verfahrensweg, falls er mit Hilfe der Behörden etwas in anderen Staaten ordern wolle. Das könne bei Konsumgütern, die in der Priorität weit hinter den strategisch und volkswirtschaftlich wichtigen Erzeugnissen wie Traktoren und Lkw rangierten, manchmal länger als ein Jahr dauern. Er verkürze die Zeit durch ... Vergünstigungen, die er unter anderem einer bestimmten Person zukommen lasse, und zwar dem einflußreichsten Politfunktionär in Mittelsibirien. Der genehmige ihm daraufhin hochoffiziell, was er importieren wolle. Damit aber Besmertisch, so heiße der Funktionär, nicht über sämtliche Transaktionen Bescheid wisse, nutze er auch noch andere Kontakte wie den bei der Hafenbehörde in Wladiwostok. Dort stelle man ihm sogenannte Unbedenklichkeitsbescheinigungen aus, mit deren Hilfe er fast alles einführen dürfe.

Nach dieser Einweisung in Nikolais Geschäftspraktiken, bei allen mehr oder weniger illegal eingeführten Waren sei immer ein bestimmter Anteil für staatliche Stellen vorgesehen, wodurch zwangsläufig jede Transaktion abgesegnet sei, kam Alexander wieder auf den Ausgangspunkt zurück.

»Welche Größenordnung hatte dein heutiger Deal mit Sato? Wie hoch ist dein Profit?«
»Umsatz ungefähr eine Million Dollar, für mich verbleiben davon fünf Prozent.«
»Wieviel erhalten deine Leute?«
»Jeweils zehn Prozent von dem, was sie beschafft oder vermittelt haben.«
»Und was geht an die Zwischenhändler? Die Radios, mehr noch die Schminksets werden doch wohl zum größten Teil in den Berjoskaläden verkauft.«
»Ja, mit einem Aufschlag von hundert Prozent, ist dann einfacher zu rechnen. Die Radios kosten dort einhundertsechzig und das Schminkset siebzig Rubel. Der Überschuß geht an den Bund. Pro Radio hat er etwa vierzig Rubel.«
»Wer ist der Bund?«
Nikolai zögerte. »Erkläre ich dir später.«
»Warum nicht jetzt?«
»Später.«
»Und wann bekommst du dein Geld?«
»Es müßte schon eingetroffen sein.«
»In Rubel?«
»Dollar.«
»Und wo liegt es?«
»In Tokio, auf der Hongkong und Shanghai Bank.«

Alexander reiste viel mit Nikolai. Auf sehr bequeme Art lernte er weite Landstriche Sibiriens kennen. Große Strecken legten sie mit dem Flugzeug zurück, kleinere mit Nikolais Hubschrauber oder einem, der ihnen meist kostenlos von einem Kombinat zur Verfügung gestellt wurde. Wo sie auch hinkamen, immer stand eine Limousine für sie bereit, stets wohnten sie in den besten Hotels. Das sei er seinem Ruf schuldig, spottete Nikolai. Außerdem könne er es sich leisten. Wieder in Irkutsk, wurde Alexander stummer Zuhörer eines Treffens mit einem Franzosen. Nikolai verkaufte dem Ausländer fünftausend wertvolle Zobelpelze und erhielt dafür sechstausendfünfhundert Fläschchen Parfüm, geliefert auf dem üblichen Wege.

»Was ist der übliche Weg?« fragte er den Sibiriaken später.

»Mit einer Linienmaschine der Air France nach Moskau, als Tafelwasser getarnt.«

Alexander studierte das Geschäftsgebaren des Älteren, der ein Meister der Schauspielkunst war. Wollte sein Partner nicht auf die Forderung eingehen, tat Nikolai so, als hinge sein Seelenheil ausgerechnet von diesem einen Handel ab. In der Regel schloß er den Vertrag zu seinen Bedingungen.

»Wann fahren wir zu dir nach Hause?«

Nikolai hatte schon oft und viel von seinem Wohnsitz am Oberlauf der Lena nahe der Stadt Kirensk gesprochen. Ein großzügiges Jagdhaus, das einem korrupten Politiker gehört habe.

»In zwei Wochen.«

»Und was gibt es bis dahin zu tun?«

Ohne zu antworten, legte Nikolai einige Fotos vor Alexander auf den Tisch. Der besah sie sich und fragte nach etlichen Sekunden: »Wie bist du an sie gekommen?«

»Einer meiner Männer hat sie gemacht.«

»Wolltest du mir nachspionieren?«

»Nein. Dich warnen, falls der KGB aufgetaucht wäre.«

Erneut betrachtete Alexander die Bilder. Sie zeigten ihn in Omsk beim Beobachten des Wohnblocks, in dem seine Mutter lange gelebt hatte.

»Wieso war der Geheimdienst nicht da?«

»Einige Monate vorher, im April und Mai, kurz nachdem du über die Schlucht geschwebt bist, haben sie auf dich gewartet.«

»Du hast länger ausgehalten, nicht?«

Nikolai schmunzelte auf die für ihn typische Art. »Ich hätte mich genauso verhalten wie du. Deshalb war einer meiner Mitarbeiter auch noch im Sommer dort.«

»Und später? Hat er mich weiter beobachtet?«

»Weil keine Gefahr mehr für dich bestand, hat er seinen Posten aufgegeben.«

In Alexanders Gesicht arbeitete es.

Zögernd schaute er den Sibiriaken an. »Seit wann läßt du mich überwachen?«

»Alexander, nimm bitte nicht dieses schreckliche Wort in den Mund. Verwechsle mich nicht mit dem KGB.«

»Seit wann werde ich von dir beschützt?«

»Seit ich vom Chef der Station 22 weiß, wer du in Wirklichkeit bist. In deiner Akte steht alles.«

Nikolai stand auf und öffnete einen Schrank. Mit einer Mappe aus Leder kam er zurück.

Lange studierte Alexander seine Vergangenheit aus der Sicht des Staatsapparates. In den Jahren hatte sich eine ganze Menge angesammelt.

Er konnte nachlesen, daß man ihn nicht mehr länger beschuldigte, Natschalnik Pagodin umgebracht zu haben. Zwei der Ausgebrochenen hatten während des Verhörs zugegeben, die Täter zu sein. Alexander und Klimkow wurden sogar durch die Sträflinge entlastet, weil nicht geplant gewesen sei, sie fliehen zu lassen. Das habe sich so ergeben, als sie die Gunst der Stunde nutzten. Dafür unterstellte man ihm, er habe gemeinsam mit dem Letten Markus Nadeike Schiebereien im großen Stil begangen und später in Ust-Port junge Soldaten dazu verleitet, militärische Gegenstände zu organisieren. Alexander schloß daraus, daß zumindest ein Teil des Schwarzhandels aufgeflogen war.

Seine Spur verlor sich für den KGB nach seiner Flucht und dem Tod der fünf Soldaten durch Ertrinken. Wieder auf ihn aufmerksam wurde man zwei Jahre später wegen der Beschuldigung des Dolmetschers und durch den Brief, den man bei dem Österreicher Lientscher entdeckt hatte. Allerdings wurden mit keinem Wort die vier Briefe erwähnt, die Hellen vor vielen Jahren via deutsche Botschaft an ihn geschrieben hatte. Briefe, von deren Inhalt er nichts wußte, die aber damals dem Richter als zusätzlicher Beweis für seine Agententätigkeit genügt hatten.

Und dann zuckte Alexander zusammen. »Nikolai, die wissen also, daß ich Wolgadeutscher bin?«

»Selbstverständlich. Meinst du, die Tusanskaja, die ehemalige Freundin deiner Mutter, hätte dichtgehalten? Sie ist seit mehr als zwanzig Jahren der Blockspitzel für die Miliz. Du hattest gerade ihre Wohnung verlassen, da tauchte die Polizei auf. Aber sie hat dich gottlob nicht in Omsk aufgespürt, obwohl man auch den Bahnhof überwachte.«

»Und wieso nicht?«

Nikolai kratzte sich am Hinterkopf. »Nun, äh ..., einer meiner Mitarbeiter hat dich zufällig noch am gleichen Tag in einen Zug Richtung Westen einsteigen sehen.«

»Fahndet die Miliz auch unter meinem falschen Namen Kirjan Morosow nach mir?«

»Natürlich. In Moskau weiß man alles über dich.«

»Dann habe ich es also deinem Mitarbeiter zu verdanken, daß man mich nicht im Hotel aufgespürt hat.«

»Du meinst, wegen des obligatorischen Anmeldezettels?«

Alexander war an diesem Abend sehr nachdenklich. Während Nikolai sich mit seinen Verträgen und Papieren beschäftigte, beobachtete der Jüngere ihn heimlich. Was hat er für einen Grund, ausgerechnet mit mir zusammenzuarbeiten? Gibt es nicht genügend andere?

»Nikolai, bist du eigentlich verheiratet?«

Der Sibiriake schob seine Unterlagen zur Seite. »Wie kommst du darauf? Willst du herausfinden, warum ich dich ausgesucht habe?«

»Bist du verheiratet?«

»Meine Frau starb bei einer Geburt.«

»Du hast Kinder?«

»Eine Tochter. Dreiundzwanzig. Sie studiert in Nowosibirsk Staatsökonomie.«

»Also keinen Sohn?«

»Nein.«

»Warum ich?«

Nikolai löschte die Schreibtischlampe und rieb sich die Augen. Lange fixierte er einen Punkt an der Wand, und als Alexander schon dachte, er wolle nicht antworten, sagte er zögernd: »Es gibt viele Gemeinsamkeiten zwischen dir und mir. Vielleicht deswegen.«

Aber sosehr Alexander auch drängte, Nikolai blieb verschlossen. Das sei unfair, meinte Alexander. Er, der Ältere, wisse alles über ihn, gebe von sich selbst jedoch nichts preis, bleibe distanziert.

»Ich weiß noch längst nicht alles über dich: deine Jugendzeit,

Militär, Studium, warum man dich wirklich verurteilt und in ein Straflager geschickte hat, wie es dir dort ergangen ist.«
Und als Alexander nicht reagierte: »Nun bist du distanziert. Wir können aber auch mit etwas anderem beginnen, zum Beispiel diesem Anhänger, den du um den Hals trägst. Was ist mit ihm?«
Alexander spielte mit der Kette und der kleinen flachen Metallkapsel, die inzwischen den Lederbeutel abgelöst hatte. Er öffnete sie und nahm etwas heraus.
»Haare. Nur Haare.«
»Von wem?«
»Ein Büschel von Rassul, einem Mitgefangenen, und die von Yokola, dem Ewenken.«
»Willst du mir erzählen, was sie für dich bedeuten?«
Alexander verstaute die Haare wieder. »Ja. Aber erst wenn ich weiß, welche Gemeinsamkeiten wir haben.«

Eines erfuhr Alexander von Tag zu Tag immer deutlicher: Nikolai liebte dieses Land. Sprach er von bestimmten Regionen, dann wurden seine Gesten heftiger, die Augen glühten, und er begann zu schwärmen. Von Sonnenuntergängen, die er erlebt hatte, oder der Eindringlichkeit und Monotonie eines sibirischen Landregens, der alles aufweichen konnte und ihn auf seltsame Weise froh stimmte. Respektvoll erzählte er vom Winter, von der majestätischen Kälte und beschrieb die Klarheit der Luft, die bei minus vierzig Grad wie ein eisiger Stab in die Lunge eindringe. Übergangslos, als benötigte er ein Ventil für seine Emotionen, begann er manchmal auf Verwaltung und Staat zu schimpfen, die so sorglos mit dem Naturpotential umgingen, als sei es unerschöpflich.
»Nimm den Baikalsee, fünfzig Kilometer von uns entfernt. Vor einigen Jahrzehnten sah ich das blaue Herz Sibiriens, wie ein Dichter ihn genannt hat, das erste Mal. Ich habe damals vor dem Naturereignis gestanden und gebetet, so gewaltig kam es mir vor. Seltsam, mein Verhalten, nicht?«
Alexander zeigte keine Reaktion.
»Ein Einheimischer hat mich angesprochen und gesagt, das sei die Träne Gottes. Und auf meine Frage antwortet er: Als Gott das

Land erschaffen hat, fand er es so schön, daß er vor Freude geweint hat.«

»Ich kenne die Fabel.«

Nikolai begann zu schwärmen. Sibirien, das sei Gottes Meisterschöpfung. Wo sonst gebe es so viele Gegensätze? Wo sonst hätten die Menschen die Gelegenheit, sich mit der Natur zu verbünden?

Alexander protestierte. »Mich hat sie beinahe umgebracht.«

»Weil du gegen sie gearbeitet hast. Wer gegen die Natur ist, verliert immer. Du und ich und wir alle, uns braucht Sibirien nicht. Aber wir brauchen das Land. Oder könntest du dir vorstellen, woanders zu leben?«

Alexander konnte es. »In Japan, in Amerika. An vielen Orten.«

Nikolai wußte es besser, so, wie er den Jüngeren anlächelte. »Das dachte ich auch in meiner Jugendzeit. Überall wollte ich hin, nur nicht in meinem Land bleiben. Und jetzt, wo ich überall hin könnte und das Geld dazu habe, bringt mich nichts auf der Welt weg von hier.«

Nikolai ging zu einem Treffen, ohne zu sagen, mit wem. Alexander, der bitte im Hotel warten solle, es würde bestimmt nicht lange dauern, kam die Geheimnistuerei übertrieben vor.

Wieder zurück, grinste Nikolai übers ganze Gesicht und legte eine Geburtsurkunde auf den niedrigen Tisch und einen Ausweis. Zögernd griff Alexander danach, unvermittelt weiteten sich seine Augen. Robert Koenen konnte er lesen, seinen richtigen Namen und sein richtiges Geburtsdatum: 6. Oktober 1940.

»Wo hast du das her?«

»Keine Fälschung. Nach den Originalunterlagen des Bezirks Saratow auf echtem Papier mit original Wasserzeichen erstellt. Immerhin haben dich deine Eltern seinerzeit ordnungsgemäß angemeldet.«

Alexander besah sich die Rückseite. »Aber das muß doch auffallen, wenn man die Daten genauer überprüft. Zum Beispiel diente ich nicht als Robert Koenen beim Militär.«

»Robert Koenen war, im Gegensatz zu Alexander Gautulin, der ja einen weißrussischen Vater hatte, überhaupt nicht beim Militär.

Erstens wegen seiner kränklichen und schwächlichen Konstitution und zweitens, weil Ende der fünfziger Jahre die Kinder von Kollaborateuren und Verrätern nicht genommen worden sind. Auf den echten Robert Koenen hätte man übrigens noch aus einem anderen Aspekt verzichtet. Aus verständlichen Gründen, Vater Verräter, ist er nie bei einer Jugendveranstaltung gesehen worden. Die Geheimrede eines Nikita Chruschtschow, der 1955 auf dem 20. Parteitag die Massendeportationen unter Stalin anprangerte und deine Volksgruppe wieder rehabilitierte, hat daran genausowenig geändert wie der Umstand, daß man deine Landsleute neun Jahre später endlich von der Kollektivschuld freiwusch. Sogar heute noch bleibt euch der Zutritt zu bestimmten Landesteilen verboten.«

Alexander ereiferte sich. »Aber wir haben doch seit wenigen Wochen laut sowjetischer Verfassung faktisch die gleichen Rechte wie all die anderen Bürger, mit Ausnahme der nationalen Sonderrechte.«

»Na, erwacht in dir der Deutsche?« spöttelte Nikolai. »Trotzdem wird es so schnell keine autonome Republik für euch geben. Du wirst es nicht mehr erleben.«

»Wo ging ich zur Schule?«

»In Karaganda, wo die Schule 1959 ausgebrannt ist. Leider existieren keine Unterlagen mehr.«

»Und meine damalige Anschrift?«

»Eine Sowchose nahe bei Temitalinsk. Dort hat ein Ehepaar gearbeitet, auch Deutsche und mit Namen Koenen, die es in den Kriegswirren von Saratow weiter nach Osten verschlagen hat. So ein Zufall, nicht? Das Ehepaar ist tot und hat laut Unterlagen seit zwei Wochen noch einen zusätzlichen Sohn. Aber hier hört meine Macht auf. Mehr konnte ich nicht tun.«

»Wird es funktionieren?«

»Warum nicht? Keiner außer mir kennt dich mit deinem richtigen Namen Alexander Gautulin. Und allen anderen werde ich dich als Robert Koenen vorstellen, der du ab sofort auch für mich sein wirst.«

»Habe ich studiert?«

»Nein, Robert.« Nikolai lächelte.

»Was war all die Jahre?«

»Du hast für mich gearbeitet. Mal hier, mal dort, überwiegend in Ostsibirien. Einige Male bist du nur knapp dem Tode entronnen, wie dein Körper unzweifelhaft bekunden kann.«

»Sehr vage.«

»Mir wird man glauben, Robert. Inzwischen tauchst du in einigen meiner Berichte auf. Außerdem hast du regelmäßig von mir ein Gehalt und eine Gewinnbeteiligung bekommen.«

»Willst du mich unter Druck setzen, damit ich mich nicht mehr von dir lösen kann?«

Nikolais vorhin noch freundliches Gesicht wurde unvermittelt ernst. »Hast du noch immer nicht bemerkt, daß dies gar nicht meine Absicht sein kann? Ich dir sehr ausführlich von meinen Geschäftspraktiken und Verbindungen erzählt habe? Wir haben uns gegenseitig in der Hand.«

»Was ist, wenn mir dein Angebot irgendwann nicht mehr zusagt?«

»Dann gehen wir auseinander. Jeder muß den Mund halten, um sich nicht selbst zu gefährden. So ist das nun mal in unserer Partnerschaft.«

»Was wäre, wenn ich trotzdem plaudern würde?«

»Eines kann ich dir garantieren: Du kämst nicht in ein Strafgefangenenlager. Diese Sorge kann ich dir nehmen.«

Verunsichert bemühte sich Alexander, in dem stoischen Gesicht des Sibiriaken etwas zu lesen. »Weil mich die Behörden als Kronzeugen schonen würden?«

Nikolai verneinte. »Weil man Tote nicht in ein Lager steckt.«

Sie waren auf dem Weg zu Nikolais Wohnsitz. Er freue sich auf zu Hause, bald komme seine Tochter, und dann werde er Weihnachten feiern. So nebenbei erfuhr Alexander, daß Nikolai von Geburt an katholisch war, aber Näheres erwähnte er, wie so oft, nicht. Damit er, Alexander, eine Vorstellung von der Landschaft bekomme, von ihrer Kraft und Gelassenheit, fuhren sie mit einem erbsengrünen Uasik, einem allradgetriebenen Armeejeep, dessen Heizung ausgezeichnet arbeitete, auf der zugefrorenen Lena nach Norden. Wellig war die Winterpiste und von erstaunlich vielen Lkw befahren. Etliche von ihnen benutzten die ganze Breite der durch farbige Pfosten markierten Eisstraße, denn die Fahrer hatten zu oft die Flasche angesetzt.

»Jetzt kommt ein tiefgehender Einblick in die sibirische Wirklichkeit«, scherzte Nikolai und gab dem Chauffeur Order, einen bestimmten Punkt anzusteuern.

»Laß uns eine kleine Pause machen zum Entleeren.«

Zögernd stieg Alexander aus. Beißend war die Kälte, wie Schnitte in seinem Gesicht. Er schlug den Kragen hoch und setzte die Schapka auf. Tief vergrub er seine Hände in den Taschen. Genau dort, wo der Mantel aufhörte, etwa Mitte Schienbein, hatte er das Gefühl, als besprengte jemand seine nackten Beine mit eiskaltem Wasser, das sofort gefror.

»Was gibt es denn?«

»Komm mit.«

Alexander stapfte hinter Nikolai her.

»Hier, eine sibirische Toilette.«

Alexander betrachtete die seltsame Holzkonstruktion. Auf verschneiten, holprigen und glitschigen Bohlen gingen sie entlang einer Bretterwand auf einen Durchgang zu. Dahinter befand sich eine Bude, wackelig und windschief, die jeden Augenblick unter der Schneelast zusammenzubrechen drohte. Dann stand er im Raum der Verrichtung. Kein Balken, kein Sitz, noch nicht einmal ein Loch im Boden, in das er was hätte plumpsen lassen können. Die Grube war übervoll, aus ihr ragte ein kleiner Berg aus gelbem und braunem Eis. Das Eis stank trotz der Kälte, und von dem kleinen Berg schlängelten sich, wie erstarrte Ströme aus Lava, allerdings in Gelb, Spuren des Urins.

Als Alexander den Hosenlatz öffnete, fühlte er jemanden das Messer ansetzen, so kalt war die Luft. Für wenige Sekunden stieg dampfend die Wärme auf, dann war der Urin auch schon gefroren.

»Na, zuviel versprochen?« fragte Nikolai in spöttischem Ton.

»Warum hast du mir das gezeigt?«

Nikolai philosophisch: »Wer das Land verstehen will, muß es zuerst einmal kennenlernen.«

Sie waren da. Mehrere durch Waldstreifen getrennte Gebäude machte Alexander aus, und das imposanteste etwas abseits entpuppte sich als Nikolais Holzvilla. Wohl dreißig Meter war sie lang, fünfzehn breit, zweigeschossig und mit einem gewaltigen, weit überstehenden Dach. Vor jedem Fenster befanden sich Klappläden, aber nicht blau oder grün gestrichen, wie sonst üblich, sondern in einem dunklen Braunton. Fenstereinfassungen und Stürze waren verziert mit Schnitzereien, ebenso die Eingangstür und die Bohlen an den Trauf- und Giebelseiten.

Zuerst jedoch führte der Sibiriake Alexander zu einem anderen Gebäude, vielleicht hundert Meter vom Haupthaus entfernt. Das sei sein Arbeitsbereich, erklärte er. Ständig säßen etwa zwanzig Personen in den einzelnen Zimmern und hätten Kontakt mit den Tolkatschi zu halten, mit Behörden und Produktionsstätten zu reden oder etwas zu arrangieren. Nikolai stellte ihm Minsk vor, einen älteren, zäh aussehenden Mann, knapp mittelgroß und mit hellgrauen Augen. »Der einzige Vertraute, den ich habe.« Wie Nikolai das sagte, in überaus ernstem Ton, Minsk dabei anschaute und dieser verlegen lächelte, konnte sich Alexander einiges zusammenreimen. Zwischen den beiden mußte eine tiefe Freundschaft bestehen.

»Ich habe übers Land verteilt zehn Stellvertreter, auf die ich mich voll und ganz verlassen kann.«

»Aber keiner ist in der Lage, das Geschäft zu führen.«

»Ich bin der einzige und werde mir nicht reinreden lassen.«

Der Sibiriake zeigte Alexander die Arbeitsräume der vier Sekretärinnen, deren Hauptaufgabe Telefonieren und Tippen sei. Anschließend betraten sie das Büro eines Stellvertreters, Nikolais direktem Kontaktmann und Berater, mit dem er hier vor Ort zusammenarbeite und der ihn in seiner Abwesenheit vertrete. Zwei Telefonapparate standen auf dem großen Schreibtisch, ein Fernschreiber neben dem Fenster, dazu Radio, Fernseher, eine kleine Bar und in der Ecke eine Sitzgarnitur.

»Ich habe dich unterschätzt.«

Der Sibiriake schmunzelte. »Das tun alle.«

Sie schlenderten über einen vom Schnee geräumten Weg. Nikolai öffnete die schwere Eingangstür der Holzvilla und ließ Alexander eintreten. Der blieb in der großen Halle stehen und merkte nicht, wie jemand ihm den Mantel und die Schapka abnahm. Er sah Ölgemälde an den Wänden, Plastiken auf extra errichteten Sockeln und Podesten aus schwarzem Granit und chinesische Vasen hinter Glas. Auf dem Boden lag ein dicker Teppich aus Afghanistan, der jeden Tritt dämpfte, daneben einer aus Turkmenistan, wie Nikolai beiläufig erwähnte. Zwischen den einzelnen Belägen und Brücken, einige waren aus Seide und sehr dicht geknüpft, registrierte Alexander kunstvoll verlegtes Parkett in feinen Holzstäben.

»Nikolai, wie ...« Dem Jüngeren hatte es die Sprache verschlagen.

»Habe ich dir nicht gesagt, daß ich der mächtigste Mann im Lande bin?«

Rechter Hand im Erdgeschoß gab es einen Saal für Festlichkeiten, der mehr als die Hälfte der Hausfläche einnahm. Zweihundert Personen fänden Platz und könnten auch noch tanzen, ohne sich zu behindern, erklärte Nikolai. Auf der gegenüberliegenden Seite der Diele befanden sich das Kaminzimmer und die Bibliothek. An Regalwänden und in Schränken drückte sich Buch an Buch. Alexander spazierte daran vorbei und entdeckte viele ausländische Autoren. Aljoscha, der Literaturstudent aus SIB 12, hätte seine Freude an ihnen gehabt.

In der oberen Etage lagen Nikolais Privaträume. Ein Wohnzimmer, unterteilt durch verschiedene Sitzgruppen, erstreckte sich über die gesamte Haustiefe von fünfzehn Metern, in der Nähe des Fensters stand ein schwarzer Flügel.

»Ich wußte gar nicht, daß du Klavier spielst?«

»Nicht ich, meine Tochter.« Verträumt ließ Nikolai die Fingerkuppen über das polierte Holz gleiten.

Alexander erblickte Möbelstücke, die er von Form und Herstellungsart nicht kannte, und ein Bad, doppelt so groß wie sein gewiß nicht kleines Zimmer nördlich von Tynda im Basislager Station 22 der zukünftigen BAM. Mitten im Raum eine große Wanne, drumherum Sitzgelegenheiten und Spiegel hoch bis zur Decke und überall Blattpflanzen, manche rankten um Balken oder kletterten an einem Gerüst bis zur Decke.

»Sind die etwa vergoldet?« Alexander drehte einen Wasserhahn auf und registrierte nicht, wie Nikolai nickte. Als sei die Zeit stehengeblieben, sah der Jüngere sich unvermittelt in das Moskauer Hotel National versetzt. Draußen rumorte der Lärm der Stadt, im Nebenraum lag Hellen und wartete auf ihn.

Nikolai, dem die Veränderung aufgefallen war, trat näher. »Was ist mit dir? Du bist so abwesend.«

»Schon gut.«

Nikolai wies Alexander im Gästehaus eine Wohnung zu mit Bad, Küche, Schlaf- und Wohnzimmer und einem zusätzlichen separaten Raum, den er, falls er Besuch habe, als Gästezimmer benutzen könne.

»Das wird dein Zuhause sein.«

»Nein.«

Die Ablehnung klang hart, aber Alexander wollte nicht über sich bestimmen lassen und zumindest die Spielregeln ihres Zusammenbleibens mit festlegen. Schätzte er Nikolai vor wenigen Wochen noch als eine potentielle Gefahr ein, weil er so viel über ihn wußte, war er inzwischen anderer Auffassung. Nie würde der Ältere seine Informationen gegen ihn ausspielen, vielmehr war ihm ausschließlich an seiner Person gelegen.

Nikolai schien erstaunt. »Was hat das zu bedeuten?«

»Es wird nicht mein Zuhause sein.«

»Und warum nicht?«

»Nikolai, ich will endlich wissen, wer du wirklich bist.«

»Wird es dann dein Zuhause sein?«

»Vielleicht.«

»In einem Monat oder zwei, so lange mußt du dich noch gedulden und lernen. Vorher habe ich einen Auftrag für dich. Bist du mit dieser Regelung einverstanden?«

Ohne eine Antwort abzuwarten, war Nikolai verschwunden. Er hatte es eilig, denn Alexanders Antwort irritierte ihn. Und er sorgte sich, weil er diesen jungen Mann nicht wie all die übrigen einschätzen konnte, sein Verhalten somit für ihn nicht berechenbarer wurde.

»Er ist wie ich«, murmelte Nikolai vor sich hin, während er zum Haupthaus lief. »Verdammt noch mal, er ist wie ich.«

Weluga war Alexanders Ziel, gut tausend Kilometer von Kirensk entfernt. Zwei Möglichkeiten gab es, im Winter dorthin zu gelangen: Mit dem Auto, das dauerte drei Tage, oder mit dem Helikopter in sechs bis acht Stunden, je nach Windstärke und Richtung. Um einen Eindruck vom Land zu gewinnen, sei ein Auto besser, meinte Nikolai, aber da er ihn in einer Woche wieder zurückerwarte, möge er bitte den Hubschrauber nehmen. Den habe er zusammen mit dem Haus erstanden, fügte der Sibiriake nach einem Blick in Alexanders fragendes Gesicht hinzu.

Noch bei Dunkelheit hob der Pilot den Helikopter ab und flog nach Nordosten. Er tankte einmal, für drei Stunden wurde es hell, und bei Dunkelheit landete er in Weluga. Tolkatsch Nilowitsch, von Alexanders Ankunft informiert, erwartete seinen Besuch und geleitete ihn in ein kleines Hotel. Nach dem üblichen Willkommenstrunk verabschiedete sich Nilowitsch und versprach, ihn am nächsten Morgen um acht abzuholen.

Alexander wußte nicht, warum er in Weluga war. Nilowitsch, sein dortiger Mittelsmann, hatte Nikolai gesagt, werde ihm schon alles erklären, er brauche nur die Ware mitzubringen. Folglich kann sie nicht allzu sperrig sein, überlegte Alexander.

Am Morgen, zum Frühstück hatte es tatsächlich Mokka gegeben, und Alexander fragte sich, wie weit Nikolais Einfluß und Übersicht noch gingen, stand Nilowitsch pünktlich vor der Tür. Er lud Alexander in seinen Wolga und chauffierte ihn schlingernd aus dem Ort. Als Nilowitsch nach wenigen Kilometern ein Werkstor durchfuhr und die Kontrolle passierte, da ahnte Alexander bereits, um was es sich handeln könnte.

Alexander mußte wie die anderen spezielle Arbeitskleidung anziehen und inspizierte dann mit seinem Begleiter das Diamantbergwerk.

Um die Steine auszusortieren, lief die zerkleinerte, mit Wasser befeuchtete und gereinigte Masse über von Lampen angestrahlte Förderbänder. Zu erkennen waren die Rohdiamanten nicht am typischen Glitzern und an der Reflexion des Lichts, sondern an den relativ glatten Flächen, der scharfkantigen, oft kubischen Form und dem milchigweißen Farbton, ähnlich dem von Eis.

»Höchstens in einigen südafrikanischen Minen findet man den gleich großen Diamantanteil pro Tonne wie hier bei uns. Das Gestein ist sehr ergiebig.«

Die Männer nickten Nilowitsch zu, sie kannten ihn. Er war ihr Tolkatsch, der jeden Mangel, so versicherte er, in kürzester Zeit beseitigen könne. »Normalerweise brauche ich nicht länger als eine Woche, drei Tage Transport eingeschlossen.«

Alexander, dem gewisse Zusammenhänge immer deutlicher wurden, fragte sich während der Besichtigungstour, wie die Arbeiter, sie mußten sich nach Schichtende einer strengen Leibesvisitation unterziehen, überhaupt Diamanten ungesehen nach draußen bringen konnten.

»Ist es nicht ... illegal, Diamanten herauszuschmuggeln?«

»Wieso?« Nilowitsch lächelte, als habe er mit Alexanders Kombinationsgabe gerechnet. Schien zu stimmen, was ihm Nikolai avisiert hatte. »Wenn das Werk dafür andere wichtige Ersatzteile und Ausrüstungsgegenstände organisieren kann, deshalb noch mehr von dem Rohstoff gewinnt, die offizielle Produktion steigt und steigt, das Plansoll übererfüllt wird?«

»Aber das ist nalewo, am Staat vorbei!«

»Was heißt hier links? Der Vorteil kommt vielen zugute, eigentlich allen.«

»Moment mal, die Steine verschwinden doch einfach.«

»Nein, keineswegs. Sie werden zwar aus der Grube transferiert – ja, transferiert, das klingt doch besser ...«, Nilowitsch hüstelte, »... und gegen dringend benötigte Gegenstände eingetauscht. Allerdings ist der Direktor genau über die Karatzahl informiert. Wir umgehen lediglich die staatlichen Prüfer, die man uns seit vier Jahren zugeteilt hat.« Tolkatsch Nilowitsch gab sich betrübt, als würden diese Prüfer alles zu verhindern suchen. »Sie wollen immer die Hälfte haben, dann erst halten sie den Mund.«

Bevor Alexanders Erstaunen sich gelegt hatte, dabei wußte er nicht erst seit seinen Erfahrungen beim Bahnbau, wie bestechlich gerade staatliche Kontrolleure und Inspekteure waren, sprach der Tolkatsch weiter: »Die Situation des Direktors sieht wie folgt aus: Etwa zehn Prozent darf er offiziell und zu handelsüblichen Preisen verkaufen, vorausgesetzt, die Vorgabe ist erfüllt. Aber dafür bekäme er auch nur etwa zehn Prozent der Ersatzteile und Maschinen, die er für sein Werk benötigt. Die restlichen neunzig Prozent der Rohdiamanten gehen zu einem festgesetzten Preis nach Moskau, wo man sie zu Devisen macht oder im Depot der Staatshandelsbank bunkert.«

»Und somit dem Markt entzieht«, scherzte Alexander.

Der Tolkatsch bestätigte dies. »Totes Kapital sagt man dazu, dabei könnte man es so sinnvoll einsetzen.« Bei Nilowitsch, der in Gedanken den entgangenen Gewinn vor sich sah, schimmerte der Kapitalist durch. Wieder auf dem Boden der sozialistischen Tatsachen, sprach er weiter: »Moskau bewilligt uns keine außerplanmäßigen finanziellen Zuwendungen oder Hilfen. Wir sind kein Vorzeigebetrieb, ›Helden der Sowjetunion‹ suchst du bei uns vergeblich, und als strategisch wichtig kann man die Produktion weiß Gott nicht bezeichnen. Was also benötigt wird, hat der Direktor durch die ihm frei zur Verfügung stehenden zehn Prozent zu beschaffen. Wie er das macht, ist seine Angelegenheit.«

»Weil das aber nicht genügt, zweigt ihr etwas mehr ab als die vorgegebene Menge.«

»Richtig. Unser privater Anteil wird in keiner offiziellen Statistik erfaßt, das zuständige Ministerium ahnt davon überhaupt nichts. Kindergarten und Kulturzentrum und viele andere Annehmlichkeiten, die die Motivation der Arbeiter ungemein positiv beeinflussen, hätten wir uns sonst nie leisten können.«

Alexander war überzeugt, daß Nikolai für Nilowitschs Offenheit verantwortlich war. Normalerweise hüteten die Tolkatschi ihr Wissen über bestimmte Dinge und noch mehr ihre Beziehungen, allein das machte Erfolg und Gewinn aus, wie ein Staatsgeheimnis.

»Aber wie werden denn die ...«

Nilowitsch legte einen Finger auf den Mund. Sie waren am Kontrollpunkt angelangt. Beide hatten sie sich nackt auszuziehen und zu duschen. »Damit keiner etwas in den Haaren versteckt.« Anschließend mußten sie ihren Mund öffnen und vorzeigen.

»Zwanzig Karat zu schmuggeln, unter der Zunge ist das kein Problem.«

Gewissenhaft wurden sie von den Kontrolleuren inspiziert, die vergeblich auf ein Angebot und ein lukratives Nebengeschäft zu warten schienen.

Wieder angekleidet, suchten sie die Kantine auf. Alexander war von dem Warenangebot überrascht: Obst, Frischmilch, Käse, Wurst und verschiedene Brotsorten.

Nilowitsch bemerkte seine Verwunderung. »Wenn die Männer schon so hart schuften müssen, dann sollen sie wenigstens einigermaßen gut versorgt werden.«

»Alles eine Folge der ... transferierten Diamanten?«

»Ebenso wie Bibliothek, Versammlungsraum und zugleich Kino, Erholungsheim außerhalb von Weluga und Kindergarten.«

»Hat denn der Staat nicht die Verpflichtung ...«

Der Tolkatsch hob theatralisch die Hände. »Manchmal werden wir hier im Osten einfach vergessen. In Magadan ist es noch schlimmer. Wissen Sie eigentlich, daß es mehr als 270 Tage dauert, bis nach einer Wahl oder Bevölkerungszählung, die Urnen werden mit Schlitten oder Geländefahrzeugen zu den verstreut lebenden Nomaden gebracht, die Resultate in Moskau eingehen?« Spöttisch sprach Nilowitsch weiter: »Aber, welch Wunder an Demokratie, der Oberste Sowjet und der Parteitag der KPdSU treten nicht erst nach 270 Tagen zusammen.«

Schichtende. Allmählich füllte sich die Kantine mit Arbeitern, die, geduscht und frisch angezogen, mit Appetit ihr Essen vertilgten. Einigen schien die Zusammenstellung jedoch bereits kurze Zeit später auf den Magen zu schlagen, denn sie verschwanden auf der Toilette. Und immer, wenn sie zurückkamen, drehten sie eine Runde an Nilowitschs Tisch vorbei und steckten ihm etwas in die Jackentasche.

»Ja, ja, so geht das jeden Abend. Die Männer essen, und ich schaue ihnen dabei zu. Das ist meine eigentliche Tätigkeit.«

Alexander wurde aus Nilowitsch nicht schlau. Der faselte etwas davon, nicht alle Bergleute kämen in die Kantine, nur die des Bundes. Was meinte er für einen Bund? Etwa die gleiche Einrichtung, die Nikolai einmal beiläufig in Bratsk erwähnt hatte?

Als der letzte Arbeiter die Kantine verlassen hatte, forderte Nilowitsch seinen Gast auf, ihm zu folgen. »Zum Direktor.« Dort leerte

Nilowitsch seine Jackentaschen, kleine braune Kugeln rollten über den Tisch. Verzückt betrachtete sie der Bergwerksdirektor, schnappte sich eine und drückte sie auf. Heraus kam dem Aussehen nach ein Stück Glas, ungeschliffen und matt. Zweiundzwanzig Kugeln lagen schließlich auf dem Tisch, um die Umhüllung bereinigt waren das zweiundzwanzig glanzlose, milchig-undurchsichtige Rohlinge unterschiedlicher Größe. Direktor und Tolkatsch führten genau Buch über Menge und Gewicht, anschließend wurde die Ware geprüft. Der Direktor füllte ein Glas mit Wasser und tauchte jeden Stein einzeln hinein.

Alexander, er erinnerte sich an Bratsk und den Japaner Sato, der das gleiche Prüfverfahren angewandt hatte, wandte sich dem Tolkatsch zu. »Warum tut er das?«

»Die Oberfläche von echten Diamanten hat eine seifige Struktur, auf der sich kein Wasser hält. Es läuft sofort ab, der Stein aber bleibt absolut trocken. Bei Glas haften die Tropfen.«

Nachdem der Direktor sich auch noch mit Hilfe einer Lupe überzeugt hatte, unterschrieb er gemeinsam mit Nilowitsch eine Art Protokoll. Je einen Durchschlag gab es für ihn, für Nilowitsch und für Alexander. Der Direktor verstaute sein Blatt in einem altmodischen Safe und kam mit annähernd zwanzig anderen zurück, die er Alexander zusammen mit einem Lederbeutel, der verdeckten Produktion des vergangenen Monats, aushändigte. Dann spendierte der Direktor auf das erfolgreiche Ergebnis einen Wodka.

Gutgelaunt chauffierte ihn Nilowitsch zurück zum Hotel. »Leider kann ich Ihnen kein aufregendes Nachtleben anbieten.«

»Aber dafür erklären, wie sie die Diamanten herausschmuggeln.«

Nilowitsch setzte sich in der kleinen Vorhalle in einen Sessel.

»Wollen Sie sich wirklich mit solchen Banalitäten belasten?«

»Will ich.«

»Nun, ist nicht jedermanns Geschmack und auch nicht besonders appetitlich.«

»Ich werde damit fertig.«

»Die Kugeln haben sie gesehen.«

Alexander wurde kribbelig. Ihm ging die Erklärung zu langsam vonstatten. »Ja.«

»Die Hülle besteht aus Baumharz, vermischt mit einem anderen Mittel. Wenn man es knetet, wird es schön weich. Und diese Masse haben die Arbeiter unter Tage dabei. Finden sie einen Stein, dann drücken sie ihn in die Kugel. Sie wissen, Diamanten sind manchmal sehr scharfkantig.«

»Ist mir bekannt.«

»Drücken ihn also in die Kugel und schlucken das ganze hinunter. Wie Medizin. Ja, Medizin klingt gut.« Nilowitsch lachte über seinen Vergleich. »Die Magensäfte zersetzen die Knete nicht.«

Alexander schlug sich mit der flachen Hand vor die Stirn. »Und in der Kantine essen die Arbeiter, trinken …«

»… überwiegend Kaffee, das treibt und drückt …«

»… gehen auf die Toilette und …«

»… verlieren wundersamerweise die Kugel des Vortages.«

Wieder in Kirensk, sprach Alexander den Sibiriaken auf den Bund an. Sie setzten sich vor den Kamin, knackend verbrannten die Holzscheite, gierig fraßen die züngelnden Flammen sie auf. So wie mich die ständige Flucht, dachte Alexander, und mit der gleichen Aussicht auf Erfolg, überhaupt keiner.

»Das mit den Tolkatschi ist nur die halbe Wahrheit«, gestand Nikolai. »Auf meine Geschäftspartner kann ich mich in der Regel verlassen, aber oft ist es wichtig, noch eine engere Bindung zu haben, als die des Profits. Ja, der Bund«, sinnierte der Ältere. »Seine Wurzeln reichen weit in die Vergangenheit zurück.« Ein letztes Nachdenken, der Sibiriake begann zu erzählen.

»Als Konsequenz einer allgemeinen wirtschaftlichen und politischen Unzufriedenheit kristallisierte sich im Dezember 1825 in St. Petersburg aus dem Heer der Unterdrückten eine Gruppe Aufständischer heraus, deren Ziel es war, den Zaren zu stürzen. Die Aktion schlug fehl, genauso wie die folgende im Sommer 1826. Die Revoluzzer, meist Adelige und Offiziere, die sich schon länger, oft über Jahre, in Geheimbünden organisiert hatten, verbannte man kurzerhand nach Sibirien, sie hinzurichten wäre zu gefährlich gewesen. In der Weite des Landes trafen nun diese sozial eingestellten Reformer auf den damaligen Abschaum der zaristischen Gesellschaft. Bereits

Katharina die Große hatte 1761 begonnen, alle unangenehmen Zeitgenossen in den Osten abzuschieben, darunter viele Verbrecher übelster Sorte, die man wegen diverser Straftaten einfach deportiert und mit der Weite des Landes bestraft hatte. Die schlimmsten von ihnen – später nannte man sie Gruka – waren längst in Banden organisiert, zogen raubend und schmarotzend durch das Land, Morde waren an der Tagesordnung. Gegen die Dekabristen, die sich überwiegend nördlich von Irkutsk niedergelassen hatten, gingen die Gruka auch vor. Einige der Adeligen hatten einen Großteil ihres Vermögens retten und mitnehmen können, waren also eine verlockende Beute. Aus der Not heraus gründete man den ›Bund der Rettung‹, dessen Ursprünge auf Rußland und das Jahr 1816 zurückgehen. Sibirien wurde zwangsläufig zum Tummelplatz und zum Schmelztiegel verschiedener Strömungen und Rassen. Hinzu kamen nach dem Ersten Weltkrieg enttäuschte Kommunisten, Trotzkisten und von Stalin Verbannte. Nicht zu vergessen die deutschen Kriegsgefangenen, die, entweder weil sie geflohen waren oder aus freien Stücken, nicht mehr nach Hause wollten. Noch im Jahre 1949 flüchteten bei einem Massenausbruch aus einem Lager bei Kusnezk gleich mehrere tausend. In unserem Bund gibt es übrigens viele ehemalige Deutsche.«

Im weiteren Verlauf verglich Nikolai den Bund mit der Dorfgemeinschaft ›Mir‹ aus dem vorigen Jahrhundert, die dafür zu sorgen hatte, daß jeder einzelne Bauer seinen Verpflichtungen gegenüber dem Großgrundbesitzer nachkam.

Man sabotiere nicht, man destabilisiere nicht. Man versuche nur, sich Erleichterungen zu verschaffen, ohne das Plansoll zu umgehen. Der Bund nutze lediglich staatliche Verordnungen zu seinen Gunsten, erwerbe zum Beispiel wegen Unrentabilität geschlossene Gold- und Diamantschürfbetriebe und suche nach dem gelben Metall und den Steinen in all den Bergwerken und Regionen, die die Behörden als nicht lohnend betrachteten. Seine Organisation fördere also das Metall oder die Diamanten auf eigenes Risiko und verkaufe zum festgesetzten Preis an den Staat. Selbstredend gingen auch gewisse Kontingente zu wesentlich besseren Konditionen an andere Interessenten.

»Jetzt darfst du nicht annehmen, es hätte nur Bund und Gruka gegeben, als hätte sich jeder einer Organisation anschließen müssen. Die meisten Sibiriaken leben und lebten, ohne sich um die Dinge zu kümmern, denn für die Gruka waren diese braven und rechtschaffenen Menschen völlig uninteressant. Was hätten sie ihnen außer dem bißchen Leben auch schon wegnehmen können?« Einen Arm auf den Kaminbalken gelegt, starrte Nikolai nachdenklich ins Feuer.

»Wie viele gehören dem Bund an?«

»Ungefähr eine Viertelmillion. Die Mitgliedschaft ist freiwillig. Kein Antrag, keine Unterschrift, kein Beitrag, lediglich eine mündliche Erklärung. Zwar werden die Namen der einzelnen erfaßt, damit wir wissen, wen wir ansprechen können, aber daraus erwächst sonst keine Abhängigkeit.«

»Und du bist der Führer des Bundes.«

»So, wie du es ausspricht, klingt das irgendwie negativ. Ich bin die oberste Vertrauensperson, ihr Sprecher.« Nikolai setzte sich, schwenkte sein Glas und betrachtete den Inhalt im Gegenlicht der tänzelnden Flammen. »Du fragst dich bestimmt, wie so etwas funktionieren kann.«

»Für mich ist das schlecht vorstellbar. Habt ihr den Egoismus abgeschafft?«

Der Sibiriake schüttelte den Kopf. »Es klappt, weil uns die Geschichte und die unrühmliche Vergangenheit helfen. Wir setzen uns für die Menschen ein, das spricht sich herum und findet Zustimmung. Nur deswegen geben Eltern die Verpflichtung, sich zum Bund zu bekennen, an ihre Kinder weiter. Hat Nilowitsch dir erzählt, was wir in Weluga alles erreicht haben?«

»Kindergarten und Kulturzentrum?«

»Und vieles mehr. Deshalb vertrauen die Sibiriaken uns und nicht der Gruka. Wir richten Läden ein, und über die Tolkatschi werden sie mit allen nötigen Waren versorgt. Erst wenn Menschen ihren Vorteil sehen und spüren, sind sie bereit, sich zu etwas zu bekennen. An ihren Idealismus und andere hochstehende Eigenschaften wie Einsicht, soziales Empfinden oder Uneigennützigkeit zu appellieren, wäre fatal. Allein, was auf den Tisch kommt und im Wohnzimmer steht, zählt.«

Alexander erweckte immer noch den Eindruck, als könne er das Gesagte nicht so recht glauben. Falten auf der Stirn und die Augenbrauen hochgezogen, saß er dem Älteren gegenüber, als warte er auf einen Widerspruch.

Der Sibiriake amüsierte sich innerlich darüber. »Schiebereien, die sich bis in hohe staatliche Ebenen fortsetzen, sind dir ja aus eigener Erfahrung bekannt. An den entscheidenden Stellen, auch in Betrieben und Produktionsstätten, wird Geld gezahlt für Vergünstigungen, einen Tip, eine Unterschrift oder anderes Entgegenkommen.«

»Aber dein Bund macht da die Ausnahme.«

Nikolai reagierte nicht auf die Provokation. »Ich habe meine Tolkatschi angewiesen, sehr sparsam mit dem Schmiergeld umzugehen. Natürlich läßt es sich nicht immer vermeiden, so wie beim höchsten Funktionär der KPdSU in dieser Region. Er steht auf der Liste ganz oben und hält Hände und Mund offen, damit wir ihm das Geld zuschustern. Selbstverständlich kaufen wir den Funktionär, weil er wichtig für uns ist.«

Nikolai stand auf und legte Holzscheite nach. »Alexander, unser Staat ist eine Hülse. Wir haben Kommandowirtschaft und freies Unternehmertum, Schwarzmarkt und Tauschhandel, sind Experimentierfeld für gegenläufige Wirtschaftsstrukturen. Kein Experte weiß, wie produktiv wir tatsächlich sind, weil es weder Gewinn- noch Verlustrechnungen gibt. Per Dekret werden Kühlschränke aus Kemerowo getauscht gegen Anzüge aus Tscheljabinsk, Wein von der Krim gegen Kohle aus Aldan. Niemand bezahlt die Ware, es kommt kein einziger Rubel in Umlauf, alles wird in Verrechnungseinheiten abgewickelt, die man anspart, um später bei Investitionen echte Rubel bewilligt zu bekommen. Direktoren und Funktionäre höhlen das System aus, tun sich zusammen und gründen über Helfer Scheinfirmen und Untergrundfabriken, vergeben an sie Aufträge zu überhöhten Preisen, bezahlen mit Verrechnungseinheiten, die sie sich nach einer gewissen Frist von der Bank auszahlen lassen. Man manipuliert so lange an Rechnungen, bis niemand mehr durchblickt. Seit Jahren hat sich bei uns eine komplette Schieber-, Schmuggel- und Schattenwirtschaft – Tenewaja Ekonimika – entwickelt, die, am Plan vorbei, aber von oben gedeckt, Autos verscherbeln, Kleider nähen, Fernseher produzieren und Häuser errichten läßt. Drahtzieher sind im Verbund mit den Direktoren die Funktionäre aus Staat und Partei, die nur ihren eigenen Vorteil sehen, aber öffentlich mit flammenden Worten und falschem Pathos genau das anprangern, was sie bis zur Perfektion beherrschen. Die Sowjetunion kann nur noch durch die vielen Tolkatschi und die Arbeitskraft der Millionen williger Bürger wirtschaftlich am Leben erhalten werden. Sie opfern sich, glauben den Parolen, zeigen sich dankbar für Versprechungen und erhalten von allen den geringsten Gegenwert. Schlimmer noch, man beutet sie aus wie im tiefsten Mittelalter und betrügt sie obendrein um ihre Zukunft und die ihrer Kinder. Damit niemand auf böse Gedanken kommt, nennt man das ganze auch noch Sozialismus.«

Nikolai hatte sich in Rage geredet, beendete abrupt die Unterhaltung und drückte Alexander eine Chronik in die Hand, die seit mehr als hundert Jahren geführt werde und ihm genau aufzeige, welchen Stellenwert der Bund der Rettung habe und an welchen Gesetzen er sich orientiere. Auffallend für Alexander war das besondere Mitspracherecht der Einheimischen. Begründet wurde dies damit, daß der Bund überwiegend in Jakutien vertreten sei und sich als Gast in einem Land fühle. Aus dieser Konstellation ergaben sich für die Organisation gewisse Verhaltensregeln. Sprecher wie Nikolai konnte nur werden, wer den Segen der Jakuten erhielt, denn dieser Volksstamm mußte bei der Auswahl der Kandidaten gehört werden.

Nikolai war laut Chronik seit mehr als zwanzig Jahren Sprecher des Bundes, sein Vorgänger wurde abgewählt – dazu mußten sieben der zehn Stellvertreter votieren –, weil er sich an einer Frau vergangen hatte. Man verstieß ihn und hörte nie wieder etwas von ihm. Dessen Vorgänger war ein Jakute, der es auf eine Amtszeit von vier Jahrzehnten gebracht hatte.

Sehr nachdenklich geworden, schlug Alexander das dicke Buch zu und grübelte lange, bevor er einschlief.

Alexander, der gerne hätte erfahren wollen, ob die von Nikolai angesprochene Gruppierung der Gruka und die des Bundes noch genauso existierten wie vor dem Zweiten Weltkrieg, bekam die Antwort von der Realität serviert. Ein Mitarbeiter Nikolais vergaß anzuklopfen und stürmte unangemeldet in dessen Büro. Aufgeregt verkündete er, daß eine Lieferung von vier Lkw überfällig sei. Um Mitternacht in Ust-Kut abgefahren, hätten sich die Fahrer nicht, wie verabredet, vor zwei Stunden gemeldet.

Nikolai sprang auf und eilte zu einer Wandkarte, Alexander folgte ihm. Der Sibiriake ließ sich die Stelle zeigen, wo der Konvoi im Augenblick ungefähr sein müßte, das war höchstens hundert Kilometer von Kirensk entfernt. Nikolai schaute aus dem Fenster, bald würde es heller werden.

»Hubschrauber allein bringt nichts«, meinte er zu seinem Mitarbeiter. »Aber er soll schon mal die Strecke abfliegen, wir kommen mit dem Auto nach.«

Alexander und Nikolai rasten mit dem von einem Fahrer gesteuerten Armeejeep vornweg. Ihnen folgte ein Wolga mit vier Männern, die sichtlich Mühe hatten, das Tempo zu halten. Oft kam die Limousine wegen des glatten Untergrundes ins Schleudern.

Nikolai gab sich sehr wortkarg. »Hoffentlich nicht wie vor acht Monaten«, hörte Alexander ihn vor sich hin grummeln. Obwohl es ihn interessierte, fragte er nicht, was gemeint war.

Nach einer halben Stunde schaute Nikolai ihn an. Ernst war der Gesichtsausdruck des Älteren und voller Vorahnung. »Mit dem Staat und den Politfunktionären haben wir keine Probleme, Geld regelt alles. Was uns Sorge bereitet, sind die Verbrecherorganisationen.«

»Aber vier Lkw kann man nicht so ohne weiteres stoppen und ausrauben und verschwinden lassen.«

Nikolai lachte hart. »Ganze Züge verschwinden in Sibirien, mein Lieber. Ganze Züge mit der kompletten Ladung. Und Schiffe auf Lena, Jenissei und Ob. Was sind da schon vier Lkw?«

Nikolai starrte durch die Windschutzscheibe. Die wenig befahrene holprige Allwetterstraße folgte dem Verlauf der Berge und Täler. Links und rechts waren Nadelwälder, schwer trugen die Äste an dem aufliegenden Schnee.

»Nikolai, die vier Männer im Wolga hinter uns. Sind das deine Leibwächter?«

»Ja.«

»Warum müssen sie dich schützen, wenn du so mächtig bist?« Nikolai kaute auf der Unterlippe.

Der Tag meldete sich, inzwischen war es zehn am Morgen. Die im Osten aufgehende Sonne schickte schräge Lichtbündel durch die Taiga, die vom glitzernden Schnee millionenfach reflektiert wurden, und ließ die Straße vor ihnen brennen. Nikolai wurde immer nervöser. Jede Minute warf er einen Blick auf seine Uhr, und anschließend schaute er schräg nach oben aus dem Fenster, um den Hubschrauber zu orten.

Drei Stunden waren sie unterwegs, als der Fahrer des Jeeps bremste. Mitten auf der Straße stand breitbeinig der Hubschrauberpilot und winkte.

»Und, was ist?« Nikolai ging auf den Mann zu, aber dessen bedrückte Mimik war Antwort genug. Wortlos drehte er sich, stieg über einen Wall aus Schnee und stapfte einige Meter in den Wald hinein. Die Leichen zweier Männer lagen dort. Erschossen, Aufsetzschuß, sofortiger Exitus. Bei einem fehlte der halbe Schädel.

»Diese Schweine.« Nikolai ballte die Fäuste, und in seinen Augen war ein Blick, der Alexander angst machte. Wie ein in die Enge getriebenes, wildes Tier, das sich verteidigte und ... zum Töten ansetzte. Bereits zwei Sekunden später gab sich der Ältere wieder gelassener.

»Woran hast du die Stelle erkannt?« wandte sich Nikolai an den Piloten.

»Ein Lkw ist ausgebrannt und liegt einen halben Kilometer weiter oberhalb. Er qualmte noch, als ich ihn bemerkte.«

»Und die Ladung?«

»Verschwunden.«

»Was ist mit den anderen Fahrern?«

Der Angesprochene zuckte mit der Schulter.

Gemeinsam mit einem von Nikolais Leibwächtern lud er die Toten in den Hubschrauber.

Nikolai schritt derweil mit Alexander und den Begleitpersonen aus dem Wolga langsam die Strecke ab bis zu dem ausgebrannten Lkw. Er hatte keine Reifen mehr, nur noch Metallringe über den

Felgen. Das Fahrerhaus war verkohlt, die Aufbauten ein Gerippe aus verbogenen Rohren, von der ursprünglichen Farbe nichts mehr zu erkennen. Minutenlang blieben sie vor den Überresten stehen und sprachen kein Wort.

Dann umrundete Nikolai das deformierte Etwas, als hoffte er, einen Hinweis zu finden. Wieder am Ausgangspunkt angelangt, sagte er zu Alexander: »Einer muß es ihnen verraten haben.«

»Aus euren Reihen?«

Nikolai starrte den Jüngeren an. »Sonst gibt es keine Möglichkeit. All unsere Fahrten werden geheimgehalten, nur wenige wissen Bescheid. Aber dieser Überfall war von langer Hand geplant.«

»Was hatten die Wagen geladen?«

»Zwei waren voll mit Lebensmitteln, einer mit Fernsehern und Elektroartikeln für den Haushalt.«

»Und der vierte?«

Nikolai zögerte. Erst als er sich abwandte, antwortete er: »Gerätschaften für ein Krankenhaus, darunter eine amerikanische Herz-Lungen-Maschine und äußerst teure Medikamente gegen Leukämie aus der Bundesrepublik, Wert insgesamt mehr als drei Millionen Rubel. Alles weg. Und die in Mirny brauchen die Sachen doch so dringend.«

Auf der Rückfahrt wieder zuerst nur Schweigen. Nikolai, der sich in eine Ecke drückte, kämpfte mit sich und schien eine Entscheidung zu fällen.

»Alexander, das ist die Kehrseite unserer sibirischen Welt. Wir versuchen einigermaßen mit den Schwierigkeiten zurechtzukommen, die Leute arbeiten mehr als sie müßten – und der Lohn? Die Grukaverbrecher passen unsere Ladungen ab, töten die Männer und verschwinden.«

»Was ist mit den beiden anderen Fahrern?«

»Ich nehme an, man hat sie gefangengenommen.«

»Gab es keine weiteren Begleitpersonen?«

Nikolai reagierte nicht.

»Ich habe dich was gefragt, gab es keine ...«

»Doch, meine Tochter.«

Und die Gruka reagierte schnell. Noch bevor ihr Jeep vor Nikolais Wohnsitz zum Stillstand gekommen war, stürmte ein Mann aus dem Haus. »Das ging vor zwei Stunden bei uns ein.«

Nikolai riß ihm den Zettel aus der Hand und las. Sein Gesicht war ohne Leben, wie aus Stein. »Zwei Millionen Dollar fordern sie«, preßte er zwischen steifen Lippen hervor.

Alexander warf einen Blick auf die Nachricht. »Bis wann?«

»Innerhalb von drei Tagen.«

»Nikolai, kannst du das arrangieren?«

Der Sibiriake drehte sich ihm zu, doch Alexander hatte das Gefühl, als sähe er ihn nicht. Zärtlich war Nikolais Stimme, als er antwortete: »Für meine Tochter kann ich alles arrangieren.«

Dann hatte er es eilig, ließ sich mit Irkutsk verbinden und sprach lange mit einem guten Bekannten, wie er sagte. Anschließend rief er in Wladiwostok an und kurz darauf in Tokio. Dort war es mitten in der Nacht. Es dauerte lange, bis das Gespräch zustandekam. Als Nikolai den Hörer auflegte, wirkte er fast übermütig.

»Sato bringt das Geld nach Wladiwostok. Er wird wie ein Diplomat behandelt und auf dem Flugplatz nicht kontrolliert. Von Wladiwostok geht es noch am gleichen Tag nach Irkutsk. Übermorgen kann ich es dort in Empfang nehmen.« Leise und für Alexander kaum verständlich fügte er hinzu: »Schön, wenn man Freunde hat.«

Seit Stunden warteten Alexander und Nikolai. Kein Wort kam von dem Älteren und keine Regung. Er überlegte. Alexander vermeinte dessen geistige Tätigkeit am Mienenspiel ablesen zu können. Nikolai lächelte, wenn er an seine Tochter dachte. Hart dagegen zeichnete sich die Kinnmuskulatur ab, wenn er sich mit den Entführern beschäftigte.

Alexander schlich hinaus und ging zu Bett.

Am kommenden Morgen weckte ihn Nikolai schon sehr früh. Die Kidnapper hätten den Übergabeort des Geldes genannt. In Kirensk, mitten in der Stadt, praktisch gleich vor seiner Haustür, als wollten sie ihn düpieren. Ob er, Alexander, bereit sei, den Koffer mit den zwei Millionen Dollar hinzubringen?

»Selbstverständlich. Sag mal, hast du eigentlich vergangene Nacht geschlafen?«

»Nein.«

Die Übergabe am darauffolgenden Tag verlief so professionell, daß Alexander nicht mitbekam, woher die Kassierer kamen, wer sie waren und wohin sie verschwanden.

Alexander hatte sich entsprechend der Anweisung an einer Bushaltestelle in die Schlange der Wartenden einzuordnen, die nach Arbeitsschluß auf dem Heimweg waren. Plötzlich spürte er in der linken Seite einen harten Druck. Eine Pistole, vermutete er. Sogleich kam die Aufforderung, sich nicht umzudrehen und den Koffer auf den Boden zu stellen. Alexander befolgte die Anweisung, und als er wenige Sekunden später die anderen Fahrgäste anschaute, erblickte er Nikolai.

»Komm, Robert, sie sind längst weg.«

»Hast du sie gesehen?«

»Nein. Ich hoffe aber, einer meiner Männer kann sie beschreiben.«

Und dann warteten sie in Nikolais Haus. Sie sprachen kein Wort. Sogar das Telefon schwieg, das der Sibiriake nicht aus den Augen ließ und zu hypnotisieren versuchte.

Nach einer halben Stunde bemühte sich Alexander, den Älteren aufzumuntern. »Sie werden deine Tochter freilassen.«

Nikolai nickte. »Darum geht es nicht. Sie können sich meine Rache vorstellen.«

»Um was geht es dann?«

»Die beiden Fahrer. Ich glaube, man wird sie umbringen. Allein schon aus dem Grund, um mich zu demütigen und um zu zeigen, daß ich nicht auf meine Leute aufpassen kann.«

Mitarbeiter von Nikolai fanden die beiden Fahrer am nächsten Morgen vor dem Bürohaus. Mit dem Rücken lehnten sie an der Wand, als ruhten sie sich aus. Mitten auf der Stirn hatte jeder ein kleines Loch. Nikolai – er wußte genau, sie provozierten ihn und versuchten, ihn lächerlich zu machen – wurde im Verlauf des Tages immer nervöser und gereizter. Am Heiligabend, der Sibiriake feierte

Weihnachten nicht am 1. Januar, sondern als Katholik eine Woche vorher, stand Larissa vor der Tür. Benommen sah sie aus, war schmutzig und müde. Nikolai, von dem alle Spannung abfiel, vermutete richtig, daß man seine Tochter unter Medikamente gesetzt hatte.

Larissa schlief sechzehn Stunden. Anschließend berichtete sie, wie der Überfall abgelaufen war. Vor ihnen stand ein Auto schräg am Baum, als hätte es einen Unfall gehabt. Die Lkw stoppten, denn einem in Not Geratenen in der Wildnis zu helfen war ungeschriebenes Gesetz. Die zwei Fahrer, die sich zu wehren versuchten, erschoß man sofort, Larissa und die beiden anderen bekamen Kapuzen über den Kopf und wurden gefesselt. Wo man sie hingebracht hatte, konnte Larissa nicht sagen.

Nikolai interessierte ihre Geschichte gar nicht sonderlich. Immer wieder schaute er seine Tochter an und lächelte, weil er froh war, sie wieder gesund in den Armen halten zu können.

Zu dritt saßen sie in dem großen Wohnzimmer, neben dem Flügel stand ein geschmückter Baum mit brennenden Kerzen. Nikolai überhäufte seine Tochter mit Geschenken. Besonders angetan hatte es ihr ein Mantel aus Zobelfellen, der Larissas gute Figur nicht verbergen konnte und einen reizvollen Kontrast zu ihren rotblonden Haaren bot.

»Hier, für dich.«

Nikolai drückte Alexander einen Ordner in die Hand. Er schlug ihn auf, sein Inhalt beschäftigte sich mit der Geschichte der Wolgadeutschen.

»Tut mir leid, Nikolai, ich habe leider ...«

Der Sibiriake winkte ab und zog den Jüngeren zum Fenster. Draußen schneite es. »Geschenke sind oft ein Zeichen der Verlegenheit«, raunte er, ohne daß seine Tochter ihn hören konnte. »Bei Larissa weiß ich nie, wie ich mich verhalten soll. Sie ist für mich der Mittelpunkt meines Lebens.«

»Du meinst, Gefühle zeigen sei ... unsibirisch und hätte in diesem harten Land nichts zu suchen?«

»Vielleicht.«

»Hast du es schon mal mit Worten versucht?«

Nikolai zuckte mit der Schulter. »Das ist auch nicht meine Art. Ich komme mir dann ...«

»... entblößt vor.«

Nikolais Augen waren Antwort genug. Unvermittelt platzte es aus ihm heraus: »Sag mal, merkst du eigentlich nicht, daß alles, was du mir vorwirfst, auch auf dich zutrifft? Analysierst du dich etwa auf dem Umweg über mich?«

Sie grinsten sich an.

Alexander deutete auf den Ordner. »Warum hast du mir diese Unterlagen geschenkt?«

»Damit du weißt, wo du herkommst.«

»Ist es nicht besser zu wissen, wo man hingehört?«

»Weißt du das denn immer noch nicht?«

Sie tranken Wein und plauderten den ganzen Abend. Trotz der widrigen Umstände konnte Alexander sich nicht erinnern, jemals ein so würdevolles und angemessenes Fest erlebt zu haben. Mit Erstaunen bemerkte er, daß er in diesem Augenblick nicht an seine Jugendzeit dachte, an die Freude und das Herzpochen kurz vor der Bescherung, den Geruch von geschmorten Äpfeln, den Braten, ein seltener Festschmaus, und die Aufgeregtheit seiner Eltern, sondern an Weihnachten im Lager SIB 12 in der Runde verschworener Mitgefangener. Den provisorischen Baum aus vertrockneten Ästen, als Kerze diente ein in Öl getränktes Seil; Semlja, der auf dem mit Papier umwickelten Kamm blies, die rauhen Stimmen der anderen, die zögernd zu singen begannen, sich verstohlen eine Träne aus dem Auge drückten, und Aljoscha, den Literaturstudenten, der zur Verwunderung aller so schöne Gedichte vortrug.

Während er am kommenden Morgen mit Larissa in unmittelbarer Nähe des Hauses spazierenging, beratschlagte sich Nikolai mit einigen Mitarbeitern, darunter auch zwei Jakuten.

Alexander fühlte sich in Larissas Gegenwart befangen. Sie hatte eine Art, Dinge offen anzusprechen und ihm dabei direkt in die Augen zu schauen, wodurch seine Verunsicherung zunahm. Um von sich abzulenken, wollte er alles über Nowosibirsk erfahren, über die Universität, ihr Studentenleben und was sie in der Freizeit mache.

Antwortete Larissa, hörte er nicht richtig zu. Statt dessen beobachtete er sie von der Seite und senkte den Blick, wenn sie ihn dabei ertappte. Über eine Stunde ging das Spielchen.

»Irritiere ich Sie?«

Die Frage war ihm unangenehm. »Ja.«

»Und weshalb?«

»Ich bin den Umgang mit Frauen nicht gewohnt«, antwortete Alexander ausweichend.

»Umgang mit Frauen oder Umgang mit der Art von Frau, wie Sie mich einschätzen?«

»Wie ich Sie einschätze.«

»Was ist an mir Besonderes?«

Alexander schaute vor sich auf den Boden und beobachtete, wie seine Stiefelspitzen im Schnee versanken. »Sie sind so …«

»Direkt.«

»Ja. Offen und direkt.«

»Wie würden Sie mich denn gerne haben wollen?« Larissa kokettierte mit seiner Verlegenheit.

»Ich habe kein Recht, Sie irgendwie haben zu wollen.«

»Genauso ist es.«

Sie schlenderten weiter und drehten eine neue Runde um die Holzvilla, das Gästehaus und den Hubschrauberlandeplatz.

»Vater hält viel von Ihnen.«

»Wäre ich sonst hier?«

»Nun, sich selbst können Sie aber gut einschätzen.« Wieder war Spott in ihrem Gesicht. »Warum fällt es mit anderen so schwer?«

»Nicht mit anderen, nur mit Ihnen.«

Larissa, dreiundzwanzig Jahre alt und aufgeklärt, wie sie von sich behauptete, machte sich im Verlauf des Abends, als sie im Wohnzimmer saßen, einen Spaß daraus, ihn aus der Reserve zu locken. Alexander gefiel das nicht. Als es ihm zu offensichtlich wurde, stand er auf und verließ den Raum.

Am nächsten Tag ging er ihr aus dem Weg, auch am übernächsten und an den darauffolgenden Tagen. Schließlich stellte sie ihn zur Rede. »An wen erinnere ich Sie?«

Alexander schüttelte den Kopf, alles an ihm war Ablehnung.

»Sie wollen nicht erinnert werden?«
Er reagierte nicht.
»Ihre große Liebe?«
»Bitte, das geht Sie nichts an.«
»Sehe ich ihr ähnlich?« Alexander betrachtete Larissa, ihre rötlichen Haare, von denen er nicht wußte, ob es die Originalfarbe war, die dunklen Augen und die Nase mit dem kleinen Höcker. »Nein, Sie sehen ihr nicht ähnlich.«
»Schade.«
Alexander sträubte sich, zuzugeben, daß er Larissa sympathisch fand. Etwa in der Art wie die Ewenkin Tarike. Er sträubte sich besonders deshalb, weil sie die Tochter von Nikolai war.
»Und darüber reden wollen Sie auch nicht?«
Er verneinte.
»Obwohl es Sie ungemein bedrückt, Sie in sich ein Meer aus Unsicherheit fühlen?«
»Larissa, quälen Sie mich bitte nicht.«

Nach Möglichkeit vermied er ihre Gegenwart, sogar an Neujahr, zu dem Nikolai mehr als hundert Gäste eingeladen hatte. Der große Saal in der Holzvilla war geschmückt, zwei Kapellen sorgten abwechselnd für Musik, Kellner schwirrten umher und boten Getränke und kleine Häppchen an. Alle amüsierten sich, nur Alexander stand hilflos herum und konnte nicht viel mit der ausgelassenen Gesellschaft anfangen. Er war der stille Beobachter, der sich selbst ausgrenzte und dem nicht entging, wie sich gewisse Gruppierungen bildeten und einige es ungemein darauf anlegten, mit rhetorischen Finessen zu glänzen, um bestimmten Personen vorgestellt zu werden.

Nikolai trat zu ihm. »Was ist, Robert. Gefällt es dir nicht?«
»Ich bin unsicher. Ein Zweisternegeneral und ein Oberst der Miliz in deinem Haus, dazu die höchsten Politfunktionäre Mittelsibiriens. Und ich ein Sträfling auf der Flucht. Mich braucht nur einer unter die Lupe zu nehmen, schon fliegt alles auf.«
»In meinem Haus bist du sicher.«
»Wie weit reicht dein Einfluß?«

»Sehr weit.«

»Und was ist, wenn dein direkter Gegner sich mit mir beschäftigt?«

»Wer ist denn mein direkter Gegner?«

»Der oberste Chef der Gruka.«

»Wie kommst du darauf?«

»Ich habe mittlerweile aus deinem Verhalten den Eindruck gewonnen, als bestünde zwischen dir und ihm eine Privatfehde, als würdet ihr euch sogar sehr gut kennen.«

Nikolai wippte auf den Fußspitzen, die Hände in den Hosentaschen. »Ja«, antwortete er gedehnt. »Du hast recht. Wir kennen uns. Und es ist tatsächlich ein Krieg im kleinen. Komm mit, ich stell' dich ihm vor.«

»Wie, ist er hier?«

»Natürlich. Wenn schon Krieg, dann auch auf allen Ebenen.«

Alexander lernte einen Mann kennen, körperlich war er eine imposante Erscheinung, was Statur, Haltung und die eisgraue Löwenmähne anbelangte, der noch einige Jahre älter war als Nikolai. Die beiden begegneten sich in einem äußerst ironischen Ton. Jedes Wort ein Stich, jede Reaktion eine Provokation.

»Iwan Gogol«, so stellte der Sibiriake seinen Gast vor. Alexander wurde als einer von Nikolais Mitarbeitern ausgewiesen, ein ehemaliger Wolgadeutscher, den es im Krieg als Kind auf der Flucht nach Karaganda verschlagen habe.

»Sie müssen ein besonderer Mitarbeiter sein«, verkündete Gogol in einem tiefen Baß. »Sie sind nämlich der einzige hier auf dem Fest.«

Alexander blieb einige Minuten bei Gogol stehen, der ihn fragte, ob er als Wolgadeutscher sehr unter der Sowjetmacht und unter Stalin gelitten habe.

Das treffe zu, meinte Alexander. Aber die Lage habe sich gebessert, man akzeptiere die Deutschen wieder. Einige sprächen sogar davon, ihnen eine neue autonome Republik zuzuweisen.

Gogol war anderer Auffassung. »So weit sind wir noch lange nicht. Fehler eingestehen wird man nur dann, wenn es in die Politik paßt und es ihr nützt. Aber Entscheidungen der Geschichte korrigieren, das bedeutet Einsicht. Nennen Sie mir bitte einen Politfunktionär, der menschliche Größe besitzt und einsichtig ist.«

Alexander wurde Zeuge, wie Gogol dem General der Miliz Nachhilfeunterricht gab, auf welche Weise man am besten gegen die Kriminellen vorgehen könnte, die Nikolais Fahrer erschossen und seine Tochter entführt hatten. Alexander verschlug es die Sprache. Falls Nikolais Einschätzung stimmte, dann hatte dieser Gogol die entscheidende Rolle bei dem Verbrechen gespielt. Und gab jetzt dem General Tips und Hinweise – ein Gipfel an Kaltschnäuzigkeit, wie sie Alexander bisher noch nicht begegnet war.

Gogol aber war es nicht, der Alexander irritierte, sondern der Parteichef der KPdSU Mittelsibiriens, Urgan Besmertisch, zugleich auch Abgeordneter im Obersten Sowjet. Er und Rima, die dicke Kantinenwirtin aus Ust-Port, hätten ein ideales Paar abgegeben. Alles an Besmertisch präsentierte sich rund, aufgedunsen und überquellend. Sein Gesicht war ohne Falten und rosig, die Hände weich und quaddelig, die Glatze bis auf einen spärlichen Kranz in Höhe der Ohren spiegelglatt. Besmertisch verwickelte Alexander in ein Gespräch und wollte seinen bisherigen Werdegang in Erfahrung bringen, was ihn nach hier verschlagen habe und wie er auf Nikolai gekommen sei. Alexander, der sich zeitweise wie in einem Verhör fühlte, gab nichtssagende Antworten, hielt sich an die von Nikolai ausgedachte Vita und war erleichtert, als ihn Larissa aus dieser unangenehmen Situation befreite.

»Können Sie sich vorstellen, daß einer wie Besmertisch so weit nach oben klettern kann?« raunte sie ihm ins Ohr.

»Das Zentralkomitee bestimmt doch die Parteisekretäre bis hinunter auf Provinzebene.«

»Leider. Ich kann den schmierigen Typ nicht ausstehen.« Sie führte ihn zum Büffet. »Habe mir gedacht, Ihnen müßte es eigentlich auch so gehen.«

Sie setzten sich an einen Tisch, und Alexander aß Lachs.

»Waffenstillstand?«

Er nickte. »Und keine Spielchen mehr.«

Unaufgefordert erzählte sie von Nowosibirsk und ihrem Studium. Eigentlich interessiere sie sich nicht besonders für Nationalökonomie, aber jetzt stehe sie kurz vor der Abschlußprüfung, und da wolle sie nicht mehr wechseln.

»Was liegt Ihnen denn mehr?«

»Politik. Zum einen, weil die Frauen unterrepräsentiert sind, und zum anderen, weil man noch so vieles besser machen kann.«

»Zum Beispiel?«

»Für sein Volk da zu sein und nicht umgekehrt.«

»Was wollen Sie denn?« Alexander mußte lächeln. »Falls man Sie wählt, dann doch mit mehr als neunundneunzig Prozent der Stimmen. Wenn das kein Votum der Allgemeinheit ist?«

Larissa machte eine abfällige Handbewegung. »Sie und ich wissen doch, wie die Ergebnisse zustandekommen.«

Als hätte sie sich das Stichwort geliefert, schimpfte sie auf Partei und neue Elite. Zur Genüge habe sie Kommilitonen kennengelernt, die bei jeder Gelegenheit die gesellschaftliche Position ihrer Eltern hervorhöben und nebenbei einfließen ließen, daß man sich in speziellen Krankenhäusern behandeln lasse, ausgewählte Ferienorte aufsuche, jeden Studienplatz bekomme und ins Ausland reisen dürfe, wann immer man wolle. Theaterkarten würden für sie reserviert, Neuerscheinungen auf dem Buchmarkt bekämen sie zugeschickt, Einladungen von exklusiven Geschäften zu Modenschauen in einem engeren Kreis ergingen automatisch.

Alexander enthielt sich einer Wertung, stand auf und kam mit zwei Gläsern Krimsekt zurück.

»Auf die Arbeiterklasse!«

»Larissa, warum so zynisch?«

»Ach, nichts.«

»Haben Sie Probleme mit dem Reichtum Ihres Vaters?«

Ihm kam es wie ein Ablenkungsmanöver vor, als sie, ohne seine Frage zu beantworten, nun scheinbar zusammenhangslos auf die Stellung der UdSSR im Ausland zu sprechen kam. Man müsse unterscheiden zwischen sogenannten Brudervölkern und denen, die für die Industrie wichtig seien wie Japan, Frankreich, Italien, USA und Westdeutschland. In solchen Fällen konstruiere man haarsträubende Rechtfertigungen. Wenn der Teufel wirtschaftliche Vorteile verspräche, paktiere man auch mit ihm.

Alexander sah das nüchterner. »So ist nun mal die Politik. Unsere Ideologie ist in solchen Fällen sehr dehn- und interpretierfähig, allerdings nicht gegenüber den anderen Staaten des Warschauer Pakts.«

»Ideologie, daß ich nicht lache! Die größte Volksverdummung aller Zeiten.« Weil einige der Gäste auf sie aufmerksam wurden, sprach sie leise weiter: »Es war natürlich ideologisch gerechtfertigt, vor vier Jahren den Tschechoslowaken beizustehen, auf ihren Hilferuf zu reagieren und in Prag einzumarschieren.«

»Haben sie uns denn nicht gerufen?« provozierte Alexander, dem es vorkam, als wollte Larissa ihn testen.

»Das Volk? Nie und nimmer, am wenigsten Dubček selbst.« Sie schüttelte den Kopf, ihre dunklen Augen funkelten. »Genausowenig wie 1956 die Ungarn und 1953 die Ostdeutschen. Die in Moskau – für wie blöd müssen sie die eigene Bevölkerung halten – tun immer so, als hätte jemand um Beistand gebeten. Das macht sich besser in der Weltöffentlichkeit, weil man demonstrieren will, wie verantwortungsvoll und geschlossen sich der Warschauer Pakt gibt.«

»Und da unser Sozialismus so gut fürs Volk, für alle Völker ist, daß man ihn jedem aufzwingen muß. Ob es ihn will oder nicht.«

»Jetzt werden Sie aber zynisch.« Anerkennend sah sie ihn über das Glas an, als hätte sie ihm solche Erkenntnisse nicht zugetraut. »Besteht irgendwann die Gefahr, eine Brudernation könnte abspringen und eigene Wege gehen, dann greift die Dominotheorie.«

»Wie ein Stein alle anderen umstößt, könnte es auch auf die Zugehörigkeit zum Warschauer Pakt und den Kommunismus bezogen geschehen?«

Larissa nickte. »Das zumindest ist die Auffassung der hohen Herren in Moskau und die der Generäle. Erst Ostdeutschland, dann Ungarn und so weiter. Jeder Schwächeanfall eines Landes, falls innere Kräfte sich für eine neue Staatsform, womöglich sogar eine Demokratie westlicher Prägung entscheiden wollen, muß mit allen Mitteln verhindert werden.«

»Sehen andere Studenten unser Land auch als Regulator und kompromißlosen Verwalter der leninistischen Lehren?«

Larissa verneinte. »Die meisten trauen sich nicht, ihre Meinung zu sagen und nachzufragen. Wer weiterkommen will, schluckt die offizielle Version. Man läßt einfach die Politfunktionäre für sich denken, das bringt keinen Ärger und ist viel bequemer.«

»Larissa, warum machen Sie es nicht auch so?«

»Lügen sind mir verhaßt. Und genau das ist mein Problem. Vater meint, es könnte deswegen mal Schwierigkeiten geben.«

»Trifft das zu?«

Sie nickte heftig, rotblonde Locken fielen ihr ins Gesicht. »Auf der schwarzen Liste der Universität stehe ich ganz weit oben.«

Larissa studierte wieder in Nowosibirsk, Alexander war oft in Nikolais Auftrag unterwegs.

Zwei Wochen nach Neujahr trafen gegen Mittag die ersten Stellvertreter in Kirensk ein, am Abend waren alle versammelt. Grund des Treffens sei, erklärte Nikolai, herauszufinden, wer die vier Lkw habe verraten können. Inzwischen sei er so weit, daß sich sein Verdacht auf einen Schieber mit guten Kontakten zu Gogol konzentriere. Und dieser Schieber sei mit einem Mitarbeiter des Bundes befreundet, von dem er womöglich den Tip erhalten habe.

In der Runde wurde diskutiert, wie man weiter vorgehen wolle, falls sich der Verdacht bestätige. Einige waren dafür, ihn der Miliz zu übergeben, ohne zu bedenken, daß dadurch natürlich auch die Fahrt der Lkw und deren Fracht bekannt würden.

Nicht, daß der Bund etwas Unrechtes getan habe, versicherte Nikolai den Anwesenden, alle Waren seien ordnungsgemäß angemeldet und genehmigt worden, aber Neider, die nur die Hand offenhalten und am Gewinn partizipieren wollten, gebe es überall. Daraufhin einigten sie sich auf »jakutisches Recht«, womit Alexander nichts anfangen konnte. Mittlerweile aber hatte er sich das Nachfragen abgewöhnt, denn zu gegebener Zeit würde er schon erfahren, was damit gemeint war.

Für die Familien der vier Fahrer sei gesorgt, erläuterte ein Mitarbeiter. Als erste Hilfe hätte man ihnen je fünftausend Rubel zukommen lassen. Falls es finanzielle Engpässe gebe, werde man sie zu regeln wissen.

Nikolai war nach der Sitzung aufgebracht. »Wir verfahren schon wie unsere Feinde. In Sibirien zählt ein Leben nichts. Wir geben den Witwen das Geld und fühlen uns nicht mehr schuldig. Kommen sie damit nicht aus, erhalten sie wieder welches, als könnte man Menschenleben bezahlen.« Spontan wollte er von dem Jüngeren wissen: »Was wärest du dir wert?«

Alexander war von der Frage überrascht.

Nikolai hakte nach. »Ich will es wissen. Eine Million Rubel?«

Bedächtig antwortete Alexander: »Es gab Phasen, da hatte ich keinen Wert, weil andere mich als wertlos abstempelten.«

»Als du ohne Lebenswillen warst.«

»Woher ...?«

»Ich kenne das. Und später?«

»Da ist für mich der Wert ins Unermeßliche gestiegen. Ich bin unbezahlbar und obendrein ein Egoist, weil ich so etwas sage.«

Nikolai hatte wohl mit einer ähnlichen Antwort gerechnet. »Deine besten Freunde und Bekannten: Was bedeuten sie dir?«

Alexander zuckte die Achseln.

»Und wie war das mit Rassul, dessen Haare du ständig bei dir trägst?«

Alexander lächelte in sich hinein. »Ja, Rassul. Er steht allerdings im Wert noch über mir.«

»Dann bist du kein Egoist.«

»Doch. Rassul hat mir so viel gegeben, daß ich erst durch ihn so sein kann, wie ich bin.«

In den kommenden Tagen liefen viele Aktivitäten um Nikolai und Alexander ab. Hier ein Telefonat, dort ging eine Nachricht ein, Informanten kamen, um Bericht zu erstatten. Larissa meldete sich aus Nowosibirsk und wollte ihren Vater sprechen. Was die beiden Männer zu bedeuten hätten, die sie schon oft in ihrer Nähe gesehen habe und die sie überall hin begleiteten.

»Es ist zu deinem Schutz, mein Liebes.«

»Aber ich fühle mich eingeengt.«

»Sicherheit engt immer ein.«

»Bist du überzeugt, ich brauche die Bewacher?«

»Bitte, tu mir den Gefallen.«

Für Alexander ließ sie einen Gruß ausrichten.

Nikolai legte den Hörer auf. Wieder war dieses spöttische, spitzbübische Lächeln in seinem Gesicht, das Alexander schon so oft beobachtet hatte. Und zwar immer, wenn der Sibiriake mit einer Entwicklung zufrieden war.

Inzwischen konnte er Nikolais Gedankengänge mehr und mehr nachvollziehen, wie seine folgenden Bemerkungen zeigten. »Larissa sollte die beiden Leibwächter bemerken. Nicht?«

»Wie meinst du das?«

»Nikolai, ich traue dir zu, daß du in deiner direkten Umgebung nur gute Leute hast, denen man nicht so schnell auf die Spur kommt.«

»Ja, das kann man sagen.«

»Larissa hat demnach nicht zufällig ihre Beschützer entdeckt. Das ist von dir beabsichtigt.«

»Warum sollte ich so handeln?«

»Damit die anderen, die du zusätzlich und heimlich in Nowosibirsk eingesetzt hast, nicht auffallen.«

Nikolai war überrascht und fühlte sich ertappt. Aber sein Gesicht drückte auch so etwas wie Bewunderung aus, während er Alexander zuhörte.

»Und damit sie besonders nicht denjenigen auffallen, die es eventuell auf deine Tochter abgesehen haben könnten.«

Eine Woche später dann der ereignisreiche Abend, den Alexander nicht so schnell vergessen würde. Zu Beginn des Februar, die Menschen spürten die Krallen des Frosts stärker als in allen anderen Monaten, lud Nikolai einige seiner Vertrauten und Alexander zu einem »heißen Badetag« ein, wie er sich ausdrückte.

Badetage im Winter sind für die wasserbesessenen Russen keine Seltenheit. Kurzerhand hackt man ein Loch in das Eis, sofort tauchen die Marschi, die Eisbader, hinein, um sich gleich anschließend warm einzuhüllen und an heißen Getränken zu wärmen und zu stärken. Oft ist dieses Badevergnügen mit einem kleinen Volksfest verbunden. Den Zuschauern wird Tee angeboten, selbstverständlich auch Wodka und heiße Suppen, da sie mehr frösteln als die Wagemutigen. Wiederholt hatte Alexander an solchen Winterbädern teilgenommen, die manchmal auch als Mutprobe betrachtet wurden, wenn es galt, in ein Loch hinein- und aus einem anderen, etwa zehn Meter entfernten, wieder aufzutauchen. Bereits nach drei oder vier Metern war der Körper vollkommen taub und gefühllos. Damit die Todesrate der Abenteurer nicht in die Höhe schnellte, sicherte man die Leichtsinnigen auch schon mal mit einem Seil.

Alle Eingeladenen sagten zu, denn es galt als Ehre, Gast des Sibiriaken zu sein. Gegen Mittag starteten die acht Männer in zwei Pkw von Nikolais Wohnsitz. Ziel war ein kleiner Nebenfluß, der sich schlangengleich durch die Berge zwängte und bereits nach wenigen Kilometern kaum noch breiter als fünfzig Meter war.

Wenige Schritte oberhalb des gefrorenen Flusses stand am Ufer unter Nadelbäumen versteckt eine Blockhütte mit einem weit überstehenden Dach. Sie war schon von einem Mann aufgeheizt worden, grauer Rauch stieg aus dem gemauerten Schornstein, drumherum begann der Schnee zu schmelzen.

Das aus dicken Lärchenbohlen zusammengezimmerte Holzhaus mit den kleinen Schießschartenfenstern und der niedrigen Eingangstür, bei der sogar Alexander den Kopf einziehen mußte, bestand aus drei Räumen. Im ersten waren Bank und Tische und Stühle, dazu Haken an der Decke für die Kleidung. In der Zwischenwand zur Sauna, damit war für Alexander geklärt, was Nikolai unter einem heißen Badetag verstand, hatte man eine Ofentür eingelassen, um vom Vorraum aus das Feuer bedienen zu können. Daneben befand sich ein größerer Raum mit Liegen, und auf einem Tisch bemerkte Alexander unterschiedliche Getränke, allerdings war kein Alkohol darunter.

»Ein Ort der Entspannung«, seufzte Nikolai und bat die Anwesenden, sich auszuziehen. »Keine Termine, keine Telefonate, alle Probleme haben wir in Kirensk gelassen.«

Der eigentliche Saunaraum war ohne Fenster und groß genug für acht Personen. Sie setzten sich auf glattgehobelte Bretter, und einer der Männer schüttete sogleich Wasser, vermischt mit einem Extrakt, auf die heißen Steine. Augenblicklich roch es intensiv nach frisch gesägtem Holz und verbrannten Tannennadeln.

Nikolai schlug seinen Rücken mit Birkenreisig, anschließend auch die Oberschenkel. Er forderte Alexander auf, sich hinzulegen und behandelte ihn, zuerst Waden, Gesäß und Rücken, dann die Vorderseite. Die Schläge taten nicht weh, aber Alexander spürte, wie das Blut zu zirkulieren begann und anschließend gleich unter der Haut ein leichtes Brennen auftrat. Auf dem Rücken liegend harrte er aus, sah auf das Thermometer an der Wand – es zeigte etwas über siebzig Grad an.

Zwischendurch brachte der Helfer kleine Eisstückchen, mit denen sich die Männer Gesicht und Nacken kühlten. Alexander war das erste Mal in einer Sauna und tat es den anderen nach.

Von den Anwesenden kannte er außer Nikolai noch dessen Fahrer, die beiden Leibwächter und einen Mitarbeiter, der für die Hauptstadt Jakutsk zuständig war. Zwei hatte Alexander bisher noch nicht gesehen. Sie gehörten offensichtlich dem Volk der Jakuten an, der mongolische Einschlag war unverkennbar. Den älteren von ihnen stellte ihm Nikolai mit Namen vor: Geriak. Er, Alexander, werde bestimmt noch mit ihm zu tun haben.

Nach etwa fünfzehn Minuten eilten die Männer hinaus, wuschen sich, schütteten sich Wasser aus Kübeln über den Kopf und den dampfenden Körper, rollten sich im Schnee und wanderten umher. Nikolai glitt in ein Loch im Eis, tauchte in das Wasser des Flusses und forderte Alexander auf, es ihm gleichzutun.

Der Jüngere hatte kurz darauf das Gefühl, als legten sich Kälteklammern um seinen Körper. Immer fester schnürten sie ihn ein, höchstens fünf Sekunden konnte er den beängstigenden Zustand ertragen. Wieder draußen an der frischen Luft, kam ihm diese, obwohl es annähernd dreißig Grad unter null war, angenehm temperiert vor.

Sie ruhten sich aus. In den ersten Minuten sprach keiner ein Wort, erst nach und nach entwickelte sich eine schwache Unterhaltung. Alexander merkte deutlich, wie er sich entspannte und eine angenehme Müdigkeit den Körper einhüllte.

Der Helfer reichte kleine Häppchen aus Roggenbrot, belegt mit Lachs und Kaviar und geraspelten Eisstückchen obendrauf. Dazu tranken sie heißen Zitronensaft.

Eine halbe Stunde später hockten sie wieder in der Sauna, die man inzwischen auf eine höhere Temperatur gebracht hatte. Als der dritte Gang zu Ende ging, dunkelte es draußen bereits, obwohl es noch keine vier Uhr am Nachmittag war.

Alexander fühlte sich gereinigt, frisch und erholt und vollkommen entspannt. Dazu trug besonders der Helfer bei, dessen Aufgabe unter anderem darin bestand, die Männer der Reihe nach durchzumassieren.

Noch einen letzten Saunagang sollte es geben, dann würde man sich ausruhen und anschließend nach Hause fahren. Nikolai betrat mit drei Männern zuerst den heißen Raum, Alexander, der als letzter massiert worden war, folgte mit den übrigen wenig später. Als Nikolai und die drei erwähnten Männer die Sauna verließen und Alexander ihnen folgen wollte, legte ihm einer, der hinter ihm saß, die Hand auf die Schulter. »Noch nicht«, sagte er freundlich, aber Alexander kam es wie ein Befehl vor.

Er fügte sich der Anweisung des Leibwächters und harrte aus. Nach fünf Minuten wurde ihm die Hitze unerträglich. Wieder spürte er die Hand auf seiner Schulter, als er sich anschickte, die enge Kabine zu verlassen. Zwei Minuten später das gleiche Spiel.

»Ich verbrenne.«

»Besser als erfrieren.«

Alexander wußte mit dieser Bemerkung nichts anzufangen. »Warum bleiben wir noch drinnen?«

Ganz ruhig kam die Antwort: »Um den anderen Gelegenheit zu geben, ein Problem zu lösen.«

»Welches Problem?«

Der Angesprochene antwortete nicht.

Derweil tauchte Nikolai draußen in das Eisloch und kam prustend wieder an die Oberfläche. Dem Mitarbeiter des Bundes gab er zu verstehen, doch gleichfalls hinabzugleiten, das tue gut. Der Mann wollte nicht so recht, doch erneut forderte ihn Nikolai dazu auf. Als der Betreffende immer noch keine Anstalten traf, traten die beiden Jakuten näher. Auch der Helfer, der das Loch ständig eisfrei gehalten hatte, war nicht weit. Er trug eine Fackel in der Hand, um die Szenerie zu beleuchten. Der Mitarbeiter, vor Jahren war er einmal einer von Nikolais Stellvertretern gewesen, zögerte, setzte sich und glitt schließlich in das kalte Wasser.

»Warum hast du es getan, Jakub?« fragte Nikolai und hockte sich neben den Aufgetauchten.

»Was getan?« Der Angesprochene klammerte sich an den Eisrand.

Mittlerweile war der Helfer mit der Fackel nahe herangetreten. Skurril mutete die Situation an: Drei nackte Männer, die sich um einen vierten versammelt hatten.

»Uns an Gogol verraten.«

»Habe ich nicht.« Deutlich stand die Angst in Jakubs von der Fackel beleuchtetem Gesicht.

Ein Jakute drückte Jakub unter Wasser, nicht länger als drei Sekunden.

»Jakub, warum?« Ganz ruhig klang Nikolais Stimme.

»Ich weiß nicht, wovon du sprichst.« Jakubs Zähne klapperten aufeinander.

Der Jakute beugte sich nach vorn, und tauchte Jakub mit beiden Händen erneut unter.

»Bitte, laß mich raus, mir ist kalt«, bettelte Jakub, als er wieder an die Oberfläche kam.

»Ich will wissen, warum. Dann kannst du rauskommen.«

Aber Jakub schwieg und wurde getaucht. Noch zweimal. Dann gab er zu, Gogol habe ihm Geld geboten, viel Geld. Und er, Jakub, habe Schulden, weil er bei Gogol gespielt und sein ganzes Vermögen verloren habe.

»Jakub, du hast uns verraten.«

»Nein. Nikolai, ich möchte raus. Bitte.« Jakub flehte, er war kaum noch zu verstehen. Sein Gesicht war blau angelaufen, und in den Augen stand nur noch Angst, panische Angst.

»Vier Männer sind umgekommen, meine Tochter ist entführt worden. Alles dein Werk, Jakub.«

»Ich mache es wieder gut«, versprach Jakub in weinerlichem Ton und biß sich beim Sprechen auf die Zunge. »Meine Beine, ich spüre sie nicht mehr.«

»Wie willst du es gutmachen?«

»Ich tue alles, was du willst.«

»Alles?«

Jakub konnte nur noch nicken. Seine Finger waren weißblau und krallenartig gebogen, die Nägel zeichneten sich als dunklere Fläche ab. Verzweifelt hielt er sich am Eisrand fest.

Als der zweite Jakute näher trat, weiteten sich Jakubs Augen. Nun wußte er, was das alles zu bedeuten hatte. Er bewegte den Unterkiefer, kein Ton kam mehr aus seinem Mund, Eiskristalle bildeten sich bereits auf den Lippen. Starr richtete er die Augen auf die Männer. Noch ein schwaches Aufbäumen, als versuchte er, sich aus dem Eisgefängnis zu befreien, aber dazu fehlte ihm die Kraft.

Die Männer wandten sich ab und ließen ihn im Tod allein. Eine größere Verachtung gab es nicht.

Als Alexander endlich aus der Sauna durfte und hinausstürmte, wies ihm der Helfer ein neues Loch zu. In der Dunkelheit konnte er nicht sehen, was sich nur zwanzig Meter von ihm entfernt abgespielt hatte. Wieder im Ruheraum, fiel Alexander erst eine halbe Stunde später auf, daß eine Person fehlte. Er suchte Nikolais Blick, und der gab ihm zu verstehen, er möge sich etwas anziehen und mit nach draußen kommen.

Alexander fühlte eine ähnliche Klammer um seine Brust wie vorhin beim Eintauchen ins Wasser. Im Schein der Fackel erkannte er Jakubs eingefrorenen Kopf samt Schulter, sein erstarrtes Gesicht mit dem aufgerissenen Mund und den geweiteten Augen. Wie zwei Eiszapfen ragten die Unterarme in die Höhe, die Hände abgeknickt und mit bizarr geformten Fingern, die sich in das Eis gedrückt hatten. Verstört schaute er Nikolai an.

»Er war der Verräter.«

»Und ihr habt ihn ... während man mich in der Sauna festhielt.«

»Ihm fehlte die Kraft, aus dem Loch herauszusteigen. Seine Schuld wog zu schwer.«

»Wer sagt das?«

»Die Jakuten.«

»Seine Schuld wog zu schwer?«

»Oder sein Leben war ihm nichts mehr wert im Anblick der vier Toten, die auf seine Kosten gehen.«

Nikolai drückte dem Jüngeren die Fackel in die Hand und wandte sich ab.

Alexander blieb stehen und saugte das Bild in sich auf, als wollte er Natur und Menschen verstehen. »Seine Schuld wog zu schwer«, murmelte er vor sich hin.

Es war soweit. Immer drängender wurde Alexanders Verhalten, und Nikolai spürte die Signale. Er bat den Jüngeren hoch in sein Wohnzimmer.

»Du willst wissen, wer ich bin, und du hast inzwischen ein Recht, es zu erfahren. Uns verbindet mehr, als du denkst.«

Vor ihnen auf dem Tisch lagen vergilbte Fotos. Alexander ahnte, daß es sich bei den Kindern um Nikolai und seine Geschwister handelte, und die Erwachsenen könnten seine Eltern sein.

»Wenn das Leben eine Kette von Prüfungen ist, wie es einmal ein Philosoph formuliert hat, dann frage ich mich, warum die einen so hart darunter zu leiden haben, während andere ungeschoren davonkommen.«

»Kommen nicht meist diejenigen mit einem blauen Auge davon, die die Macht und die Möglichkeit haben, anderen ihre Prüfungen aufzuzwingen?«

»Ja, da ist was dran.« Nikolai schob ein Foto vor Alexander und deutete auf einen der Jungen. »Igor, mein Bruder, ist von einem Zaun aufgespießt worden. Das war 1917. Und Sergej wurde in einem Konzentrationslager erschossen. Er war gerade fünfzehn. Aber am besten beginne ich von vorn.«

Nikolais Augen schweiften im großen Raum umher, als seien sie auf der Suche. Er atmete tief durch, streckte sich, und dann begann er zu erzählen.

»Meine Familie wohnte in der Ukraine unweit von Tscherkassy, ziemlich genau in der Mitte zwischen Kiew und Dnjepropetrowsk. Ich hatte noch zwei Brüder, einer jünger und der andere älter. Mein Vater war Kleinbauer und stand in Diensten eines Großgrundbesitzers. Offiziell hatte man 1861 die Leibeigenschaft per Gesetz aufgehoben, in Wirklichkeit mußten die Bauern für das ihnen zugeteilte Land hohe Ablösesummen zahlen, die sie nicht aufbringen konnten. Und da ihre Landteile zu klein waren, um die Schulden abzuwirtschaften, änderte sich an ihrer fatalen Lage nichts. Die Großgrundbesitzer, man nannte sie Zuzlo, was soviel wie der Feuerschwänzige bedeutet, traten als Geldgeber auf, die astronomische Zinsen verlangten und dadurch die Verschuldung höher und höher trieben. Zwar konnten die Reichen die Bauern nicht mehr zu Frondiensten, der Baschtschina, heranziehen, aber mein Vater schuftete und schuftete, ohne je ein freier Mann gewesen zu sein. Bis zum Schluß war er ein Leibeigener, bis 1917, als er starb.«

Nikolai deutete auf ein Foto, und Alexander erkannte einen Mann mit Bart und einer Mütze auf dem Kopf. In der Hand hielt er eine Axt, neben ihm lag ein Berg gespaltetes Holz.

»Er war stark, mein Vater. Und er zerbrach, weil Zuzlo ihn fertigmachte, ihn mißhandelte, seine Ehre mit Füßen trat und ihn die Abhängigkeit spüren ließ. Wir wohnten in einer verfallenen Hütte: Es gab kein Wasser, außer wenn es regnete, dann aber leider nur durch das Dach, erst recht keinen Strom und keine Toilette. Zuzlo residierte in einem feudalen Herrenhaus, doppelt so groß wie mein Domizil hier in Kirensk. Alle hatten zu springen, wenn er was wollte. War einer nicht willig, dann benutzte er die Peitsche, das entwürdigende Requisit der Leibeigenschaft. Auch meinen Vater schlug er. Ich konnte das nicht ertragen, und tief in mir waren die Schmerzen viel schlimmer, als wenn ich selbst getroffen worden wäre. Schon mit sechs oder sieben Jahren merkte ich, daß mein Vater ein gebrochener Mann war. Er murrte nicht, er klagte nicht, ging stets mit gesenktem Kopf und hochgezogenen Schultern. Heute kommt es mir vor, als wartete er regelrecht auf die Peitsche. Im Sommer 1917, am 23. Juli, es war sehr heiß, der Boden war vor Trockenheit aufgerissen, hörte ich einen Schrei, den ich nie vergessen werde. Wir liefen alle vor das Haus, und dann sahen wir es. Mein älterer Bruder war von einem Zaun aufgespießt worden, die Eisenlanze hatte seinen nackten Körper durchdrungen und ragte blutverschmiert aus seinem Rücken. Und einen Stock höher im geöffneten Fenster stand der Großgrundbesitzer, ebenfalls nackt. Mein Vater wußte sofort, was geschehen war, Zuzlo hatte seinen Sohn mißbraucht. Er lief in unsere Hütte und kam mit einem Jagdgewehr zurück. Als er die Treppe des herrschaftlichen Hauses hochstürmte, erschoß ihn der Sohn des Großgrundbesitzers, der zu diesem Zeitpunkt nicht älter als zwölf Jahre war. Neben dem Jungen stand, immer noch nackt, sein Vater, der ihn voller Stolz betrachtete und ihm eine Hand auf die Schulter legte. Das Bild werde ich nie vergessen.«

In Nikolais Gesicht arbeitete es. Er warf Alexander einen flüchtigen Blick zu und sprach weiter: »Wir beerdigten meinen Bruder, der einem Unfall zum Opfer gefallen war, und meinen Vater. Aus Versehen erschossen, weil man ihn in der Dunkelheit für einen Einbrecher gehalten hatte. So lautete die offizielle Version. Ich war damals sieben Jahre alt, beinahe acht, und begriff das Unfaßbare: den Tod von zwei Familienangehörigen, die ich über alles geliebt habe. Um zu erkennen, daß mein älterer Bruder aus Scham den Freitod gewählt hatte, war ich noch zu klein. Meine Mutter war unansprechbar und betete ständig. Für sie war das alles eine Prüfung Gottes, ein unabwendbares Schicksal. Dennoch verfluchte sie den Zuzlo immer wieder. Wenige Monate später brach die Revolution aus. Auf dem Landsitz herrschte Aufregung, man bereitete sich auf die Flucht vor. In der letzten Nacht vor der Abreise nahm ich das Gewehr meines Vaters und erschoß den Zuzlo durch das Fenster. Er starb äußerst qualvoll, weil ich seinen Magen getroffen hatte. Niemand verdächtigte mich, man schob den Tod den Revolutionären in die Schuhe.«

Nikolai machte eine Pause und starrte vor sich auf die Fotos. Sanft berührte er sie mit den Fingerkuppen, sein Gesicht war weich, er schien zu lächeln.

»Wir flohen mit der Familie des Großgrundbesitzers zuerst nach Süden und dann nach Osten. Keiner kam auf die Idee, es in der anderen Richtung zu versuchen, Polen war nicht weit. Möglich, daß alle dachten, der Revolutionsspuk sei schnell vorbei. Eines Tages war meine Familie verschwunden. Wie ich auch suchte, ich fand meine Mutter und meinen jüngeren Bruder Ilja, er war gerade drei Jahre alt, nicht mehr. Was blieb mir anderes übrig, als mit der Familie des Zuzlo weiterzuziehen? Zuerst ans Schwarze Meer, dann ans Kaspische. Schließlich hatten wir in Kasachstan zwei Jahre Ruhe, aber 1920 ging es weiter in den Osten nach Bijsk. Dort blieben wir bis 1924. Die Auswirkungen der Revolution und Stalins Terror erreichten auch Bijsk, und die Familie des Großgrundbesitzers ging nach Sibirien. Ich löste mich und war plötzlich mit vierzehn Jahren auf mich allein gestellt. Wenn sich eine Chance bot, dann arbeitete ich, um nicht zu verhungern. Ich stahl und war bereit, Menschen umzubringen. Erschreckend traf mich damals die Erkenntnis, daß ich mehr und mehr verrohte und in mir allmählich die primitivsten Instinkte die Oberhand gewannen. Die Zeit verging, irgendwann hörte ich, das war Mitte der dreißiger Jahre, vom ›Bund der Rettung‹ und wanderte nach Mittelsibirien. Ich diente mich hoch, wurde angesehen und galt als einer der geschicktesten Händler und Organisierer. 1940 verhaftete man mich, weil ich auf dem Irkutsker Bahnhof vergessen hatte, einen Offizier zu grüßen, der ein Foto von Stalin auf der Brust trug. Drei der fünf Jahre verbrachte ich in einem Straflager und lernte einen Historiker kennen, der mir nach meiner Flucht eröffnete, wo mein jüngerer Bruder Ilja abgeblieben war. Von meiner Mutter hörte ich nie mehr etwas. Da es auch schon in den zwanziger Jahren üblich war, Kinder in Konzentrationslager einzusperren, brachte man Ilja auf die Solowez-Inseln westlich von Archangelsk. Zufällig erschien 1928 im westlichen Ausland ein Buch, in dem der Autor auf eben dieses Lager und die unmenschlichen Zustände hinwies. Maxim Gorki reiste im Auftrag der Regierung aus dem Ausland an, um der Weltöffentlichkeit zu widerlegen, was man behauptete. Das Lager wurde extra hergerichtet, und Gorki fragte die Häftlinge, ob die Beschuldigungen stimmten. Keiner wagte es, dem Schriftsteller die Wahrheit zu sagen, bis auf meinen damals dreizehnjährigen Bruder. Gorki soll erschüttert gewesen sein, als er das Lager verließ. Einen Tag später war Ilja tot.«

Nikolai schwieg und starrte die Wand an. Mit einer Hand wischte er sich über die Augen. Vor ihm lag ein Foto, das einen Jungen mit kurzgeschorenem Schädel zeigte und viele Männer. Unter ihnen der alternde Maxim Gorki, der dachte, er müsse seinem Land einen Dienst erweisen. Letztlich wurde er aus Gründen der Propaganda mißbraucht.

Alexander mußte an den schweigsamen Literaturstudenten Aljoscha denken, der wegen eines Buches über Konzentrationslager in SIB 12 eingesessen hatte.

Nikolai war mit seinen Gedanken entrückt. Nach einer halben Stunde stand er auf und eilte hinaus.

Im Erdgeschoß wartete Minsk, wie man den Vertrauten Nikolais wegen seiner Herkunft nannte, auf Alexander.

»Wie fühlt er sich?« fragte Minsk.

»Er trauert.«

»Ja, er trauert immer noch. Die Trauer wird nie enden.«

Minsk führte Alexander in das Kaminzimmer und eröffnete ihm, daß er Nikolai inzwischen dreißig Jahre kenne, seit ihrer gemeinsamen Flucht aus einem Lager in unmittelbarer Nähe der Stadt Magnitogorsk. Dort sei es bestialisch zugegangen. Selbstverstümmelungen hätten auf der Tagesordnung gestanden, nur um in die Krankenstation verlegt zu werden. Aus dem gleichen Grund brachten sich die Häftlinge Infektionen bei, indem sie Dreck in Wunden rieben oder verfaulte Essensreste. In einem Winter sei es sogar zu Kannibalismus gekommen. Aus Hunger habe man in einer Nachbarbaracke einen Mithäftling, den man einfach ausloste, getötet und gegessen.

»Hast du das gleiche erlebt?« wollte Minsk wissen.

»Ja, bis auf Kannibalismus.«

»Und die Selbstverstümmelungen?«

»Kamen auch vor.«

»Einer meiner Leidensgenossen hat sich ein Seil um Penis und Hoden gebunden, es an der Klinke befestigt und dann wie am Spieß geschrien. Die Wärter rissen die Tür auf und dem armen Kerl Eier und Schwanz ab. Er wollte nur in die Krankenstation. Dort ist er gestorben.«

Minsk schenkte Wodka aus, Alexander trank das Glas leer.

»Wie konnte Nikolai das die ganze Zeit aushalten?«

»Weil er zu hassen gelernt hat. So wie du.«

Minsk erwähnte, daß er und Nikolai sich auf der Flucht hatten trennen müssen. Nikolais einzige Chance sei gewesen, auf einen fahrenden Zug zu springen, und das mitten im Winter.

»Wie ich«, bemerkte Alexander erstaunt.

Minsk nickte. »Seltsam, daß sich die gleichen ungewöhnlichen Dinge Jahrzehnte später wiederholen können. Wirklich seltsam.«

»Aus welchem Anlaß ist Nikolai auf mich aufmerksam geworden?«

»Durch die Art, wie du mit unserem Tolkatsch um die Schläuche gefeilscht hast, und wegen deiner Lebensgeschichte.«

Alexander schaute in das zart wirkende Gesicht von Minsk. »Er muß doch einen Grund gehabt haben, mit mir ... sich auf mich ...«

Minsk nickte. »Nikolai tut nie etwas ohne Grund.«

»Bitte, verrate ihn mir.«

»Du sollst sein Nachfolger werden.«

»Ich ...« Alexander sprang auf und stellte sich ans Fenster. Er kühlte seine Stirn an dem kalten Glas und versuchte seine Gedanken zu ordnen. Das war es also. All seine Fragen, die sich in ihm aufgestaut hatten, wurden mit einem Schlag beantwortet.

»Ich sein Nachfolger«, murmelte er. »Es gibt so viele.« Und zu Minsk gewandt: »Warum gerade ich?«

Minsk lächelte. »Ich sagte es bereits, weil du ihm ähnlich bist und mit dem Leben gespielt hast. Seit er von dir gehört hatte, stellte er Nachforschungen an, und sein Wunsch wurde immer stärker. Während deiner Eskapaden mit dem Amerikaner hatte er wahrscheinlich mehr Angst um dich als du selbst. Wie du dann auch noch von der Lokomotive gefallen bist ...«

»Moment, davon konnte er doch nichts wissen.«

»Deine einzige Chance, so erklärte Nikolai, als er hörte, daß die Miliz den Zug durchsucht hatte, sei die Lokomotive. Vielleicht hat er es sich auch nur gewünscht?«

»Weshalb hat Nikolai überhaupt am Bahnhof gewartet?«

»Man hat ihn über alles unterrichtet, an dem bewußten Tag wollte er mit dir sprechen.«

Alexander wanderte im Raum umher, die Teppiche dämpften seine Schritte. »Warum braucht er jetzt schon einen Nachfolger? Nikolai ist doch noch rüstig und bei bester Gesundheit.«

»Nein.« Minsk stellte sich ihm in den Weg. »Nikolai hat noch ein Jahr zu leben. Höchstens. Ohne dich und die Hoffnung wäre er wahrscheinlich schon tot.«

Im Gesicht des Älteren erkannte Alexander Niedergeschlagenheit. »Du willst mich beeinflussen, damit ...«

Minsk unterbrach ihn mit harter Stimme. »Nichts will ich. Nikolai leidet an Leukämie. Damals bei dem Überfall auf die Lkw ist auch sein Medikament gestohlen worden. Er konnte es sich zwei Wochen später wieder in England besorgen, aber das war für ihn ein deutlicher Hinweis, daß seine Zeit abgelaufen ist. Und du wirst sein Nachfolger.«

Minsk sagte das mit einer solchen Bestimmtheit, als gäbe es überhaupt keinen Zweifel.

Alexander ließ sich in einen Sessel fallen »Ich bin völlig verwirrt.«

Minsk erzählte ihm, wie es Nikolai geschafft hatte, Sprecher des Bundes zu werden. »Es gab noch einen Gegenkandidaten, und dem Rat fiel es schwer, sich zu entscheiden. Aber Nikolai wollte unbedingt Sprecher werden, weil er von sich und seinen Ideen überzeugt war. Die Entscheidung zog sich jedoch hin, alle trafen sich zu einer letzten Versammlung. Plötzlich und unerwartet bekam Nikolai heftige Leibschmerzen. Ein Arzt diagnostizierte eine akute Blinddarmentzündung. Die Schmerzen wurden schlimmer, und der Mediziner meinte, der Blinddarm müsse unbedingt heraus. Nikolai forderte den guten Mann auf, ihn auf der Stelle zu operieren. Und das tat er dann auch, und zwar ohne Betäubung. Draußen auf dem Gang standen die zehn Stellvertreter und warteten auf einen Schmerzensschrei. Sie hörten keinen. Das war der Grund, warum Nikolai gewählt worden ist.«

»Ohne Betäubung?«

Minsk nickte. Alexander begann sich unwillkürlich mit Nikolai zu vergleichen und fragte sich, ob auch er dazu in der Lage gewesen wäre. Damals, das mit dem Schienbeinbruch im Lager SIB 12. Diese Schmerzen, so meinte er, seien denen von Nikolai bestimmt sehr nahe gekommen. Nicht zu vergessen die Vergewaltigung und das Messer in seinem Handrücken.

Als er aufschaute, sah er in Minsks spöttisches Gesicht.

»Nikolai wollte unbedingt Sprecher des Bundes der Rettung werden.«

Minsk nickte, der Spott blieb.

»Und er hat überhaupt keine Blinddarmreizung gehabt.«

Erneut nickte Minsk. »Der Arzt hat sich sehr gewundert, wo die Schmerzen herkamen. Aber da hatte man Nikolai schon gewählt.«

Nikolai bat Alexander zu einem gemeinsamen Frühstück, er hätte mit ihm zu reden. Als sie sich gegenübersaßen, ließ er sich jedoch Zeit. Außer einem Gutenmorgengruß sagte er lange kein Wort. Schließlich erkundigte er sich nebenbei, wie er geschlafen habe. Verdammt schlecht, gestand Alexander. Nikolai meinte, warum solle es ihm besser gehen, er habe auch kein Auge zugemacht.

»Minsk hat mit dir gesprochen?«
»Durfte er das nicht?«
»Minsk darf alles. Keinem vertraue ich so wie ihm.«

Nikolai beschäftigte sich mit seinem Ei, Alexander nippte am Mokka. Er bekam ihn jeden Morgen serviert und immer wieder zwischendurch, ohne Aufforderung.

»Ich weiß, wie du Sprecher des Bundes geworden bist.«

Nikolai schaute auf. »Deine Augen klagen mich an. Habe ich damals etwas Unrechtes getan?«

Alexander schwieg.

»Es ging nur um das entscheidende Pünktchen, das den Ausschlag geben sollte. Und mein Blinddarm hat mir dabei geholfen.«

Alexander ging nicht auf die Bemerkung ein. »Warum hast du mir nichts von deiner Krankheit erzählt?«

»Ich wollte dich nicht damit belasten und sie nicht benutzen, so wie den Blinddarm, um dich in deiner Entscheidung zu beeinflussen. Wird das hier«, Nikolai umschloß mit einer unsicheren Handbewegung den Raum, »wird das hier dein Zuhause werden?«

Alexander antwortete nicht.

»Wie lange läßt du mich denn noch warten?«
»So lange, bis ich deine Geschichte vollständig gehört habe.«
»Ich habe dir alles erzählt«, erwiderte Nikolai verschlossen.
»Nein.«

Verwundert sah er Nikolai an.

»Du hast mir nicht gesagt, daß es Gogol war, der deinen Vater erschossen hat. Derselbe Gogol, der die Lkw überfallen und deine Tochter entführt hat und den du zu deinem Neujahrsfest eingeladen hast.«

»Hat Minsk ...«
»Um dich kennenzulernen und einschätzen zu können, brauche ich Minsk nicht.«

»Wie bist du darauf gekommen?«

»All dein Streben hat nur einen Sinn. Und dieser Sinn wird von einer großen Kraft genährt: Haß.«

»Wie bei dir.«

»Wie bei mir. Du haßt diesen Gogol bis aufs Blut. Stünde er auf dieser Seite, auf der Seite des Bundes, du wärest auf der anderen.«

Nikolai lehnte sich zurück und überlegte. »Du könntest recht haben«, gab er nach einer Weile zu.

»Gogol war es wohl auch, der sich gemeinsam mit dir beworben hat. Auch er wollte Sprecher des Bundes werden.«

Nikolai erschrak.

»Aus Wut und Enttäuschung hat Gogol anschließend gegen dich gearbeitet und sich mehr und mehr der Gruka bedient. Er, als immer noch angesehener Mann mit Beziehungen zu Genossenschaften und Funktionären, wurde zu einem Täter mit ... wie sagt man?«

»Täter mit weißer Weste. Verdammt, das kann doch nur Minsk dir ins Ohr ...« Nikolai brach ab und studierte Alexanders Gesicht.

Der sah den Sibiriaken nur an. Als Nikolai der Blick unangenehm wurde, sagte der Jüngere: »Du hast gute Arbeit geleistet, wir sind uns wirklich sehr ähnlich. Außerdem kann ich dich verstehen, weil ich genauso gehandelt hätte. Was man sich in den Kopf setzt, soll man auch durchführen. Die Frage, ob es sinnvoll oder sinnlos ist, wird dann zweitrangig. Entscheidend ist das Tun.«

Nikolai schien erleichtert zu sein. »Das klingt ja so, als hättest du auf einmal ein Ziel.«

»Möglich.«

»Bedeutet das, du hast dein Zuhause gefunden?«

»Ja.«

Nikolai kam um den Tisch und nahm Alexander in die Arme. Lange drückte er ihn, und seine Stimme klang belegt, als er sich bedankte. »Ich wußte es«, sprach er leise zu sich selbst, während er wieder Platz nahm.

»Die Wahl des Sprechers: Wann soll sie sein?«

»Dieses Jahr im Sommer. Allerdings gibt es noch ein kleines Hindernis. Du hast einen Konkurrenten. Es gibt immer einen Konkurrenten.«

»Aber mir gestehst du die größeren Chancen zu.«
»Ja. Außerdem schlage ich dich vor. Und wen der Sprecher vorschlägt, der hat ein dickes Plus.«
»Nikolai, du verschweigst mir doch etwas.«
Der Ältere nickte.
»Hat es was mit dem Konkurrenten zu tun?«
Wieder nickte er.
»Wer ist es?«
»Jewgenij, Gogols Sohn.«

Als müsse er die restliche Zeit seines Lebens ausnutzen, verbrachte Nikolai jede Minute mit Alexander. Für den Jüngeren war es erstaunlich, wie beliebt der Sibiriake war. Freundlich wurden sie gegrüßt, wenn sie einmal ohne Leibwächter durch Kirensk spazierten. Waren sie beim Stadtsowjet, dann öffneten sich auf wundersame Weise alle Türen für Nikolai. Man hörte ihm mit Interesse zu, kein Wunsch wurde ihm abgeschlagen, überall nur Entgegenkommen und Bereitschaft. Nikolai konnte auch ungemein charmant sein, wenn er es darauf anlegte, etwas Bestimmtes zu erreichen. Sogar gegenüber dem höchsten Parteifunktionär Urgan Besmertisch, den Nikolai als seinen zweitgrößten Feind bezeichnete, gelang ihm dies. Sehr oft suchte ihn der feiste Besmertisch in seinem Haus auf, um sich etwas zustecken zu lassen.

»Was du natürlich auch tust, Nikolai.«
»Selbstverständlich. Aber ich begebe mich nicht in die Hände dieses Schweins. Im Gegenteil: Ich habe ihn in der Hand.«
Nikolai zeigte Alexander Fotos, die eindeutig belegten, wie Besmertisch dicke Bündel von Geldscheinen in Empfang nahm. »Falls du es mit falschen Hunden zu tun haben solltest, und Besmertisch ist ein solcher, dann gebe ich dir einen Rat, Robert: Versuche dich zu schützen, mache dich nicht abhängig von ihnen. Das Gefühl, sie hätten das Sagen, kannst du ihnen ruhig lassen, denn damit geben sie sich oft zufrieden. Du allein aber mußt derjenige sein, der bestimmt.«
Alexander gab zu bedenken, daß er noch viele Dinge lernen müsse, und er frage sich wirklich, ob er für Nikolais Pläne auch der Richtige sei.

Der Sibiriake hatte dafür nur eine abfällige Handbewegung übrig. »Ich will dir nicht zu nahetreten, aber um gegen Gogols Sohn anzugehen, ist jeder der Richtige. Allerdings hat Gogol sehr, sehr großen Einfluß. Besmertisch hält übrigens auch bei ihm seine fetten Hände auf.«

Mehr und mehr führte Nikolai Alexander in die Geheimnisse seines Wirkens ein. Jeder seiner zehn regional operierenden Stellvertreter, die nur über ihn, Nikolai, und sein Büro miteinander kommunizieren könnten, habe lediglich Einblick in einen bestimmten Bereich. Er allein sei in der Lage, die Organisation zu koordinieren, und genau das mache seinen Einfluß und seine Macht aus. Macht, unbeherrscht und im Eigennutz ausgeübt, könne auch zu einer äußerst gefährlichen Droge werden, bedeute überall auf der Welt Wissen und einen Vorsprung an Information. Damit der Bund weiter agieren und handeln könne, falls er stürbe oder ihm ein Unfall zustieße, gebe es an vier verschiedenen Orten vier verschiedene Listen, führte Nikolai weiter aus. Auf einer stünden all die Namen der Tolkatschi, auf einer anderen die Anschriften und auf der dritten die Produkte, geordnet nach Kategorien und Anbietern, die zu organisieren man in der Lage sei. Hinter Namen, Anschriften und Produkte habe man jeweils eine Zahl gesetzt, welche erst mit Hilfe der vierten Liste, auf ihr seien alle Zahlen mit den dazugehörigen Bezeichnungen aufgeführt, entschlüsselt werden könne.

»Diese Liste werde ich dir aushändigen, dazu meine Aufzeichnungen über meine Kontakte im Ausland und die Bankverbindungen – wenn du König von Sibirien geworden bist.«

Von Alexander kam es wie ein Echo: »König von Sibirien?«

»Falls die Jakuten dich auch anerkennen, bist du für sie ihr König.«

Larissa kam unangemeldet nach Kirensk. Sie habe einige Tage nichts an der Universität zu tun und wolle ihren Vater besuchen. Der Entschluß mußte so spontan gewesen sein, daß noch nicht einmal die Bewacher Nikolai hatten benachrichtigen können. Auf Alexanders Frage gab sie zu, daß sie sich große Sorgen um ihren Vater mache, obwohl inzwischen ein wichtiger Punkt geklärt sei. Sie spielte auf Alexander und seine Entscheidung an.

Larissa änderte ihr Verhalten, was Alexander anbelangte. Zuerst, so gestand sie ihm offen, habe sie nicht viel von ihm gehalten. Auch aus Protest gegenüber ihrem Vater, der schon sehr früh von ihm, Robert oder Alexander, geschwärmt habe, obwohl er ihn überhaupt noch nicht persönlich kannte. Bereits letztes Jahr im Sommer sei das gewesen, als er mit dem Amerikaner unterwegs war und Rauschgift in die UdSSR schmuggelte. Allmählich verstünde sie ihren Vater, räumte sie ein, und Minsk sei auch von Robert oder Alexander angetan.

»Freut mich, daß ich die Bewährungsprobe bestanden habe.«
»Jetzt seien Sie bitte nicht eingeschnappt.«
»Und was war das an Neujahr? Ihre politischen Ergüsse über Elite und Intelligenzija, die seltsame Unterhaltung über das Verhältnis der Sowjetunion zu anderen Staaten, die Dominotheorie?«

Sie schürzte die Lippen. »Nun, ich wollte Sie mal ... mal ein bißchen kitzeln.«

»Ein Test, ob ich auch nicht auf den Kopf gefallen bin.«
»So ungefähr«, gab sie zu. »Übrigens, ich heiße Larissa.«
Bei Alexander einigten sie sich auf Robert.

Überraschend kam für ihn Larissas Vorschlag, mit ihr für zwei Tage an den Baikalsee zu fliegen. Kein Test, keine Bewährungsprobe, und ihr Vater habe bestimmt nichts dagegen.

»Mußt du ihn immer fragen?«
»Nein. Nur jetzt, wo er so beschäftigt ist, mich immer um sich haben möchte und sich wegen Gogol so viele Sorgen macht. Er will dann wissen, mit wem ich unterwegs bin.«

Auf einer breiten, vorzüglich ausgebauten Straße, US-Präsident Dwight D. Eisenhower hätte sie 1960 anläßlich eines Staatsbesuchs benutzen sollen, fuhren sie von Irkutsk nach Südosten, immer der Angara entlang. Noch war der See, eine majestätische, ebene Unendlichkeit, zugefroren. Alexander erzählte Larissa von den seltsamen Wetten, die er meist gewonnen hatte: Wer im Herbst der erste und im Frühjahr der letzte bei der Überquerung der vierzig

Kilometer langen Strecke zwischen Listwjanka und dem gegenüberliegenden Kedrowaja war. Im Winter käme einem wegen der Einsamkeit die Entfernung vor, als befinde man sich mitten auf einem vereisten Ozean.

Abends im Hotel sprach Larissa ihn auf seine Entscheidung an. Nebenbei erwähnte sie, daß ihr Vater in ihn sehr viel Hoffnung setze.

»Soll das ein Hinweis sein, ihn ja nicht zu enttäuschen?«

»Genauso habe ich es gemeint. Ich liebe meinen Vater. In zwei Monaten werde ich mit meiner Prüfung fertig sein, dann gibt es für mich nur noch ihn.«

»Seit wann weißt du von seiner Krankheit?«

»Minsk hat mir vor einem guten Jahr davon erzählt. Ja, so ist Nikolai. Nur nicht andere mit den eigenen Problemen belästigen, stets für alle da sein und sich selbst dabei vergessen. Weißt du, wann mein Vater das letzte Mal Urlaub gemacht hat?«

Sie beugte sich zu ihm, er registrierte den traurigen Ausdruck in ihren Augen. »Ich kann mich nicht erinnern. Noch nie habe ich ihn entspannt gesehen. Immer war etwas zu tun, oder er hatte jemandem zu helfen. Dir wird es auch so gehen, wenn du dich voll in die Sache hineinkniest.«

»Willst du mich davon abbringen?«

Sie schüttelte den Kopf. »Nein. Ich kann Menschen nur bewundern, die so sind wie mein Vater.«

Alexander reagierte unwillig. »Jeder vergleicht mich mit ihm. Minsk sagt, ich sei, wie er in seiner Jugend war, und Nikolai meint, er und ich, uns verbinde die Fähigkeit, zu hassen.«

Larissa senkte den Kopf und schaute auf ihr Glas. »Euch verbindet noch etwas.«

»So?« Alexander beobachtete sie von der Seite. »Da bin ich aber neugierig.«

»Die Fähigkeit, zu lieben.«

Alexander versteifte sich. Wollte Larissa ihn erneut drängen und überreden, ihr seine Vergangenheit zu offenbaren?

»Mein Vater hat meine Mutter geliebt, wie nur ein Mann eine Frau lieben kann. Und er liebt sie immer noch. Sie ist bei meiner Geburt gestorben.«

»Er hat es mir gesagt.«

»Du liebst auch immer noch eine Frau. Und du bist unglücklich. Ich merke es. Eigentlich schade.«

Er schaute auf seine Hände und schwieg.

»Wenn ich als Kind schlecht geträumt habe, dann erzählte ich es am anderen Morgen meinem Vater. Der half mir dann auf sehr einfache Art und Weise. ›Siehst du den bösen Geist auch jetzt?‹ fragte er mich. Natürlich sah ich ihn nicht mehr. ›Dann mach bitte die Augen zu. Und wie ist es nun?‹ Selbstverständlich war er weg, und das beruhigte mich. Nicht, daß ich deine Liebe mit einem schlechten Traum vergleichen möchte, aber vielleicht hilft es, wenn du darüber sprichst, so wie es mir immer geholfen hat.«

Immer noch betrachtete er seine Hände.

»Du versuchst deine Gefühle zu verdrängen und hast dazu bestimmte Mechanismen entwickelt. Damit dich auch ja nichts an die Vergangenheit erinnert, blockst du jedes Gespräch und noch mehr jedes emotionale Engagement ab. Robert, du belügst dich ständig.«

Als Alexander nicht reagierte: »Wie tief ist der Baikalsee?«

Konsterniert sah er sie an. »Etwa 1700 Meter, wenn ich mich nicht täusche.« Und dann verstand er ihre Frage. »Du meinst, meine Gefühle seien …?«

Larissa schaute ihn nur mit ihren dunkelbraunen Augen an. Ihm war der Blick unangenehm.

Alles in Alexander sträubte sich, allein seine Vernunft riet ihm, mit Larissa über Hellen zu sprechen, weil er einen Menschen brauchte, dem er vertraute und der ihm zuhörte. Und sie hörte zu, ohne eine Frage zu stellen. Als er geendet hatte, sagte sie: »Ich glaube, jetzt kann ich dich besser verstehen. Verzeih mir bitte mein Verhalten am Neujahrstag.«

An diesem Abend diskutierten sie lange. Mitternacht war längst vorbei, als Larissa Näheres über die Wolgadeutschen wissen wollte. Warum sie nach Rußland gekommen seien, was sie an dem Land gefunden hätten, ob sie es mittlerweile als ihre Heimat betrachteten. Alexander kannte sich nicht sonderlich in seiner eigenen Geschichte und der seiner Vorfahren aus. Was er wußte, stammte überwiegend aus dem Koffer seiner verstorbenen Mutter und aus dem Ordner, Nikolais Weihnachtsgeschenk.

»Katharina II. rief 1763 die Deutschen ins Land, damit sie es urbar machten und bestellten und die Siedler zugleich als Bollwerk gegen die Tataren dienten. Dreißigtausend, meist aus Südwestdeutschland, wanderten in den Folgejahren ein, gründeten Siedlungen und Tochterkolonien bis zum Ural und in der Ukraine. Zwischen dem Ersten Weltkrieg und 1940 war die Zahl der Deutschstämmigen auf etwa 1,5 Millionen angewachsen, trotz der Hungersnot 1921/22 und der Zwangskollektivierung zehn Jahre später. Bis Ende 1941, der Vertreibung durch Stalin nach Hitlers Überfall, schrumpfte die Anzahl durch Verschleppung und Pogrome enorm.«

Eine Million seien in den Osten umgesiedelt worden, führte Alexander weiter aus, überwiegend nach Westsibirien, Kasachstan, Kirgisien und dem Altaigebiet. Viele seiner Landsleute hätten ihr Leben lassen müssen, auf weit mehr als dreihunderttausend lauteten die Schätzungen, darunter auch seine leibliche Mutter. Außerdem wurden 100 000 Deutsche in den besonders harten Dienst der Trudarmija, der Arbeitsarmee, gesteckt, die bis 1947 bestanden habe.

Auch auf die politische Entwicklung ging Alexander kurz ein. Mitte der zwanziger Jahre habe man den Deutschen erlaubt, innerhalb der Russischen Sozialistischen Föderativen Sowjetrepublik, RSFSR, eine autonome deutsche Wolgarepublik zu gründen. Zu Beginn des Großen Vaterländischen Krieges, 1941, seien die Hitlerspione, wie man die Wolgadeutschen nun nannte, in den Osten vertrieben worden, 1945 erfolgte die Auflösung der Wolgarepublik, und 1964, kurz nach Chruschtschows Absetzung, die Rehabilitierung. Allerdings sei sie nicht mit dem Recht auf eine eigene autonome Republik verbunden gewesen.

»Das ist in kurzen Worten die Geschichte meiner Vorfahren – oder soll ich sagen: meines Volkes.«

»Weißt du, daß ein ehemaliger Volkskommissar der Wolgadeutschen Republik, Ernst Reuter, nach dem Krieg Oberbürgermeister von Berlin geworden ist?«

»Noch nie davon gehört.«

»Und von der Berlinblockade?«

Alexander überlegte. »Damals wollten die Amerikaner Berlin zum militärischen Stützpunkt ausbauen.«

Larissa winkte ab. »Alles Geschwätz.« In wenigen Sätzen beschrieb sie ihm die wahren Hintergründe. »Damit du weißt, was in deiner Urheimat vorgeht. Fühlst du dich eigentlich als Deutscher?«

»Wie müßte ich mich da fühlen?«

Larissa zählte auf: »Nun, sie sind arbeitsam, rechtschaffen, ehrgeizig, strebsam. Schau dir doch nur Westdeutschland an, was man dort wieder auf die Beine gestellt hat.«

Sie gingen auf die Zimmer, jeder in seines. Alexander konnte lange nicht einschlafen. Larissa beschäftigte ihn, und er fragte sich, warum Nikolai ihn gebeten hatte, ihr nichts von den Ereignissen am Saunatag, von der Bestrafung des Verräters zu erzählen. Etwa aus Angst, seine Tochter könnte ihn nicht verstehen?

»Alexander, wenn jemand nur noch so kurze Zeit zu leben hat wie ich, dann hofft er, daß all seine Wünsche sich erfüllen.«

»Welche hast du?«

»Daß mein Lebenswerk fortgeführt wird.«

»Schließt das auch den Haß auf Gogol und seinen Sohn mit ein?«

Nikolai ließ sich Zeit mit der Antwort. »Wenn ich davon ausgehe, daß Gogol mich genauso haßt wie ich ihn, dann kann ich ihm am meisten schaden, indem ich sterbe. Wo soll er dann noch hin mit seinem Haß?«

»Er hat deinen Vater erschossen, du warst Zeuge. Warum hast du ihn nicht auch erschossen?«

»Weil ich mir seinen Vater gegriffen habe. Außerdem bin ich überzeugt, inzwischen weiß er, daß ich es war. Demnach hätte er das gleiche Recht wie ich.«

Nikolai legte es wieder einmal darauf an, zu ergründen, welch ein Mensch Alexander war, was er fühlte und was er dachte. Er wollte Dinge aus Alexanders Kindheit erfahren, möglichst Vorfälle, die ihn geprägt oder zumindest beeindruckt hatten.

»Gibt es auch in deinem Leben Wünsche, die du gerne erfüllt sähst?«

Alexander überlegte lange. Da er Larissa bereits von Hellen erzählt hatte, gab er zu: »Ja, ich möchte eine Frau wiedersehen, die mir sehr viel bedeutet.«

Durch seine folgende Bemerkung zeigte Nikolai, daß er wußte, von wem Alexander sprach. »Kein Problem. Du kannst nach Deutschland reisen. Ich organisiere das.« Und nach einem Blick in Alexanders Gesicht: »Welchen Wunsch hast du noch?«

»Eigentlich dürfte ich es mir nicht wünschen, denn er hat meine Mutter verlassen und sich zu Beginn des Krieges einfach verdrückt. Aber ich würde gerne meinen richtigen Vater kennenlernen, falls es ihn überhaupt noch gibt.«

Das Frühjahr. Die Tage wurden länger, die Sonne kräftiger, der Schnee zog sich zurück. Die Taiga erwachte, die Menschen erwachten, als hauchte ihnen die Sonne immer wieder aufs neue ein Quentchen Leben und Wärme ein.

In Nikolais Jagdhütte am Oberlauf der unteren Tunguska, anderthalb Autostunden von Kirensk entfernt, verriet ihm der Sibiriake, daß er, seit er diese Hütte besitze, noch kein Tier geschossen habe. Er schaue ihnen zu, er folge ihren Fährten, und er lege auch an. Aber abdrücken, das habe er nie können, dazu schienen sie ihm zu sehr eins zu sein mit der Natur.

»Dann erkläre mir doch bitte einmal, wo die vielen Felle hier herkommen.« Alexander deutete auf die Wände und auf den prächtigen Pelz eines riesigen Braunbären gleich vor dem Kamin.

»Geschenke, alles Geschenke. Die meisten stammen von den Jakuten.«

Wieder einmal wurde Alexander Zeuge, wie tief verwurzelt Nikolai mit seiner Heimat war. Er machte kein Hehl aus seinen Gefühlen, als wollte er bewußt einen tiefen Einblick in sein Innerstes geben, und gestand dem Jüngeren, daß er dem Land sehr viel verdanke. Weil es ihn geprägt habe und ihn erkennen ließe, daß Nichtigkeiten den Blick fürs Wesentliche versperrten. »Die Natur ist das Wesentliche, wir sind nur Gäste.«

Sibirien, begann Nikolai, da Alexander schwieg, sei nicht nur klirrende Kälte, menschenfeindliche Leere und das größte Gefängnis der Geschichte, mit Plennis, vom Fleckfieber verseucht, durch Zwangsarbeit erschöpft und hinter Stacheldraht eingepfercht. Nicht nur Einsamkeit, Tundra und Taiga, Kälte und Mücken, Hunger und Deportation. Sibirien sei Hoffnung, eine Fülle der Natur, Rohstoffe im Überfluß, ein unerschöpfliches Reservoir für die Industrialisierung. Mehr und mehr rauchende Schlote und Kombinate, die die Materialien verarbeiteten. Mehr und mehr Menschen in Städten, die das Land besiedelten und sich mit ihm arrangierten.

»Um unsere Zukunft mache ich mir keine Sorgen. Bei uns in Sibirien gibt es mehr Kohlevorkommen als auf der restlichen Erde und Eisenerz in einer Größenordnung, über die keine andere Nation verfügen kann. Dazu Reserven an Erdöl und Erdgas, ergiebiger als im Nahen Osten, und die Hälfte des Weltvorrats an Holz. Nicht zu vergessen die schier unerschöpfliche Wasserkraft unserer Flüsse und seltene Metalle wie Gold, Platin, Wolfram, Molybdän, Nickel, Kupfer.«

Nikolai erhob sich, ging zu einem Regal und kam mit einem rostroten, faustgroßen Klumpen zurück. »Schau dir das mal an.«

Alexander wog das Material in den Händen, es war wesentlich schwerer als normales Gestein. »Erz, nicht?«

»Eisengehalt knapp siebzig Prozent, das findest du, wenn ich recht informiert bin, sonst nirgends auf der Welt. Aber in unserem natürlichen Reichtum liegt auch die Gefahr.«

Alexander betrachtete den gezackten Brocken von allen Seiten. »Daß man nicht sorgfältig mit all den Ressourcen umgeht? Die Umwelt mißachtet, das Land bedingungslos ausbeutet, zum Fortschritt des Sozialismus? Ist es das, was du meinst?«

»Ja. Außerdem wird Sibirien mehr und mehr zum Tummelplatz unterschiedlichster Interessen. Verstehen kann ich die Menschen schon, die hierherkommen, um unter harten Bedingungen zu arbeiten. Sie wollen die Vergünstigungen genießen, den höheren Lohn, das Mehr an Urlaub, die Freifahrten in den Westen der Union und den um fünf Jahre vorgezogenen Ruhestand, falls sie fünfzehn Jahre ausgeharrt haben. Einen weiteren attraktiven Punkt darf man nicht vergessen: Hier bei uns dauert die Wartefrist für ein eigenes Auto nur drei Jahre.«

»Welche unterschiedlichen Interessen meinst du?«

Nikolai stocherte im Kamin und ließ sich Zeit mit der Antwort. Erst als er sich wieder hingesetzt hatte, entgegnete er: »Wir, ich meine die sowjetische Wirtschaft, ist nicht in der Lage, die Erschließung ohne ausländische Hilfe anzugehen.«

»Du mit deinen Tolkatschi willst also das Manko ausgleichen«, warf Alexander spöttisch ein.

Nikolai reagierte nicht auf die Provokation. »Aus vielen Staaten importieren wir das technische Know-how, die Maschinen und vor allem die Experten. Deshalb müssen die Interessen der Franzosen, Deutschen und Japaner berücksichtigt werden, die uns ihr Wissen und ihr Geld zur Verfügung stellen. Ausländer erhalten ein Mitspracherecht, wodurch wir uns ihnen zum Teil ausliefern. Falls sie das Land nicht mehr mögen und sich zurückziehen, weil der Profit ausbleibt, sich das politische Klima abgekühlt hat oder wir die Dinge anders angehen wollen, lassen sie uns auf halbfertigen Kombinaten und gerade angelegten Bohrplattformen sitzen. Ich habe Angst vor der Abhängigkeit.«

»Weil sie wirklich existiert, oder weil du zu sehr als Verantwortlicher denkst und fühlst?«

Nikolai schlug die Beine übereinander. »Vielleicht sehe ich die Lage zu kraß, da ich ein Sibiriake bin, mich die Umstände dazu gemacht haben. Sicherlich nicht ganz zu Unrecht fühlen sich die Einheimischen auserwählt als eine Elite, die Natur und Kälte, Arbeitswillkür und Polizeiterror trotzt. Sie kümmern sich nicht um die Partei, das weiß man in Moskau. Politik interessiert die Sibiriaken nur mäßig, sie äußern sich frei über die Bürokratie, und wenn sich Volkskommissare oder Revisoren anmelden, sind sie einfach nicht anzutreffen. Hier gibt es keine Parteidiktatur, und akzeptiert wird nur, wer etwas von der Sache versteht. Sibirien macht frei.«

»Wenn Sibirien frei ist, warum dann die vielen Frauen an der Transsib, die mit Gewehren bewaffnet Brücken und Bahnhöfe kontrollieren? Oder die vielen Hilfsmilizionäre mit den roten Binden am Arm, die die Passanten überprüfen und nach dem Ausweis fragen? Dann diese Druschinniki, der verlängerte Arm Moskaus. Sie sperren Stadtteile und Straßen ab, verhindern die Durchfahrt zu einer Ortschaft und spielen Polizei.«

Nikolai umfaßte Alexanders Handgelenk. »Das alles sind Zeichen dafür, daß der Staat Angst vor der eigenen Bevölkerung hat, er selbst mit der Freiheit des Landes nichts anfangen kann. Glaube mir, allein an seiner Angst wird unser Staat kaputtgehen, weniger an den sogenannten ausländischen Feinden. Angst und Mißwirtschaft, ein gefährliches Paar.«

Nikolai und Alexander gingen auf Reisen, um einzelne Tolkatschi und gute Freunde zu besuchen. Mit Flugzeug, Hubschrauber und Auto waren sie unterwegs. Alexander erkannte sofort: Nikolai wollte sich verabschieden, noch einmal durch sein Sibirien ziehen, sich dem rauhen Charme des Landes hingeben und sich bei ihm bedanken. So formulierte er es später.

Nikolai zeigte Alexander Fisch- und Lebensmittelfabriken, eine lag weit abseits am Rande des Pazifik. Holzfäller lernte er kennen, deren Hände von einer zentimeterdicken Schwielenschicht bedeckt waren, und Bahnarbeiter, die immer noch auf den offiziellen Startschuß zum Bau der BAM warteten. Sie besichtigten eine Pelzsammelstation in Ulan-Ude und wurden Zeuge, wie man den Ertrag eines Winters en bloc an den Meistbietenden, einen Händler aus der Mongolei, der bar bezahlte, verkaufte.

Sie suchten Rentierzüchter auf, die ihre Winterquartiere, feste Lehmhütten mit Dächern aus Reisig und Moos, verließen und sich auf den Weg in ihr Sommerlager machten. Überall war Nikolai herzlich willkommen. Er wurde um Rat gefragt, und man erwartete von ihm einen Kommentar zur Rechtsprechung, wenn man ihn bat, bei einer Verhandlung zugegen zu sein.

Nikolai zog sich geschickt aus der Affäre. Er billigte die Methoden, ohne sie gutzuheißen.

»Weil ich mich nicht in Dinge einmische, die mich nichts angehen«, lautete am Abend seine Rechtfertigung gegenüber Alexander.

»Und daß sie heute einen gefesselt und nackt bis zum Bauch in ein Eisloch eingebuddelt haben?«

Nikolai zuckte nur mit der Schulter. »Sie tun es seit Jahrhunderten. Außerdem war es nur für eine halbe Stunde.«

»Aber mit Erfrierungen, weil er Holz gestohlen hat.«

Nikolai erwartete nicht, daß Alexander die Einheimischen verstand. »Immer noch besser, als ihm die Hand mit Benzin zu übergießen und anzuzünden, wie es noch oft gemacht wird.«

Alexander sah den Älteren mit gerunzelter Stirn an.

»Oder, wenn jemand die Frau eines anderen raubt und vergewaltigt, ihn im Winter in einem Fluß bis zur Brust einfrieren zu lassen, einen Eimer mit Petroleum bereitzustellen und Feuer. Natürlich kommt dir das hart vor.«

Als Alexander nichts entgegnete: »Auch das, mein Lieber, ist Sibirien. Du wirst dich mit den Gegebenheiten abfinden müssen, ändern kannst du sie sowieso nicht. Einen Rat aber gebe ich dir, Robert: Versuche nie, dich in die Rechtsauffassung und Rituale der Naturvölker einzumischen, das ist allein deren Sache.«

»Aber, was die Auslegung betrifft, doch sehr unmenschlich.«

Nikolai lachte hart. »Hast du schon vergessen, wie man dich behandelt hat? Der angeblich zivilisierte Staat dich behandelt hat? So etwas könnte bei den Jakuten, Burjaten oder Tuwinern nie geschehen. Die haben auf ihre Art ein ausgeprägtes Gespür für Gerechtigkeit.«

Als gelte es, den Beweis anzutreten, machten sie auf dem Rückweg in Oimjakon – Sibiriens Kältepol mit dem bisher gemessenen Rekord von minus 78 Grad – Station bei den Jakuten. Ihretwegen arrangierten sie ein Fest, diverse Fleischsorten wurden gebraten, Wurzeln gedünstet und Süßkartoffeln mit Rahm aufgetischt. Zur Unterhaltung veranstalteten die Jakuten Geschicklichkeitsspiele und Wettkämpfe mit den verschiedensten Waffen, ein Messerkampf endete für einen Jakuten mit einem tiefen Stich unterhalb der kurzen Rippe und einer Notoperation im dreißig Kilometer entfernt liegenden Krankenhaus von Oimjakon.

Gegen Abend luden die Einheimischen sie zu einer »Wiedergutmachung« ein.

»Was soll wiedergutgemacht werden?«

»Laß dich überraschen, Robert.«

In der großen, durch Petroleumlampen erhellten Hütte, von außen hatte man die Ritzen zwischen den Holzstämmen mit Lehm und Erde abgedichtet, das Dach bestand aus Reisig und Gras, drängten sich Männer und Frauen. Alle Sitzgelegenheiten waren belegt, Füße scharrten erwartungsvoll über den unebenen, gestampften Boden, und auf den schmalen Holztischen sah Alexander viele Schnapsflaschen stehen, deren Inhalt ständig schrumpfte.

»Ich kann es nicht mehr ertragen, wie sich ein altes Volk selbst zerstört. Immer öfter bekämpfen sie ihre Einsamkeit und die zivilisatorisch bedingte Leere mit Alkohol«, raunte ihm Nikolai zu. »Alkohol ist das eigentliche Problem Sibiriens, nicht die Kälte.«

Sie nahmen die für sie reservierten Plätze nahe einer kleinen freien Fläche ein. Nach wenigen Minuten trat aus einem Nebenraum ein alter Mann. Er war in einen dicken Pelz gekleidet und trug eine bunte Kopfbedeckung. Zuerst wurde Nikolai vorgestellt, viele der Anwesenden benutzten die Gelegenheit, die Flasche anzusetzen und auf sein Wohl zu trinken. Dann kündigte der Alte etwas in einer Sprache an, die Alexander nicht verstand. Neben ihnen saß ein Jakute, der mit glänzenden Augen und vielen Gesten übersetzte, gleich beginne die Wiedergutmachung. Dabei lachte er über das ganze Gesicht, als hätte er Anlaß zur Freude.

Aber es dauerte und dauerte. Nikolai mußte viele Hände ertragen, die sich auf seine Schulter legten oder aus halber Höhe nach unten sausend die Festigkeit der Muskulatur überprüften. Mehr als zwei Stunden Palaver und das Kreisen der Flasche, hie und da stimmte jemand ein Lied an in einer für Alexander ungewohnten Tonfolge, um sogleich wieder abzubrechen. Männer kamen, andere verließen die Hütte. Schwer staute sich die abgestandene Luft, ein Gemenge aus Körperdünsten, ranzigem Fett, gegerbtem Leder und Wodkaschwaden.

Endlich tat sich etwas. Einige der Petroleumlampen wurden gelöscht, an der Stirnseite des Raumes machte man Platz. Zwei Männer, ihre Körper waren unter einem buntbestickten Umhang verborgen, lediglich nackte Füße und Waden konnte Alexander sehen, wurden hereingeführt. Die beiden sahen nicht eben glücklich aus.

Nikolai ahnte, worum es ging. Er seufzte, gab allerdings keine konkrete Antwort, als Alexander Näheres in Erfahrung bringen wollte. »Eine seltene Art von Humor haben die Jakuten manchmal«, äußerte er sich vage.

Jemand nahm den beiden Männern den Umhang ab, darunter waren sie nackt. Verschämt senkten sie den Kopf, und ihre Hände bedeckten die Region unterhalb des Bauchnabels.

»In was haben die denn ihr Ding gesteckt?«

»Einen Lederbeutel.«

»Warum?«

»Warte ab.«

Wenige Minuten später betrat eine ungemein dicke Frau die Freifläche. Sie war weit über vierzig, die Haare lang, fettig und mit grauen Strähnen durchsetzt, und bei jedem Schritt wabbelte ihr Bauchring. Die Jakutin ging breitbeinig, weil die Oberschenkel sich um den Platz stritten.

»Kruschta wird alles wiedergutmachen«, flüsterte Nikolai. In seinem Gesicht spiegelten sich Anspannung, verhohlene Neugier und Ablehnung.

Die beiden Unbekleideten mußten sich nebeneinander auf den Boden legen, die Frau hockte sich dazwischen, und mit je einer Hand spielte sie an den Geschlechtsteilen, die jeweils in einem dunklen Lederbeutel steckten. Die Beutel füllten sich, wurden prall, die Behandelten begannen zu stöhnen, und die Dicke hockte sich abwechselnd über sie. Ihre weiten Kleider verbargen die intimen Stellen vor den Blicken der Neugierigen. Das fanden einige der Anwesenden, deren Zunge suchend über die Lippen glitt, sehr bedauerlich.

Die Frau ließ sich Zeit, als genieße sie diesen seltsamen Geschlechtsakt unter den Blicken so vieler Zuschauer. Immer, wenn das Stöhnen der Männer dem Höhepunkt zustrebte, stieg sie zum anderen um. Aber mit der Zeit bemerkte Alexander, daß deren Stöhnen so lustvoll nicht klang. Eine gute Portion Schmerz war offenbar dabei.

»Welche Funktion haben denn die vier Gestalten, die drumherumstehen und die Männer beobachten?«

»Ihnen bei jedem Fluchtversuch einen Finger abzuschlagen.«
Alexander glaubte sich verhört zu haben, aber Nikolai wiederholte seine Antwort.
»Und warum sollten sie fliehen?«
Nikolai warf Alexander einen schnellen Blick zu und schaute dann wieder nach vorn.

Erneut bediente die Frau einen der sexuell Erregten, dessen erigiertes Glied auf sie wartete. In den Augen des Mannes standen jedoch, ganz im Gegensatz zu seiner stolzen Männlichkeit, Angst und Schrecken.

Und so ging das wohl eine Stunde. Aus dem Stöhnen war längst Wimmern geworden, dann sogar schmerzliches Winseln. Schweißnaß glänzten die Körper der Malträtierten. Schließlich gab der alte Mann von vorhin, ein Serman, der sich mit Seelen, Göttern und mit der Heilung auskenne, wie Nikolai erklärte, ein Zeichen. Die Frau ritt nun heftiger, die Männer schrien und tobten und zuckten auf dem Boden und wurden schließlich durch den Orgasmus erlöst. Als ihr Glied erschlaffte, sah Alexander Blut unter dem Leder hervorlaufen.

»Nikolai, was wurde hier gespielt?«
»Die beiden hat man dabei erwischt, wie sie eine Frau vergewaltigt haben.«
»Und man bestraft sie ...«
»... auf eine besondere Art, wie du gesehen hast, indem man ihnen einen Beutel, gefüllt mit Diamantsplittern, über den Penis stülpt.«
»Ekelhaft.«
»Aber sehr wirkungsvoll. Ich glaube, die Jakuten kennen keine Rückfallquote.«

Die vielen Eindrücke begannen zu wirken. Land und Leute und Sitten, Nikolai und der Bund. Alexander fühlte sich durch die auf ihn zukommende Aufgabe zwar nicht überfordert, dafür aber permanent verunsichert. Wenn es für ihn immer noch ein Bedürfnis war, die Sowjetunion zu schädigen, wie hätte er sonst in den vergangenen Jahren so viel Kraft und Motivation aufbringen können, dann dürfte er Nikolais Vorschlag erst gar nicht annehmen. So wie Nikolai und der Bund zum Wohle der Bevölkerung gewisse wirtschaftliche und organisatorische Schwächen auszubügeln versuchten und dadurch indirekt Administration und Parteiapparat unterstützten, würde er zwangsläufig auch handeln müssen, wollte er nicht die in ihn gesetzten Erwartungen unterlaufen.

Will ich noch der Einzelkämpfer sein, der allein seinen Weg geht, immer auf der Flucht ist und irgendwann als Namenloser beerdigt wird? Im Grunde genommen nicht mehr, gab er zu, denn aus heutiger Sicht kam es ihm mehr und mehr vor, als hätte er Monate und Jahre vergeudet und unverantwortlich mit seinem Leben gespielt. Natürlich fand Alexander für sein damaliges Verhalten sofort eine abrufbereite Entschuldigung: Es ging ja überhaupt nicht anders, man hat mich doch immer wieder zur Flucht getrieben. Aus seiner Sicht mochte das stimmen, allerdings mußte er sich auch eingestehen, andere Möglichkeiten erst gar nicht in Betracht gezogen zu haben. Schon bei den Ewenken und Tarike hätte er für immer untertauchen können, dann wäre seine Herumzieherei bereits vor längerer Zeit beendet gewesen. Um seine Verunsicherung zu mäßigen und um sich zu vergegenwärtigen, welche Aufgabe auf ihn zukam und welche Perspektiven er hatte, bemühte er sich, einige Jahre vorauszudenken. Was ist mein Ziel, was kann ich als Sprecher des Bundes erreichen? Alexander mußte sich eingestehen, daß er noch kein eigenes Ziel formuliert hatte und vorerst beabsichtigte, Nikolais Arbeit fortzuführen. Vielleicht, so überlegte er, ergibt sich die Chance, später eigene Schwerpunkte zu setzen.

Um nicht vollständig die Glaubwürdigkeit vor sich selbst zu verlieren, sich nicht die Sinnlosigkeit seines bisherigen Handelns eingestehen zu müssen, kam bei dem Zwiespältigen dann doch wieder die alte Anschauung durch. Indem ich mich für den Bund engagiere, redete er sich ein, schädige ich womöglich den Staat, sei es auch nur, weil ich sein Handelsmonopol mißachte.

Als gelte es, seine fadenscheinige Ausrede zu untermauern, erinnerte er sich unvermittelt an die Begegnung mit dem Ingenieur Antropowitsch und die geheimen Pläne von militärischen Objekten. In drei Wochen mußte er wieder einen Blumenstrauß auf das Grab seiner Mutter stellen. Vergangenes Jahr noch hatte er es selbst getan, diesmal wollte er jemanden damit beauftragen.

Der Gedankensprung zu Antropowitsch half Alexander, eine akzeptable Lösung ohne nennenswerten Gesichtsverlust zu finden. Ich werde Nikolais Nachfolger, muß jedoch unterscheiden zwischen dem Land, zwischen Sibirien und seiner Bevölkerung, die nicht verantwortlich ist für den politischen und wirtschaftlichen Zustand, und dem Willkürapparat in Moskau. Deshalb sammle ich auch weiterhin soviel Material wie möglich über diese versteckten Einrichtungen. Dann kann ich später immer noch entscheiden, was ich ...

Sie flogen nach Japan, und Alexander war anfangs mulmig zumute. Nie hätte er sich träumen lassen, daß es so einfach sein könnte, das Land zu verlassen. Aber Nikolai hatte die Papiere organisiert, sie passierten alle Kontrollen, und es gab keine Beanstandung. Ihren mit amtlichen Stempeln versehenen Unterlagen zufolge genossen sie den Status von Wirtschaftsfachleuten, die auf dem Weg zu wichtigen Verhandlungen waren, was ja im Grunde auch stimmte. Sein erster Aufenthalt in Japan vor zwanzig Jahren, das sei noch ein Abenteuer gewesen, erzählte Nikolai. Mit dem Schiff nahe an die Insel Sachalin heran, von dort heimlich weiter hinaus auf das offene Meer und in einen japanischen Kutter umgestiegen, und das alles bei Windstärke neun. Und im Winter sei er über das zugefrorene Meer gewandert.

In Tokio wurden sie am Flugplatz von Sato begrüßt, den Alexander vor einigen Monaten in Bratsk kennengelernt hatte. Der Japaner fühlte sich verpflichtet, Alexander, den die geballte Fremdartigkeit verwirrte, die Vielmillionenstadt zu zeigen. Glaubte man den politischen Agitatoren in der Sowjetunion, dann stand der Westen kurz vor dem Untergang, dem totalen wirtschaftlichen Ruin. Was für ein schöner Showdown mußte das werden, bei so vielen Lichtern, unzähligen Autos, freundlichen, zufriedenen Menschen, flackernden Neonreklamen, überfüllten Geschäften und der Unzahl von Restaurants. Selbst um Mitternacht flaute das weltstädtische Leben nicht ab, Kinos lockten mit Lichtbändern und Bars in Schaukästen mit verführerischen Fotos von nackten Frauen. Tokio war aus Alexanders Sicht ein beleuchteter Ameisenhaufen.

Sato lud sie zum Essen ein, allein die Teezeremonie dauerte annähernd drei Stunden. Alexander genoß die Ruhe und die entspannte Situation. Mit keinem Wort wurden geschäftliche Dinge erörtert. Alexander, der zum erstenmal einer Reizüberflutung ausgesetzt war, stahl mit den Augen. Alles versuchte er in sich aufzunehmen und es, im Gegensatz zu einem Schwamm, der sich mit Wasser vollsaugt und es auf leichten Druck hin wieder hergibt, für alle Ewigkeit zu speichern. Nikolai, der ihn verstohlen beobachtete, gefiel das.

Sato sah in Alexander seinen zukünftigen Geschäftspartner, entsprechend zuvorkommend behandelte er ihn. Er zeigte dem Wißbegierigen die Sportstätten der Olympischen Spiele von 1964 und flog mit ihm zu denen der letzten Winterspiele nach Sapporo. Ein Fußmarsch auf den heiligen Berg Fuji-san stand genauso auf dem Programm wie eine Fahrt mit dem Shinkansen. Gedanklich versuchte Alexander die Möglichkeiten dieses legendären Zuges auf sibirische Verhältnisse zu übertragen. Nur durch ein schnelles und sicheres Massenverkehrsmittel, überlegte er, sei die Weite des Landes und seine Erschließung einigermaßen in den Griff zu bekommen.

Das eigentliche Geschäftliche hatten sie schnell geregelt. Zuerst legte Sato ihnen Pläne vor, und Alexander erkannte sofort, daß es sich um die eines Containers handelte.

»Wir haben uns gedacht, daß wir einige der Container verändern müssen, um größere Dinge transportieren zu können«, übersetzte ein zweiter Japaner. Sato zeigte an Hand der Schnittzeichnungen, was er meinte. »Wenn wir bei einem Sechzig-Fuß-Container zehn Fuß vor der Rückwand eine Zwischenwand einziehen, können wir bei jeder Lieferung annähernd hundertfünfzig Fernsehgeräte verstecken, macht im Monat etwa zweitausend Einheiten.«

»Gut.« Nikolai nickte.

»Der Zoll wird nichts merken?«

»Nur, wenn er den Container innen vermißt. Dazu hat er ihn aber aus- und wieder einzuräumen.«

Zu Alexander gewandt, meinte Nikolai: »Du darfst es den Burschen in Wladiwostok nicht zu leicht machen. Am liebsten würde ich Murmeln transportieren oder Ameisen oder sonstiges Kleinzeug.«

Nikolai füllte später noch ein Formular aus, das er und Alexander unterschrieben. In vier Monaten, Stichtag 1. August 1973, war Alexander bei allen Konten Nikolais in Japan abhebeberechtigt.
»Wie hoch ist dein Guthaben?«
Nikolai überschlug die Summe. »Es könnten sieben oder acht Millionen Dollar sein.«

Zwei Wochen nach Ostern kam Larissa. Sie habe das Examen bestanden, sagte sie nur. Und Nikolai veranstaltete auch kein Fest. Zu viert, Minsk war auch dabei, verbrachten sie den Abend.
»Du wirst einen Vertrauten brauchen«, meinte Nikolai zu Alexander gewandt, als sie es sich im Wohnzimmer bequem machten.
»Warum?«
»Weil du jemanden wie Minsk haben mußt, der dich vertritt, wenn du unterwegs bist. Einer, der sich mit allem auskennt, sollte immer ansprechbar sein und selbständig Entscheidungen fällen können.«
»Das sehe ich ein. Und darf ich wählen, wen ich will?«
»Kann man jemandem einen Vertrauten zuteilen?«
»Nein.«
»Gibt es überhaupt einen, dem du vertraust?«
Alexander lächelte, weil ihm sofort eine ganz bestimmte Situation einfiel. Genau darüber hatten sie gesprochen. »Ich glaube schon.«
»Wen möchtest du?«
Alexander schwieg einige Sekunden und beobachtete Larissa. »Leonid, den Brigadier vom Bahnbau.«
Nikolai wurde durch diese Ankündigung nicht überrascht, dafür aber Alexander von dessen Bemerkung um so mehr, als der Sibiriake sagte: »Er ist informiert und kommt, sobald du ihn rufst.«

In der Nacht hörte Alexander die Tür des Gästehauses über die durch Feuchtigkeit aufgewölbten Holzdielen schaben. Er griff unter das Kopfkissen, wo stets griffbereit Pagodins Pistole lag. Kurz darauf stand Larissa im Zimmer, Alexander erkannte sie an den Umrissen. Langsam trat sie an sein Bett und setzte sich auf die Kante, er versteckte die Pistole und machte Licht.
»Überrascht?«

»Sehr sogar.«

»Soll ich wieder gehen?«

Sie spürte, wie er zögerte.

»Ich will nicht deine große Liebe zerstören«, sie kroch unter die Bettdecke und kuschelte sich an ihn, »sondern mit dem Mann schlafen, den ich mag.«

Eine Hand löschte das Licht, die andere fand die Lücke unter dem Schlafanzug. Für Alexander war die Berührung wie ein kleiner Stromstoß. Unbeabsichtigt versteifte er sich.

»Hemmungen?«

»Nein.«

»Angst, mein Vater könnte dahinterkommen?«

Sie hörte ihn lachen. »Wenn er mich wirklich gut kennt, weil ich ja genauso bin wie er, dann rechnet er vielleicht sogar damit.«

Larissa streifte ihm die Jacke ab, drückte die Hose nach unten. Alexander schob ihr das Nachthemd über den Kopf. Nackt lagen sie nebeneinander. Warm war ihr Körper, weich die Haut, und wo ihre Finger ihn berührten, glaubte er kleine Flämmchen zu spüren und eine ungewohnte, kribbelige Hitze. Sie küßten sich. In Alexander stieg die Erregung. Er warf sich auf sie, doch Larissa drängte ihn mit sanfter Gewalt zurück. »Laß dir Zeit«, sagte sie und streichelte seinen Rücken.

Als er glaubte, ihn fräßen die Lust und die Gier auf, beugte sie sich über ihn. Langsam drang er in sie ein, und Larissa bestimmte das Tempo. Ihr Becken gab ihm den Rhythmus vor, drückte, schob und saugte. Schneller und schneller, bis beide zu einem zuckenden, keuchenden Bündel vereint waren.

Schweratmend lag er neben ihr. Gegen das hellere Fenster sah er, sie hatte die Augen geöffnet und lächelte.

»Hast du gewonnen?«

Sie wandte sich ihm zu. »Haben wir nicht beide gewonnen?«

»Komm, wir gehen ins Wohnzimmer und trinken etwas. Und reden.«

Aber dann saßen sie sich stumm gegenüber und schauten sich nur an. In ihren Augen war ein spöttischer Zug, Alexander fühlte seine Verwirrung.

»Habe ich dich überrumpelt?«
»Ja.«
»Du wärst nie von dir aus gekommen.«
Er schüttelte den Kopf. »Wahrscheinlich nicht, weil ich angenommen habe, Nikolais Vertrauen klammert eine Beziehung mit dir aus.«
»Bist du dir sicher?«
Alexander war sich nun nicht mehr so sicher.
»Wenn er dich als Sprecher des Bundes haben will, meinst du nicht auch, als Schwiegersohn wärest du ihm angenehm?«
»Ist es nicht zu früh, darüber zu sprechen?«
»Wie oft mußt du mit mir schlafen und mich küssen, bis du es weißt?«
»Weißt du es denn schon?«
»Ja.« Larissa setzte sich auf seinen Schoß.
Alexander ging das alles zu schnell. »Oder möchtest du deinem Vater etwas Gutes tun.«
Sie legte den Kopf an seinen Hals und spielte mit seinem Ohr. »Für ihn tue ich alles.«
»Das war deutlich.«
»Aber wenn ich beides verbinden kann, Gefühl und Vater, warum sollte ich es nicht?«
Sie küßte seinen Nacken, Alexander genoß es und war über sich erstaunt. Der innere Druck, seit Jahren sein Begleiter und zum Bestandteil seiner selbst geworden, löste sich allmählich. Mit ihm geschah etwas, was er seit vielen Jahren als unwiederholbar angesehen hatte. Alexander fühlte mehr als nur Zuneigung, und Larissa spürte das.
»Sie muß eine wunderbare Frau gewesen sein.«
»Das war sie.« Als müsse er sich rechtfertigen, fügte er hinzu: »Ich glaube nicht, daß ich sie glorifiziere und mir, wegen der schlimmen Jahre, die ich durchgestanden habe, etwas einrede.«
»In der Not beten Katholiken doch zu Gott. Wie war es bei dir?«
»Gott wird zum Anker für diejenigen, die sonst keine Vorstellung, keinen Leitfaden für das Leben haben. Deshalb hat die Religion in schlimmen Zeiten auch Hochkonjunktur.«

»Was ist daran falsch?«

Er hob die Schultern.

»Ging es dir ebenso?«

»Nein. Ich habe, von wenigen Ausnahmen abgesehen, nicht zu ihm gebetet, denn Hellen war für mich greifbar, eine wirklich gewordene Vision, aus der ich eine gute Portion Kraft schöpfen konnte. Gemeinsam mit ihr flüchtete ich anfangs jede Nacht aus dem Lager in meine, in unsere heile Traumwelt. Obwohl ich mir etwas vormachte, ging es mir für kurze Zeit besser, denn ich hatte das Gefühl, als könnte ich aus meinem geschundenen Körper heraustreten. Aber irgendwann war ich wegen der Umstände nicht mehr in der Lage, mich an sie zu erinnern, die Schrecken der Realität ließen alles verblassen. Das war schlimm, und ich dachte zu dem Zeitpunkt, ich müßte sterben.«

»Trotzdem hat sie dir geholfen.«

Er nickte und schien für einen Augenblick mit den Gedanken abwesend zu sein.

»Ich will sie dir nicht wegnehmen. Behalte deine große Liebe, sie wird wie ein Bild für dich sein, das du immer dann anschauen kannst, wenn du es möchtest. Aber versperre dich bitte nicht vor anderen Bildern, versperre dich nicht vor mir.«

In den kommenden Nächten kam Larissa wieder und wieder zu ihm. Einmal nahm sie Alexanders Kopf in beide Hände und schaute ihn sehr lange an. Sie wolle in seinem Gesicht lesen, antwortete sie auf seine Frage. Gesichter seien wie Bücher.

»Und was liest du in meinem?«

»Nur schöne Dinge, wenn du fröhlich bist und ich deine Augen verdecke. Dann wirkst du weich und zufrieden, und das Grübchen in deinem Kinn macht dich sogar irgendwie schelmisch.«

»Was ist mit meinen Augen?« Alexander erinnerte sich, daß auch Nikolai sich mit ihnen beschäftigt hatte.

»Sie irritieren mich.«

»Wieso?«

Larissa zögerte, als wäge sie ihre Antwort ab. »Es kommt mir vor, als führten sie ein Eigenleben, als reagierten sie nur auf dein zweites

Ich, sozusagen als Spiegel einer geheimen, im Verborgenen blühenden, separaten Gefühlswelt. Sie lächeln nicht mit.«

»Ist es denn nicht schon besser geworden?«

Larissa drehte seinen Kopf ins Licht. »Warum kämmst du die Haare so streng nach hinten? Dadurch wirkst du noch schmaler.«

»Ist es denn nicht schon besser geworden?« wiederholte er.

»Etwas schon. Auch ein riesiger Eisblock schmilzt irgendwann unter der Sonne.«

Nikolai blieb nicht verborgen, was sich zwischen den beiden abspielte, aber er sprach sie nicht darauf an. Alexander, der sich beobachtet fühlte, scheute sich in seinem Beisein, sich unbefangen mit Larissa zu unterhalten. Faßte sie seine Hand, zog er sie zurück. Nikolai schmunzelte, wenn er es sah. Er kannte seine Tochter.

Gemeinsam mit Larissa nahm Alexander eine Verpflichtung wahr. Urgan Besmertisch, die wichtigste politische Person in Mittelsibirien, lud Nikolai und Alexander ein. Nikolai sagte ab, er fühlte sich nicht gut. Man sah es ihm an, denn trotz der Julisonne war sein Gesicht blaß.

Unweit des Bratsker Staudammes im Stadtteil Energetik hatte Besmertisch im modernen Hotel Tourist einen großen Saal gemietet. Jedes Jahr, erklärte ihm Larissa, gebe er einen Empfang oder wie immer man es nennen mochte. Dann werfe er sich in die Uniform eines Obersten, denn er sei lange beim Militär gewesen, behänge sich mit allen echten und unechten Orden und zeige jedem, was für eine angesehene und wichtige Persönlichkeit er doch sei.

Da sich der übergewichtige Besmertisch für sehr wichtig hielt, fiel auch der Rahmen entsprechend pompös aus. Der riesige Ballsaal war mit Blumen geschmückt, viele hatte man aus dem Ausland einfliegen müssen, die Tische waren festlich gedeckt, Kellner schwirrten umher und boten Getränke an.

Zu Beginn wurden Vorspeise und Suppe serviert und im Sitzen eingenommen, anschließend ein kaltes Büfett eröffnet. Tische und Stühle räumte man weg, eine Band spielte zum Tanz auf. Aber zuerst intonierte sie einige der bekannten Märsche, voller Dynamik und Revolution.

Wenig später machte Besmertisch die Runde. Jeden Gast begrüßte er persönlich, bei Larissa und Alexander blieb er besonders lange stehen.

»Ich habe gehört, Nikolai geht es nicht gut?« Besmertisch gab sich besorgt, aber seine Augen, kleine leblose Glaskugeln, die ständig umherirrten, zeigten kein Mitgefühl.

»Er ist auf dem Weg der Besserung«, log Larissa.

»Meine besten Wünsche an ihn. Und Sie«, er wandte sich an Alexander, »Sie sollen sein Nachfolger werden?«

»Fehlt es mir an Kompetenz?«

Besmertisch legte den Kopf schief, sein rundes Gesicht hatte eine gesunde Farbe. Außerdem hatte er sich in ein Korsett gezwängt, um eine einigermaßen passable Figur abzugeben. Trotzdem schnitt das Koppel noch in den olivfarbenen Stoff seiner Uniform. »Nach allem, was ich gehört habe, kann man das nicht sagen. Im September ist die Entscheidung?«

»Das wissen Sie doch.«

Besmertisch runzelte unwillig die Stirn. Alexanders Art zu sprechen mißfiel ihm.

Nikolai hatte ihn mehrfach davor gewarnt, sich Besmertisch zum Feind zu machen. Alexander bemühte sich zwar, seinen Widerwillen gegenüber diesem aufgedunsenen Funktionär zu verbergen, aber es gelang ihm nicht. Daß er sich auf unsicherem Terrain bewegte, war ihm bewußt. Jedoch verbindlich bleiben und Dinge sagen, die er nicht sagen wollte, dazu konnte er sich nicht durchringen. Wenn ich Pagodin geschafft habe, dann schaffe ich auch dich, grollte Alexander innerlich und bat insgeheim Pagodin um Verzeihung. Der Kommandant des Lagers SIB 12 war wenigstens in seiner Ungerechtigkeit konsequent und gradlinig geblieben.

»Auf Ihr Wohl.«

Besmertisch reichte ihnen zwei Gläser mit Champagner. Sie stießen an, Besmertischs Blicke waren eine Kriegserklärung. Alexander wußte, er hatte von nun an einen ganz speziellen Feind.

Larissa warnte ihn wie ihr Vater vor dem Funktionär, der zwar menschlich ein Schwein sei, sich aber auf die Partei und den ganzen Apparat stützen könne.

»Gegen Vater kam er nicht an, aber bei dir wird er es immer wieder versuchen. Außerdem steht Besmertisch auf Gogols Seite.«

Der hochgewachsene, imposante Gogol mit seiner grauen Löwenmähne war auch anwesend. Neben ihm stand sein Sohn Jewgenij, der noch einige Zentimeter größer als sein Vater und etwa in Alexanders Alter war. Gogol begrüßte sie und stellte seinen Sohn vor. Er war augenscheinlich stolz auf ihn.

»Sie wollen Sprecher des Bundes werden?«

So, wie Gogol fragte, war das Vorhaben eine Anmaßung von Alexander, wo es doch seinen Sohn gab.

»Nikolai hält mich für fähig.«

»Aber nur, weil er meinen Sohn nicht mag.«

Der stand ruhig daneben, sagte kein Wort und schaute abwechselnd Larissa und Alexander an.

Nach einigen Belanglosigkeiten, die man noch austauschte, weil andere Gäste sie beobachteten, verabschiedete sich Gogol. Ein General wartete auf ihn, derselbe wie auf Nikolais Neujahrsfest.

»Das hier«, Larissa umschrieb mit einer abfälligen Handbewegung den großen Saal und meinte die Anwesenden, »ist die neue Schicht in unserem Lande: Schmarotzer, Ausbeuter und Intelligenzler. Jeder ist, auf seine Art, nur auf den eigenen Vorteil aus. Sie benutzen sich gegenseitig, um etwas zu erreichen. Schon am nächsten Tag intrigieren sie in anderer Konstellation, ganz wie es die Umstände oder ihre Absichten erfordern. Für sie existiert keine gesellschaftliche Norm, sie bewegen sich außerhalb von ihr und gefallen sich darin. Im Gegensatz zu dem Reichtum meines Vaters – nicht, daß ich Nikolai verteidigen möchte – wächst ihrer nur auf Kosten der Allgemeinheit. Einmal dazugehörend, nutzen sie all ihre Privilegien schamlos aus und lassen sich für jeden noch so kleinen Dienst bezahlen. Korruption nennt man das überall auf der Welt.«

Aus Alexanders Sicht taten die Schmarotzer und Intelligenzler genau das, was auch er sich vorgenommen hatte: den Staat schädigen. »Larissa, das ist doch kein typisch sowjetisches Phänomen, in anderen Ländern ist es ebenso. Die Ellbogen einzusetzen, Beziehungen spielen zu lassen, um auf der Karriereleiter nach oben zu klettern, ist zum Sport geworden. Weil die Anzahl der Gegner ständig zunimmt, entbrennt ein harter Konkurrenzkampf, und die Wahl der Waffen ist wenig schmeichelhaft. Ich möchte nicht wissen, wie viele schon deswegen umgebracht worden sind.«

»Natürlich ist das kein typisch sowjetisches Phänomen. Allerdings besteht ein großer Unterschied: Die im Westen haben eine Gesellschaftsform, die dieses Verhalten provoziert und legitimiert. Alles wird dort vom Geld bestimmt, vom Profit, vom Vorteil und von Cleverness. Jeder weiß das, die Spielregeln sind bekannt, man akzeptiert sie. Und was tun wir?« Kämpferisch sah sie ihn an. »Verdammen die Kapitalisten, ihre Praktiken, die unmenschlichen Auswüchse, das dekadente System und werden nicht müde, unseren Sozialismus zu loben. So weit so gut, wenn es ehrlich wäre. Und genau das ist die größte Lüge aller Zeiten. Wir sind noch viel schlimmer, weil wir die Verfehlungen heimlich begehen, die Vorteile nur einer dünnen Schicht zugute kommen, wir permanent Solidarität heucheln und obendrein unser Volk um seine Ideale betrügen.«

Alexander fühlte sich an ihre Neujahrsdiskussion erinnert. »Larissa, gerade hast du die Erklärung geliefert, warum unsere Führung von einem Ring von Duckmäusern und Jasagern ohne Rückgrat umgeben ist. Und die Konsequenz: Mißwirtschaft, Bestechung, Protektion.«

»Leider hast du recht. Nicht die Fähigsten sind gefragt, sondern Anbiederer und Heuchler, wie Besmertisch, die dafür sorgen, daß die Macht des Staates, damit also auch ihre eigene, erhalten bleibt. Und keiner der Schwachköpfe merkt, daß er sich dadurch dem System ausliefert.«

Nikolai überraschte den Jüngeren mit einer seltsamen Einladung: Er möge bitte mit ihm in die Tundra reisen. Allen Fragen, was er denn vorhabe, wich Nikolai aus. Allerdings drängte er Alexander sehr, so daß sie schon am folgenden Tag flogen. Der Pilot setzte sie auf Anweisung von Nikolai an einer Flußgabelung ab, und sie verabredeten sich für vier Tage später am selben Ort.

Alexander befürchtete, Nikolai könnte den Strapazen nicht gewachsen sein, denn sie wanderten stundenlang umher. Aber Nikolai tat es nicht ohne Ziel oder ohne Grund. Er war auf der Suche, verriet jedoch nicht, wonach.

Am zweiten Tag wurde er fündig. Auf ein Feld mit abgerundeten Steinen, manche ähnelten vergrabenen Kamelhöckern, steuerte er zu. Die Steine glichen denen, die Alexander auf seiner Flucht nach Salechard bemerkt hatte. Zum Teil waren sie wie seinerzeit in einem für ihn unerklärlichen Muster aus unterschiedlich großen Kreisen angeordnet.

Immer auf der Schattenseite der Rundlinge hielt Nikolai nach etwas Ausschau. Hier und da zupfte er Stengel einer verblühten Grassorte, die er in einem Beutel verschwinden ließ. Gegen Abend hatte er offenbar genügend zusammen. Sie schlugen ihr Zelt auf, und Nikolai erwärmte Wasser. Gut zehn Minuten kochten die Stengel, anschließend ließ er das Gebräu eine Stunde auf schwacher Flamme ziehen. Zwei Becher füllte er, einen reichte er an Alexander weiter.

»Was ist das?«

»Eine Verbindung fürs Leben und darüber hinaus.«

»Und wofür ...«

»Trink«, unterbrach ihn Nikolai.

Sie stellten die leeren Becher ab, und Nikolai forderte Alexander auf, sich mit ihm ins Zelt zu legen.

»Vor vielen Jahren entdeckten die Lamuten dieses Kraut der Bruderschaft, das allerdings fast ausschließlich ihren Schamanen vorbehalten blieb. Es wächst, wie du gesehen hast, nur an ganz bestimmten Stellen. Den Nomaden, so wird erzählt, war das seltsame Verhalten der Rentiere aufgefallen, wenn sie davon gefressen hatten. Sie bewegten sich leicht, fast tänzelnd und wiegten immerzu den Kopf, als hörten sie eine unbekannte Melodie. Hörst du sie auch schon?«

»Nein.«

»Fühlst du dich leicht?«

»Nur etwas sonderbar im Kopf, als wäre ich benommen.«

»Gut, es beginnt zu wirken.«

In den kommenden Stunden tat sich Alexander eine Welt auf, wie er sie nur aus seinen Träumen kannte. Obwohl es allmählich dunkel wurde, schleuderte der Himmel Lichtblitze zur Erde. Die Wolken waren nicht weiß oder grau, sondern in unterschiedlichen Farben, die oft ins Violette wechselten. Alexander sah sich über die Tundra laufen, leicht sein Schritt und federnd. Als er nach unten schaute, bemerkte er, daß er den Boden überhaupt nicht berührte. Er kam an Sträuchern, Birken und Rentieren vorbei. Bei den Ewenken angekommen, legte er sich auf einen Stapel Felle. Er sah Tarike auf sich zukommen und ihn behandeln. Sie begutachtete seinen Fuß mit den fehlenden Zehen, seine rechte Hand, die beinahe der Kälte zum Opfer gefallen wäre. Weiter lief Alexander, ohne auf der Suche zu sein. Die Natur genießen wollte er, sich die schönen Bilder einverleiben. Mehr und mehr tauchte er dabei in seine Vergangenheit. Je unangenehmer sie war, desto schneller wechselten die Bilder. Lange verharrte er schließlich bei Hellen. Dinge, die er längst vergessen zu haben glaubte, fielen ihm wieder ein. Ihre Haare mit den kleinen Kringeln hinter dem Ohr, der Geruch ihrer Haut, die lackierten Fingernägel, das Muttermal neben dem Bauchnabel. Alexander schwebte davon, um mit seiner Mutter am Tisch zu sitzen. Sie aßen zu Mittag. Es gab in der Pfanne geröstetes Weißbrot, mit Eiern überbacken. Dazu trank er gekühlten Tee mit Eisstückchen, die sich seine Mutter im Sommer, da sie keinen Kühlschrank besaßen, im Fischgeschäft besorgte.

Und aus der Vergangenheit kehrte er Jahr für Jahr in die Gegenwart zurück, und zwar als Vogel, der durch die Luft segelte. Alexander konnte sich beobachten: Im Gefangenentransport auf dem Weg nach Osten zum Lager Perm 35, auf der Flucht, die Überquerung des Jenissei und später der lange Weg im Norden, als er allein mit seinen Gedanken auf Ski durch die Schneewüste stapfte und einen Schlitten hinter sich her zog. Pagodin tauchte auf, dann sah er Rassul und Klimkow. Seine Reise endete mit Larissa, sie hielten sich umklammert. Als Alexander die Augen öffnete, war es wieder hell. Neben ihm lag Nikolai, der ihn erwartungsvoll anschaute.

»Und wie war es?«

»Ich sah mich auf all meinen Lebensstationen. Seltsam, aber ich habe schon einmal etwas Ähnliches erlebt.«

»Wie, kennst du das Kraut etwa?«

Alexander, der sich entspannt und wohlig fühlte, verneinte. »Auf meiner Flucht war es, nach vielen Wochen des Alleinseins. Ich bin

irgendwie aus mir herausgetreten und habe die Welt von oben gesehen.«
»Du hattest dich aufgegeben und mit dem Leben abgeschlossen.«
»Möglich, aber so genau weiß ich das nicht mehr.«
Nach einer Weile fragte Nikolai: »Womit hat vorhin dein Traum geendet?«
»Mit deiner Tochter Larissa.«
Nikolai lächelte. »Das gefällt mir.«
»Und deiner?«
Nikolai schwieg und schaute hinaus.
»Möchtest du nicht darüber reden?«
Ohne auf die Frage einzugehen, wollte der Sibiriake wissen: »Magst du meine Tochter?«
»Ja.«
»So wie die Deutsche?«
»Es ist eine andere Art von Gefühl.«
»Du findest Larissa doch nicht aus dem Grund gut, um mir ...«
»Nein. Vielleicht belüge ich andere, aber nicht mich selbst.«
Und dann wollte Alexander wissen, warum Nikolai ihm diesen Trank zubereitet habe.
»Wie gesagt, es heißt Kraut der Bruderschaft, und es ist ein besonderes Kraut. Die Lamuten genießen es, falls es ihnen ihr Schamane erlaubt, nur ein oder höchstens zweimal im Leben mit jemandem, den sie zu ihrem Bruder haben möchten. Damit wollen sie bekunden, welch feste Bande zwischen ihnen bestehen, Bande der Zuneigung und des Vertrauens – über den Tod hinaus.«
»Wie oft hast du bisher das Kraut zu dir genommen?«
»Nur mit Minsk.«

Nikolai, der noch vor einem halben Jahr vor Agilität strotzte, ging es immer schlechter. Oft war er müde, sein Gang wirkte schleppend, und die Wangen waren eingefallen. Nur noch einen Termin nahm er persönlich und ohne Alexander wahr. Dazu flog er nach Moskau, wo er anläßlich der Universiade, der Weltspiele der Studenten, zwei Geschäftspartner treffen wollte. Außer, daß es Deutsche seien, ließ er sich nichts entlocken.

Wenige Tage später kam er wieder zurück und verlor kein Wort über die Reise. In eine Decke gehüllt, saß er jeden Tag vor seinem Haus in der Sommersonne. Manchmal, wenn er sich unbeobachtet glaubte, lächelte er still vor sich hin.

Die zehn Stellvertreter reisten an und wurden im Gästehaus untergebracht. Am nächsten Tag fand im Erdgeschoß von Nikolais Haus die Versammlung statt, zu der auch Gogol, sein Sohn und einige Vertraute von ihm gekommen waren. Vier Jakuten wohnten als Abordnung des Volksstammes dem Geschehen bei.

Nikolai erklärte den Wahlmodus. Zwei Bewerber gebe es, Gogols Sohn Jewgenij und Robert Koenen. Gewählt sei derjenige, der mindestens sieben der zehn Stimmen auf sich vereine.

Gogol übernahm es, eine Art Wahlkampfrede für seinen Sohn zu halten. Er lobte die körperlichen und geistigen Vorzüge, pries den Kampfes- und Einsatzwillen und die Beziehungen zu Staatsbetrieben und Politikern, was sich sehr positiv auf den Bund auswirken werde. Gogol endete mit der unverhohlenen Drohung, daß eben diese Beziehungen auch ins Negative umschlagen könnten, falls man seinem Sohn nicht …

Nikolai machte es wesentlich kürzer. Er verteilte an die Wahlmänner je ein Blatt, auf dem all die Geschäfte aufgelistet waren, die sein Schützling bereits im Sinne des Bundes abgewickelt hatte. Weil er Robert Koenen genau kenne, gebe es keinen besseren Kandidaten.

Alexander überflog die Aufstellung. »Das stimmt doch alles nicht«, raunte er dem Älteren, der sich neben ihn setzte, ins Ohr.

»Na und? Meinst du, Gogol hätte die Wahrheit gesagt? Außerdem ist das hier eine Wahl, und bei einer Wahl wird immer gelogen.«

Bereits im ersten Wahlgang stimmten die Stellvertreter geschlossen für Alexander, der somit nach Ablauf einer Sechswochenfrist Nikolais Nachfolger als Sprecher des Bundes der Rettung werden würde. Jewgenij, Gogols Sohn, hatte keine Chance, obwohl sein Vater in der Pause noch auf seine Art versuchte, einige der zehn zu beeinflussen. Große Summen bot er an, aber zu vieles sprach für Alexander, der sich in den vergangenen Monaten sehr bewährt hatte.

Als Gogol mit seiner Gefolgschaft abzog, sagte er kein Wort. Aber ein Blick in sein Gesicht genügte, um zu wissen, er würde nicht aufgeben.

Nikolai, Larissa, Minsk und Alexander saßen am Abend zusammen und feierten. Der Sibiriake war ausgelassen, füllte die Gläser mit Krimsekt und prostete den anderen zu. Alexander fühlte Genugtuung; um Freude zu empfinden, war die Wahl noch zu frisch. Er brauchte noch etwas Abstand.

Es war bereits spät, als unerwartet Besuch vor der Tür stand. Nikolai ließ die zwei Jakuten, geachtete Führer der Volksgruppe, eintreten. Sie setzten sich und schauten Alexander an. Der erkannte einen der beiden wieder. Damals, als Nikolai zur Sauna eingeladen hatte, war Geriak, so nannte er sich, auch zugegen gewesen.

Gleichfalls bei der Wiedergutmachung, als die dicke Frau auf den beiden Vergewaltigern geritten war.

»Was habt ihr für einen Grund, zu so nächtlicher Stunde noch zu kommen? Wollt ihr ihm gratulieren?«

Der Ältere schüttelte den Kopf. Nikolai gab seinen Gästen etwas zu trinken, aber sie rührten die Gläser nicht an.

»Was ist es dann?« fragte Nikolai.

»Wir verlangen jakutisches Recht.« Der Ältere deutete auf Alexander. »Er soll nach unseren Regeln Sprecher und Sam werden.«

»Sprecher ist er schon, und ihr werdet ihn auch als euren Sam anerkennen. Das war doch bisher immer so.«

»Nein.«

Nikolai schaute von einem zum anderen. Ablehnung war in den Gesichtern zu erkennen.

»Aber ihr habt mich doch auch anerkannt.«

Geriak, der Jüngere, schaltete sich ein und verbesserte Nikolai: »Wir haben dich geduldet.«

»Da sehe ich keinen Unterschied.«

»Doch.« Trotzig schob Geriak sein Kinn nach vorn. »Dulden heißt, nichts zu unternehmen, sich damit abzufinden. Aber gegen ihn werden wir etwas unternehmen.« Er deutete unmißverständlich auf Alexander.

Nikolai war irritiert. »Warum? Was hat er euch getan?«

»Sich nicht an das Recht gehalten. Wir bestimmen, wer Sam wird, und zwar nach unseren Regeln.«

»Vier von euch waren heute morgen zugegen und hatten nichts einzuwenden.«

»Sie sagten, man habe sie nicht zu Wort kommen lassen.«

Die Unterhaltung drehte sich im Kreise. Schließlich gaben die Jakuten zu, daß man von Seiten des Bundes vergessen habe, vorab ihre Erlaubnis einzuholen. Gogol habe es getan, und deshalb hätten sie der Bewerbung seines Sohnes zugestimmt.

»Ach so ist das.« Nikolai ahnte, welche Schwierigkeiten sich anbahnten. Als er Sprecher geworden sei, argumentierte er, habe man die Jakuten auch nicht gefragt. Darauf kam wieder die stereotype Antwort, das wäre etwas anderes.

Nikolai erregte sich, und die beiden Einheimischen mit den ausdruckslosen Gesichtern gaben sich immer verstockter.

»Wenn du in der Vergangenheit Probleme gelöst hast, dann doch nur gemeinsam mit uns«, sagte Geriak. »In solchen Fällen war dir unser Recht angenehm.«

»Was meinst du?«

»Denk nur an den Verräter Jakub und das Eis. Waren wir dir da keine Hilfe?«

»Doch«, gab Nikolai zögernd zu.

»Und wenn er Probleme hat«, der Ältere deutete auf Alexander, »wird er auch zu uns kommen. Ist er unser Sam, dann werden wir ihm selbstverständlich helfen.«

Alexander, der die ganze Zeit schweigend zugehört hatte, schaltete sich ein.

»Was verlangt ihr von mir, damit ich auch von euch anerkannt werde?«

»Du hast dich nach den alten Regeln unseres Volkes zu bewähren.«

»Nein.« Nikolai sprang auf. »Das lasse ich nicht zu.«

»Dann werden wir gegen ihn kämpfen. Er«, Geriak deutete nun auf Alexander, seine Hand zitterte, »er ist nur Gast in unserem Land, genauso wie du.«

Nikolai stützte sich auf den Tisch. Am Hals schwollen seine Adern an, nur mühsam konnte er sich beherrschen. »Ist das der Dank für all das, was ich für euch getan habe?«
»Dafür haben wir dich geduldet. Du durftest das alles tun.«
Nikolai explodierte beinahe. Abermals war es Alexander, der die Anspannung dämpfte und der Situation ihre Schärfe nahm.
»Was besagen eure Regeln?«
»Wer Führer der Jakuten sein will, der muß sich bewähren.«
»Was habe ich zu tun?«
»Zu kämpfen.«
»Gegen einen anderen Herausforderer?«
»Ja.«
»Nein«, verbesserte der Ältere. »Die Regeln besagen, der Bessere wird von uns anerkannt, aber nicht im Kampf Mann gegen Mann.«
»Wer ist der andere?« Etwas Lauerndes war in Nikolais Stimme, als er das in Erfahrung bringen wollte. »Ist es Gogols Sohn?«
Die Jakuten antworteten nicht. Sie standen auf und gingen hinaus, ohne sich zu verabschieden.
»Natürlich ist es Jewgenij. Sein Vater, der verdammte alte Schuft, steckt dahinter. Er hat die Jakuten aufgewiegelt. In diesem alten Brauch sieht er die einzige Möglichkeit, mit Unterstützung der Jakuten seinen Sohn doch noch in eine bessere Position zu bringen und dadurch mir und dem Bund Schaden zuzufügen. Ohne Billigung der Jakuten läuft in diesem Land nichts. Und glaube mir eines: Die Kerle können verdammt stur sein.«
»Was ist ein Sam?«
Nikolai stellte sich ans Fenster und schaute hinaus in die Nacht. »Eine Art Führer, das weltliche Gegenstück zu den Schamanen. Dem Rang und der Bedeutung nach ist der Sam für die Jakuten ein König. Die Überlieferung besagt, daß er als einziger den Seelenkreis der Schamanen und den Rat der Yen Kils, so nennt man die Führer der einzelnen Stammesgruppen, einberufen darf. Geriak ist der mächtigste von ihnen.«
Nikolai, der seinen gesundheitlichen Zustand ignorierte, erregte sich zusehends, während er auf die Historie und die überlieferten Bräuche der Jakuten einging. Wie ein gereiztes Tier schlich er im

Wohnzimmer umher. Gogol sähe seinen Einfluß schwinden, knurrte er, wenn Alexander Sprecher würde. Aber Gogol müsse darauf achten, auch weiterhin genügend Macht zu haben, sonst liefen ihm die Geschäfte davon, und seine Leute, die Gruka, orientierten sich anders. Die hätten ein feines Gespür für solche Entwicklungen, denn nur der Starke sei gefragt.

Alexander lernte wieder einmal einen Teil Sibiriens kennen, den er nicht verstehen konnte. Mitten im zwanzigsten Jahrhundert bestanden die Jakuten auf der Erfüllung eines steinzeitlich anmutenden Rituals.

»Schon mein Vorvorgänger mußte sich diesem Quatsch nicht mehr unterwerfen«, erboste sich Nikolai. »Gut, damals verbot man von Moskau aus die traditionellen Überlieferungen und diktierte den Jakuten alles. Aber inzwischen hat sich vieles geändert. Wir schicken Astronauten in den Weltraum, die Jakuten sehen täglich fern und wissen, was in anderen Ländern geschieht, und nun kommen sie mit diesem alten Unsinn. Ich sage dir, die Kerle spinnen. Haben sie nach Alkohol gerochen?«

Alexander ging nicht auf die Frage ein. »Sag mir, wie die Regeln lauten.«

»Du willst doch wohl nicht nachgeben?«

»Was geschieht, wenn ich mich weigere?«

Nikolai setzte sich. Lange massierte er sein Kinn. Nachdenklich geworden, starrte er vor sich auf den Teppich.

»Alles nur Vermutungen«, begann er. »Wie es wirklich sein wird, weiß niemand. Aber etwas ohne Zustimmung der Jakuten zu unternehmen, die zunehmend auf ihre Rechte pochen, auf den autonomen Status verweisen und mehr und mehr Nationalstolz zeigen, ist heute nicht mehr möglich.«

»Die beiden vorhin. Sind sie wirklich so angesehen? Sprechen sie tatsächlich für ihr Volk?«

»Ja, sagte ich bereits. Geriak, der Jüngere, wird auch schon vierzig sein oder mehr, kommt direkt aus Jakutsk. Du kennst ihn ...« Nikolai hüstelte. »Er ist der prominenteste der Ureinwohner, derjenige mit dem größten Einfluß. Sie hören auf ihn, und er ist sich als Yen Kils seiner Stellung bewußt. Sogar die Russen in der Verwaltung gehen ihn um Rat an. Nicht, weil er es besser weiß, sondern um ihn einzubinden und dadurch sein Volk ruhigzustellen.« Nach wenigen Sekunden, in denen Nikolai verschnaufte, fuhr er fort: »Noch etwas mußt du wissen: Geriaks Vater ist ein alter Seman, ein Schamane. Er lebt nördlich von Jakutsk in einem Dorf. Wenn die Ärzte in der Stadt nicht mehr weiter wissen, dann schicken sie ihre Patienten zu ihm. Du wirst es nicht glauben, aber der Greis heilt sie. Viele der Jakuten meinen nun, daß der Zauber vom Vater bei dessen Tod auf den Sohn übergeht. Deshalb ist Geriak bereits heute schon so etwas wie ein moderner Schamane auf Abruf.«

»Du bist überzeugt, daß Gogol ihn beeinflußt hat?«

»Die einzige Möglichkeit, die ich mir denken kann. Bisher hatte ich zu Geriak immer ein sehr gutes Verhältnis. So verbohrt wie heute habe ich ihn noch nie gesehen.«

Alexander ließ nicht locker. »Was also müßte ich tun, wenn ich mich den Regeln füge?«

Nikolai wollte wieder darauf hinaus, sich nicht auf die Forderung der Jakuten einzulassen und diesen heidnischen Zirkus, an den niemand mehr glaube, mitzumachen. Auf Alexanders Drängeln erklärte er ihm den Modus.

Larissa, die sich bisher nicht geäußert hatte, sprang auf und warf sich Alexander an die Brust. »Bitte, tue es nicht!«

Sie saßen um einen großen runden Platz. Mehr als tausend – unter ihnen nur wenige Frauen – waren es, die sich an der Kultstätte nicht weit entfernt von der Stadt Wanawara in einem Meteorkrater versammelt hatten. Nach außen hin stieg das Gelände an, die hinteren Reihen waren erhöht angeordnet, so daß jeder einen guten Blick auf das Geschehen hatte.

Trotz der vielen Menschen herrschte eine geradezu weihevolle Ruhe. Hinter den letzten Zuschauern brannte ein Ring aus kleinen Feuern, um die bösen Geister zu bannen und die guten gnädig zu stimmen.

Nikolai hockte ganz vorn, er war aufgeregt. Man hatte ihm die Teilnahme gestattet. Jeder Nichtjakute hatte um Erlaubnis fragen müssen, immerhin handelte es sich um einen heiligen Ort.

Alexander stand wenige Meter entfernt und etwas abseits von ihm Gogols Sohn Jewgenij. Groß und wuchtig sah er aus, er strotzte vor Selbstvertrauen und verhielt sich ganz so, als stünde der Sieger schon fest.

Ein Mann blies in ein seltsames Instrument und entlockte ihm einen dumpfen Ton. Kurz darauf hüpfte ein Schamane in die Mitte des Kraters und schlug rhythmisch auf eine flache, kreisförmige Trommel. Schneller und schneller wurde er, schlenkerte mit dem Kopf und verdrehte die Augen, und auf seiner Brust tanzten die Bärenzähne seiner Halskette. In eines der vielen Feuer schleuderte er ein Pulver, die Flamme färbte sich violett. Die Zuschauer reagierten mit einem anerkennenden »Ah«, der Priester sank ermattet zu Boden, die schädliche Wirkung der bösen Geister war für heute neutralisiert.

Zwei Jakuten kamen zu Alexander, den die Situation unwillkürlich an den zweifelhaften Wettkampf, wer als letzter vor den Puffern des herannahenden Waggons wegsprang, erinnerte. Zwei andere gaben Gogols Sohn Jewgenij zu verstehen, er möge näher treten. Dann mußte jeder von ihnen in eine mit einem bunten Tuch bedeckte Holzschüssel greifen. Alexander zog einen Wolfszahn. Darüber war Jewgenij froh, denn er hatte den Bärenzahn, und sein Kampf war der angesehenere.

Das Ritual begann. Zuerst durfte Alexander, assistiert von dem Schamanen, einen dicken Pelzmantel anziehen und einen Handschuh, dazu eine Hose aus Leder und Pelzstiefel. Auf den Kopf kam eine Mütze, die unter dem Kinn zusammengebunden wurde. Zwei Jakuten in Nationaltracht nahmen Alexander in die Mitte und führten ihn über den Platz zu einem Gehege aus Holzstäben, in dem mit gesenktem Kopf ein ausgewachsener Wolf seine Kreise zog. Wie es die Regeln diktierten, hatte das Tier einige Tage nichts zu fressen bekommen. Außerdem war es in der letzten halben Stunde von Männern mit langen Stangen gereizt worden.

Wütend bleckte der Wolf die Zähne, als Alexander in das Gehege trat. Aus dem Stand sprang er los, und das Gewicht des Tieres hätte Alexander beinahe umgerissen. Sofort verbiß es sich in seinen dichten Pelz, der Alexander vor den messerscharfen Zähnen schützte.

Aus diesem Grund trug er auch den Handschuh und die Mütze. Aber Gesicht, Hals und linke Hand waren unbedeckt. Alexanders Aufgabe war es, ohne Waffen mit dem Wolf zu kämpfen, bis er aufgab oder tot war. Als Zugeständnis an die Zivilisation hatten sich Männer mit Gewehren um das Gehege postiert, die, sollte Alexander in Lebensgefahr geraten, den Wolf erschießen sollten. Alexander wehrte den ersten Angriff ab und trat dem Wolf mit dem Fuß voll von unten gegen die Brust. Der jaulte kurz und setzte erneut zum Angriff an. Geduckt kam er auf Alexander zugeschlichen, der Schwanz glitt über den Boden. Plötzlich sprang er hoch und schnappte nach Alexanders vorgestrecktem rechten Arm. Mit der linken Faust schlug Alexander dem Wolf auf die Nase, traf ihn aber nicht richtig. Trotzdem ließ das Tier los und verdrückte sich an den Holzzaun, als sammelte es sich. Alexander schnitt dem Wolf den Weg ab. Sich einmal um sich selbst drehend, sprang er Alexander wieder an. Knapp schrammten die zuklackenden Zähne an seinem Gesicht vorbei. Alexander gelang es gerade noch, dem Wolf die Faust in den Körper zu jagen. Ein Heulen war die Antwort.

Tier und Mensch belauerten sich nun auf der Suche nach einer Schwachstelle. Für Alexander gab es mehrere Möglichkeiten, allerdings mußte er dazu den Wolf erst einmal zu fassen kriegen. Am einfachsten noch wäre es, ihm den Hals zuzudrücken oder mit beiden Händen das Maul zu umklammern, dann das Tier auf den Boden zu werfen und mit einem Ellbogen das Brustbein einzudrücken.

Oder …

Alexander wählte die wohl sicherste, aber auch gefährlichste Art. Der Wolf griff an, diesmal in Bauchhöhe. Alexander drehte sich, umfaßte mit einer Hand den Schwanz und zerrte mit einer ruckartigen Bewegung. Der Wolf wirbelte herum, konnte Alexander aber nicht erreichen, der das Tier hochheben wollte, bis dessen Hinterbeine in der Luft baumelten. Dann hätte er ihm mit den Füßen den Brustkorb zertrümmern können.

Alexander stolperte, fiel nach hinten und lag mit dem Rücken auf dem Boden. Immer noch den Schwanz in der Hand, konnte er sich jetzt kaum noch gegen den Wolf wehren. Der ging ihn mit weit aufgerissenem Maul an und wollte ihm die Zähne in den Hals schlagen.

Genau in dieses weitaufgerissene Maul rammte Alexander seine ungeschützte linke Faust so tief, wie es eben ging. Gleichzeitig umklammerte er mit der anderen Hand das Genick des Wolfes, der vor Schreck sein Maul noch weiter aufriß. Alexanders Faust drückte nach, die andere Hand erwiderte den Druck von hinten. Das Tier würgte, übelriechend ergoß sich der Mageninhalt, der warm über Alexanders Hand lief. Die Vorderläufe des Wolfes scharrten auf dem Boden und über Alexanders Brust, aber der ließ nicht locker. Das Scharren wurde kraftloser, die Beine knickten ein, die Augen des Wolfes quollen hervor. Ein Zittern, das Tier taumelte, dann war es vorbei. Alexander hatte den Wolf erstickt.

Er rappelte sich hoch und schaute auf den Kadaver. Er fühlte sich mies, weil er keinen Sinn in dem Tötungsakt sah.

Schweigend hatten die Zuschauer den Kampf beobachtet. Kein Applaus, keine Anerkennung, hie und da ein Räuspern. Als sich Alexander neben Nikolai setzte, klopfte ihm dieser auf die Schulter. Gewinnen konnte Alexander allerdings nur dann, wenn Jewgenij versagte. Besiegte Jewgenij aber den Bären, würden ihn die Jakuten als König anerkennen. Aber König und Sprecher des Bundes nicht in einer Person, das bedeutete Zwietracht und Kampf und Tote.

Jewgenij bereitete sich in dem Gehege vor. Angezogen war er ähnlich wie Alexander mit einer einzigen Ausnahme: In der Rechten trug er ein Messer mit einer etwa fünfzehn Zentimeter langen Klinge. Jewgenij fühlte sich bereits als Sieger. Was sollte ihm das Tier schon anhaben? So groß und stark, wie er war? Gogol, Jewgenijs Vater, sah das auch so. Gravitätisch nickte er in Nikolais Richtung.

Der Bär wurde hereingeführt. Zwei Jahre alt, wie es die Überlieferung vorschrieb, hatte er noch nicht seine volle Lebensgröße erreicht. Trotzdem wirkte er beeindruckend. Vier Männer waren nötig, um seinen Kopf, der in einer Schlinge steckte, nach unten zu drücken. Auf ein Kommando ließen sie den Bären frei. Er richtete sich etwas auf und schnupperte. Nicht weit von sich entfernt sah er Jewgenij stehen. Langsam trottete er auf ihn zu. Jewgenij verharrte regungslos, und der Bär erkannte in ihm nicht sofort den Feind, obwohl auch er gereizt worden war. Ein stehendes, unbewegliches Hindernis, von dem normalerweise keine Gefahr ausgeht, ist nun mal kein Feind. Da der Bär außerdem viele Menschen witterte, konnte er Jewgenij keinen speziellen Geruch zuordnen.

Noch zwei Meter war der Bär von dem kräftigen Mann entfernt, jetzt nur noch einen. Jewgenij stieß einen schrillen Schrei aus, der Bär stutzte und richtete sich etwas auf. In diesem Augenblick stach Jewgenij zu und traf das Tier an der Schulter.

Nun war es mit der Langsamkeit des Bären vorbei. Obwohl das Messer tief ins Fleisch gedrungen war, bewegte er sich mit einer Behendigkeit, die man ihm nicht zugetraut hätte. Der Feind war zwar ausgemacht, aber er war schlau. Hatte er sich vorher informiert, wie man einen Bären verwirrt und tötet?

Jewgenij trat geduckt auf das Tier zu, die rechte Hand mit dem blutbefleckten Messer weit von sich gestreckt. Die linke war jetzt auch frei und ohne Handschuh, den schleuderte Jewgenij dem Bären entgegen. Mit einer wischenden Tatzenbewegung verscheuchte dieser das lästige Hindernis, und schon wieder stach Jewgenij zu, diesmal in die andere Schulter.

Der Bär brüllte vor Pein, richtete sich auf, entlastete dadurch die schmerzenden Schultern und kam auf den Hinterbeinen herangetappt. Aus dem weit aufgerissenen Maul drang ein dumpfes, ahnungsvolles Grollen. Noch zwei Schritte war das Tier von Jewgenij entfernt, der jetzt nicht mehr so groß und wuchtig wirkte, denn der Bär überragte ihn um Haupteslänge.

Als wollte er Jewgenij umarmen, legte der Bär ihm die Tatzen auf die Schultern. Jewgenij stemmte sich dagegen und rammte ihm das Messer in die Brust, wieder und immer wieder. Aus dem Grollen wurde ein Röcheln, der Bär sackte zusammen und drückte Jewgenij mit seinem Gewicht nach unten. Vergeblich versuchte Jewgenij den braunen Koloß abzuschütteln, der schließlich auf ihm lag. Im letzten Reflex schlug der Bär sein Gebiß in Jewgenijs Hals. Es knackte für alle vernehmlich, fast gleichzeitig klatschten Kugeln in den massigen Rumpf, das Tier streckte sich und war tot.

Die Jakuten bemühten sich, den Fleischberg von Jewgenij wegzuzerren. Aber das ging nicht, denn im Todeskrampf hatte sich der Bär in den Mann verbissen. Als sie Jewgenij endlich frei hatten, hauchte er sein Leben aus. Sein Genick war gebrochen, und er war verblutet, denn der Bär hatte Jewgenij auch noch die Kehle durchgebissen.

Gogol drängte sich nach vorn und schob mit wilden Bewegungen die Gaffer zur Seite. Als er seinen Sohn vor sich liegen sah, drang ein unmenschlicher Schrei aus seinem Mund. Er ließ sich auf den Boden sinken und hob Jewgenijs Kopf an. Immer wieder streichelte er ihn. Dazu flüsterte er zärtliche Worte, die man dem Mann nicht zugetraut hätte. Aber Jewgenij würde nie mehr antworten.

Als erwachte er aus tiefem Schlaf, straffte sich Gogol, legte den Kopf seines Sohnes sanft auf die Erde, küßte und umarmte ihn ein letztes Mal und erhob sich schwerfällig. Hochaufgerichtet verließ er den runden Platz.

Die Jakuten umringten Alexander. Geriak, einer der Jakutenführer, richtete in seiner Muttersprache einige Worte an die Versammlung. Wie auf Kommando verneigten sich alle vor Alexander. Und der trat zu dem toten Jewgenij, sah ihn lange an und verneigte sich ebenfalls.

Nikolai nahm viele Medikamente, um die Leukämie zu bekämpfen, die Anzahl der Leukozyten drastisch zu reduzieren, und wußte doch, all die Mittel würden ihm nicht mehr helfen, sondern seine Tortur höchstens verlängern. Den Schmerz betäubte er auf Anraten des Arztes, der ihn jeden zweiten Tag besuchte, mit Morphium. Alexander und Larissa beschlossen kurzfristig, zu heiraten, Nikolai sollte ihr Fest noch erleben. Sie planten die Feier in kleinem Rahmen, fünfzig Gäste wurden eingeladen.

Zwei Tage vor dem Ereignis stand er vor der Tür. Groß, mit schwarzen Haaren und einem riesigen Schnurrbart. Als Leonid, der Brigadier von Station 22, Alexander auf die Schulter klopfte, zuckte dieser zusammen.

»Ich will übermorgen heiraten. Halt dich also bitte etwas zurück.«

Nach der übermütigen Begrüßung gingen sie in das Kaminzimmer, um einander zu berichten, was ihnen seit ihrer Trennung widerfahren war, tranken Wodka und feierten ihr Wiedersehen. Als Alexander sich so viele Jahre nach seiner Flucht bei Leonid für die damalige Hilfe bedanken wollte, schnitt dieser ihm einfach das Wort ab.

Zwei Stunden später kam der Georgier überraschend auf ein anderes Thema zu sprechen. »Du erinnerst dich doch noch an unseren Jagdausflug.«

Alexander nickte.

»Unsere unfreiwillige Festnahme hat mich sehr beschäftigt. Was macht das Militär in dieser gottverlassenen Gegend? Kein Feind weit und breit.«

Leonid griff in seine Brusttasche und zog ein Blatt hervor. Er faltete es auseinander, glättete es und legte es auf den Tisch. »Das hier haben wir nahe des Witim kennengelernt.« Leonids Finger wanderte zu einer Stelle östlich des Baikalsees. »Fällt dir an der Verteilung der Punkte etwas auf?«

»Im flachen Land nichts, im Gebirge einige und sehr viele im Bereich Südsibiriens, besonders nahe dem chinesischen Grenzraum.«

»Richtig. Nicht zu vergessen die vier auf Sachalin und die drei am Ochotskischen Meer. Alexander, das hier sind alles geheime militärische Anlagen. Die im dünnbesiedelten Grenzraum zu China sollen ein Gegenpotential bilden, weil man irgendwann von den Schlitzaugen einen größeren Angriff erwartet. Guter Kommunist gegen schlechten Kommunisten.«

»Aber auch an der afghanischen Grenze ist man aktiv geworden.«

»Und gegenüber dem Iran. Das ist nicht mehr auf der Karte verzeichnet. Allerdings spielen da andere Gründe mit hinein. Die in Moskau haben große Angst vor den Muslimen und befürchten, daß es zu einer Verbrüderung zwischen den südlichen Turkrepubliken unserer Union und den Glaubensgenossen auf der anderen Seite kommen könnte.«

Alexander, der sich an ähnliche Worte von Nikolai erinnerte, schaute den alten Vertrauten von der Seite an. Ein regungsloses Gesicht, nur die Augen verrieten eine gewisse Konzentration. »Leonid, wie bist du an diese Karte gekommen.«

»Von einer anderen abgemalt, die weit größer ist als dieser Tisch.«

»Und die Originalkarte?«

Leonid schaute zum Fenster hinaus. »Also gut. Ich habe einem Offizier zur Flucht verholfen. Einem sehr hohen Offizier.«

»Nach Japan?«

»In den Westen. Über die türkische Grenze. War ein Kinderspiel.«

»Und das hier hat er dir zum Dank vermacht.«

»Ich habe ihm das Original äh ... abgenommen. Was wollen die denn im Westen damit anfangen?« Leonid grinste. »Er wird genügend geheimnisvolle Dinge im Kopf haben und an den CIA weitergeben.« Und als Alexander nichts sagte: »Über zwei der Einrichtungen konnte ich schon etwas in Erfahrung bringen.« Leonid deutete auf einen Punkt nahe der chinesischen Grenze und einen an der Küste des Ochotskischen Meeres. »Wenn du Interesse hast, werde ich es dir erklären.«

Am Nachmittag führte Alexander seinen Gast zu Nikolai, der in einem Lehnstuhl saß und hinaus in die Taiga schaute. Leonid erschrak. So hatte er den Sibiriaken, dem er mehrmals begegnet war, nicht in Erinnerung. Alexander ließ die beiden Männer allein, die sich einiges zu erzählen hatten. Und das taten sie ausgiebig. Zufrieden waren ihre Gesichter, als sie sich später trennten. Nikolai wußte, Alexander würde in Leonid einen zuverlässigen Vertrauten haben, so wie er in Minsk.

Die Hochzeit war eine Feier der Freude und der unterschwelligen Trauer. Nikolai empfand das Fest als vorgezogene Beerdigung. Nur noch zwei oder drei Wochen gaben ihm die Ärzte, sein Zustand würde sich täglich verschlechtern. Gleichwohl erschien er gelöst und ausgelassen wie selten in den Wochen zuvor. Mit Medikamenten vollgepumpt, bemühte er sich, seinen Zustand zu verbergen, und wagte sogar einen Tanz mit seiner Tochter. Danach saß er ermattet auf einem Stuhl, sah dem Geschehen nur noch zu oder lauschte mit geschlossenen Augen der schwermütigen Musik.

Obwohl die Köche sich alle Mühe gaben und exquisite Gerichte auf den Tisch brachten, darunter eine Fischplatte mit Lachs in allen Variationen, blieb die Stimmung gedrückt. Als sich die Gäste am Abend verabschiedeten, ahnten viele, daß sie Nikolai nicht mehr wiedersehen würden.

Alexander und Larissa konnten nicht einschlafen. Sie kuschelte sich an ihn, er legte einen Arm um ihre Schulter. Beide hingen ihren Gedanken nach, bis Larissa sagte: »Ich dachte bisher, eine Hochzeitsnacht sei etwas Besonderes.« Sie starrte gegen die Decke. »Mein Prinz trägt mich über die Schwelle, legt mich auf das Bett, küßt mich und liebt mich. Und dann versinken wir in einer Woge aus Zärtlichkeit.«

»Tut mir leid, wenn ich dich enttäusche. Aber mir ist nicht danach.«

»Mir auch nicht«, gab sie zu. »Ich muß immerzu an meinen Vater denken und an die Zeit danach.«

»Du befürchtest, ich könnte den Bund nicht leiten, Nikolai nicht ersetzen?«

»Das meine ich nicht. Ich habe Angst, allein zu sein.«

Alexander merkte, daß sie weinte. »Du hast doch mich. Ich bin auch allein, seit vielen Jahren schon.«

»Das klingt so, als hätte es dir nichts ausgemacht.«

»Es ist eine Frage der Gewohnheit.«

Larissa versuchte in seinem Gesicht zu lesen. »Wie ich dich kenne, ist es vielleicht doch eher eine Frage, wie intensiv du dir das einreden kannst.«

Als er daraufhin nicht antwortete, sprach sie leise weiter: »Meine Mutter habe ich nie kennengelernt, und mit meinem Vater geht meine Familie und meine Geborgenheit dahin. Und mein Zuhause. Ich hätte so gerne eine Familie und ein Zuhause.«

Viele Freunde, Bekannte und sogar Wildfremde kamen in den darauffolgenden Tagen zu einem letzten Besuch. Am Ende der Woche bat der Sibiriake Alexander, er möge ihn in seine Jagdhütte bringen. Zuerst versuchte Alexander, ihm diese Idee auszureden, nachdem Nikolai ihm jedoch seine Gründe genannt hatte, willigte er ein.

Larissa durfte nicht mitfahren, ihr Vater bestand darauf. Aber er küßte sie lange. Und er drückte sie so voller Zärtlichkeit, ein Versprechen auf ewig. Tränen liefen ihm über die Wangen, als sie ihm sagte, sie sei schwanger. In gespieltem Ernst tadelte er: »Deine Großmutter wäre an dieser frohen Botschaft, so kurz nach der Hochzeit, bestimmt gestorben.«

In der Jagdhütte, gut fünfzig Kilometer von seinem Haus entfernt, bat der Sibiriake Alexander, er möge bitte Feuer anmachen und Wasser für Tee aufsetzen. Anschließend saßen sich die beiden Männer gegenüber und schauten sich an, und in Nikolais Augen stand eine einzige Bitte: Mach es gut! Mach es gut als Sprecher, und mach es gut als Ehemann und Vater.

Als gäbe es keine Leukämie und keinen Tod, erzählten sie Erlebnisse aus ihrer Jugend und ihrer Kindheit. Nikolai vom ersten Versuch, als Fünfjähriger eine Kuh zu melken. Einen Tritt habe er erhalten und einen riesigen blauen Fleck. Alexander beschrieb die Kartoffelfeuer im Herbst, ein Überbleibsel aus Deutschland im fernen Sibirien, den beißenden Qualm und die tränenden Augen. Immer habe er sich die Finger und den Mund verbrannt, weil er zu gierig gewesen sei.

Nikolai ließ sein Leben vorbeigleiten, sprach von Ereignissen und Freunden und von seinen Feinden, mit denen sich Alexander nun auseinandersetzen müsse.

»Achte auf Besmertisch, er ist listig und hinterhältig.«

Alexander versprach es. »Du hast einen Feind vergessen.«

»Gogol?«

»Ja.«

Nikolai neigte den Kopf, als würde ihm jemand etwas ins Ohr flüstern. »Gogol. Ich werde aus ihm nicht schlau. Wäre er wirklich mein Feind, dann lebte ich schon längst nicht mehr.«

»Als du uns bekanntgemacht hast, hatte ich einen anderen Eindruck. Wie soll ich das verstehen?«

Nikolai wollte nicht darüber sprechen, ihm war nach einem Wodka. Und während er langsam den Schnaps trank, lächelte er.

»Eigentlich könnte ich zufrieden sein.« Er stellte das Glas ab. »Ich kann auf ein bewegtes und erfolgreiches Leben zurückschauen, auf eine Tochter, die mir sehr viel gegeben hat, und auf einen Schwiegersohn, dem ich vertraue. Weißt du, daß Vertrauen für mich das Wichtigste ist? Vertrauen bedeutet, sich auf jemanden verlassen zu können, sich bedingungslos in seine Hände zu begeben und zu wissen, man wird nicht enttäuscht. Und bei dir bin ich sicher, du wirst mich nicht enttäuschen, dafür kenne ich dich mittlerweile zu gut.«

Alexander biß sich auf die Lippen, seine Augenlider zuckten.

»Ich sehe, daß du um mich trauerst, und das macht mich glücklich.« Nikolai schmunzelte auf seine altbekannte Art. »Glaube mir, Trauer kann etwas sehr Schönes sein. Als ich um meine Frau getrauert habe, war das zugleich auch ein Glücksgefühl. Ich war glücklich, denn der Schmerz in mir zeigte mir deutlich, was sie mir bedeutet hatte. Je mehr man trauert, desto größer ist der Verlust. Und große Verluste entstehen nur bei großen Gefühlen. Weil ich das in deinem Gesicht sehe, bin ich froh.«

Alexander nickte, ihm war nicht nach Reden.

»Vergiß nie das Kraut der Bruderschaft. Es verbindet uns.«

»Ich weiß.«

Schließlich forderte Nikolai den Jüngeren auf, ihn zu verlassen. Alexander sträubte sich, doch Nikolai ließ nicht locker. In zwei Tagen solle er wiederkommen, dann habe er alles überstanden. Aber jetzt im Tod wolle er allein sein.

»Alexander, ich habe noch eine Bitte. Wirst du sie mir erfüllen?«

»Selbstverständlich.«

»Dann schneide mir ein Büschel Haare ab, lege es neben die von Rassul und Yokola und trage es stets bei dir.«

Alexander suchte eine Schere. Beide Männer weinten. Alexander küßte Nikolai und umarmte ihn, bevor er sich endgültig verabschiedete.

Zwei Tage später fuhren Larissa und Alexander zur Jagdhütte. Schon von weitem sahen sie, daß Nikolai auf sie wartete. In eine Decke gehüllt, hockte er auf dem Boden und hatte den Oberkörper an einen Baumstamm gelehnt. Auf den Oberschenkeln lag ein Gewehr.

Winkend lief Larissa auf ihren Vater zu. Aber Nikolai reagierte nicht. Als sie bei ihm war, erkannte sie, er war tot. Sein Gesicht wirkte gelöst und zufrieden, als sei nun endlich alles ausgestanden. Alexander schloß Nikolai die Augen und trug ihn in die Hütte. Er war leicht, viel leichter, als er dachte. Die Krankheit hatte ihm doch sehr zugesetzt.

Noch in derselben Woche beerdigten sie Nikolai nicht weit hinter seinem Haus in Kirensk auf einer Anhöhe, damit er sich Sibirien anschauen konnte.

Viele Trauergäste fanden sich ein. Etwas abseits stand eine große Gruppe von Jakuten in ihrer bunten Nationaltracht, unter ihnen war auch Geriak, über den sich Nikolai so aufgeregt hatte. Von der damaligen Beharrlichkeit, die alten Rituale wieder aufleben zu lassen, war nichts mehr zu spüren. Im Gegenteil, Geriaks Augen baten stumm um Vergebung. Aber er entschuldigte sich nicht.

»Ich möchte, daß du mein Volk kennenlernst, vielleicht verstehst du dann auch mich«, sagte er mit Würde, als er Alexander kondolierte.

Nikolai wurde nach katholischem Brauch beerdigt. Der Priester sprach einige Worte am offenen Grab, langsam ließ man den Sarg hinab. Die Trauernden warfen Sand auf den Sarg, die Jakuten Felle und Nahrungsmittel, darunter auch Zigaretten und Wodka.

Larissa drückte ihren Schmerz auf ihre Art aus. Sie setzte sich an den Flügel und spielte. All ihre Emotionen und Gefühle kamen zum Vorschein, und wenn sie Ravels Bolero, Nikolais Lieblingsstück, spielte, liefen ihr Tränen über die Wangen. Alexander saß stumm daneben und hörte zu. Stets aufs neue war er, der von Musik keine Ahnung hatte, erstaunt, was man durch sie alles auszudrücken vermochte.

Oft spürte Larissa das Bedürfnis, von ihrer Kindheit zu erzählen. Sie wundere sich heute noch, wie es ihr Vater angestellt habe, ihr die Mutter zu ersetzen. Gelungen sei das wohl nur, weil er ihr das Gefühl habe vermitteln können, allein für sie da zu sein. Kein leichtes Unterfangen bei den vielen Verpflichtungen, die er damals schon hatte.

»Auf Reisen nahm er mich mit, und als Sechs- oder Siebenjährige war ich bei vielen Gesprächen dabei. Vater meinte, ich sei es gewesen, die oft ein schnelles Ergebnis herbeigeführt habe, weil ich nach einer gewissen Zeit zu quengeln begann, spielen wollte oder auf seinem Schoß herumturnte.«

Larissa geriet ins Schwärmen, als sie Alexander von bestimmten Begebenheiten erzählte. So habe ihr Vater in ihr eine große Motivation freigesetzt, sich für Land und Leute und Natur einzusetzen. Aber er sei auch der Ansicht gewesen, bei allem Engagement dürfe man sich nicht selbst aus den Augen verlieren. »Nikolai war auf seine Art sehr sozial und trotzdem ein Egoist. Er hat nur das getan, von dem er überzeugt war. Bei allen Geschäften mußte ein respektabler Gewinn für ihn herausspringen. Weißt du, wie sein Lebensprinzip lautete?«

»Nein.« Alexander konnte es sich jedoch denken.

»Sorge dafür, daß es dir gutgeht, erst dann bist du in der Lage, es auch anderen gutgehen zu lassen.«

Unvergeßlich für Larissa war eine Weihnachtsmesse nach russisch-orthodoxem Ritus, an der sie teilgenommen hatte. Die andächtige Atmosphäre, der Weihrauch, die festlich geschmückte Kirche, dazu die prunkvoll gekleideten Priester und erst die Stimmen: Noch nie habe sie so einprägsame Stimmen gehört. Besonders ein Baß, der die ganze Kirche zum Schwingen gebracht habe und von einer Tiefe, als käme er aus dem Mittelpunkt der Erde.

Alexander hörte nur zu. Viele Stunden hörte er zu, denn er merkte, daß Larissa über ihren Vater sprechen mußte.

Und als sie geendet hatte, lehnte sie sich an ihn und legte seine Hand auf ihren Unterleib. »Wenn es ein Junge wird, nennen wir ihn dann Nikolai?«

»Ja, er soll Nikolai heißen.«

IV
LARISSA

DER TOD, das war Ende und Neubeginn zugleich. Für Alexander zumindest ein geschäftlicher Neubeginn, weil er nun für alles verantwortlich war und Nikolai nicht mehr um Rat angehen konnte. Der Sibiriake würde ihm sehr fehlen, und nicht zum erstenmal fragte sich Alexander, wie er wohl ohne ihn zurechtkommen würde.

Minsk, Nikolais Vertrauter, suchte ihn auf und wollte sich von ihm verabschieden.

»Warum willst du gehen?«
»Ich bin alt.«
»Nicht älter, als Nikolai war.«
»Du brauchst mich nicht mehr.«
»Doch. Bitte bleibe.«
Unschlüssig sah ihn der Ältere an.
»Auf deine Erfahrung möchte ich nicht verzichten.«
»Du schaffst das schon allein.«
»Minsk, wir haben eines gemeinsam. Du und ich, wir sind die einzigen, die mit Nikolai das Kraut der Bruderschaft genossen haben.«

Minsk senkte verlegen den Kopf, ein Lächeln umspielte seine Lippen.

»Und allein das ist für mich Grund genug, dir das gleiche Vertrauen entgegenzubringen, wie es Nikolai getan hat. Außerdem möchte ich wirklich nicht auf deine Erfahrung verzichten.«

Immer noch stand Minsk unschlüssig vor Alexander.
»Ich bitte dich, bleib. Ich brauche dich.«
Minsk war verlegen und ging hinaus. Alexander hörte noch, wie er leise »danke« vor sich hin murmelte.

Bereits wenige Tage nach Nikolais Beerdigung stand Alexander ein brutaler Neubeginn bevor. Besmertisch, der Parteifunktionär, in einen teuren Maßanzug gekleidet und mit einer bunten Krawatte, suchte ihn auf. Vordergründig, um ihm zu kondolieren, denn leider sei er bei der Beerdigung verhindert gewesen. Er hätte sich ja so gerne von dem Sibiriaken … Geziert strich Besmertisch über den dünnen Haarkranz, der seine Glatze nach unten abstützte.

»Schon gut, er wird es überwunden haben. Warum sind Sie gekommen?«

Besmertisch rückte seine Körperfülle in dem Sessel zurecht. »Um über unsere gemeinsame Zukunft zu reden.«

»Haben wir eine gemeinsame Zukunft?«

Der Übergewichtige sah ihn aus zwei Glaskugeln an. »Nikolai und ich – wir waren Partner.«

»Davon weiß ich nichts«, log Alexander. »Worin bestand die Partnerschaft?«

»Nun, ich war sein Berater.«

»In welchen Dingen?«

»In allen Dingen und auf alles bezogen, was den Staat und das Land anbelangte.«

»Darunter kann ich mir nichts vorstellen.«

Besmertisch wurde deutlicher. »In Mittelsibirien geschieht nur, was ich dulde.«

Alexander fühlte sich an die Worte der Jakuten erinnert, die vorgaben, Nikolai geduldet zu haben. »Wenn ich mit Hilfe des Bundes einen Kindergarten bauen will, der ja sicherlich die Zustimmung des Staates findet, dann habe ich Sie zu fragen.«

»Ja.«

»Hat Nikolai das auch getan?«

»Ja.« Jetzt log Besmertisch.

»Und wenn er von Ihnen die Genehmigung hatte, dann erst durfte er ans Werk gehen.«

»So war es.«

Alexanders Stimme wurde härter. »Ich kann mir nicht vorstellen, daß er aus Japan, Moskau oder sonst woher angerufen hat, um Ihren Segen einzuholen.«

Besmertisch war erneut mit dem Verteilen seiner Körpermasse beschäftigt. Anschließend zupfte er an seinen gesteiften Manschetten. »Nun, so wörtlich dürfen Sie das nicht nehmen.«
»Interessant. Wie dann?«
Besmertisch schielte auf den Tisch, dort standen Süßigkeiten. Aber dazu hätte er sich nach vorne beugen müssen. »Wie gesagt, wir waren Partner.«
Alexander reagierte nicht.
»Unser Vertrag war eine Art ... Generalvertrag.« Besmertisch verschränkte die fleischigen Finger und lächelte. Seine Augen verschwanden fast gänzlich hinter Fettwülsten.
»Klären Sie mich auf, was ich darunter zu verstehen habe.«
Bereitwillig kam Besmertisch der Aufforderung nach. »Unser Abkommen sah vor, daß Nikolai gegen eine bestimmte Beteiligung tun und lassen konnte, was er wollte.«
»Verstehe.« Alexander fixierte den Funktionär, der seinem Blick auswich.
»Ich habe, wenn man so will, alle seine Aktivitäten abgesichert. Auch rückwirkend. Auf mich konnte sich Nikolai verlassen.«
Alexander, der die Gier nach Süßigkeiten in Besmertischs Gesicht bemerkte, schob den Holzteller näher.
Aber wiederum nicht so weit, daß er ihn hätte bequem erreichen können.
»Wieviel hat Nikolai Ihnen gezahlt?«
Besmertisch griff ächzend nach den Schokoladenkugeln. Minsks Tip war goldrichtig gewesen.
»Sehr gut«, lobte der Politfunktionär und leckte sich die Finger ab. »Wirklich ausgezeichnet.« Und wieder wanderte ein Kügelchen in seinen Mund.
»Wieviel?«
»Ach so. Zehntausend im Monat.«
»Rubel?«
Besmertisch schüttelte den Kopf. »Dollar.«
Alexander rief nach Minsk.
»Was soll das?« ärgerte sich Besmertisch. »Das hier ist ein vertrauliches Gespräch unter vier Augen.«

»Wird es auch bleiben. Ich möchte nur Einsicht in die Bücher nehmen. Nikolai war sehr genau.«

Minsk brachte die geforderten Unterlagen, aber so sehr Alexander auch blätterte, er fand nirgends den Posten über zehntausend Dollar.

»Tut mir leid, es ist nichts vermerkt.«

»Verdammt, das lief ja auch nicht offiziell. Er wird Ihnen doch was gesagt haben.«

»Nein«, log Alexander. »Eine so hohe Summe muß bei uns immer verbucht werden. Wenn Sie und ich einen Vertrag machen, dann müssen wir alle Punkte aufführen für den Fall, daß es Streitigkeiten gibt.«

Besmertisch lief rot an und hatte keinen Blick mehr für die Schokolade. »Die Zahlungen waren diskret«, zischte er, »so wie meine Hilfe auch diskret war.«

Jetzt verstand Alexander endlich, und Besmertisch atmete schon auf. Dann gab Alexander zu bedenken: »Ich muß erst überprüfen, aus welcher Kasse er das Geld genommen hat. Nikolai hat mir natürlich einiges erzählt, aber von zehntausend Dollar weiß ich wirklich nichts. Es gibt da einen Posten …« Alexander tat so, als überlegte er, »… einen Posten jeweils immer tausendfünfhundert Rubel im Monat. Abgebucht unter einem seltsamen Stichwort: Langusten. Essen Sie gerne Langusten?«

Besmertisch nickte und merkte, daß er sich verraten hatte.

»Und jetzt soll der Langustenfonds aufgestockt werden auf zehntausend Dollar. Warum die Steigerung?«

Besmertisch mit steifen Lippen: »Weil meine Partnerschaft Ihnen so viel wert sein muß.«

»Das sehe ich nicht ein. Es bleibt bei dem, wie es zwischen Ihnen und Nikolai abgesprochen war. Aber in einem Jahr können wir wieder über unsere Partnerschaft reden.«

Alexander erhob sich, Besmertisch drückte sich aus dem Sessel. Sein Gesicht war wutverzerrt, und er vergaß, Alexander die Hand zu geben, als er hinausstapfte.

Minsk betrat den Besprechungsraum mit einem Tonbandgerät. »Alles aufgenommen.« Er entfernte das Mikrofon aus der Holzschüssel mit den Süßigkeiten. »Und der Film ist auch was geworden«, meint Leonid.«

»Haben wir Besmertisch jetzt?«

Minsk schüttelte den Kopf. »Nein. Kommt es hart auf hart, wird er sich herausreden, er sei einer Verschwörung auf der Spur und habe sich vor Ort überzeugen wollen.«

»Und was ist mit den Fotos von den bisherigen Geldübergaben?«

»Wenn Besmertisch schlau ist, und ich halte ihn für schlau«, fügte Minsk hinzu, »dann wird er über all seine Aktivitäten Buch führen. Ähnlich einem Protokoll, um sich zu entlasten. Aber mach dir keine Gedanken, ich werde mir etwas Gebührendes überlegen.«

Der offizielle Startschuß zum Bau der Baikal-Amur-Magistrale fiel im Jahre 1974. Kurzfristig noch in den laufenden Fünfjahresplan aufgenommen, wollte die Sowjetunion aller Welt zeigen, zu welchen Großtaten sie in der Lage war. Verschwiegen wurde in der Pressekonferenz, zu der die Regierung ausländische Vertreter nach Moskau einlud, daß man bereits in den Jahren zuvor viele Stichbahnen und Teilstücke errichtet und dadurch die Ausgangsbedingungen und die Infrastruktur für die Versorgung enorm verbessert hatte. Man behielt es für sich, um mit einer kürzeren Bauzeit protzen zu können und anschließend noch besser in der Weltöffentlichkeit dazustehen.

Leonid ließ seine Beziehungen spielen, die er sich in den vergangenen Jahren als Brigadier und Leiter eines Camps angeeignet hatte. Gemeinsam mit Alexander entwarf er eine Strategie und telefonierte mit Vertretern der einzelnen Streckenabschnitte, um zu eruieren, welche Dinge an der BAM am dringendsten benötigt wurden.

»Die Arbeiter wollen eine ausreichende und abwechslungsreiche Versorgung. Auf der einen Seite Nahrungsmittel und Getränke, auf der anderen Konsumgüter wie Kleidung, Elektrogeräte, Radios, Fernseher, um nur einige zu nennen.«

»An Frischobst, Milch und Bier fehlt es doch immer, oder?«

Leonid nickte. »Aber bitte kein russisches Bier.«

»Gut. Zuerst zum Obst. Nimm Kontakt mit den Tolkatschi am Schwarzen Meer und im Ferganabecken auf. Frag, was sie bieten können und zu welchen Konditionen. Versuch gleichzeitig in Erfahrung zu bringen, welche Menge bei der BAM benötigt wird und wer für den Einkauf der Dinge verantwortlich ist. Um das Bier werde ich mich kümmern. Ist das geklärt, dann gehen wir die anderen Sachen an.«

Eine Woche später hatte Alexander den Vertrag mit der Eisenbahnverwaltung bereits unterschrieben. Der Bund war zuständig für die Belieferung des Streckenabschnitts von Ust-Kut bis Nischneangarsk und die Region Tschara. Insgesamt neunzigtausend Arbeiter hatte er mit Obst, Milch und Bier zu versorgen. Nach und nach würden noch andere Nahrungsmittel hinzukommen, falls sich die Zusammenarbeit günstig gestaltete. Das zumindest sagte man ihm, aber die Bahnleitung ging insgeheim davon aus, daß er die Produkte, Haltbarkeit und Transportentfernung widersprachen sich, nicht beschaffen konnte.

Alexander organisierte schnell. Bier aus Deutschland zu importieren bereitete keine Schwierigkeit, wie ein Anrufer versicherte. Mit Kupfer sollte es bezahlt werden. Der Anrufer, Friedhelm Kurz, ein deutscher Manager, reiste nach Irkutsk, wo Alexander sich mit ihm traf. Kurz war ein angenehmer Gesprächspartner. Für Kupfer war er bereit, den Weltmarktpreis minus vier Prozent zu akzeptieren, das Geschäft hatte sich ja zu lohnen, was pro Tonne des Buntmetalls fünfzehntausend Dosen Bier à 0,33 Liter frei Hafen Odessa ergab. Die Haltbarkeit des Gerstensafts sollte mindestens noch ein halbes Jahr betragen. Sie einigten sich auf den Gegenwert von hundert Tonnen Kupfer im Monat. Dreißig Prozent des Bieres, so rechnete Alexander im Kopf aus, genügten demnach, um die Obstrechnungen zu begleichen.

»Woher sprechen Sie so gut Deutsch?« fragte Kurz, als sie am Abend das Bier, er hatte einige Dosen mitgebracht, probierten.

»Ich bin Wolgadeutscher.«

»Haben Sie noch Unannehmlichkeiten zu erwarten wegen Ihrer Vergangenheit?«

»Nein. Wer in diesem Land etwas leistet, hat normalerweise keine Probleme. Aber eine Frage, Herr Kurz: Wie sind Sie auf mich gekommen? Was ist der Grund Ihres überraschenden Anrufes?«

Kurz lächelte verschmitzt. »Ich stand in Kontakt mit Ihrem Vorgänger, Nikolai Schadow.«
»Er hat mit Ihnen Geschäfte abgewickelt?«
»Einige.«
»Sie haben doch nichts mit einer Brauerei zu tun.«
»Aber ich bin seit einiger Zeit auf diese Art von Bartergeschäfte spezialisiert. In Deutschland kaufe ich, wie in Ihrem Fall, einen Teil der Überproduktion des Bieres auf und biete sie Ihnen an. Das Kupfer geht weiter nach Frankreich.«
»Könnten Sie auch noch andere Dinge besorgen? Geräte und Maschinen für den Eisenbahnbau, Lkw zum Transport von Schwermaterialien bis hin zu Komplettausstattungen für Häuser?«
Kurz machte sich einige Notizen. Aufschauend meinte er: »Geht in Ordnung, wenn ich vier Wochen Zeit habe. Sie müssen weitere vier Wochen für den Transport einkalkulieren.«
Alexander lachte. »Acht Wochen von Bestellung bis Lieferung ist bei uns nur in Ausnahmefällen möglich. Die durchschnittliche Transportzeit aller Waren und Güter beträgt innerhalb von Sibirien mindestens neunzig Tage, bei unwichtigen Sachen wie Kleidung oder Nahrungsmitteln noch viel länger. Orangen, im September im Ferganabecken verladen, treffen erst im Februar ein. Ob sie verschimmelt oder verdorben sind, interessiert niemanden.«
»Ich liefere wesentlich schneller. Vorausgesetzt ...«
»... ich lasse Ihnen auf kürzestem Weg die staatlichen Bescheinigungen und die Auftragsbestätigungen zukommen.«
»Ja, am besten telegraphisch, wie Nikolai. Oder per Kurier. Sie kennen sein Verfahren?«
»Sie meinen, die Unterlagen einem Piloten der Air France mitzugeben?«
Alexander, der schon oft über die sibirische Langsamkeit, was den Transport von Gütern betraf, geflucht hatte, interessierte eines besonders. »Weshalb können Sie so schnell liefern?«
»Vergessen Sie nicht: Wir im Westen sind eine Überflußgesellschaft und produzieren immer mehr, als wir benötigen. Für das Bier sind ab Odessa Sie verantwortlich. Zumindest die ersten Teilmengen – es handelt sich um Restkontingente aus Italien, Griechenland und

Spanien, die die deutschen Touristen verschont haben, wir stehen nun mal auch im Urlaub auf unserem Gerstensaft –, werden dort gelöscht. Andere Güter verfrachte ich in Container, und die gehen per Bahn durch ganz Sibirien bis an jeden beliebigen Ort. Von Köln nach Irkutsk in maximal zwanzig Tagen, das kann ich garantieren.«

Alexander erfuhr auf diese Weise von Kurz, einem Deutschen, wie die Sowjetunion Prioritäten setzte und Ausländer bevorzugte.

»Weil Sie in Devisen bezahlen?«

Kurz nickte. »Die Lieferzeit ist in unseren Verträgen mit der Sowjetunion ein sehr wichtiger Bestandteil.«

Alexander wirbelte, und Leonid half ihm dabei. Nicht zu vergessen Minsk, der über enormes Hintergrundwissen verfügte. Da das BAM-Projekt von einer ungeheuren Dimension war, brach Alexander mit Nikolais Tradition und berief eine Versammlung der Tolkatschi ein. Nicht alle zweitausend, über die Nikolai hatte verfügen können, aber die hundert wichtigsten bestellte er nach Angarsk. Alexander verdeutlichte den Organisierern, was er von ihnen erwartete, und er vergaß nicht zu erwähnen, welchen Profit sie erzielen konnten, vorausgesetzt, sie reagierten prompt. Gegen Ende der Zusammenkunft hatte er kritische Fragen der Tolkatschi zu beantworten, anschließend hörte er von allen Seiten nur Zustimmung für seine Pläne.

Alexander orderte über Kurz zweihundertfünfzig schwere geländetaugliche Lkw und bezahlte diese mit der heimischen Anthrazitkohle aus Aldan. Mercedes war froh über das Kompensationsgeschäft, das von der Debis International Trading in Berlin abgewickelt wurde, garantierte es doch den Verkauf der Lkw gegen einen Rohstoff weit unter Weltmarktpreis, für den die Gesellschaft bereits einen Abnehmer hatte. Weil Alexander für das Geschäft keine Devisen benötigte, kam von Moskau auf schnellstem Weg die Genehmigung und die Zusage, in ähnlichen Fällen gleichermaßen positiv zu reagieren. Zehn Lkw erhielt der Bund als Vermittlungsprovision.

Wie Alexanders Geschäfte wuchsen, wuchs auch Larissas Bauch. Runder und runder wurde sie, das Baby strampelte wie wild. Deshalb, so scherzte sie, könne es nur ein Junge werden.

Trotz all seiner Aktivitäten nahm sich Alexander Zeit für seine Familie, Privatleben und Business entwickelten sich hervorragend. Während er das Geschäft noch kraft der Logik steuern konnte, war er über seinen gefühlsmäßigen Wandel erstaunt.

In ihm aber schlummerte immer noch der Haß. Eigenständig und mit einem großen Potential versehen, war er konserviert und abrufbereit, und es bedurfte nur eines kleinen Anlasses, um ihn zu aktivieren. Alexander interessierte nicht, ob sein Haß nach so vielen Jahren noch auf Staat und Apparat zurückzuführen war, oder ob es sich schlicht um die Fähigkeit handelte, ein solch extremes Gefühl zu erzeugen. Seine emotionelle Schattenseite duldete allerdings Zuneigung für Larissa und die Menschen um ihn herum. Mit diesem Arrangement konnte er leben.

Alles hätte gutgehen können, wie so oft in seinem Leben, als ihm wieder einmal ein Ereignis einen Nackenschlag versetzte.

Zwei Pkw rollten abends vor die Holzvilla, in ihnen saßen insgesamt sechs Männer: drei von der Miliz und drei in Zivil. Man verhaftete ihn, brachte ihn nach Kirensk, und am Tag darauf ging es weiter nach Bratsk, das verwaltungsmäßig zu Irkutsk gehörte. Alexander wurde in eine Zelle gesteckt, ohne daß man ihm mitteilte, wessen man ihn beschuldigte.

Er war längst nicht mehr der Alexander, der Einzelhaft gewohnt war und dem sie fast nichts ausmachte. Inzwischen gab es Menschen, die auf ihn angewiesen waren, und es gab seine schwangere Frau Larissa. Deshalb kam ihm die Woche so lange vor wie früher ein halbes Jahr. Als er Besmertisch gegenübersaß, ahnte Alexander Schlimmes. Der Dicke, ein siegessicheres Lächeln verzog seine feisten Wangen, schickte die anderen Männer hinaus und legte demonstrativ langsam eine Mappe auf den Tisch. »Ja, so ändern sich die Zeiten«, philosophierte er. »Jetzt bin ich am Drücker.«

Alexander, besorgt wegen der Entwicklung, antwortete nicht.

»Es wird dich mehr kosten als zehntausend, mein Lieber.«

Immer noch schwieg Alexander.

»Es kostet dich deinen Kopf, Alexander Gautulin.«

Er kennt meinen richtigen Namen! Alexander spürte die Klammer um seinen Brustkorb und hatte den Eindruck, als sei er nun in ein Eisloch gefallen, so wie damals der Verräter Jakub, den Nikolai nach jakutischem Recht bestraft hatte. Für einige Sekunden war er unfähig, sich zu rühren. Besmertisch registrierte das mit unverhohlener Schadenfreude. Mehrmals setzte Alexander zum Sprechen an.

»Seit wann weißt du es?«

»Drei Wochen.«

»Warum so spät die Verhaftung?«

»Mußte noch einiges arrangieren.«

»Und wie bist du darauf gekommen?«

Besmertisch fühlte sich wohl in der Position der Stärke, und das ließ ihn gesprächig werden. »Schon als ich dich zum erstenmal sah, gewann ich den Eindruck, der Kerl hat einiges auf dem Kerbholz. Wolgadeutscher, angeblich schon länger bei Nikolai beschäftigt, der dich vorher aber nie erwähnt hat, dann die schnelle Nachfolge. All das gab mir zu denken. Also sagte ich mir, mache dich schlau. Schließlich will man wissen, mit wem man es zu tun hat.«

Alexander atmete schwer. »Es hat doch nichts auf Gautulin hingedeutet.«

Besmertischs Gesicht spiegelte seinen Triumph. »Die Einladung. Du und deine spätere Frau. Erinnerst du dich?«

»Natürlich.«

»Das Glas Champagner.«

Alexander griff sich an den Kopf. »Meine Fingerabdrücke. Moskau, KGB.«

Besmertisch nickte.

»Wann werde ich nach Moskau gebracht?«

Besmertisch stand auf und ging hinaus, ohne ein Wort zu sagen. Alexander wurde wieder in seine Zelle geführt. Besuch durfte er nicht empfangen und weder einen Brief schreiben noch telefonieren.

Wie Tiger im Käfig wanderte er in der Zelle umher. Er rüttelte an den Gitterstäben, die Faust testete die Festigkeit der Wand und unterlag. Vor Jahren, als man ihn eingesperrt hatte, betraf es nur ihn, verlor er allein seine Freiheit, wurde niemand sonst dadurch in Mitleidenschaft gezogen. Heute war das anders, überhaupt hatte sein Leben für ihn einen anderen Stellenwert bekommen: Er fühlte sich verantwortlich für seine Familie und den Bund. Deshalb legte er bei seinem Tun ständig Rechenschaft vor sich ab: Wem kann ich schaden? Was haben Larissa und das Baby davon?

Zwei Tage später saß er wieder Besmertisch gegenüber. Derselbe Raum, dieselbe Aktentasche, keine Zeugen, nur sie beide.

»Du weißt, man wird dich erschießen.«

Alexander reagierte nicht. Was hätte er auch sagen sollen? Er wußte seit Jahren, auf ihn wartete die Todesstrafe, falls man seiner habhaft wurde.

»Dein Leben ist das eines typischen Schwerverbrechers. Flucht, Tote, darunter allein fünf Soldaten am Jenissei.«

»Ich habe sie nicht umgebracht.«

»Wärst du nicht geflohen, sie lebten heute noch.«

Dieser Logik konnte Alexander nichts entgegensetzen.

»Halte dich bereit, wir verreisen.«

Alles aus! Noch nie, auch nicht während seiner schlimmsten Zeit im Straflager, war Alexander so deprimiert wie in diesem Augenblick. Zwei Polizisten drückten ihn in ein Auto, Besmertisch stieg hinten bei ihm ein, und los ging die Fahrt. Außerhalb von Bratsk ließ Besmertisch anhalten. Er gab dem Fahrer einen Wink, der stieg aus und verschwand.

»Ich habe dich in der Hand. Und ich kann dich zerquetschen wie einen Floh.« Damit keine Mißverständnisse auftraten, demonstrierte es ihm Besmertisch anschaulich. »Zehntausend im Monat und Hunderttausend extra, und zwar Dollar.«

Alexander starrte den Dicken verblüfft an. Er verstand nicht sofort, die Entwicklung ging an ihm vorbei.

»Wie bitte?«

Besmertisch wiederholte die Forderungen.

»Und wofür?«

»Dadurch erkaufst du dir deine Freiheit.«

»Freiheit von Besmertischs Gnaden.«

»Oder ist dir Gautulin, der im Gefängnis krepierende, lieber? Denk an deine Frau. Ihr Bauch wird schön rund. Ein so gutaussehendes Weib darf man nie allein lassen, erst recht nicht in Mittelsibirien.«

Alexander mußte sich beherrschen, dem Feisten nicht an die Kehle zu gehen. Alles in ihm war Aufruhr und Wut. Er zitterte, Besmertisch amüsierte sich darüber.

»Erst die hunderttausend, dann die Freiheit.«

Alexander schluckte, seine Wut mußte warten. »Und wie willst du das anstellen?«

»Das geht dich nichts an.«

»Ich brauche eine Garantie.«

»Gibt es nicht.«

»Dann zumindest den Beweis, daß sonst keiner etwas von der Sache erfährt. Nur du und ich.«

Besmertisch kam sich überlegen vor. In gönnerhaftem Ton erklärte er: »Vor Monaten, also zur Zeit meines Empfangs, hat es einen unbekannten Toten gegeben. Unfall. Und dem Betreffenden habe ich die Fingerabdrücke nehmen lassen, weil jemand glaubte, ihn erkannt zu haben. Er soll ein gesuchter Verbrecher gewesen sein, deshalb das Einschalten des KGB.«

Alexander mußte trotz allen Widerwillens zugeben, diese Erklärung klang plausibel. Besmertisch hatte als hoher Funktionär zudem genügend Mittel und Möglichkeiten, seine Version durchzusetzen.

»Ich überlege mir deinen Vorschlag.«

»Nein.«

»Aber ich habe das Geld nicht in meiner Zelle und muß mit Minsk sprechen. Er war Nikolais Vertrauter und weiß, wie ich es schnell beschaffen kann.«

Dieses Argument leuchtete Besmertisch ein. »Einverstanden. Morgen ist er in Bratsk.«

Besmertisch hielt Wort. Minsk sah sehr bedrückt aus, als er Alexander begrüßte. Besmertisch beobachtete die beiden.

»Los, macht schon.«

»Ich kann doch nicht in deinem Beisein mit Minsk über unsere Banken und Konten reden. Das mußt du doch verstehen.«

Besmertisch, der unbedingt alles mitbekommen wollte, denn er vermutete ein Komplott, sträubte sich zuerst, das Zimmer zu verlassen. Als aber Alexander, der die Gier des Dicken nach Geld inzwischen kannte, aufstand und sagte, er gehe lieber in den Tod, als den

Bund an Besmertisch auszuliefern, erhob sich der Funktionär zögernd und stapfte hinaus, nicht ohne ihm noch einen warnenden Blick zuzuwerfen.

Alexander hütete sich, mit Minsk offen zu reden. Zwar sprachen sie über die hunderttausend Dollar, die sein Mitarbeiter zu organisieren habe, nannten aber falsche Banken und einen irreführenden Beschaffungsweg.

Während Alexander einiges erklärte, schob ihm Minsk einen Zettel über den Tisch.

»Besmertisch ist homosexuell«, stand darauf zu lesen. Und darunter: »Ich habe schon etwas in die Wege geleitet. In einer Woche ist es soweit.«

Der Zettel verschwand sofort in Minsks Jackentasche.

Wieder in seiner Zelle, war Alexander beruhigt. Minsk würde das schon hinbekommen.

Vier Tage später war er wieder frei. Larissa weinte vor Freude, aber in ihren Augen konnte er die unausgesprochene Frage lesen: Muß ich jetzt immer damit rechnen, daß man dich verhaftet? Wird das denn nie enden? Alexander versuchte sie zu beruhigen: Besmertisch sei nun mal ein Schwein, der jeden Vorteil für sich ausnutze. Es gebe nur eine Möglichkeit, mit ihm zurechtzukommen, indem man ihn füttere, und zwar mit der einzigen Nahrung, die er möge und von der er nie genug bekommen könne: Geld.

Er lag neben Larissa im Bett. Beim Lieben mußten sie vorsichtig sein, in sechs Wochen, so der Arzt, sei ihr Termin.

»Wann hört die Ungewißheit auf?«

»Wenn ich sterbe«, antwortete er lapidar. Seine Unruhe würde tatsächlich erst mit dem Tod enden.

»Kannst du denn nichts dagegen unternehmen?«

»Es gibt nun mal mich und meine Vergangenheit. Nur deshalb hat Nikolai mich akzeptiert, nur deshalb bin ich Sprecher des Bundes geworden. Mit den Nachteilen meines Lebenslaufes muß ich mich eben abfinden. Es wird sich immer jemand finden, der mich fertigzumachen versucht.«

»Warum tun Menschen das?«

»Larissa, wenn du das unwürdige Vegetieren in einem Lager kennengelernt hättest wie ich, dann brauchtest du das nicht zu fragen. Du würdest höchstens nach einer Erklärung suchen, warum und mit welchem Recht Menschen auf dieser Welt leben. Hätten Tiere nur eine unserer perfiden Eigenschaften – wie Hinterlist, Heimtücke oder krankhaften Neid –, man würde sie ausrotten. Erst recht diejenigen, die sich an der Qual anderer weiden, sie bewußt herbeiführen und, als scheinbaren Beweis für ihre Macht und Überlegenheit, auch noch mit gierigen Augen zuschauen. Unsere Peiniger stellen sich ein Armutszeugnis erster Güte aus und geben einen Defekt zu, der sie von normalen Menschen unterscheidet.«

»Wie viele haben diesen Defekt?«

Alexander verschränkte die Arme hinter dem Kopf. »Unter bestimmten Bedingungen mit der entsprechenden Situation konfrontiert, fast jeder.«

»Auch … Zivilisierte, Gebildete, die den Wert eines Menschenlebens ermessen können?«

Er nickte. »Zwanzig Professoren auf einer einsamen Insel, die nur fünf von ihnen Nahrung bietet. Eine Woche vielleicht erinnern sie sich noch an Herkunft und Erziehung, diskutieren das Problem und versuchen es zu lösen. Aber mit dem großen Hunger werden sie zu Mördern und Kannibalen.«

Die Jakuten erkannten Alexander an, und Geriak war bestrebt, die unangenehme Unterhaltung vom vergangenen Jahr vergessen zu machen. Bei allen nur denkbaren Gelegenheiten lud er Alexander ein und versicherte ihn seiner Loyalität und der seines Volkes. Aber die Einladungen ergingen nicht ohne Absicht. Geriak bemühte sich, eine enge Bindung zwischen Alexander, und damit dem Bund, und den Jakuten herbeizuführen. Er zeigte ihm stets andere Landesteile, als legte er es darauf an, daß Alexander die autonome Republik und die Bewohner kennenlernte und respektierte, Einblick in die Historie gewann und Verständnis für die ungewöhnliche Entwicklung aufbrachte, eine Mischung aus überliefertem Brauchtum, althergebrachten, teilweise brutalen, unverständlichen Riten und Sitten eines Naturvolkes und den Errungenschaften der modernen Zivilisation des ausgehenden zwanzigsten Jahrhunderts.

Vor und bei jedem Treffen gab es ein bestimmtes Problem zu bereden. Geschickt versuchte Geriak auszuloten, inwieweit Alexander Kompetenz zeigte und zugleich die Eigenständigkeit seines Volkes achtete. Er tat es vor allem deswegen, weil er Alexander bei der »Wiedergutmachung«, als die dicke Frau die beiden Vergewaltiger vergewaltigte und bestrafte, beobachtet und dessen ablehnende Reaktion mitbekommen hatte.

Dieses Mal sollte es zur Jagd gehen, und Minsk meinte, es sei eine Auszeichnung, wenn die Jakuten, ein traditionelles Jagdvolk, Alexander dazu aufforderten.

Ein Hubschrauber brachte Alexander, Geriak und noch zwei weitere Einheimische nach mehrstündiger Flugzeit von Jakutsk in die Nähe der Stadt Njurba, etwa dreihundert Kilometer weiter im Westen. Alexander betrachtete die Wald- und Sumpflandschaft unter sich, die der beginnende Winter bereits mit Schnee und Eis überzogen hatte. Geriak deutete auf eine Waldlichtung, die der Pilot ansteuerte. Alexander erkannte eine Hütte, der Helikopter schwebte tiefer, berührte fast die Baumwipfel und versank in einer riesigen Schneewolke auf dem Landeplatz aus Baumstämmen. Während die vier Insassen ihr Gepäck zu der urigen Hütte schleppten, entschwand der Hubschrauber schon wieder.

In der Blockhütte wartete ein weiterer Jakute, Geriak stellte ihn als Lekke vor, in einem Verschlag nebenan bellte ein Hund. An den Wänden des großen Hauptraumes, grob zusammengezimmerte Holzbohlen bildeten den Boden, hingen verschiedene Jagdrequisiten, darunter die frische Decke eines ausgewachsenen Braunbären.

»Ich habe ihn besiegt«, verkündete Geriak stolz und baute sich vor dem erlegten Tier auf. Im Nähergehen bemerkte Alexander mehrere Löcher im Fell. Aus den Augenwinkeln schielte er auf Geriaks Waffe: eine halbautomatische, zehnschüssige Kalaschnikow, Kaliber 7,62. Die beiden anderen Jakuten benutzten Flinten und selbstgefertigte Messinggeschosse.

»Was wollen wir jagen?«

Geriak zuckte mit der Schulter. »Dies und jenes.«

Bereits in der kommenden Nacht wurden sie durch lautes Bellen geweckt. Die Männer kleideten sich hastig an, tranken heißen Tee, den Lekke zubereitet hatte, und folgten dem wild an der Leine zerrenden Hund.

Nach wenigen hundert Metern standen sie vor einer Höhle, in die sich ein Bär zum Winterschlaf zurückgezogen hatte. Der Hund verbellte das große Tier, das sein Lager zu verlassen suchte, doch Geriaks Begleiter streckten den Bären mit acht Schüssen nieder. Während die Helfer die Jagdbeute zur Hütte schleiften, wollte Geriak von Alexander wissen, wie man mit einem Mann umgehen solle, der schuld am Tod eines anderen sei. Nein, es handele sich nicht um Mord, sondern um Feigheit und Fahrlässigkeit.

Was denn die Jakuten für einen solchen Fall vorsähen, fragte Alexander ausweichend, und Geriak schilderte ihm die Lage.

»Wenn das alles zutrifft, dann müßte der Betreffende nach sowjetischem Recht für mindestens zwei Jahre ins Gefängnis.«

»Gut, daß du es so siehst, das kommt nämlich unserer Auffassung entgegen. Vorab noch eine andere Frage: Wenn jemand wegen einer Straftat erschossen oder hingerichtet wird, dann verliert er sein Leben und seinen Körper. Zwei Jahre Gefängnis, da verliert er aber nur Zeit.«

»Und einen Teil seines restlichen Lebens.«

»Jedoch nichts von seinem Körper.«

Und als Alexander nichts entgegnete: »Aber wir haben für unser Volk keine Gefängnisse. Wir haben Schamanen und die Überlieferung, nach der wir handeln. Deshalb möchten wir ihn nicht der sowjetischen Verwaltung aushändigen.«

In der Hütte angekommen, bot der Jakute ihm einen Selbstgebrannten an, der wie starker Kräuterschnaps schmeckte.

»Da unser Mann nicht einen Teil seiner restlichen Lebenszeit verliert, möchte ich von dir erfahren: Was entspricht zwei Jahren Gefängnis, auf den Körper umgerechnet.«

Alexander überlegte. »Ich verstehe dich nicht.«

»Nun, die Todesstrafe kostet das Leben, den ganzen Körper. Zwei Jahre, was kosten sie?«

Alexander sah den Jakuten prüfend an. Er wußte inzwischen, daß Geriak stolz auf seine mongolische Herkunft war. Durch das Vermischen seiner Volksgruppe mit den an der Lena ansässigen Rassen, besonders den Giljaken und Keten, hatte sich Geriaks Sippe dem Bärenkult, der Lehre von der Seelenwanderung und den Herren- und Besitzgeistern verschrieben. Der Herr des Lichts und der des Waldes – damit auch der Bär als sein Abgesandter – wurden besonders verehrt. Im Gegensatz dazu jedoch stand das Jagderlebnis vor einigen Stunden und die wenig waidmännische Art, wie man das Tier erlegt hatte.

Der Jakute unterbrach Alexanders Überlegungen. »Einen Finger, eine Hand, ein Bein? Was meinst du?«

»Geriak, das kann man so nicht sehen.«

»Du kannst das so nicht sehen. Wir haben da keine Probleme.«

Alexander versuchte eine Antwort zu umgehen.

»Nun, den Kopf darf es nicht kosten, denn dann wäre er tot.«

Alexander nickte.

»Und ein Finger entspricht auch nicht einem Zeitraum von zwei Jahren, wenn man es auf den ganzen Körper umrechnet.«

»Mag sein«, meinte Alexander zögernd.

»Käme eine Hand ungefähr hin?«

»Aus deinem Blickwinkel betrachtet, möglicherweise.«

»Mit einer Hand also wärest du einverstanden.«

Alexander, dem die sonderbare Rechnung nicht behagte, stimmte schließlich zu.

»Gut. Dann bitte ich dich, im Anschluß an unseren Ausflug zur Verhandlung zu kommen.«

Die Zobeljagd am Tag darauf – lange Zeit galten die putzigen Tiere aus der Familie der Marder im Bestand als gefährdet und konnten nur durch Schonzeiten und Naturschutzgebiete vor dem Aussterben bewahrt werden – sollte genauso unromantisch verlaufen wie die Pirsch auf den Bären. Geriak zeigte nach dem Frühstück, als sie sich Schneeanzüge überstreiften, auf Alexanders Stiefel und bedeutete ihm wegen der Kälte, seine Füße mit einem Filztuch zu umwickeln. Anschließend drückte er ihm ein Gewehr in die Hand.

Zuerst suchten sie die Stellen auf, an denen Lekke in den Tagen zuvor Fallen aufgestellt hatte. Dazu hatte er einen astlosen Stock in den Boden gerammt und auf ihm einen Köder angebracht, meist Eichhörnchen oder Hühnerteile. Der Zobel konnte diesen Stock nicht erklimmen, deshalb war seitlich ein ansteigender Stamm aufgestellt, der kurz vor dem Köder endete. Auf diesem Stamm hatte Lekke mit Draht ein Tellereisen befestigt. Wollte der Zobel nun die vermeintliche Beute anspringen, dann war er zwischen den zuschlagenden Bügeln der Falle gefangen und würde bei der Kälte, da er sich nicht befreien konnte, in wenigen Stunden erfrieren. Vier Tiere waren in die Falle gegangen, und die Art, wie man sie erlegte, ließ Alexander den Mantel aus diesen wunderschönen, zarten, braunen Fellen, den Nikolai seiner Tochter Larissa vorletztes Jahr zu Weihnachten geschenkt hatte, aus einem anderen Blickwinkel sehen. Aber er behielt seine jagdethischen Überlegungen für sich, schließlich war er Gast der Jakuten.

Auch als sie am Nachmittag einen Zobel in einer vom Frost gespaltenen Espe aufspürten, der verängstigte Räuber höher kletterte und sich in der Krone versteckte, woraufhin die Jakuten den Stamm anzündeten, bis einer das Tier schließlich mit einem Schuß erlegen konnte, enthielt sich Alexander jeglicher Wertung. Allerdings fragte er sich in diesem Zusammenhang fortwährend, wie er das seltsame Gespräch mit Geriak über die angemessene und körpergerechte Form der Bestrafung zu verstehen habe.

Zwei Tage später und nach vielen erlegten Auer-, Birk-, Hasel- und Rauhfußhühnern, die Geriaks Begleiter nur so zum Spaß vom Himmel holten, ohne sie zu verzehren, wie es eigentlich Brauch gewesen wäre, konfrontierte man ihn mit der brutalen Umsetzung des überlieferten Rechts. Im Beisein von Alexander wurde der Jakute, der Schuld am Tod eines anderen haben sollte, dazu verurteilt, mit einer Eisenkette an einen für ihn unerreichbaren Ast gebunden zu werden.

Das Urteil wurde sofort vollstreckt, den geeigneten Baum hatte man schon ausfindig gemacht. Er stand tief im Wald, eine alte Kiefer mit mächtigem Stamm und aufgeplatzter Rinde. An einem der weitausladenden Äste befestigten die Jakuten in ungefähr vier Meter

Höhe die Kette. Anschließend kam das andere Ende so um das linke Handgelenk des Delinquenten, daß es immer über Kopfhöhe war. Mit der Rechten konnte er die Linke umfassen, sich aber nicht mit der angeketteten am Hals kratzen. Zum Abschluß drückten sie dem Verurteilten noch ein Messer in die Hand. Kurz darauf verschwanden die Jakuten, ohne auf das Flehen des Mannes um Gnade zu hören.

»Was soll das Ganze?« fragte Alexander verwirrt.

»Nun, du hast doch gesagt, zwei Jahre Gefängnis entsprechen einer Hand.«

»Schon. Aber ihr habt ihn mitten in der Taiga an den Baum gefesselt. Er kommt nie mehr von ihm los. Es gibt Wölfe hier und Bären.«

»Er kommt los.«

»Das kann nicht sein, ich habe es selbst gesehen.«

Geriak sah ihn mit der Weisheit seines Volkes an. »Er hat doch ein Messer.«

»Was soll er denn damit?«

Als sei es das einfachste auf der Welt und der Schlüssel aller Logik: »Sich die linke Hand abschneiden.«

Er brachte sogar ein Geschenk mit für Larissa, und er strahlte über das ganze Gesicht. Gerne habe er die Einladung angenommen, verkündete er und grinste selbstgefällig. Hübsch bunt sah er aus in seiner Uniformjacke mit den vielen Orden, als er neben Alexander in das Kaminzimmer ging. Aber dort war nur für zwei Personen gedeckt, der Besucher schien mit mehr gerechnet zu haben.

»Nur wir beide?«

»Ja, Besmertisch. Bitte nimm Platz.«

Alexander lobte die Großzügigkeit des Funktionärs und dessen Weitsicht. »Auf eine gute Zusammenarbeit!«

Sie protesten sich zu.

Besmertisch ließ es sich munden. Erstaunlich, was er alles vertilgen konnte. Zwischendurch öffnete er den Gürtel seiner Hose, anschließend auch noch die Knöpfe. Das Essen fand er ausgezeichnet. Und erst der Wein! Hundert Flaschen davon könne er auch gebrauchen, dazu die gleiche Menge Sekt, falls es keine Umstände mache.

Alexander nickte. »In zwei Wochen wird geliefert.«

Besmertisch wischte sich den Mund und rückte vom Tisch ab, die Kante drückte so. »Vielen Dank für die Einladung. Aber sicherlich haben wir noch etwas zu bereden.«

»Gehen die Raten pünktlich ein?«

»Ja.«

»Das freut mich. Aber ich habe vor, die Zahlungen mit sofortiger Wirkung einzustellen.«

Besmertischs Wohlwollen, den ganzen Abend zur Schau getragen, bröckelte wie eine gesprengte Felswand. »Wie soll ich das verstehen?« Vergeblich bemühte er sich mit zwei Fingern, den Kragen zu lockern.

»So, wie ich es gesagt habe.«

»Dann geht eine Mitteilung an den KGB.«

»Dem hast du doch etwas von einem Toten erzählt.«

»Nicht ich mache die Mitteilung«, sagte er. »Mir entstehen keine Schwierigkeiten.«

»Dir, mein Bürschchen, entstehen sehr große Schwierigkeiten. Du bist deinen Posten los, kommst vor Gericht wegen Bestechlichkeit, Bereicherung auf Kosten der Sowjetunion, Vergreifen an Volks- und Staatseigentum, Begünstigung und vielem mehr.«

Besmertisch war eine komprimierte Masse Wut, und in seinen Augen glomm die Gier. Die Gier nach Alexanders Kopf.

»Ich mache dich fertig«, zischte er und ballte die Fäuste.

»Hast du schon mal lebende Ratten gefressen?«

Besmertisch schüttelte sich. Grauenhaft, diese Vorstellung.

»Zuerst drehst du ihnen den Kopf ab, da ist nichts dran. Und den Schwanz wirfst du auch weg. Dann beißt du in den wabbernden Körper und lutscht alles unter dem Fell heraus. Die Knochen spuckst du in die Ecke.«

Man sah Besmertisch an, wie ekelhaft er das fand.

»Ich habe Ratten gefressen, monatelang im Isolator zugebracht, Folter ausgehalten, Medikamente verabreicht bekommen und Stromstöße weggesteckt. Mir macht das Gefängnis nichts aus, aber für dich wird es schlimmer als die Hölle sein. Es spricht sich herum wie ein Lauffeuer, daß du ein hoher Funktionär bist. Was heißt, herumsprechen: Ich werde es gezielt durch meine Leute verbreiten lassen. Und dann werden sie kommen. Sie werden dich fertigmachen, quälen, vergewaltigen. Nichts mehr mit dem schönen Leben.«

Besmertisch sprang auf. »Das laß ich mir nicht gefallen.« Mit zitterndem Finger deutete er auf Alexander: »Du bist so gut wie tot.«

»Setz dich.« Alles an Alexander war Ruhe, und genau das verwirrte Besmertisch.

»Setz dich, denn ich werde dir einige Dinge zeigen.«

Besmertisch deponierte seine vielen Kilogramm auf dem Stuhl und wäre beinahe vor Überraschung umgekippt, als er die Fotos sah. Etliche von ihnen hatte seinerzeit bereits Nikolai anfertigen lassen. Anschließend spielte Alexander ihm ein Tonband vor. Besmertisch konnte seinen gescheiterten Versuch, die monatlichen Raten von tausendfünfhundert Rubel auf zehntausend Dollar hochzudrücken, hören. Aus seinem Gesicht wich alles Blut. Und es wurde noch blasser, als er den dazugehörigen Schmalfilm zu sehen bekam. Die Bilder waren zwar etwas zittrig, aber an Eindeutigkeit nicht mehr zu widerlegen.

Besmertisch brauchte fünf Minuten, um zum Gegenschlag auszuholen. Und Alexander zollte ihm Respekt. Was er sagte, hatte Hand und Fuß. »Um dich zu überführen, einen mehrfachen Mörder und gesuchten Verbrecher, der sein Land so immens geschädigt hat, mußte ich mir diese Taktik ausdenken. Wie sonst hätte ich an dich herankommen sollen?«

»Und die Fotos, die dich und Nikolai zeigen?«

»Ihn hatte ich in Verdacht, ein Schieber zu sein.«

»Nicht schlecht. Aber das war noch nicht alles.«

Der Politfunktionär bekam noch eine besondere Vorstellung geboten. Er, der Hauptakteur, nackt und mit überproportionalem rosigen Bauch, mit Männern beim Verkehr. Besmertisch quiekte dabei vor Lust und Vergnügen wie ein Schwein. Das war die erste Stufe. Der nächste Film zeigte ihn mit zwei Knaben, keiner älter als zwölf. Er machte sie mit Alkohol betrunken, gab ihnen Tabletten und verging sich an ihnen.

Still war es im Kaminzimmer, bis auf Besmertischs Schnaufen. Dann ein ratschendes Geräusch, als er sich den Hemdkragen aufriß. Der Dicke schnappte nach Luft. Alexander ließ ihm Zeit. Besmertischs Augen suchten wieselflink nach einem Ausweg. Als an die Tür geklopft wurde, zuckte er zusammen.

»Wer ... wer ist das?«
»Einer meiner Leute.«
»Was ...?«
»Der Nachtisch.«

Minsk betrat mit einem Tablett in der Hand den Raum. Wortlos stellte er es vor dem Gast hin, zwinkerte Alexander zu und verschwand.

»Das hier«, Besmertisch deutete auf das Tablett, »wer soll das essen?«
»Du. Es ist eine Delikatesse.«
»Eine Delikatesse?«

Besmertisch zog schnuppernd die Luft ein, dann schaute er Alexander argwöhnisch an. »Was ist es denn?«

»Ich habe das Fell abziehen und den Schwanz entfernen lassen, den Kopf gleichfalls. Du brauchst sie noch nicht einmal auszulutschen.«

Besmertisch sprang auf, eilte zur Tür und übergab sich, bevor er sie erreichte.

Alexander einigte sich mit dem Funktionär. Der alte Stand unter Nikolai wurde wieder eingeführt, der Dicke hatte die hunderttausend Dollar zurückzuzahlen und sich zu verpflichten, alle Beweise für Alexanders Identität diesem auszuhändigen. Besmertisch hatte die Unterlagen, versehen mit dem Nachweis vom KGB, daß die Akte Gautulin nach dessen Unfalltod für alle Zeiten geschlossen blieb, an Leonid weiterzuleiten, der sofort Alexander verständigen sollte. Damit der Düpierte nicht auf böse Gedanken kam, weilte Alexander zu der Zeit mit Larissa in Tokio.

Sato, Alexanders japanischer Geschäftspartner, war von dem Besuch und der guten Laune seines Partners sehr angetan. Ob er ihn mit einem westlichen Diplomaten, einem Amerikaner, bekannt machen dürfe. Alexander willigte ein, und Thomas Barrington, so nannte sich der Vertreter des Botschafters, war erfreut über das Treffen. Sie verabredeten sich kurzfristig in Alexanders Hotel. Von der Bar im 21. Stockwerk hatten sie einen prächtigen Ausblick auf das abendliche Tokio. Unter ihnen schlängelte sich die bunte Lichterkette der Ginza, der Hauptgeschäftsstraße der Vielmillionenstadt.

»Mister Sato hat mir schon viel von Ihnen erzählt, ohne jedoch bisher Ihren Namen zu erwähnen. Erstaunlich und imponierend, was Sie in Ihrem Land alles bewegt haben.«

Alexander bagatellisierte. »Es ist nur eine Frage, welche Partner und Mitarbeiter einem zur Verfügung stehen. Nennen Sie das in den USA nicht Teamwork?«

»Aber ein Team muß auch geführt werden.«

»Und Sie meinen, das täte ich?«

»Da bin ich mir absolut sicher. Genau das ist der Grund, warum ich Sie unbedingt sprechen möchte. Sind Sie an einer geschäftlichen Verbindung mit den Vereinigten Staaten interessiert?«

»Finden Sie den Zeitpunkt nicht etwas verfrüht?«

»Darum geht es nicht«, entgegnete Barrington. »Mein Anliegen ist es, möglichst rechtzeitig die Weichen zu stellen, falls sich die Beziehungen zwischen unseren beiden Staaten einmal verbessern sollten.«

Alexander, der sich in letzter Zeit mehr und mehr mit Politik beschäftigte, um vorab schon gewisse Tendenzen erkennen zu können, sah eine Normalisierung in weiter Ferne.

»In der Politik kann vieles sehr schnell gehen«, wurde er belehrt. »Politik ist die Perfektionierung der Zuhälterei. Politiker müssen die Huren der Nation sein, nur so können sie ihr Gewissen vergessen und sich jedem anbiedern. Und genau das liegt im Interesse des Staates. Oder anders formuliert: Auch zwischen unseren Ländern laufen Geheimkontakte ab, von der die Bevölkerung nichts und selbst ich nur in beschränktem Umfang etwas weiß. Das nennt man dann Handeln in weiser Voraussicht, sich nach allen Seiten eine Option offenhalten. Der heutige Feind kann der morgige Partner sein.«

Alexander war skeptisch. »Ich glaube eher, daß wir einander als Feindbild brauchen. Sie, um Ihre Form der Wirtschaft zu stärken und um aufzurüsten, wir, weil Amerika als Personifizierung des Imperialismus die einzige Berechtigung ist für eine so strikte ideologische Abgrenzung.«

»Dieser Zustand ist doch ein Segen für Kommunismus und Kapitalismus und eine Rechtfertigung für die Aufrüstung, die in der Sowjetunion einen wesentlich höheren Prozentsatz des Bruttosozialprodukts ausmacht als bei uns. Glauben Sie mir, Ihr Land hat mehr darunter zu leiden, weil man der Produktion so viel Geld vorenthält, das man anderenorts dringend benötigt.«

Alexander stimmte dem Amerikaner zu.

»Selbstverständlich kommt mein Land mit dem Feindbild UdSSR sehr gut zurecht, umgekehrt ist es ähnlich. Die Frage ist, ob nicht irgendwann andere Feindbilder auftauchen werden. Nehmen wir China, so nah an Sibirien und mit einem Bevölkerungsdruck, dem man nichts entgegensetzen kann. China auf der einen Seite und Sibirien, der dünnbesiedelte Landstrich, nicht weit entfernt. Dies könnte ein Konfliktherd der Zukunft sein.«

»Am Ussuri haben wir uns geeinigt.«

Barrington konnte ein Lächeln nicht unterdrücken. »Weil es via Lenin noch eine brüchige Verbindung zwischen den Ideologien beider Staaten gibt. In einigen Jahren sieht das anders aus.«

Alexander gaben Barringtons Worte zu denken. »Wie stellen Sie sich eine Geschäftsbeziehung vor?«

»Ich sagte es bereits: Jetzt die Weichen stellen, um später daraus Kapital zu schlagen.«

»Sehr vage formuliert.«

»Ihr Land, so groß es auch ist, hat in einem Bereich riesige Entwicklungsprobleme: in der Mikroelektronik. Was Computer anbetrifft, ist die UdSSR um Jahrzehnte zurück, und wir, die Amerikaner, hüten uns, diesen Vorsprung einzubüßen.«

Barrington rückte etwas näher und drehte sein Glas zwischen den Fingern. »Nicht heute und nicht morgen, aber in ein oder zwei Jahren könnte ich mir vorstellen, daß Sie und ich genau auf diesem Gebiet zusammenarbeiten werden.«

»Unterläuft das nicht Ihre Außenhandelsgesetze?«
Barrington grinste. »Offiziell ja. Aber inoffiziell würde ich Ihnen als Patriot nie etwas ohne Billigung meiner Regierung vorschlagen.«

Besmertisch erfüllte die Auflagen; Alexander und Larissa konnten gerade noch rechtzeitig nach Kirensk zurückreisen, um aus ihrem Sohn einen waschechten Sibiriaken zu machen. Vierundfünfzig Zentimeter maß Nikolai junior, bei einem Gewicht von 3490 Gramm. Seine Eltern waren stolz, und Larissa meinte: »Wenn mein Vater das doch nur noch hätte erleben können. Er wäre vor Freude ... in die Luft gesprungen.«

»Vielleicht schaut er auf uns herab?« Alexander blickte zur Decke. »Dem alten Fuchs traue ich alles zu.«

»Weißt du eigentlich, daß mein Vater schnitzen und gut mit Holz umgehen konnte?«

»Nein. Aber Nikolai junior braucht bald jemanden, der ihm etwas bastelt.«

Alexander dachte dabei an Minsk.

»Mir hat mein Vater, als ich drei oder vier war, ein Puppenhaus aus Holz gebaut mit richtigen Stoffgardinen, kleinen Bettchen, einem handgroßen Tisch und Stühlchen. Das Puppenhaus steht noch auf dem Dachboden. Auch als ich älter war, habe ich es mir sehr oft angeschaut, und immer wieder war es für mich der unwiderlegbare Beweis, wie sehr mein Vater mich gemocht hat. Es ist schön, die Arbeit eines Verstorbenen in die Hand zu nehmen und sich zu erinnern. Dann habe ich stets das Gefühl, als gäbe es eine direkte Verbindung.«

Alexander küßte Larissa auf die Stirn. »Wann hast du das Puppenhaus zum letztenmal gesehen?«

Larissa errötete. »Wenige Stunden vor der Geburt.«

Alexander wurde nachdenklich. »Weißt du, was ich mir wünsche?«

»Du redest viel zu selten von deinen Wünschen.«

»Ich wünsche mir, daß mich mein Sohn genauso mag, wie du deinen Vater gemocht hast.«

»Das wird er bestimmt.«

»Und ich ihn, wie Nikolai dich mochte.«

Alexander legte einen Arm um Larissa. Mit der freien Hand streichelte er seinen Sohn.

»Du kannst ihn ruhig fester anfassen. Er ist nicht zerbrechlich. Hier, nimm ihn auf den Arm.«

Larissa lachte, als sie seine Vorsicht bemerkte.

»Vergiß nicht, er ist dein Sohn. Da wird er was vertragen können.«

»Guck mal, wie er schon zugreifen kann!« Nikolai junior hielt Alexanders Zeigefinger umklammert.

Die Vergangenheit hatte ihn gelehrt, besonders dann vorsichtig zu sein, wenn sich alles so phantastisch entwickelte. Aber es meldete sich keine Gefahr, und das beunruhigte Alexander, der manchmal, wenn seine Bürotür aufging und ein Mitarbeiter eintrat, schon fast hoffte, es möge etwas Unangenehmes eintreten, damit sich die ständige Anspannung und der innere Druck legten.

Besmertisch, der sich genau ausrechnen konnte, wie man höherenorts seine Verfehlungen einstufen und ahnden würde, war besessen von der Vorstellung, Alexander gnädig zu stimmen. Er brachte ihn mit den entscheidenden Männern des Planungsstabes der BAM zusammen, die wiederum nicht glauben konnten, mit welcher Schnelligkeit der Wolgadeutsche bestimmte Dinge zu schaffen vermochte. Er bewies es ihnen, und so wurde Alexander mit seinen Tolkatschi und dem Bund offizieller Lieferant für bestimmte Ausrüstungsgegenstände. Gab es einen Engpaß in der Versorgung – Alexander wurde befragt und um Rat angegangen und löste das Problem.

Seine Kompetenz ging inzwischen so weit, daß auch höchstwertige Ausrüstungsgegenstände wie Spezial-Lkw von Magirus Deutz, wie Erdbewegungsmaschinen von Caterpillar und Fahrzeuge von Komatsu und Kato, deren Anschaffung Priorität genoß, über ihn geordert wurden. Schaltete man Moskau ein, dauerte die Lieferung sechs Monate und länger, Alexander genügten zwei. Bei allem vergaß er jedoch nicht, daß seine ausländischen Partner die ihm zustehende Provision auf ein von ihm zu benennendes Konto überwiesen.

Alexanders Vermögen wuchs enorm, noch wesentlich schneller jedoch das des Bundes.

Besonders eng wurde die Geschäftsbeziehung zu dem Deutschen Friedhelm Kurz. Mittlerweile trafen sie sich regelmäßig alle paar Monate, um neue Produktgruppen in ihr Lieferprogramm aufzunehmen. Kurz bot ihm Havarieware an – meist im Zusammenhang mit Versicherungsfällen, bei denen ein Teil verbrannt, durch Löschwasser beschädigt, angesengt oder auch nur geschwärzt worden war –, die er für einen Bruchteil des ursprünglichen Preises erstehen konnte. So kam es, daß das neue Verwaltungsgebäude der Station 22, auf der Alexander und Leonid gearbeitet hatten, mit Bodenfliesen eines Werkes aus Mettlach, einer Kleinstadt im Saarland, ausgelegt wurde, weil sie am kostengünstigsten waren. Und die Türen stammten aus einem Vorort von Trier.

Dann wiederum besorgte Kurz Toiletten, Waschbecken, PVC-Bodenbeläge, Einbauküchen und andere Gegenstände für die vielen Neubauten, die man für die Arbeiter und deren Familien errichten mußte. Im Kompensationsgeschäft gelangten Rohstoffe nach Italien, der Gegenwert wurde in Fiat-Automobilen verrechnet, die anschließend auf dem deutschen Markt landeten.

Der Handel blühte, Alexanders Ansehen stieg, die BAM wuchs.

Der größte Renner jedoch wurden die ersten Taschenrechner aus Japan, handliche kleine Maschinchen, um die Grundrechenarten auszuführen. Sie gingen mit einer solchen Schnelligkeit über den Ladentisch, daß Alexander vermutete, die Käufer würden sie im Keller stapeln und jeweils ihren eigenen, kleinen, privaten Zwischenhandel aufziehen.

Leonid wurde angst und bange vor der Geschwindigkeit ihrer Entwicklung. »Kann das nicht einmal alles platzen wie eine Seifenblase?«

»Weshalb sollte es?«

»Weil wir die eigene Wirtschaft unterlaufen.«

»Leonid, wir sind längst offizielle Zulieferer. Wie wir unseren Part erfüllen, interessiert niemanden. Hauptsache, es gibt keine Verzögerung. Außerdem steht das Transportministerium hinter uns, vor zwei Wochen hat man uns für den Einsatz im Sozialismus gelobt. Was willst du mehr?«

»Du mußt es wissen.«

»Das klingt ja so, als würdest du mir alle Entscheidungen überlassen.«

»Genauso ist es.« Leonid zog Alexander zu einer Bank. Sie setzten sich. »Hast du dich nicht gefragt, warum ich damals Nikolai so schnell zugesagt habe?«

»Nein.«

»Weil ich dich gut genug kannte, du mich mit deinen Ideen im Bahnbau verblüfft hast. Wer solche Ideen hat, der kann was bewegen. Da wollte ich dabeisein.«

Alexander legte dem Freund einen Hand auf die Schulter. »Leonid, du kannst auch vieles bewegen.«

»Nein, das stimmt nicht.«

»Doch.«

Fast trotzig schüttelte der Georgier, dessen Haare allmählich grau wurden, den Kopf. »Ich kenne meinen Stellenwert.«

»Jetzt untertreibe nicht.«

»Keine Angst. Alexander«, wenn sie allein waren, nannte er ihn immer Alexander, »ich bin der beste zweite Mann, den du dir vorstellen kannst. Du denkst, und ich setze es um. Ich bin wie ein Waggon, den man auf Schienen stellt. Du brauchst mich nur noch anzuschieben, schon geht es in die richtige Richtung.«

Alexander gab Leonid zu verstehen, daß er ihn höher einschätzte.

»Moment mal, was heißt hier höher. Ohne mich wärst du längst nicht so weit. Ich bin doch nicht unbedeutend, wenn ich zweiter Mann bin. Ohne mich gäbe es dich als ersten nicht. Zumindest nicht in dieser dominierenden Stellung.«

»Leonid, ich bin über dein Selbstbewußtsein beruhigt.«

»Selbsteinschätzung«, korrigierte der Georgier. »Und noch etwas. Vielleicht das Wichtigste. Du vertraust mir heute so, wie du mir damals vertraut hast, als ich dich an einem Seil über die Schlucht schickte. Und allein dieses Vertrauen macht unsere Beziehung und unsere Freundschaft aus.«

Alexander ließ die Worte auf sich wirken. »Kannst du dir vorstellen, daß dieses Vertrauen einmal umschlägt?«

Leonid studierte Alexander und fragte sich, was in dessen Kopf vorging. »Nein, niemals.«
»Ich auch nicht.«

Nikolai junior wuchs heran. Mit zwölf Monaten konnte er laufen, die ersten Zähnchen brachen nach etlichen schlaflosen Nächten durch, er juchzte und jauchzte, wenn seine Eltern mit ihm spielten. Und Nikolai junior sollte kein Einzelkind bleiben. Er war achtzehn Monate alt, als Schwesterchen Tanja, so hieß Alexanders leibliche, während der Deportation gestorbene Mutter, auf die Welt kam. Das Familienglück der Familie Robert Koenen schien perfekt. Oft fuhren sie zu viert hinaus in die Jagdhütte, wo Opa Nikolai seine letzten Lebenstage verbracht hatte. Nikolai junior war inzwischen schon so weit, daß man mit ihm darüber sprechen konnte.

Die Familienharmonie färbte auf Alexander ab. Er merkte, wie er ruhiger und ausgeglichener wurde. Seine innere Rastlosigkeit legte sich, zum erstenmal hatte er nicht das Gefühl, auf der Flucht zu sein. Heimat, kam es ihm in den Sinn. Als er vor Jahren nach Omsk gefahren war, um seine Mutter zu besuchen, und im Zug ein ungewohntes Kribbeln verspürte, da wußte er noch nichts mit dem Begriff Heimat anzufangen. Seine Auffassung von damals, er habe keine, hatte sich mittlerweile geändert. Hier in Kirensk war seine Familie und seine Heimat.

Larissa, der immer noch eine Karriere in der Politik vorschwebte, unterstützte ihren Mann, wo es eben ging. Aber sie ordnete sich nicht unter. Im Gegenteil. Manche Dinge bestimmte sie unbewußt. Alexander vertraute ihrem Eindruck, wenn sie ihn vor einem neuen Geschäftspartner warnte. »Der ist nicht ehrlich, er macht dir was vor. Sei auf der Hut.« Oder wenn sie ihn, falls Alexander es genauer wissen wollte, auf die unsteten Augen verwies, das schlitzäugige Gehabe und andere Körpersignale, die sie verwirrten und stutzig werden ließen.

Am meisten jedoch freute sie sich über die Entwicklung ihres Mannes. »Auch ein riesiger Eisblock schmilzt in der Sonne.« Mehr aus Hoffnung, die sich nun zu erfüllen schien, hatte sie dies zu ihm gesagt, als sie sich vor längerer Zeit über Alexanders erste große Liebe unterhielten. Dabei war es aus Larissas Sicht keine Frage der kurzfristigen Wärme, sondern der Stetigkeit.

»Was bedeutet dir deine Familie?«

»Sie ist mein ruhender Pol und bietet mir Schutz. Noch nie im Leben habe ich mich so behütet gefühlt.«

»Wie können wir dir, dem Starken und Erfahrenen, Schutz bieten?«

»Ihr bewahrt mich vor der Einsamkeit und davor, daß ich gefühlsmäßig verarme. Ich mag euch sehr.«

»Und du kommst dir auch wirklich nicht eingeengt vor?«

Er nahm sie in die Arme und küßte sie. »Nein. Bei euch tanke ich auf, bei euch blühe ich auf. Für mich hat das Leben zum erstenmal einen Sinn.«

»Aber eine Familie verpflichtet auch.«

Sie setzten sich vor die Jagdhütte auf eine Bank, Nikolai und Tanja schliefen bereits.

»Das stimmt. Als Einzelkämpfer war ich nur mir gegenüber verantwortlich. Ich habe mit mir und dem Schicksal gespielt, Leben und Gesundheit eingesetzt. Andere sehen in der leichtsinnigen Phase das Bedürfnis nach echter Herausforderung. Das würde ich nie mehr riskieren. Mit Feigheit aber oder was immer hat das nichts zu tun. Ich selbst habe für mich an Wert gewonnen.«

»Es spricht der Egoist.« Sie lachte und biß ihm ins Ohrläppchen. Ihre Haare kitzelten.

»Deshalb möchte ich dich auch mit niemandem teilen.«

»Außer mit den Kindern.«

Er nickte und erinnerte sich einige Tage zurück, als er mit ihnen gemeinsam in der großen Wanne gebadet hatte. Das tat er öfter, und die Kleinen hatten immer ihren Spaß. Warum denn an einem Fuß zwischen den Zehen ein Loch sei, wollte seine Tochter wissen. »Ich war da mal sehr unvorsichtig, der Frost hat mir zwei Zehen abgenommen.« Mit erhobenem Zeigefinger hatte er sie dann mehr aus Verlegenheit belehrt: »Ziehe dich im Winter immer warm an. Versprichst du mir das?« Artig hatte sie genickt und dabei seinen Unterschenkel mit der Verdickung untersucht.

Nikolai junior war mit etwas anderem beschäftigt. »Wer hat dir diesen Stern auf die Hand gemalt? Mir gefällt er nicht.«

Alexander hatte lange auf seinen Handrücken und das Mal der Vergewaltigung gestarrt und die Kinder vergessen.

»Womit ist der Stern gemalt worden?«

»Mit Eisen, einem schrecklichen Eisen.« Seine Stimme war ihm fremd vorgekommen, schlagartig hatte ihn eine innere Erregung erfaßt. »Ich bin leichtsinnig gewesen und habe mich verbrannt.«

Die zarten Kinderfinger tasteten seinen Körper ab und legten sich mitfühlend auf die Spuren der Vergangenheit. Das entkrampfte ihn mit der Zeit.

Nach einer Weile regte sich Larissa. »Denkst du auch manchmal an die Zukunft?«

»Ja.«

»Wann willst du dir einen Nachfolger suchen?« Alexander verstand die versteckte Anspielung. »Habe ich nicht noch einige Jahre Zeit?«

»Schon«, gab Larissa zu. »Aber mir wäre wohler, wenn du durch deine Tätigkeit nicht ständig gefährdet wärst.«

»Bin ich das?«

Sie nickte.

»Und wieso? Gibt es einen Anhaltspunkt dafür?«

Larissa schüttelte den Kopf. »Eigentlich nicht, es ist bloß so eine Ahnung.«

Alexander traf lange vor der verabredeten Zeit ein und beobachtete die Besucher. An einem bewaffneten Doppelposten, der die Ausweise kontrollierte, quetschten sie sich vorbei und trotteten, von gelben Markierungen geleitet, hinter ihrem Reiseführer her wie Schafe dem Leithammel und bestaunten mit verwunderten Augen eines der sozialistischen Weltwunder: den Bratsker-Staudamm, den größten der Erde, mit einer so gigantischen Turbinenhalle, daß die Arbeiter mit Fahrrädern durch die Gegend radelten. Zwei von der Sorte hätten ganz Österreich mit Strom versorgen können. Den Erzählungen nach müssen die Bauarbeiten in den fünfziger Jahren mörderisch gewesen sein, aber der Staat brauchte in der

Nachstalinära ein prestigeträchtiges Projekt, und deshalb wurde Bratsk aus dem Boden gestampft. Damals betonte man gegenüber der Weltöffentlichkeit die Freiwilligkeit der Arbeitsleistung und die Begeisterung der jungen Arbeitskräfte. Weltweite Publizität erlangte der Bau, weil man ausländische Gäste einlud, um ihnen vor Ort den Fortschritt des Sozialismus – daran war eigentlich niemand interessiert – und das exzellente Lösen aller technischen Probleme vorzuführen.

Dabei gab es Pannen über Pannen, wie Alexander von einem älteren Arbeiter erfahren hatte, der von Anfang an dabeigewesen war. Ein Teil der schon gebauten Lena-Bahn wurde abgerissen, weil man Bratsk kurzfristig in Angriff genommen und die Strecke deshalb keine Funktion mehr hatte. Die Holzfäller, die mit der Rodung nicht nachkamen, sahen Hunderttausende von gefällten Stämmen im aufsteigenden Stausee verschwinden, und den meisten Strom verbrauchte ein Aluminiumwerk, ohne dabei jemals produktiv zu arbeiten. Und Tote habe das Unterfangen gekostet, viele Tote, die offiziell aber nirgends erwähnt würden.

Alexander folgten den Touristen. Ein hünenhafter, äußerst kräftig gebauter, junger Mann mit Vollbart – er hatte einen seltsamen Ausweis vorgezeigt, der lange begutachtet worden war –, der auch durch seine Kleidung, die nicht dem Standard des Landes entsprach, auffiel, sonderte sich etwas ab, spazierte weiter und stellte sich schließlich an ein Fenster. Mit Interesse beobachtete er draußen das aufschäumende, durch die Turbinen gejagte Wasser und die Nebelschwaden, die sich bildeten.

»Sie sind Herr Steinmetz?«

Der Fremde, er war einen Kopf größer als Alexander, drehte sich in seine Richtung. »Robert Koenen? Oder Alexander Gautulin?«

Als Alexander nur mit der Schulter zuckte, wollte Steinmetz von ihm ein untrügliches Erkennungszeichen sehen.

»Könnte ich Ihnen jetzt nicht jedes x-beliebige vorzeigen?«

Der Kräftige lachte. »Ihr schief zusammengewachsenes Schienbein und die beiden fehlenden Zehen genügen mir.«

»Sie sind ja ausgezeichnet über mich informiert.«

In der Kantine für Besucher setzten sie sich an einen Tisch. Steinmetz nickte zufrieden, nachdem Alexander amüsiert die unverwechselbaren Körpermerkmale präsentiert hatte.

»Was haben Sie denn vorhin für einen interessanten Ausweis vorgezeigt?«

Steinmetz griff in seine Jackentasche und reichte Alexander ein hellgrünes gefaltetes Blatt aus Leinen.

»Universität Mainz, Fachbereich Sport?« Verwundert schaute ihn Alexander an. »Und damit hat man Sie ...?«

»Sieht er nicht ungemein amtlich aus?« feixte der Hüne.

»Schon, aber ...«

»Und da ihn keiner lesen konnte, muß er doch auch sehr bedeutungsvoll und wichtig sein, nicht?«

»Was wäre gewesen, wenn man Sie nicht hineingelassen hätte?«

Der Deutsche gab Alexander ein mit vier Stempeln aufgewertetes Dokument, unterschrieben von einem Minister der Ukraine, wonach der Inhaber auch als Ausländer berechtigt sei, sämtliche staatlichen Einrichtungen zu betreten, einschließlich die der Kategorie 1b.

»Sie scheinen gute Beziehungen zu haben, Herr Steinmetz. Alle Achtung. Wodurch kommt das?«

Der Angesprochene steckte die Papiere wieder ein. »Möchte nicht darüber sprechen.«

Alexander wechselte das Thema. »Sind Sie nur meinetwegen in Bratsk?«

Steinmetz verneinte. »Ich schreibe an meiner Examensarbeit und halte mich deswegen mehrere Monate in Sibirien auf.«

»Welches Thema?«

»Die Bedeutung der Eisenbahn für die wirtschaftliche Entwicklung Sibiriens.«

»So ein Zufall.« Alexander erklärte, er sei am Bau der BAM beteiligt und liefere bestimmte Dinge.

Für einige Zeit vergaßen sie den eigentlichen Grund ihres Treffens, weil Steinmetz sehr interessiert war an Alexanders Ausführungen und dessen Angebot dankbar annahm, ihn mit Unterlagen zu versorgen über Transportmengen, Transportströme, Warengruppen, durchschnittliche Transportentfernung und die strategische Bedeutung des Vorhabens.

»Ihre Nachricht kam für mich überraschend, Herr Steinmetz.«
»Und trotzdem sind Sie gekommen. Nikolai hat es gewußt. Er müßte mittlerweile einige Jahre tot sein, wenn seine damalige Prognose, was seine Lebenserwartung betraf, gestimmt hat.«
Alexander schluckte. »Sie hat gestimmt. Aber nun verraten Sie mir bitte, was der eigentliche Grund unseres heutigen Treffens ist.«
Steinmetz begann mit der seltsamen Begegnung während der Universiade, der Weltspiele für Studenten, als ihn Nikolai in Moskau auf dem Sportplatz angesprochen und um einen Gefallen gebeten hatte. Er möge sich bitte nach einem gewissen Kurt Koenen erkundigen, der sich 1941 als Wolgadeutscher der Wehrmacht angeschlossen habe und von dem seither jede Spur fehle. Außer einem Blatt Papier, auf dem die persönlichen Daten von Kurt Koenen und die Anschrift seiner Vorfahren standen, und einigen Vermutungen, welcher Armee er möglicherweise zugeteilt worden sei, dazu ein Scheck über zehntausend Mark, einzulösen bei jeder westlichen Bank, habe er nichts erhalten.
Alexander war zunehmend unruhiger geworden. Aus welchem Grund beauftragte Nikolai einen Deutschen, sich nach seinem leiblichen Vater zu erkundigen?
»In der deutschen Wehrmacht, Bereich Ost, gab es neunzehn, die Kurt Koenen hießen. Vier sind zweifelsfrei im Krieg gefallen, vier weitere werden immer noch vermißt, die übrigen elf, zwei sind verstorben, habe ich in Deutschland gefunden und aufgesucht. Sie kommen nicht in Betracht.«
»Also ist mein Vater tot oder vermißt.«
Steinmetz nickte.
»Kann man nach so langer Zeit überhaupt noch etwas über die Vermißten erfahren?«
»Das ist immer möglich, unterschätzen Sie nicht die deutsche Bürokratie.« Steinmetz grinste. »Ich war mehrfach beim Roten Kreuz und anderen Einrichtungen. Zu Beginn meiner Recherchen waren sieben vermißt, inzwischen weiß man, daß drei von ihnen verstorben sind.«
Alexander betrachtete den Deutschen mit dem rotblonden Vollbart. »Da kommt also in Moskau ein Fremder zu Ihnen und bittet

Sie um einen Gefallen, schon springen Sie. Machen Sie das immer so?«

»Sie vergessen die zehntausend Mark.«

»Die brauchten Sie doch nur einzustecken. Keiner hätte etwas davon mitbekommen.«

Der Hüne beugte sich nach vorn. Wie Stahlklammern legten sich seine Finger um Alexanders Unterarme und erhöhten stetig den Druck. »Wissen Sie, was es bedeutet, Wort zu halten?«

»Ja«, preßte Alexander zwischen den Lippen hervor.

»Warum fragen Sie dann überhaupt?«

»Welchen Anlaß hatten Sie, Nikolai Ihr Wort zu geben?«

Alexanders Unterarme schmerzten, mit harten Augen schaute der Deutsche ihn an. »Weil er mir in wenigen Minuten sein Anliegen plausibel machen konnte. Und weil mein Vater an Krebs gestorben ist. Mit dem Tod vor Augen, möchte man nur noch die ganz wichtigen Dinge erledigt sehen. Ich frage mich: War es denn für Nikolai wichtiger als für Sie, etwas über Ihren leiblichen Vater in Erfahrung zu bringen?«

»Nein.«

Steinmetz lockerte seinen Griff, und Alexander massierte sich die Unterarme. »Packen Sie immer so kräftig zu?«

»Muß man das nicht manchmal in der heutigen Welt?«

Sie wanderten durch die Turbinenhalle. Arbeiter auf Fahrrädern kamen ihnen entgegen, zu Fuß wäre es zu zeitaufwendig.

Alexander bedankte sich bei Steinmetz für dessen Bemühungen.

»Leider ist nicht viel dabei herausgekommen«, meinte der.

»Besteht die Möglichkeit, daß mein Vater ...?«

Steinmetz schüttelte den Kopf. »Eigentlich nicht.«

»Was heißt das?«

»Als Kurt Koenen zumindest lebt er nicht mehr.«

Und als Alexander nicht reagierte, führte der Deutsche weiter aus: »Seinerzeit haben viele Wolgadeutsche, die sich der Wehrmacht angeschlossen hatten, im Verlauf des Krieges, als sich mehr und mehr die Niederlage abzeichnete, ihre Identität gewechselt und die eines Gefallenen angenommen.«

»Das bedeutet also, daß ...«

»... Ihr Vater womöglich noch irgendwo unter einem anderen Namen lebt.«

»Können Sie das herausfinden?«

»Ich werde mich bemühen. Es gibt noch eine vielversprechende Chance, das Berlin Document Center, die vielleicht größte Sammelstelle von Unterlagen und Dokumenten, was die Wehrmacht betrifft. Allerdings ist es nicht einfach, in das amerikanische Archiv zu gelangen.«

»Egal, was es kostet. Nennen Sie mir eine Summe.«

Steinmetz wandte sich ab. Über die Schulter sagte er: »Nikolai hat mich bereits bezahlt.«

Alexander ging mit der Zeit und verlagerte sein Tun mehr und mehr auf Elektro- und Elektronikartikel, die per Spezialcontainer nach Mittelsibirien gelangten. Von Sato erfuhr er immer rechtzeitig, was auf dem japanischen Markt gerade zum Hit geworden war. Kassettenrecorder importierte Alexander, die, wie damals die Taschenrechner, gleich kartonweise gekauft wurden, ohne daß sich die neuen Besitzer das Gerät überhaupt angeschaut hatten. Mit Fernsehern das gleiche, die zur Erleichterung der Interessenten nicht aussahen wie die russischen. Denn die ähnelten sehr einer Waschmaschine mit Bullauge: großes Gehäuse und kleiner Bildschirm.

Der Deutsche Friedhelm Kurz machte ihn darauf aufmerksam, daß sich der Modetrend mit amerikanischen Hosen noch verstärken werde. Allerdings konnte man das Geschäft profitabler gestalten, wenn man nur den Stoff erwerbe und die Jeans im eigenen Land herstelle. In Tscheremchowo entstand zur Freude der vielen Bergarbeiter eine kleine Fabrik mit fünfzig Beschäftigten. Endlich hatten sie Hosen, die nicht schon nach der zehnten Schicht auseinanderfielen. Wen interessierte es, daß der Stoff aus Hongkong kam? Und später aus Malaysia, weil er dort billiger einzukaufen war?

Cognac, Whisky, Campari und Bacardi gelangten nach Sibirien. Dazu französisches Parfüm, Kölnisch Wasser, Shampoo, Lederschuhe, Plattenspieler. Alexanders neueste Renner waren Farbfernseher. Die Sowjetführung hatte der Bevölkerung anläßlich der

Olympischen Spiele in Moskau versprochen, das Land flächendeckend mit genügend Geräten zu versorgen. Alexander war der Verwirklichung um einige Jahre voraus.

Für Experten in aller Welt organisierte er Stoßzähne ausgestorbener Mammuts, die im Norden Mittelsibiriens im ewigen Permafrost schlummerten. Alexander vergriff sich nicht am sowjetischen Kulturgut, wie Leonid zu bedenken gab, denn die Zähne wanderten, von Moskau genehmigt, ausschließlich in Museen und nicht als Souvenirs und in Scheiben geschnitten in die Wohnzimmerschränke von Touristen. Mehr als siebzigtausend Pelze vermittelte er über seine Tolkatschi Jahr für Jahr, und die schönsten des Polarfuchses ließ er für Larissa auswählen.

Sie sah bezaubernd aus in dem Mantel, und Alexander fiel nicht der Widerspruch in seinem Verhalten auf. Gemeinsam mit Nikolai war er der Auffassung gewesen, es sei unsinnig, Tiere zu töten, nur um sich mit ihrem Fell zu behängen.

Als Symbol seines Reichtums kaufte er einen neuen Helikopter, schneller und viel bequemer als der alte, und ein westliches Auto, einen BMW, der nur im Sommer, und dann auch noch ausschließlich in Städten, seine Fähigkeiten ausspielen konnte.

Alexander traf sich wiederholt in Tokio mit dem amerikanischen Diplomaten Barrington, der mehr denn je von seiner Theorie über die Aufweichung der Fronten überzeugt war. Er habe schon Genehmigungen beantragt, um zu gegebener Zeit seinen Plan bezüglich der Mikroelektronik zu verwirklichen.

Konkret sprach er Alexander bei einem Besuch auf die sowjetische Führung an.

»Was uns Sorgen bereitet, ist die Altherrenriege im Kreml. Wir würden uns der UdSSR gerne politisch nähern, aber wir wissen nicht, wie lange es Ihr guter Breschnew noch machen wird. Er soll sehr krank sein, Launen sagt man ihm nach, was ihn unberechenbar werden läßt.«

Davon wisse er nichts, entgegnete Alexander, der allmählich merkte, daß dieser Barrington nicht nur wirtschaftliche Interessen im Sinn hatte. Er war eben Diplomat, und die Politik bezeichnete er einmal als die Perfektionierung der Zuhälterei.

Wie er denn die Lage in Moskau einschätze, wurde Alexander gefragt.

Die Herren seien betagt, die Strukturen verkrustet, aber jeder der Politgrößen habe in seinem Beraterstab junge, fähige Köpfe. Niemand könne es sich leisten, nicht auf diese Aufsteiger zu hören, denn in einigen Jahren hätten sie das Sagen.

»Liegt darin nicht eine Gefahr?«

»Inwiefern?« Alexander studierte Barringtons Gesicht.

»Jeder abrupte Wechsel birgt große Unsicherheit.«

»Muß er denn so abrupt sein?«

Barrington ließ sich Zeit mit der Antwort. »Das Alter. Es verhindert einen fließenden Übergang. Irgendwann werden die Greise alle auf einen Schlag abserviert, und dann entsteht ein Machtvakuum. Als Folge wird es Kämpfe um wichtige Positionen geben. Genau das ist die Gefahr, die ich meine.«

»Es sei denn, es gibt eine Persönlichkeit mit viel Charisma und Integrität, die alle Kräfte des Landes bündeln kann.«

»Wollen Sie damit andeuten, dieser neue Held der Sowjetunion existierte bereits?«

»Leider noch nicht.«

»Und falls es ihn gäbe: Wie sollte er sich erfolgreich gegen die Tradition der Betonköpfe durchsetzen?«

Darauf wußte Alexander keine Antwort.

Nach so viel Theorie war es ungemein wichtig, noch etwas Konkretes mit im Gepäck zu haben, und das hieß: Digitaluhren. Alexander war selbst von diesen kleinen Wunderdingen der Zeitmessung angetan und verabredete mit Sato die Lieferung der ersten fünfzigtausend. In zwei Tagen waren sie restlos ausverkauft.

Alexander wartete. Ihm ging es zu gut, der Familie ging es zu gut, die Geschäfte, einfach alles. Deshalb wartete er auf ein Desaster, und Alexander verspürte irgendwie Erleichterung, wenn man ihm eine Negativbotschaft übermittelte. Hier ein Lkw überfallen, Gott sei Dank gab es keine Toten, Fahrer und Beifahrer waren wohlauf; dort ein Laden ausgeraubt und abgebrannt; Material aus einem Lagerhaus gestohlen oder ein Kato-Kran über Nacht abmontiert und verladen. Als schlimmsten materiellen Verlust der letzten Monate gab es zwei aus volkseigenen DDR-Betrieben stammende Eisenbahnwaggons mit Containern aus Japan zu beklagen, die einfach unauffindbar blieben. Sibirien ist groß.

Mit der Zeit nahmen diese Wirtschaftsvergehen gegen ihn und den Bund zu, und Alexander unterstellte sie der traditionellen Gruka, die aktiv war wie eh und je. Inwieweit Gogol, Nikolais Herausforderer, um den es nach dem Tod seines Sohnes in den letzten Jahren sehr ruhig geworden war, noch mit ihnen zu tun hatte, entzog sich seiner Kenntnis.

Dafür gelang es Alexander, innerhalb von zehn Wochen ein neues Zwischencamp direkt an der Bahnlinie zu errichten. Der Planungsleiter hatte ihm sein Leid geklagt und darauf hingewiesen, daß immer noch Hunderte von Arbeitern mit ihren Familien in provisorischen Zelten oder baufälligen Baracken leben müßten. Mit Kurz' Hilfe organisierte Alexander 160 Wohncontainer, alle ungefähr 25 Quadratmeter groß, die einem in Konkurs gegangenen westdeutschen Bauunternehmer gehört hatten. Für vier Wohneinheiten gab es einen Wasch- und Duschcontainer, trotz aller Fortschritte und Verbesserungen immer noch ein Luxus für Bahnarbeiter. In der Mitte der neuen Anlage residierte mit der obligatorischen roten Fahne und dem Funkmast auf dem Dach die Verwaltung, der die Errichtung dieser Unterkünfte, glaubte man ihrer Propaganda, selbstverständlich und ausnahmslos zu verdanken war.

Besmertisch, der unermüdliche Anbiederer, überbrachte Alexander persönlich eine Akte mit brisantem Inhalt. Aufgeführt waren in ihr Namen von hochrangigen Politikern, die sich hatten bestechen lassen. Alexander konnte die Summen nachlesen und die wertvollen Geschenke, die man ihnen gemacht hatte.

»Warum übergibst du mir das?«

Besmertisch antwortete im gewohnt freundlichen, fast schon unterwürfigen Ton: »Damit du siehst, ich bin nicht der einzige.«

Alexander lachte. »Das habe ich nie behauptet.«

»Aber im Gegensatz dazu bin ich doch sehr billig.«

»Willst du mehr haben?«

Besmertisch spielte den Verlegenen. »Nur wenn du der Überzeugung bist, meine Dienste seien so viel wert.«

Alexander überlegte nicht lange. »Aber vorher eine Frage: Wo hast du die Unterlagen her?«

Besmertisch ausweichend: »Von einem guten Bekannten.«

»Kannst du für Nachschub sorgen?«

»Müßte machbar sein.«

»Ich gehe auf fünftausend Rubel im Monat hoch. Ist das angemessen?«

Besmertisch nickte, aber sein Gesicht mit dem süßsäuerlichen Ausdruck verriet, er hatte mehr erwartet. »Besteht die Möglichkeit, durch brisantere Dinge noch im Gehalt zu steigen?«

»Auf was spielst du an?«

Besmertisch schaute sich in Alexanders Büro um, als befürchtete er einen Lauscher. Er watschelte sogar zur Tür und schaute nach. »Du hast enorme Kontakte zum Ausland.«

Alexander reagierte nicht.

»Und du wirst doch auf diesen Staat nicht besonders gut zu sprechen sein, so, wie er dich behandelt hat.« Besmertisch fiel nicht auf, daß er seinerzeit genau umgekehrt argumentiert hatte, um Alexander einzuschüchtern und zu erpressen.

»Weiter.«

»Es könnte sich da eine Gelegenheit ergeben, sich an ihm zu ... rächen.«

»Inwiefern?«

Besmertisch ließ seine Wurstfinger kreisen. »Indem ich dir Sachen zukommen lasse, die ihm schaden werden.«

Alexander wedelte mit den Unterlagen. »So, wie das hier?«

»Auch, aber die noch viel mehr schaden werden.«

»Komm, sag ein Stichwort.«

Besmertisch sah Alexander verschlagen an. »Ein gewisser Gautulin, er weilt wegen eines Unfalls nicht mehr unter uns, ist, wie ich seinerzeit auch erfahren konnte, mitten in der Taiga von einem Militärkommando aufgegriffen worden, als er für die Imperialisten spionieren wollte. Er war in Begleitung eines ... Leider ist mir der Name entfallen. Aber Gautulin konnte nicht herausfinden, daß in dem Witimplateau große unterirdische Anlagen existieren, man im Notfall dort sechzigtausend Soldaten unterbringen kann mitsamt der Ausrüstung wie Panzer, Lkw und anderen Militärfahrzeuge. Und daß dort Nuklearmunition lagert für Geschütze mit einer Reichweite von über hundert Kilometern. Zufällig kann man diese Geschütze auf einen Eisenbahnwaggon montieren und mit diesem nahe an der chinesischen Grenze vorbeifahren, so wie vor Jahren im Ussuri-Konflikt. Wie gesagt, all das konnte dieser Gautulin nicht herausfinden und somit auch nicht der Sowjetunion schaden.«

Alexander betrachtete Besmertisch, und der senkte dieses Mal nicht den Blick. Ausdruckslos waren seine Augen, dunkle Knöpfe in einem widerlichen Gesicht.

Alexanders Meinung vom Parteichef der KPdSU Mittelsibiriens war alles andere als gut. Was der ihm aber hier anbot, mehr noch dessen geldgieriges Verhalten, das sprengte seine Vorstellungskraft. Da geht eine hohe Persönlichkeit des Staates hin und verrät diesen für Geld. Bietet seinem Erzfeind, den er über alle Maßen hassen und bekämpfen müßte, der aber zufällig Kontakte zum Ausland hat, militärische Unterlagen an.

Alexander mußte an Klimkow denken, an dessen Tätigkeit auf der Insel Nowaja Semlja und an das Dossier, das dieser in Gorudne bei Viktor Antropowitsch, einem Freund, deponiert hatte. Und dann natürlich an Leonid und die Karte mit den geheimen militärischen Anlagen, die wegen der amerikanischen Luftüberwachung durch Satelliten überwiegend in den Bergen versteckt waren.

»Gut, Besmertisch. Ich akzeptiere dein Angebot. Aber du händigst mir die Dinge nicht persönlich aus. Ich überlege mir einen Modus, damit es zwischen uns keine Verbindung gibt. Und ich bezahle dich je nach Lieferung. Bist du damit einverstanden?«

»Ja, wenn wir als Maßstab die heutigen Unterlagen nehmen und sie mit ... sagen wir ... zwanzigtausend Rubel gleichsetzen.«

»Dazu muß ich sie mir erst einmal anschauen.«

Besmertisch konnte warten. Er werde sich in einer Woche wieder melden.

Alexander studierte noch am selben Abend die Liste der Politiker mit den ihnen zur Last gelegten Affären, Vorfällen und Peinlichkeiten. Daß sich fast alle älteren Herren eine Freundin, einige auch einen Freund, hielten, interessierte ihn weniger, obwohl deren monatliche Apanage das Mehrfache eines sibirischen Jahresdurchschnittsverdienstes ausmachte. Brisanter waren die aufgeführten Fälle von Bestechung, die im Zusammenhang mit gewissen Projekten standen. Ein Staudamm an einem Nebenfluß des Jenissei war verbunden mit der Zahlung von vierhunderttausend Rubel an den Vertreter des Ministers für Wirtschaft. Die Summe stammte aus Deutschland, von einem Baukonzern, der für ein Teillos den Zuschlag erhielt. Oder eine Gaspipeline in Westsibirien. An den Energieminister persönlich ging, falls er Besmertischs Akte glauben durfte, eine Million Rubel, ebenfalls aus Deutschland, weil eine bestimmte Firma den Auftrag erhalten hatte. Elektrolokomotiven aus Lyon waren gekoppelt mit einer entsprechend hohen finanziellen Gegenleistung der Franzosen, da man sie gegenüber den Italienern bevorzugt hatte. Dafür kamen diese dann bei einem anderen Geschäft zum Zug und durften ein Automobilwerk errichten, und unter der Hand wanderten zwölf Millionen Rubel in gewisse Kanäle. Auf diesen Deal bezogen gab es in Besmertischs Unterlagen noch den detaillierten Hinweis, es seien auch Gelder im Ausland angelegt worden, und zwar in der Schweiz und in Österreich. Namen der Banken mit Kontonummern lagen bei.

Bestechungen und Vergünstigungen machten auch vor der allerhöchsten Spitze nicht halt. Gewisse Gruppen im Land bemühten sich, über die Tochter des Parteichefs angenehme Konstellationen zu erzeugen. Sie gab sich sehr eigensinnig und war noch nicht einmal als Studentin Mitglied der kommunistischen Jugendorganisation Komsomol, obwohl ihr Vater damals Chef der Unionsrepublik Moldawien war. Und die Eigenwilligkeit setzte sich fort, indem sie einen Artisten heiratete. Dieser Dame wurden Brillanten angeboten, wenn sie im Gegenzug dafür sorgte, daß man Leiter eines bestimmten Kombinats, Sekretär eines Rayons oder schlicht und einfach Minister einer Republik wurde. Um ganz sicher zu gehen, begünstigte man auch ihren derzeitigen Mann – bereits der dritte und Nachfolger eines Illusionisten, der beim Zirkus angestellt war – mit mehr als einer halben Million Rubel. Die nach oben strebenden Herren versäumten auch nicht, an die jeweiligen Liebhaber der Dame zu denken. Da diese sehr schnell wechselten, konnte es schon mal passieren, daß man einem Verflossenen noch etwas in die Tasche steckte, obwohl er schon längst nicht mehr aktuell war. Zur Erleichterung aller dauerte die Liaison mit einem Zigeuner länger, das vereinfachte vieles.

Daß Bestechung eine russische Krankheit war, Leute wie Besmertisch keine Skrupel kannten und alle Gelegenheiten ausnutzten, erst recht, wenn sie sich weit von Moskau und dadurch unbeobachtet wähnten, wußte Alexander aus eigener Erfahrung – schließlich bediente er sich auch dieser Methode. Dagegen waren ihm Bestechungsvorwürfe gegenüber den höchsten Kreisen und Staatsträgern bisher nur als Gerüchte erschienen, nun hatte er den Beweis. Viele mußten von diesen Verfehlungen wissen, wie die Unterlagen dokumentierten. Deckte dort jeder jeden? Fertigte man gleichzeitig private Aufzeichnungen an, um sich zu schützen?

Als Besmertisch wieder einmal Alexander aufsuchte, wollte dieser ihm zwanzigtausend Rubel aushändigen. Besmertisch bestand darauf, daß dies nicht in Alexanders Büro, sondern in der freien Natur während eines Spaziergangs geschah. Der Übergewichtige hatte gewisse Fotografien in nicht allzuguter Erinnerung.

Nikolai junior war inzwischen fünf Jahre alt, seine Schwester dreieinhalb, das Familienglück perfekt – und immer noch zeigte sich kein dunkler Streifen am Horizont. Allmählich wurde Alexander diese ungewohnte Ruhe unheimlich, andererseits jedoch empfand er sie als Ausgleich dafür, was ihm bisher alles schon widerfahren und entgangen war. Je nach Verfassung und Gemütslage pendelte sein Zustand zwischen Wachsamkeit und Zufriedenheit.

Der Vielvölkerstaat UdSSR befand sich im Olympiataumel, als der politische Knall viele, die für politische Entspannung waren, desillusionierte: Die Sowjetarmee marschierte Weihnachten 1979, wieder unter dem Vorwand der Bruderhilfe, in Afghanistan ein. Das hatte bereits Tradition, und die Konsequenzen für das Land waren furchtbar. Hatte der Amerikaner Barrington doch recht, fragte sich Alexander, als er von der Altherrenriege sprach und deren Unberechenbarkeit?

Die westlichen Nationen drohten der UdSSR, doch die Sowjetführung nahm das nicht allzu ernst, sie hatte eine solche Reaktion erwartet und letztlich Untätigkeit, auch die der UNO, einkalkuliert. Immerhin wurden vom Westen, um das Gesicht zu wahren, Handelsbeschränkungen auferlegt, besonders der Export von Hochtechnologie unterlag einer scharfen Kontrolle, und jeder Einzelfall mußte genehmigt werden. Das war auch noch zu verkraften. Was allerdings die Union der Sozialistischen Sowjetrepubliken, die schon seit jeher großen Wert auf eine lupenreine Selbstdarstellung in der Weltöffentlichkeit legte, besonders schmerzte, war ein Umstand, mit dem allerdings niemand gerechnet hatte: Viele Staaten boykottierten wegen der aggressiven Sowjetpolitik die Olympischen Spiele von Moskau. Nun sah Barrington den Zeitpunkt gekommen, von dem er vor zwei Jahren gesprochen hatte. Er bot Alexander über Sato gewisse Elektronikteile an, welche die UdSSR unbedingt für Großrechner und Raumfahrt benötigte – durch amtliche Stellen in Amerika sei deren Export direkt genehmigt worden.

»Und was wollen Sie als Gegenleistung?«

»Wir wissen nicht genau, wie die Macht in Ihrem Land verteilt ist. Gut, es gibt die offizielle Führung, die Aushängeschilder wie Breschnew und sein Gefolge, die sich vor Altersschwäche alle fünf Minuten hinsetzen müssen.«

»Sie sind der Auffassung, hinter den Vorhängen gibt es welche, die jetzt schon die Geschicke steuern?«

»Sie haben es doch selbst zugegeben. Erinnern Sie sich noch?«

Alexander nickte.

Barrington zog eine Namensliste aus seiner Tasche. »Von diesen Männern sind wir überzeugt, daß sie eines Tages die Nation lenken werden. Keiner von ihnen ist im Politbüro der KPdSU, der sogenannten Machtloge.«

»Wie steht es mit dem persönlichen Stab von Breschnew?«

Barrington winkte ab. »Zwar gibt es den designierten Nachfolger Tschernenko, allerdings sind die Herren alle in die Jahre gekommen und senil. Wie sonst konnten sie auf die Idee verfallen, in ein neutrales Nachbarland einzumarschieren?«

Barrington merkte, wie Alexander sich sträubte.

»Ich verstehe Ihre Bedenken. Aber es gibt in Ihrem Land niemanden, der ein größeres Recht hat als Sie, gegen diese dubiose Oberschicht vorzugehen. Eine Schicht, gestützt auf einen sehr zweifelhaften Apparat, der sich nur durch Protektion und Bestechung an der Macht halten kann.«

Alexander dachte an Besmertischs Unterlagen, die genau das belegten, was Barrington gerade ansprach. Wußte man im Westen auch schon davon?

»Wie hat man Ihnen nicht übel mitgespielt«, Barrington brachte Alexanders Vergangenheit ins Spiel. »Die Lagerhaft mit all den bekannten Unannehmlichkeiten, um nur einen Punkt herauszugreifen. Und wofür?«

Kurioserweise argumentierte der Amerikaner ähnlich wie seinerzeit Besmertisch.

»Ich bin doch nicht die Sowjetunion.«

»Aber Sie kennen Ihr Land und die Schwachstellen.«

»Was könnten Sie, Mr. Barrington, mit den Informationen anfangen?«

»Ist es nicht auch in Ihrem Sinne, gegebenenfalls aus dem Ausland gewisse Mechanismen in Gang zu setzen, die besonders der Bevölkerung der UdSSR helfen könnten?«

»Einen Umsturz?«

Barrington schüttelte den Kopf. »Daran denken wir nicht. Mit etwas mehr Demokratie und einem Hauch von Liberalisierung gäben wir uns schon zufrieden.«

Alexander war nach diesem Treffen sehr nachdenklich. Was der Amerikaner von ihm verlangte, war nichts anderes, als zu spionieren, ihn mit wichtigen Details zu versorgen, die die USA in die Lage versetzen könnten, ihre Taktik neu zu überdenken.

Will ich das, fragte sich Alexander? Welchen Grund habe ich, auf Barringtons Angebot einzugehen, meinem Land Elektronik zu verschaffen, ihm zu helfen und gleichzeitig durch Verrat zu unterlaufen? Das ergibt doch keinen Sinn. Oder verhält sich so die Diplomatie?

Alexander fiel Antropowitschs Rechtfertigung ein, wonach man die Führung zu kontrollieren und jede Seite über die militärischen Pläne der anderen aufzuklären habe. Keine dürfe im Vorteil sein. Und daß Antropowitsch Boris Pasternak zitiert hatte, wonach sie alle Opfer seien, auch die Sieger.

Trotzdem kam er zu dem Ergebnis, Barrington nicht zu unterstützen. Das schloß jedoch keineswegs aus, auch weiterhin aus eigenem Antrieb brisante Dinge zu sammeln, um sie zu gegebener Zeit in seinem Sinne zu verwenden.

An diesem Tag machte sich Alexander zum erstenmal ernsthaft Gedanken darüber, was wohl geschähe, wenn er die Sowjetunion verließe. Geld hatte er genügend, und um sich eine neue Heimat aufzubauen, benötigte er nur seine Familie. Aber wäre der Wechsel ins Ausland eine Alternative? Eine Alternative wozu?

Die vier Männer fuhren mit einer großen schwarzen Limousine vor. Drei stiegen aus, der Fahrer blieb sitzen. Die Art, wie sie auftraten, zeigte der Sekretärin, sie waren gewohnt, vorgelassen zu werden. Als sie den Besuch bei Alexander anmeldete, rief dieser nach Leonid und Minsk. Zu sechst saßen sie sich an einem großen Tisch im Besprechungszimmer gegenüber.

Rekunkow, so hieß der Sprecher der drei, war überschlank und braungebrannt und hatte pechschwarze Haare, war aber kein Jakute. Begleitet wurde er von seinen Kollegen Gubilew und Charkowitsch, die jedoch beide in den nächsten zwei Stunden kein einziges Wort von sich gaben. Manchmal allerdings nickten sie drohend, wenn es aus ihrer Sicht dazu einen Anlaß gab.

»Was ist der Grund Ihres Besuches?« wollte Alexander wissen, nachdem man sich bekannt gemacht hatte.

Rekunkow wandte sich an Alexander. »Wir haben uns über Sie erkundigt. Ihren Werdegang und ihre Position ausgeleuchtet und die Stellung des Bundes in Mittelsibirien. Wirklich beachtlich, wie Sie das alles im Griff haben.«

Alexander, der Gefahr ahnte, ließ Rekunkow nicht aus den Augen.

»Seit einem Jahr sind wir in dieser Region, inzwischen kennen wir uns etwas aus. Uns gefällt es hier.«

»Wo kommen Sie her?«

»Aus dem Westen. Und dort im Süden«, antwortete Rekunkow vage.
»Kasachstan? Turkmenistan?«
Rekunkow nickte.
»Aserbaidschan und Grusinien?«
»Wie kommen Sie ausgerechnet darauf?«
»Einmal, weil Sie ethnisch dort zu Hause sein könnten, und zum anderen sind mir Wanderungen gewisser ... Gruppen nicht verborgen geblieben.«
»Welche Wanderungen? Welche Gruppen?«
»Die von ganz speziellen Organisationen.«
Rekunkow schaute seine zwei Mitstreiter an. »Sie meinen ... die Mafia?«
»Ja.«
»Uns zählen Sie auch ...«
»Ja.«
»Und was wir wollen, können Sie sich auch schon ausmalen?«
»Sich an unseren Geschäften beteiligen.«
»Falsch.« Die beiden Stummen nickten. »Aber«, sprach Rekunkow weiter, »wir wollen trotzdem eine Art Partner werden.«
»Nein.«
Rekunkow hatte mit einem Nein gerechnet und war darüber nicht verärgert. »Sie scheinen nicht richtig zu wissen, wen Sie vor sich haben.«
Alexander zeigte keine Reaktion.
»Nun, wir sind inzwischen einige Hundert in dieser schönen autonomen Republik. Uns gefällt es hier, denn es bieten sich gute Möglichkeiten. Unsere Schulaufgaben haben wir auch gemacht. Etliche der Persönlichkeiten dieses Landes stehen auf unserer Gehaltsliste. Sie verstehen, wir müssen uns absichern.«
Alexander dachte sofort an Besmertisch, er würde ihn zur Rede stellen. Sinn hatte es sicherlich keinen, denn Besmertisch diente immer dem, der am meisten schmierte.
»Unsere Spezialität ist das Abschöpfen von illegalen Gewinnen.«
»Wir tun nichts Illegales.«
»Lassen Sie mich doch bitte einmal ausreden. Durch die Wirt-

schafts- und Planungsstruktur bedingt, gibt es über die Sowjetunion verteilt, auch hier in Mittelsibirien, illegal errichtete Produktionseinrichtungen, die an der Regierung vorbei die Rohstoffreserven verarbeiten und nalewo verkaufen, und zwar ohne staatliche Kontrolle. Diesen Zechowicki, den Tätern mit den weißen Kragen, denen gehen wir an den Safe.«

Alexander wunderte sich über die Unverfrorenheit und Offenheit von Rekunkow. War die Mafia schon so stark, daß sie sich das leisten konnte? »Durch Überfälle, Plünderungen, Brandanschläge und Entführungen?«

Rekunkow rieb sich die Hände. »Der Gegner bestimmt die Wahl der Mittel.«

Weitschweifig führte er aus, was er alles schon in seinem Leben in die Wege geleitet und welche Gegner er in die Knie gezwungen habe.

Eine Stunde dauerte sein Monolog, der dazu angelegt war, Alexander, Leonid und Minsk einzuschüchtern.

»Was wollen Sie konkret von uns?« unterbrach Alexander den Redeschwall seines unangenehmen Besuches.

»Zehn Prozent des Umsatzes.«

»Nein.«

»Ich gebe Ihnen einen Monat Bedenkzeit.«

Wieder allein, bestellte Alexander sofort Besmertisch. In der Zwischenzeit beratschlagte er sich mit Leonid und Minsk. »Tritt auf wie ein Blender und wie jemand, der es darauf anlegt, uns einzuschüchtern. Oder nehmt ihr die Angelegenheit ernst?«

Minsk nickte. »Rekunkow hat gute Informationen. Woher sonst kennt er die Arbeitsweise der Genossenschaften, unerlaubt Zweigbetriebe zu errichten, von denen niemand in Moskau eine Ahnung hat, dem Stammbetrieb die Kosten aufzubürden und den Gewinn ins Ausland zu bringen?«

»Und du, Leonid?«

»Ich nehme Rekunkow sehr ernst und stimme Minsk zu.«

»Wenn es so ist, dann will ich alles wissen, was es über die Mafia in unserem Land zu erfahren gibt. Ihre Entstehung, wie sie agiert, all ihre Tätigkeiten, wo und was und welche Mittel sie einsetzt, und ob sie tatsächlich schon so tief bei uns vorgedrungen ist. Hat Rekunkow wirklich nicht nur gebluff?«

Leonid schüttelte den Kopf. »Der ist sich seiner Sache absolut sicher.«

Besmertisch stellte er allein zur Rede. Ohne Vorwarnung fragte er ihn, ob der Mafiaboß sich bei ihm habe blicken lassen.

»Ja.«

»Und was hat er dir gezahlt?«

»Nichts. Er will sich in zwei Wochen wieder melden.«

»Was hat er angeboten?«

»Bei vollem Schutz und voller Protektion nach oben fünfzehntausend Dollar.«

»Und wie wirst du dich entscheiden?« fragte Alexander, obwohl er sich ausrechnen konnte, wie die Antwort lautete.

»Ablehnen.«

Verblüfft starrte er den Übergewichtigen an. »Warum?«

»Einmal, weil du mich in der Hand hast, und zum anderen wegen unseres Sondervertrages. Ich habe dir zwei Pakete mitgebracht. Jedes dürfte fünfzigtausend Rubel wert sein. Hat dich meine erste Lieferung enttäuscht?«

»Nein.«

»Ich bin überzeugt, mit dir kann ich bessere Geschäfte machen.«

»Aber die Kerle könnten gefährlich werden.«

»Mag sein. Ich allerdings werde die Miliz gegen sie aufbieten und den Staat.«

Alexander beruhigte die Zusicherung etwas. Er bat Besmertisch, ihm Unterlagen über die Mafia zukommen zu lassen.

Es dauerte nur wenige Tage, da lagen die Daten und Angaben vor. Besmertisch hatte sich an einen Polizeiobersten in Moskau, einen in Karaganda und einen in Baku gewandt. Und was Alexander, Leonid und Minsk zu lesen bekamen, erfreute sie nicht sonderlich.

Schon mit dem Aufschwung unter Chruschtschow setzte, parallel zur wirtschaftlichen Entwicklung, die Ausbreitung der Organisation ein. Anfangs hatte man sich auf Narkotika und Rauschgift beschränkt, dann kamen Antiquitäten und der Schmuggel von hochwertigen Gütern und Edelsteinen hinzu.

Kurioserweise bezeichnete die Bevölkerung zuerst den Beamtenapparat und die Partei als Mafia, und zwar aus Unzufriedenheit wegen der Diskrepanz zwischen den Versprechungen, es werde allen bessergehen, und der ernüchternden Wirklichkeit.

Bereits Ende der sechziger Jahre investierten einige der illegal Reichgewordenen ihr Geld ohne Scheu in Statussymbole wie West-Limousinen und komfortable Häuser. Sie taten es der Führung des Staates nach, die in gleicher Weise protzte, weil auch sie ihre Stellung schamlos für Zuwendungen und Vergünstigungen ausnutzte. Riesige Summen wanderten aus dem Staatshaushalt in private Hände, meist über die Errichtung von unerlaubten Produktionsstätten und Firmen, von denen Rekunkow gesprochen hatte. In diesen »Zechi«, die Rohstoffe zweigte man von staatlichen Lieferungen ab, wurde alles produziert, angefangen von Wurst über Radios, Möbel bis hin zu Jeans, die man, Frechheit siegt, wiederum schamlos in den Westen verkaufte.

Daß schon seit mehr als zehn Jahren die sogenannten Raffmillionäre, die sich gesetzwidrig bereichert hatten, erpreßt und eingeschüchtert wurden, man ihre Familienmitglieder entführte und tötete, erstaunte Alexander, da ihm davon bisher nichts zu Ohren gekommen war.

Die Erpreßten, so ging aus dem Bericht hervor, bezahlten an die Gangster, es bildeten sich andere Gruppen, Bosse kristallisierten sich heraus mit eigenem Personal wie Fahrer und Leibwächter. Sie waren sich einig, daß es sich bei Rekunkow und seinen Gangstern nicht um die unterste Ebene einer Verbrechergruppe handelte, »Bojewiki« oder »Kämpfer«, die keine Macht ausüben könne. Mindestens zur zweiten gehöre er, zur »Brigade«, seinem Auftreten nach eher noch zur nächsthöheren, den »Autoritäten«, die untereinander konkurrierten, aber bereits ihre Leute in Verwaltung und Politik sitzen hatten. In einigen Jahren könnte er zu einem Führer der Führer werden, ähnlich der Netzstruktur der Mafia, die man kurioserweise auch »Väter« nannte.

Wenn es so weit komme, dann habe das organisierte Verbrechen alles in der Hand, gab Leonid zu bedenken und dachte mit Wehmut an die relativ harmlosen Grukas, die, da untereinander zerstritten und desorganisiert, nur punktuell zu einer Gefahr geworden waren.

Überregional verbreitet war die Mafia laut Unterlagen bereits im Westen der Union. Besonders betroffen schien die Ukraine zu sein, aber auch Moldawien und Südrußland und Usbekistan, und zwar wegen der Schiebereien mit Baumwolle.

Wie weit die Strukturen innerhalb der Mafia schon vorangeschritten waren, erfuhren Alexander, Leonid und Minsk durch die Ausführungen des Polizeiobersten aus Baku. Dort hatte die Organisation einen Sozialfonds gegründet, um in Haft geratene Verbrecherchefs durch Anwälte vertreten zu lassen und die Familienangehörigen finanziell zu unterstützen.

In jüngster Zeit habe der Kampf untereinander dazu geführt, daß schwächere Gruppen von stärkeren aufgesogen wurden, dabei habe es viele Tote gegeben.

Verwundert lasen die drei, daß an der Spitze von Mafia-Clans auch ehemalige Leistungssportler stehen sollten. Natürlich auch altbekannte Verbrecher und, wie schon seit Urzeiten, aus dem Hintergrund agierende Wirtschaftsfunktionäre. Die grenzten ihr Terrain ab, indem sie die wichtigsten Leute kauften oder sie mit in den Verbrecherring aufnahmen. Killer setzte man nur in besonderen Fällen ein, weil die zu viel Aufsehen erregten. Teurer, aber auch unauffälliger, sei die Bestechung, das Kaufen der entsprechenden Personen. Um nicht aufzufallen, führten die Chefs der Banden ein ganz normales Leben, waren verheiratet, schickten die Kinder auf die Schule und beachteten alle Gesetze.

»Hier haben wir vielleicht den Beweis, daß Rekunkow kein Blender ist.« Leonid deutete auf eine Stelle, wo nachzulesen war, daß es im vergangenen Jahr in Baku ein Geheimtreffen gegeben habe zwischen den Raff- oder Weißkragenmillionären und der Mafia. Dem Bericht nach hatte man sich dahingehend geeinigt, daß die Mafia zehn Prozent der Einkünfte erhalten solle.

»Von uns will er auch zehn Prozent«, knurrte Alexander. »Wenn wir nachgeben, wird das eine Schraube ohne Ende.«

Nachdem Alexander, Leonid und Minsk die Berichte studiert hatten, war es eine Weile sehr still im Raum. Sie sahen sich an, sagten aber nichts. In diese Schweigerunde platzte ein Mitarbeiter mit der Meldung, vier Container seien spurlos aus einem bewachten Depot an der BAM verschwunden. Was man gefunden habe, sei eine Nachricht, gerichtet an ihn, Robert Koenen. Der Mitarbeiter reichte einen Zettel weiter.

»Was steht darauf«, wollte Leonid wissen.

»Zehn Prozent, mehr nicht.«

»Das ist deutlich.«

Mit einemmal ahnten sie auch, daß etliche Vorfälle aus der jüngeren Vergangenheit, die sie der Gruka zugeschrieben hatten, womöglich auf Rekunkow und seine Bande zurückzuführen waren.

In den kommenden Tagen trafen immer wieder Hiobsbotschaften ein. Sattelschlepper verschwanden, ein Ersatzteillager ging in Flammen auf, dringend notwendige Lieferungen trafen nicht ein.

»Zehn Prozent zahlen und in Zukunft immer mehr, oder uns zur Wehr setzen, es auf einen Kleinkrieg ankommen lassen. Was sollen wir tun?« Alexander sah seine beiden Berater und Geriak, den man über alles unterrichtet hatte, an. Der Jakute versprach zu helfen, meinte aber, es werde nicht ohne Opfer abgehen.

Sie beschlossen, nicht zu zahlen, und wollten mit Besmertischs Hilfe bei der Bekämpfung der Mafia den Staat einschalten. Immerhin ging es um ein nationales Problem, denn die BAM könnte gefährdet sein. Alexander übergab dem Übergewichtigen gestochen scharfe Fotos der drei Mafiamitglieder, die er hatte anfertigen lassen.

Rekunkow machte seine zweite Aufwartung und erhielt zur Antwort, er solle sich bitte zum Teufel scheren.

Ohne ein Wort zu sagen, verließ der Gangsterboß die Holzvilla. Er drohte nicht, er tobte nicht, und genau das machte ihn so gefährlich. Als ihn eine Woche später die Miliz stellen wollte, gab es sechs Tote. Von Rekunkows Leuten war niemand darunter.

Besmertisch konnte Alexander noch eine Lieferung zukommen lassen, kurz darauf fand man ihn nackt in seiner Datscha. Tot, gestorben an einer Überdosis Rauschgift. Aber jemand wollte ganz sicher gehen und hatte ihm auch noch den Bauch aufgeschlitzt. Kein schöner Anblick, wie die fülligen Innereien aus der klaffenden Wunde herausquollen. Alexander und Leonid und Minsk war das Warnung genug, sie verständigten den Bund. Alexander schickte seine Familie unter Bewachung in die Jagdhütte, vier Mann stellte er zu ihrem Schutz ab.

»Wer hätte gedacht«, meinte er abends zu Leonid, als sie zusammensaßen, um sich zu beratschlagen, »daß wir einmal von solchen Kerlen erpreßt und fertiggemacht werden könnten.«

»Noch ist es nicht soweit.«

Alexander sah schlimme Zeiten auf sich zukommen und war von einer pessimistischen Grundstimmung erfaßt.

Leonid versuchte ihn zu beruhigen. »Sie werden uns noch einige Drohungen zukommen lassen. Das verschafft uns einen Spielraum, um zu reagieren.«

»Und wenn nicht? Was ist, wenn dieser Rekunkow sofort zuschlägt, weil er auf dem Standpunkt steht, es sei genug geredet worden? Er sonst seine Position, die auf Einschüchterung und Brutalität basiert, gefährdet sieht?«

Leonid teilte Alexanders Befürchtungen, ohne es zuzugeben, und wußte darauf keine Antwort.

»Verdammt, ich sehe die Zukunft schwarz. Sehr schwarz.«

Der Nervenkrieg begann, Alexander litt unter Schlafstörungen, wurde unruhig und gereizt. Immer wieder ertappte er sich, wie er außer der Reihe Wodka trank oder, wenn er bis spät in die Nacht hinein allein und vor sich hin grübelnd am Kamin saß, dem Cognac zusprach. Drei Monate später, die Anschläge auf Einrichtungen und Transporte des Bundes häuften sich, ohne daß man jemals einen der Verbrecher hätte fassen können, wanderte Alexander in seinem Büro auf und ab.

»Was gibt es?«

»Die Telefonleitung zur Jagdhütte ist tot.«

»Das kommt jedes Jahr vor«, antwortete Minsk. »Wann hast du das letzte Mal mit deiner Frau gesprochen?«

»Vor drei Stunden.«

»Na also. Kein Grund, sich aufzuregen.«
»Aber im Augenblick beunruhigt es mich.«
»Dann fahr hin und sieh nach.«

Leonid und noch zwei Männer machten sich mit Alexander auf den Weg zur fünfzig Kilometer entfernten Hütte. Immer wieder versuchte der Georgier den neben ihm sitzenden Alexander zu beruhigen, aber der sprach unentwegt von Vorsehung, die sich nun gegen ihn wende. Jahrelang hätte sie ihm geholfen, jetzt stünde sie auf der anderen Seite, und dagegen komme er nicht an.

Die Hütte wirkte schon aus der Entfernung anders als sonst. Außerdem war niemand von der Wachmannschaft zu sehen, die eigentlich draußen zu patrouillieren hatte. Im Näherkommen bemerkten sie, daß das durch Bäume geschützte und versteckt liegende Holzhaus ganz schief stand, das Dach teilweise eingestürzt war, jemand die Fenster geöffnet und das Glas zerschlagen hatte. Nachdem sie das Anwesen umrundet hatten, erkannten sie die tatsächlichen Ausmaße. Eine ganze Wagenladung Fichtenstämme hatte sich durch die Vorderfront der Jagdhütte gebohrt, die Zwischenwände mitgerissen, und kam hinten wieder zum Vorschein. Lediglich die beiden Seitenwände waren noch einigermaßen intakt, und auf ihnen ruhten die Überreste des Daches, das jeden Augenblick einzustürzen drohte.

Noch bevor das Auto hielt, stürmte Alexander auf die Hütte zu. Er schrie wie von Sinnen, während er über das Holz kletterte, abrutschte, weiterkletterte und im Innern verschwand. Leonid, der kurz hinter ihm war, würde nie vergessen können, wie Alexander in Panik und unter Aufbietung all seiner Kräfte die mehr als zehn Meter langen Stämme auf die Seite zu wuchten versuchte.

»Leonid, hilf mir, sie liegen darunter«, kreischte Alexander mit sich überschlagender Stimme und irrem Blick.

Leonid bemerkte einen Arm, zerrissenen Stoff, sah Blut, und er fühlte sich hilflos wie noch nie in seinem Leben.

Alexander war nicht zu bändigen. Er weinte und wütete, schrie und stieß unkontrollierte Laute aus. Längst hatte er seine Hände an der rauhen Rinde aufgerissen, aber das Holz bewegte sich keinen Millimeter.

Leonid, der nicht länger zuschauen konnte, wie Alexander sich quälte, riß den Freund zu sich herum, erschrak vor dem wilden Ausdruck in seinem Gesicht und versetzte ihm einen Schlag ans Kinn. Den zusammensackenden Körper fing er auf, trug ihn nach draußen, legte ihn unter eine Kiefer, es war dieselbe, unter der Nikolai gestorben war, und fesselte ihm die Hände. Minsk setzte sich neben den Bewußtlosen, und Leonid schickte den Fahrer fort, schnell Hilfe zu holen.

Als Alexander aufwachte, begann er zu toben und sich hin und her zu werfen. Vergeblich bemühte sich Minsk, ihn zu beruhigen. Alexander trat nach ihm und wuchtete dem Älteren ein Knie in die kurze Rippe. Leonid kam aus der zerstörten Hütte und hockte sich neben den Freund. Der fuhr herum, giftete den Georgier an. »Binde mich sofort los. Hast du nicht gehört?«

Leonid packte Alexanders Oberarme. »Wir kommen zu spät.«

»Losbinden, habe ich gesagt. Oder ich bring dich um.« Mit einem an Wut nicht mehr zu überbietenden Ausdruck starrte er Leonid an.

»Sie sind tot, Alexander.«

Der riß an den Fesseln, gebärdete sich wie ein Berserker. »Du sollst mich ...« Er stockte, Leonids Worte drangen tiefer, das Gesicht entzerrte sich. Fragend sah er den Georgier an, und dessen Augen waren Antwort genug.

»Sie ... sie sind ...?«

»Ja.«

»Larissa, Nikolai und Tanja?«

Leonid, der mit den Tränen kämpfte, nickte und verstärkte den Druck seiner Hände. »Du kannst ihnen nicht mehr helfen.«

»Sie sind alle tot?«

Leonid setzte sich neben Alexander und nahm den von einem Weinkrampf Geschüttelten in seine Arme.

Alexander bekam nicht mit, wie ein Trupp Arbeiter mit schwerem Gerät heranrückte. Zuerst deckte man das Dach ab, dann hob man die Stämme einzeln mit einem Kran an und legte sie auf die Seite.

Einer der Arbeiter gab Leonid ein Zeichen, als sie fertig waren.

Der stand auf, warf einen Blick zum apathisch vor sich hin starrenden Alexander, dem er inzwischen die Fesseln wieder abgenommen hatte, und ging in die Überreste der Hütte.

Ein grauenhaftes Bild bot sich Leonid: Die Leichen zerschmettert, von Larissas Gesicht nichts mehr zu erkennen, die kleinen Kinderkörper nur noch blutige Klumpen.

»Leonid, man hat sie gefesselt.«

Der Georgier wirbelte herum, Alexander stand neben ihm. Als sei es das Natürlichste auf der Welt, erwähnte er in einem ruhigen und emotionslosen Ton, daß man sie gefesselt habe.

»Ich habe es gesehen.«

»Die Schweine haben sie gefesselt. Wo sind die anderen Männer? Ihre Beschützer?«

»Keine Spur von ihnen.«

Alexander trat langsam näher. Leonid wollte ihn abhalten, ließ es aber sein, als er ihn anschaute.

Alexander bückte sich und umfaßte die Hände seiner Kinder und von Larissa. Alle Hände legte er zusammen und seine drumherum, als wollte er sie nie mehr loslassen. »Wir sind eine Familie. Wir bleiben eine Familie. Ich liebe euch. Ihr könnt euch nicht vorstellen, wie ich euch liebe.« Tränen fielen auf die Hände. »Nikolai ist mein Zeuge: Ich werde die Täter finden. Und ich werde euch rächen. Ihr bekommt eure Genugtuung.«

Nach einer halben Stunde trat Leonid an Alexander heran.

»Wir wollen sie nach Hause bringen.«

Alexander erhob sich, und Leonid erschrak. Die Augen, der Mund – nie würde er diesen Ausdruck von Kälte und Entschlossenheit vergessen, und auch nicht die blutig gebissenen Lippen.

In der kleinen Kapsel auf seiner Brust trug Alexander seit drei Tagen nun insgesamt sechs Haarbüschel. Seine Familie wurde neben Nikolai beerdigt.

Verstört sahen alle weg, wenn sie Alexander anschauten. Er kam ihnen abwesend vor, als hätte er die Tragweite des Geschehenen noch nicht erkannt. Keine Träne, keine Regung, bewegte er sich stocksteif wie eine Marionette.

Aber nachts, wenn er allein in der Wohnung war, dann hörte Minsk ihn durchs Haus geistern. Er ging in die Zimmer der Kinder und sprach mit ihnen, wie er es immer getan hatte. Kleidungsstücke nahm er aus dem Schrank, um an ihnen zu riechen, das gleiche tat er im ehelichen Schlafzimmer. Wenn Minsk oder Leonid morgens zu ihm kamen, dann sahen sie ihn vor dem Kamin sitzen und die Fotos seiner Frau und die der Kinder betrachten.

»Sie hatten keine Chance«, murmelte er Mal für Mal. »Was müssen das für Bestien sein, die sich an Frauen und Kindern vergreifen. Und ich habe Rekunkow nicht ernst genommen.«

Leonid trat zu Alexander. »Keiner konnte auch nur ahnen, wie brutal er vorgehen würde. Dich trifft keine Schuld.«

»Doch, ich hätte es wissen müssen. Ich habe die wirklich harte Schule des Lebens durchgemacht, ich kenne mich auf der Schattenseite aus. Ich hätte es wissen müssen.«

Leonid und Minsk kamen sich hilflos vor.

»Gibt es eine Spur von den vier Bewachern?« fragte Alexander eine Woche nach der Beerdigung.

»Nein, absolut nichts.«

»Wie ist es geschehen?«

»Ein Transporter für Langholz ist auf die Hütte zugerast und hat gebremst. Alle Stämme, die über das Fahrerhaus hinausragten, sind nach vorne geschossen wie Torpedos. Insgesamt acht. Sie waren alle naß und glitschig.«

»Dabei hat es seit Wochen nicht geregnet.«

Leonid nickte. »Nur der Boden ist noch etwas feucht.«

»Wird das Holz nicht an anderer Stelle aus dem Wald gebracht?«

»Ja. Es war kein Unfall. Oder bist du anderer Meinung?«

»Leonid, ich habe nur die Möglichkeit einkalkuliert, daß man sie gefesselt hat, um die vier Männer wegzubringen. Und dann ist vielleicht aus Versehen ...«

Sie sahen sich an und wußten, so war es nicht.

»Leonid, komm, wir fahren raus zur Hütte.«

Alexander umkreiste den Rest des einstmals schönen Jagdhauses, Leonid war dicht neben ihm.

»Sie hatten keine Chance«, hörte er ihn murmeln. »Ich konnte immer wieder fliehen und mich aus dem Staub machen, aber sie hatten keine Chance.«

Deutlich waren noch die Bremsspuren des Lkw zu sehen. Die blockierenden Räder hatten den Untergrund geschrammt, das Gras wegradiert und einen Wulst vor sich hergeschoben. Alexander wanderte von der Hütte bis zum Rand einer Lichtung. Dort blieb er stehen. »Weißt du, was ich denke?« fragte er, während er zurückschaute.

Leonid antwortete nicht.

»Der Fahrer hat die Ladung komplett hochgebockt, und zwar so weit, daß alles über das Fahrerhaus geragt hat. Es waren insgesamt nicht mehr als acht Stämme.«

»Wie kommst du darauf?«

»Die anderen hätten bei dem brutalen Bremsmanöver sonst die Kabine durchstoßen. Außerdem wäre durch ihr Gewicht der Lkw weitergedrückt worden.«

Leonid überlegte. »Wahrscheinlich hast du recht.«

»Aber dazu benötigte der Fahrer Helfer und einen Kran.«

»Ich habe mich schon erkundigt, keiner will was gesehen haben.«

»Was sagt die Miliz?«

»Sie spricht von Unfall und Fahrerflucht, deshalb zeigt sie auch kaum Aktivitäten.«

»Und was hast du mittlerweile erfahren?«

»Sehr wenig. Welches Auto es ist, wissen wir auch noch nicht. Von unseren ist keines gestohlen worden.«

Sie gingen langsam weiter, Alexander immer mit Blick zum Boden, wo sich das Profil, bei jedem zweiten Lkw war es zu finden, eingedrückt hatte. Plötzlich bückte er sich und tastete den Untergrund ab.

»Hier, fällt dir was auf?«

Leonid besah sich die Stelle. »Ja, der Eindruck ist anders.«

»Ein Stollen ist gespalten oder hat eine tiefe Kerbe. Und zwar der vom rechten Vorderreifen«, behauptete Alexander.

»Wie kommst du darauf?«

Alexander richtete sich auf. »Der Lkw hat an dieser Stelle den Waldweg verlassen und ist eine Linkskurve gefahren. Und das hier

ist der äußerste Eindruck. Der kann nur vom rechten Vorderreifen stammen, der muß nämlich den längsten Weg machen.«
»Klar, leuchtet ein.«
»Jetzt müssen wir nur noch den Lkw finden, dessen ...«
»... rechter Vorderreifen einen geteilten Stollen hat.« Als Alexander ihn nicht mehr hören konnte, murmelte Leonid: »Ich glaube, es gibt davon eine ganze Menge.«
Leonid organisierte die Suche. Jeden, den er damit beauftragte, wählte er sorgfältig aus und besprach sich mit ihm unter vier Augen. Kein Wort zu einem Dritten durfte er verlieren, falls er das Fahrzeug entdeckt haben sollte. Das mußten sie alle versprechen.

Alexander hatte einen schweren Weg vor sich, aber Gogol empfing ihn sofort. In seinem Gesicht stand die Schadenfreude eines vereinsamten alten Mannes zu lesen. »Jetzt bist du auch allein.«
Alexander brauchte sich nicht zusammenzureißen, in ihm waren nur noch Kälte und Wut und Gefühllosigkeit. Er hätte sich einen Arm abtrennen können, ohne das Gesicht zu verziehen.
»Gogol, als dein Sohn starb, habe ich mich vor ihm verneigt, weil ich Achtung vor dem Leben und vor ihm hatte. Ich meine, er hat den Bären bezwungen, und er hätte es verdient gehabt, König von Sibirien zu werden.«
»Das sagst du nur, weil du etwas von mir willst.«
»Nein, es ist mein Ernst.«
Gogol glaubte ihm nicht.
»Ich respektierte zumindest dich und deine Trauer um deinen Sohn«, sprach Alexander weiter. »Nachvollziehen kann ich erst jetzt, wie es dir wirklich ergangen ist.«
»Kannst du nicht. Warum bist du gekommen?«
»Um mit dir einen Waffenstillstand zu schließen.«
»Niemals. Zuerst dein Schwiegervater, er hat mich gehindert, der Größte zu werden, und jetzt du.«
»Gogol, ich bin nicht dein Feind. Du kennst ihn noch nicht einmal.« Aus den Augenwinkeln beobachtete er den Grauhaarigen, der sehr gealtert war und nicht mehr die Körperspannung aufwies wie noch vor einigen Jahren.

»So, ich kenne ihn nicht? Dann klär mich auf.«
»Bietest du mir keinen Platz an.«
»Setz dich.«
»Gogol, du und ich, wir können uns ausrechnen, einschätzen. Du hast Menschen töten lassen, mich über andere bekämpft, aber nie persönlich angegriffen. Nikolai und ich haben auch deinen Sohn nie angegriffen. Zwischen uns hat immer eine Grundfairneß existiert, eine Art Respekt. Warum das so ist – ich weiß es nicht.«

Gogol biß sich auf die Lippen.

»Aber die Zeiten haben sich geändert. Unser Mittelsibirien wird überflutet von Verbrecherbanden, die aus dem Westen kommen. Mich haben sie aufgesucht und von mir verlangt, ich solle ihnen zehn Prozent meines Umsatzes abliefern.«

»Geschieht dir recht.«

»Du hast das nie von mir verlangt, auch nicht von Nikolai.«

Erneut biß sich Gogol auf die Lippen.

»Wenn es diesen Kerlen gelingt, uns unterzukriegen, dann haben sie das Land in der Hand, dann errichten sie ein Netzwerk aus Korruption, Erpressung, Mord und Totschlag.«

»Der Staat wird schon mit ihnen fertig.«

»Er ist ja nicht einmal mit dir und der Gruka fertiggeworden.«

Gogol setzte sich gerade, darauf war er stolz.

»Und er wird erst recht nicht mit der neuen Generation von Verbrechern fertig, die eine ungeahnte Brutalität an den Tag legen. Ich habe ihr Angebot abgelehnt, und ohne Vorwarnung ist meine Familie umgebracht worden. Ohne Vorwarnung.«

Alexanders Stimme war leiser und schneidender geworden. Weiß zeichneten sich die Knöchel seiner geballten Faust ab.

»Dein Problem.« Aber Gogols Ablehnung klang schon etwas gemäßigter.

»Meine Frau und meine kleinen Kinder sind umgebracht worden. Gogol, hast du schon mal ein kleines Kind getötet? Könntest du ein kleines Kind töten, etwa das deines größten Feindes?«

Der Alte schaute Alexander an und schüttelte den Kopf.

»Gogol, du und ich, wir müssen zusammengehen, sonst haben wir keine Chance.«

Der Alte zeigte keine Reaktion.

»Du trägst die Verantwortung gegenüber deinen Leuten. Entweder lieferst du sie ans Messer, was ich nicht glaube, oder sie liefern dich ans Messer. Und zwar dann, wenn sie überlaufen zu den neuen Chefs.«

»Tun sie nicht.«

»Zwei oder drei deiner Männer werden auf bestialische Art umgebracht, schon bist du ohne Armee.«

Gogol rieb sich die Nase, und mit der anderen Hand fuhr er sich durchs Haar.

»Gogol. Ich bin für sie kein Ziel mehr. Mir können sie nichts mehr anhaben, mir haben sie alles genommen.«

»Du lebst noch.«

Alexander verzog das Gesicht. »Ich bewege mich noch, aber ich lebe nicht mehr, Gogol.«

Irritiert sah ihn der Graukopf an. »Wie soll ich das verstehen?«

»Mich werden die Rache und die Wut töten. Aber vorher«, Alexander zitterte am ganzen Körper, seine Hände krallten sich in die Lehne, sein Kopf lief rot an, »aber vorher werde ich sie finden.«

Gogol erschrak vor Alexanders Reaktion. »Was willst du wirklich von mir?«

»Waffenstillstand.«

»Und was noch?«

»Deine Hilfe.«

»Wie kommst ausgerechnet du auf die Idee, ich würde dir helfen?«

»Aus dem gleichen Grund, warum du Nikolai geschont hast. Du hättest genügend Gelegenheiten gehabt, dich an ihm für den Tod deines Vaters zu rächen.«

»Du weißt davon?« fragte Gogol erstaunt.

»Ja. Ich weiß auch, was du getan hast.«

Gogol ging über die Bemerkung hinweg. »Warum hätte ich Nikolai umbringen sollen?«

»Weil er dich immer an die Vergangenheit erinnert hat und er dir im Weg stand.«

Gogol überlegte. »Wenn es so ist, dann nenne mir auch den Grund, warum ich es nicht getan habe.«

»Du kennst ihn. Nikolai aber hatte davon keine Ahnung.«

»Was ... was willst du damit sagen?«

»Ich weiß, was in dir vorgegangen ist. Und du weißt, daß ich es weiß. Ich bitte dich, hilf mir. Es ist deine Pflicht, Nikolai gegenüber.«

Alexander wußte die Geschäfte bei Leonid und Minsk in guten Händen, deshalb war er in den folgenden Tagen oft unterwegs. Geriak, den Jakutenführer, suchte er zu Hause auf. Er kam unangemeldet, und Geriak fühlte sich verpflichtet, sofort ein kleines Willkommensfest zu arrangieren. Falls Alexander sich weigere, dann könne er sofort wieder nach Hause fahren.

»Ich möchte mit dir reden.«

»Ich weiß. Aber einen König empfängt man standesgemäß. Und dabei reden wir.«

Am Abend versammelten sich bei Geriak die Spitzen der Jakuten, etwa fünfzehn an der Zahl. Vor Geriaks Lehmhütte brannte ein großes Feuer und daneben lagen mehrere tote Tiere: Füchse, Hasen, ein neugeborenes Ren und einige Igel. Die Jakuten rollten die Tiere, so wie sie waren, in Lehm ein und legten sie in die Glut. Dann kreiste der Wodka.

»Wir trauern mit dir.«

»Danke.«

»Und wir helfen dir, deine Familie zu rächen.«

»Wenn zwei Jahre Gefängnis eine Hand kosten, was kostet dann ein Mord?«

»Den ganzen Körper.«

»Das ist gut. Und der Körper eines Kindes, was kostet er?«

»Ewiges Feuer, bis auch die Seele verbrannt ist. Sag mir, was wir Jakuten machen können.«

Alexander starrte in die Glut und auf die Lehmklumpen. »Ich habe eine vage Spur. Falls sie zum Erfolg führt und ich einen der Verdächtigen erwische, wie kann ich ihn zum Sprechen bringen?«

Geriak beriet sich mit seinen Landsleuten auf jakutisch. »Bring ihn zu uns.«

»Und ihr werdet alles aus ihm herausbekommen?«
»Ja.«
»Was werdet ihr mit ihm machen?«
Wieder beriet sich Geriak mit den anderen Männern. »Wir haben einen alten Brauch. Schon lange wird er nicht mehr von uns ausgeübt, weil ihr uns die Zivilisation gebracht habt. Aber der Brauch existiert noch. Der Betreffende wird reden.«
Mehr war aus Geriak nicht herauszubekommen. Das Thema war beendet, sie unterhielten sich über andere Dinge.
Später fischten die Jakuten die Lehmklumpen aus dem Feuer. Mit ihren Messern brachen sie sie auf, und so wie der Lehm aufbrach, brachen auch die Körper auf. Fell, Haut und Stacheln der Igel waren im Lehm festgebacken, das Innere lag frei.
Alexander verabschiedete sich am nächsten Morgen und bedankte sich für die Gastfreundschaft.
»Was ist eigentlich aus dem Mann geworden, den ihr seinerzeit mit einer Kette im Wald festgebunden habt.«
»Er hat seine Schuld eingestanden.«
»Inwiefern?«
»Als wir ihn aufsuchten, waren nur noch seine Hand und der Unterarmknochen in der Kette.«
»Ist er etwa ...«
»Nein. Das hat die Taiga getan.«

Wieder zu Hause, wieder an den Gräbern. Stundenlang stand Alexander davor, und Leonid, der ihn des öfteren beobachtete, bekam Angst vor der Entwicklung, die sein Freund durchmachte. Schweigsam war er geworden, das konnte er noch verstehen. Aber daß er mit keinem Wort seine Familie erwähnte und lediglich an den Gräbern redete, wie er an den Lippenbewegungen erkennen konnte, das verwirrte ihn. Wenn Leonid von Larissa und den Kindern anfing, weil er dachte, der innere Druck müsse aus Alexander entweichen und er brauche jemanden, mit dem er sich aussprechen könne, dann legte der ihm jedesmal eine Hand auf den Arm. »Später«, sagte er nur, »später, wenn alles vorbei ist. Dann habe ich auch Zeit zu trauern.«
An diesem Tag gab es zwei Ereignisse, über die sich Alexander

freute. Zu erkennen war das nur am leichten Zucken seiner Mundwinkel. Zuerst erhielt er die Nachricht, der Lkw sei gefunden worden. Der Gipsabdruck, den man vor der Jagdhütte angefertigt habe, passe exakt auf den Reifen. Der Fahrer sei schon in Begleitung von drei Männern auf dem Weg nach Kirensk. Man habe ihn noch nicht verhört, und er wisse auch nicht, um was es gehe. Er sei der Meinung, man würde ihm ein gutes Angebot machen für einen besonderen Job. Gegen Abend müsse er eintreffen.

Wenig später kam Besuch. Gogol. Ohne Alexander zu begrüßen, steuerte er gleich auf das Kaminzimmer zu.

»Ich habe es mir überlegt.«

»Dann sag mir deine Antwort.«

»Zuerst will ich Näheres über deine Andeutungen wissen. Was gab es Besonderes zwischen mir und Nikolai? Wieso ist es meine Pflicht, dir zu helfen?«

»Weil es um Nikolais Tochter geht.«

»Was habe ich mit ihr zu tun?«

»Du hast sie vor Jahren nur entführt, um Nikolai bloßzustellen.«

»Na und?«

»Nie und nimmer hättest du ihr ein Haar gekrümmt. Selbst dann nicht, wenn Nikolai sich geweigert hätte, das Lösegeld zu zahlen.«

»Interessante Theorie. Und weshalb hätte ich sie deiner Meinung nach schonen sollen?«

»Sie ist deine Nichte.«

»Meine ...« Gogol faßte sich an die Brust. Mit aufgerissenem Mund starrte er Alexander an. »Woher weißt du davon?«

»Ich weiß es nicht, ich habe es vermutet. Aber in diesem Augenblick hast du es zugegeben.« Und bevor der Ältere aufbrausen konnte: »Es bleibt unser Geheimnis.«

Gogol stieß zischend die Luft aus. »Sag mir, wie du darauf gekommen bist.«

Alexander rückte den Stuhl zurecht und setzte sich Gogol gegenüber. »Nikolai hat mir sehr ausführlich von der Vergangenheit erzählt, so auch den Vorfall mit seinem Bruder, der von einem Zaun aufgespießt wurde. Gogol, er ist vor deinem Vater geflüchtet, der ihn mißbraucht hat.«

»Das ist ...«
»Nein, das ist keine Lüge. Du und ich, wir wissen es.«
Gogols Schultern fielen nach vorn.
»Und er hat nicht nur Nikolais Bruder mißbraucht, sondern auch dessen Mutter. Vielleicht haben damals Großgrundbesitzer für sich das Recht in Anspruch genommen, mit den Frauen der Leibeigenen ins Bett zu gehen.«
»Zu der Zeit gab es keine Leibeigenen ...«
»Nach dem Gesetz nicht mehr, aber de facto schon. Warum sträubst du dich so, es zuzugeben? Du weißt alles und sträubst dich.«
Gogol bat mit flacher Stimme: »Bitte, gib mir was zu trinken.«
»Was möchtest du?«
»Scharfen Schnaps.«
Als die Wodkaflasche vor ihm stand, setzte Gogol sie an und trank, das Glas schob er zur Seite. Er wischte sich mit dem Unterarm über den Mund. »Ja, Nikolai war mein Halbbruder.«
Jetzt war es heraus, und Gogol fühlte sich erleichtert. Wieder ein kräftiger Schluck. »Mein Vater war ein Schwein. Er hat nicht nur Nikolais Bruder, sondern auch ...« Gogol trank abermals. »Und auf Geheiß meines Vaters mußte ich Nikolais Vater erschießen. Als Nikolai meinen umbrachte, ich habe ihn dabei beobachtet, da war ich erleichtert und froh. Die Bestie war endlich tot.«
»Aber warum dann der lange Weg des Hasses? Die Feindschaft? Die Anschläge?«
»Wegen der Ehre und wegen meiner Familie. Wir durften nicht zugeben, was für ein Mensch mein Vater war. Wir mußten so tun, als würden wir seine Ehre verteidigen.«
Alexander verstand den Alten nicht. »Hier in Sibirien gab es doch keine Zeugen.«
»Doch, Nikolai und mich.«
»Aber ihr seid Halbbrüder gewesen.«
»Das verstehst du nicht.«
»Nur noch eine Frage: Hast du Nikolai gehaßt?«
»Nein.«

Der Fahrer des Lkw, Bilenkow, war vierzig Jahre alt, mittelgroß und machte auf Alexander einen aufgeweckten Eindruck. Bilenkow wartete ungeduldig, damit endlich das erhoffte Angebot gemacht wurde. Aber Alexander, der Bilenkow für unschuldig hielt, tastete sich langsam vor. Wie lange er schon Lkw steuere, ob ihm das Spaß mache, wie er mit den Autos umgehe, ob er zuverlässig sei.

Alles beantwortete Bilenkow mit ja.

»Verleihen Sie auch manchmal Ihr Fahrzeug?«

Bilenkow wollte schon verneinen, als er sich sagte, es müsse einen Grund geben, so zu fragen. »Normalerweise nicht.«

»Was heißt das? Etwa nur an Freunde?«

Bilenkow zögerte mit der Antwort.

»Oder an welche, die gut zahlen.«

Bilenkow wurde nervös.

»Vor fünfzehn Tagen, einem Mittwoch. Haben Sie da den Ihnen anvertrauten Lkw verliehen?«

»Ja.« Zerknirscht gab es Bilenkow zu.

»An wen?«

»Nun …, äh …«

»Einen Bekannten?«

»Nicht direkt.«

»Wie heißt der Mann?«

Bilenkow rutschte unruhig auf seinem Stuhl hin und her. Die Fragen waren ihm unangenehm, noch unangenehmer aber die Blicke. Und der mit dem großen Schnurrbart nagelte ihn mit seinen dunklen Augen richtiggehend fest. »Ich kenne ihn nicht.«

»Was hat er gezahlt?«

»Zweihundert.«

»Für wie lange?«

»Mittwoch und Donnerstag.«

»Und wie viele Kilometer ist er gefahren?«

»Vierzig.«

»Das kann nicht sein.«

Bilenkow zuckte zusammen. »Aber auf dem Tachometer waren es nur …«

»Den kann man abklemmen. Vor Kirjol bis hierher sind es hin und zurück dreihundertdreißig Kilometer.«

Verstört schaute Bilenkow Alexander an. »War das Fahrzeug etwa hier?«

»Ja.«

»Der verdammte Hurensohn. Sagt zu mir, er müsse gerade mal in den Wald, Holz holen für den Winter. Wenn ich den erwische.« Und dann, als verstünde er auch den Zusammenhang: »Klar doch, er muß so viel gefahren sein. Ich hatte mehr als zwei Liter Öl nachzufüllen.«

Bilenkow erklärte, daß sein Lkw eine gewisse Menge Öl brauche. Das habe ihn stutzig werden lassen. Bei vierzig Kilometer könne nicht so viel zusammenkommen, auch nicht unter erschwerten Bedingungen im Wald.

»Jetzt beschreibe uns bitte den Mann.«

»Warum?«

Leonid sagte nur ein Wort, und das genügte. »Beschreibe.«

Bilenkow zuckte zusammen. »Dunkle Haare, auch einen Schnurrbart«, er schielte zu Leonid, »aber nicht so groß, eher fein und zierlich, sauber gestutzt.«

»Alter?« Leonid übernahm die weiteren Fragen.

»Gerade dreißig, würde ich sagen.«

»Körpergröße?«

Bilenkow stellte sich hin und deutete mit einer Hand an, der andere müsse zwei oder drei Zentimeter größer gewesen sein als er.

»Dick oder ...«

»Sehr schlank, fast mager.«

»Brille?«

»Nein.«

»Welches Auto?«

»Fiat. Ja, genau, er ist in einen blauen Fiat eingestiegen.«

»Allein oder wartete jemand?«

»Allein.«

»Kennzeichen?«

Bilenkow wußte es nicht. Aber er erinnerte sich, die ganze Fahrerseite war verschrammt, und zwar in Rot. Entweder habe der

Besitzer die Stelle neu lackiert oder das andere Fahrzeug müsse ...

»Würdest du ihn wiedererkennen?«

»Klar. Erst recht, wenn er was sagt. Seine Zunge stößt beim Sprechen an.«

Bilenkow durfte mit dreitausend Rubel mehr in der Tasche gehen. Deswegen wagte er auch nicht zu fragen, um was es sich handelte. Er hatte Angst, man würde zuviel Neugier mit der Abnahme des Geldes bestrafen. Selbstverständlich werde er zu niemandem ein Wort sagen.

Leonid und Alexander rotierten. Sie gaben an Helfer, Tolkatschi und Freunde die Beschreibung des Fahrers und die des Autos durch. Einen Tag später wußten sie, wem der Fiat gehörte: Witali Wischwani, einem Armenier.

Wiederum einen Tag später verspürte Wischwani einen Schlag gegen den Hinterkopf, dann wurde es um ihn herum dunkel. Wenige Stunden danach erkannte Bilenkow den Mann wieder. Er war sich hundertprozentig sicher.

»Kann er mal was sagen?«

»Er schläft.«

»Was hat er getan?«

»Die Vorschriften nicht eingehalten.«

»Aha.«

Wischwani, den man mit einer Spritze in einen Tiefschlaf versetzt hatte, wachte erst wieder mehr als tausend Kilometer von Kirensk entfernt auf. Zuerst verstand er überhaupt nichts, dann zerrte er an den Armen, aber die wollten nicht gehorchen. Und um ihn herum saßen Männer mit grimmigen Gesichtern.

»Witali Wischwani. Wer hat dir den Auftrag gegeben, einen Lkw zu leihen, ihn mit Baumstämmen zu beladen und vor einer bestimmten Jagdhütte zu bremsen?«

Wischwani reagierte, als hätte er einen Tiefschlag in den Magen erhalten. Obwohl er auf dem Boden lag, krümmte er sich wie unter großen Schmerzen zusammen. Dann blinzelte er und schaute lange in Leonids Gesicht. Und als er darin nicht die Spur von Mitleid erkannte, versteifte er sich aufs Schweigen.

Geriak bekam ihn schnell zum Sprechen. Benzin auf die Fußsohle geträufelt, angezündet, schon sprudelte es aus ihm heraus.

»Ich habe keinen Lkw mit Baumstämmen gefahren, gebremst und die Hütte zerstört«, schrie er wie von Sinnen und schielte nach unten auf seinen Fuß, der in ein Gestell eingespannt war. Er konnte ihn nicht bewegen.

Alexander hatte den letzten Beweis: Wischwani stieß mit der Zunge an. Und der Armenier hätte sich nach dieser Antwort am liebsten ein Stück von ihr abgebissen. Als die Worte heraus waren, ahnte er, daß er sich verraten hatte.

»Nenn uns deinen Auftraggeber.«

Wischwani schwieg.

»Zum letztenmal: deinen Auftraggeber!«

Wischwani biß sich auf die Lippen, als wollte er sie für alle Zeiten verschließen.

Alexander nickte Geriak zu. Dann verabschiedete er sich. Leonid begleitete ihn.

Wischwanis Augen irrten zwischen den verbliebenen Männern hin und her. Stoisch waren ihre Gesichter. Jetzt machte sich wieder einer an seinem Fuß zu schaffen, aber es war kein Benzin. Er pappte irgendwas drumherum. Feucht und klebrig. Wischwani schielte nach unten und sah, daß man seinen rechten Fuß bis kurz oberhalb des Knöchels in braunem Lehm verpackte. Verstört sah er in die Runde. Und er wurde noch verstörter, als man um seinen Unterschenkel und hoch bis zur Hüfte Tücher wickelte und diese ständig mit Wasser befeuchtete.

Als die ersten mit Blecheimern auf ihn zukamen und den glühenden Inhalt um den Lehmfuß verteilten, ihn vollständig zudeckten, da schrie er wie am Spieß. Dann kam die Hitze.

Geriak stieß dem Schreienden einen Knebel in den Mund. »Wenn du was sagen willst, dann nicke.«

Wischwani nickte.

Geriak nahm den Knebel heraus und fragte: »Wie heißen deine Auftraggeber?«

Die Nachtschwester des kleinen Krankenhauses in Wiljuisk dachte zuerst, es wäre wieder einer der Betrunkenen, die häufig unter dem Vordach im Trockenen ihren Rausch ausschliefen. Sie rüttelte ihn an der Schulter, doch er reagierte nicht. Aber sie sah trotz der schwachen Beleuchtung, daß der Mann verletzt sein mußte. Um seinen Fuß trug er einen Verband oder etwas Ähnliches. Sie benachrichtigte den Notarzt, und gemeinsam schafften sie den Verletzten, der qualvoll stöhnte, in den Behandlungsraum.

»So einen Gips habe ich noch nie gesehen. Er scheint Schmerzen zu haben. Los, aufmachen!«

Die Nachtschwester ging mit der starken Schere daran und wunderte sich, weil der vermeintliche Gips so bröckelte und der untere Teil des Beines seltsam schwarz war.

»Doktor, hier stimmt was nicht.«

»Lassen Sie mich mal.«

Als der Arzt die braune, harte Masse aufklappte, fiel die Nachtschwester zum erstenmal in ihrem langen Berufsleben in Ohnmacht.

Und dem Arzt, der schon viele scheußliche Verletzungen gesehen hatte, stockte der Atem, dann schrie er.

Blank lagen die Fußknochen vor ihm, und in den aufgeklappten Schalen klebte das gegarte Fleisch.

Wischwani konnte nur den Namen eines Mittelsmannes, Mesarzin, nennen, der ihn für diesen Job angeheuert hatte. Aber das genügte, denn über diesen Mesarzin erfuhr der Jakute auf schnelle Art, wer die eigentlichen Drahtzieher waren.

Gogol hielt Wort. Alexander rief ihn an und gab ihm die Namen der Personen durch, die Geriak ihm mitgeteilt hatte. Auf jeden setzte Gogol fünf Männer an, und zwei Tage später meldete er Vollzug: Alle seien einkassiert.

Gogol lieferte die vierzehn Überraschten, fein säuberlich verschnürt, bei Geriak ab. Wenige Stunden später trafen Alexander und Leonid ein.

Rekunkow, der vor wenigen Wochen noch großspurig zehn Prozent verlangt hatte, ahnte Schlimmes auf sich zukommen, als er

Alexander erblickte. Der zog einen kleinen Holzhocker heran und setzte sich neben den Gefesselten.

»Warum hast du meine Familie umgebracht?«

Rekunkows Kopf zuckte in verschiedene Richtungen, als suche er nach einem Ausweg. »Ich weiß nicht, wovon du sprichst.«

»Mesarzin hat alles gestanden. Was denkst du, wieso ihr hier seid?«

Nicht der Umstand, daß er gefesselt war, machte Rekunkow so zu schaffen, sondern die unnatürliche Ruhe, mit der Alexander sprach. Das eigentlich Besorgniserregende waren seine Augen. Rekunkow konnte sie nicht anschauen, denn in ihnen erblickte er seinen Tod.

»Wir haben damit nichts zu tun.«

»Womit?«

»Deiner Familie. Tut mir leid, das Ganze.«

»Rekunkow, ich will von dir die Namen der Männer wissen, mit denen du Kontakt hast, die zu deiner Verbrechergruppe gehören.«

Rekunkow bemühte sich, vor den anderen dreizehn, alle waren gefesselt wie er, den starken Mann zu spielen. Aber das kaufte ihm niemand mehr ab.

»Nichts werde ich dir sagen. Scher dich zum Teufel!«

»O doch, du wirst mir alles sagen. Geriak, habe ich recht?«

Der Jakute nickte.

Erst jetzt wurde Rekunkow bewußt, daß um ihn herum viele Einheimische saßen. Scheißefresser, wie er sie zu nennen pflegte.

»Sie werden dich nicht umbringen. Was sie mit dir anstellen, wird viel schlimmer sein. Und das Schlimmste für dich ist, du wirst zusehen müssen, was mit den beiden geschieht, die dich zu mir begleitet haben. Und ihr«, Alexander wandte sich an die übrigen Männer, die alle zur Gruppe von Rekunkow gehörten, die meisten waren Leibwächter von ihm, »auch von euch will ich wissen, wie eure Kumpane heißen. Und ihr werdet sie nennen, dafür verliert ihr nur einen Monat. Geriak, kann man das sagen, daß sie einen Monat verlieren?«

Geriak lächelte. »Ja, kann man. Ein Finger entspricht etwa einem Monat.«

»Schweigt ihr, dann verliert ihr zwei Jahre. Zwei Jahre bedeuten eine Hand. Anschließend dürft ihr gehen. Ihr braucht nur den anderen zu erzählen, was ihr hier gesehen habt.«

Die Jakuten verpackten die Füße der beiden Stummen, die seinerzeit Rekunkow begleitet hatten, in Lehm und deckten den Rest der Beine mit Tüchern ab, die sie befeuchteten.

Und dann zeigte sich, daß die beiden Stimmen doch sehr gut sprechen konnten. Immer fließender, immer schneller, schließlich abgehackt und laut und stoßweise, wobei sie unentwegt auf ihre Füße schielten. Am Ende schrien sie nur noch. Auf ein Zeichen von Geriak verpaßte man ihnen einen Knebel. Die Ohnmacht erlöste sie schließlich.

Auch Rekunkow bekam einen Knebel, obwohl man bei ihm mit der Prozedur überhaupt noch nicht begonnen hatte. Weil er jedoch bei seinen Kameraden zuschauen mußte, war es aus mit seiner Gelassenheit.

Wieder bekam das kleine Krankenhaus in Wiljuisk etwas zu tun. Diesmal allerdings mehr als wenige Tage zuvor. Drei Männer lagen unter dem Vorbau und stöhnten. Zwei hatten dicke Klumpen an den Füßen und der dritte zusätzlich noch welche an den Händen. Die Behörden standen vor einem Rätsel. Vier Männer in einer Klinik, die auf seltsame Art und Weise, dafür aber auf das Schmerzhafteste, ein oder zwei Füße verloren hatten. Und der bedauernswerte Dritte zusätzlich noch beide Hände und einen Teil der Unterarme. Aber sosehr die Miliz auch fragte, keiner sagte ein Wort, denn sie glaubten Geriaks Drohung unbedingt, daß er ihnen, falls sie etwas von sich gäben, einen schönen breiten Gürtel aus Lehm um den Bauch verpassen würde.

Und die elf ohne kleinen Finger verkündeten die Geschichte im ganzen Land. Eine Woche später gab es keine Mafia mehr nördlich des Baikalsees.

Wie das Eis in der Sonne schmolz Alexanders Wut. Seine Rache war befriedigt, die Täter waren bestraft. Das Wilde in ihm, das ihn zugleich zum Tier und zum Roboter hatte werden lassen, und die unbedingte Gier nach Vergeltung legten sich.

Als er wieder fähig war, richtig zu trauern, die Größe seines Verlustes zu begreifen, machte er sich Vorwürfe wegen des harten Vorgehens. Leonid beruhigte ihn. Keiner sei umgebracht worden, Geriak habe sich an die Abmachung gehalten, obwohl er der Auffassung gewesen sei, Körper mit Körper zu vergelten.

Immer noch ging Alexander jeden Tag mehrmals an die Gräber seiner Familie. Lange stand er vor den kleinen Erdhügeln, die in sich zusammenfielen, der ständige Regen ließ sie schrumpfen. Manchmal lächelte er sogar, wenn seine Gedanken mit ihm auf Reisen gingen und er sich an zurückliegende schöne Erlebnisse erinnerte. Um so schmerzlicher war die Wiederkehr in die Gegenwart.

Alexander geriet in eine Phase des Wenn und Aber. Wenn ich doch nur auf euch aufgepaßt hätte. Aber ich habe es versäumt und war noch nicht einmal in der Lage, meine Liebsten zu schützen. Wenn ich doch Rekunkow ernst genommen hätte. Aber ... Und die Selbstvorwürfe, dieses Sich-mit-seinen-Unterlassungen-Herumschlagen-und-Quälen, setzten ihm zu. Sie fraßen an ihm und führten ihm ständig sein Versagen vor Augen.

Schubweise legte er eine Lebensbeichte vor sich ab. Was er alles erreicht und nicht erreicht hatte, worin er den Sinn der Vergangenheit sah und den der Zukunft. Die jüngere Vergangenheit brachte ihm zumindest noch die Erinnerung an Larissa und die beiden Kinder, daran klammerte er sich. Für die Zukunft sah er keine Perspektive. Sich noch weiter zu engagieren für den Bund, für Mittelsibirien, dazu fehlte ihm die Motivation.

Alexander hatte das Gefühl, als sei er aus sich herausgetreten und gehe traumwandlerisch neben sich einher. Er wirkte apathisch und desinteressiert, wenn Mitarbeiter sich an ihn wandten. »Frag Leonid«, war seine stereotype Antwort. Oder: »Geh zu Minsk.«

Verhandelte er mit Geschäftspartnern, dann schrak er zwischendurch auf, weil ihm Passagen entgangen waren. Sich entschuldigend, verließ er den Konferenzraum, steuerte auf die Toilette zu und wusch sich. Sein Gesicht im Spiegel – die dunklen Ringe unter den Augen und der gequälte Ausdruck, verstärkt durch die tief eingegrabenen Falten – gab seinen Gemütszustand wieder. Aber mit kaltem Wasser konnte er diesen nicht verscheuchen.

»Alexander, ich habe Angst um dich.« Leonid nahm den Freund auf die Seite.
»Ich selbst auch. Aber glaube mir, ich kann nichts unternehmen.«
»Du mußt ...«
»Ich muß die Vergangenheit bewältigen. Klar, es auszusprechen ist einfach. Aber in mir drin ist eine Leere, eine Unrast, sind Unsicherheit und Schmerz. Ich weiß nicht, wie ich dagegen ankämpfen soll.«
»Was ist, wenn du einige Zeit ausspannst?«
Sie wanderten auf einem schmalen Waldweg. Der Boden glänzte feucht und weich von der Frühjahrssonne. Aber im Schatten war es immer noch recht kühl.
»Larissa und die Kinder sind jetzt mehr als ein halbes Jahr tot. Du brauchst Ablenkung.«
Alexander stimmte zu. »Ja, ich werde mich neu besinnen müssen. Ich gehe für einige Monate zu den Ewenken.«

Tarike war längst verheiratet, etwas in die Breite gegangen und hatte vier Kinder. Der älteste Sohn war zehn Jahre alt, und Urnak, der mit den drei Bärentatzen, inzwischen Großvater geworden. Yokola, der Fährtensucher und Saman, der Alexander vor vielen Jahren im Schnee entdeckt hatte, lebte auch noch und war trotz seines Alters erstaunlich rüstig. Wie alt er jedoch genau war, wußte er nicht. Allerdings war Yokola seit mehreren Monaten geistig abwesend und kaum noch ansprechbar. In ihm wohne schon lange ein besonderer Geist, erklärte Urnak.
»Wann ist der Geist eingezogen?«
»Kurz nachdem du weggegangen bist. Immer wieder begann Yokola von dir zu sprechen und von der Verpflichtung, die er nun mal dir gegenüber habe, weil er dein Leben rettete. Aber er fühlte sich der selbstgestellten Aufgabe nicht gewachsen, sprach von Gefahren, denen sein zweites Ich, damit meinte er dich, ausgesetzt sei, während er nur tatenlos zuschauen könne. Yokola litt, träumte nachts und wanderte tagsüber ziellos umher. Manchmal zuckte er, wenn wir alle ums Feuer saßen, unvermittelt zusammen. ›Er ist in Gefahr‹, sagte er dann. ›Er spielt mit seinem Leben und

ist sich selbst nichts mehr wert. Wenn er stirbt, dann sterbe auch ich.‹«

»Seit wann ist er so sonderbar?«

»Verwirrt ist das richtige Wort.« Urnak überlegt. »Es müßten jetzt sieben Monate her sein. An einem Mittwoch begann alles.«

An einem Mittwoch, durchzuckte es Alexander. An einem Mittwoch vor sieben Monaten ist meine Familie umgebracht worden. Jetzt weiß ich auch, warum nicht ich verrückt geworden bin.

Alexander ging zu dem alten Ewenken, aber der sah durch ihn hindurch und murmelte unverständliche Worte vor sich hin.

»Yokola, erkennst du mich?«

Der Alte zeigte keine Reaktion.

»Du hast mir das Leben gerettet.«

Yokolas Blick suchte die Unendlichkeit.

Alexander öffnete die Kapsel auf seiner Brust und zog ein Büschel Haare hervor. Er hielt es dicht vor Yokolas Augen.

Der Ewenke erblickte die schwarzen Haare, starrte lang darauf und umfaßte Alexanders Oberarme, wie er sie vor vielen Jahren zum Abschied umfaßt hatte. Dann sah er ihn an. »Ich bin deine Seele, und deine Seele leidet.«

»Ich leide auch.«

Yokola erinnerte sich jetzt vollständig an Alexanders ersten Aufenthalt und begann vom großen Licht, vom Kosmos und von Gott zu sprechen, wobei er jedoch nie eine Person meinte, sondern das Bündel der Lichter im Universum. Sie seien die wahre Macht, die wahre Religion und die wahre Größe. »Wie sonst können sie so weit weg von uns sein, und trotzdem sehen wir sie?«

Alexander wußte keine Antwort.

Yokola, dessen Augen die ganze Zeit auf den Horizont gerichtet gewesen waren, schaute Alexander an. »Ich freue mich, daß du noch lebst. Du hast dich als würdig für das Geschenk des Lebens erwiesen.«

»Und warum leidest du dann?«

»Leidet nicht immer ein Vater mit seinem Sohn, egal, was er auch tut? Hat er nicht die Verpflichtung, alles Unheil von seinen Kindern fernzuhalten?«

Alexander war von den schlichten Worten ergriffen. »Du hast mir das Leben geschenkt, du bist mein Vater. Deshalb bin ich also in deinen Augen würdig?«

Der Alte nickte.

»Yokola, kann ein Mensch innerlich verbrennen?«

»In dir geht etwas Schlimmes vor, ich fühle es. Ich fühle es seit langem.«

»Meine Familie ist tot. Mein Glaube sagt mir, Gott wird die Bösen auf ewig zu unsagbaren Qualen verurteilen. Damals, vor vielen Jahren, hast du gesagt, es gibt keine Hölle. Aber ich will die Bösen in der Hölle sehen.«

»Gott quält nicht, Gott erzieht, so wie wir unsere Kinder erziehen.«

»Yokola, ich habe Angst davor, daß du recht hast.«

»Wieso?«

»Das würde bedeuten: Meine Frau und die Kinder begegnen irgendwann ihren Mördern.«

Yokola grübelte, denn mit dieser Konstellation war er noch nicht konfrontiert worden. »Gott wird es schaffen, sie zu verändern. Durch seine Liebe.«

»Und was ist, wenn ich die Mörder im Himmel treffe? Nicht, daß ich ein Recht habe, dorthin zu gelangen. Aber was ist, wenn ich sie treffe?«

»Die Liebe hat sie verändert.«

»Aber ich habe mich nicht verändert. Und in mir ist Böses.«

»Du fürchtest dich vor dem Feuer in dir, das frißt und frißt.«

»Ja.«

»Entweder frißt es dich auf, oder du schaffst es, deinem Leben einen neuen Sinn zu geben.«

»Ich spreche nicht vom Leben, sondern vom Tod und danach.«

»Dazu hast du jetzt noch kein Recht.«

»Ich lebe nicht wirklich – und die Ungewißheit macht mir so zu schaffen.«

Als sie an einen Punkt angelangt waren, den Yokola mit seiner Philosophie offenbar nicht mehr erfassen konnte, stand er einfach auf. Seine Welt und seine Religion waren unkompliziert, eine Anleitung zum praktischen Leben in der Einsamkeit. »Sich eines Geschenkes würdig zu erweisen, heißt auch, es zu pflegen und zu hüten. Du mußt dein Leben pflegen und hüten, nur so kannst du das Feuer löschen.«

Yokola sah Alexander kurz an, dann verlor sich sein Blick wieder in der Unendlichkeit.

Obwohl er lange mit Tarike sprach, war ihr Mann, nachdem er die Vorgeschichte erfahren hatte, nicht eifersüchtig.

»Warum bist du bei deinem Volk geblieben?«

Tarike lächelte immer noch bezaubernd, und von ihr ging eine Jugendlichkeit aus wie vor vielen Jahren. »Hier ist mein Platz, warum sollte ich ihn verlassen.«

»Bist du glücklich?«

»Hier ist mein Platz.«

»Hast du nie das Bedürfnis gehabt, woanders hinzugehen?«

»Doch.«

»Und warum hast du es nicht getan?«

»Weil du mich nicht wolltest.«

Vor so viel Offenheit schämte sich Alexander.

»Warum bist du zu uns gekommen?«

»Ich will mich finden.«

»Wer seine Familie verliert so wie du, der verliert auch sich selbst.«

»Genauso fühle ich mich.«

Alexander fand die Abgeschiedenheit beruhigend und dämpfend. Zwar gelang es ihm nicht, seine Gedanken frei zu machen von den schrecklichen Ereignissen, aber die Ewenken zeigten ihm in ihrer Natürlichkeit, daß man auch andere Schwerpunkte setzen konnte, um glücklich zu sein. Oft war er mit Urnak unterwegs. Stundenlang wanderten sie nebeneinander, ohne ein Wort zu sagen. Und jeder Schritt, so kam es Alexander vor, war für ihn ein Schritt neuer Selbstfindung.

»Yokola sagt immer, das Leben bestehe nur aus Prüfungen und wir hätten uns ständig zu bewähren. Erst dann erwiesen wir uns als würdig.«

»Was aber ist, wenn die Prüfungen unwürdig sind?« wollte Alexander wissen.

»Das ist nie der Fall. Es kommt immer darauf an, wie du es siehst. Erst durch deine Denkweise werden sie unwürdig.«

Urnak machte es sich aus Alexanders Sicht einfach. »Was wäre, wenn man deine Familie getötet hätte, so wie es mir widerfahren ist? Getötet von heimtückischen Mördern?«

Urnak zuckte die Achseln.

»Würdest du versuchen, sie zu rächen?«

»Yokola sagt, es darf keine Rache geben.«

»Ich will wissen, was du sagst. Ich will wissen, was du fühlst, wenn man ein Stück deines Herzens herausgerissen hat. Das größte Stück.«

Urnak schwieg und stapfte weiter.

»Dein Enkel Cidar, an dem du so hängst. Wie alt ist er jetzt?«

»Zwei Jahre.«

»Stell dir vor, jemand tötet ihn, weil er dich treffen will, es ein Verbrecher in Wirklichkeit auf dich abgesehen hat.«

Urnak senkte den Kopf, in seinem Gesicht arbeitete es. Alexander blieb stehen und packte den Ewenken an den Schultern. »Ich will eine Antwort«, schrie er. »Gib mir eine Antwort.«

Gefährlich zischend und mit schnell aufkeimender Wut stieß Urnak zwischen den Lippen hervor: »Ich würde ihn rächen.«

Erleichtert fiel Alexander ihm um den Hals. »Danke, Urnak. Danke.«

Als Alexander sich am nächsten Tag von den Ewenken verabschiedete, wußte er, daß er nie mehr zu ihnen zurückkehren würde.

Das einzige Beständige bin ich, und nur mein Leben zählt, auch wenn es mir nichts bedeutet. Allein mir gegenüber bin ich verantwortlich für das, was ich tue und was ich unterlasse. So sah Alexanders Maxime für die Zukunft aus. Er, der Mittelpunkt seines Denkens und seiner Umwelt, und in ihm fest verwurzelt die Erinnerung, die all sein Handeln mitbestimmte: angefangen bei Hellen, über die Lagerhaft, seine Flucht, die Familie und deren Ende. Erinnerungen, die zu ihm gehörten als Teil seines Ichs und gegen die er sich nicht wehren wollte. Erinnerungen, die ihn schaudern ließen und zugleich eine Emotionsfülle offenbarten, aus der er all seine Kraft schöpfte.

»Menschen sterben erst dann endgültig, wenn man sie vergißt. Ich aber werde euch nie vergessen«, versprach er seiner Familie an den Gräbern. Dabei wurde ihm bewußt, wie eng Liebe und Haß in seinem Innern nebeneinander wohnen konnten. Während die eine Hand in Gedanken Larissa und die Kinder streichelte, ballte sich die andere unwillkürlich zur Faust.

In der Folgezeit ging etwas Fremdes von Alexander aus, etwas Steriles, Unbeteiligtes, als sei es vonnöten, Dinge einfach nur um ihrer selbst zu verrichten, ohne jedes Gefühl und ohne sich Gedanken über sie zu machen. Je mehr er seinen Einfluß vergrößern konnte, desto gleichgültiger wurde ihm alles. Er machte seine Arbeit, er half der Bevölkerung, indem er sie mit Hilfe des Bundes besser versorgte, er organisierte Dinge für den Bahnbau und verdiente gut dabei. Aber das war es auch schon aus seiner Sicht, für alles andere zeigte er kaum Interesse.

Breschnew starb, die Politführung in Moskau gab sich bestürzt, das Zentrum der Hauptstadt wurde abgeriegelt. Tausende von Polizisten waren im Einsatz, man verschob Hochzeitsfeiern, bunte Bänder wurden entfernt, sie störten die Pietät.

Von Barrington erfuhr Alexander, daß die Franzosen Breschnews Tod sehr exakt vorausgesagt hatten. Während der alternde Kreml-Chef in Skandinavien weilte, zapfte der französische Geheimdienst ein Stockwerk tiefer die Kanal- und Abwasserrohre des Hotels an und sammelte Breschnews Körperausscheidungen. Mediziner analysierten die unappetitlichen Beweise und kamen zu dem Ergebnis, daß die Leberzirrhose des hochgradigen Alkoholkonsumenten in weit fortgeschrittenem Stadium sei und er höchstens noch drei Monate zu leben habe. Barrington ärgerte sich weniger über die Cleverness der Franzosen als vielmehr darüber, daß der CIA nicht auf diese Idee gekommen war.

Breschnews Nachfolger Antropow, der ehemalige Chef des Geheimdienstes KGB, wurde inthronisiert und folgte seinem Vorgänger neun Monate später ins Grab. Wieder war das Volk bestürzt, und Barringtons Einschätzung über die Altherrenriege, die er bereits vor Jahren in Tokio gegenüber Alexander geäußert hatte, wurde voll bestätigt.

Tschernenko, Antropows Nachfolger, war kaum im Amt, als man Robert Koenen gegenüber den Wunsch äußerte, er möge bitte als kompetenter Experte im Planungsrat von Mittelsibirien mitarbeiten. Zuerst wollte Alexander ablehnen, er kannte die Arbeitsweise staatlicher Gremien. Aber Leonid überredet ihn.

Gleichsam von oben geadelt, ging Alexander, der eine neue Aufgabe auf sich zukommen sah und ein neues Ziel, trotz aller Vorurteile mit viel Enthusiasmus und großen Erwartungen zu den Sitzungen des Rates. Und genau darüber war er am meisten erstaunt. Sein Enthusiasmus legte sich schnell, und Erwartungen hatte er nach vier Monaten nicht mehr, als er begriff, welche hemmenden Mechanismen zur Entfaltung kamen. Stundenlang stritt man sich über die Tagungsordnungspunkte. Kam es wirklich einmal dazu, daß man ein konkretes Projekt ansprach, meldete jeder sofort aus Angst, es könne mißlingen, Bedenken an und bestand darauf, mit seinem Einwand im Protokoll vermerkt zu werden. Ob es sinnvoll sei, das Vorhaben jetzt schon in die Tat umzusetzen, dazu fehle doch das Geld, oder es gebe Wichtigeres.

Einmal schlug Alexander das Komitee mit seinen eigenen Waffen. Eine Brücke über den Oberlauf der Olekma hatte man abgelehnt. Die Bevölkerung könne ruhig weiter die Fähre benutzen, was normalerweise Wartezeiten von zwei Stunden bedeutete, oder einen Umweg von neunzig Kilometern bis zur nächsten Brücke in Kauf nehmen. Alexanders Hinweis, auf der einen Seite des Flusses seien die Wohngebiete, auf der anderen das Holzkombinat und mehrere wichtige Produktionseinrichtungen, ließ man nicht gelten. Fähre benutzen, aus, Schluß.

Bereits in einer der kommenden Sitzungen machte jemand den Vorschlag, in Bratsk eine neue Straße vom Stadtteil Energetik zu einem Wohngebiet anzulegen. Dazu sei ein klitzekleiner Tunnel von zwei Kilometern Länge erforderlich, eigentlich nicht der Rede wert. Aber dieser Tunnel verkürze die Fahrtstrecke enorm, um exakt vierundzwanzig Kilometer.

»Welchen Vorteil für die Wirtschaft unseres Landes bringt dieser Tunnel?« wollte Alexander wissen.
Schweigen in der Runde.
»Gibt es in der Nähe der Wohnsiedlung einen Staatsbetrieb, der wichtige Güter produziert?«
Immer noch Schweigen.
»Warum soll der Tunnel überhaupt gebaut werden?«
»Damit die Bewohner leichter in die Stadt fahren können und nicht im Winter diesen großen Umweg in Kauf nehmen müssen.«
»Wie groß ist denn das Wohngebiet?«
Zäh war die Auskunft: »Nun …, äh …, es handelt sich um ein kleineres.«
»Fünfhundert Häuser?«
Kopfschütteln.
»Zweihundert?«
Kopfschütteln.
»Also wieviel?«
»Äh … Neunzehn.«
Alexander verzog abfällig den Mund über die Kleingeister und Schmarotzer. Natürlich hatte er sich vorher informiert und wußte genau, zwei der Ratsmitglieder hatten ihre Häuser in der kleinen, komfortablen Siedlung und waren auf einen Handel aus. Wenn die übrigen ihrem Vorschlag zustimmten, konnten sie bei Gelegenheit auf die beiden zählen. So einfach machte man es sich in den meisten regionalen Planungsgremien etwa nach dem Motto: Unsere Interessen haben gefälligst die des Volkes zu sein.
»Die Brücke über die Olekma haben Sie abgelehnt, obwohl täglich zwölftausend Arbeiter auf die andere Seite des Flusses wechseln müssen. Und jetzt wollen Sie einen Tunnel und eine Straße bauen, damit die Ratsmitglieder Tolmatzki und Fjodorow bequemer nach Bratsk fahren können.«
Auf elegante Art und Weise rächte sich der Ausschuß. Die Einladungen trafen in der Folgezeit immer einige Tage zu spät ein, so daß Alexander nicht mehr an den Sitzungen teilnehmen konnte. Und auf einer beschloß man – leider sei Robert Koenen verhindert, er fehle unentschuldigt, so stand es im Protokoll vermerkt – Tunnel- und

Straßenbau in Bratsk. Als Alexander davon erfuhr, kündigte er seine Tätigkeit auf. Dem Land war nicht zu helfen, der Apparat erstickte an sich selbst.

Zukünftig vermied Alexander möglichst jeden Kontakt mit den Behörden, weil die höheren Beamten gleichermaßen vorgingen wie die Mitglieder des Planungsrates und sich als Verwalter der eigenen Interessen aufspielten.

Aber Apparatschiks vergessen nichts. Alexander bekam das deutlich zu spüren. Was er auch auf die Beine zu stellen versuchte, man sabotierte ihn und den Bund mit Hilfe von Bestimmungen und Paragraphen. Nicht Eigeninitiative und Fortschritt waren gefragt, sondern die beständige Verkrustung im Denken und Handeln. Alexander gelangte deshalb mehr und mehr zur Überzeugung, daß er nicht mehr in die Zeit hineinpaßte.

Tschernenko verstarb ebenfalls kurzfristig. Lungenemphysem und Gelbsucht waren stärker, sie führten zum Herzversagen. Moskau rüstete sich erneut zur Staatstrauer, darin hatte man ja bereits Routine.

In dieser Phase tauchte ein neues politisches Licht in der Metropole auf. Fast revolutionär allein schon sein Alter: noch nicht einmal Mitte fünfzig. Bliebe er achtzehn Jahre im Amt, dann wäre er so alt wie sein Vorgänger bei dessen Wahl. Genauso revolutionär schienen seine Vorstellungen und seine Vorschläge zu sein, die Sowjetunion zu wandeln und sie den Gegebenheiten der Zeit anpassen. Die meisten fanden seine Ideen und Ansätze gut, die mit Aufrichtigkeit und Überzeugungskraft vorgetragen wurden, was auf die Massen glaubhaft wirkte. Lediglich altgediente Kommunisten fürchteten um ihre Pfründe und übten sich schon mal in Destruktion.

Aber der Funke sprang nicht auf Alexander über. Er fühlte sich leer und ausgebrannt, Versprechungen konnten ihn nicht begeistern. Wenn überhaupt, dann mußten Taten her.

Leonid versuchte Alexander für seine Aufgabe zu motivieren, redete vom Land und der Verpflichtung, die er zu erfüllen habe, und wußte doch, es war sinnlos. Als auch noch Minsk starb – man fand ihn eines Morgens in seinem Bett, er war einfach eingeschlafen –, war für Alexander der Punkt der tiefsten Resignation erreicht. Er rief seine zehn Stellvertreter zusammen und forderte sie auf, einen Nachfolger für ihn zu bestimmen.

Sie lehnten ab. Und Geriak, immer noch an der Spitze der Jakuten, lehnte auch ab.

»Unser Volk bestimmt, wann der König gehen darf.«

»Ich bin nicht mehr euer König. Ich kann euch nichts mehr geben.«

Geriak stoisch: »Das entscheiden wir.«

»Gib mir meine Ruhe und meinen Frieden.«

»Denke immer daran, du bist geduldet, von uns und von dem großen Licht. Du bist nur auf dieser Welt geduldet.«

»Geriak, ich bin krank, innerlich krank. Da ist etwas in mir drin, das frißt mich auf.«

Der Jakute lächelte. »Wir warten, bis du wieder gesund bist. Laß dir Zeit.«

Aber Alexander wollte nicht mehr.

Und so kam der Besuch aus Moskau genau zum falschen Zeitpunkt. Ein Vertreter des Wirtschaftsministeriums, einer aus der jüngeren Generation, wollte ihn sprechen, weil er von seinen Erfolgen gehört hatte.

Doch Andrej Kosyrew zweifelte an den Gerüchten. Vor ihm saß ein Mann von Mitte Vierzig oder etwas mehr mit dem Verhalten und der Reaktion eines Greises. Kaum interessiert an dem, was er sagte, schien er oft den Faden zu verlieren und lieber hinaus in die Natur zu schauen, als seinen Besucher zu beachten.

»Herr Koenen, man sagt den Deutschen gewisse Eigenschaften nach.«

»Ich bin Russe.«

»Aber auch Wolgadeutscher. Bei Ihnen vermisse ich diese Eigenschaften.«

Alexander schluckte die Provokation. »Das zu beurteilen, bleibt Ihnen überlassen.«

»Ich bin irritiert. Zum einen, was ich über Sie gehört habe, und jetzt der Gegensatz dazu, wie Sie sich geben.«

»Dieses Land hat mich geschafft.« Alexander verbesserte sich: »Die Funktionäre dieses Landes, die nur an ihren eigenen Vorteil denken, haben mich geschafft. Ich sehe keinen Sinn mehr, weiter tätig zu sein. Und die schönen Reformen, die Ihr neuer Mann in Moskau einführen will, er wird sie nicht umsetzen können. Jeder, der seine Position gefährdet sieht, und das ist die gesamte alte Garde, wird eine Wand aufrichten. Eine Wand aus Mißtrauen und Formalismus.«

»Wir wissen, daß bei uns praktisch nichts den Vorgaben entsprechend läuft. Inzwischen sind wir so weit, daß wir Lebensmittel rationieren müssen und der Westen uns am Leben erhält. Stellen Sie sich bitte mal vor: Der imperialistische Westen, unser Klassenfeind, ist Amme der Sowjetunion.«

»Ich kenne Ihr Problem, es heißt defizitno. Alles ist reduziert. Nahrungsmittel wie Kartoffeln, Kohl und Speiseöl, Zwiebeln und Karotten. Die Beschäftigten gehen fünfzehn Tage im Monat arbeiten, damit sie was zu essen haben, und die restlichen sieben Arbeitstage verbleiben ihnen für das, was das Leben erst lebenswert macht. Ein trauriges Rechenbeispiel. Arbeiten, um zu vegetieren. Wo soll da die Motivation herkommen?«

Kosyrew gab Alexander recht und beschönigte auch nicht die Grundübel in der Produktion: das Nichtstun vieler Werktätigen, der Diebstahl von allem, was sich verkaufen ließ, die Schlamperei bei der Arbeit, was die Qualität anbelangte, und die Trunksucht. Und er gab zu, nicht gegen die Schattenwirtschaft anzukommen. Es gäbe kein Mittel, das Nalewo, Geschäfte »auf links« zu machen, einzudämmen. Schwarzmarkt und Korruption wucherten, gleichzeitig schwelgten die Funktionäre im Reichtum, besäßen Datschen mit Schwimmbädern und allen Extras. Chruschtschow und Breschnew hätten es ihnen schon vor vielen Jahren vorgemacht, Privilegien angehäuft und sich aus dem Sozialismus ausgeklinkt. Und wem das immer noch nicht genügte, der könne sich in Bordellen vergnügen, die jegliche Form der Entspannung böten.

»Es gibt keine Moral mehr. Schon vor Jahren ist ein Schmuggelring mit Ikonen und Kaviar aufgeflogen. Übers ganze Land verteilt waren mehr als vierhundert Beamte bis in die höchsten Ebenen darin verwickelt.«

»Genau das meine ich«, entgegnete Alexander.

»Aber wenn wir nichts unternehmen, wenn die Reformen nicht greifen, dann wird es nur noch schlimmer.«

Mit Engelszungen bemühte sich Kosyrew, der am aufflackernden Interesse Alexanders und an dessen Art zu argumentieren erkannte, daß die Gerüchte doch einen Wahrheitsgehalt hatten, diesen für sich und Moskau zu gewinnen. »Wir brauchen Männer, die das Land kennen und in der Lage sind, die Mißstände zu beseitigen.«

Alexander stutzte. »Meine Methoden werden nur geduldet, sind im Grunde genommen auch ein Unterlaufen der sozialistischen Wirtschaftsform.«

»Aber der Erfolg spricht für Sie.«

»Darf ich bei Erfolg Gesetze und Bestimmungen verletzen?«

Kosyrew überlegte. »Ja, das moralische Recht dazu haben Sie.«

Alexander blickte seinen Besucher erstaunt an.

»Wenn Sie im Sinne der Bevölkerung und im Sinne des Staates handeln«, fügte Kosyrew hinzu.

»Seltsame Begründung. Unsere Gefängnisse sind voll von Leuten wie mir.«

Kosyrew lächelte. »Das sind Schieber, die nur genommen und den Staat bestohlen haben. Wir sperren keinen ein, der wesentlich mehr gibt, als er nimmt, der praktisch auf kapitalistische Art einen Kredit aufnimmt, um auf sozialistische Art den Plan zu erfüllen.«

Trotzdem lehnte Alexander ab.

Kosyrew wurde eindringlicher. »Sie sind ein Patriot.«

»Ich bin Wolgadeutscher, wie Sie bereits erwähnten, und war ein Feind des Landes.«

Kosyrew schüttelte den Kopf. »Nein, Alexander Gautulin, das waren Sie nie.«

Alexander zuckte zusammen. Woher konnte der Wirtschaftsexperte aus Moskau seinen richtigen Namen kennen?

Kosyrew gab ihm keine Gelegenheit, lange darüber nachzudenken. »Ich will Ihre Entscheidung nicht heute, Herr Gautu ... Herr Koenen. Damit Sie sich ein Bild vom Land machen können, überlasse ich Ihnen einen geheimen Report, der die Zustände schonungslos schildert. In diesem Zusammenhang hätte ich nur eine

Bitte: Kommen Sie mal nach Moskau, um zu sehen, wie sich die Stadt verändert hat.«
Alexander zögerte.
»Wann waren Sie zum letztenmal dort?«
»Vor mehr als zwanzig Jahren.«
»Sie werden unsere Metropole nicht wiedererkennen.«

Woher kennt Kosyrew meinen richtigen Namen? Permanent stellte er sich diese Frage. Und Leonid fand auch keine Antwort, aber es gelang ihm zumindest, Alexander zu beruhigen: »Wenn sie dich einsperren wollten, dann hätte er dir nicht erst das Angebot unterbreitet. Die wollen nicht den Sträfling Gautulin, sonden Robert Koenen, den Wirbeler und Cheforganisierer von Mittelsibirien.«
Der Report, den Kosyrew ihm überlassen hatte, war niederschmetternd, die Lage im Land schlimmer, als es sich Alexander, immerhin ein intimer Kenner des Zustandes, vorgestellt hatte. Sogar Milch gab es teilweise nur auf Rezept eines Arztes, und zwar einen Liter pro Tag, solange das Kind noch nicht ein Jahr alt war. Zweijährige erhielten bloß die Hälfte.
Mißernten wegen Wetterkapriolen, so lautete das Schlagwort, mit dem man in der Landwirtschaft alles zu umschreiben versuchte. Dabei handelte es sich um Fehleinschätzungen und um die Unfähigkeit, das Getreide zum richtigen Zeitpunkt einzufahren. Mehr als dreißig Prozent gingen durch das Nichternten, Verfaulen, durch Ratten und Mäuse und vieles andere mehr verloren. Die fehlenden Menge mußte gegen Devisen, die man für wichtigere Dinge benötigt hätte, im Ausland eingekauft werden. Wurde einmal rechtzeitig geerntet, dann verrottete das Korn auf den Sammelstellen, weil es nicht genügend Lagerraum gab.
Gründe für die Mißstände wurden auch genannt: die unflexible Planung, der unangemessen hohe Verschleiß der Maschinen, die schwerfällige Organisation und der Instanzenweg, den jeder einhielt, um sich nach oben hin abzusichern. Lieber das richtige Formular ausgefüllt, so lautete ein ironischer Kommentar, als die richtige Entscheidung gefällt.
Sowchosen, Kolchosen und Fabriken orderten die doppelte

Menge der benötigten Maschinen, Traktoren, Mähdrescher, Lkw und Autos. So hatten sie immer eine Reserve von hundert Prozent, ihr Ersatzteillager, das sie nach Bedarf ausschlachteten. Da jedoch nicht alle die doppelte Anzahl zugeteilt bekommen konnten, im Plan war eine solche Produktionsmenge zur Hortung selbstverständlich nicht vorgesehen, verschwanden die hochwertigen Geräte einfach auf dem Transport. Je länger der Weg, desto weniger bis gar nichts gelangte zum Zielort. An einem Beispiel, das Kosyrew ausgewählt hatte, wurde dargelegt, daß von 3100 Traktoren am Ende der Reise keine 500 einsatzfähig waren. Mehr als 2500 verschwanden unterwegs oder wurden von Sowchosen und Kolchosen geplündert.

Wie ein roter Faden zog sich die Fehlorganisation, das eigentliche Übel einer jeden Planwirtschaft, durch Kosyrews Report: Getreide in offenen Waggons, die monatelang auf einem Abstellgleis stehen blieben, bis der Inhalt verfault war. Kunstdünger wurde auf die gleiche Art transportiert. Bei Regen löste er sich auf und floß durch die Ritzen auf den Bahndamm, und dort wuchs im darauffolgenden Jahr ein kleiner Urwald. Nieselte es, kam ein verklumpter Haufen an, betonhart und unbrauchbar.

Für Holz stellte man andererseits geschlossene Waggons zur Verfügung. Es schimmelte, verzog sich und wurde von Pilz befallen. Kohle förderte man vielerorts nur aus dem Grund, um das Plansoll zu erfüllen. Ob man sie benötigte, danach fragte niemand. Und die Konsequenz: Die Überproduktion wurde zu Halden aufgetürmt, die wuchsen und wuchsen, bis man den Anblick nicht mehr ertragen konnte und sie einfach planierte.

Die Realität übertraf jede Satire: Roheisen, das mehrfach den Schmelzprozeß durcheilte, ohne zu höherwertigen Produkten weiterverarbeitet zu werden, beschäftigte die Betriebe und stimmte die auf Vorgaben getrimmten Funktionäre froh. Aus Moskau kam postwendend das Lob für die wundersame Planerfüllung, ohne auch nur ein Gramm Erz angefordert zu haben. Da soll einer sagen, die Wirtschaft funktioniere nicht!

Das Übel war allgemein bekannt, aber dem Moloch Staat gelang es nicht, die Schuldigen auszumachen und wirkungsvoll gegenzusteuern. Und zum Schluß das vernichtende Fazit: Vierzig Prozent des Volkseinkommens gingen auf diese Art und Weise verloren. Ohne die privaten Nebenerwerbsbauern, die ihre qualitätsmäßig guten Produkte wesentlich teurer anböten und teilweise einen Marktanteil von bis zu achtzig Prozent abdeckten, würde die Sowjetunion zum Armenhaus der Welt gehören.

Das also war der Zustand seines Vaterlandes. Alexander starrte den Bericht an, als hätte er eine Fiktion gelesen, eine Schrift des Klassenfeindes zur Destabilisierung des Kommunismus. Auf hundertfünfzig Seiten eine Aufzählung von wirtschaftlichen Missetaten, die jede Ökonomie strangulierten und dem Sowjetvolk Kosten verursachten, an denen alle Bürger mitzutragen hatten. Zwei Wochen benötigte Alexander, den man schmerzlich mit der Wirklichkeit konfrontiert hatte, um die Fakten zu verarbeiten und einen Entschluß zu fassen. Schmerzlich deshalb, da er die Realität unentwegt verdrängt hatte. Im Grunde genommen jedoch fühlte er sich ertappt, weil auch andere die Situation kannten. Deshalb kam er sich wie ein Lügner vor.

»Leonid, ich fliege nach Moskau.«

»Damit habe ich gerechnet.«

»Du mußt ohne mich zurechtkommen.«

»Bin ich doch in den letzten zwei Jahren schon.«

»War es wirklich so schlimm mit mir?«

»Ja.« Leonids Lächeln verunglückte. »Eigentlich seit dem Tod von Larissa und den Kindern. Du bist nur noch die Hülle deiner selbst gewesen.«

»Wann wollte Friedhelm Kurz wieder hier sein?«

»In einer Woche.«

»Übernimm du das bitte und richte ihm Grüße aus.«

»Wie all die letzten Male auch. Ich habe immer mehr das Gefühl, der Deutsche kommt nur deinetwegen. Er ist unser absolut bester Lieferant. Zuverlässig und korrekt. Manchmal habe ich sogar den Eindruck, als gäbe es zwischen dir und ihm irgendwelche …, wie soll ich sagen, Bande.«

»Klar doch. Wir Deutschen verstehen uns eben.«

»Nein, das habe ich nicht gemeint.«

»Was denn?«

Leonid konnte es nicht erklären.

Moskau war für Alexander, der noch die Erinnerung aus den sechziger Jahren hatte, ein Schock. Abgesehen davon, daß man inzwischen ganze Stadtteile neu errichtet hatte, erschien ihm die Metropole unwirklich und abgewirtschaftet. Viele Autos, viele Lkw, aber die täuschten etwas vor, was es nicht gab: produktive Aktivität. Im Gegensatz dazu harrten Käuferschlangen stumm und anklagend vor Geschäften aus, aber drinnen gab es kaum etwas, wofür es sich anzustehen lohnte.

Betrunkene torkelten auf der Straße, Unrat sammelte sich in den Ecken, der Teerbelag war voller Schlaglöcher.

Die Touristen fielen auf, unter ihnen sehr viele Deutsche. Alexander wurde gebeten, eine Gruppe mit deren Kamera zu fotografieren. Es waren Jugendliche, die einen für ihn ungewohnten Dialekt sprachen. »Äh, boh äh, denen kanja däeutsch äh.«

Nur die Soldaten auf dem Roten Platz machten eine Ausnahme: Korrekt und mit zackigem Stechschritt wie eh und je kamen sie noch mit ihrer Welt zurecht.

Der hohe Beamte des Wirtschaftsministeriums und persönliche Berater des Ministers trat ihm in Hemdsärmeln entgegen, zwischen den Lippen baumelte eine Zigarette. Er führte ihn in sein Büro. Aktenordner lagen aufeinander, übereinander, zusammengeklappt und aufgeschlagen.

»Was darf ich Ihnen anbieten?«
»Einen Mokka.«

Erwartungsvoll sah Kosyrew Alexander an, aber dessen Gesicht blieb ausdruckslos.

»Wie gefällt Ihnen Moskau?«
»Ich habe es besser in Erinnerung.«

Kosyrew wartete auf eine Antwort. Da sie nicht kam, ging er auf den Bericht ein, den er Alexander in Kirensk übergeben hatte.

»Wenn unser Land ein Patient wäre, dann würde ich sagen, er müßte schnellstens auf die Intensivstation.«

Alexander schränkte ein: »Aber mit wenig Aussicht auf Erfolg.«

»Meinen Sie nicht, Gospodin Koenen, es wäre einen Versuch wert?«

Alexander war schon in Kirensk Kosyrews Anrede aufgefallen. »Heißt das nicht mehr Towarischtsch?«

»Unter uns schon lange nicht mehr. Genosse ist längst passé, Herr Koenen.«

»Wen meinen Sie mit unter uns?«

»Wir, die jüngere Generation.«

»Die sogenannten Intelligenzler.«

»Gut, es gibt halt viele Akademiker unter uns, aber die Ansichten haben sich gewandelt. Das Denken der dreißiger und vierziger Jahre ist vorbei. Wir fordern nicht wie damals eine hohe und stark differenzierte Vergütung, keine steuerliche Begünstigung unserer Einkommen, auch kein spezielles Erbrecht und Schulen nur für die Elite. Allerdings sind wir auch nicht für Gleichheit oder Gleichmacherei. Jeder soll seinen Fähigkeiten entsprechend entlohnt und befördert werden.«

»Schöne Worte, wenn sie zutreffen. Führte das nicht zwangsläufig zu einer neuen Nomenklatura?«

Deren Existenz bestritt Kosyrew. Aber um glaubwürdig zu erscheinen, müsse man die alten Zöpfe abschneiden.

»Bedeutet das, zum erstenmal seit zweihundert Jahren hat ein Beamter, der etwas bewegt, keinen direkten Vorteil?«

»Ja.«

»Sind Sie davon überzeugt?«

Kosyrew schien es zu sein, so eifrig, wie er nickte.

Alexander lachte, und er fragte spöttisch: »Ist es nicht eher so, daß all die Reformen nur darauf hinauslaufen, die Privilegien einer Kaste abzuschaffen, um sie einer neuen zuzuschustern?«

Das bestritt Kosyrew vehement. Wenn er, Robert Koenen, davon überzeugt sei, dann habe er die Reformen nicht verstanden.

»Wie kann ich sie verstehen, wenn auf der einen Seite Neuerungen proklamiert werden, auf der andern der Generalsekretär das alte politische System lobt.«

Darauf konnte Kosyrew nichts entgegnen. Er kam auf sein Angebot zu sprechen, ob Alexander bereit sei, mit dem Ministerium in Moskau zusammenzuarbeiten.

»Ich weiß es noch nicht.«

»Reisen Sie bitte einmal durch das Land, schauen Sie sich die Mißstände an. Dann gibt es für Sie, falls Sie ein Fünkchen Heimattreue und Nationalstolz besitzen, keine andere Möglichkeit.«

»Bitte drängen Sie mich nicht.«

Trotzdem fragte Kosyrew nach: »Wann wissen Sie es?«

»Nun«, begann Alexander gedehnt, »wir haben in Sibirien ein Sprichwort: Wenn ein Baum fällt, versuche nicht, ihn festzuhalten. Laß ihn auf dem Boden aufschlagen, sonst erschlägt er dich.«

Mit großen Augen sah Kosyrew ihn an. »Wie soll ich das verstehen?«

»Ganz einfach: Unser Staat ist der Baum.«

»Und Sie wollen warten, bis er aufschlägt?«

»Ich will sagen, es hat keinen Sinn.« Alexander ging zur Verdeutlichung auf seine ehemalige Tätigkeit im Planungsrat der Region Mittelsibirien ein und die Art, wie man dort Aufträge vergab und Projekte verwirklichte.

»Das kann uns nicht passieren.«

Alexander blickte skeptisch und konterte: »Es gibt nur einen Mechanismus, der greifen könnte, aber den haben die Imperialisten für sich gepachtet.«

»Sie meinen die westlichen Industrienationen.«

»Ach, so heißt das heute? Dort reguliert der Markt sich selbst. Was bei den Kolchosbauern funktioniert, die mit ihrer Art der Produktion wesentlich höhere Erträge erzielen als die staatliche Betriebe, weil sie besser sind und die Ware zur rechten Zeit angeboten wird, das könnte auch in unserem großen, weiten Land funktionieren.«

»Ist das eine endgültige Absage?«

»Nein ... Gospodin Kosyrew. Sie kennen meinen richtigen Namen.«

Kosyrew schmunzelte auf eine angenehme Art. »Wir werden davon keinen Gebrauch machen.«

»Aber trotzdem würde mich interessieren, wie Sie darauf gekommen sind.«

»Wir wollen immer wissen, mit wem wir es zu tun haben, deshalb habe ich Ihr Umfeld beleuchtet, unter anderem auch diesen schillernden Besmertisch.«

»Sie wußten von seiner ... Angewohnheit?«

»Ja. Wir ließen ihn gewähren, weil er mit Ihnen kooperiert hat. Sie beide waren für uns, lassen Sie es mich mal so ausdrücken, ein gutes Gespann.«

Das verschlug Alexander die Sprache. Er und Besmertisch ein gutes Gespann? Eigentlich hätte er, da er sich beleidigt fühlte, aufbrausen und protestieren müssen.

»Das erklärt mir aber immer noch nicht, wie Sie auf mich aufmerksam geworden sind.«

»Besmertisch hat dem KGB Fingerabdrücke von einem angeblichen Toten zukommen lassen. Winzige Spuren von Schweißabsonderungen und eine Eiweißanalyse haben ergeben, daß der Betreffende noch putzmunter gewesen sein mußte. Wir haben zwei und zwei zusammengezählt und sind auf Sie gestoßen. Und dann noch das seltsame Ansinnen von Besmertisch, die Akte Gautulin für alle Zeiten zu schließen. Wir haben seinen Wunsch gewissermaßen erfüllt. Warum auch nicht? Wir konnten uns denken, wer und was dahintersteckte.«

»Demnach sind Sie also Mitarbeiter des KGB gewesen.«

Kosyrew nickte. »Das ist, wenn man so will, heute ein unschätzbarer Vorteil, obwohl man nicht gerne darüber spricht. Wohl kaum einer kann wie ich jederzeit auf gewisse ... Dossiers zurückgreifen und sie im Sinne des Staates verwenden.«

»Das habe ich gemerkt.«

»Es ist schon kurios«, sprach Kosyrew weiter, »früher hat man alle fähigen Köpfe ins Arbeitslager gesteckt, heute müssen wir sie herausholen und um ihre Mitarbeit ersuchen, damit das Land überleben kann. Wie sich doch die Zeiten ändern!«

»Wünschen Sie sich etwa die alten herbei?«

Kosyrew verneinte. »Peinlich wird es nur, wenn ich in meiner neuen Tätigkeit als Vertreter des Ministers gerade an die Leute herantreten muß, für deren Verurteilung ich seinerzeit mehr oder weniger gesorgt habe.«

»Waren Sie auch an meiner beteiligt?« Alexander war über die Offenheit seines Gesprächspartners erstaunt.

»Nein.«

Alexander glaubte dem Beamten. »Dann möchte ich von Ihnen noch eines wissen: Mit welchen Konsequenzen muß ich rechnen?«

Kosyrew lehnte sich zurück und schlug die Beine übereinander. Innerlich zersprang er fast vor Spott, zumindest kam es Alexander so vor.

»Herr Koenen, solange Sie uns potentiell als Mitarbeiter zur Verfügung stehen, wird nichts geschehen. Mit anderen Worten: Geben Sie uns bitte nie eine endgültige Absage – auch nicht in zwanzig Jahren.«

Im Hotel fand Alexander einen dicken Umschlag vor, obendrauf lag ein Blatt Papier.

»Vielleicht kann ich dazu beitragen, einen wichtigen Punkt Ihrer Vergangenheit aufzuklären.« Unterschrieben waren die wenigen Worte mit »Ihr Kosyrew«.

Mehrere Minuten starrte Alexander auf die insgesamt neun Briefe. Fünf weitere hatte Hellen demnach noch nach seiner Verhandlung geschrieben, bei der deutschen Botschaft aber waren sie nie angekommen. Und dann begann er zu lesen. Empfand die Vergangenheit wieder als Gegenwart, sah Hellens Bild deutlich, eines besonders: Sie, naß und mit verweinten Augen in der Universität. Alexander tauchte in eine verlorengeglaubte Welt, spürte seine damaligen Emotionen und Gefühle, sah schöne und schreckliche Abschnitte seines Lebens. Die mit Hellen vermischten sich mit denen aus seiner Lagerhaft, Liebe und Tod wechselten einander ab.

»Sie hat mich geliebt«, murmelte er bewegt, nachdem er alles gelesen hatte. »Wir haben uns wirklich geliebt«, fügte er hinzu und begann wieder mit dem ersten Brief.

Alexander ging auf Kosyrews Vorschlag ein und reiste im Land umher. Verständlich, daß ihn sein erster Weg nach Süden führte, hinein in die ehemalige Region der Wolgadeutschen, die sich maßgeblich beim Aufbau der Landwirtschaft bewährt hatten. Weil ihr Wohlstand wuchs, waren Reibereien mit der übrigen Bevölkerung programmiert, die auch daran partizipieren wollte. Der Widerstand der Wolgadeutschen gegen die Zwangskollektivierung Anfang der dreißiger Jahre, er forderte Hunderttausende Opfer, beendete diesen Zwist.

Alexander stand in der Zentrale der mehr als 50 000 Hektar großen Sowchose 19, seinem Geburtsort. Das Verwaltungsgebäude zur Rechten war geschmückt mit der immer noch obligatorischen roten Fahne, obwohl auch sie mehr und mehr aus dem alltäglichen Bild verschwand. Soziale Einrichtungen wie zwei Schulen, ein Kindergarten, Kulturzentren und solche für die Erwachsenenbildung gliederten sich an, umschlossen von einem Ring Wohnhäusern von mit Sportplatz und Turnhalle. Der Flugplatz lag zwei Kilometer entfernt hinter einer Bahnlinie.

Die Sowchose, so groß wie das Bundesland Bremen, verfügte noch über weitere zwölf ausgelagerte Abteilungen und machte auf Alexander einen heruntergekommenen Eindruck. Nicht wegen der morastigen Wege, das kannte er aus Sibirien, oder der abblätternden Farbe. Vielmehr waren es die Menschen, die an einem Arbeitstag im Sommer herumlungerten, rauchten und tranken und palaverten. Motoren standen still, die Maschinenhalle war überfüllt mit Geräten, dabei müßte die Zuckerrübenernte voll im Gang sein. In einem Stall brüllten Kühe und verlangten, gemolken zu werden. Erschreckend für Alexander war das augenscheinliche Desinteresse der Angestellten – immerhin lebten auf der weitläufigen Sowchose mehr als zehntausend Menschen – und deren Fatalismus, als ginge sie das alles nichts an, als schiene sie die Zukunft nicht zu interessieren. Auch im Verwaltungsgebäude saßen Männer, rauchten, redeten und taten sonst nichts. Die größte der vier Kantinen war gut besucht, aber es war keine Essenszeit.

Als Alexander über den weitläufigen Platz schritt, entdeckte er zu seiner Erleichterung in der Schlachterei doch noch einige bei der Arbeit, und draußen auf dem Feld tuckerten sogar Traktoren. Alexander betrat ein Geschäft und besah sich die Auslagen. Es gab wenig, wofür es lohnte zu arbeiten. Veraltete Radios, ein ganzes Regal voller Puppen, immer die gleiche und dazu auch noch jede mit zwei unterschiedlichen Augenfarben, und eine Wand voller Ansichtskarten: Strahlende Arbeiter auf ihren Mähdreschern im Ernteeinsatz.

Wieder draußen, wurde er angesprochen.

»Sind Sie der Fleischeinkäufer?«

Alexander betrachtete den Mann im verschwitzten Anzug, der sich als Gubitzki vorstellte. »Kann schon sein.«

»Aha, einer der ganz Vorsichtigen. Kommen Sie mit, wir gehen ein Stück. Und wie heißen Sie?«

Abgesegnet durch Kosyrew und dessen Zusage gab Alexander an, sein Name sei Gautulin.

»Wieviel wollen Sie denn?«

»Was können Sie anbieten?«

»Zweitausend Schweine und vierhundert Rinder. Sofort.«

Alexander kombinierte, daß Gubitzki auf einen Schwarzaufkäufer wartete. Ihn interessierte die weitere Entwicklung des Gesprächs. »Das würde genügen. Inwiefern kann ich mich auf Sie verlassen?«

Gubitzki lachte und plauderte freimütig von den Tricks, wie sie den Staat mit doppelter Buchführung und Bestechung der Schätzer austricksten. Das müßten sie, weil sonst der Maschinenpark total ruhig stehen würde, wegen der fehlenden Ersatzteile. Und die kosteten nun mal Geld. »Letztes Jahr haben wir neuntausend Schweine links verkauft.« Gubitzki war stolz auf den Coup.

Alexander bemerkte skeptisch, die Ausführungen seien schwer zu glauben. Ungenutzter könne ein Maschinenpark doch nicht vor sich hin dümpeln als der auf der Sowchose. »Von fünfhundert oder tausend habe ich gehört. Aber neuntausend? Wie haben Sie das denn angestellt?«

Gubitzki fühlte sich in seiner Ehre gekitzelt und wurde vertraulich. »Nun, einige der Tiere mußten wir opfern. Mit Wasser, Stärke und saurem Klee gefüttert, sind die Viecher aufgedunsen und krepiert. Etwa zweihundert. Dann haben wir den Veterinär kommen lassen, der uns eine Seuche attestiert hat. Zufällig waren wir gerade dabei, mit einem Bulldozer eine Grube zuzuschütten. Fünfhundert Tiere hätten wir dort schon verbuddelt, sagten wir dem Veterinär. Ob er sie noch mal sehen wolle. Natürlich hatte der kein Interesse daran, denn die anderen zweihundert stanken wie die Pest. Und die übrigen Gruben brauchten wir auch nicht zu öffnen.«

»Und da waren insgesamt neuntausend ...«

Gubitzki grinste unverschämt. »Natürlich nicht. Das wäre doch aufgefallen. Knapp dreitausend Einheiten Verlust gaben wir an, etwa ein Fünftel unseres Bestandes. Ein Fünftel ist immer gut, das glaubt man noch.«

»Und der Rest?«

Gubitzki blickte sich um. Weit und breit war niemand zu sehen. »Wir sind ja nicht blöde.« Er tippte sich gegen die Stirn. »Eine Seuche nur bei uns, das wäre aufgefallen. Also haben wir die zweihundert Tiere auf Lkw verladen und zu den umliegenden Sowchosen gekarrt. Inzwischen war der Veterinär mit Wodka abgefüllt. Und als er am nächsten Tag auf Sowchose 17 ankam, da stank es noch erbärmlicher. Wieder einen Tag später auf der Sowchose 8, da krochen schon die Maden aus den Viechern heraus.«

»Die zweihundert echten toten Säue habt ihr ihm dreimal untergejubelt?«

»Viermal. Zuletzt wollte er sie nicht mehr sehen.«

»Und wo gingen die neuntausend Tiere hin?«

»Moment mal, ich dachte, Sie seien der Aufkäufer.«

»Ich rede doch vom vergangenen Jahr.«

Gubitzki regte sich wieder ab. »Polen. Und von dort in den Westen, nach Frankreich, als polnische Mastsau deklariert. Wir durften nicht exportieren, bei uns gab es ja die Seuche.« Gubitzki schüttelte sich vor Lachen. »Dieses Jahr wird es die Schweinepest sein. Ich kenne da eine Kolchose, hat Pech gehabt. Die sind froh, wenn sie ihre Tiere verschenken dürfen.«

Sie waren wieder auf dem Vorplatz angekommen. Einer der Sowchoseangestellten kam auf Gubitzki zugelaufen. »Komm, beeil dich, der Aufkäufer ist da.« Gubitzki blickte irritiert Alexander an. »Und wer sind Sie?«

»Ich bin hier geboren.« Bevor Gubitzki zuschlagen konnte, drehte sich Alexander um und schritt davon, genau auf ... Kosyrew zu. »Wieso können Sie wissen, daß ich hier ...«

Kosyrew, der sich sichtlich über Alexanders Verblüffung amüsierte, winkte ab. »Haben Sie schon vergessen, für wen ich früher tätig war?«

»Spionieren Sie mir nach?«

Kosyrew ging nicht auf die Frage ein. »Konnte ich Ihnen mit den Briefen einen Gefallen tun?«
»Ja, vielen Dank. Woher ...«
Kosyrew winkte ab. »Uninteressant.« Übergangslos wechselte er das Thema. »Gubitzki ist wie Besmertisch, nur nicht ganz so groß.«
»Warum lassen Sie ihn gewähren?«
»Wir können nicht an allen Fronten kämpfen. Zuerst einmal gilt es, die alte, senile politische Führung auszuschalten und ihren Einfluß einzudämmen. Dann erst wenden wir uns Leuten wie Gubitzki zu, falls es noch nötig ist.«
»Und bis dahin darf er ...«
»Herr Koenen, Gubitzki und Konsorten verkörpern mit ihren Methoden und Kontakten bereits perfekt das Wirtschaftssystem, welches wir anstreben. Zu gegebener Zeit brauchen wir sie nur noch richtig einzubinden. Falls es Sie beruhigt: So ganz ungeschoren kommt er nicht davon. Wie viele Schweine hat er Ihnen angeboten?«
»Zweitausend. Und vierhundert Rinder.«
»Wenn er die Tiere abgezweigt hat, kommt überraschend ein unbestechlicher Revisor. Er wird die gefälschte Buchführung und seinen letzten Coup aufdecken. Und dann brummen wir den Sowchosen eine Strafe auf, die ungefähr dem doppelten uns entgangenen Gewinn entspricht. So läuft das Spiel.« Und dann fügte Kosyrew noch hinzu: »Aus Frankreich gingen Gubitzkis Schweine übrigens als Eigenprodukt weiter in die Europäische Gemeinschaft. Entsprechend subventioniert, versteht sich. Und so läuft deren Spiel.«
Vor einer dunklen Limousine blieb Kosyrew stehen. »Kann ich Sie mitnehmen?«
»Nein, danke.«
»Ich nehme an, daß Sie auf Ihrer Reise keinen Aufpasser brauchen. Lernen Sie Ihr Land einmal richtig kennen. Sie werden Dinge sehen, die Sie sich nie hätten träumen lassen. Sibirien ist wirklich noch das schlafende Land.«

Auch auf Alexanders weiterer Reise sollte Kosyrew recht behalten. Aber nicht die Realität setzte Alexander zu, sondern die Erkenntnis, sich über Jahre hinweg mit seinen Geschäften abgekapselt und eine Scheinwelt aufgebaut und sich nur noch wenig für Vorfälle außerhalb seines Einflußbereichs interessiert zu haben.

Alexander kannte wie kein anderer den Grund, wieso das System so lange hatte überleben können: Die Begünstigung, Bestechung und der Schwarzhandel am offiziellen Markt vorbei waren perfekt organisiert und funktionierten hervorragend. Die hohen Herren in Moskau kannten das Problem und die Tragweite, durften es aber nicht zugeben. Für jeden offensichtlich hätte dies nämlich bedeutet, sie seien unfähig und bekleideten den falschen Posten. Deshalb log man von der untersten Instanz bis zur höchsten munter weiter, und in allen offiziellen Statistiken wurde die Übererfüllung des Plans ausgewiesen. Die Satellitenstaaten des Warschauer Pakts klatschten dem großen Bruder Beifall, ein dreifach Hoch auf den Sozialismus, und das Ausland nickte anerkennend. Erstaunlich, was die Sowjets alles auf die Beine stellen konnten.

Aber diese Verlogenheit ging an die Substanz des Staates. Zuerst klammheimlich, seit mehr als zehn Jahren immer offener, mußte man trotz Höchsternten die fehlende Menge an Getreide auf dem Weltmarkt einkaufen. Wertvolle Devisen, mit denen man die Technologie hätte modernisieren können, wurden dem Markt entzogen. Irgendwann würde es – davon war Alexander überzeugt – zum großen Knall kommen, und Leonid, dem er seine deprimierenden Reiseeindrücke schilderte, stimmte ihm zu.

»Die sogenannten Reformen haben einen großen Nachteil«, meinte der Georgier. »Der Staats- und Polizeiapparat wirkt nicht mehr einschüchternd und abschreckend, jeder fühlt sich berufen, die Obrigkeit zu betrügen. Und je mehr diese Seuche eskaliert und Mode wird, desto geringer ist die Aufklärungsquote.«

»Sag nur, du bist für das alte System?«

Leonid verneinte. »Weiß Gott nicht. Aber es wird immer wieder Interessengruppen geben, um es einmal so auszudrücken, die die Instabilität eines Staates, der sich im Wandel befindet, für sich ausnutzen wollen.«

»Wie lange währt deiner Meinung nach diese Phase?«

Leonid wußte es nicht.

»Und wir strampeln uns hier ab wie die Verrückten. Dabei wissen wir nicht, was noch alles auf uns zukommt, wer demnächst in Moskau das Sagen hat.«
»Willst du den Schwanz einziehen?«
Es dauerte lange, bis Alexander antwortete. »Nein.«

Abenteurer suchten schon seit jeher aus den unterschiedlichsten Gründen Sibiriens Weite auf, viele nur, weil sie sich von ihr herausgefordert fühlten. Für diejenigen, die sich verstecken wollten oder mußten, boten sich ebenfalls günstige Möglichkeiten, einen falschen Namen anzunehmen und in der grenzenlosen Landschaft unterzutauchen. Neu hinzu kamen in jüngster Zeit viele zwielichtige Personen und Wirtschaftsverbrecher, darunter auch Ausländer, die das Blaue vom Himmel versprachen und schlichtweg nur auf der Suche nach dem goldenen Kalb waren. Alexander und Leonid beobachteten diese Entwicklung mit Besorgnis, die besonders die Großstädte erfaßte und geradezu überrollte. Jeder schien auf der Jagd nach dem großen Geld zu sein.

Gleichzeitig lechzte das Land nach Freiheit und nahm Gorbatschow als neuen Hoffnungsträger und Helden an. Er reiste durch die Republiken, und was er versprach, gab den Menschen wieder Mut. Merklich baute er, mißtrauisch beobachtet von den Militärs im eigenen Lande, die nicht müde wurde, die Gefahr hochzureden, die Spannung zum Erzfeind USA ab. Die Sowjetunion wurde im Ausland anerkannt und nicht mehr als der waffenstarrende rote Angstgegner betrachtet. Wenn jetzt auch noch die Versorgung besser werden würde, die Bevölkerung endlich ihre Konsumwünsche befriedigen könnte ... Siebzig Jahre Enthaltsamkeit seit der Revolution waren lange genug.

Aber im Land gärte es. Und wie es nun einmal in einer Demokratie seit jeher üblich ist, begann man plötzlich in der UdSSR zu streiken – bisher war das ein Unding und kam einem Staatsverbrechen gleich –, um sich bessere Bedingungen zu erzwingen. Unvermittelt im Interesse der Weltöffentlichkeit stehend, nutzten viele der Werktätigen die Gunst der Stunde und nahmen Gorbatschow und seine Perestroika beim Wort. Ein legitimes Recht, wenn dafür die Instrumentarien einer freien Gesellschaft, die sich im Laufe von Jahrzehnten hatte bilden können, zur Verfügung stünden. Aber Streiks im Sozialismus waren mehr als nur Faustschläge in das Gesicht des Regimes, dessen Ideologie solche Interessenkonflikte und Ausbrüche nicht vorgesehen hatte. Der hohe Anspruch der verordneten Volksbeglückung meldete dafür keinen Bedarf, folglich hatte es im Sozialismus laut Plan auch keine Unzufriedenen zu geben. Und dann auch noch den Staat durch Streiks erpressen – wie verwerflich und westlich dekadent!

Exakt an diesem Punkt erkannte Alexander die Gefahr. Wie konnte durch Arbeitsniederlegungen etwas erzwungen werden, wenn es nichts zu erzwingen gab? Die Forderung nach mehr Lohn und nach besseren sozialen Einrichtungen war nur zu erfüllen, wenn man gleichzeitig andere Bevölkerungsgruppen, die sich nicht wehren konnten, benachteiligte. Das Ganze lief auf eine Umverteilung hinaus, ohne daß das Angebot oder die Wertschöpfung gesteigert wurde. Im Gegenteil, es waren Tendenzen zu erkennen, wonach die Gesamtproduktion zu sinken begann. Oder veröffentlichte man möglicherweise zum erstenmal die richtigen Zahlen?

Die größte Machtprobe des Reformers Gorbatschow war der Streik der Bergarbeiter im Kusnezker Kohlenbecken im Kusbass. Je tiefer der Stollen, desto höher die Normen, so lautete die Beschwerde der Kumpels, die endlich eine bessere Versorgung mit dem Lebensnotwendigsten anstrebten. Dazu forderten sie mehr Lohn, um nicht nur Suppenfleisch, das Kilo zu zwei Rubel, zu kaufen, sondern auch den Rinderbraten für fünf. Mehr als zweihunderttausend Kusbass-Kumpel mit Schwerpunkt um Meschduretschensk, dort wurde die wertvollste Kokskohle der Welt abgebaut, legten die Arbeit nieder. Allerdings war das Problem nach Ansicht aller Experten unlösbar. Der Selbstkostenpreis für die Kohle betrug 43 Rubel, der Staat bezahlte als Garantie aber nur zwölf Rubel. Dabei könnte man auf dem Weltmarkt 60 Dollar erzielen.

Ausführlich schilderte Rudolf Scherbo die Lage. Er sei im Auftrag des Streikkomitees nach Kirensk gekommen, weil er gehört habe, der Bund der Rettung könne womöglich helfen.

Alexander war über die Schilderungen des Bergmannes sehr nachdenklich geworden.

»Was soll ich für euch tun?«

»Einen Teil unserer Kohle ins Ausland verkaufen, am besten nach Japan.«

»Das geht nicht so einfach, vor allem wegen der Transportkapazitäten. Und zu welchem Preis?«

Scherbo lächelte verschmitzt. »Ich habe gehört, in Deutschland bekommt man für drei Rubel eine Mark. Verkaufen wir den Japanern doch die Kohle gegen Dollar, sagen wir dreißig Dollar, das ist die Hälfte des Weltmarktpreises. Und die Dollar tauschen wir in Mark, ergibt sechzig Mark, und die wieder in Rubel. Dann hätten wir ...«

»Ich kann auch rechnen«, lächelte Alexander. Aber die Idee fand er nicht schlecht.

»Gut, dann habt ihr Rubel. Und wie steht es mit der Versorgung?«

»Kann man nicht einen Teil des Geldes in Mark oder Dollar belassen und damit Nahrungsmittel, Kleider, Radios, Fernseher, Waschmaschinen und Einrichtungsgegenstände kaufen?«

Alexander machte sich Notizen. »Hauptproblem ist der Transport. Wie soll der ablaufen?«

»Mit dem Zug nach Wladiwostok.«

»Und die Kosten?«

»Pro Tonne etwa zehn Rubel. Ein Waggon hat 48 Tonnen und der Zug 52 Waggons. Macht ...«

Alexander hatte es schnell in seinen Taschenrechner eingetippt. »... ungefähr 25 000 Rubel.«

»Jede Woche zwei Züge, also zehntausend Tonnen, das müßte für unseren Bezirk im Kusbass genügen.«

Nach einer Weile äußerte sich Alexander: »Zwei Fragen habe ich: Wo kommen die Züge her, und wie steht es mit den Genehmigungen zum Export?«

»Transportmöglichkeiten können wir organisieren.«

»Und die Genehmigungen?«

Scherbo hob ratlos die Hände. »Moskau.«

In Gedanken rief Alexander all seine Kontakte ab, die er einspannen konnte. »Ich werde Ihnen in einer Woche Nachricht geben, ob es zu machen ist.«

»In drei Tagen, bitte. Uns geht es verdammt dreckig. Wir schuften uns die Seele aus dem Leib, produzieren jährlich für zwölf Milliarden Rubel, und der Staat läßt nur 800 Millionen an uns zurückfließen. Wir können nicht länger immer nur dulden. Zweiundsiebzig Jahre sind genug. Jetzt wollen wir die Früchte unserer Arbeit genießen, nicht in einer Zukunft, die wir, die Bergleute, nie erleben werden. Wissen Sie, wie hoch unsere durchschnittliche Lebenserwartung ist?« Ohne eine Antwort abzuwarten, sprach Scherbo weiter: »Achtundvierzig Jahre. Nach der Statistik habe ich noch vier zu leben. Außerdem kommen von uns viele in den Bergwerken um. In der Union sind es zwei pro eine Million Tonnen, in unserem Revier mehr als zwanzigmal soviel; weil unsere Flöze so schwer abzubauen sind. Und trotzdem steigen und steigen die Normen.«

»Gut, in drei Tagen.«

Alexander, der keine Erklärung dafür fand, warum er sich so für die Bergleute engagierte, beriet sich mit Leonid. Der warf ihm auch prompt vor, sich zu sehr für die Probleme anderer zu verschleißen. Schließlich hätten sie auch Kohle zu verkaufen, und zwar die aus Aldan. Dort würden die Halden auch immer höher.

»Aber die Kokskohle ist gefragter.«

»Unsere ist dafür halb so teuer und obendrein leichter abzubauen.«

»Im Kusbass gärt es, bei uns nicht. Wenn man denen nicht hilft, dann platzt der Ballon.«

»He, so kenne ich dich ja überhaupt nicht. Ich dachte, dir sei der Staat scheißegal?«

»Ist er auch, aber die Kumpels können nichts dafür.«

»Seit wann fühlst du dich als Samariter und Retter des Volkes?« stichelte der großgewachsene Georgier.

Alexander telefonierte mit Sato und mit Kurz. Ein Dreiecksgeschäft sei zu machen, allerdings müsse dies außerhalb der Europäischen Gemeinschaft abgewickelt werden, weil sie den heimischen Markt vor Billigkohle aus dem Ausland schütze.

Sato war bereit, pro Woche fünftausend Tonnen abzunehmen, die andere Hälfte verkaufte er für fünfundvierzig Dollar die Tonne nach Südkorea. Kurz erklärte sich einverstanden, aus dem großen, übervollen Kühlschrank der EG für die Bergleute im Kusbass Nahrungsmittel zum Tiefstpreis zu erstehen. Aber mit Frischfleisch könne er leider nicht dienen. Alexander rief Gubitzki an, den Schwarzhändler der Sowchose 19. Er gab sich zu erkennen, und bevor der alerte Schieber explodieren konnte, fragte er ihn, ob er in der Lage sei, wöchentlich tausend Schweine zu liefern. Einen Rubel pro Kilogramm bot Alexander, aber bitte nicht mit Wasser aufgeschwemmt und eingefroren, sondern lebend. Auf den eigenen vier Beinen sollten die Viecher die Waggons verlassen können.

»Zwei Rubel«, forderte Gubitzki.
»Einen.«
»Einsachtzig.«
»Drei Kilogramm für eine Mark und achtzig.«

Gubitzki reagierte einige Sekunden nicht, in denen er den Kurs ausrechnete und die Möglichkeiten, mit der Mark zu handeln, überdachte.

»Einverstanden.«
»Inklusive Transportkosten.«
»Wohin?«
»Kusbass.«
»Wie, nicht nach Polen oder Deutschland?«
»Nein.«
»Und wieso zahlen Sie in Mark?«
»Klappt der Handel, oder klappt er nicht?«
Gubitzki stimmte zu.

Alexander rief in Moskau im Ministerium den rührigen Kosyrew an und fragte, ob er eine Exportgenehmigung für Kokskohle organisieren könne.

»Nein, geht nicht, ausgerechnet an Kokskohle haben wir einen Mangel. Darf nicht angerührt werden. Jede andere Sorte ist kein Problem.«

»Gut, dann für Anthrazitkohle aus Aldan.«
»Bis wann?«

»Sofort.«

»Sie kennen doch die Moskauer Strukturen?«

Alexander verstand die Anspielung. »Was sagt Ihre Perestroika dazu?«

»Tut mir leid, wir müssen uns mit den alten Köpfen arrangieren.«

»Wieviel?«

»Fünfzigtausend Rubel.«

»An wen?«

»Nicht an mich, noch müssen wir mit den Wölfen heulen. Das Geld geht in einen besonderen Fonds.«

»Aus dem auch Sie gefüttert werden?«

»Nein.«

»Kosyrew, wenn ich das jemals erfahren sollte, dann sind wir geschiedene Leute.«

Über die Verwaltung des Territorialen Produktionskomplexes Südjakutien besorgte sich Alexander, der Kosyrews Exporterlaubnis vorlegte, eine Verkaufsbewilligung für wöchentlich 10 000 Tonnen Anthrazitkohle. Gleichzeitig beantragte er über einen anderen Sachbearbeiter die Anforderung über die gleiche Menge Kokskohle. Und als er beide Genehmigungen hatte, verabredete er sich mit dem Kommissar für territoriale Handelsbeziehungen. Leider sei irgendwo ein Fehler unterlaufen, argumentierte Alexander. Er könne zwar laut Bewilligung zehntausend Tonnen Anthrazitkohle verkaufen, gleichzeitig würden aber auch zehntausend Tonnen Kokskohle geliefert.

Der Kommissar, dem eigenen Bekunden nach ein hervorragender Organisator und geschult im Ausbügeln von Fehlplanungen, griff sich an den Kopf. »Was sollen wir denn mit dem Zeug? Dafür gibt es bei uns keine Verwendung.«

Alexander bagatellisierte bewußt. »So wie es aussieht, werden die Waggons aus- und wieder beladen. Das kommt doch öfters vor.«

»Aber nicht, solange ich hier das Sagen habe.«

Alexander zeigte vollstes Verständnis. »Außerdem sind da noch der Umweg über Aldan und die Kosten. Nicht zu vergessen die Bindung von Personal und Transportkapazität.«

Der Kommissar fluchte. »Welcher Idiot hat denn diesen Mist verbockt?«

Leider konnte ihm Alexander nicht helfen. Aber da seien nun mal die Genehmigungen, und er habe zu exportieren, um den Vertrag zu erfüllen. Bei allen innerstaatlichen Schwierigkeiten müsse man unbedingt vermeiden, das Ausland zu verprellen.

Dem Kommissar platzte der Kragen. »Das ist Schwachsinn. Wir schieben die Kohle doch nur von einer Tasche in die andere. Und das kostet verdammt viel Geld.«

Alexander wußte keinen Rat. Aber die Japaner hätten nun mal ausdrücklich Anthrazitkohle bestellt.

Der Kommissar bekniete Alexander. »Können Sie denen nicht die Kokskohle schmackhaft machen?«

»Ich weiß nicht.«

»Zum gleichen Preis. Ist doch auch viel wertvoller.«

»Also, ich ...«

Der Kommissar grinste. »Wir lassen die Züge einfach durchrollen und vertauschen die Papiere.«

»Ist das nicht illegal?«

Der Kommissar winkte ab. »Wer soll das schon merken? Außerdem geht alles über meinen Tisch.«

»Hm.« Und dann hatte Alexander einen wichtigen Einwand. »Aber Kokskohle, da besteht ein Mangel. Die dürfen wir nicht ...«

Wieder wußte der Kommissar einen Ausweg. »Wir tun einfach so, als wäre die Kokskohle, wie vorgesehen, hierher geliefert worden und unsere in die andere Richtung gegangen. Papier ist geduldig, die Halde bleibt gleichhoch, keiner hat einen Schaden. Ist doch eine elegante Lösung, nicht?«

Alexander gab zu bedenken, daß durch diesen Tausch Kosten auf den Bund zukämen. Wie er die denn umlegen könne. Nun, zahlen dürfe er, der Kommissar ihm nichts, obwohl er eine sehr hohe Position bekleide. Aber über gewisse Vergünstigungen könne man reden. Eine Hand ...

Noch am selben Nachmittag gab Alexander dem Sprecher der Bergleute, Rudolf Scherbo, die Nachricht mit auf den Weg, das Geschäft könne wie geplant abgewickelt werden. Genehmigungen und Verträge lägen vor. Als Scherbo Genaueres wissen wollen, blockte Alexander ab. Seine Aufgabe sei allein, die Kokskohle nach Wladiwostok zu bringen. Um alles weitere kümmere er sich.

Drei Wochen später kam der Handel ins Rollen. Die ersten zehntausend Tonnen waren verschifft worden, das Geld geflossen und die Schweine auf allen vier Beinen und ohne Hilfe aus den Waggons geklettert, direkt hinein ins Schlachthaus. Und in Kühlcontainern brachte man gefrorenes Rindfleisch aus EG-Beständen zum Vorzugspreis von zwei Mark pro Kilo. Bezahlt wurde die Rechnung von Kurz, dem man aus Tokio einen Teil des Kohleerlöses transferierte. Alle waren zufrieden, auch Alexander, denn wieder einmal hatte er sich bewiesen.

»Merkst du eigentlich nicht, daß wir im Grunde genommen genauso agieren wie die großen Schieber im Staat?«

»Nein, Leonid. Da sehe ich schon einen gewaltigen Unterschied. Und Kosyrew, der Wirtschaftsexperte aus Moskau, auch.«

»Und der wäre?«

»Wir helfen den Leuten im Kusbass und vermeiden, daß das Pulverfaß hochgeht.«

»Klar. Aber doch nur, weil wir auch Profit machen.«

»Den hatten wir immer.«

»Was ich sagen will, Alexander, ist folgendes: Unser Staat geht an diesen Nebengeschäften kaputt. Nichts funktioniert mehr, nichts stimmt mehr, alles ist im Fluß und außer Kontrolle geraten.«

»Merkst du nicht, wie du argumentierst? Bist du jetzt auf einmal der Samariter?«

Leonid fühlte sich unwohl und suchte nach Ausflüchten. Schließlich versteifte er sich auf sein erstes Argument.

Alexander war anderer Auffassung. »Er geht nicht an unseren Aktivitäten kaputt, wir halten ihn am Leben. Wenn es, wie von Gorbatschow avisiert, zur Marktwirtschaft kommen sollte, dann erreichen wir beide unser Ziel: Der alte Apparat verschwindet, und wir sind die Vorreiter.«

V
HELLEN

ALS HÄTTE ES noch einer letzten Bestätigung seiner Fähigkeiten bedurft, zog sich Alexander mehr und mehr zurück. Die Verbindungen zu den ausländischen Partnern waren geknüpft, und besonders die zum Deutschen Friedhelm Kurz entpuppte sich als ungemein fruchtbar.

Aber Alexander war müde und ausgelaugt. Er hatte zuviel von dem Land gesehen, die maroden Betriebe und die mafiaähnlichen Strukturen kennengelernt und gespürt, wie die wirtschaftliche Depression des Staates abfärbte und seine eigene, gefühlsmäßige, mehr und mehr anwachsen ließ. Unfähig, sich selbst zu helfen, redete er sich ein, es habe auch keinen Sinn, sich für die Sowjetunion zu engagieren.

Überdeutlich registrierte er die Differenzen und Kompetenzstreitigkeiten der einzelnen Republiken untereinander, die zunehmend ihre Eigenständigkeit zu beweisen versuchten und dadurch das Gefüge des Landes aushöhlten. Die UdSSR bröckelte, Konservative und Altkommunisten sorgten für den allmählichen Untergang des Riesenreiches. Aber dieses Dahinsiechen seines Vaterlandes verschaffte ihm nicht die langersehnte Befriedigung, die er erhofft hatte. An einem Sieg über einen Schwachen war ihm nicht gelegen.

Was Alexander in dieser Phase noch tat: Er sammelte auch weiterhin Informationen über militärische Einrichtungen und über Politiker, die sich bestechen ließen und denen man Verfehlungen vorwerfen konnte. Warum, darauf wäre es Alexander, der sich mehr für die Toten als für die Lebenden interessierte, mehr für den maroden Staat als für dessen Zukunft, schwergefallen, eine Antwort zu finden.

Leonid ließ sich von alledem nicht beeindrucken. Die Lagebesprechung fand wie immer jeden Morgen statt. Auch ohne Alexanders Anleitung, der nur noch physisch anwesend war und keine neuen Impulse gab, konzentrierte er einen Bereich seiner Tätigkeit intensiv auf Elektronikartikel, für die es einen reißenden Absatz gab. Diamanten dienten immer noch als bequemes Zahlungsmittel und handliche Transfermöglichkeit des eigenen Gewinns ins Ausland. Da die BAM auf dem Papier längst fertiggestellt war, gab es neue Projekte anzugehen und neue Ausrüstungen zu besorgen: deutsche und französische Lastwagen, Bulldozer aus Amerika und aus Japan. Ein deutschsowjetisches Konsortium wurde gebildet, in dem Alexander mitarbeiten sollte. Leonid tat es an seiner Stelle, und als erstes kam ein neues Gasgeschäft mit dem gerade wiedervereinten Deutschland zustande. Als Nebeneffekt entwickelte sich kurioserweise ein reger Handel mit kulinarischen Leckerbissen. Weil einer der Teilnehmer davon geschwärmt hatte, wurde eine Riesenkrabbe aus dem Pazifik, die Kamtschatka-Krabbe, zum Hit. Ein häßliches, bis zwei Meter großes Tier, eine fliegende Untertasse auf Beinen, die entgegen ihrem Aussehen vorzüglich mundete. Über Friedhelm Kurz gelangte sie auf deutsche Tische und in die Küchen der Spezialitätenrestaurants. Einem Koch verhalf sie sogar zu den berühmten drei Sternen im Michelin.

Leonid bemerkte Alexanders Müdigkeit.

»Enttäuschung? Oder die Entwicklung des Landes?«

Alexander zuckte die Achseln. »Auch meine innere Unruhe und dazu die Vorstellung, etwas zu versäumen.«

»Was denn? Das Leben?«

»Ich weiß es nicht. Das Leben kann es aber nicht sein, das geht sowieso an mir vorüber.«

»Du willst weg.«

»Ich weiß es nicht.«

»Doch, du willst weg.«

»Möglich.«

»Wohin?«

Alexander machte eine vage Handbewegung, er hatte kein konkretes Ziel. Japan, dort würde es ihm gefallen.

»Und ich?«

Alexander schaute den treuen Weggefährten nur an.

»Ist das dein Dank?«

Traurig kam ihm Leonid mit den herunterhängenden Schnurrbartenden vor.

»Du bist unbezahlbar.«

»Aha. Deswegen verschwindest du einfach.«

»Wir bleiben in Verbindung. Aber ich muß raus, ich muß atmen. Immer der Druck, die Erinnerungen. Ich muß raus.«

»Zehn Jahre sind sie jetzt schon tot.«

»In mir ist auch vieles tot, einiges sogar noch viel länger.«

»Wem sagst du das! Aber jagst du nicht einer Illusion hinterher?«

»Welcher?«

»Hellen, deine ehemalige deutsche Geliebte. Hast du wieder ihre Briefe gelesen?«

»Ja.«

»Immer noch das alte ... Ziehen?«

Alexander nickte und erklärte, er habe nicht vor, sie nach so vielen Jahren aufzusuchen. Und verheiratet werde sie auch sein.

Leonid sah ihn an, als wüßte er es besser. »Gut. Löse dich von allem hier, bleibe mit mir in Kontakt. Und wenn ich dich brauche ...«

»Du kommst bestimmt ohne mich zurecht.«

»Sehen wir uns wieder?«

Alexander nahm den Freund in die Arme. »Natürlich, Leonid. Du bist ein Teil meiner selbst. Gib mir ein paar Monate, dann überlegen wir beide, was wir machen, und ob es sich überhaupt noch für das Land lohnt.«

»Für das Land lohnt es sich immer. Aber auf die Menschen bezogen, da kommen mir allmählich Zweifel.«

Alexander klärte einiges mit seinen Konten und erfragte den Stand in Tokio, Zürich und Frankfurt. Er war ein vermögender Mann. Daran lag es also nicht.

Und plötzlich ereilte ihn während seiner Reisevorbereitungen die Nachricht: Generalsekretär Gorbatschow, auf der Krim am Schwarzen Meer in Urlaub, war unter Hausarrest gestellt worden. Mit einer unerklärlichen Hast raffte Alexander alle wichtigen Papiere zusammen, darunter auch die in jahrelanger Kleinarbeit gesammelten Dossiers über geheime militärische Anlagen und die Akten über Politiker. Er tat dies ganz bewußt, als er hörte, wer in dem acht Personen umfassenden, konservativen Putschkomitee vertreten war, so der Gorbatschow-Vize Janajew, KGB-Chef Krjutschkow und Marschall Jasow. Falls sie an die Macht kamen, bedeutete dies ein Rückschritt in die alte Ära des Sozialismus.

Alexander hatte nun ein Ziel und flog spontan nach Nowosibirsk. Zu seinem Erstaunen hatte sich trotz der labilen politischen Lage in Mittelsibirien noch nichts geändert. Kein Mehr an Militär, die gleichen Kontrollen wie sonst auch, absolut nichts deutete auf einen Umsturz hin. War das die Taktik der Putschisten?

Alexander besuchte Viktor Antropowitsch, und der Ingenieur ahnte sofort, was der Grund seines Besuches war. Alexander kam auf Klimkows Vermächtnis zu sprechen und die Unterlagen, die Antropowitsch seit vielen Jahren für ihn deponierte.

»Moskau, die neue Garde. Sie macht dir Angst?«

»Ja.«

»Was willst du mit den Dingen tun?«

»Wenn überhaupt, dann sie gegen die neuen Machthaber verwenden.«

»Verstehe ich nicht. Warum erst jetzt? Hattest du dazu in der Vergangenheit nicht Gelegenheit genug?«

Alexander lächelte vage.

»Sind sie etwa besser als Gorbatschow?« wollte Antropowitsch wissen.

»Für die Wirtschaft eventuell. Vielleicht fehlt uns wirklich eine Orientierung. Immerhin sind wir das seit siebzig Jahren gewohnt.«

»Du meinst, die starke Hand.

»Der Markt ist die starke Hand«, widersprach Alexander. »Aber der muß sich erst einmal bilden.«

»Und das traust du den Betonköpfen nicht zu.«

»Nein. Sie wollen die kommunistische Steinzeit.«

»Gut, dann nimm auch bitte einiges von mir mit.«

»Warum?«

Antropowitsch ließ sich schwer schnaufend auf einen Stuhl fallen. »Siehst du das denn nicht?«

»Bist etwas blaß, und die Haare gehen dir aus.«

»Etwas blaß, das stimmt in der Tat. Knochenkrebs. Die vielen Strahlen in all den Jahren, auch in Tomsk. Wir haben gebaut und gebaut und hatten keine Ahnung, daß sie gleich nebenan Plutonium produzierten. Der Apparat opfert seine Bürger, weil er einem schrecklichen Ziel hinterherläuft. Die Ärzte geben mir nur noch wenige Monate. Leider nicht genug, um noch etwas bewegen zu können.«

»Ich habe oft an dich gedacht, an unsere erste Begegnung und die seltsamen Umstände. Für mich ist noch ein Punkt unklar.«

»Und der wäre?«

»Wenn du damals eine andere Meinung gehabt hättest als ich, Viktor, dann wäre ich von der Miliz empfangen worden. Was hat dich zu allem bewogen?«

Antropowitsch wirkte nachdenklich.

»Viktor, du kannst mir erzählen, was du willst, mir schöne Theorien vom Gleichgewicht der Kräfte verkaufen oder sonst was, um deine Handlungsweise zu rechtfertigen. Aber das genügt mir nicht.«

Antropowitsch zog den Kopf ein. »Wie soll ich das verstehen?«

»Deine vorgeschobenen Argumente kaufe ich dir nicht ab. Was war der eigentliche Grund für dein Verhalten?«

»Sagte ich doch, dieser Größenwahn ...«

»Nein.«

Es hatte den Anschein, als verkrallten sich ihre Blicke ineinander, um auch jedes noch so unbedeutende Detail in den Augen des anderen herauszulesen.

»Du meinst, es gebe da noch einen ... übergeordneten Anlaß?« fragte der Ältere mit belegter Stimme.

Alexander nickte, ohne ihn aus den Augen zu lassen. »Etwas, das tiefer geht, so wie bei mir. Eine Art ... finale Motivation.«

»Du hast recht. Damals, Nowaja Semlja und Tomsk, das waren im Prinzip, so wie alles andere, nur Vorwände. Meine Schwester, sie ist der wahre Grund.«

Nach einigen Augenblicken, in denen sich Antropowitsch sammelte, begann er zu erzählen.

»Größenwahn und Angst sind Geschwister. Deshalb unternimmt der Apparat alles, um sich zu schützen, nicht die Bevölkerung. Die Folge davon ist: Unser Land ist immer noch übersät mit geheimen Einrichtungen. Sie gehen auf Berija zurück, Stalins Geheimdienstchef. Er ist der Gründer der verbotenen Städte und hat selbst die Standorte ausgewählt – allein mit dem Ziel, die Bombe der Bomben zu bauen. Das war 1942. In unserem riesigen Rußland gab und gibt es mehr als fünfzig solcher Einrichtungen, ob das nun Arzamas-16 war, Krasnojarsk-26, Tomsk-7 oder Tscheljabinsk-40, das man später nach einer folgenschweren Katastrophe in Tscheljabinsk-65 umtaufte. Arzamas-16 liegt übrigens nahe bei Moskau und kann nur über eine spezielle Bahnlinie und per Privatzug erreicht werden. Den entsprechenden Bahnhof in Moskau suchst du jedoch vergeblich. Der Zugang ist ein als Obst- und Gemüselager getarntes Haus.«

Antropowitsch trank einen Schluck Wodka, obwohl ihm der Arzt Alkohol verboten hatte. »Wenn du jetzt denkst, mit Berijas oder Stalins Tod habe das alles aufgehört, dann siehst du dich getäuscht. Chruschtschow war vom gleichen Wahn beseelt und ordnete die Gründung weiterer geheimer Einrichtungen an, so die der Nuklearstadt Krasnojarsk-26. Alles wurde unterirdisch angelegt, vom Atomreaktor bis zu den Fabriken und Wohnungen. Allein die Tunnelanlage ist zehnmal größer als die Moskauer Metro. Wie allgemein üblich, entsorgte man aus Kostengründen den gefährlichen radioaktiven Abfall auf einfachste Art und Weise: Man bunkerte ihn tief in der Erde.«

»Woher weißt du das alles?«

»Von meiner Schwester.«

Die Stimme des Ingenieurs wurde leiser. »Meine Schwester war Physikerin und arbeitete im Majak-Werk von Kyschtym, auch Tscheljabinsk-40 genannt. Sie kam 1957 durch die Explosion eines Plutoniumtanks ums Leben, mit ihr starben Tausende.«

Antropowitsch rieb sich die Augen. »In den letzten Jahren hatten wir kaum Kontakt, weil sie der höchsten Sicherheitsstufe angehörte und völlig isoliert von Familie und Außenwelt in der Stadt zubrachte, die wie Tomsk-7 eingezäunt ist und scharf bewacht wird.«

»Bekam sie keine Schwierigkeiten, als man dich seinerzeit zu Lagerarbeit verurteilte?«

Antropowitsch lachte hart. »Und ob, Sippenhaft hat bei uns seit der Zarenzeit Tradition. Man stellte sie unter besonderen Arrest und verhörte sie. Mit Stalins Tod löste sich auch ihr Problem, aber meiner Schwester, ich habe sie manchmal im Spaß als linientreue Idiotin bezeichnet, die sich von Ideologie und Vergünstigungen blenden und durch die Forschung ködern ließ, wurden die Augen geöffnet. Sie erkannte mit einemmal, wie der Staat wirklich war, weil er alle, die ihm dienlich schienen und Vorteile versprachen, aussaugte und ausnutzte. Bei den wenigen Gelegenheiten unseres Zusammentreffens erzählte sie mir von ihrer Arbeit und dem unmenschlichen Druck, als sogenannter freier Sowjetbürger permanent eingesperrt zu sein. Auch die anderen Experten, mit denen sie zu tun hatte, beklagten sich darüber. Deshalb versucht die Regierung ständig, das wissenschaftliche Personal von einer geheimen Einrichtung in die andere zu verlegen, falls die geplanten Projekte das überhaupt zulassen.«

»Ist deine Schwester auch zu einem ... moralischen Spion geworden?«

Antropowitsch nickte. »Mehr oder weniger. Alles, was sie wußte, hat sie in vier Tagen und Nächten aus dem Gedächtnis heraus aufgezeichnet und niedergeschrieben. Das war 1956, kurz nach dem Tod unserer Mutter. Zumindest zu ihrer Beisetzung durfte Helmja, so hieß meine Schwester, Tscheljabinsk-40 verlassen.«

Länger als eine Stunde unterrichtete Antropowitsch den konzentriert zuhörenden Alexander in großen Zügen von den geheimen Dingen, die er bisher in Erfahrung hatte bringen können. Durch die Ausführungen des Ingenieurs verstand er schließlich auch den Zusammenhang, was die Ewenken Urnak und Yokola seinerzeit mit dem schlechten Licht gemeint hatten, das die Menschen krank mache.

Die Armee, so führte Antropowitsch weiter aus, habe die Tschuktschen, ein Nomadenvolk, umgesiedelt und nur wenige Kilometer entfernt auf der Tschuktschenhalbinsel Atombombentests durchgeführt. Fast alle Ureinwohner seien an Tuberkulose erkrankt, sie hätten die höchste Speiseröhrenkrebsrate der Welt, und die Lebenserwartung gehe kaum über vierzig Jahre hinaus.

»Vielleicht rächt sich die Natur an mir, denn auch ich bin als Ingenieur indirekt für den Wahn und das Lieber-Gott-spielen-Wollen verantwortlich.«

Alexander kam in Moskau an, als die Panzer auffuhren. In der hereinbrechenden Dunkelheit sah er die wuchtigen, schemenhaften Schattengebilde, drohend und massiv, die Kanonenrohre dem Feind entgegengereckt. Und der Feind war das Volk, das die Perestroika zu verteidigen suchte.

Wie ein Virus verbreitete sich das Gerücht, Jelzin sei im Weißen Haus, dem marmorverkleideten Regierungsgebäude der Russischen Republik. Alexander machte sich auf den Weg, Tausende strömten auf den großen Vorplatz. Panzer und Sozialismus und Kommunismus auf der einen Seite, Demokratie und Menschen mit dem Drang nach Freiheit auf der anderen.

Dann die Rede Jelzins an das Volk, bedroht von den Kanonen der Panzer. Eines der Ungetüme scherte aus, andere folgten und schützten nun das Weiße Haus. Und am Mittwoch abend, im Freudentaumel des nach vier Tagen gescheiterten Putschs, als sich wildfremde Menschen um den Hals fielen und küßten, ging Alexander mit Tränen in den Augen und tief bewegt zu einem der in Drahtkörben brennenden Feuer. Entschlossen warf er all seine Dossiers und Unterlagen hinein. Das Volk hatte gewonnen, und er gehörte zum Volk.

Am Donnerstag kehrte die Armee in die Kasernen zurück, der Spuk war vorbei, und die Metropole pulsierte wie im Fieber. Alexander hatte als Patriot und nicht als Landesverräter an einer historischen Stunde teilgenommen. Mit diesem ungewohnten Gefühl in der Brust und voller Stolz wollte er das neue Moskau entdecken und sich endlich mit der Stadt aussöhnen. Aber der schönen, zarten Pflanze Demokratie eilten bereits ihre Schattenseiten voraus.

Schnellimbisse, unübersehbar große Werbetafeln mit braunen Flaschen darauf und viele Bettler bemerkte er, die auf dem Boden hockten, den Schnaps gleich neben sich, ihre Hand aufhielten und die Passanten provozierend anstarrten, als hätten diese die Verpflichtung, sie zu unterstützen. Alexander sah alte Menschen, die Flaschen sammelten, ohne Leergut bekam man keinen Wodka, und verwahrloste Kinder, manche von ihnen kaum älter als zehn Jahre, die in Gruppen umherstreunten, Frauen anrempelten und ihnen in aller Öffentlichkeit die Handtasche raubten.

In der Twerskajastraße gegenüber dem Hotel Intourist blühte der Schwarzhandel, ohne daß die Miliz einschritt. Alles gab es für Dollar und Mark: Kaffee, Tee, Pralinen, Dauerwürste, Zucker, Wodka, Cognac, Damenstrümpfe, Parfüm, sogar Obst, frischen Käse und Butter. Ähnlich wie in Sichtweite des Kreml, einer weiteren freien Umschlagstelle, wo sogar Regierungsmitglieder ihren Bedarf deckten, waren es meist Gutgekleidete, die mit den Anbietern feilschten. Es gab keine langen Schlangen wie vor den staatlichen Bäckerläden oder den Tankstellen, die Probleme hatten, die Benzinversorgung sicherzustellen. Aber der Handel funktionierte. Überteuert zwar und ohne das rechte Gefühl für den realen Marktwert – ein Durchschnittsverdiener hatte für eine Tafel Schokolade zwei Monatslöhne hinzulegen – wechselte die Ware den Besitzer. Bezahlte jemand in Rubel, dann akzeptierte sie der Verkäufer nur zu Mondkursen, um der galoppierenden Inflation und der rapiden Geldentwertung zuvorzukommen.

Je länger Alexander durch Moskau wanderte, immer deutlicher die Kluft zwischen Arm und Reich vor Augen geführt bekam, desto betrübter und resignierter wurde er. Am Tischinski-Markt harrten ältere Frauen, den Kopf schamhaft gesenkt, bis tief in die Nacht in der Hoffnung aus, leere Cola-Dosen, Einmachgläser, Schnürsenkel und gebrauchte Zahnbürsten verkaufen zu können, um sich ein paar Rubel dazuzuverdienen.

Die Obdachlosen in unmittelbarer Nachbarschaft des Kreml, eine Ohrfeige für den Sozialismus, sie hausten in einem Wust aus Dreck und Abfall und schliefen in einem mit Zeltplanen oder Plastik überspannten Holzverschlag. Ihr ganzes Hab und Gut bestand aus einem Koffer, daran erkannte man die Bessergestellten, oder aus einigen Plastiktüten.

Auf dem Roten Platz, dort waren die skurrilen Züge des Niedergangs am deutlichsten, fielen ihm neben den Touristen besonders die Veteranen auf. Nicht nur, daß etliche von ihnen im Rollstuhl saßen oder auf Krücken gingen, sie hatten sich auch all ihre Orden an die Brust geheftet, die sie mehr oder weniger stolz vor den Kameras der Westler oder Japaner präsentierten. In Gruppen standen sie zusammen: Hier die grauhaarigen, gebeugten Alten aus dem Zweiten Weltkrieg mit den patriotischen Parolen der Sieger auf den Lippen, etwas weiter weg die schweigsamen, wesentlich Jüngeren aus Afghanistan, die letzten unangenehmen Zeugen eines verlorenen Krieges.

Schon am Vormittag hatte Alexander gemerkt, daß er einen ganz bestimmten Bereich nahe des Marx-Projektes ausklammerte. Obwohl mittlerweile viel Zeit vergangen war, gehörte immer noch eine gewisse Portion Mut dazu, das Hotel National zu betreten, die Stätte, wo für ihn alles begonnen hatte: Liebe und Leid. Drinnen schien die Zeit stehengeblieben zu sein. Alles war etwas älter, noch etwas mehr abgewetzt, lediglich der Bodenbelag war ein anderer.

Da Alexander in Westgeld zahlte, gab man ihm sofort ein Zimmer. Leider sei 416 belegt. Ob es 415 sein dürfe?

Alexander war einverstanden. In 415 stellte er sich vor die Verbindungswand zum Nebenzimmer. Dort vor mehr als fünfundzwanzig Jahren ... achtundzwanzig, um genau zu sein ...

Alexander setzte sich auf das Bett und starrte die Wand an. Sein Blick ging hindurch, er sah Schrank, Stuhl, den Sekretär und vor dem Fenster die beiden zerschlissenen Sessel. Und das Bett hatte gequietscht.

Mit einem Aufstöhnen ließ er sich nach hinten fallen, schloß die Augen und tauchte ein gutes Vierteljahrhundert zurück. Die dünne Bettdecke, der warme Körper neben ihm, das Tip-Tip des tropfenden Wasserhahns. Anschließend der Spaziergang durch Moskau mit der Wachablösung vor dem Lenin-Mausoleum. Am anderen Morgen die Pressekonferenz in der Hotelhalle, der schmerzvolle Abschied, seine Verhaftung und dann der unendlich lange Leidensweg, der immer noch nicht beendet zu sein schien.

Alexanders Gedanken, die sich aufmachten, um in der Weite Sibiriens zu verschwinden, fanden wieder zu Hellen. Das war angenehmer und vermittelte ihm ein schöneres Gefühl, obgleich sich Trauer und Wehmut darein mischten.

Die Bilder wechselten sich ab. Larissa sah er vor sich, die beiden Kinder. Und abermals Hellen. Dann Rassul, Nikolai, eben seine private Welt. Dazu kamen noch Klimkow und Leonid. Ja, so klein war seine Welt. Im Zimmer des Hotels National reduzierte sie sich auf wenige Personen. Menschen, die ihm etwas bedeuteten und ihm etwas hinterlassen hatten: die Erinnerung. Aber die Erinnerung war mit Schmerz verbunden, denn der Tod nimmt keine Rücksicht auf Gefühle.

Alexander fühlte sich allein und verlassen. Was hätte er darum gegeben, seine Familie für eine einzige Stunde wieder bei sich zu haben. Nur eine Stunde, um Larissa und den Kindern zu sagen, was sie ihm bedeuteten und wie lieb er sie hatte. Um ihnen all das zu sagen, was er glaubte versäumt zu haben.

»Ja«, hörte er sich sprechen. »Man versäumt so vieles im Leben. Und wenn man es nachholen möchte, dann ist es zu spät.«

Rassul, Klimkow, Nikolai, alle weg. Minsk nun auch schon einige Jahre, und Leonid und Yokola so weit im Osten.

Alexander fühlte sich einsam, sehr einsam. Einundfünfzig war er und trotzdem schon ein alter Wolf, der den Fährten der Vergangenheit nachschnüffelte und dadurch alles nur noch schlimmer machte. Irgendwann wird der alte Wolf zusammenbrechen, und dann wird niemand dasein, der ihn betrauert. Was hat das für einen Sinn, wenn man keine Trauernden zurückläßt? Man sich von dieser Welt verabschiedet wie das Licht einer Kerze? Etwas Rauch und vorbei.

Es war dunkel, als Alexander aufstand, sich ans Fenster stellte und den Kopf an die Scheibe lehnte. Der Vorgang kam ihm bekannt vor. Vier Stockwerke unter ihm die vibrierende Stadt, der Verkehr war um ein Vielfaches stärker als damals.

Etwas Rauch und vorbei.

Leicht schlug er mit der Stirn gegen die Scheibe. Wieder und wieder. Und im Takt dazu: Etwas Rauch und vorbei. Etwas Rauch und… »Nein, es ist nicht vorbei«, schrie er, und die Scheibe beschlug durch seinen Atem. Und dann noch einmal in voller Lautstärke: »Es ist nicht vorbei.«

Er ballte die Fäuste und starrte hinunter. Ein Schauer erfaßte ihn, auf dem Rücken bildete sich eine Gänsehaut. Alexander erwachte aus einem jahrelangen Dahinsiechen ohne Orientierung. Der Tod seiner geliebten Familie – und danach ein Loch, das ihm die Zeit gestohlen hatte. Yokolas Worte fielen ihm ein: Das Leben ist ein Geschenk. Und da es sehr kostbar ist, hast du die Verpflichtung, darauf zu achten. Und er erinnerte sich, daß der Ewenke ihm deutlich gemacht hatte, er habe ihn nicht gerettet, damit er auf den Tod warte.

Alexander wurde von einer seltsamen Erregung erfaßt. »Behalte die große Liebe, sie wird wie ein Bild für dich sein.« Das hatte Larissa zu ihm gesagt. Tief in ihm drin und für alle Zeiten unauslöschlich waren beide Bilder: das von Larissa und den Kindern und das von Hellen. Gleich groß, gleich bedeutungsvoll, aber Hellens wirkte blasser.

»Ich will zu ihr«, sprach er laut. Und lauter. Und dann immer wieder: »Ich muß zu ihr.«

Ein Anruf in der Hotelhalle: Der nächste Flug nach Frankfurt ging um sieben Uhr zehn am Morgen. Um vier wollte er geweckt werden.

Die Maschine hob pünktlich ab. Alexander verkroch sich in den Sitz, als wollte er sich verstecken. Er schämte sich. Er schämte sich für sein Land, denn auf der Fahrt zum Flugplatz war er an stinkenden, qualmenden Müllhalden vorbeigekommen, auf denen zahllose Menschen umherliefen, unter ihnen sehr viele Kinder, die auf der Suche nach etwas Eß- oder Verwertbarem im Unrat stocherten. Als wollte er sich vom Gegenteil überzeugen, drückte er sich an das kleine ovale Fenster und schaute aus einigen tausend Metern Höhe auf die russische Tiefebene. Aus einer gewissen Distanz wird für den Beobachter jedes Unheil und jede Ungerechtigkeit erträglich. Von Minute zu Minute, die er gen Westen flog, wuchs seine Ungewißheit: Erkennt sie mich noch? Will sie sich noch an mich erinnern? Mit den Fingern tastete er nach ihren Briefen, die in seiner Jacke steckten.

Mitten hinein in seine Unsicherheit, die längst die Euphorie abgelöst hatte, der Dämpfer: Damals die amerikanischen Dollar, wie kamen sie in meine Tasche? Wer hat sie mir zugesteckt? Zu keiner Zeit hatte er Hellen im Verdacht gehabt. Aber je mehr er die Möglichkeit abblockte, desto fester setzte sie sich in seinem Kopf fest. Sicherlich war das mit ein Grund für seine Aufgeregtheit. Und wenn sie es getan hat, dann wollte sie mir, einem armen Studenten, nur etwas zukommen lassen. Das redete er sich ein, und so befreite er sie von aller Schuld. Sie konnte doch nicht wissen, daß mich der KGB ...

Alexander richtete sich stocksteif im Sitz auf, argwöhnisch beobachtet von einer Mitreisenden, die ihm schon eine Tüte reichen wollte.

Derjenige, der mir das Geld zugesteckt hat, wußte genau, daß sie auf mich warteten. Nur das konnte die Erklärung sein.

Und der Flug, der mit dem gestrigen Abend so hoffnungsvoll und wundersam begonnen hatte, wurde zu einer einzigen Tortur, einem Reiten auf schlimmen Ahnungen. Als sich die Maschine zur Landung in Frankfurt anschickte, wäre er am liebsten auf der Stelle umgekehrt, hätte er dazu noch die Möglichkeit gehabt.

Alexander Gautulin, alias Robert Koenen, der Wolgadeutsche, betrat den Boden seiner Vorfahren mit unsicheren Schritten und einem ungewohnten Respekt, den er sich nicht erklären konnte. Und er staunte. Das Leben, die vorbeihetzenden Menschen, eine Rolltreppe, die ihn zum Ausgang des riesigen Komplexes brachte. In der Eingangshalle setzte er sich hin und beobachtete die Reisenden. Alle hatten es eilig, alle waren gut gekleidet und hatten einen unpersönlichen Gesichtsausdruck. Das verwirrte ihn. Nur die Kinder, sie spielten so unbefangen wie überall auf der Welt. Mit einem freundlichen Nicken beruhigte er einen kleinen erschrockenen Jungen, dessen ferngesteuertes Auto gegen seinen Fuß geprallt war.

Alexander ging zögernd nach draußen. Hohe Gebäude, ein langgestrecktes Parkhaus, die Schlange der wartenden Taxis. Als er Düsseldorf als Fahrziel nannte, fragte ihn der Fahrer, ob er wirklich

Düsseldorf meine. Alexander bejahte. Dann sei es doch besser, riet ihm der Fahrer, eine Etage tiefer zu gehen und den Zug zu nehmen. Der sei schneller und obendrein billiger.

Aus dem Untergrund ratterte der Zug hinaus in die Helligkeit. Wie ein Kind drückte Alexander seine Nase an die Scheibe. Das also war seine Urheimat. Auf einmal glaubte er zu wissen, wo er hingehörte: nach Deutschland. Hatte er nicht auch all die Eigenschaften, die man den Deutschen nachsagte?

Den Rhein entlang ging die Fahrt. Viel hatte Alexander von diesem Strom gehört. Seine Augen konnten nicht genug bekommen und saugten alles auf.

In Düsseldorf stellte er sich die berechtigte Frage: Wo wohnt Hellen denn überhaupt? Er sah in einem Telefonbuch nach, es gab keine Hellen Birringer. Er rief bei der Firma Mannesmann an, dort bedauerte man sehr, aber wenn das schon so lange zurückliege, dann könne man ihm leider nicht helfen. Und die Post wußte auch keinen Rat.

Verwirrt von dem Angebot in den Geschäften, kaufte er sich etwas Obst. Alexander, der immerhin einige Weltstädte kannte, darunter Tokio, die wohl pulsierendste, merkte nicht, wie erstaunt er war und wie wohlwollend er alles betrachtete. Seltsamerweise verglich er Deutschland nicht mit Japan, wie es angebracht gewesen wäre, sondern mit der Sowjetunion. Die eine Heimat mit der anderen, die des Wolgadeutschen mit der seiner Vorfahren.

Zuerst suchte er ein Hotelzimmer. Der ältere Herr hinter der Rezeption staunte nicht schlecht über seinen Paß und den Namen. »Sie kommen aus der Sowjetunion, Herr Koenen?«

Alexander nickte.

»Mann, das war ja vielleicht ein Schlamassel. Noch mal gut gegangen für Jelzin.«

»Ja, noch mal gut gegangen.«

»Und woher, wenn ich fragen darf?« Sofort entschuldigte er sich für seine Neugier und erklärte leise, er habe im Krieg am Rußlandfeldzug teilgenommen. Alles arme Schweine.

»Kirensk. Ich komme aus Kirensk.«

Der Mann rückte seine Brille zurecht. »Kirensk?«

»Das liegt nördlich vom Baikalsee.«

»Baikalsee ... Baikalsee ...« Verwundert sah er Alexander an. »So weit im Osten? Und dann einen deutschen Namen?«

Alexander wollte höflich sein und doch keine langen Erklärungen abgeben. »Ich suche jemanden. Eine Frau. Aber sie kann mittlerweile geheiratet haben.«

»Anschrift?«

»Nichts, nur Düsseldorf und wie sie heißt.«

»Ja, ja, die Frauen.« Der ältere Herr mit der dicken Hornbrille schmunzelte. »Es ist vielleicht indiskret, aber die betreffende Dame, ist das schon ... äh ... länger her?«

»Es war ungefähr zu der Zeit, als man in Berlin die Mauer baute.«

»Donnerwetter.«

Alexander erzählte, er wisse für wen und in welcher Funktion sie damals gearbeitet habe, und zwar bei der Firma Mannesmann, als Dolmetscherin für eine Gruppe von Wirtschaftsexperten.

Der ältere Herr telefonierte einige Male, dann gab er Alexander einen Zettel, darauf stand der Name eines Konzernmitarbeiters. »Melden Sie sich bitte bei ihm.«

Auf seinem Hotelzimmer kamen ihm wieder die Bedenken. Du kannst das Rad nicht zurückdrehen und auch nicht die Gefühle. Du drängst dich vielleicht in eine intakte Ehe und bringst nur Probleme mit. Überleg doch mal, was alles in der langen Zeit geschehen sein kann. Und überhaupt: Weißt du denn, ob sie noch lebt?

Auf der einen Seite fieberte er wie als kleiner Junge, wenn es auf Weihnachten zuging. Die Vorfreude ließ ihn zittern und beim Gehen stolpern, wie vor vielen Jahren vor dem Fest. Während er schlief, hatte seine Mutter ihm Geschenke ins Zimmer gestellt. Wo hat sie die nur her, fragte er sich schon als Zehn- und Zwölfjähriger. In den Geschäften gibt es so etwas doch nicht. Dann der Duft von Kuchen und Mandeln, Nüssen und Trockenobst, einmal sogar Schokolade, in Silberpapier verpackt. Die Kerzen, der schummrige Raum, ein kleiner Tannenbaum mit Lametta und weiß angemalten Engeln aus Karton oder Sperrholz und deutsche Weihnachtslieder. Stille Nacht. Alexander fühlte die gleiche Ehrfurcht wie damals. Stille Nacht. Dieses melancholische weihevolle Lied, das so ganz seinen Gefühlen entsprach.

Wie wird Hellen reagieren?

Alexander konnte nicht schlafen. Als er sich am nächsten Tag auf den Weg zu Mannesmann machte, fühlte er sich unsicher und aufgeregt zugleich, wie als Kind, wenn er im Zimmer nach den Geschenken suchte. Und für ihn war Weihnachten, mitten im August.

In wenigen Worten umriß Alexander sein Anliegen. Herr Prinz, Mitarbeiter der Personalabteilung, zeigte Verständnis, ging in die Registratur und kam mit einem Stapel Akten zurück.

»Hellen Birringer. Wann bitte geboren?«

»1939.«

»Und in Moskau ...?«

»Oktober 1963.«

»Dolmetscherin, sagten Sie?«

»Ja.«

Nach zwei Stunden das niederschmetternde Ergebnis: Eine Hellen Birringer war nicht bekannt und auch nie im Konzern beschäftigt gewesen. Aber damals, meinte Prinz, seien seines Wissens doch mehrere Firmen an den Verhandlungen ...

Alexander nickte eifrig. »Auch Hoesch.« An die andere erinnerte er sich nicht mehr.

»1963, Oktober, Moskau«, murmelte Prinz, während er sich den Telefonhörer schnappte und wählte. Nachdem er sich vorgestellt hatte, vertröstete man ihn einige Minuten. Endlich die Antwort: Eine Frau Birringer habe bis März 1964 in der Firma gearbeitet, dann sei sie wegen Heirat ausgeschieden.

»Habe ich Ihnen weiterhelfen können?«

Alexander schluckte. »Ja, vielen Dank.«

Weihnachten war vorbei, die Ernüchterung hatte ihn eingeholt, steifbeinig stolperte er hinaus. Ein halbes Jahr nach unserem Kennenlernen hat sie geheiratet. Alles nur Worte, alles leere Versprechungen, und ich habe ihr Bild immer noch in mir drin. Eingefressen hat es sich, unauslöschlich neben dem von Larissa. Ich muß es loswerden. Und die Briefe auch.

Alexander betrank sich. Er schüttete den Schnaps schneller in sich hinein, als er schlucken konnte. Ein Großteil lief ihm übers Kinn auf

Hemd und Jacke. Später saß er apathisch in der Ecke des Lokals und stierte stumpfsinnig vor sich hin. Hellen also doch eine Katharina. Nur leere Worte und Versprechungen, um mich dummen Rußki ins Bett zu locken. Dazu war ich gut genug.

Irgendwann kippte er zur Seite und schlief. Der Kellner entdeckte in seiner Jacke die Karte des Hotels, ein Taxi brachte ihn hin. Der Fahrer schleppte ihn gemeinsam mit dem Nachtportier aufs Zimmer.

Als Alexander die Augen aufschlug, blickte er in das freundliche Gesicht des älteren Herrn mit der Hornbrille.

»Herr Koenen, Sie machen uns Sorgen.«

Alexander war nicht nach Reden, außerdem hatte er Kopfschmerzen und einen trockenen Mund. Die Briefe lagen auf dem Nachttisch.

»Mein Name ist Wolf. Ich bin Rentner und verdiene mir hier etwas dazu.« Er hielt ihm ein Glas Wasser hin. Gierig trank Alexander. »Wer von so weit herkommt, um jemandem nach so langer Zeit zu suchen, der muß einen triftigen Grund haben. Und er muß einen besonders triftigen Grund haben, weil er es gerade jetzt tut.«

Alexander schloß die Augen. Ich habe einen triftigen Grund, es zu tun. Dann verbesserte er sich. Ich hatte. Daß Hellen verheiratet war, bedrückte ihn nicht so sehr wie der Umstand, mit welcher Schnelligkeit sie es getan hatte. Zwei Jahre später, er hätte es gebilligt und Verständnis gezeigt. Aber nach nur sechs Monaten?

»Sie haben nicht mehr das Bedürfnis, diese Frau zu suchen?«

»Richtig.«

»Das sagt Ihnen Ihre Logik. Und wie steht es mit dem Gefühl?«

Alexander horchte in sich hinein. Was empfinde ich für Hellen? Oder ist da nur noch die Erinnerung, die sich eingeprägt hat und mir etwas vorgaukelt? Mir in all der schlechten Zeit eine Hilfe war? Und jetzt verwechsele ich beides: Gefühl und Erinnerung.

»So, wie ich Sie einschätze, haben Sie vieles im Leben mit Logik gemacht und erreicht. Probieren Sie es doch zur Abwechslung mal mit dem Gefühl. Oder wollen Sie sich eingestehen, daß Sie sich all die Jahre selbst belogen haben? Sich etwas vorgemacht haben?«

Alexander nagte auf der Unterlippe.

»Herr Koenen, wenn Sie nach so vielen Jahren diesen weiten Weg hinter sich bringen, um eine Frau zu treffen, dann, verdammt noch mal, ist sie es auch wert. Gleichgültig, was in der Zwischenzeit geschehen ist.«

Alexander schüttelte den Kopf.

»Sie hat geheiratet, nicht?«

»Ja.«

»Na und? Waren Sie zwischenzeitlich nicht verheiratet?«

»Doch.«

»Sehen Sie.«

Und dann schwieg Wolf. In Alexander arbeitete es. Will sie mich noch sehen? Wohl kaum, wenn sie nur sechs Monate ... Will ich sie noch sehen? Natürlich, wenn sie nicht gleich nach sechs ...

Wolf gab ihm einige Minuten. »Wissen Sie, Herr Koenen, was für mich das Schlimmste im Leben ist?« Ohne auf eine Antwort zu warten, sprach Wolf weiter: »Etwas zu unterlassen und sich nachher Vorwürfe zu machen: Hätte ich doch nur. Glauben Sie mir, die Vorwürfe, die Sie später quälen werden, wenn Sie jetzt einfach zurückfliegen, sind gravierender als all das, was Sie hier entdecken. Wenn es sich wirklich nicht lohnt, weiter an diese Frau zu denken, dann überzeugen Sie sich davon.«

Alexanders Kopf war wieder einigermaßen klar. Etwas dumpf und brummend zwar, aber das kannte er durch den Wodkakonsum. »Warum helfen Sie mir überhaupt, Herr Wolf?«

Wolf antwortete abwehrend: »Service des Hauses.«

»Das nehme ich Ihnen nicht ab.«

Wolf seufzte. »Mir ist auch schon oft im Leben geholfen worden. Deshalb.«

»Im Krieg, in Rußland?«

Wolf nickte.

»Und wie hat man Ihnen da geholfen?«

»Ein russischer Arzt hat mir das Leben gerettet.« Wolf klopfte auf seinen Unterschenkel, es klang hohl. »Prothese. Nur ein Gewehrschuß unterhalb vom Knie, aber die Wunde hatte sich entzündet. Wundbrand. Ich wäre gestorben, wenn mich dieser junge Arzt nicht operiert hätte.«

»Das war seine Pflicht. Immerhin waren Sie Kriegsgefangener.«
Wolf schüttelte den Kopf. »Nein. Er war unser Kriegsgefangener und hätte sich nicht als Arzt zu erkennen geben müssen. Und hätte man mich so behandelt, wie wir ihn behandelt haben ...« Wolf schaute zum Fenster hinaus.

Wenig später entwickelte der ältere Herr eine Strategie. Nach einer Viertelstunde beendete er seinen Monolog mit den Worten: »So was lernt man ja beim Militär.«

Er rief einen Bekannten an und bat ihn, herauszufinden, wen eine gewisse Hellen Birringer im Frühjahr 1964 geheiratet habe. Als dieser ihm deutlich machen wollte, das könne man heute nicht mehr überprüfen, stutzte ihn Wolf zurecht. »Falls du das nächste Mal in der Altstadt einen gesoffen hast, hier in mein Hotel kommst du bestimmt nicht mehr rein, um deinen Rausch auszuschlafen. Das verspreche ich dir.«

Wolf lieferte ihm auch eine Hilfe, wie er vorzugehen habe. »Wenn jemand aus einem Unternehmen ausscheidet, dann hinterläßt der oder die Betreffende immer eine Anschrift. Es könnte ja mal Rückfragen geben.«

Noch am Nachmittag erfuhr Alexander, daß Hellen einen Ingo Jannings geheiratet und in Neuß gewohnt hatte. Wolf lieferte nun den Beweis für die typisch deutsche Gründlichkeit, wie er sagte. Als Düsseldorfer Eigengewächs verfüge er natürlich über ungemeine Kontakte, und auf diesem Wege erfuhr er die neue Anschrift von Hellen Jannings. In Essen am Baldeneysee wohne sie, schon seit fünfzehn Jahren. »Eine Gegend für Gutbetuchte.«

»Wer ist Jannings?« Der Name kam Alexander bekannt vor.

Wolf wußte es auch nicht, aber in einem Essener Telefonbuch konnte er die Berufsbezeichnung Direktor nachlesen.

»Das kann alles oder nichts besagen. Ich bin sozusagen auch der Direktor dieses Etablissements.« Wolf lachte.

Wieder und wieder ging er am Haus vorbei und versuchte einen Blick über die hohe Hecke auf das Grundstück zu werfen. Es zu umrunden war unmöglich, denn die untere Begrenzung bildete der See. Was Alexander erkennen konnte, war ein mächtiges, flachgeneigtes Satteldach und die große Einfahrt einer Garage. Ich hätte anrufen sollen, sagte er sich immer wieder. Ich hätte anrufen und mich ankündigen sollen. Noch einmal hin und zurück, dann wollte er all seinen Mut zusammennehmen und klingeln.

»Ja, wer ist denn da?«

»Kann ich bitte Frau Hellen Jannings sprechen?«

»Wer ist denn da bitte?«

»Ein alter Freund. Ich habe Frau Jannings vor vielen Jahren in …«

»Alex?« Ein Schrei drang durch die Sprechanlage, und dann wieder: »Alex?«

Alexander konnte nur nicken und brachte kein Wort über die Lippen. Er schluckte und sah stur geradeaus. Innerlich versuchte er sich zu wappnen. Endlich die langersehnte Begegnung. Endlich.

Eine Tür ging auf, hastige Schritte über einen steinigen Bodenbelag, sie stand vor ihm.

»Alex …« Zwei Sekunden starrte sie ihn ungläubig an, dann warf sie sich an seine Brust. »Alex, daß es dich noch gibt.«

Er streichelte ihren Rücken und merkte, wie sie zuckte.

Mit tränenfeuchten Augen sagte sie: »Alex, ich dachte, du seist tot.« Und dann küßte sie ihn.

Es war doch Weihnachten. Hellen hakte sich bei ihm unter, staksig ging er neben ihr her. Fest umschloß sie mit der freien Hand seinen Arm. Unentwegt sah sie ihn an. Und sie weinte. Sie bemühte sich nicht, die Tränen wegzuwischen.

Hellen führte ihn ins Wohnzimmer und setzte sich neben ihn. Seine Hände hielt sie umklammert, schwieg, weinte und sah ihn immer wieder an. Und als sie nach einer Weile mit zuckenden Lippen zu sprechen ansetzte, kam sie nicht weiter als »Alex …«

Er hätte den Rest seines Lebens auf dem Sofa sitzenbleiben und sie nur anschauen mögen. Die Zeit war weggefegt, es war ihm, als hätten sie sich erst vor wenigen Wochen verabschiedet.

»Du siehst gut aus«, stammelte er. »Wirklich gut.« Er hätte sich ohrfeigen können für diese plumpen Worte.

»Du auch … Alex.«

»Und schön hast du es hier.« Er betrachtete das große Wohnzimmer.

Hellen schluckte. »Ja. Uns gefällt es.«
»Und so ruhig.«
»Ja.«
Dann brach es aus ihm heraus. Die Schleuse konnte dem Druck nicht mehr standhalten und öffnete sich. »Du kannst ... kannst dir nicht vorstellen, wie ... wie oft ich an dich ...«
Er wandte sich ab. Sie zog ihn zu sich, und er legte sein Gesicht auf ihre Brust.
»Immer wieder habe ich ... egal wo ich war ... wenn es dich nicht gegeben hätte, glaube mir ...«
»Ist gut, Alex. Jetzt ist alles gut.« Er drückte seinen Kopf hinein in ihre Hände. »Alles ist gut. Ich freue mich so.«
Als sie sich später betrachteten und die geröteten Augen bemerkten, lachten sie.
»Wie zwei Teenager«, sagte Hellen. »Komm, ich mache uns einen Kaffee.«
Am Eßzimmertisch wußte er nicht, wohin mit seinen Händen. Er drehte die Tasse, rührte mit dem Löffel und glättete die Tischdecke. Vor Verlegenheit schaute er hinaus auf das dicht bewachsene Grundstück, zum See und zu den Booten mit den aufgeblähten Segeln, die darauf kreuzten. Er hatte Hemmungen, mit dem Erzählen zu beginnen und mit Hellens Wirklichkeit konfrontiert zu werden. Und die war nun mal, daß sie mit Familiennamen Jannings hieß.
Hellen fuhr ihm mit den Fingerspitzen durchs Schläfenhaar. »Etwas grau bist du geworden. Aber es steht dir gut.«
»Du hast immer noch deine alte Haarfarbe.« Verwirrt wandte er sich ab. Ihre Augen irritierten ihn, der Glanz, die Wärme und die Art, wie sie ihn anschaute.
»Ja, mein Friseur versteht seinen Job. Aber komm, Alex, ich bin so neugierig.«
Unsicher sah er sie an. »Mußt du denn nicht ...«
»Was? Ach so, du meinst meine Familie? Mein Mann kommt übermorgen aus Madrid zurück. Er ist geschäftlich unterwegs. Und mein Sohn ...«
»Du hast einen Sohn?«

»Er studiert in Trier und steht kurz vor dem Examen. Wenn er Geld braucht, kommt er nach Hause. Und für frische Wäsche.«

Hellen zog ihn hoch und führte ihn ins Wohnzimmer. Sie drückte ihn in einen Sessel und reichte ihm ein Glas Cognac.

»Jetzt will ich alles wissen. Ich habe mir sehr große Sorgen um dich gemacht. Ich habe ...« Sie stand abrupt auf und kam nach wenigen Sekunden mit einem Taschentuch zurück.

Alexanders Geschichte begann vor mehr als fünfundzwanzig Jahren mit dem Abschiedskuß im Hotel National und endete in Düsseldorf bei Wolf, dem Kriegsveteranen. Mitternacht war längst vorbei. Auf dem jetzt dunklen See schaukelten noch einige Lichter. Als Hellen ihn betrachtete, bemerkte er den Schmerz in ihrem Gesicht. Zwischendurch hatte sie sich immer wieder geschneuzt.

»Was du erlebt hast! Es ist grausam. Und alles wegen dieser zweihundert Dollar. Wer hat sie dir zugesteckt?«

»Ich dachte oft, du seist es gewesen. Heimlich. Weil du wußtest, ich hätte das Geld nicht angenommen.«

»Nein, ich war es nicht.«

Er fühlte sich erleichtert.

»Gleich als ich zu Hause war, habe ich dir einen Brief an die deutsche Botschaft geschrieben. Und dann wieder und wieder. Aber es kam keine Antwort. Ich dachte, all deine Worte, nur um mit mir ... Ich bin keine Katharina.«

»Ich weiß.« Er nahm sie in den Arm. Noch vor zwei Tagen waren ihm ähnliche Überlegungen gekommen. Wie konnte er nur je an ihrer Aufrichtigkeit zweifeln.

»Hier, deine Briefe. Man hat sie abgefangen und mir nach mehr als zwanzig Jahre ausgehändigt.«

»Nach mehr als zwanzig Jahren ...?« Sie nahm die Briefe in die Hand. »Hast du sie oft ... sie sehen so mitgenommen aus.«

Alexander nickte. »Bitte, sprich weiter.«

»Als ich wenige Monate später wieder in Moskau war, hat man mich auf Schritt und Tritt beobachtet. Daraufhin habe ich Kontakt mit der Botschaft aufgenommen und einen Attaché gebeten, dich in der Lomonossow-Universität aufzusuchen. Aber da gab es keinen Studenten namens Alexander Gautulin. Über einen Bekannten, er

arbeitete für einen Konzern und hatte eine hohe Position, konnte ich später in Erfahrung bringen, wo deine Mutter in Omsk wohnte. Du hast von ihr gesprochen.«
»Ich erinnere mich.«
»Zweimal versuchte der Bekannte mit ihr in Kontakt zu treten. Immer wurde er vor der Tür von Männern abgefangen, die sich als Mitarbeiter eines Ministeriums ausgewiesen haben. Beim zweitenmal erklärten sie ihn zur unerwünschten Person und forderten ihn auf, sofort das Land zu verlassen. Dann sah ich diesen Film. Ein Jahr später, glaube ich, war es.«
»Welchen ...? Den die Schweizer in einem Lager gedreht haben?«
Hellen senkte den Kopf und nickte. Stockend erzählte sie weiter. »Du hattest kurzgeschorene Haare und warst so mager. Richtig krank hast du ausgesehen. Aber deine Augen, die haben mich verwirrt. In ihnen war etwas, eine seltsame Wildheit, ein ... ich kann es nicht beschreiben. Und als du die Zustände geschildert hast ...«
Nach wenigen Augenblicken fuhr sie fort. »Der Film hat hier bei uns sehr viel Wirbel verursacht. Tausende von Zuschriften gingen bei dem Sender ein, und ich habe eine Unterschriftensammlung an die russische Botschaft nach Rolandseck geschickt. Weißt du, wie viele unterschrieben haben?« Hellen sprang auf. »In vier Tagen neunundzwanzigtausend. Ein riesiger Karton voll mit Unterschriften und Adressen.« Mit den Händen zeigte sie die ungefähre Größe an. »Also, die haben vielleicht geguckt. Und wie ich gehört habe, sind außerdem sehr viele Briefe aus ganz Deutschland in Rolandseck eingegangen. Alle haben gebeten, nichts gegen den Gefangenen zu unternehmen, der sich so freimütig geäußert hat. Sogar ein Minister aus Nordrhein-Westfalen ist in der russischen Botschaft vorstellig geworden. Und dann die Briefe aus dem Ausland.«
Jetzt kannte Alexander den Grund, warum man ihn am Leben gelassen hatte. Ihn und Pagodin.
»Ich bin nach Bonn gegangen und habe unsere Regierung gebeten, etwas für dich zu tun. Man hat es versprochen, immer wieder versprochen. Irgendwann kam die Zusicherung aus Moskau, du hättest nichts zu befürchten. Inzwischen seist du in einem anderen

Arbeitslager mit wesentlich besseren Bedingungen untergebracht. Dem Brief lagen Fotos des Lagers bei, und auf einem warst du sogar deutlich zu erkennen.« Hellen lief aus dem Wohnzimmer und kam mit den Fotos zurück.

Alexander erkannte das Lager SIB 12. Den Funkmast, die Kantine und zwei Baracken. »Ja, hier war ich. Und das bin ich wirklich.« Er deutete auf ein anderes Bild. »Ich habe nicht gemerkt, daß man mich fotografiert hat.«

Er wandte sich ab, schaute hinaus in die Dunkelheit und sah Pagodin, wie er vor seiner Holzunterkunft stand und nach Süden blickte. In die Richtung, aus der er das Rote Kreuz erwartete.

»Unerklärlicherweise war ich nach den Fotos beruhigt. Außerdem hatte ich den Eindruck, als legte die sowjetische Botschaft in Rolandseck großen Wert darauf, mir mitzuteilen, dir ginge es gut. Alex, ich habe sehr oft dort nachgefragt, bis man mich eines Tages empfing und mir zu verstehen gab, mein Besuch sei nicht mehr erwünscht. Du seist zum mehrfachen Mörder geworden, ein Feind der Sowjetunion.«

»Das war im ...«

»... Spätsommer 1966.«

»Meine Flucht und vorher der Aufstand der Blatnoij. Es sind wirklich viele umgekommen, darunter auch einige der Wachmannschaft. Aber ich habe keinen getötet. Klimkow und ich, wir sind einfach ...«

Sie legte ihm eine Hand auf den Unterarm, weil er sich erregte. Und sie fand es gut, daß er so großen Wert auf die Richtigstellung legte.

»Möchtest du ... möchtest du den Film der Schweizer sehen?«

»Du hast ihn ...«

»Ja. Zuerst als Schmalfilm, jetzt auf Video.«

Hellen schaltete den Fernseher ein. Alexander erkannte sich, wie er verlegen in die Kamera schaute und zuerst zögernd, dann immer flüssiger zu erzählen begann. Zum Schluß sprudelte es nur noch aus ihm heraus, eine Art Befreiung, sich alles von der Seele zu reden. Und Hellen sprach jedes Wort mit.

»Du hast ihn dir schon öfter angeschaut?«

Sie nickte. »Für lange Zeit war es der einzige Beweis, daß du lebtest.«

Hellen stand auf und schaltete den Apparat aus. »Mehrere Jahre hörte ich nichts von dir, bis dann dieser Brief kam. Ein Österreicher brachte ihn mir. Sein Name ... Tut mir leid, er ist mir entfallen.«

»Lientscher.«

»Richtig, Lientscher. Er war sehr nett, und er hat von dir geschwärmt, was du alles in die Wege geleitet hättest und wie du arbeiten würdest. Zuerst wollte ich ihm nicht glauben. Außerdem dachte ich, der Brief sei eine Fälschung. Aber er konnte dich so exakt beschreiben, die Art, wie du gesprochen hast, deine Gesten.«

»Ich freue mich, daß Lientscher Wort gehalten hat, obwohl man ihn an der Grenze festhielt und verhörte. Gott sei Dank hat sich meine Weitsicht mit dem zweiten Brief bezahlt gemacht.«

Hellen atmete tief ein. »Das war das letzte Lebenszeichen von dir. Zwanzig Jahre ist das jetzt her, zwanzig lange Jahre.«

»Ja, man hat mir die Zeit gestohlen und damit einen Großteil meines Lebens.«

Die Vergangenheit, obwohl nur Worte und Erinnerungen und längst vorbei, bedrückte sie beide. Alexanders Gesicht wurde kantig, bekam einen aggressiven Zug, wenn er an bestimmte Dinge dachte. Und Hellen bemerkte das.

»Wie war deine Frau Larissa? Die Kinder? Bitte, erzähl mir von ihnen.«

Sofort entspannte sich Alexander wieder. Weich wurden seine Lippen, ein feines Lächeln umspielte sie. Manchmal schloß er die Augen, wenn er davon erzählte, wie Nikolai junior ihn an den Haaren gezupft oder Tanja ihm das Essen in den Mund gestopft hatte. »Damit du groß und stark wirst. Das sagt Mami auch immer zu mir.«

Alexander hatte das Gefühl, die kleinen warmen Körper vor sich zu sehen und die weichen Kinderhände zu spüren, die so zärtlich sein konnten. Einmal, als er sich mit dem Messer in den Finger geschnitten hatte, befühlte Nikolai die Wunde, da er so etwas noch nie gesehen hatte. Er tat es mit einer Vorsicht, als könnte allein schon die Berührung den Schnitt tiefer werden lassen. Oder Tanja, wenn sie in der Badewanne die Verwucherungen seines Schienbeines betastete. Finger, leicht wie fallende Blätter. Alexanders Lippen wurden wieder hart, das Kinn war wie ein Keil. Finger, leicht und tot wie fallende Blätter. Und kalt dazu. Damals, in der zerstörten Hütte, als er ihre Hände zum letztenmal angefaßt hatte.

»Woran denkst du?«

»An den Tod«, stieß er hervor. »Wo ich auch hingekommen bin, was ich auch getan habe, immer war er zugegen. Und wie gerne hätte er mich auch einkassiert. Das hätte er auch geschafft, wenn nicht Rassul gewesen wäre.«

»Alex, du hast unglaublich viel mitgemacht. Aber ist dir nicht aufgefallen, daß es immer jemanden gab, der dir zum Weiterleben verholfen hat? Jemanden, der den Tod sabotierte?«

Er drückte eine Faust auf den Mund und spürte nicht, wie sich seine Zähne eingruben.

»Du hast die Pflicht zu leben.«

»Und wer hat das Recht, mir meine Familie zu nehmen?« schrie er. Und entschuldigte sich. Immer, wenn er das Bild vor Augen habe, überkomme ihn die Erinnerung wie ein Schwall, dann erkenne er die Unsinnigkeit des Lebens. Wenn Unschuldige stürben, müsse es doch unsinnig sein. Yokola, du hast nicht recht. Urnak weiß es besser. Er versteht mich.

»Ich kann nachvollziehen, was dir widerfahren ist.«

Alexander schüttelte den Kopf. »Nein, das kannst du nicht.«

»Doch. Du bist auch gestorben, und ich habe um dich getrauert.«

»Aber jetzt sitze ich hier. Das ist der Unterschied.«

»Ja, du sitzt hier.«

Alexander lag mit offenen Augen im Gästezimmer. Es sei schon zu spät, um noch zurück nach Düsseldorf zu fahren. Draußen im Osten wurde der Himmel bereits grau. Er war im Zwiespalt. Hellen, sie hatte sich sehr gefreut, und ihre Tränen taten ihm gut. Sie zeigten ihm, daß er ihr Bild nicht vergeblich aufbewahrt hatte. Konnte er sich jedoch daraus das Recht ableiten, in ihr Leben einzudringen? Sich als Freund aus früher Jugend in eine Ehe zwängen? Nein. Das Recht hatte er nicht, und er würde sich am Morgen von ihr verabschieden. Kein einfaches Vorhaben wäre das, so wie es augenblicklich in ihm aussah. Vielleicht klammere ich mich auch nur an sie, um ein Gegengewicht für meine Familie zu haben, überlegte er. Ich brauche Hellen als Ausgleich.

Sofort überführte er sich der Lüge, denn Larissa und die Kinder waren seit Jahren tot. Warum hatte er dann nicht schon früher Hellen aufgesucht und mit ihr gesprochen?

Weil ich dazu nicht bereit war.

Und warum warst du dazu nicht bereit?

Wegen meiner Familie und der Trauer um sie.

Na also. Da hast du doch die Erklärung. Vermische eines nicht mit dem anderen. Hellen – und Larissa und die Kinder. Beides ist vollkommen unabhängig und nicht miteinander zu vergleichen.

Am Frühstückstisch gab sich Alexander betont gutgelaunt, obwohl es in ihm anders aussah. Hellen merkte es.

»Was ist mit dir?«

Er sagte ihr sinngemäß das gleiche, was er sich während der frühen Morgenstunden überlegt hatte.

»Quatsch.«

Das war deutlich, und er freute sich über das eine Wort. »Wieso?«

»Weil wir erwachsene Menschen sind. Ingo hat nichts gegen dich. Im Gegenteil. Er hat mich sehr unterstützt. Manchmal gab er mir das Gefühl, als täte er es nicht nur, um mir zu helfen.«

»Morgen kommt er wieder zurück?«

»Ja. Du bleibst doch länger?«

»Ich weiß nicht.«

»Gestern dachte ich, es sei für immer.«

»Meine deutsche Heimat?«

»Nein.«

»Weswegen denn?«

Hellen spielte mit ihrem Ehering. »Alexander, wenn du das nicht weißt, dann bist du umsonst gekommen.«

»Aber du bist ...«

»Ja. Und ich habe einen Sohn.« Eilig stand sie auf und räumte den Tisch ab. Und dann tat sie noch Dinge in der Küche, die sie auch später hätte verrichten können, als wollte sie sich ablenken.

Er trat zu ihr. »Was ist mit dir?«

»Ach, nichts.«

Er faßte sie sanft an den Schultern. Sie drehte sich um und küßte ihn.

Alexander war wieder in Düsseldorf. So schnell, wie er sich verabschiedet hatte, war es abermals eine Flucht. Eine Flucht vor Konventionen, weil Hellen verheiratet war, und eine Flucht vor der eigenen Unsicherheit.

»Na, hat es sich gelohnt?«

»Ja.« Lange sah Alexander den Rentner Wolf an. »Vielen Dank für Ihren Rat, es hat sich wirklich gelohnt. Gestern, das war ein wichtiger Tag in meinem Leben. Und eine wichtige Erkenntnis.«

Alexander streifte durch die Stadt, ohne sie zu sehen. Passanten nahm er nicht wahr, Ampeln, die Rot anzeigten, notgedrungen, als Autos zweimal kreischend bremsten. Für die Auslagen hatte er keinen Blick.

Morgen abend, so Hellen, möge er sie bitte besuchen kommen. Ingo sei auch da und würde sich freuen. Vorher rede sie mit ihm.

Alexander hatte nicht zugesagt. Auch jetzt wußte er noch nicht, ob er die Einladung annehmen sollte. Warum eigentlich? Allein, weil sie mich geküßt hat? Welche Bedeutung hat ein Kuß für sie? Was er ihm bedeutete, brauchte er sich nicht zu fragen.

Der Rhein führte Niedrigwasser, das zeigten am Ufer breite Streifen aus Kies, und die Schiffe waren nicht voll beladen. Jogger überholten ihn, Radfahrer klingelten provozierend. Ob er denn nicht rechts gehen könne, runter vom Radfahrweg!

Alexander setzte sich auf eine Bank und starrte auf den Rhein. Mein Leben ist wie ein Fluß. Das Wasser fließt und fließt. Wo es auch vorbeifließt, es gibt keine Rückkehr. Hellen und ich haben diesen Punkt verpaßt.

In diesem Augenblick erinnerte er sich an Nikolai, der ihn einmal gefragt hatte, was das Leben für ihn bedeute. Alexander wußte damals keine rechte Antwort. »Ich weiß nicht. Vor zwei Jahren, als ich das erste Mal mit der Transsib fuhr, hatte ich ein seltsames Erlebnis. Ich schaute hinaus aus dem Fenster und rollte an den anderen Eisenbahnwaggons vorbei. Sie waren beleuchtet, und drinnen entdeckte ich viele Gesichter, die mich anstarrten. Einige der Abteiltüren standen offen. Ich konnte hindurchschauen und sah dahinter Licht. Das Licht einer Laterne. Es blieb auf seinem Platz. Aber ich fahre doch. Wie kann das gehen, überlegte ich. Und plötzlich war der Zug neben mir verschwunden. Er hat sich bewegt und nicht meiner. So kommt mir das Leben vor, Nikolai. Sage mir: Bewege ich mich, oder werde ich bewegt?«

Zug und Fluß, beides bewegte sich, so wie das Leben. Und jeder Tag war unwiderruflich vorbei. Hellen und mich trennen zehntausend Tage, mehr als ein Vierteljahrhundert. Keinen einzigen Tag kann ich zurückbringen, auch nicht durch zehntausend Küsse. Und keinen einzigen Vorfall kann ich ungeschehen machen, nicht in zehntausend Jahren.

Verlegen standen sie sich gegenüber. Abwartend reichte Alexander dem hochgewachsenen Mann mit dem lichten Haar die Hand, sein Gruß klang nicht so freundlich, wie er sich vorgenommen hatte. Und seine Bewegungen waren linkisch, als er Hellen verspätet den Blumenstrauß reichte. Er entschuldigte sich, weil er vergessen hatte, das Papier zu entfernen.

»Bitte, treten Sie näher, Herr Gautulin.«

Alexander zögerte, als er mit Gautulin angesprochen wurde, aber unter diesem Namen kannten sie ihn. Von Robert Koenen wußte nur Hellen. Hatte sie es ihm nicht erzählt?

Jannings führte ihn in das Wohnzimmer. »Aperitif, Champagner oder sonst was?«

»Ja, ein Glas Champagner.« Eigentlich trank er den nicht gerne, aber er paßte nun mal zum heutigen Abend und zum Umfeld. Und zum weitläufigen, komfortablen Haus der Jannings mit dem großen Wohnzimmer, mit Schwimmbad, Sauna und Fitneßbereich. Alexander hatte sich davon überzeugen können, als Hellen ihn herumgeführt hatte.

Beim Essen verlief die Unterhaltung steif und einsilbig und

nichtssagend. Wie das Wetter in Sibirien sei, das Leben, man habe hier überhaupt keine Vorstellung.

Brav beantwortete Alexander alle Fragen, schilderte das Land so, wie er es sah, in seiner Rauhheit und mit den Widersprüchen, vergaß aber auch nicht den Charme der Natur hinzuzufügen und die Kraft, die sie verströmte.

»Das klingt ja so, als würde es Ihnen dort gefallen?«

Jannings hoffte, das Alexander ja sagte, so wie er ihn anschaute.

»Sie haben recht. Es gefällt mir dort.«

Jannings schien erleichtert zu sein.

Alexander ergänzte: »Es gefällt mir überall, wo ich in meinem Leben eine Erfüllung sehe.«

»Könnte das auch außerhalb Sibiriens sein?«

»Warum nicht? Sind Sie an einen Ort gebunden?«

Jannings streichelte die Hand seiner Frau. »Ich komme viel in der Welt herum, trotzdem bin ich bodenständig, wie man so schön zu sagen pflegt. Ich freue mich immer wieder, wenn ich nach Hause komme. Ein Heim, die Familie, meine Bekannten und Freunde.«

»Haben Sie viele Freunde?«

Jannings gab die Frage an Hellen weiter, sie schaute Alexander hilflos an. So antwortete Jannings selbst. »Ja, kann man sagen, wir haben sehr viele Freunde. Nicht wahr, Schatz?«

»Sie sind zu beneiden, Herr Jannings.«

»Wegen meiner Freunde?«

»Ja.«

»Haben Sie denn keine ...?«

»Nur noch einen, Leonid. Alle anderen sind tot.«

»Oh, tut mir leid.«

»Und ich hatte nie mehr als zwei Freunde zur gleichen Zeit. Vielleicht fünf oder sechs in meinem Leben.«

»Nicht mehr?« Erstaunt legte Jannings sein Besteck beiseite.

»Aber das hat mir auch genügt. Jeder hat mir irgendwann einmal das Leben gerettet.«

»Sie zählen nur diejenigen zu Ihren Freunden, die Ihnen das Leben gerettet haben?« amüsierte sich Jannings. »Dann dürfte ich keinen haben.« Er merkte seinen Lapsus und entschuldigte sich.

Alexander nahm es ihm nicht übel. »Ich kann Sie beruhigen, sie waren auch schon vorher meine Freunde. Aber eine richtige Verbindung entsteht für mich nur, wenn man sich bedingungslos auf jemanden verlassen kann.«

»Das können wir uns auf unsere Freunde auch. Nicht, Schatz?« Jannings tätschelte Hellens Hand.

»Wie war das mit deinem Freund Hofer und seinen Bauherrenmodellen, bei denen du so viel Geld gelassen hast? Dann Quierschied, der von der Versicherung, auf den du nichts hast kommen lassen. Sitzt er nicht?«

»Nun ja, äh ... Es gibt immer mal schwarze Schafe. Auch in Sibirien. Habe ich recht, Herr Gautulin?«

»Das stimmt.« Weil ihm danach war und er an Geriak dachte, fügte er hinzu: »Aber bei uns werden die schwarzen Schafe nicht alt. Die Natur regelt das.«

Irritiert blickte Jannings hoch. Inzwischen war allen Beteiligten klargeworden, daß Alexander und Jannings sich abtasteten, des anderen Schwachstellen auszuloten versuchten. Jannings, weil er meinte, da dringe jemand in seine Privatsphäre ein und wolle sich breitmachen, und Alexander, der plötzlich ältere Rechte fühlte. Ich war vor dir da, also mäßige dich.

Hellen glättete die Wogen. »Ingo, ich habe dir doch erzählt, daß Alex Nachforschungen anstellen will. Er möchte wissen, wie er seinen leiblichen Vater finden kann. Könntest du ihm dabei helfen?«

Jannings war dazu sofort bereit. »Kein Problem. Was ich brauche, sind Name, Alter, also Geburtstag und der ungefähre Zeitpunkt, wann er in die deutsche Wehrmacht eingetreten ist. Können Sie mir das bitte aufschreiben?« Ohne eine Antwort abzuwarten, erhob sich Jannings und kam mit einem Block zurück.

»Welche Möglichkeiten gibt es, ihn zu finden?«

»Machen Sie sich bitte keine allzu großen Hoffnungen, Herr Gautulin ... oder soll ich Herr Koenen sagen?«

»Koenen wäre der offizielle Name.«

»Gut, Herr Koenen. Also, Ihr Vater kann im Krieg gefallen sein und als unbekannter Soldat irgendwo begraben liegen. Er kann den Krieg überlebt haben und in Gefangenschaft geraten sein. War es die sowjetische, dann werden sie ihn, falls sie seine Herkunft herausfanden, erschossen haben.«

»Nein.« Hellen legte eine Hand auf den Mund.

»Schatz, du mußt das realistisch sehen. So ist nun mal das Leben. Nicht, Herr Koenen?«

»Und wenn er alles überlebt hat? Was dann?« fragte – ohne auf die Bemerkung einzugehen – Alexander, der sich an das seltsame Treffen mit dem kräftigen Deutschen, Steinmetz nannte er sich, in Bratsk erinnerte.

»Seither sind mehr als vierzig Jahre vergangen, ein halbes Menschenleben. Er müßte jetzt …« Jannings schaute auf den Zettel.

»Er wird fünfundsiebzig, im Oktober«, sagte Alexander.

»Eigentlich noch kein Alter. Aber wie gesagt …«

Jannings versprach, sich darum zu kümmern, und Hellen beruhigte Alexander. Was Ingo anpacke, das habe Hand und Fuß. Nicht umsonst sei er in seinem Beruf so weit nach oben gekommen, Vertriebsleiter einer Firma mit immerhin zwanzigtausend Beschäftigten. »Nicht, Ingo?«

»Vierundzwanzigtausend. Wie viele hatten Sie in Sibirien?«

»Etwa eine viertel Million.«

»So ein Bund oder was, wenn ich Hellen richtig verstanden habe.«

»In etwa.«

»Habe ich dir doch gesagt, Schatz.« Er schaute seine Frau an. »Eine Art Gewerkschaftsführer.«

Alexander legte keinen Wert darauf, ihn zu berichtigen.

Um sich nicht erneut ins Gehege zu kommen, wich man auf Nebenschauplätze aus. Jannings erzählte von New York, den vielen Museen, dem Kunst- und Kulturangebot; Alexander von der BAM, der Trassenführung und den Schwierigkeiten während des Baus. Jannings schwärmte von Feinschmeckerlokalen, mondänen Urlaubsorten, exklusiven Geschäften und von seinem teuren Auto. Alexander von der Weite der Tundra, den Ewenken und ihrer Kraft, die sie aus der Geduld, aus dem Warten schöpften.

Eine Stunde vor Mitternacht verabschiedete sich Alexander.

»Was wirst du in den nächsten Tagen tun?«

»Mir die Bundesrepublik anschauen und die Heimat meiner Vorfahren.«
»Wo stammen Sie her?« Jannings schaute auf die Uhr.
»Von der Mosel, nahe der französischen Grenze.«
»Und wo kann ich dich erreichen?« wollte Hellen wissen.
»In meinem Hotel in Düsseldorf.«
»Ruf mich doch mal zwischendurch an, ja?«
Alexander versprach es, Jannings ging schon ins Haus. Ihm war kühl.
»Alex, bitte sieh es ihm nach. Du bist für ihn ...«
»... der Eindringling. Und was bin ich für dich?«
Sie küßte ihn.

Am kommenden Vormittag, in Kirensk war es bereits Abend, telefonierte Alexander zuerst mit Leonid. Der Georgier versicherte ihm, es sei alles in Ordnung. Wie es denn in Deutschland laufe, und wieso er auf die hirnverbrannte Idee gekommen sei, einfach nach Westen zu verschwinden, ohne ihn zu benachrichtigen.

Zufriedenstellend, antwortete Alexander ausweichend. Leonid, dessen Stimme klar und deutlich klang, als säße er in einem Nebenraum – die gute Verbindung war zurückzuführen auf die Olympischen Spiele in Moskau, man hatte auch entsprechend einer IOC-Auflage für ausreichend Kommunikationsmöglichkeiten zu sorgen –, hörte die feinen Nuancen heraus.

»Fühlst du dich wirklich wohl in der neuen Welt?«
»Nicht so ganz.«
»Und deine große Liebe? Ist sie etwas verblaßt?«
»Nein, im Gegenteil.«
»Das freut mich für dich. Alexander, laß dir nichts vormachen. Frauen sind manchmal so ... Versprichst du mir das?«

Die treue Seele Leonid. Schön zu wissen, daß sich wenigstens einer um ihn sorgte.

Alexander machte eine kleine Rundreise durch Deutschland. Als erstes besuchte er die Region, aus der seine Vorfahren stammten. In einem Mietwagen fuhr er die Mosel entlang, keinen der vielen Mäander ließ er aus. Die Landschaft mit den Weinbergen gefiel ihm. Was ihn besonders beeindruckte, war die Sauberkeit. Gepflegte Häuser und Vorgärten, frisch gestrichene Zäune, die Straßen ohne Schlaglöcher. In jedem Restaurant suchte er zuerst die Toiletten auf. Wie in Japan, murmelte er. Die Kulturstufe einer Nation zeigte sich für ihn am Zustand der Toiletten.

Durch Konz fuhr er, eine Stadt am Zusammenfluß von Mosel und Saar. Hier wohnten noch ganz entfernte Verwandte von ihm. Von dort ging es weiter ins Hinterland nach Wawern, einem kleinen Dorf. Die Urgroßeltern seines Großvaters stammten aus diesem Ort, wenn er sich recht erinnerte. Im Koffer seiner Mutter hatte er eine weit zurückreichende Ahnenaufstellung gefunden. Er stieg aus dem Auto und wanderte bis zur Kirche. Irgendwo in der Nähe mußte das Geburtshaus sein. Er fragte eine ältere Frau, die mit einem Glas Weihwasser aus dem Portal trat. Die erste Straße rechts und dann das siebte oder achte Haus. Links vom Eingang sei ein großes Scheunentor mit einem Querbalken. Da stammten die Koenens her.

Verblichen stand über der Tür im Sturz aus Buntsandstein die Jahreszahl 1781. Wenige Jahrzehnte später schon waren einige seiner Vorfahren in Rußland.

In Krutweiler, zwei Kilometer von Saarburg entfernt, war das Geburtshaus mütterlicherseits, der ... Alexander überlegte und kam nicht auf den Namen. Na ja, es war eben schon lange her.

Er übernachtete in Konz. Vorsichtig fragte er nach seinen entfernten Verwandten. An seiner Aussprache erkannte man, er konnte nicht aus der Gegend stammen. Zuerst begegnete man ihm skeptisch und nach dem zweiten Bier an der Theke mit provozierender Neugier.

Ja, es gebe noch eine Familie Koenen in Konz. Ob er was mit denen zu tun habe?

Alexander drückte sich vor einer Antwort, verabschiedete sich und rief Hellen an. Sie war ganz aufgeregt. »Weißt du, was ich dir zu zeigen vergessen habe? Damals, im Hotel National, die Pressekonferenz. Du erinnerst dich an die Reporter, das Gewimmel im Foyer und die Kameras?«

»Ja.« Es liefen seinerzeit viele Menschen in der Halle rum, und er hatte nur Augen für Hellen.

»Ich habe den Film. Eine Kopie auf Video. Du und ich, wir beide sind auch zu sehen. Toll, nicht?«

Als er nicht antwortete: »Was ist mit dir?«

»Nichts weiter. Ich habe nur gerade die Situation vor Augen gehabt. Was hat dein Mann bisher über meinen Vater herausgefunden?«

»Wenig. Aber es sind ja auch erst einige Tage vergangen. Wann kommst du zurück?«

»In einer Woche.«

»Bitte ruf mich jeden Tag an, ja?«

»Weshalb?«

»Weil ich ...« Einige Sekunden Pause, dann legte Hellen auf. Lange starrte Alexander auf den Telefonapparat.

Aber er hielt sich daran, sie sprachen täglich miteinander. Und er erzählte immer, was er erlebt und gesehen hatte.

»Gefällt dir die alte Heimat?«

»Ja. Aber die Taiga fehlt mir, und die Weite.«

»Dann fahr doch in den Schwarzwald.«

Der war leider für Alexander kein Ersatz. Das Waldstück in Kirensk hinter der Holzvilla bis zur nächsten befestigten Straße war größer.

Zurück in Essen, nahm er sich ein Hotelzimmer und führte einige wichtige Gespräche mit seinen Geschäftspartnern. Das mit dem Japaner Sato dauerte am längsten.

Hellen lud ihn zum Kaffee ein, um sich den alten Wochenschaufilm anzuschauen. Anfang der Sechziger, in der Hochphase des Kalten Krieges, als noch Tausende von deutschen Kriegsgefangenen in der Sowjetunion als verschollen galten, weilte eine Kommission von Wirtschaftsexperten in Moskau. Das war damals schon eine kleine Sensation.

»Wo ist dein Mann?«

»In Hamburg. Er kommt heute abend nicht nach Hause. Er sagt, es gebe vielleicht eine Spur von deinem Vater.«

»Weiß er schon Genaueres?«

»Nein.« Bilder flimmerten in Schwarzweiß auf dem Bildschirm, die Kamera schwenkte über die Halle und fing Gäste und Besucher ein. Deutlich war Hellen zu sehen, von vorn und, als sie sich wegdrehte, im Profil.

»Hast du mich erkannt?«

»Selbstverständlich.«

»Habe ich mich sehr ... verändert?«

Er lächelte. »Nur schöner und reifer bist du geworden.«

»Du Charmeur.«

Ein Schnitt, kurze Szenen aus der Konferenz, ein Sprecher lobte die gute Zusammenarbeit mit den Russen und deren Entgegenkommen und hoffte auf eine dauerhafte wirtschaftliche Beziehung. Der Film war zu Ende.

»Das war noch nicht alles. Jetzt kommst du«, bereitete Hellen ihn vor. »Ich habe mir auch das restliche Material geben lassen. Alles, was sie noch im Archiv hatten.«

Alexander sah sich schräg von hinten auf die Tür zugehen, dort Gedränge, und dann war er draußen.

»Da stimmt doch was nicht«, meinte er. »Ich war längst verschwunden, als die Konferenz begann.«

Hellen klärte ihn darüber auf, daß die Szene mit ihm nicht in der Wochenschau gezeigt worden sei. Man probiere bei wichtigen Anlässen vorher immer Beleuchtung und Kamerastellung aus, und dabei habe man ihn, Alexander, aufgenommen. Das sei Teil des Archivmaterials, von dem sie vorhin gesprochen habe.

»Kannst du den Film bitte noch mal ablaufen lassen?«

Alexander betrachtete die Bilder.

»Bitte, noch mal.«

»Was hast du denn entdeckt?«

»Nichts. Ich möchte es nur ...«

Hellen schrieb seine veränderte Stimme der Aufregung zu, immerhin blickte er weit zurück in die Vergangenheit.

Alexander beugte sich nach vorn, und dann wollte er den Film erneut sehen.

»Danke.« Er trank von seinem Kaffee.

»Willst du noch ein Stück Torte?«

»Nein. Wo hast du den Film her?«

»Vom Westdeutschen Rundfunk in Köln.«

»Wie bist du darauf gekommen? Ich meine, woher wußtest du ...«

»Eine Freundin hat mich damals kurz nach meiner Rückkehr aus Moskau darauf aufmerksam gemacht, daß ich für wenige Sekunden im Kino in einer Wochenschau zu sehen gewesen sei. Vor vielen Jahren habe ich mir eine Kopie von Film und Archivmaterial besorgt und beides später auf Video überspielen lassen.«

Alexander war ungewohnt ruhig. Hellen sorgte sich um ihn.

»Was hast du?«

»Ich glaube, zuviel von deinem Kaffee getrunken.«

Sie setzte sich zu ihm. Ihre Nähe erregte ihn, sein Atem ging schneller. »Am Wochenende kommt mein Sohn nach Hause. Kommst du uns besuchen?«

Alexander zögerte mit der Antwort.

»Bitte.«

Immer noch zögerte er. Hellen berührte seine Hand, er zuckte zurück.

»Was sagt denn dein Mann dazu?«

»Er hat nichts gegen dich.«

»Letztesmal, unsere Unterhaltung, sie war sonderbar. Findest du nicht auch?«

»Schon.« Sie umschloß seine Hand. »Wo hast du den Ehering getragen?«

»Ich hatte keinen.«

»Warum?«

»Weil ich Schmuck nicht ausstehen kann.«

»Aber das ist doch kein Schmuckstück.«

»Egal. Auch Halsketten und ähnliches. Nur eine Armbanduhr. Seit meiner Lagerzeit kann ich Schmuck nicht ausstehen.«

Sie nahm seine Hand und legte sie auf ihr Gesicht. Dann küßte sie die Innenfläche.

Das Telefon klingelte, Jannings war am Apparat. Er ließ Grüße ausrichten. In zwei Tagen wisse er alles über seinen verschollenen Vater.

»Na, wenn das kein Grund ist, uns am Samstag zu besuchen?«

Alexander erhob sich.

»Wie, du willst schon gehen?«
»Ja. Ich muß noch in Sibirien anrufen«, log er.
»Wir wollten doch noch etwas am See entlang spazieren.«
»Tut mir leid. Darf ich mir die Videokassette bis zum Wochenende ausborgen?«
Unschlüssig sah sie ihn an.
»Wegen der Erinnerung. Kannst du das verstehen?«

Jetzt könnte ich abreisen, ohne eine Nachricht zu hinterlassen, überlegte er. Das wäre unhöflich, aber für beide Parteien die beste Lösung. Eine Trennung für immer, ohne die Vergangenheit erneut zu berühren. Aber dann wäre ich ein Feigling. Nicht vor den Jannings, nicht vor Hellen, sondern vor mir. Und ich wäre unglaubwürdig obendrein, denn ich würde mich selbst verraten.

Deshalb blieb Alexander, und er suchte am Wochenende wieder die Familie Jannings auf. Hellen entschuldigte sich für ihren Sohn, er komme etwas später. Aber sie könnten doch schon mal mit dem Essen beginnen. Während sie ihn ins Speisezimmer führte: »Ingo hat Nachrichten von deinem Vater.« So, wie sie es sagte, konnte sich Alexander ausrechnen, wie sie lauteten.

»Herr Koenen, es tut mir leid.« Jannings trat auf ihn zu und schüttelte ihm die Hand. »Ihr Vater ist meinem Wissensstand nach im Krieg gefallen. Schon 1942, in Rußland. Es tut mir leid.«

»Kann er nicht vermißt sein?«

Jannings schüttelte den Kopf. »Niemand mit dem Namen Kurt Koenen ist noch vermißt. Inzwischen hat man alle Schicksale aufgeklärt. Es tut mir wirklich leid.«

»Schon gut.« Alexander grübelte. Was hatte Steinmetz seinerzeit am Bratsker Staudamm zu ihm gesagt? Daß sein Vater, als er merkte, der Endsieg rückte in immer weitere Ferne, vielleicht die Identität eines Toten angenommen haben könnte?

Jannings beschrieb, wie er an die Information gekommen war, aber Alexander hörte nicht zu. Als Hellen ihn ansah, sein kantiges Gesicht mit den schmalen Lippen bemerkte, da führte sie es auf die Nachricht zurück. Was sie irritierte, waren Alexanders Augen, wild und von einer ungewohnten Eindringlichkeit.

»Ich habe dir die Videokassette mitgebracht.« Alexander legte sie auf den Tisch.

»Welche Kassette?« wollte Jannings wissen.

Hellen wurde sichtlich nervös. »Die Überspielung eines alten Wochenschaufilms aus Moskau.«

»Kenne ich ihn schon?«

Hellen schüttelte den Kopf.

»Und warum nicht?«

»Ich weiß nicht. Wird dich nicht interessieren.«

Jannings Stimme wurde eine Nuance schärfer. »Hast du Geheimnisse vor mir?«

Hellen verneinte.

»Ich frage dich, was ist auf der Kassette?«

»Das Hotel National, die Pressekonferenz, Alexander und ... ich.«

Unruhig wanderten Jannings Augen zwischen den beiden hin und her.

»Und das hast du mir vorenthalten?«

Immer noch war das Wilde in Alexanders Blick, aber auch Unsicherheit. Warum hatte Hellen ihrem Mann den Film nie gezeigt?

»Ich möchte ihn sehen. Jetzt, auf der Stelle.«

»Ingo, bitte, nicht so laut.«

»Ich kann in meinem Haus ...« Leiser sprach er weiter: »Ich kann in meinem Haus so laut sein, wie es mir paßt.«

Jannings, er fühlte sich hintergangen, stand auf, schnappte sich die Kassette und stürmte ins Wohnzimmer zu Videorecorder und Fernseher. Entschlossen drückte er auf die Fernbedienung und ließ sich in einen Sessel fallen.

Die Bilder liefen und Jannings, der lässig die Beine übereinandergeschlagen hatte, zuckte zusammen. Er beugte sich nach vorn und starrte auf den Bildschirm.

Alexander trat näher und betätigte den Rücklauf, die entsprechende Phase war erneut zu sehen.

Ruckartig schnellte Jannings Kopf zu Alexander herum und wieder zurück zum Fernseher. Mühsam erhob er sich aus dem Sessel und wandte sich ab. »Ach das ist es. Ich dachte schon, ihr habt ...« Er wollte gehen.

»Herr Jannings, darf ich Ihnen eine bestimmte Stelle zeigen?«
»Danke, ich habe keinen Bedarf.«
»Herr Jannings!«
Er blieb stehen, blickte unsicher über die Schulter.
»Sie setzen sich jetzt hin und schauen sich alles an!«
Hellen erschrak vor Alexander. Die Worte waren wie Stiche, tief und verletzend und bestimmend.

Jannings ließ sich in den Sessel sinken, seine Finger waren ständig in Bewegung. Alexander stoppte den Film an einer bestimmten Stelle. Das Bild wackelte leicht, trotzdem war die Situation genau zu erkennen.

»Ich gehe aus dem Hotel. Mit der rechten Hand drücke ich die Tür auf, Gedränge, und neben mir steht ein Mann mit Hut. Er steckt mir etwas in die Tasche.«

Und weil das Fernsehbild nicht alles wiedergab, zog Alexander Fotos hervor. Eines legte er auf den Tisch. Hellen trat näher und schaute es sich an. Deutlich war eine Hand zu sehen, die Hand eines Fremden, die in Alexanders Tasche verschwand.

»Und genau hier fand später der KGB das amerikanische Geld. Zweihundert Dollar steckte mir jemand zu, und dann hat der Betreffende den Geheimdienst angerufen. Oder vielleicht auch schon vorher. Ich weiß es nicht. Na, Herr Jannings, würden Sie es auch so sehen?«

Jannings zuckte mit der Schulter. »Von dem Geld keine Spur.«

Alexander ließ das Band zurücklaufen. Hellen erschien auf dem Fernseher, zuerst von vorn und dann im Profil. Alexander fror das Bild ein.

»Und hier die Lösung.«
»Welche Lösung?«
»Der Mann, der mir das Geld zugesteckt hat.«
»Wer?« Hellens Augen irrten zwischen Alexander, dessen Gesicht wie gemeißelt war, ihrem Mann und dem Fernseher hin und her.

»Frag deinen Mann.« Worte wieder wie Stiche. Herausgestoßen mit Haß und Wut. Alexanders Gesicht lief rot an und verzerrte sich.

»Warum soll ich Ingo fragen?«

Zwei Schritte bis zum Fernseher, Alexander deutete mit dem Finger auf eine bestimmte Person. »Hier, dein lieber Ingo, den Hut in der Hand. Der einzige, der einen Hut in der Hand hält. Und vorhin der Mann war auch mit Hut, aber auf dem Kopf.«

Alexander schleuderte ein zweites Foto in Jannings Richtung. Es blieb vor dessen Füßen liegen. Jannings reagierte nicht. Hellen bückte sich und starrte es an.

»Ingo, was hat das zu bedeuten?«

Alexander antwortete an seiner Stelle und trat drohend näher. »Er war damals auch in Moskau. Du hast doch von deinem Begleiter gesprochen, der so eifersüchtig auf dich sei. Und das war Jannings. Ich habe ihn in der Bar gesehen, als er zu uns an den Tisch trat.« Jedes Wort unterstützte Alexander mit einer florettartigen Handbewegung, als wollte er Jannings aufspießen.

»Ja, er war auch dort. Wir waren beide dort«, stammelte Hellen.

»Und dein lieber Ingo geht hin, steckt mir das Geld in die Tasche, ruft den KGB an und wird mich auf bequeme Art und Weise los.«

Alexander faßte den apathisch Sitzenden an der Jacke und riß ihn hoch. »Er stiehlt mir die Frau, läßt mich einsperren in ein Lager und stiehlt mir auch noch mein Leben. Du Schwein! Du dreckiges Schwein!«

Alexander schlug zu, mitten in das verhaßte Gesicht. Blut spritzte. Und er schlug wieder zu, wieder und wieder.

Jannings lag längst auf dem Boden, und Alexander kniete über ihm. Jannings wehrte sich nicht, er stöhnte. Alexander packte ihn am Jackenaufschlag, hob ihn hoch und hämmerte den Kopf auf den Boden. »Du hast mir alles genommen. Ich bringe dich um.«

Plötzlich fühlte sich Alexander von hinten gepackt. Zwei starke Arme zerrten ihn weg von dem Wehrlosen. Alexander schlug um sich, wollte sich dem neuen Feind zuwenden. In seinem Gesicht spiegelten sich alles Leid der Vergangenheit und der aufgestaute Haß.

»Laß mich los«, schrie er, Speichel lief ihm aus dem Mund. »Ich bringe ihn um.«

Er wollte sich erneut dem bewußtlosen Jannings zuwenden, aber die Hände waren stärker. Erstaunt über die Kraft des anderen, drehte sich Alexander um und hob die Faust. Er sah in ein fremdes Gesicht, und das Gesicht irritierte ihn.

»Bitte tu es nicht ... Vater.«

Alexanders Faust verharrte in der Luft, seine Augen weiteten sich, die Worte drangen tiefer.

»Was haben Sie gesagt?« Seine Stimme kam ihm fremd vor.

»Tu es nicht, Vater.«

»Vater? Er ist Ihr Vater?« Alexander deutete hinter sich auf Jannings.

Das Gesicht verneinte. »Du bist mein Vater.«

»Ich ... ich bin dein ... dein Vater?«

Der junge Mann ließ Alexander los, sah ihn an und nickte. Alexanders Faust sackte nach unten und entkrampfte sich. Regungslos stand er mitten im Raum, den Mund halb geöffnet, die Augen auf den jungen Mann gerichtet, der ihn um einige Zentimeter überragte. Dunkel waren seine Haare, braune Augen hatte er, die von Hellen. Und ein Kinn, durchsetzungsstark und markant mit einem Grübchen.

»Ich soll dein Vater ...«

Hellen trat näher. Sie umfaßte Alexanders Arm, zog ihn zu einem Sessel und setzte sich auf die Lehne.

Der junge Mann bückte sich und hob Jannings Kopf an. »Er muß ins Krankenhaus.«

Jannings erwachte aus seiner Bewußtlosigkeit. »Nein«, sagte er mit schwacher Stimme. »Nicht ins Krankenhaus. Nicht jetzt. Gib mir einen Cognac.«

Mit Hilfe des jungen Mannes rappelte sich Jannings hoch. Schaute unsicher auf Alexander, der den Kopf gesenkt hatte. Gierig kippte Jannings den Cognac hinunter.

Es war wie ein langsames Erwachen. Zögernd sah Alexander Hellen an. Sie lächelte. »Es ist unser Sohn, Alex. Verstehst du?«

Alexander betrachtete den jungen Mann. Er stand neben Jannings. Eine Hand hatte er auf die Schulter des Älteren gelegt, als wollte er ihn beschützen.

»Unser Sohn?«

Der junge Mann nickte. Aber in seinem Gesicht war keine Freude.

»Und sein Vater ... sein Stiefvater hat mich ins ...«

Mit stockender Stimme hörte er Jannings sprechen: »Ich war eifersüchtig auf Sie ..., ich liebte Hellen. Sie bedeutete mir alles. Und ich habe alles getan, um sie für mich zu gewinnen ... Ja, ich habe Ihnen das Geld zugesteckt und den KGB informiert. Ich brauchte nicht weit zu gehen, sie waren im Hotel ... Und ich war froh, Sie damals losgeworden zu sein ... Es war wie ein Sieg. Mein Sieg. Es war so lange mein Sieg, bis Hellen mir sagte, sie sei schwanger. Schon vorher hat sie sich von mir zurückgezogen und war sehr reserviert.«

Als Jannings eine Pause machte, hörte Alexander Hellen sagen: »Ich habe mich Ingo anvertraut und ihm gesagt, daß ich ein Kind von dir erwartete. Zuerst war es für ihn wie ein Schock, er hat mich längere Zeit ignoriert, aber dann machte er mir einen Heiratsantrag. Das Kind müsse einen Vater haben.«

Der junge Mann ging hinaus und kam mit einem nassen Handtuch zurück. Er reinigte Jannings Gesicht. »Ich weiß es seit sieben oder acht Jahren. Und ich hatte von dir keine Vorstellung. Mutter hat mir alles erzählt. Auch, was dir widerfahren ist. Als aber von dir keine Nachrichten mehr kamen, da warst du für mich tot. Und wie du heute meinen Vater ... meinen Stiefvater behandelt hast, werde ich nie vergessen.«

»Schon gut«, beruhigte Jannings ihn. »Es zuzugeben tut verdammt weh, aber ich kann ihn verstehen. Und er hat ein Recht, mich zu strafen. Ich habe mich wirklich wie ein Schwein benommen. Ich war blind und heimtückisch und nur auf meinen Vorteil aus. Ich wollte Hellen haben, aber er stand mir im Weg. Also mußte er weg. Und er hat verdammt viel gelitten. Ich glaube nicht, daß das einer von uns nachvollziehen kann. Verdammt viel. Aber ich«, Jannings erhob sich mühsam und kam gekrümmt auf Alexander zu, »ich habe auch gelitten. Mehr als zwei Jahrzehnte war ich mit einer Frau verheiratet, die mich mochte und einen anderen liebte. Die im Traum immer wieder ›Alex‹ murmelte, sich hin und her warf und dann, wenn sie erwachte, mich mit Entsetzen anstarrte, als sei ich ein Aussätziger. Ich habe auch gelitten. Nicht körperlich, aber hier drinnen.« Jannings schlug die Faust gegen die Brust. »Das arbeitet und arbeitet und frißt dich auf. Langsam, jeden Tag etwas mehr. Stück für Stück. Du liebst eine Frau, bist mit ihr verheiratet, und sie ...«

Jannings wandte sich ab, stellte sich ans Fenster und starrte hinaus auf den dunklen See.

Alexander Jannings hatte inzwischen den Hausarzt benachrichtigt. Er traf ein, untersuchte Jannings, diagnostizierte einen Nasenbeinbruch und eine Gehirnerschütterung. Er müsse sofort ins Krankenhaus. Jannings fügte sich, blieb kurz vor Alexander mit einem Ausdruck im Gesicht stehen, als wollte er sich entschuldigen.

Aber Alexander registrierte die Bereitschaft nicht, er konnte all das nicht fassen. Die Entwicklung ging ihm zu schnell, lief an ihm vorbei. Jannings hatte ihn in Lagerhaft gebracht und gleichzeitig die Vaterrolle für seinen Sohn übernommen. Hellen ihn, Alexander, geliebt, trotzdem diesen Jannings geheiratet. Und sein Sohn würde nie vergessen, daß er Jannings so zugerichtet hatte.

Er war mit Hellen allein, Alexander junior begleitete seinen Stiefvater. Immer wieder sahen sie sich an, und dann suchten sie nach den rechten Worten. Hellen hielt Alexanders Hand. Sie fühlte, daß er zitterte und sich verkrampfte.

»Ich habe von all dem nichts gewußt. Ich meine, daß Ingo dir das Geld ...«

Alexander winkte ab. Er glaubte ihr.

»Und er war sehr gut zu deinem Sohn, als sei es sein eigener.«

Nichts mehr war von all der Wildheit zu spüren, als Alexander sie anschaute. »Das ist auch so ein Punkt, der mir zu schaffen macht. Dadurch kann ich ihn nicht ...« Ihm fehlten die Worte. Er wollte hassen sagen, aber innerlich sträubte er sich dagegen.

»Ich glaube, für Ingo war das die einzige Möglichkeit, sein Fehlverhalten wiedergutzumachen.«

»Fehlverhalten?« Alexanders Oberkörper wippte. »Die Hölle war es. Die Hölle, sage ich dir. Und hier drinnen ist alles noch frisch, als sei es gestern gewesen. Hier drinnen.« Er klopfte sich gegen die

Brust. »Und hier wird es auch bleiben. Unauslöschlich. Es ist Teil meiner selbst. In mir ist nur noch Hölle.«
»Du hast einen Sohn.«
»In mir ist nur noch ...« Er umklammerte Hellens Hand.
»Unser Sohn. Freust du dich denn nicht?«
»Er will nichts von mir wissen.«
»Sag das nicht.«
»Du hast es doch gehört: Er will nichts von mir wissen.«
Hellen nahm ihn in die Arme und streichelte seinen Rücken. »Doch. Du kannst dir nicht vorstellen, wie oft ich Alexander von dir erzählen mußte. Noch als er vor drei Wochen das letzte Mal zu Hause war, haben wir über dich gesprochen. Und er ist heute nur deinetwegen gekommen.«
Alexander antwortete nicht. Ihm tat der Druck ihrer Hände gut, er fühlte sich geborgen.
»Ingo hat gelitten. All die Jahre gelitten. Und wenn ich keine Kraft mehr hatte, dann war er es, der mich aufforderte, für dich tätig zu werden. Damals die Unterschriftenaktion ging auf seine Initiative zurück. Er hat all seine Beziehungen spielen lassen, um mir zu helfen, obwohl er wußte, daß ich dich liebte. Und trotzdem, Ingo war mir ein treuer Freund.«
Jedes Wort, das Hellen sagte, schmerzte ihn, zugleich wuchs aber auch eine seltsame Beruhigung. Alexander fühlte sich hin und her gerissen.
»Ingo hat wirklich gelitten, und nun weiß ich auch, warum. Ich möchte sein Verhalten nicht entschuldigen, so etwas kann man nicht entschuldigen. Aber miß einen Menschen nicht nur an den schlimmen Taten, an seinen Verfehlungen, sondern auch daran, wie er damit fertig wird. Und miß ihn besonders an der Einsicht.«

In den kommenden zwei Tagen kam Alexander sich wie eingehäutet vor. Um sich herum glaubte er eine Hülle zu fühlen, die er nicht durchdringen konnte.
Erschreckend war für ihn die Erkenntnis, wie wechselhaft sich seine Gefühle äußerten. Faust in der Tasche ballen, wenn er an die Geldübergabe im Hotel National in Moskau und die Folgen dachte,

wurde abgelöst durch ein zufriedenes, geradezu übermütiges Schmunzeln. Immerhin war er Vater eines Sohnes. Urplötzlich stand ein siebenundzwanzigjähriger, ausgewachsener, kräftiger junger Mann vor ihm. Sein Sohn!

Und in dieser Phase, in der Alexander sich neu definieren und seine Position überdenken wollte, besuchte ihn überraschend Friedhelm Kurz, mit dem er schon so viele Geschäfte in Sibirien abgewickelt hatte.

Freudig begrüßte er ihn. »Mensch, was machen Sie denn hier in Essen?«

Eisig kam die Antwort. »Ihnen mitteilen, daß unsere Partnerschaft beendet ist.«

Alexander war konsterniert. »Wieso denn das?«

»Sie Idiot.«

»Moment mal. Was …«

»Sie dreimal borniert und blöder Idiot.«

Stirnrunzeln und Zurückzucken, das war Alexanders Reaktion. »Was erlauben Sie sich.«

»Was erlauben Sie sich«, konterte Kurz. »Gehen zu Jannings und schlagen ihn zusammen. Wissen Sie denn nicht, was Sie da getan haben?«

»Das geht Sie überhaupt nichts an.«

»Und ob mich das was angeht. Ohne Jannings gäbe es unseren Kontakt nicht.«

»Wie bitte? Sagen Sie das noch mal.«

Kurz erklärte Alexander, daß Jannings vor Jahren an ihn herangetreten sei mit der Bitte, er möge Geschäftsbeziehungen zu ihm, Robert Koenen, aufnehmen und ihm den allerbesten Preis für die Waren machen. Gewinn sei nicht erforderlich, es komme nur darauf an, diesen Wolgadeutschen in Mittelsibirien auf das Hervorragendste zu bedienen. Prompt und zu Vorzugskonditionen.

»Und warum?«

»Weil er Sie die ganze Zeit über hat suchen lassen und froh war, als er Sie endlich fand.«

»Und warum?«

»Sie Idiot. Der Mann hat gelitten, er wollte seine Schuld tilgen.

Wann kapieren Sie das endlich? Ich weiß nicht, was ihn die Suche gekostet hat. Bei uns bekommen Sie für den Gegenwert leicht ein schönes Haus. Und Häuser sind in Deutschland nun mal teuer.«
»Aber er hat mir doch ...«
Kurz winkte ab.
»Seit wann wissen Sie es?«
»Seit gestern. Ingo Jannings hat mich zu sich bestellt und mich gebeten, die Beziehungen zu Ihnen aufrechtzuerhalten. Aber ich will nicht mehr, auch nicht Ingo zuliebe.«
»Wissen Sie überhaupt, was er mir angetan hat?«
»Natürlich weiß ich das, und zwar aus Ihren eigenen Erzählungen. Aber Sie leben. Und Sie stehen hier vor mir. Wie lange wollen Sie denn noch ihr Leid durch die Gegend spazierentragen?«

Kurz war gegangen, Alexander allein und verbittert. Keiner versteht mich, keiner, nur Hellen. Ich trage mein Leid spazieren. Dieser verflixte Kurz kann mir gestohlen bleiben.

Alexander packte seine Sachen und bestellte sich ein Taxi. Nur noch zu Hellen und mich verabschieden, sagte er sich, dann schnell zurück nach Hause.

Hellen empfing ihn mit verweinten Augen.
»Was ist mit dir?«
Sie sah ihn nur an, und er stellte in der Diele seinen Koffer ab.
Stumm führte sie Alexander zu ihrem Mann. »Er konnte es im Krankenhaus nicht aushalten.«

Jannings lag in seinem Zimmer auf dem Sofa, einen Verband um den Kopf und das Gesicht bis zur Unkenntlichkeit geschwollen. Er grinste schief, als er Alexander erkannte.

»Wenn Sie sich entschuldigen wollen, dann können Sie gleich wieder gehen«, quetschte er kaum verständlich hervor.

Ich trage mein Leid durch die Gegend spazieren. Mit diesem Gedanken trat Alexander näher.

Hellen rückte einen Sessel zurecht, Alexander junior lehnte sich mit der Schulter an den Fensterrahmen, ging aber nach wenigen Sekunden hinaus.

»Wie haben Sie mich ausfindig gemacht?«

Jannings versuchte zu lächeln und verzog schmerzhaft das Gesicht. »Über den Brief des Österreichers. Hellen hat ihn mir gezeigt. Ich kannte Ihren Namen und Ihren Aufenthaltsort. Aber ich hätte Sie nie gefunden, wenn nicht einer Ihrer Freunde sich plötzlich gemeldet hätte.«

»Nikolai?«

»Ja. Seinerzeit war er Ihr zukünftiger Schwiegervater. Er hat Erkundigungen über Hellen eingezogen und ist dabei im Konzern, ich bin noch für denselben wie früher tätig, auf mich gestoßen. Wir haben uns einige Male getroffen, und Nikolai habe ich irgendwann alles erzählt.«

»Nikolai. Warum hat er mir nie …«

Jannings wußte keine Antwort. Oder etwa doch? Alexander gab sich dann die Erklärung selbst. »Weil ich damals seine Tochter Larissa …«

»Ja, das wird der Grund gewesen sein. Sie können mir glauben, für mich war es sehr angenehm, daß Sie seine Tochter heiraten wollten.«

»Und durch Friedhelm Kurz sind Sie ständig über mich informiert gewesen.«

Jetzt schaffte es Jannings, etwas zu lächeln. »Irgendwie hat es uns Spaß gemacht, mit Ihnen zusammenzuarbeiten. Es ist bestimmt nicht so, daß wir nur Samariter gespielt haben. Im Gegenteil. In den letzten Jahren haben wir enorm verdient, damit alle Anfangskosten wieder aufgefangen und Profit eingefahren.«

Unsicher schaute Alexander Hellen an. Sie sah traurig aus mit dem vom Weinen verquollenen Gesicht. Was geht hier vor, fragte er sich. »Aber wenn Sie wußten, wer und wo ich war, warum haben Sie Ihrer Frau nichts davon gesagt?«

Hellen schluchzte, während Jannings antwortete: »Sie hätte wissen wollen, warum ich das alles tue. Und ich kann sie nicht belügen, sie sieht es mir sofort an. Zwangsläufig hätte ich meine damalige Verfehlung zugeben müssen, aber das wollte ich nun auch wieder nicht. Immerhin ging es um unsere Ehe …«

Alexanders Hals war wie eingeschnürt. Er schluckte. Mit tonloser Stimme fragte er: »Sie haben Ihrer Frau nichts von mir erzählt? Sie weiter in dem Glauben gelassen, ich sei ...« An Alexanders Schläfen schwollen unheilvoll die Adern.

Jannings nickte.

Alexander konnte Jannings nur anstarren, dessen Beweggründe gingen nicht in seinen Kopf. Ließ seine Frau einfach im Glauben, er sei tot, und das nach all den Versuchen und Bemühungen, die Hellen unternommen hatte, ihn im weiten Sibirien ausfindig zu machen.

»Ich habe ihm auch nicht alles gesagt, Alexander«, schaltete sich Hellen ein. »Du warst für uns zeitweise tabu. Ich habe mich immer so aufgeregt, und Ingo hat darauf Rücksicht genommen. Jeder hat sich auf seine Weise mit dir beschäftigt, ohne es dem anderen mitzuteilen.«

Nach einer Weile gab Jannings sich einen Ruck: »Im Prinzip führen wir wegen Ihnen auch keine Ehe.« Seine Stimme klang enttäuscht und matt, als er weitersprach: »Nach außen hin bemühten wir uns, zuerst wegen Alexander und dann wegen unserer gesellschaftlichen Stellung. Hellen litt weniger darunter als ich.«

Alexander reagierte, da sich sein Erstaunen allmählich legte, aggressiv: »Über all die Jahre hat Hellen also gedacht, ich sei tot. Und mein ... Alexander auch.«

Kleinlaut antwortete Jannings: »Bitte verstehen Sie mich doch: Es sollte und durfte niemand wissen, auf welche Art ich mit Ihnen umgesprungen bin.«

Alexander, dem plötzlich wieder danach war, in dieses verquollene Gesicht zu schlagen, griff sich an den Kopf. »Nein, das kann ich nicht verstehen. Das kann ich, weiß Gott, nicht verstehen.«

Jannings begann mit seiner Rechtfertigungsrede. »Ich habe wesentlich früher mit Ihnen gerechnet, schon vor einigen Jahren, gleich nach dem Tod Ihrer Familie. Und als Sie nicht kamen, da sagte ich mir, seine Gefühle haben sich gelegt, es wird für ihn nicht so wichtig sein, sonst wäre er längst hier und hätte mir Hellen weggenommen. Und so hoffte ich weiter. Wenn Hellen gewußt hätte, daß Sie noch lebten, sie wäre sofort zu Ihnen gereist. Und genau das mußte ich verhindern, ich liebte sie doch.«

Jannings blieb für Alexander ein Rätsel. Er verehrte seine Frau abgöttisch und verschwieg ihr, daß ihr Geliebter, den sie für tot hielt, noch lebte. Gleichzeitig und quasi als moralische Rechtfertigung für seine ungeheuerliche Tat und Denunziation half er Alexander, mit Kurz gute Geschäfte zu machen. Und obendrein traf er sich auch noch mit Nikolai, zum letztenmal wohl, als dieser kurz vor seinem Tod darauf bestanden hatte, allein nach Moskau zu reisen.

Jannings meldete sich mit weinerlicher Stimme: »Ich wollte sie halten. Sie ist doch meine Frau.«

Alexander wandte sich ab, Hellen folgte ihm.

Alexander wollte zur Diele, wo sein Koffer stand. Sie führte ihn ins Wohnzimmer. »Ingo hat meinem Sohn und mir gestern abend alles erzählt. Ich verlasse ihn.«

Alexander registrierte erst verspätet ihre Worte. »Du willst von ihm weg?«

Hellen nickte.

»Und wo ...«

Sie küßte ihn auf die Wange.

»Doch nicht etwa mit mir ...?«

Sie nickte.

»Aber ich gehe nicht mehr zurück nach Sibirien.«

Hellen schien es besser zu wissen. »Doch. Ich glaube schon. Du wirst gleich Besuch erhalten. Er hat dich im Hotel nicht angetroffen.«

»Wer ist es denn?«

»Warte es ab.«

Der Besuch. Als Leiter einer Delegation war er zu schwierigen Verhandlungen über Kreditverlängerungen und westliche Aufbauhilfen in Bonn gewesen. Heute machte er extra einen Abstecher nach Essen, um Alexander zu treffen. Der Wirtschaftsminister von Rußland und sein persönlicher Referent Kosyrew sprachen mehrere Stunden mit Alexander. Dann verabschiedeten sie sich. Die Männer sahen zufrieden und gelöst aus. Als sie ihre Hände ineinanderlegten, war das die Besiegelung eines Paktes.

»Ja, ich gehe zurück.« Alexander war anzusehen, daß er diese Entscheidung herbeigesehnt hatte. »Ich gehe zurück.«

Hellen hakte sich bei ihm ein und fügte, als sei das für sie selbstverständlich, hinzu: »Wir gehen zurück.«

Ihr Sohn sah sie bestürzt an. Alexander nutzte die Gunst des Augenblicks und legte ihm eine Hand auf die Schulter. »Ich würde mich freuen, wenn auch du ...«

Vater und Sohn – die gleichen Augen, der gleiche Blick. Beide versuchten im Gesicht des anderen zu lesen. Und lächelten plötzlich – als würden sie sich ... verstehen.

Vielleicht hat Nikolai, als er vor vielen Jahren einen Nachfolger suchte, mich genauso angeschaut wie ich jetzt meinen Sohn, überlegte Alexander. Sibirien braucht bald wieder einen neuen König.

Spannende Krimi-Bestseller aus dem Bechtermünz Verlagsprogramm:

Nancy Taylor-Rosenberg:
Im Namen der Gerechtigkeit
480 Seiten, Format 12,5 x 18,7 cm,
gebunden
Best.-Nr. 751 057
ISBN 3-8289-0078-X
Sonderausgabe nur DM 18,–

Mary Higgins Clark:
Stille Nacht
192 Seiten, Format 12,5 x 18,7 cm,
gebunden
Best.-Nr. 393 421
ISBN 3-8289-0024-0
Geschenkausgabe nur DM 15,–

Mary Higgins Clark:
Das Haus auf den Klippen
336 Seiten, Format 12,5 x 18,7 cm,
gebunden
Best.-Nr. 378 638
ISBN 3-86047-899-0
Geschenkausgabe nur DM 15,–

Mary Higgins Clark:
Das fremde Gesicht
336 Seiten, Format 12,5 x 18,7 cm,
gebunden
Best.-Nr. 378 620
ISBN 3-86047-898-2
Geschenkausgabe nur DM 15,–

Mary Higgins Clark:
Ein Gesicht so schön und kalt
320 Seiten, Format 12,5 x 18,7 cm,
gebunden
Best.-Nr. 378 646
ISBN 3-86047-388-3
Sonderausgabe nur DM 15,–

Sue Grafton:
Letzte Ehre
352 Seiten, Format 12,5 x 20,5 cm,
gebunden
Best.-Nr. 385 278
ISBN 3-8289-0016-X
Sonderausgabe nur DM 18,–

Sue Grafton:
Nichts zu verlieren
256 Seiten, Format 12,5 x 20,5 cm,
gebunden
Best.-Nr. 385 260
ISBN 3-8289-0015-1
Sonderausgabe nur DM 15,–

Fran Dorf:
Der lange Schlaf
384 Seiten, Format 13,0 x 22,0 cm
gebunden
Best.-Nr. 327 155
ISBN 3-86047-674-2
Sonderausgabe nur DM 19,80

Fran Dorf:
Die Totdenkerin
352 Seiten, Format 13,5 x 21,5 cm,
gebunden
Best.-Nr. 357 947
ISBN 3-86047-884-2
Sonderausgabe nur DM 19,80

Ruth Rendell:
Die Brautjungfer
400 Seiten, Format 13,5 x 19,2 cm,
gebunden
Best.-Nr. 350 140
ISBN 3-86047-874-5
Sonderausgabe nur DM 16,90

Ruth Rendell:
Die Werbung
384 Seiten, Format 13,5 x 19,2 cm,
gebunden
Best.-Nr. 350 223
ISBN 3-86047-873-7
Sonderausgabe nur DM 16,90

Stephen King:
The Stand
1208 Seiten, Format 12,5 x 18,7 cm,
gebunden
Best.-Nr. 342 402
ISBN 3-86047-824-9
Sonderausgabe nur DM 19,80

Joy Fielding:
Sag Mammi Goodbye
Ein mörderischer Sommer
Sammelband, 736 Seiten,
Format 11,5 x 18,0 cm,
gebunden mit Schutzumschlag
Best.-Nr. 336 016
ISBN 3-86047-816-8
Sonderausgabe nur DM 19,80

Ken Follett:
Die Nadel
Der Modigliani-Skandal
Auf den Schwingen des Adlers
3 Bände, insgesamt 688 Seiten,
Format 12,5 x 18,7 cm,
gebunden mit Schutzumschlag
Best.-Nr. 365 981
ISBN 3-86047-809-5
Sonderausgabe komplett nur DM 29,80

Anne Perry:
Eine Spur von Verrat
512 Seiten, Format 13,0 x 20,5 cm,
gebunden
Best.-Nr. 347 856
ISBN 3-86047-871-0
Sonderausgabe nur DM 19,80

Anne Perry:
Im Schatten der Gerechtigkeit
480 Seiten, Format 13,0 x 20,5 cm,
gebunden
Best.-Nr. 347 849
ISBN 3-86047-872-9
Sonderausgabe nur DM 19,80

Noah Gordon:
Die Klinik
432 Seiten, Format 13,5 x 21,5 cm,
gebunden mit Schutzumschlag
Best.-Nr. 356 774
ISBN 3-86047-877-X
Sonderausgabe nur DM 16,80

Noah Gordon:
Der Rabbi
416 Seiten, Format 13,5 x 21,5 cm,
gebunden mit Schutzumschlag
Best.-Nr. 356 790
ISBN 3-86047-878-8
Sonderausgabe nur DM 16,80

Martin Woodhouse
Robert Ross:
Die Kanonen der Medici
Der Smaragd der Medici
Sammelband, 512 Seiten,
Format 13,5 x 21,5 cm,
gebunden
Best.-Nr. 341 701
ISBN 3-86047-823-0
Sonderausgabe nur DM 16,80

Philipp Vandenberg:
Der grüne Skarabäus
384 Seiten, Format 13,5 x 21,5 cm,
gebunden
Best.-Nr. 356 782
ISBN 3-86047-837-0
Sonderausgabe nur DM 16,80

Philipp Vandenberg:
Das Pharao-Komplott
480 Seiten, Format 12,5 x 18,7 cm,
gebunden
Best.-Nr. 382 820
ISBN 3-8289-0002-X
Sonderausgabe nur DM 16,80